SARAH LARK

Der Ruf des Kiwis

ROMAN

BASTEI LÜBBE TASCHENBUCH
Band 16261

1. + 2. Auflage: Mai 2009

Bastei Lübbe Taschenbücher
in der Verlagsgruppe Lübbe

Originalausgabe

Dieses Werk wurde vermittelt durch
die Literarische Agentur Thomas Schlück GmbH, 30827 Garbsen.

Lektorat: Wolfgang Neuhaus/Melanie Blank-Schröder
Titelillustration: Masterfile Deutschland GmbH
Umschlaggestaltung: Bettina Reubelt
Satz: Urban SatzKonzept, Düsseldorf
Gesetzt aus der Palatino
Druck und Verarbeitung: GGP Media GmbH, Pößneck
Printed in Germany
ISBN 978-3-404-16261-1

Sie finden uns im Internet unter
www.luebbe.de
Bitte beachten Sie auch:
www.lesejury.de

Der Preis dieses Bandes versteht sich einschließlich
der gesetzlichen Mehrwertsteuer.

In Erinnerung an Einstein
und Marie Curie

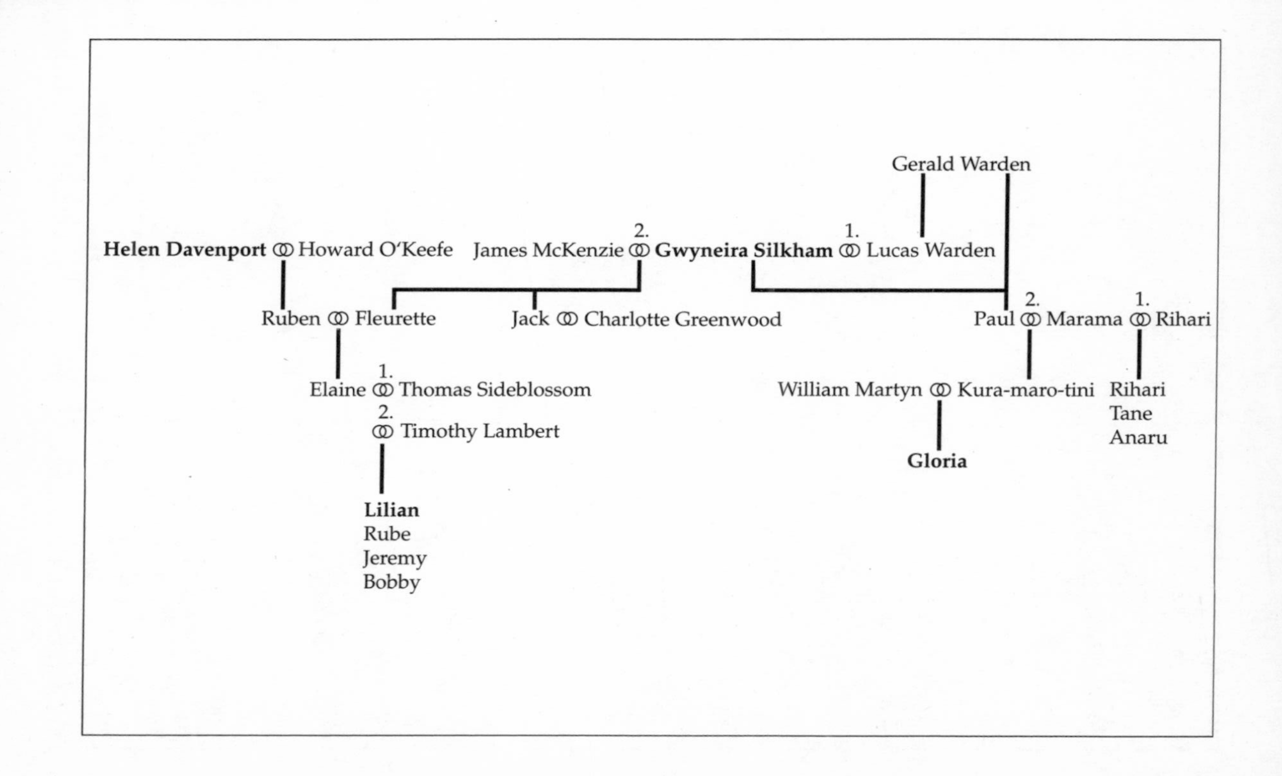
Gerald Warden
Helen Davenport ⚭ Howard O'Keefe
James McKenzie 2. ⚭ Gwyneira Silkham 1. ⚭ Lucas Warden
Ruben ⚭ Fleurette
Jack ⚭ Charlotte Greenwood
Paul 2. ⚭ Marama 1. ⚭ Rihari
Elaine 1. ⚭ Thomas Sideblossom
2. ⚭ Timothy Lambert
William Martyn ⚭ Kura-maro-tini
Rihari
Tane
Anaru
Gloria
Lilian
Rube
Jeremy
Bobby

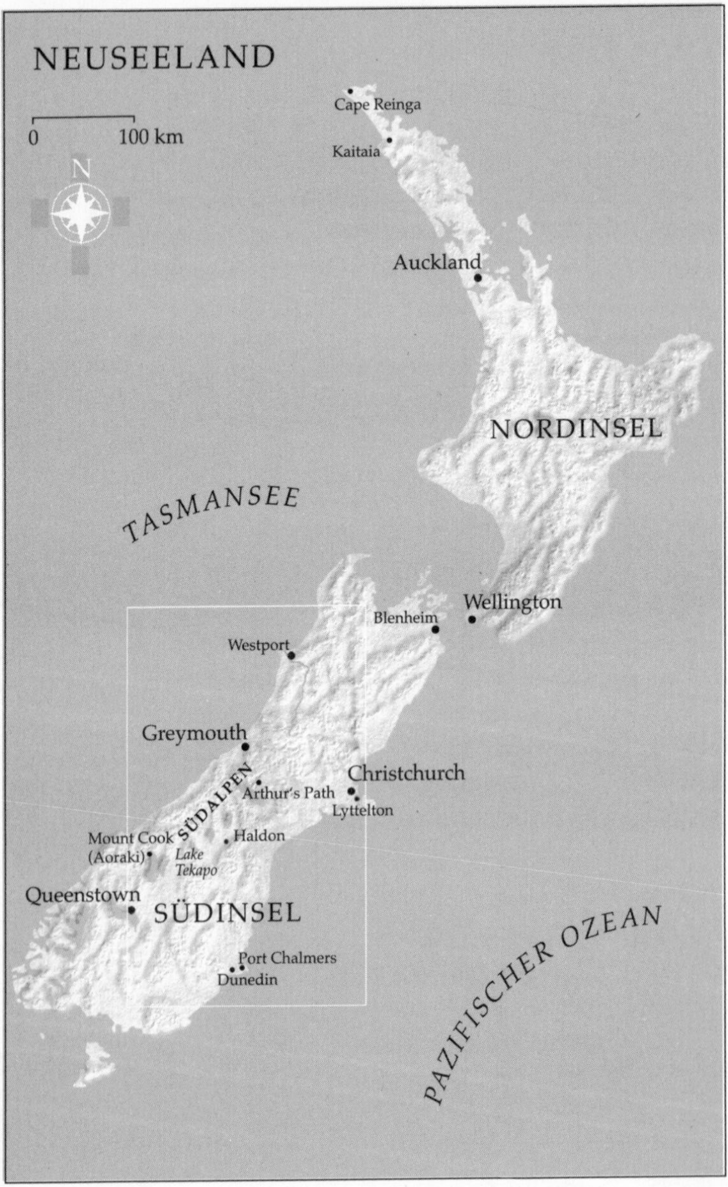

NEUSEELAND

0 100 km

N

Cape Reinga

Kaitaia

Auckland

NORDINSEL

TASMANSEE

Wellington

Blenheim

Westport

Greymouth

SÜDALPEN

Christchurch

Arthur's Path

Lyttelton

Mount Cook (Aoraki)

Haldon

Lake Tekapo

Queenstown

SÜDINSEL

Port Chalmers

Dunedin

PAZIFISCHER OZEAN

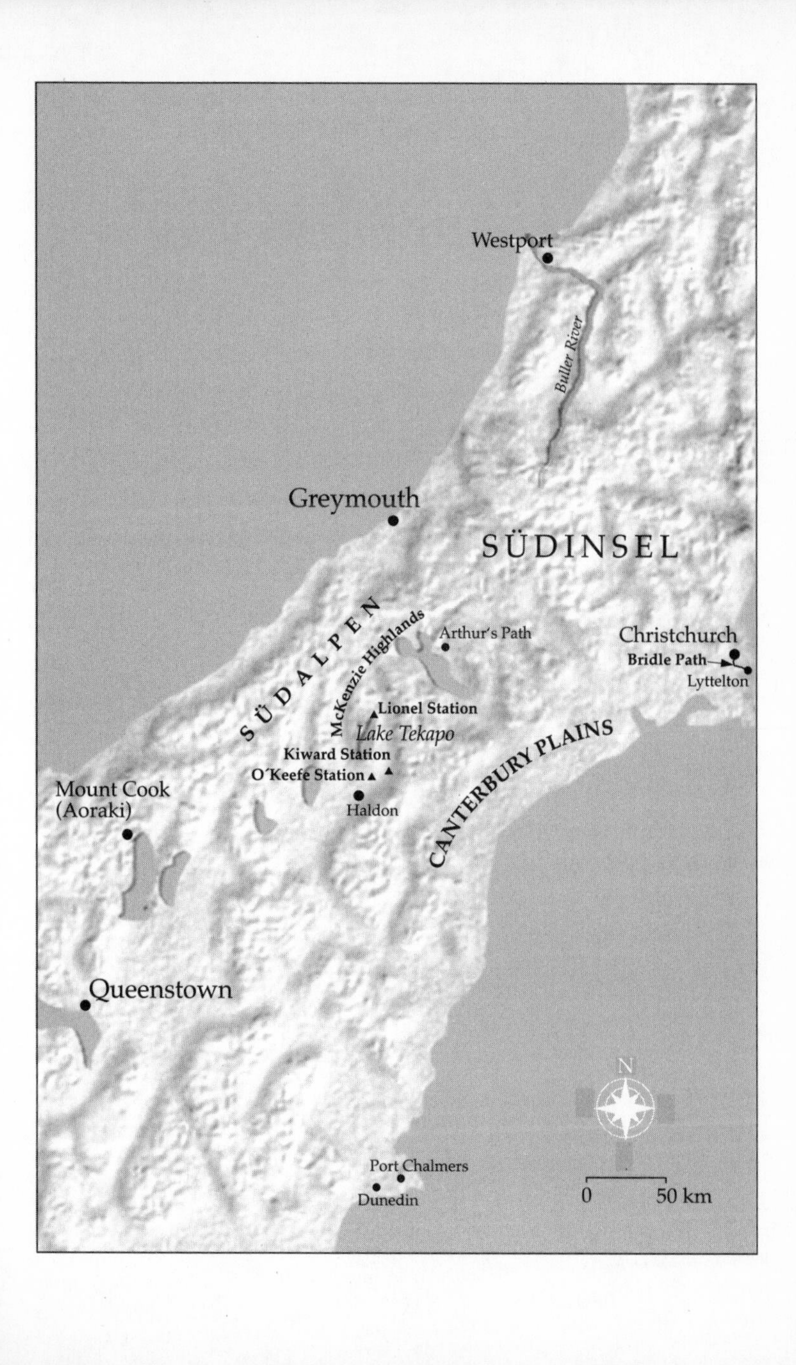
Westport
Buller River
Greymouth
SÜDINSEL
SÜDALPEN
McKenzie Highlands
Arthur's Path
Christchurch
Bridle Path
Lyttelton
Lionel Station
Lake Tekapo
Kiward Station
O'Keefe Station
Haldon
CANTERBURY PLAINS
Mount Cook
(Aoraki)
Queenstown
N
Port Chalmers
Dunedin
0
50 km

ERZIEHUNG

Canterbury Plains, Greymouth,
Christchurch, Cambridge
1907 – 1908 – 1909

1

»Ein Wettrennen! Komm, Jack, bis zum Ring der Steinkrieger!«

Gloria wartete Jacks Antwort gar nicht erst ab, sondern brachte ihr fuchsfarbenes Pony gleich neben seinem Pferd in Startposition. Als Jack ergeben nickte, legte Gloria leicht die Unterschenkel an, und die kleine Stute stob davon.

Jack McKenzie, ein junger Mann mit rotbraunem lockigem Haar und ruhigen, grünbraunen Augen, ließ sein Pferd ebenfalls angaloppieren und folgte dem Mädchen über das schier endlose Grasland von Kiward Station. Jack hatte keine Chance, Gloria mit seinem kräftigen, eher langsamen Cobwallach einzuholen. Er war auch zu groß für einen Jockey, aber er gönnte dem Mädchen den Spaß. Gloria war mächtig stolz auf das pfeilschnelle Pony aus England, das wie ein Vollblüter in Kleinformat wirkte. Soweit Jack sich erinnerte, war es das erste Geburtstagsgeschenk ihrer Eltern, mit dem Gloria wirklich glücklich war. Der Inhalt der Pakete aus Europa, die sonst in unregelmäßigen Abständen für sie eintrafen, war wenig spektakulär: ein Rüschenkleid samt Fächer und Kastagnetten aus Sevilla; goldfarbene Schühchen aus Mailand; eine winzige Straußenlederhandtasche aus Paris ... alles Dinge, die auf einer Schaffarm in Neuseeland nicht sonderlich von Nutzen waren und die sich sogar für gelegentliche Besuche in Christchurch als viel zu extravagant erwiesen.

Doch Glorias Eltern dachten nicht an so etwas, im Gegenteil. William und Kura Martyn stellten es sich wahrscheinlich amüsant vor, die eher hausbackene Gesellschaft in den Canterbury Plains durch einen Hauch »Große Welt« zu schockieren. Hemmungen und Schüchternheit waren beiden fremd, und sie gingen selbstverständlich davon aus, dass ihre Tochter ähnlich fühlte.

Während Jack nun in halsbrecherischem Tempo über Feldwege preschte, um das Mädchen wenigstens nicht aus den Augen zu verlieren, dachte er an Glorias Mutter. Kura-marotini, die Tochter seines Halbbruders Paul Warden, war eine exotische Schönheit und mit einer außergewöhnlichen Stimme gesegnet. Die Musikalität verdankte sie wohl eher ihrer Mutter, der Maori-Sängerin Marama, als ihren weißen Verwandten. Kura hatte von klein auf den Wunsch gehegt, die Opernwelt in Europa zu erobern, und unablässig ihre Stimme ausgebildet. Jack war gemeinsam mit ihr auf Kiward Station aufgewachsen und dachte heute noch mit Grausen an Kuras Gesangsübungen und ihre schier endlose Klavierspielerei. Dabei hatte es zunächst so ausgesehen, als gäbe es im ländlichen Neuseeland keine Chance für sie, ihre Träume zu verwirklichen – bis sie in William Martyn, ihrem Mann, endlich den Bewunderer fand, der ihre Talente zur Geltung zu bringen wusste. Seit Jahren tourten die beiden mit einer Gruppe von Maori-Sängern und Tänzern durch Europa. Kura war der Star eines Ensembles, das traditionelle Maori-Musik mit westlichen Instrumenten zu eigenwilligen Interpretationen verband.

»Gewonnen!« Gekonnt verhielt Gloria ihr lebhaftes Pony inmitten der Felsformation, die man den »Ring der Steinkrieger« nannte. »Und da hinten sind auch die Schafe!«

Die kleine Herde Mutterschafe war der eigentliche Grund für Jacks und Glorias Ausritt. Die Tiere hatten sich selbstständig gemacht und weideten nun in der Gegend des Steinkreises auf einem Landstück, das dem örtlichen Maori-Stamm heilig war. Gwyneira McKenzie-Warden, der die Leitung der

Farm oblag, achtete die religiösen Gefühle der Ureinwohner, obwohl das Land zu Kiward Station gehörte. Es gab Weiden genug für die Schafe und Rinder, sodass die Tiere nicht auf Maori-Heiligtümern herumstreunen mussten. Deshalb hatte sie Jack beim Mittagessen gebeten, die Schafe einzutreiben, was auf Glorias lebhaften Protest stieß.

»Das kann ich doch machen, Grandma! Nimue muss noch lernen!«

Seit Gloria ihren ersten eigenen Hütehund trainiert hatte, drängte es sie nach größeren Aufgaben auf der Farm, sehr zur Freude Gwyneiras. Auch diesmal lächelte sie ihre Urenkelin an und nickte ihr zu.

»In Ordnung, aber Jack wird dich begleiten«, bestimmte sie, obwohl sie selbst nicht sagen konnte, weshalb sie das Mädchen nicht allein reiten ließ. Im Grunde bestand kein Anlass zur Sorge: Gloria kannte die Farm wie ihre Westentasche, und alle Menschen auf Kiward Station kannten und liebten Gloria.

Mit ihren eigenen Kindern war Gwyneira längst nicht so übervorsichtig gewesen. Ihre älteste Tochter Fleurette war schon als Achtjährige vier Meilen zu der kleinen Schule geritten, die Gwyneiras Freundin Helen damals auf einer Nachbarfarm betrieb. Aber Gloria war etwas anderes. Gwyneiras sämtliche Hoffnungen ruhten auf der einzigen anerkannten Erbin von Kiward Station. Nur in den Adern Glorias und Kura-maro-tinis strömte das Blut der Wardens, der eigentlichen Gründer der Farm. Dazu stammte Kuras Mutter Marama aus dem örtlichen Maori-Stamm; Gloria wurde also auch von den Ureinwohnern anerkannt. Das war wichtig, denn zwischen Tonga, dem Häuptling der Ngai Tahu, und den Wardens bestand seit jeher eine heftige Rivalität. Tonga hoffte, das Land durch eine Heirat zwischen Gloria und einem Maori aus seinem Stamm verstärkt unter seinen Einfluss zu bringen. Diese

Strategie hatte allerdings schon bei Glorias Mutter Kura versagt. Und Gloria zeigte bislang kein großes Interesse am Leben und der Kultur der Stämme. Natürlich sprach sie fließend Maori und hörte gerne zu, wenn ihre Großmutter Marama die uralten Sagen und Legenden ihres Volkes erzählte. Verbunden jedoch fühlte sie sich nur Gwyneira, deren zweitem Mann James McKenzie und vor allem ihrem Sohn Jack.

Zwischen Jack und Gloria hatte immer schon eine besondere Beziehung bestanden. Der junge Mann war fünfzehn Jahre älter als seine Halbgroßnichte, und in Glorias ersten Lebensjahren war vor allem er es gewesen, der sie vor den Launen und dem Desinteresse ihrer Eltern beschützt hatte. Jack hatte für Kura und ihre Musik nie etwas übrig gehabt, aber Gloria mochte er vom ersten Schrei an – was buchstäblich zu nehmen war, wie Jacks Vater gerne scherzte. Das Baby pflegte nämlich lauthals loszubrüllen, sobald Kura die erste Klaviertaste anschlug. Dem brachte Jack vollstes Verständnis entgegen; er schleppte Gloria mit sich herum wie einen Hundewelpen.

Inzwischen hatte nicht nur Jack den Steinkreis erreicht, auch Glorias kleine Hündin Nimue. Der Border Collie hechelte und blickte beinahe vorwurfsvoll zu seiner Herrin auf. Es gefiel der Hündin gar nicht, wenn Gloria ihr davonritt. Sie war glücklicher gewesen, bevor das pfeilschnelle Pony aus England eingetroffen war. Jetzt aber nahm sie sich zusammen und jagte gleich wieder los, als Gloria sie mit einem scharfen Pfiff auf die Schafe ansetzte, die um die Felsen verstreut grasten. Wohlgefällig beobachtet von Jack und ihrer stolzen Besitzerin, trieb Nimue die Tiere zusammen und wartete dann auf weitere Befehle. Gloria führte die Herde geschickt in Richtung Heimat.

»Siehst du, ich hätte es auch allein geschafft!« Triumphierend strahlte das Mädchen Jack an. »Wirst du es Grandma erzählen?«

Jack nickte ernsthaft. »Sicher, Glory. Sie wird stolz auf dich sein. Und auf Nimue!«

Gwyneira McKenzie hatte mehr als fünfzig Jahre zuvor die ersten Border Collies aus Wales nach Neuseeland gebracht, dort weiter gezüchtet und trainiert. Es machte sie glücklich, Gloria so geschickt mit den Tieren umgehen zu sehen.

Andy McAran, der steinalte Vorarbeiter der Farm, beobachtete Jack und Gloria, als diese die Schafe schließlich in den Pferch trieben, an dem er herumwerkelte. McAran hätte längst nicht mehr arbeiten müssen, beschäftigte sich aber gern auf der Farm und sattelte noch fast jeden Tag sein Pferd, um aus dem Ort Haldon nach Kiward Station zu reiten. Seiner Frau gefiel das nicht, was Andy aber nicht abschreckte – im Gegenteil. Er hatte spät geheiratet und würde sich nie daran gewöhnen, dass jemand ihm Vorschriften machte.

»Fast wie damals, Miss Gwyn.« Der Alte grinste anerkennend, als Gloria das Tor hinter den Schafen schloss. »Fehlt nur das rote Haar und …« Den Rest ließ Andy unausgesprochen; schließlich wollte er Gloria nicht kränken. Aber Jack hatte zu oft ähnliche Bemerkungen gehört, um Andys Gedanken nicht lesen zu können: Der alte Viehhüter bedauerte, dass Gloria weder die elfenhaft zarte Figur noch das schmale, hübsche Gesicht ihrer Urgroßmutter geerbt hatte – was seltsam war, da Gwyneira ihre roten Locken und die zierliche Gestalt an fast alle anderen weiblichen Nachkommen weitergegeben hatte. Gloria schlug nach den Wardens: kantiges Gesicht, dicht zusammenstehende Augen, scharf geschnittener Mund. Ihre hellbraunen üppigen Locken umspielten ihr Gesicht weniger als es zu erdrücken. Die wilde Pracht zu frisieren war eine Qual, und so hatte das Mädchen vor etwa einem Jahr ihr Haar in einem

Anfall von Trotz abgeschnitten. Natürlich hatten alle sie geneckt, ob sie denn nun »ganz zum Jungen« werden wollte – vorher schon hatte sie gern die Breeches stibitzt, die ihre Großmutter Marama für die Maori-Jungen nähte –, doch Jack fand, dass Gloria die kurzen Locken wunderbar standen, und auch die weiten Reithosen passten besser zu ihrem kräftigen, etwas gedrungenen Körper als Kleider. Was die Figur betraf, schlug Gloria nach ihren Maori-Ahnen. Mode nach westlichem Schnitt würde sie nie vorteilhaft kleiden.

»Von ihrer Mutter hat das Mädchen nun wirklich gar nichts«, bemerkte auch James McKenzie. Er hatte die Ankunft Jacks und Glorias vom Erker in Gwyneiras Schlafzimmer aus beobachtet. Dort saß er inzwischen gern; der luftige Aussichtspunkt gefiel ihm besser als die bequemeren Sessel im Salon. James war kurz zuvor achtzig geworden, und das Alter machte ihm zu schaffen. Seit einiger Zeit quälten ihn Gelenkschmerzen, die ihm jede Bewegung schwer machten. Dabei hasste er es, sich auf einen Stock zu stützen. Er gab nicht gern zu, dass die Treppe hinunter zum Salon ein immer größeres Hindernis für ihn darstellte, deshalb redete er sich lieber damit heraus, von seinem Erkerplatz aus das Geschehen auf der Farm leichter überwachen zu können.

Gwyneira wusste es besser: James hatte sich im vornehmen Salon auf Kiward Station nie wirklich wohlgefühlt. Seine Welt waren stets die Mannschaftsunterkünfte gewesen. Nur Gwyn zuliebe hatte er sich damit abgefunden, das hochherrschaftliche Anwesen zu bewohnen und seinen Sohn hier aufzuziehen. James hätte seiner Familie lieber ein Blockhaus gebaut und vor einem Kamin gesessen, für den er selbst das Brennholz geschlagen hatte. Dieser Traum verlor allerdings an Attraktivität, je älter er wurde. Inzwischen fand er es angenehm, einfach nur die Wärme zu genießen, für die Gwyneiras Dienstboten sorgten.

Gwyneira legte ihm die Hand auf die Schulter und schaute nun ebenfalls zu Gloria und ihrem Sohn hinunter.

»Sie ist wunderschön«, sagte sie. »Wenn sich eines Tages der passende Mann für sie findet ...«

James verdrehte die Augen. »Nicht schon wieder!«, seufzte er. »Gott sei Dank läuft sie den Kerlen noch nicht nach. Wenn ich da an Kura und diesen Maori-Knaben denke, der dir solches Kopfzerbrechen bereitet hat ... Wie alt war sie damals? Dreizehn?«

»Sie war nun mal frühreif!«, verteidigte Gwyneira ihre Enkelin. Sie hatte Kura immer geliebt. »Ich weiß, du magst sie nicht besonders. Aber ihr Problem bestand eigentlich nur darin, dass sie nicht hierher gehörte.«

Gwyneira bürstete ihr Haar, bevor sie es aufsteckte. Es war immer noch lang und lockig, auch wenn das Weiß darin immer mehr über das Rot triumphierte. Ansonsten sah man der inzwischen fast Dreiundsiebzigjährigen ihr Alter kaum an. Gwyneira McKenzie-Warden war schlank und drahtig wie in ihrer Jugend. Ihr Gesicht wirkte zwar mittlerweile hager und war von kleinen Fältchen durchzogen, aber sie hatte ihre Haut nie vor Sonne und Regen geschützt. Das Leben einer Dame der feinen Gesellschaft lag ihr nicht, und allen Fährnissen des Daseins zum Trotz betrachtete sie es nach wie vor als Glücksfall, dass sie ihr adeliges Elternhaus in Wales im Alter von siebzehn Jahren verlassen hatte, um in einer neuen Welt ein riskantes Eheabenteuer zu wagen.

»Kuras Problem lag darin, dass ihr niemand das Wort Nein beigebracht hat, als sie noch aufnahmefähig war«, brummte James. Sie hatten diese Diskussion über Kura schon tausendmal geführt; es war im Grunde das einzige Thema, das jemals für Sprengstoff in James' und Gwyneiras Ehe gesorgt hatte.

Gwyn schüttelte missbilligend den Kopf. »Das klingt ja schon wieder, als hätte ich Angst vor Kura gehabt«, sagte sie unwillig. Auch dieser Vorwurf war nicht neu, obwohl er ursprünglich nicht von James gekommen war, sondern von Gwyns Freundin Helen O'Keefe – und schon der Gedanke an Helen, die im Jahr zuvor gestorben war, versetzte Gwyn einen Stich.

James zog die Augenbrauen hoch. »Angst vor Kura? Die hattest du doch nie!«, neckte er seine Frau. »Deshalb schiebst du ja auch seit drei Stunden diesen Brief, den der alte Andy gebracht hat, auf dem Tisch hin und her. Mach ihn schon auf, Gwyn! Zwischen dir und Kura liegen achtzehntausend Meilen. Sie wird dich nicht beißen!«

Andy McAran und seine Frau lebten in Haldon, dem nächsten kleinen Ort. Im dortigen Postamt lagerten die Briefe für Kiward Station, und Andy betätigte sich gern als Briefträger, wenn Post aus Übersee eintraf. Im Gegenzug erwartete er – wie sämtliche männlichen und weiblichen Klatschbasen in Haldon – ein bisschen Tratsch über das exotische Künstlerdasein der sonderbaren Warden-Erbin. James oder Jack lieferten die neuesten Nachrichten über Kuras wildes Leben auch bereitwillig, und Gwyneira schritt gewöhnlich nicht ein. Schließlich gab es meist Erfreuliches zu berichten: Kura und William waren glücklich, die Vorstellungen ausverkauft, eine Tournee jagte die andere. In Haldon zerriss man sich natürlich trotzdem die Mäuler. War William seiner Kura wirklich seit bald zehn Jahren treu? Auf Kiward Station hatte das ungetrübte Glück gerade mal ein Jahr gehalten. Und wenn die Ehe wirklich so vollkommen war – warum wurde sie dann nicht mit weiteren Kindern gesegnet?

Gwyneira, die jetzt mit zittrigen Fingern den diesmal in London abgestempelten Brief öffnete, war das alles egal. Sie interessierte eigentlich nur Kuras Verhältnis zu Gloria. Das war bislang von Desinteresse geprägt, und Gwyneira betete, dass es so blieb.

Diesmal sah James seiner Frau jedoch schon beim Lesen an, dass der Brief aufrüttelndere Nachrichten enthielt als die immer gleichen Erfolgsgeschichten von »*Haka meets Piano*«. James hatte es schon geahnt, als er nicht Kuras steile Buchstaben auf dem Umschlag erkannt hatte, sondern William Martyns flüssiges Schriftbild.

»Sie wollen Gloria nach England holen«, sagte Gwyneira tonlos, als sie den Brief schließlich sinken ließ. »Sie ...« Gwyn suchte die Stelle in Williams Schreiben. »Sie wissen unsere Erziehungsarbeit zwar zu schätzen, aber sie machen sich Sorgen darüber, ob Glorias ›künstlerisch-kreative Seite‹ hier ausreichend gefördert wird! James, Gloria hat keine ›künstlerisch-kreative Seite‹!«

»Gott sei Dank«, bemerkte James. »Und wie gedenken die zwei diese neue Gloria denn nun zu erwecken? Soll sie mit auf Tournee? Singen, tanzen? Flöte spielen?«

Kuras virtuose Beherrschung der *pecorino*-Flöte gehörte zu den Glanzpunkten ihres Programms, und natürlich besaß auch Gloria ein solches Instrument. Zum Kummer ihrer Großmutter Marama hatte das Mädchen der Flöte aber nicht einmal eine der »normalen Stimmen« fehlerfrei entlocken können, geschweige denn die berühmte »*wairua*«, die Stimme der Geister.

»Nein, sie soll in ein Internat. Hör dir das an: ›Wir haben eine kleine und sehr idyllisch gelegene Schule bei Cambridge ausgewählt, die eine vielseitige Mädchenbildung besonders im geistig-künstlerischen Bereich gewährleistet ...‹«, las Gwyneira vor. »Mädchenbildung! Was soll man denn darunter verstehen?«, murmelte sie ärgerlich.

James lachte. »Kochen, backen, sticken?«, schlug er vor. »Französisch? Klavier spielen?«

Gwyn sah aus, als würde sie gefoltert. Als Tochter eines Landadeligen war ihr das alles nicht erspart geblieben, aber zum Glück hatte das Geld der Silkhams nie für eine Internatsausbildung der Töchter gereicht. Deshalb hatte Gwyn sich den schlimmsten Auswüchsen entziehen können, um stattdessen nützliche Dinge wie Reiten und Hütehundeausbildung zu erlernen.

James stand schwerfällig auf und nahm sie in die Arme.

»Komm, Gwyn, so schlimm wird es schon nicht sein. Seit die Dampfschiffe verkehren, ist die Reise nach England ein Klacks. Viele Leute schicken ihre Kinder auf ein Internat. Es wird Gloria nicht schaden, sich ein bisschen in der Welt umzusehen. Und die Landschaft bei Cambridge soll sehr lieblich sein, so wie hier. Gloria wird mit gleichaltrigen Mädchen zusammen sein und Hockey spielen oder was man da so treibt ... na gut, wenn sie ausreitet, muss sie sich halt mit dem Damensattel abfinden. Ein bisschen gesellschaftlicher Schliff ist ja auch gar nicht so schlecht, seit die Viehbarone hier immer vornehmer werden ...«

Die großen Farmen in den Canterbury Plains, die seit über fünfzig Jahren bestanden, warfen meist ohne größeren Einsatz der Besitzer guten Gewinn ab. So mancher »Schafbaron« der zweiten oder dritten Generation führte das Leben eines vornehmen Gutsbesitzers. Es gab jedoch auch Farmen, die verkauft worden waren und nun vor allem hochdekorierten Kriegsveteranen aus England als Ruhesitz dienten.

Gwyn atmete tief durch. »Das war es wahrscheinlich«, seufzte sie. »Ich hätte ihr das Foto mit dem Pferd nicht erlauben sollen. Aber sie wollte es unbedingt. Sie war so glücklich über das Pony ...«

James wusste, was Gwyn meinte: Einmal im Jahr machte sie ein großes Gewese darum, Gloria für ihre Eltern fotografieren zu lassen. Im Allgemeinen steckte sie das Mädchen dazu in ein möglichst steifes und langweiliges Sonntagskleid; diesmal aber hatte Gloria darauf bestanden, im Sattel ihres neuen Ponys abgelichtet zu werden. »Mom und Dad haben mir Princess doch geschenkt!«, hatte sie argumentiert. »Sie freuen sich bestimmt, wenn sie mit auf dem Bild ist.«

Gwyneira spielte nervös mit ihrem eben erst aufgesteckten Haarknoten, bis sich die ersten Strähnen wieder lösten. »Ich hätte wenigstens auf Damensattel und Reitkleid bestehen sollen.«

James nahm sanft ihre Hand und hauchte einen Kuss darauf.

»Du kennst doch Kura und William. Vielleicht war es wirklich das Pony. Aber genauso gut hättest du ein Foto von Gloria im Sonntagsstaat schicken können – dann hätten sie geschrieben, dass eigentlich ein Klavier dazugehört. Vielleicht war die Zeit einfach reif. Sie mussten sich irgendwann daran erinnern, dass sie eine Tochter haben.«

»Reichlich spät!«, schimpfte Gwyn. »Und warum lassen sie uns nicht wenigstens mitreden? Sie kennen Glory doch gar nicht. Und gleich ein Internat! Sie ist so jung ...«

James zog seine Frau an sich. Aber er sah sie lieber wütend als so verzagt und unsicher wie eben.

»Viele englische Kinder kommen schon mit vier ins Internat«, erinnerte er sie. »Und Glory ist zwölf. Sie wird es verkraften. Wahrscheinlich gefällt es ihr sogar.«

»Sie wird ganz allein sein ...«, sagte Gwyn leise. »Sie wird Heimweh haben.«

James nickte. »Am Anfang haben bestimmt alle Mädchen Heimweh. Aber sie werden darüber hinwegkommen.«

Gwyneira fuhr auf. »Wenn das Gut der Eltern zwanzig Meilen entfernt ist, ganz sicher. Aber bei Glory sind es achtzehntausend! Wir schicken sie um die halbe Welt, zu Leuten, die sie nicht kennen und nicht lieben!«

Gwyneira biss sich auf die Lippen. Bislang hatte sie es nie zugegeben, im Gegenteil, sie hatte Kura immer wieder verteidigt. Aber im Grunde war es eine Tatsache. Kura-maro-tini machte sich nichts aus ihrer Tochter. Und William Martyn ging es nicht anders.

»Können wir nicht einfach so tun, als hätten wir den Brief nicht bekommen?« Sie schmiegte sich an James. Der fühlte sich an die blutjunge Gwyneira erinnert, die sich zu den Viehhütern in die Ställe geflüchtet hatte, wenn sie mit all den Ansprüchen ihrer neuen, neuseeländischen Familie nicht fertig wurde. Aber das hier war ernster als ein Rezept für Irish Stew ...

»Gwyn, Liebes, dann schicken sie einen neuen! Das hier ist nicht auf Kuras Mist gewachsen. Die hätte vielleicht mal so eine Idee geäußert, aber spätestens beim nächsten Konzert wäre das wieder vergessen gewesen. Der Brief kommt von William. Das Ganze ist also sein Projekt. Wahrscheinlich liebäugelt er mit der Idee, Gloria bei nächster Gelegenheit mit irgendeinem Earl zu verheiraten ...«

»Aber früher hat er die Engländer gehasst«, wandte Gwyneira ein. William Martyn konnte auf eine kurze Vergangenheit als Irischer Freiheitskämpfer zurückblicken.

James zuckte die Achseln. »William ist wandlungsfähig.«

»Wenn Gloria wenigstens nicht ganz allein wäre«, seufzte Gwyn. »Die lange Schiffsreise, all die fremden Leute ...«

James nickte. Trotz all seiner beruhigenden Worte konnte er Gwyns Gedanken gut nachvollziehen. Gloria liebte die Arbeit auf der Farm, aber ihr fehlte die Abenteuerlust, die Gwyn und ihre Tochter Fleurette auszeichnete. In dieser Beziehung schlug das Mädchen aus der Art – nicht nur Gwyn, auch ihr Ahnherr Gerald Warden hatte niemals das Risiko gescheut, und Kura und William Martyn erst recht nicht. Aber hier mochte das Maori-Erbe greifen. Glorias Großmutter Marama war sanft und erdverbunden. Natürlich wanderte sie mit ihrem Stamm umher, aber wenn sie das Land der Ngai Tahu allein verlassen sollte, fühlte sie sich unsicher.

»Und wenn wir ein anderes Mädchen mitschicken?«, überlegte James. »Hat sie keine Freundin unter den Maoris?«

Gwyneira schüttelte den Kopf. »Du glaubst doch nicht, dass Tonga ein Mädchen aus seinem Stamm nach England schickt!«, meinte sie. »Ganz abgesehen davon, dass mir keines einfällt, das mit Gloria vertraut ist. Da wäre allenfalls ...« Gwyns Gesicht hellte sich auf. »Ja, das wäre eine Möglichkeit!«

James wartete geduldig, bis sie ihren Gedanken zu Ende geführt hatte.

»Sie ist natürlich auch noch sehr jung ...«

»Wer?«, fragte er schließlich nach.

»Lilian«, meinte Gwyn. »Mit Lilian hat sie sich gut verstanden, als Elaine letztes Jahr hier war. Eigentlich war sie das einzige Mädchen, mit dem Glory jemals gespielt hat. Und Tim ist doch selbst in England zur Schule gegangen. Vielleicht erwärmt er sich ja für die Idee.«

Ein Lächeln huschte über James' Gesicht, als Lilians Name fiel. Noch eine Urenkelin, aber in diesem Fall Fleisch von seinem Fleisch. Elaine, Fleurettes Tochter, war in Greymouth verheiratet. Ihre Tochter Lilian war das älteste von vier Kindern. Das einzige Mädchen und eine Neuauflage von Gwyneira, Fleurette und Elaine: rothaarig, lebhaft und immer gut gelaunt. Gloria war zuerst ein wenig schüchtern gewesen, als sie im Jahr zuvor zusammen mit ihrer Urgroßmutter die Farm besucht hatte. Aber Lilian hatte das Eis schnell gebrochen. Sie plauderte ohne Punkt und Komma von ihrer Schule, ihren Freundinnen, ihren Pferden und Hunden zu Hause, ritt mit Gloria um die Wette und drängte sie, ihr Maori beizubringen und den Stamm auf Kiward Station zu besuchen. Zum ersten Mal hörte Gwyneira ihre Urenkelin Gloria mit einem anderen

Mädchen kichern und Geheimnisse austauschen. Die zwei versuchten, Rongo Rongo, Hebamme und *tohunga* der Maoris, beim Schmieden eines Zaubers zu belauschen, und Lilian hütete das Stück Jade, das Rongo Rongo ihr schließlich schenkte, wie einen Schatz. Die Kleine wurde auch nicht müde, sich eigene Geschichten auszudenken.

»Ich frag meinen Dad, ob er mir den Stein fassen lässt«, erklärte sie gewichtig. »Dann hänge ich ihn mir an einer goldenen Kette um den Hals. Und wenn ich dann den Mann kennen lerne, den ich mal heirate, wird er ... wird er ...« Lilian schwankte zwischen »brennen wie glühende Kohlen« und »vibrieren wie ein wild pochendes Herz«.

Gloria konnte da nicht mithalten. Für sie war ein Stück Jade ein Stück Jade, kein Werkzeug, jemanden zu verzaubern. Doch Lilians Fantasien lauschte sie gern.

»Lilian ist noch jünger als Gloria«, gab James zu bedenken. »Ich kann mir nicht vorstellen, dass Elaine sich jetzt schon von ihr trennt. Egal was Tim dazu meint ...«

»Fragen kostet nichts«, erklärte Gwyn resolut. »Ich werde ihnen gleich schreiben. Was meinst du, müssen wir es Gloria sagen?«

James seufzte und fuhr sich durch sein ehemals braunes, jetzt weißes, aber immer noch wirres Haar. Eine für ihn typische Geste, die Gwyneira immer geliebt hatte. »Nicht heute und nicht morgen«, meinte er schließlich. »Aber wenn ich William richtig verstehe, fängt nach Ostern das neue Schuljahr an. Dann sollte sie in Cambridge sein. Gäbe es eine Verzögerung, würde man ihr keinen Gefallen tun. Wenn sie mitten im Jahr die einzige Neue ist, wird es umso schwerer für sie.«

Gwyn nickte müde. »Aber wir müssen es Miss Bleachum mitteilen«, meinte sie unglücklich. »Die muss sich schließlich eine neue Stellung suchen. Verflixt, da haben wir mal eine Hauslehrerin, die sich wirklich bewährt, und dann so was!«

Sarah Bleachum unterrichtete Gloria seit Beginn ihrer Schulzeit, und das Mädchen hing sehr an ihr.

»Na ja, zumindest wird Glory bestimmt nicht hinter den englischen Mädchen zurückstehen«, tröstete sich Gwyn.

Miss Bleachum hatte die Lehrerakademie in Wellington besucht und mit besten Zeugnissen abgeschlossen. Ihre besondere Liebe galt den Naturwissenschaften, und sie verstand, auch Glorias Interesse daran zu wecken. Die beiden vergruben sich mit Leidenschaft in Bücher, die von der Flora und Fauna Neuseelands handelten, und Miss Bleachums Begeisterung kannte keine Grenzen, als Gwyneira die Aufzeichnungen ihres ersten Gatten, Lucas Warden, hervorholte. Lucas hatte vor allem die Insektenpopulation seiner Heimat erforscht und katalogisiert. Miss Bleachum bestaunte seine peniblen Zeichnungen der verschiedenen Weta-Gattungen. Gwyneira betrachtete diese Kreaturen mit eher gemischten Gefühlen. Die Rieseninsekten waren ihr nie sonderlich sympathisch gewesen.

»Das war mein Urgroßvater, nicht?«, fragte Gloria stolz.

Gwyneira nickte. In Wirklichkeit war Lucas eher ihr Urgroßonkel gewesen, aber das musste das Kind nicht wissen. Lucas wäre glücklich über diese kluge Urenkelin gewesen, die endlich seine Interessen teilte.

Ob man Glorias Begeisterung für Insekten und sonstiges Getier allerdings auch in einer englischen Mädchenschule zu schätzen wusste?

2

»Lass das, ich kann allein aussteigen!«

Timothy Lambert wehrte die Hilfe seines Dieners Roly fast unwirsch ab. Dabei fiel es ihm an diesem Tag besonders schwer, die Beine vom Sitz des Gigs auf das Trittbrett zu schwingen, die Schienen anzulegen und dann mit Hilfe seiner Krücken Halt auf dem Boden zu finden. Dies war einer seiner schlechteren Tage. Er fühlte sich steif und gereizt – wie fast immer, wenn der Jahrestag des Unglücks nahte, dem er seine Behinderung verdankte. Diesmal jährte sich der Einsturz der Lambert-Mine zum elften Mal, und wie jedes Jahr würde die Minenleitung den Gedenktag mit einer kleinen Trauerfeier begehen. Die Hinterbliebenen der Opfer, aber auch die derzeit in der Mine beschäftigten Bergarbeiter wussten diese Geste zu schätzen. Ebenso wie die vorbildlichen Sicherheitsvorkehrungen in der Mine. Aber Tim würde wieder im Mittelpunkt der Aufmerksamkeit stehen, und man würde ihn anstarren. Und natürlich würde Roly O'Brien zum tausendsten Mal erzählen, wie der Sohn des Minenbesitzers ihn damals gerettet hatte. Tim hasste die Blicke, die zwischen Heldenverehrung und Grusel schwankten.

Jetzt zog Roly sich beinahe gekränkt zurück, verfolgte jedoch aus nicht allzu großer Entfernung, wie sein Herr sich aus der Kutsche quälte. Sollte Tim stürzen, würde er zur Stelle sein – wie immer in den letzten zwölf Jahren. Roly O'Brien war eine unschätzbare Hilfe, aber manchmal ging er Tim auf die Nerven, vor allem an Tagen wie diesem, an denen sein Geduldsfaden ohnehin schnell riss.

Roly brachte das Pferd in den Stall, während Tim zum Haus hinkte. Wie jedes Mal munterte der Anblick des eingeschossigen weißen Holzgebäudes ihn auf. Nach seiner Hochzeit mit Elaine hatte er das schlichte Anwesen in kürzester Zeit errichten lassen – gegen den Protest seiner Eltern, die ihm zu einer repräsentativeren Residenz rieten. Ihre eigene Villa, zwei Meilen entfernt Richtung Stadt, entsprach weit eher den landläufigen Vorstellungen vom Haus eines Minenbetreibers. Aber Elaine hatte Lambert Manor nicht mit Tims Eltern teilen wollen, und das hochherrschaftliche, zweigeschossige Anwesen mit seiner Freitreppe und den Schlafzimmern im oberen Stock entsprach auch kaum Timothys Bedürfnissen. Zudem war er kein Minenbesitzer; die Aktienmehrheit des Unternehmens gehörte längst dem Investor George Greenwood. Tims Eltern besaßen nur noch Anteile; er selbst war als Geschäftsführer angestellt.

»Daddy!« Lilian, Tims und Elaines Tochter, riss bereits die Tür auf, noch ehe Tim sein Gewicht so verlagern konnte, dass er sich nur auf eine Krücke stützen musste und die rechte Hand für die Betätigung des Türgriffs frei hatte. Hinter Lilian erschien Rube, Tims ältester Sohn, und blickte enttäuscht drein, weil Lilian ihn schon wieder beim täglichen Wettstreit besiegt hatte, bei dem es darum ging, als Erster an der Tür zu sei, um dem Vater zu öffnen.

»Daddy! Du musst dir anhören, was ich heute geübt habe!« Lilian spielte begeistert Klavier und sang dazu – wenn auch nicht immer richtig. »*Annabell Lee*. Kennst du das? Es ist ganz traurig. Sie ist sooo schön, und der Prinz liebt sie ganz schrecklich, aber dann ...«

»Mädchenkram!«, schimpfte Rube. Er war sieben Jahre alt, wusste aber schon genau, was er albern zu finden hatte. »Guck dir lieber die Eisenbahn an, Daddy! Ich hab die neue Lok ganz allein zusammengebaut ...«

»Stimmt gar nicht! Mummy hat dir geholfen!«, petzte Lilian.

Tim verdrehte die Augen. »Schätzchen, so leid es mir tut, aber das Wort ›Eisenbahn‹ kann ich heute nicht mehr hören ...« Tröstend zauste er den rotbraunen Schopf seines Sohnes. Alle vier Kinder waren rothaarig – Elaine vererbte ihre Haarfarbe zuverlässig. Die Jungen sahen sonst aber eher Tim ähnlich. Elaine freute sich jeden Tag an dem fröhlich-verwegenen Ausdruck ihrer Gesichter und ihren freundlichen, grünbraunen Augen.

Tims Miene hellte sich endgültig auf, als er seine Frau aus den Wohnräumen in den kleinen Korridor kommen sah, in dem die Kinder ihn begrüßt hatten. Sie war wunderschön mit ihren leuchtend grünen Augen, ihrem fast durchscheinend hellen Teint und den unzähmbaren roten Kringellöckchen. Ihre uralte Hündin Callie trottete hinter ihr her.

Elaine küsste Tim sanft auf die Wange. »Was hat sie wieder gemacht?«, fragte sie zur Begrüßung.

Tim runzelte die Stirn. »Kannst du Gedanken lesen?«, erkundigte er sich verwirrt.

Elaine lachte. »Nicht direkt, aber diesen Gesichtsausdruck trägst du eigentlich nur spazieren, wenn du wieder mal über eine besonders interessante Methode nachdenkst, Florence Biller um die Ecke zu bringen. Und da du sonst auch nichts gegen Eisenbahnen hast, wird es wohl mit der neuen Schienenverbindung zusammenhängen.«

Tim nickte. »Du hast es erfasst. Aber lass mich erst reinkommen. Was machen die Kleinen?«

Elaine schmiegte sich an ihren Mann und verschaffte ihm so die Möglichkeit, sich unauffällig auf sie zu stützen. Sie half ihm ins Wohnzimmer, das gemütlich eingerichtet war mit Möbeln aus Mataiholz, und nahm ihm sein Jackett ab, ehe er sich in einen der Sessel vor dem Kamin fallen ließ.

»Jeremy hat ein Schaf gezeichnet und ›Schiff‹ druntergeschrieben«, erzählte Elaine. »Wir wissen nicht, ob er sich verschrieben oder vermalt hat ...« Jeremy war sechs und lernte gerade das ABC. »Und Bobby hat vier Schritte am Stück geschafft.«

Als wollte er es beweisen, zockelte der Kleine auf Tim zu. Der fing ihn auf, zog ihn auf seinen Schoß und kitzelte ihn. Der Ärger mit Florence Biller schien plötzlich weit weg zu sein.

»Noch sieben Schritte mehr, dann kann er heiraten!«, sagte Tim lachend und zwinkerte Elaine zu. Als er nach seinem Unfall wieder laufen lernte, waren elf Schritte – vom Eingang der Kirche bis zum Altar – sein erstes Ziel gewesen. Elaine hatte sich nach dem Minenunglück mit ihm verlobt.

»Hör nicht hin, Lily!«, sagte Elaine zu ihrer Tochter, die gerade zu einer Frage ansetzte. Lilian träumte von Märchenprinzen, und »Hochzeit« war ihr liebstes Spiel. »Geh lieber zum Klavier und schick *Annabell Lee* noch mal zu den Engeln. Und Daddy erzählt mir so lange, warum er plötzlich keine Eisenbahnen mehr mag ...«

Lilian trollte sich zu ihrem Instrument, während die kleinen Jungs sich wieder der Spielzeugeisenbahn zuwandten, die sie auf dem Fußboden aufgebaut hatten.

Elaine schenkte Tim einen Whiskey ein und setzte sich neben ihn. Er trank nie viel und üblicherweise nicht vor dem Essen, schon um die Kontrolle über seine Bewegungen nicht zu verlieren. Aber heute wirkte er so erschöpft und verärgert, da mochte ein Schluck ihm guttun.

»Es ist eigentlich nicht der Rede wert«, meinte Tim schließlich. »Bloß dass Florence mal wieder mit der Eisenbahngesellschaft verhandelt hat, ohne die anderen Minenbesitzer einzubeziehen. Ich weiß es zufällig von George Greenwood. Der hat ja auch beim Gleisbau seine Finger drin. Dabei können wir gemeinsam viel bessere Bedingungen aushandeln. Aber nein,

Florence scheint zu hoffen, dass alle anderen in Greymouth die neuen Gleise einfach übersehen, sodass nur Biller in den Genuss des vereinfachten Kohletransports kommt. Matt und ich haben jetzt jedenfalls eine Schienenanbindung auch für Lambert gefordert. Morgen kommen die Leute vom Gleisbau, und wir sprechen über die Kostenaufteilung. Zu Biller ziehen sie die Gleise natürlich gleich durch – Florence hat ihren eigenen Güterbahnhof in spätestens sechs Wochen.« Tim nippte am Whiskey.

Elaine zuckte die Schultern. »Sie ist eine gute Geschäftsfrau.«

»Sie ist ein Biest!«, schimpfte Tim und drückte sich damit wahrscheinlich weniger drastisch aus als die meisten anderen Minenbesitzer und Zulieferer der Region. Florence Biller war eine knallharte Geschäftsfrau, die jede Schwäche ihres Gegners nutzte. Sie regierte die Mine ihres Mannes mit eiserner Hand. Ihre Steiger und Sekretäre zitterten vor ihr – obwohl es neuerdings Gerüchte gab, dass ihr junger Bürovorsteher bevorzugt behandelt wurde. Es kam immer wieder vor, dass einer ihrer Mitarbeiter kurze Zeit eine Favoritenrolle spielte. Bisher genau genommen drei Mal. Tim und Elaine Lambert, die in ein paar Geheimnisse der Ehe zwischen Caleb und Florence Biller eingeweiht waren, dachten sich dabei ihren Teil. Florence Biller hatte drei Kinder …

»Keine Ahnung, wie Caleb es mit ihr aushält.« Tim stellte sein Glas auf den Tisch. Langsam fiel die Anspannung von ihm ab. Es war immer gut, mit Lainie zu reden, und Lilians eher begeistertes als inspiriertes Klavierspiel im Hintergrund trug zu seiner friedlicheren Stimmung bei.

»Ich glaube, Caleb sind ihre Machenschaften manchmal peinlich«, meinte Elaine. »Aber im Großen und Ganzen ist es ihm wahrscheinlich egal. Sie lässt ihn in Ruhe und er sie – das war ja wohl auch die Abmachung.«

Caleb Biller interessierte sich nicht für die Leitung der Mine. Er war Privatgelehrter und galt als Kapazität auf dem Gebiet der Maori-Kunst und Musik. Vor seiner Heirat mit Florence hatte er kurz damit geliebäugelt, sich ganz aus dem Familiengeschäft zurückzuziehen und ein Leben als Musiker zu führen – noch heute arrangierte er die Musik für das Programm von Kura-maro-tini Martyn. Aber Caleb litt unter Lampenfieber, und seine Angst vor dem Publikum war letztlich größer als seine auch nicht unerhebliche Furcht vor der schrecklichen Florence Weber. Jetzt leitete er nominell die Biller-Mine. Faktisch jedoch war Florence die Chefin.

»Ich wünschte nur, sie würde ihre Geschäfte nicht führen wie einen Krieg«, seufzte Tim. »Ich verstehe ja, dass sie ernst genommen werden will, aber ... mein Gott, andere haben da auch ihre Probleme.«

Tim sprach aus Erfahrung. Am Anfang seiner Tätigkeit als Geschäftsführer hatte mancher Zulieferer oder Kunde versucht, seine Behinderung auszunutzen, um minderwertige Ware anzuliefern oder unbegründete Reklamationen vorzubringen. Schließlich nahm man an, dass Tim die Lieferungen kaum ausreichend überwachen konnte. Tim hatte allerdings seine Augen und Ohren auch außerhalb des Büros. Sein Stellvertreter Matt Gawain sah genau hin, und Roly O'Brien unterhielt ausgezeichnete Kontakte zu den Bergleuten. Er arbeitete über Tage mit, wenn Tim ihn nicht brauchte, und war dann abends oft genauso mit Steinstaub verschmutzt wie die Kumpels. Der Dreck machte Roly nichts aus, doch in eine Mine einfahren würde er nie wieder, seit er damals gemeinsam mit Tim zwei Tage lang verschüttet gewesen war.

Inzwischen war Tim Lambert als Chef seiner Mine hoch geachtet, und niemand machte mehr den Versuch, ihn zu betrügen. Florence Biller ging das sicher ähnlich; sie hätte ihren Frieden mit all ihren männlichen Konkurrenten machen können. Aber Florence kämpfte mit unverminderter Energie weiter. Sie wollte Biller nicht nur zur führenden Mine von Greymouth machen, sondern möglichst die ganze Westküste beherrschen, wenn nicht sogar den Bergbau des ganzen Landes.

»Gibt es irgendwas zu essen?«, fragte Tim seine Frau. So langsam regte sich sein Appetit.

Elaine nickte. »Im Ofen. Es dauert noch ein bisschen. Und ich ... ich wollte vorher noch was mit dir besprechen.«

Tim bemerkte, dass ihr Blick Lilian streifte. Anscheinend ging es um sie.

Elaine sprach das Mädchen an, als es eben das Klavier schloss.

»Das war sehr schön, Lily. Wir sind alle ganz ergriffen von Annabells Schicksal. Ich kann jetzt unmöglich den Tisch decken. Würdest du das wohl für uns tun, Lily? Und Rube hilft dir dabei?«

»Der lässt doch nur wieder die Teller fallen!«, schimpfte Lilian, verzog sich dann aber brav ins Esszimmer.

Gleich danach hörten sie Scherben klirren. Elaine verdrehte die Augen. Tim lachte nachsichtig.

»Für Hausarbeit hat sie keine besondere Begabung«, bemerkte er. »Wir sollten ihr lieber die Leitung der Mine überlassen.«

Elaine lächelte. »Oder wir sorgen für eine ›künstlerisch-kreative Mädchenbildung‹.«

»Für was?«, fragte Tim verwirrt.

Elaine zog einen Brief aus den Falten ihres Hauskleids.

»Hier, der ist heute gekommen. Von Grandma Gwyn. Sie ist ziemlich durcheinander. William und Kura wollen ihr Gloria wegnehmen.«

»Auf einmal?«, erkundigte Tim sich mäßig interessiert. »Bisher waren sie doch nur an Kuras Karriere interessiert. Und jetzt machen sie plötzlich in Familie?«

»Das nicht gerade«, meinte Elaine. »Sie denken wohl eher an ein Internat. Weil Grandma Gwyn doch Glorias ›künstlerisch-kreative Seite‹ verkümmern lässt.«

Tim lachte. Er hatte den Ärger im Büro nun wirklich verdaut, und Elaine freute sich an seinem von Lachfalten durchzogenen, noch immer lausbubenhaften Gesicht. »Da werden sie nicht ganz Unrecht haben. Nichts gegen Kiward Station und deine Großeltern, aber es ist nicht gerade ein Hort der Kunst und Kultur.«

Elaine zuckte die Schultern. »Ich hatte nicht den Eindruck, als ob Gloria da viel vermisst. Die Kleine schien mir ganz glücklich. Allerdings ein wenig schüchtern. Sie brauchte sogar einige Zeit, um mit Lily warm zu werden. Insofern kann ich Grandma Gwyn schon verstehen. Sie sorgt sich, das Kind allein auf die Reise zu schicken.«

»Und?«, fragte Tim. »Du hast doch was auf dem Herzen, Lainie. Was wolltest du mit mir besprechen?«

Elaine reichte ihm Gwyneiras Brief. »Grandma Gwyn fragt, ob wir Lilian nicht vielleicht mitschicken möchten. Es ist wohl ein renommiertes Internat. Und Gloria würde es über den ärgsten Schmerz hinweghelfen.«

Tim studierte den Brief sorgfältig. »Cambridge ist immer eine gute Adresse«, meinte er. »Aber ist sie nicht ein bisschen jung? Mal ganz abgesehen davon, dass solche Internate ein Vermögen kosten.«

»Die McKenzies würden die Kosten tragen«, erklärte Elaine. »Wenn es bloß nicht so schrecklich weit weg wäre ...« Sie sprach nicht weiter, als Lilian ins Zimmer kam. Die Kleine hatte sich eine viel zu große Schürze umgebunden, über die sie bei jedem zweiten Schritt stolperte. Wie so oft reizte sie ihre Eltern zum Lachen. Lilys sommersprossiges Gesicht hatte etwas Verschmitztes, auch wenn ihre Augen eher verträumt wirkten. Ihr Haar war fein und rot wie das ihrer Mutter und

Großmutter, aber nicht gar so lockig. Sie trug es zu zwei langen Zöpfen geflochten und sah mit ihrer Riesenschürze aus wie ein Kobold, der Dienstmädchen spielte.

»Der Tisch ist fertig, Mummy. Und ich glaube, der Auflauf auch.«

Tatsächlich drang der aromatische Duft des Fleischauflaufs von der Küche bis ins Wohnzimmer.

»Und wie viele Gläser hast du zerschlagen?«, fragte Elaine mit gespielter Strenge. »Leugne es nicht, wir haben es bis hierher gehört.«

Lilian lief rot an. »Gar keins. Nur ... nur die Tasse von Jeremy ...«

»Mummyyy! Sie hat meine Tasse kaputt gemacht!« Jeremy brüllte auf. Er liebte seine auch vorher schon angeschlagene Keramiktasse. »Mach sie wieder ganz, Mummy! Oder Daddy! Daddy ist Ingenieur, der kann doch Sachen heil machen!«

»Aber keine Tassen, du Dummi!« Das war Rube.

Einen Augenblick später stritten die Kinder sich lautstark. Jeremy schluchzte.

»Wir reden später weiter«, meinte Tim und ließ zu, dass Elaine ihm aus dem Sessel half. In der Öffentlichkeit bestand er auf vollkommene Unabhängigkeit und ließ sich allenfalls von Roly die Tasche tragen. Gegenüber Elaine jedoch konnte er Schwäche zugeben. »Vorerst müssen wir die Horde abfüttern.«

Elaine nickte und sorgte dann mit ein paar Worten für Ordnung.

»Rube, dein Bruder ist nicht dumm, entschuldige dich. Jeremy, mit ein bisschen Glück kann Daddy die Tasse kleben, dann kannst du noch Buntstifte reinstecken. Ansonsten bist du jetzt groß und kannst aus Gläsern trinken, wie alle anderen. Und du, Lily, räum bitte noch die Noten weg, bevor wir essen. Rube, für dich gilt das Gleiche, pack die Eisenbahn zusammen.«

Elaine hob ihren Jüngsten auf und setzte ihn in einen Hochstuhl im Esszimmer. Tim würde auf ihn aufpassen, während sie das Essen auftrug. Eigentlich wäre das die Aufgabe ihres Dienstmädchens Mary Flaherty gewesen, aber am Freitag hatte Mary ihren freien Nachmittag. Das erklärte auch, warum Roly nicht noch einmal aufgetaucht war, nachdem Tim ihn entlassen hatte. Gewöhnlich trennte er sich nicht so leicht von seinem Herrn und pflegte zumindest nachzufragen, ob es nicht doch noch etwas für ihn zu tun gab. Bei der Gelegenheit ergaben sich dann ganz zwanglos ein paar vertraute Worte mit Mary.

Elaine nahm an, dass die beiden an diesem warmen Frühsommerabend gemeinsam unterwegs waren und dabei mehr Küsse als Worte tauschten.

Immerhin hatte Mary den Auflauf noch vorbereitet, und Elaine brauchte ihn nur aus dem Ofen zu holen. Der Duft lockte Rube von seinen Aufräumarbeiten weg – und als Elaine sie eben rufen wollte, stand auch Lilian in der Tür.

Das Mädchen strahlte übers ganze Gesicht und wedelte mit Gwyneira McKenzies Brief, den Tim achtlos auf ein Tischchen neben seinen Sessel gelegt hatte.

»Ist das wahr?«, fragte sie atemlos. »Granny Gwyn schickt mich nach England? Wo die Prinzessinnen wohnen? Und in so ein Intra ... Inter ... in so eine Schule, wo man Lehrer ärgern kann und Mitternachtspartys feiert und so?«

Tim Lambert hatte seinen Kindern oft von seiner Schulzeit in England erzählt; seine Internatsvergangenheit schien eine einzige Abfolge von Streichen und Abenteuern gewesen zu sein. Lily konnte es nun gar nicht abwarten, es dem Vater gleichzutun. Sie hüpfte vor Aufregung auf und ab.

»Ich darf doch, oder? Mummy? Daddy? Wann fahren wir?«

»Wollt ihr mich denn nicht mehr haben?« Glorias verletzter Blick huschte von einem Erwachsenen zum anderen, und in ihren großen, porzellanblauen Augen schimmerten Tränen.

Gwyneira konnte es nicht ertragen. Sie hätte beinahe selbst geweint, als sie das Kind in die Arme nahm.

»Gloria, von ›nicht mehr wollen‹ kann keine Rede sein!«, tröstete stattdessen James McKenzie und sehnte sich dabei nach einem Whiskey. Gwyneira hatte die Zeit nach dem gemeinsamen Abendessen gewählt, um Gloria von der Entscheidung ihrer Eltern in Kenntnis zu setzen. Zweifellos, um dabei die Schützenhilfe »ihrer Männer« zu haben. James fühlte sich jedoch von jeher unwohl in der Rolle des Erziehungsberechtigten eines Warden-Kindes. Und Jack hatte von Anfang an keinen Zweifel daran gelassen, was er von Kuras und Williams Anweisungen hielt.

»Jeder Mensch geht zur Schule«, sagte der junge Mann, aber er klang nicht sehr überzeugt. »Ich war doch auch ein paar Jahre in Christchurch.«

»Aber du bist jedes Wochenende zurückgekommen!«, schluchzte Gloria. »Bitte, bitte, schickt mich nicht weg! Ich will nicht nach England! Jack ...«

Das Mädchen blickte ihren langjährigen Beschützer Hilfe suchend an. Jack rutschte auf seinem Stuhl hin und her und hoffte auf Schützenhilfe durch seine Eltern. Seine Schuld war dies nun wirklich nicht. Im Gegenteil – Jack hatte sich ganz klar dagegen ausgesprochen, Gloria von Kiward Station wegzuschicken.

»Warte erst mal ab«, riet er seiner Mutter. »Ein Brief kann verlorengehen. Und wenn sie noch mal schreiben, sagst du ihnen klipp und klar, dass Glory für die weite Reise noch zu jung ist. Wenn Kura trotzdem darauf besteht, soll sie kommen und sie holen.«

»Aber das geht doch nicht so ohne Weiteres«, wandte Gwyneira ein. »Sie hat Konzertverpflichtungen.«

»Eben«, meinte Jack. »Sie wird den Teufel tun und ein halbes Jahr lang auf die Anbetung ihres Publikums verzichten, nur um Gloria in diese Schule zu zwingen. Und falls doch, braucht das Vorbereitung. Mindestens ein Jahr lang. Vorher der Briefwechsel, danach die Reise ... Glory hätte zwei Jahre gewonnen. Sie wäre fast fünfzehn, ehe sie nach England müsste.«

Gwyneira hatte den Vorschlag ernsthaft erwogen. Aber die Entscheidung fiel ihr nicht so leicht wie ihrem Sohn. Jack war völlig furchtlos, was Kura-maro-tini anging. Aber Gwyn wusste, dass es Druckmittel gab, die man auch von der anderen Seite des Ozeans aus einsetzen konnte. Gloria war zwar die Erbin, aber bislang gehörte Kiward Station Kura Martyn. Wenn Gwyneira sich ihren Wünschen widersetzte, genügte eine Unterschrift unter einem Kaufvertrag, und nicht nur Gloria, sondern die gesamte Familie McKenzie musste die Farm verlassen.

»So weit denkt Kura doch gar nicht!«, meinte Jack, doch James McKenzie konnte die Befürchtungen seiner Frau durchaus nachvollziehen. Kura dachte wahrscheinlich gar nicht mehr an die Besitzverhältnisse auf der Farm, aber William Martyn waren spontane Handlungen zuzutrauen. Nun hätte James sich ebenso wenig erpressen lassen wie sein Sohn. Aber ihm war Kiward Station nie sonderlich wichtig gewesen. Für Gwyneira jedoch war es ihr Leben.

»Du kommst doch bald zurück«, erklärte sie jetzt ihrer verzweifelten Urenkelin. »Die Überfahrt geht ganz schnell, in ein paar Wochen kannst du wieder da sein ...«

»In den Ferien?«, fragte Gloria hoffnungsvoll.

Gwyneira schüttelte den Kopf. Sie brachte es nicht übers Herz, das Mädchen zu belügen. »Nein. Die Ferien sind zu kurz. Überleg mal – selbst wenn die Überfahrt nur noch sechs Wochen dauert, könntest du in drei Monaten Sommerferien gerade mal herkommen und Guten Tag sagen. Und am nächsten Morgen müsstest du wieder weg.«

Gloria schluchzte. »Kann ich denn Nimue mitnehmen? Und Princess?«

Gwyneira hatte das Gefühl, die Zeit wäre zurückgedreht worden. Auch sie hatte wissen wollen, ob sie ihren Hund und ihr Pferd mitnehmen konnte, als ihr Vater ihr die Verlobung nach Neuseeland eröffnet hatte. Die junge Gwyn hatte allerdings nicht geweint. Und ihr künftiger Schwiegervater, Gerald Warden, hatte sie gleich beruhigen können.

Natürlich durften Cleo, ihr Hund, und Igraine, ihre Stute, mit auf die Reise in das neue Land. Aber Gloria ging nicht auf eine Schaffarm, sondern in eine Mädchenschule.

Gwyneira brach es das Herz, aber sie schüttelte wieder den Kopf.

»Nein, Liebes. Hunde erlauben sie dort nicht. Und Pferde … ich weiß nicht, aber viele Schulen auf dem Land haben Pferde. Nicht wahr, James?« Sie sah ihren Mann Hilfe suchend an, als wäre der alte Viehhüter ein Experte für Mädchenerziehung auf englischen Internaten.

James zuckte die Achseln. »Miss Bleachum?«, gab er die Frage weiter.

Sarah Bleachum, Glorias Hauslehrerin, hatte sich bislang vornehm zurückgehalten. Sie war eine unscheinbare, noch ziemlich junge Frau, die ihr kräftiges dunkles Haar matronenhaft aufzustecken pflegte und die eigentlich hübschen, hellgrünen Augen ständig gesenkt zu halten schien. Miss Bleachum lebte nur auf, wenn sie Kinder vor sich hatte. Sie war eine begnadete Lehrerin, und nicht nur Gloria, sondern auch die Maori-Kinder auf Kiward Station würden sie vermissen.

»Ich glaube, ja, Mr. James«, meinte sie gemessen. Sarah

Bleachums Familie war ausgewandert, als das Mädchen noch ein Baby war. Aus eigener Erfahrung konnte sie also auch keine Auskunft geben. »Aber das ist unterschiedlich. Und Oaks Garden ist wohl mehr künstlerisch orientiert. Mein Cousin schreibt, die Mädchen dort treiben wenig Sport.« Beim letzten Satz wurde Miss Bleachum glühend rot.

»Ihr Cousin?«, neckte James denn auch gleich. »Sollten wir da etwas verpasst haben?«

Da sie kaum noch röter werden konnte, wechselte Miss Bleachums Teint zu Blässe mit roten Flecken.

»Ich ... äh ... mein Cousin Christopher hat soeben seine erste Pfarrstelle bei Cambridge angetreten. Oaks Garden gehört zu seinem Sprengel ...«

»Ist er nett?«, fragte Gloria. Sie klammerte sich inzwischen an jeden Strohhalm. Wenn wenigstens ein Verwandter von Miss Bleachum da sein würde ...

»Er ist sehr nett!«, versicherte Miss Bleachum. James und Jack beobachteten fasziniert, dass sie sich dabei schon wieder verfärbte.

»Aber du wirst sowieso nicht ganz alleine sein«, spielte Gwyneira jetzt ihren Trumpf aus. Tim und Elaine Lambert hatten ihr am Tag zuvor zugesagt, Lilian würde mit nach England fahren. »Deine Cousine Lily kommt mit. Die magst du doch gern, nicht, Glory? Ihr werdet eine Menge Spaß miteinander haben!«

Gloria wirkte ein wenig getröstet, obwohl sie an den Spaß nun doch nicht glauben konnte.

»Wie stellt ihr euch denn eigentlich die Reise vor?«, bemerkte Jack plötzlich. Er wusste, dass er sich vor Gloria nicht kritisch äußern sollte, aber ihm kam all das falsch vor, und er konnte nicht an sich halten. »Sollen die zwei kleinen Mädchen ganz allein aufs Schiff? Mit einem Schild um den Hals? ›Abzugeben in Oaks Garden, Cambridge‹?«

Gwyneira funkelte ihren Sohn zornig an, obwohl sie es war, die sich ertappt fühlen musste. Tatsächlich hatte sie der genauen Reiseplanung noch keinen Gedanken geschenkt. »Natürlich nicht. Kura und William werden sie doch wohl abholen ...«

»Ach ja?«, fragte Jack. »Ihrer Tourneeplanung zufolge sind sie im März in St. Petersburg.« Er spielte mit einem Prospekt, der auf dem Kamintisch gelegen hatte. Kura und William ließen die Familie stets an ihren Reiseplänen teilhaben, und Gwyneira hing pflichtschuldig Kuras Tourneeplakate an die Wand in Glorias Zimmer.

»Sie sind ...?« Gwyneira brach ab. Sie hätte sich ohrfeigen können. All das hätte nicht vor Gloria besprochen werden sollen. »Wir werden jemanden finden müssen, der die Mädchen begleitet.«

Miss Bleachum schien mit sich zu ringen. »Wenn ich ... äh ... ich ... möchte ja nicht aufdringlich sein, aber falls ... ich meine, ich könnte ...« Erneut schoss ihr das Blut ins Gesicht.

»Wie sich die Zeiten ändern«, bemerkte James. »Vor fünfzig Jahren hat man sich noch in die andere Richtung verheiratet.«

Miss Bleachum schien einer Ohnmacht nahe. »Wie ... woher ...?«

James lächelte ermutigend. »Miss Bleachum, ich bin alt, aber nicht blind. Wenn Sie Diskretion wünschen, müssen Sie sich das Erröten bei der Erwähnung eines gewissen Reverends abgewöhnen.«

Miss Bleachum wurde wieder einmal blass.

»Bitte glauben Sie jetzt nicht, dass ...«

Gwyneira schaute irritiert auf. »Verstehe ich das jetzt richtig? Sie würden die Mädchen gerne nach England begleiten, Miss Bleachum? Sie wissen, dass Sie mindestens drei Monate lang unterwegs sein werden?«

Miss Bleachum wusste nicht, wo sie hinschauen sollte, und Jack tat sie allmählich leid.

»Mutter, Miss Bleachum versucht uns gerade auf möglichst schickliche Weise mitzuteilen, dass sie erwägt, die vakante Stelle einer Pfarrersfrau in Cambridge anzunehmen«, meinte er schmunzelnd. »Sofern sich die Affinität bestätigt, die sie nach einem langjährigen Briefwechsel mit ihrem Cousin Christopher in Cambridge bei beiden Teilen zu verspüren meint. Habe ich das jetzt korrekt ausgedrückt, Miss Bleachum?«

Die junge Frau nickte erleichtert.

»Sie wollen heiraten, Miss Bleachum?«, fragte Gloria.

»Sind Sie denn verliebt?«, fragte Lilian.

Eine Woche vor der Abreise nach England war Elaine mit ihrer Tochter auf Kiward Station eingetroffen, und wieder hatte es zwei Tage gedauert, bis Gloria ihre Schüchternheit gegenüber den Verwandten überwand. Elaine tröstete derweil Gwyneira. Gerade in Anbetracht von Glorias Zurückhaltung Gleichaltrigen gegenüber hielt sie es nicht für die schlechteste Idee, dem Mädchen ein paar Jahre Internatserziehung angedeihen zu lassen.

»Hätte Kura damals auch nicht geschadet!«, bemerkte sie. Elaines Verhältnis zu ihrer Cousine hatte sich erst kurz vor Kuras Abreise nach Europa entspannt. »Im Gegenteil, bei der wär's noch dringlicher gewesen. Aber im Grunde ist es das gleiche Problem: Diese Prinzessinnenerziehung mit Hauslehrerin und Einzelunterricht tut den Kindern nicht gut. Kura hat es Flausen in den Kopf gesetzt, und Gloria verwildert. Mag ja sein, dass es ihr unter all den Viehtreibern, Pferden und Schafen gefällt. Aber sie ist ein Mädchen, Granny Gwyn. Und schon im Interesse der weiteren Erbfolge auf Kiward Station wird es Zeit, dass sie sich dessen bewusst wird.«

Bislang schien hier allerdings kein besonderer Schaden angerichtet. Nach zwei Tagen mit der lebhaften Lilian taute Gloria auf, und die Mädchen verstanden sich bestens. Tagsüber strolchten sie über die Farm und ritten um die Wette; abends schmiegten sie sich in Glorias Bett aneinander und tauschten Geheimnisse aus – die Lilian am nächsten Tag gleich ausplauderte.

Miss Bleachum wusste schon wieder nicht, wo sie hinschauen und wie schnell sie erröten und erbleichen sollte, als die Kleine ihr Liebesleben ansprach.

Lilian hingegen war gar nichts peinlich. »Das ist so aufregend, über den Ozean zu fahren, weil man einen Mann liebt, den man noch nie gesehen hat«, plapperte sie. »So wie in *John Riley!* Kennen Sie das, Miss Bleachum? John Riley fährt sieben Jahre zur See, und seine Liebste wartet auf ihn. Sie liebt ihn so sehr, dass sie sagt, sie wäre ebenfalls gestorben, wenn er umgekommen wäre ... und dann erkennt sie ihn erst gar nicht, als er wiederkommt. Haben Sie eine Fotografie von Ihrem Liebst ... äh ... von Ihrem Cousin, Miss Bleachum?«

»Die Tochter der Barpianistin!«, neckte James seine schockierte Enkelin Elaine, die ihrerseits rot wurde. Schließlich hatte Lilian sich ausgerechnet den gemeinsamen Abendbrottisch ausgesucht, um Miss Bleachum zu examinieren. »Diese Lieder hat sie doch von dir!«

Elaine hatte vor ihrer Ehe mit Tim einige Jahre im Lucky Horse – Hotel und Pub Klavier gespielt. Sie war entschieden musikalischer als ihre Tochter, aber Lilian hatte ein Faible für die Geschichten hinter den Balladen und Folksongs, mit denen Elaine die Bergleute damals unterhalten hatte. Sie liebte es, sie auszuschmücken und weiterzuerzählen.

Elaine gebot ihrer Tochter jetzt erst einmal Einhalt.

»Lily, solche Fragen gehören sich nicht! Das sind Privatangelegenheiten, über die Miss Bleachum dich nicht aufklären muss. Entschuldigen Sie, Miss Bleachum.«

Die junge Gouvernante lächelte, wenn auch etwas gequält. »Lilian hat ja Recht, es ist eigentlich kein Geheimnis. Mein Cousin Christopher und ich führen einen regen Briefwechsel, seit wir Kinder waren. In den letzten Jahren sind wir uns dabei ... nun ja ... nähergekommen. Ich besitze ein Bild von ihm, Lilian. Ich werde es dir auf dem Schiff zeigen.«

»Und wir alle drei zusammen erkennen ihn dann auch!«, tröstete Gloria. In ihren Unterrichtsstunden trug Miss Bleachum eine dicke Brille, die sie in Gesellschaft allerdings schamhaft abzunehmen pflegte. Insofern konnte Gloria die Überlegung, ihre Lehrerin würde womöglich blind an dem Mann ihres Lebens vorbeilaufen, durchaus nachvollziehen.

Gwyneira dankte im Stillen dem Himmel für Miss Bleachums pädagogisches Geschick. Wenn Gloria in der letzten Zeit etwas fragte oder um etwas bat, vertröstete ihre Gouvernante sie auf die Reise nach England. Auf dem Schiff, sagte sie, würde sie diese oder jene Geschichte erzählen, dieses oder jenes Buch vorlesen und nun sogar das Foto ihres Geliebten zeigen. Das alles führte dazu, dass Gloria sich tatsächlich auf die Reise freute. Was Lilian betraf, schwärmte sie schon wochenlang vom Meer, von den Delfinen, die man sehen und den Wellen, auf denen man reiten würde. Allerdings redete sie auch von Piraten und Schiffsuntergängen – ein bisschen Gefahr schien für Lilian die Würze der Reise auszumachen.

Gwyneira wünschte sich nichts sehnlicher als ein glückliches Zusammentreffen zwischen Sarah und Christopher Bleachum. Wenn die junge Frau wirklich den Reverend der Gemeinde heiratete, zu dem Glorias Schule gehörte, hätte das Mädchen eine vertraute Erwachsene in der Nähe. Vielleicht würde alles nicht so schlimm werden, wie sie zunächst gedacht hatte.

Gwyneira zwang sich zu einem Lächeln, als die Mädchen schließlich in die Kutsche stiegen, mit der Jack sie zum Schiff bringen wollte. Elaine fuhr ebenfalls mit und würde anschließend von Christchurch aus den Zug zurück nach Greymouth nehmen.

»Wir fahren über den Bridle Path!«, begeisterte sich Lilian und wusste sofort zehn Schauergeschichten über jenen berühmten Bergpfad zwischen Christchurch und dem Hafen Lyttelton zu erzählen. Heerscharen von Neusiedlern waren diesen Pfad entlanggestolpert, müde nach der endlosen Überfahrt und zu arm, um sich den Pendeldienst mit Maultieren leisten zu können. Gwyneira selbst hatte ihr von dem überwältigenden Anblick erzählt, der sich ihnen dann am Ende des Aufstiegs bot: Die Canterbury Plains im Sonnenlicht, dahinter das atemberaubende Panorama der Alpen. Noch immer strahlten die Augen der alten Dame, wenn sie davon berichtete. In diesem Augenblick hatte sie sich in das Land verliebt, das ihre neue Heimat werden sollte.

Doch der Weg der Mädchen führte nun in die andere Richtung. Und Gwyneira verschwieg, dass ihre Freundin Helen die unwirtliche, trostlose Berglandschaft, die sich dabei zunächst ihren Blicken bot, mit den »Hügeln der Hölle« verglichen hatte.

3

Jack McKenzie war noch nie etwas so schwergefallen wie die Fahrt mit Gloria und Lilian nach Christchurch und dann über den Bridle Path. Dabei waren die Straßen seit Jahren hervorragend ausgebaut, und sein Gespann kräftiger Cobstuten kam schnell vorwärts. Fast zu schnell für Jack. Er hätte manches darum gegeben, die Zeit anhalten zu können.

Nach wie vor hielt er es für einen schweren Fehler, Gloria den Launen ihrer Eltern zu opfern. Dabei konnte er sich noch so oft sagen, dass dies schließlich nicht das Ende der Welt bedeutete. Gloria würde in England die Schule besuchen und dann zurückkommen. Dutzenden von Kindern aus reichen neuseeländischen Familien ging es nicht anders, und die meisten hegten keine bösen Erinnerungen an ihre Schulzeit.

Aber Gloria war anders; Jack spürte es instinktiv. Alles in ihm sträubte sich dagegen, das Mädchen Kura-maro-tini in die Obhut zu geben. Zu gut erinnerte er sich an die Nächte, in denen er das schreiende Baby aus seiner Wiege geholt hatte, während die Mutter nebenan seelenruhig schlief. Und Glorias Vater hatte lediglich der Namensgebung Aufmerksamkeit geschenkt. »Gloria« sollte seinen »Triumph über das neue Land« symbolisieren, was immer er damit meinte. Jack hatte den Namen schon damals als zu groß für das winzige Mädchen empfunden. Aber das Kind hatte er vom ersten Moment an geliebt. Jetzt empfand er es fast als Verrat, Gloria allein nach England zu schicken. Auf eine Insel, die sie mit Kura-maro-tini teilen würde. Jack hatte aufgeatmet, als seine Halbnichte einen Ozean zwischen sich und die McKenzies legte.

Immerhin war Gloria jetzt besserer Stimmung. Tapfer kämpfte sie gegen die Tränen, als sie Grandma Gwyn zum letzten Mal umarmte. Nur beim Abschied von den Tieren musste sie weinen.

»Wer weiß, ob ich Princess noch reiten kann, wenn ich wiederkomme«, schluchzte sie. Keinem der Erwachsenen fiel darauf ein Wort des Trostes ein. Wenn Gloria die Schule in England beendete, würde sie mindestens achtzehn Jahre alt sein; es hing davon ab, welcher Klasse man sie zuteilte. Das zierliche Pony wäre dann auf jeden Fall zu klein für sie.

»Wir lassen sie von einem Cobhengst decken«, meinte Jack schließlich. »Dann wartet ihr Fohlen auf dich, wenn du zurückkommst. Es wird dann ungefähr vier Jahre alt sein, und du kannst es zureiten.«

Bei der Vorstellung glitt ein Lächeln über Glorias Züge. »Das ist gar nicht so lange, nicht?«, fragte sie.

Jack schüttelte den Kopf. »Nein, das ist gar nicht so lange.«

Auf der Fahrt nach Christchurch kicherte Gloria dann schon wieder mit Lilian, während Elaine, bereits voller Abschiedsschmerz, und Miss Bleachum, verängstigt ob ihrer eigenen Courage, ein eher angespanntes Gespräch führten. Jack verbrachte die Fahrt damit, Kura-maro-tini in Gedanken zu verfluchen.

Die Reisenden verbrachten die Nacht im Hotel in Christchurch und fuhren dann in aller Frühe über den Bridle Path. Das Schiff sollte bei Sonnenaufgang ablegen, und Gloria und Lilian schliefen noch fast, als Jack sein Gespann durch die Berge lenkte. Elaine hielt ihre Tochter fest umschlungen. Gloria kletterte auf den Bock und schmiegte sich an Jack.

»Wenn es … wenn es ganz schlimm ist, kommst du mich holen, ja?«, flüsterte sie verschlafen, als Jack sie schließlich herunterhob und zwischen den Koffern und Kisten auf den Boden stellte.

»Es wird nicht so schlimm, Glory!«, tröstete er sie. »Denk doch mal an Princess. Die kommt auch aus England. Es gibt dort Schafe und Ponys, genau wie hier ...«

Jack fing einen Blick von Miss Bleachum auf, die sich offensichtlich auf die Lippen biss. Ihr Pflichteifer hätte sie beinahe dazu getrieben, Jacks Worte richtigzustellen. Sie hatte sich inzwischen genauer erkundigt: Es gab weder Schafe noch Pferde in Oaks Garden. Doch ihr Mitgefühl ließ sie schweigen. Auch Sarah Bleachum liebte Gloria.

Schließlich blieben Jack und Elaine am Kai stehen und winkten, während das riesige Dampfschiff hinaus in die Bucht fuhr.

»Hoffentlich tun wir das Richtige«, seufzte Elaine, als sie es endlich aufgaben. Die Kinder konnten sie längst nicht mehr sehen. »Tim und ich sind uns alles andere als sicher, aber Lily wollte es ja unbedingt ...«

Jack antwortete nicht. Er hatte genug damit zu tun, gegen die aufsteigenden Tränen anzukämpfen. Aber dann mussten sie sich glücklicherweise beeilen. Elaines Zug nach Greymouth fuhr gegen Mittag, und Jack musste die Pferde antreiben, um rechtzeitig da zu sein.

Deshalb gab es auch keine große Abschiedsszene zwischen den Verwandten. Elaine küsste Jack nur kurz auf die Wange.

»Sei nicht traurig«, beschied sie ihm. »Wenn ich das nächste Mal komme, bringe ich die Jungs mit. Dann zeigst du denen, wie man Hunde trainiert!« Seit es die Zugverbindung zwischen Ost- und Westküste gab, waren die Entfernungen geschrumpft. Elaine konnte in ein paar Monaten wieder zu Besuch kommen, selbst Grandma Gwyn und James waren schon mit der Eisenbahn an die Westküste gereist.

Jack verließ schließlich den Bahnhof und lenkte sein Gespann in Richtung Avon. George Greenwood und seine Frau Elizabeth besaßen ein Haus in Flussnähe – genau genommen hatte Elizabeth das kleine Stadthaus von ihrer Ziehmutter geerbt. George pflegte zu scherzen, dass er sie nur deshalb geheiratet hatte. Als er sich in Christchurch ansiedeln wollte, hatte es in der aufstrebenden Stadt kaum Wohnraum gegeben. Inzwischen war allerdings viel gebaut worden, und das Haus der Greenwoods lag fast im Zentrum. Jack suchte George nun auf, um ein paar Fragen bezüglich des Wollhandels mit ihm zu besprechen. Elizabeth hatte ihn außerdem eingeladen, die Nacht bei ihnen zu verbringen. Der junge Mann hatte widerwillig zugesagt. Eigentlich war ihm auch jetzt noch nicht nach Konversation. Er wäre lieber in stummem Brüten nach Kiward Station zurückgefahren.

Elizabeth Greenwood, eine leicht füllige Matrone mit klaren Zügen und freundlichen blauen Augen, bemerkte seine unglückliche Miene denn auch gleich, als sie ihm die Tür öffnete. Eine andere Dame ihres Standes hätte dies dem Hausmädchen überlassen, aber Elizabeth kam aus einfachsten Verhältnissen und war bescheiden geblieben.

»Wir heitern dich ein bisschen auf!«, versprach sie und zog Jack tröstend in die Arme. Elizabeth Greenwood und Gwyneira McKenzie waren mit dem gleichen Schiff aus England nach Neuseeland gekommen. Elizabeth kannte die Geschichte von Kiward Station sehr gut, und Jack war wie ein Verwandter für sie.

»Mein Gott, Junge, du guckst ja, als hättest du die kleine Gloria aufs Schafott geschickt!« Elizabeth nahm Jack fürsorglich seinen Regenmantel ab. Draußen nieselte es – ein Wetter, das zu seiner Stimmung passte. »Dabei sind die Mädchen ganz glücklich in England. Unsere Charlotte wollte gar nicht wiederkommen! Die ist gleich noch ein paar Jahre länger geblieben.« Elizabeth lächelte und öffnete Jack die Tür zu ihrem winzigen Empfangszimmer.

»Das stimmt doch gar nicht, Mom!«

Das Mädchen, das im Zimmer gesessen und gelesen hatte, musste die letzten Worte gehört haben. Nun sah es auf und blickte Elizabeth vorwurfsvoll an.

»Ich hatte immer Heimweh nach Canterbury ... manchmal träumte ich von dem Blick über die Plains hin zu den Alpen. Nirgendwo ist die Luft so klar wie hier ...« Eine sanfte, singende Stimme. Vielleicht so, wie Elizabeth sich angehört hätte, hätte sie ihre Stimmführung nicht ständig eisern kontrolliert. Elizabeth Greenwood hatte als Kind gelispelt und stammte obendrein aus einem der ärmsten Londoner Stadtviertel. Sie hatte zeitlebens daran gearbeitet, den entsprechenden Tonfall und Dialekt abzulegen.

Und dies war nun wohl Charlotte, ihre jüngste Tochter. Jack hatte bereits gehört, dass sie wieder in Christchurch weilte. Sie war mit dem gleichen Schiff angekommen, das ihm jetzt Gloria entführte. Doch als das Mädchen sich nun Jack zuwandte und sich erhob, um ihn zu begrüßen, vergaß er den bohrenden Schmerz der Trennung.

»Obwohl es mir in England durchaus gefallen hat ...«

Eine sanfte Stimme wie ein Windhauch, der ein Glockenspiel zum Klingen bringt ...

Charlotte sprach nach wie vor zu ihrer Mutter, und Jack war beinahe froh darüber. Schließlich musste er all seine Beherrschung aufbringen, um das Mädchen nicht schamlos anzustarren. Hätte sie jetzt auch noch das Wort an ihn gerichtet, wäre ihm wohl jede vernünftige Erwiderung im Halse stecken geblieben.

Charlotte Greenwood war das schönste Mädchen, das Jack je gesehen hatte. Sie war nicht klein wie die meisten von Jacks weiblichen Verwandten, aber sie war zartgliedrig, und ihre Haut schimmerte durchscheinend milchweiß wie edles Porzellan. Ihr Haar war blond wie das ihrer Mutter und ihrer Schwester Jenny, allerdings nicht ganz so hell. Jack erinnerte es an die Farbe von dunklem Honig. Charlotte hatte das Haar am Hinterkopf zu einem Pferdeschwanz gebunden, doch der fiel lang und schwer in üppigen Locken über ihre Schulter. Das Aufregendste waren jedoch ihre großen, tiefbraunen Augen. Jack erschien das Mädchen wie eine Fee – oder wie das zauberhafte Wesen aus dem Lied *Annabell Lee*, das die kleine Lilian ebenso ausdauernd wie falsch zu singen pflegte.

»Darf ich vorstellen? Meine Tochter Charlotte, Jack McKenzie.« Elizabeth Greenwood durchbrach Jacks atemloses Schweigen.

Charlotte streckte ihm die Hand entgegen. Jack reagierte unwillkürlich mit einer Geste, die er zwar im Benimmunterricht geübt, aber niemals gegenüber einer Frau aus den Canterbury Plains angewandt hatte: Er küsste dem Mädchen die Hand.

Charlotte lächelte. »Ich kann mich noch an Sie erinnern, Jack«, sagte sie freundlich. »Von diesem Konzert, das Ihre … Cousine? … hier gab, bevor sie nach England ging. Ich bin mit dem gleichen Schiff gereist, wissen Sie.«

Jack nickte. Er hatte nur verschwommene Erinnerungen an Kura-maro-tinis Abschiedskonzert in Christchurch. Er hatte sich das Programm überhaupt nur angehört, um Gloria auf keinen Fall aus den Augen zu lassen.

»Sie haben sich um das kleine Mädchen gekümmert, und ich war ein bisschen eifersüchtig.«

Jack blickte Charlotte ungläubig an. Er war damals fast achtzehn gewesen, und sie …

»Ich hätte auch lieber mit dem Holzpferdchen gespielt und dann mit den Maori-Kindern ein Spielzeugdorf gebaut, statt stillzusitzen und zuzuhören, obwohl ich alt genug war«, gestand das Mädchen mit singender Stimme.

Jack lächelte. »Sie gehören also nicht zu den Bewunderern meiner … genau genommen ist sie meine Halbnichte …«

Charlotte schlug die Augen nieder. Sie hatte lange, honigfarbene Wimpern. Jack war hingerissen.

»Vielleicht war ich doch noch nicht alt genug«, entschuldigte sie sich. »Allerdings ...«

Sie hob die Lider wieder und schien jetzt von der höflichen Konversation zur ernsthaften Diskussion einer künstlerischen Darbietung überzugehen, wobei sie kein Blatt vor den Mund nahm. »Allerdings ist Mrs. Martyns Umgang mit dem Erbe ihres Volkes auch nicht so ganz das, was ich unter Bewahrung kultureller Schätze verstehe. Im Grunde bedient sich ›Ghost Whispering‹ doch nur der Elemente einer Kultur, die der Interpretin gerade dienlich scheinen, um ... nun ja, ihren eigenen Ruhm zu mehren. Während die Musik der Maoris, wie ich sie verstehe, doch eher einen kommunikativen Aspekt hat ...«

Jack verstand zwar nicht ganz, wovon Charlotte eigentlich redete, doch er hätte ihr stundenlang zuhören können. Elizabeth Greenwood schlug die Augen gen Himmel.

»Hör auf, Charlotte, du hältst wieder Vorträge, während deine Zuhörer höflich verhungern. Aber das sind wir ja schon gewöhnt. Charlotte ist länger in England geblieben, um das College zu besuchen, Jack. Irgendwas mit Geschichte und Literatur ...«

»Kolonialgeschichte und vergleichende Literatur, Mom«, verbesserte Charlotte sanft. »Es tut mir leid, wenn ich Sie gelangweilt habe, Mr. McKenzie ...«

»Sagen Sie doch bitte Jack«, rang er sich mühsam ab. Noch immer wollte er das Mädchen am liebsten stumm anbeten. Aber dann kam sein Schalk doch wieder durch. »Zumal wir zu den insgesamt nur etwa drei bis vier Menschen auf diesem Planeten gehören, die Kura-maro-tini Martyn nicht anbeten. Das ist ein sehr exklusiver Klub, Miss Greenwood ...«

»Charlotte«, sagte sie lächelnd. »Aber ich wollte die Leistung Ihrer … Halbnichte keineswegs herabwürdigen. Ich hatte in England noch einmal das Vergnügen, sie hören zu dürfen, und sie ist zweifellos eine begnadete Künstlerin. Sofern ich das sagen darf, ich bin nicht sehr musikalisch. Mich stört allerdings, wie hier Mythen aus dem Kontext gerissen werden und dass die Geschichte eines Volkes zu … nun ja, banaler Liebeslyrik herabgewürdigt wird.«

»Geh jetzt rein, Charlotte, und biete unserem Gast einen Drink vor dem Essen an. George muss auch bald eintreffen, Jack. Er weiß ja, dass du zum Dinner kommst. Und vielleicht befleißigt sich unsere Charlotte dabei einer etwas verständlicheren Konversation. Liebes, wenn du so geschwollen daherredest, findest du nie einen Mann!«

Charlotte runzelte ihre glatte weiße Stirn, als wollte sie etwas Unfreundliches erwidern; dann aber schwieg sie und führte Jack bereitwillig in den angrenzenden Salon. Den angebotenen Whiskey lehnte er jedoch ab.

»Nicht vor Sonnenuntergang«, bemerkte er.

Charlotte lächelte. »Aber Sie sehen aus, als brauchten Sie eine Stärkung. Vielleicht einen Tee?«

Als George Greenwood eine halbe Stunde später eintraf, fand er seine Tochter und Jack McKenzie in ein angeregtes Gespräch vertieft. Zumindest sah es auf den ersten Blick so aus. Tatsächlich rührte Jack nur in seiner Teetasse und lauschte Charlotte, die jetzt von ihrer Kindheit in englischen Internaten berichtete. Auch bei ihr klang es harmlos – und ihre singende Stimme nahm Jack tatsächlich die Sorge um Gloria. Wenn englische Internate derart engelsgleiche Wesen hervorbrachten wie Charlotte, konnte der Kleinen eigentlich nichts geschehen. Allerdings hatte Charlotte eine Schule besucht, die sich neben der geistigen auch die körperliche Ertüchtigung ihrer Schülerinnen zur Aufgabe gemacht hatte. Charlotte erzählte vom Reiten und Hockeyspiel, von Krocket und Wettläufen.

»Und die ›künstlerisch-kreative Entwicklung‹?«, fragte Jack.

Charlotte runzelte wieder die Stirn – auf hinreißende Art. Jack hätte stundenlang zusehen können, wie sich die Haut über ihren Augenbrauen kräuselte.

»Wir haben ein bisschen gemalt«, meinte sie dann. »Und wer wollte, konnte natürlich auch Klavier und Geige spielen. Außerdem hatten wir einen Chor. Aber ich durfte nie mitsingen. Ich bin völlig unmusikalisch.«

Jack konnte Letzteres nicht glauben; für ihn war jedes Wort von Charlotte wie ein Lied. Aber Musikalität gehörte schließlich auch nicht zu seinen Stärken.

»Dann wollen wir mal hoffen, dass es der kleinen Gloria nicht genauso geht«, warf George Greenwood ein. Der hochgewachsene, immer noch schlanke, inzwischen jedoch vollständig grauhaarige Mann hatte sich einen weiteren Sessel an den Teetisch vor dem Kamin gezogen und Platz genommen. Charlotte schenkte ihm ein – sehr geschickt. »Denn ich glaube nicht, dass den Mädchen in Oaks Garden die Musikausbildung erspart bleibt. Die Martyns setzen die Schwerpunkte ihrer Erziehung zweifellos gänzlich anders als wir.«

Jack sah George verwirrt an. Charlotte hatte von Wahlfächern gesprochen, aber bei Greenwood klang es fast so, als würden englische Schülerinnen mit Gewalt ans Klavier geschleift.

»Diese Internate sind nicht alle gleich, Jack«, sprach George gleich weiter und dankte seiner Tochter. »Die Eltern haben die Wahl zwischen sehr unterschiedlichen Ausbildungskonzepten. Manche Schulen legen zum Beispiel größten Wert auf traditionelle Mädchenerziehung. Da lernen die Kinder nicht viel mehr als Hauswirtschaft und gerade so viel über Literatur und Kunst, dass sie später mit ihrem Mann eine Vernissage besuchen oder bei einer Teegesellschaft angeregt über die aktuellen Neuerscheinungen auf dem Buchmarkt plaudern können, ohne unangenehm aufzufallen. Andere – zum Beispiel das Internat, das Charlotte und vorher Jenny besucht haben – vermitteln eine bessere Allgemeinbildung. Sie gelten zum Teil als Reformschulen, und es ist heiß umstritten, ob Mädchen Latein lernen oder sich mit Physik und Chemie beschäftigen sollen. Auf jeden Fall heiraten die Absolventinnen nicht unbedingt gleich nach dem Schulabschluss, sondern besuchen ein College oder eine Universität, sofern Mädchen dort zugelassen sind. Wie ja auch unsere Charlotte.«

Er zwinkerte seiner Tochter zu.

»Nun ja, und wieder andere verlegen sich halt auf die schönen Künste, was immer das bedeutet ...«

Jack hatte zunächst aufmerksam zugehört, doch als das Wort »Heiraten« fiel, vergaß er Gloria und richtete den Blick besorgt auf Charlotte. Er sollte nicht fragen; zumindest zu diesem Zeitpunkt ihrer Bekanntschaft war das noch alles andere als schicklich. Aber Jack konnte nicht anders: »Und nun, da Sie wieder da sind, Miss ... Charlotte ... haben Sie ... bestimmte, hm, Absichten, ich meine, was ... äh ...«

George Greenwood runzelte die Stirn. Eigentlich war er es gewohnt, dass Jack McKenzie in ganzen Sätzen sprach.

Charlotte lächelte sanft. Sie schien zu verstehen.

»Sie meinen, ob ich verlobt bin?«, fragte sie und blinzelte.

Jack wurde rot. Plötzlich verstand er die Gefühle einer Sarah Bleachum.

»Ich würde niemals wagen, eine solche Frage ...«

Charlotte lachte. Nicht verschämt, sondern fröhlich und ungekünstelt.

»Aber da ist doch nichts dabei! Zumal es schon längst in der Zeitung stünde, wenn mein Vater mich an den Haaren aus England zurückgezerrt hätte, um hier irgendeinen Countrygentleman zu ehelichen ...«

»Charlotte!«, rügte George. »Als ob ich jemals …«

Charlotte stand auf und gab ihm übermütig einen Kuss auf die Wange. »Nicht aufregen, Dad. Natürlich würdest du mich niemals zwingen. Aber gefallen würde es dir schon, gib's zu! Und Mom erst recht!«

George Greenwood seufzte.

»Natürlich würden deine Mutter und ich es begrüßen, wenn du einen passenden Mann fändest, Charlotte, statt den Blaustrumpf herauszukehren. Studien der Maori-Kultur! Wem soll denn das nützen?«

Jack horchte auf.

»Sie interessieren sich für die Maoris, Charlotte?«, fragte er beflissen. »Sprechen Sie denn die Sprache?«

George wandte dramatisch den Blick gen Himmel. Zweifelsohne hatte er Charlotte die braunen Augen vererbt, obwohl ihre von reinem Braun waren, während in seinen grüne Einsprengsel schimmerten. »Natürlich nicht. Weshalb ich ja auch sage, dass der ganze Plan nichts wert ist. Mit Latein und Französisch kommst du da nicht weiter, Charlotte …«

Während George noch lamentierte, rief Elizabeth zum Essen.

Charlotte erhob sich sofort. Offensichtlich hatte sie die Einwände ihres Vaters schon oft genug gehört. Und wie es aussah, fehlten ihr die rechten Argumente, sie zu entkräften.

Aber jetzt beherrschte erst einmal Elizabeth Greenwood das Tischgespräch. Das Essen war wie immer köstlich, und die Konversation rankte sich um die verschiedensten Themen, meist um die Gesellschaft in und um Christchurch und die Canterbury Plains. Jack hörte nur mit halbem Ohr zu. Tatsächlich schmiedete er bereits eigene Pläne. Er wurde erst wieder aufmerksam, als das Gespräch gegen Ende des Essens erneut auf Charlottes Vorhaben kam. Das Mädchen hatte die Absicht, Georges Geschäftsführer im Bereich des Wollhandels, einen Maori namens Reti, um Unterricht in der Sprache seines Volkes zu bitten. George erhob allerdings energisch Einspruch.

»Reti hat anderes zu tun!«, erklärte er. »Außerdem ist die Sprache kompliziert. Du würdest Jahre brauchen, bis du sie so gut beherrschst, dass du die Geschichten der Leute verstehst und zu Papier bringen kannst …«

»Ach, so kompliziert ist es gar nicht«, warf Jack ein. »Ich zum Beispiel spreche fließend Maori.«

George verdrehte die Augen. »Du bist ja auch halb in ihrem Dorf aufgewachsen, Jack.«

»Und unsere Maoris auf Kiward Station sprechen genauso fließend Englisch!«, fuhr Jack triumphierend fort. »Wenn Sie eine Zeitlang zu uns kommen würden, Charlotte, könnten wir da etwas arrangieren. Meine sozusagen Halbschwägerin Marama zum Beispiel ist eine *tohunga*. Sängerin eigentlich. Aber die wichtigsten Geschichten sollte sie auch kennen. Und Rongo Rongo, die Hebamme und Zauberin des Stammes, spricht ebenfalls Englisch.«

Charlottes Gesicht hellte sich auf.

»Siehst du, Daddy? Es geht alles! Und Kiward Station ist doch eine große Farm, nicht? Gehört sie nicht dieser … dieser lebenden Legende hier, Miss … äh …«

»Miss Gwyn«, meinte George übellaunig. »Aber die hat wahrscheinlich fürs Leben genug von verwöhnten, kulturinteressierten Mädchen in ihren vier Wänden.«

»Nein, nein«, wehrte Jack ab. »Meine Mutter ist …« Er brach ab.

Gwyneira als Förderin der Schönen Künste zu bezeichnen wäre sicher übertrieben. Aber natürlich war Kiward Station, wie alle Farmen auf den Plains, ein gastfreundliches Haus. Und Jack konnte sich nicht vorstellen, dass Gwyneira von diesem Mädchen nicht entzückt wäre …

Nun aber schaltete Elizabeth sich ein.

»Aber George! Was denkst du denn? Selbstverständlich würde Miss Gwyn Charlotte bei ihren Forschungen unterstützen! Sie hat sich immer für die Maori-Kultur interessiert!«

Das war nun allerdings das Erste, was Jack hörte. Gwyneira verstand sich im Allgemeinen gut mit den Maoris. Viele ihrer Bräuche und Einstellungen kamen ihrer praktischen Natur entgegen, und sie neigte nicht zu Vorurteilen. Aber eigentlich interessierte Jacks Mutter sich vor allem für Viehzucht und Hundeausbildung.

Elizabeth lächelte Jack zu.

»Du solltest die McKenzies nicht als Kulturbanausen darstellen«, wandte sie sich dann wieder an ihren Mann. »Schließlich kommt Miss Gwyn zu jeder Theateraufführung oder anderen kulturellen Ereignissen nach Christchurch ... Miss Gwyn ist eine Stütze der Gesellschaft, Charlotte!«

»Und hat Jenny nicht sogar ein Jahr auf der Farm gearbeitet?« Charlotte wandte sich an ihre Mutter.

Jack nickte eifrig. Daran hatte er gar nicht mehr gedacht. Tatsächlich hatte die ältere Tochter der Greenwoods, Jennifer, ein Jahr auf Kiward Station verbracht, um die Kinder im Maori-Dorf zu unterrichten. So zumindest lautete der Vorwand ...

»Von ›arbeiten‹ kann da wohl nicht die Rede sein!«, brummte George Greenwood. Er mochte seine Töchter auf Reformschulen schicken und ihnen ein paar Jahre Studium erlauben. Eine ernsthafte Erwerbstätigkeit lag jedoch außerhalb seines Vorstellungsbereichs.

»Ja, natürlich!«, flötete dagegen Elizabeth. »Deine Schwester hat da ihren Mann kennen gelernt, Charlotte!«

Elizabeth warf ihrem Gatten vielsagende Blicke zu. Als der immer noch nicht verstand, richtete sie die Augen abwechselnd auf Jack und Charlotte.

Tatsächlich hatte Jennifer Greenwood ihren Mann Stephen bei Kura-maro-tinis Hochzeit kennen gelernt. Steve war Elaines älterer Bruder; nach Abschluss seines Jurastudiums hatte er einen Sommer lang auf Kiward Station ausgeholfen. Ein guter Grund für Jenny, sich dort ebenfalls einzufinden. Inzwischen arbeitete Stephen McKenzie als Firmenanwalt für Greenwood Enterprises.

George schien endlich zu begreifen.

»Natürlich steht einem Besuch Charlottes auf Kiward Station überhaupt nichts im Wege«, bemerkte er. »Ich nehme Sie mit, Charlotte, wenn ich das nächste Mal in die Plains fahre.«

Charlotte strahlte Jack an. »Ich freue mich, Jack!«

Jack meinte, sich in ihrem Blick zu verlieren. »Ich ... ich werde die Tage zählen ...«

4

Lilian Lambert zählte die Tage der Schiffsreise. Nach der ersten, aufregenden Zeit auf See hatte sie sich bald gelangweilt. Natürlich war es nett, wenn Delfine das Schiff begleiteten und gelegentlich riesige Barrakudas oder gar Wale zu sehen waren. Aber eigentlich interessierte Lilian sich mehr für Menschen, und da war die Besatzung der *Norfolk* wenig ergiebig. Es gab nur etwa zwanzig Passagiere, hauptsächlich ältere Leute, die ihre alte Heimat besuchten, sowie ein paar Geschäftsreisende. Letztere interessierten sich nicht für die Kinder; Erstere fanden Lilian zwar niedlich, aber besonderen Gesprächsstoff boten sie nicht.

Grandma Helens und Grandma Gwyns Berichte von ihrer Reise nach Neuseeland hatten prickelnde Aufbruchsatmosphäre heraufbeschworen – geprägt einerseits vom ersten Heimweh, andererseits von ängstlicher Vorfreude auf das, was die Passagiere am anderen Ende der Welt erwarten mochte. Davon war auf der *Norfolk* eindeutig nichts zu spüren. Und natürlich gab es auch kein von armen Einwanderern überfülltes Unterdeck. Die *Norfolk* hatte stattdessen ein Kühlsystem und transportierte Rinderhälften nach England. Die wenigen Passagiere reisten durchweg Erster Klasse. Das Essen war gut, die Unterbringung behaglich, doch die quirlige Lilian fühlte sich eingesperrt. Sie sehnte sich nach dem Ende der Reise und freute sich auf den Aufenthalt in London. Miss Bleachum sollte ein paar Tage mit ihren Zöglingen in der Hauptstadt verbringen und ihnen unter anderem Schuluniformen und weitere Garderobe anmessen lassen.

»Wenn ich sie hier in Christchurch ausstatten lasse, sind die Sachen schon aus der Mode, wenn sie in London ankommen«, hatte Gwyneira praktischerweise bemerkt. Sie selbst hatte sich nie viel aus Kleidung und Mode gemacht, aber sie wusste noch aus ihrer Mädchenzeit, wie viel Wert man in besseren englischen Kreisen auf diese Dinge legte. Gloria und Lilian sollten nicht hinterwäldlerisch wirken. Gerade die empfindsame Gloria würde den Spott ihrer Mitschülerinnen nicht gut vertragen.

Im Gegensatz zu Lilian genoss Gloria die Reise – sofern sie irgendetwas außerhalb von Kiward Station schön finden konnte. Sie mochte das Meer, saß oft stundenlang an Deck und sah den spielenden Delfinen zu. Es war ihr mehr als recht, dass die anderen Reisenden sie dabei in Ruhe ließen. Miss Bleachum und Lilian genügten ihr als Gesellschaft. Sie lauschte angeregt, wenn die Lehrerin ihr aus den extra mitgebrachten Büchern über Wale und Seefische vorlas, und versuchte zu ergründen, wie der Antrieb des Dampfschiffes funktionierte. Ihr nicht enden wollendes Interesse am Meer und an der Schifffahrt ließ sie dann auch Kontakt zu den Besatzungsmitgliedern finden. Die Matrosen sprachen das stille Mädchen an und versuchten es aus der Reserve zu locken, indem sie ihm Seemannsknoten vorführten und es schließlich bei kleinen Verrichtungen an Deck helfen ließen. Gloria fühlte sich dann fast wie zu Hause unter den Viehhütern auf Kiward Station. Schließlich nahm der Kapitän sie mit auf die Brücke, wo sie ein paar Sekunden lang das Steuer des Riesenschiffes halten durfte. Navigation interessierte sie ebenso wie das Tierleben auf See. Die künstlerischen Darbietungen, zu denen sich manche Passagiere am Abend aufrafften oder die Musik, die aus den Grammofonen drang, um die Menschen im Speisesaal zu unterhalten, ließen sie dagegen völlig kalt.

Sarah Bleachum sah das alles mit Besorgnis. Ihr Cousin – der sich im Übrigen äußerst entzückt darüber äußerte, dass Sarah die Mädchen nach Canterbury begleitete – hatte ihr einen Prospekt von Oaks Garden zukommen lassen. Der Lehrplan bestätigte ihre ärgsten Befürchtungen. Naturwissenschaftliche Fächer spielten kaum eine Rolle. Stattdessen wurden die Mädchen dazu angehalten, zu musizieren, Theater zu spielen, zu malen und schöngeistige Literatur zu studieren. Sarah hätte Gloria niemals in ein solches Institut geschickt.

Gloria verschlug es zum ersten Mal die Sprache, als das Schiff London erreichte. Noch nie hatte sie so große Häuser gesehen, zumindest nicht in dieser Menge. Auch in Christchurch und Dunedin baute man inzwischen monumental. Die Kathedrale von Christchurch zum Beispiel brauchte den Vergleich mit europäischen Sakralbauten nicht zu scheuen. Aber hier standen die Kathedrale, die Universität, das Christcollege und andere repräsentative Bauten doch ziemlich allein. Gloria konnte jedes Bauwerk für sich bewundern. Das Häusermeer der englischen Hauptstadt schien sie dagegen zu erdrücken. Dazu kam der unablässige Lärm: Die Hafenarbeiter, die Marktschreier, die Menschen auf den Straßen pflegten mit vollen Stimmen zu diskutieren. In London war alles lauter als zu Hause, alles lief schneller ab, man war ständig in Eile.

Lilian blühte in dieser Atmosphäre auf. Sie redete bald genauso schnell wie die Engländer, lachte mit den Blumenmädchen und alberte mit den Hotelpagen herum. Gloria dagegen sagte gar nichts mehr, seit sie die Docks von London betreten hatte. Sie blickte nur noch mit großen Augen um sich und gab acht, Miss Bleachum nicht aus den Augen zu verlieren. Miss Bleachum, die immerhin in Wellington studiert hatte, kam mit dem Großstadtrummel ziemlich gut zurecht, verstand allerdings die Probleme ihrer Schülerin. Behutsam versuchte sie, Gloria aus ihrem Schneckenhaus zu holen und für irgendetwas zu begeistern, aber lediglich ein Zoobesuch erregte leises Interesse.

»Den Löwen gefällt das nicht«, bemerkte Gloria, als sie die Tiere in ihren kleinen Käfigen betrachteten. »Hier ist zu wenig Platz. Und sie möchten auch nicht so angestarrt werden.«

Stellvertretend für die Tiere hob sie die Hand vor Augen, während Lilian über die Späße der Affen lachte.

Auch die Musicalvorstellung im Theater, für die Kura und William Karten hatten hinterlegen lassen – im Übrigen das einzige Lebenszeichen, das sie ihrer Tochter in London hinterließen, ehe sie nach Russland aufbrachen –, konnte Gloria nicht fesseln. Sie fand die Sänger gekünstelt, die Musik zu laut, und sie fühlte sich nicht wohl in den Kleidern, die sie in London tragen musste.

Sarah Bleachum wunderte das nicht. Lilian sah in ihrem Matrosenkleidchen entzückend aus, aber an Gloria wirkte es wie eine Kostümierung. Über die Schulkleidung brach das Mädchen dann sogar in Tränen aus. Faltenrock und Blazer standen ihr nicht; sie wirkte gedrungen in dem knielangen Rock und der hüftlangen Jacke, und die weiße Bluse ließ ihre Haut teigig aussehen. Dazu hielt sie den Anforderungen von Glorias Alltag nicht stand. Gloria wollte alles anfassen, hautnah erleben, und wenn sie irgendetwas auseinandergenommen oder auch nur ertastet hatte, wischte sie sich die Hände achtlos an der Kleidung ab. Bei den Breeches auf Kiward Station war das kein Problem – die Viehhüter machten es schließlich genauso –, aber weiße Blusen und hellblaue Blazer waren für eine solche Behandlung nicht geschaffen.

Sarah atmete auf, als sie endlich in die Bahn nach Cambridge stiegen. Das Landleben würde ihrer Schülerin besser zusagen; zumindest würde es nicht laut und hektisch zugehen. Nach Angaben Christophers war Sawston – der Ort, bei dem Oaks Garden lag – ein eher idyllisches Dörfchen. Sarah selbst sah dem Treffen mit ihrem Cousin mit Herzklopfen entgegen. Sie hatte ein Zimmer bei einer Witwe gemietet, die wohl als Stütze der Gemeinde galt, doch wenn sie ehrlich sein sollte, hoffte die junge Lehrerin auf eine Anstellung in Oaks Garden. Den McKenzies hatte sie nichts von ihrer Bewerbung erzählt, schon um Gloria keine Hoffnung zu machen. Aber insgesamt wäre es ihr viel lieber gewesen, Christopher nicht als mehr oder weniger mittellose Verwandte entgegenzutreten, sondern aus der Sicherheit einer festen Anstellung heraus. Natürlich hatte sie etwas gespart, und die McKenzies waren mehr als großzügig gewesen. Aber sehr viel Zeit zum persönlichen Kennenlernen ihres möglichen künftigen Gatten hatte sie nicht. Dabei traf Sarah ihre Entscheidungen lieber langsam und bedächtig. Ein Schuljahr wäre ideal, um zu einem endgültigen Entschluss zu kommen. Und in Sawston würde sie kaum Geld ausgeben. Sie könnte ihr Gehalt also sparen und im schlimmsten Fall nach Neuseeland zurückkehren, ohne den McKenzies ihr Scheitern einzugestehen. Schließlich wäre es ihr zu peinlich gewesen, das hochherzige Angebot anzunehmen, das Gwyneira ihr noch vor der Abreise gemacht hatte.

»Wenn Ihre Erwartungen sich nicht erfüllen, Miss Bleachum, genügt ein Telegramm, und wir senden Ihnen das Geld für die Rückfahrt. Wir sind glücklich, dass Sie sich der Mädchen annehmen, das können wir gar nicht vergüten. Andererseits weiß ich aus eigener Anschauung nur zu gut, wozu solche beinahe erzwungenen Ehen führen.« Miss Gwyn hatte von ihrer Freundin Helen erzählt, der letztendlich nichts anderes übrig geblieben war, als den Mann zu heiraten, dessen Briefe sie ans andere Ende der Welt gelockt hatten. Glücklich war die Beziehung nicht geworden.

Jetzt jedenfalls sah Sarah klopfenden Herzens zu, wie das Häusermeer Londons den Vorstädten und schließlich der lieblichen Landschaft Mittelenglands wich. Gloria wirkte sofort glücklicher, als sie die ersten Pferde auf grünen Weiden sahen, und Lilian war vor Aufregung sowieso kaum zu halten. Wobei wieder mal Miss Bleachums Liebesleben im Mittelpunkt stand. Sarah kam langsam zu dem Ergebnis, dass James McKenzies Neckereien gegenüber Elaine Lambert nicht ganz der Grundlage entbehrten. Lilian war zweifellos in einer sehr offenen Atmosphäre aufgewachsen. Es mochte stimmen, dass Barmädchen und Hotelbesitzerinnen zu Elaines engeren Freundinnen gehörten.

»Für uns ist das ja nur eine neue Schule, Miss Bleachum«, plapperte Lilian jetzt. »Aber für Sie muss es sooo aufregend sein, Ihren Liebsten zu sehen! Kennen Sie *Trees they grow high?* Darin heiratet das Mädchen den Sohn eines Lords. Aber er ist viel jünger als sie, und ... Wie alt ist eigentlich der Reverend?«

Sarah seufzte und blickte besorgt auf Gloria. Die wurde schon wieder stiller, je näher sie Cambridge kamen. Dabei glich die Landschaft, durch die der Zug sie trug, eigentlich immer mehr den Canterbury Plains. Natürlich war alles kleiner; es gab keine endlosen Weiden, und die Schafpferche erschienen selbst Sarah, die keine Ahnung von Viehzucht hatte, eher handtuchgroß. Auch war die Gegend dichter besiedelt; immer wieder sah man Farmen und kleinere Cottages zwischen den Feldern und Wiesen. Große Herrenhäuser waren eher selten, aber die lagen vielleicht auch nicht so nah an der Bahnlinie. Gloria kaute an den Fingernägeln, eine Unart, die sie sich auf der Überfahrt angewöhnt hatte, doch Sarah mochte es nicht rügen. Dem Mädchen fielen die Veränderungen auch ohne Vorwürfe schwer genug.

»Kann ich denn wohl Briefe schreiben, Miss Bleachum?«,

fragte Gloria leise, als der Schaffner Cambridge als nächsten Halt ankündigte.

Sarah strich ihr übers Haar. »Aber natürlich, Gloria. Du weißt doch, der Reverend und ich schreiben uns seit Jahren. Es dauert nur immer ein paar Wochen, bis sie ankommen.«

Gloria nickte und riss mit den Zähnen an einem Stück Nagelhaut.

»Es ist so weit …«, sagte sie leise. Sarah gab ihr ein Taschentuch. Ihr Finger blutete.

Reverend Christopher Bleachum wartete am Bahnhof. Er hatte sich eine kleine Chaise geliehen, denn er besaß keine eigene Kutsche, er machte seine Besuche zu Pferde. Wenn er heiratete, würde er sich ein Gefährt anschaffen müssen. Christopher seufzte. Die Veränderungen würden enorm sein, wenn er sich tatsächlich eine Frau nahm. Bislang hatte er nie daran gedacht. Aber der Vorfall mit Mrs. Walker einige Monate zuvor … und davor das Mädchen im Theologieseminar. Dabei konnte Christopher gar nichts dafür, dass die Frauen ihm nachliefen. Er sah einfach zu gut aus mit seinem lockigen, dunklen Haar, dem immer leicht gebräunt wirkenden Teint, den er wohl irgendwelchen Südländern in der Familie seiner Mutter verdankte, und den seelenvollen, fast schwarzen Augen. Christopher hatte sensible Züge, eine dunkle, sanfte Stimme, die ihn auch zu einem hervorragenden Sänger machte, und er konnte gut zuhören. Er schien den Menschen in die Seele zu blicken, wie seine begeisterten Pfarrkinder munkelten. Christopher nahm sich Zeit für sie und hatte für fast alles Verständnis. Aber er war bei all dem auch ein Mann. Wenn eine junge Frau um Zuspruch bat und dabei mehr Anlehnung brauchte, als Worte zu geben vermochten, konnte der Reverend sich nur schwer zurückhalten.

Bisher hatte es da zwei eher unangenehme Vorfälle gegeben – und Christopher musste sich eingestehen, dass er damit noch Glück gehabt hatte. Schließlich bemühte er sich um Diskretion, und meist waren auch die Frauen daran interessiert. Doch über Mrs. Walker, eine eher labile junge Ehefrau, deren Mann häufiger den Pub als ihr Bett besuchte, war geredet worden. So laut, dass selbst der Bischof davon erfuhr – jedenfalls nachdem Christopher gezwungen gewesen war, sich am Sonntag nach dem Gottesdienst mit dem Ehemann zu prügeln. Der Kerl hatte natürlich angefangen, aber Christopher konnte sich so etwas ja nicht gefallen lassen. Die Zeugen waren durchweg auf seiner Seite, der Bischof jedoch hatte trotzdem keinerlei Zweifel über seine Sicht der Dinge gelassen.

»Sie sollten heiraten, Reverend Bleachum. Um nicht zu sagen, Sie haben zu heiraten! Das ist Gott wohlgefällig und wird Sie vor weiteren Versuchungen bewahren ... ja, ja, ich weiß, Sie sind sich keiner Schuld bewusst. Weder jetzt noch vor zwei Jahren mit diesem Mädchen im Seminar. Aber sehen Sie es mal so: Es wird auch die Frauen davon abhalten, Sie als Freiwild zu betrachten. Eva wird es aufgeben, Sie zu versuchen ...«

Aber dafür hätte Christopher womöglich die Schlange am Hals. Die in Frage kommenden jungen Damen seiner Gemeinde erschienen ihm jedenfalls durchweg eher als Verdammnis denn als Versuchung. Und der Bischof würde ihn kaum ein paar Monate freistellen, um sich zum Beispiel in London nach etwas Passenderem umzusehen. Nachdem ihm dann noch ein Amtsbruder seine ausgesprochen gewöhnungsbedürftige Tochter angedient hatte, war Christopher in Panik geraten. Der letzte Brief seiner Cousine Sarah kam da gerade recht. Mit Sarah wechselte Christopher Briefe, seit beide Kinder waren, und er fand es immer wieder amüsant, wie unschuldig und verschämt sie auf seine kleinen Flirts und

Anspielungen reagierte. Auf der Fotografie, die sie ihm gesandt hatte, sah sie zwar ein wenig hausbacken, aber doch recht ansprechend aus, und für den Posten der Pfarrersgattin war sie mehr als geeignet. Christopher war in seinem nächsten Brief also deutlicher geworden. Und dann schickte ihm der Zufall auch noch Sarahs Zögling in seinen Sprengel und ermöglichte der jungen Frau eine kostenlose Überfahrt. Christopher beschloss, Sarah Bleachum als gottgesandt anzunehmen. Wobei er nur hoffen konnte, dass der Herr des Himmels bei ihrer Schöpfung eine glücklichere Hand bewiesen hatte als bei den anderen unverheirateten Mädchen in seiner Umgebung.

Jetzt schlenderte Christopher über den Bahnsteig und zog schon wieder die Blicke der anwesenden Frauen auf sich.

»Guten Tag, Reverend!«

»Wie geht es Ihnen, Reverend?«

»Eine wunderschöne Predigt am Sonntag, Reverend, wir müssen im Frauenkreis noch einmal genauer auf das Gleichnis eingehen …«

Die meisten der Damen waren längst zu alt, um Christopher in Versuchung zu führen. Aber die kleine Mrs. Deamer, die ihn jetzt anlächelte und von seiner Predigt schwärmte, hätte ihm durchaus gefallen können. Wenn sie nur nicht bereits vergeben wäre. Christopher hatte Weihnachten ihr erstes Kind getauft.

In diesem Augenblick fuhr endlich der Zug ein. Christopher konnte kaum stillstehen.

»Sie sollten Ihre Brille aufsetzen, Miss Bleachum«, riet Gloria fürsorglich. Der Bahnsteig war belebt, und ohne Brille war ihre Lehrerin halb blind.

»Auf keinen Fall!«, quietschte Lilian. »Miss Bleachum, ich

glaube, ich sehe den Reverend! Meine Güte, sieht der gut aus! Setzen Sie bloß keine Brille auf, sonst findet er Sie womöglich nicht schön!«

Sarah Bleachum, hin und her gerissen zwischen den Argumenten der Kinder und völlig außer sich von der Aussicht, gleich ihren Cousin zu treffen, suchte ihre Koffer und Kisten zusammen und tastete sich zum Ausgang. Sie fiel schließlich fast über ihre Hutschachtel und stolperte auf der steilen Stiege zur Plattform. Gloria versuchte, ihr einen Teil der Sachen abzunehmen. Letztlich würde sich der Schaffner um das Gepäck seiner Erster-Klasse-Passagiere kümmern, aber Gloria war froh, etwas zu tun zu haben. Lilian dagegen hüpfte leichtfüßig auf den Bahnsteig und begann gleich zu winken.

»Reverend? Suchen Sie uns, Reverend?«

Christopher Bleachum sah sich um. Tatsächlich, da waren sie. Natürlich, er hätte sich gleich im Bereich der Ersten Klasse umsehen sollen; die Eltern der Mädchen waren schließlich begütert. Und zumindest eins der Kinder war hübsch. Der lebhafte, rothaarige Kobold würde sich zweifellos zu einer reizvollen jungen Frau entwickeln. Das andere kleine Ding schien allerdings ein wenig verwachsen; zumindest würde es noch dauern, bis aus dem Entchen ein Schwan wurde. Und es hing am Rockzipfel seiner Gouvernante. Sarah ... Christopher musste sich beinahe zwingen, beim Anblick dieser jungen Frau an den Vornamen zu denken, den er so oft geschrieben hatte. Sarah Bleachum schien keinerlei Ausstrahlung oder auch nur Persönlichkeit zu haben. Offensichtlich war sie eine jener armen gesichtslosen Krähen, die anderer Leute Kinder im Park spazieren führten, weil ihnen selbst keine Sprösslinge vergönnt waren. Sarah trug ein dunkelgraues Kleid und dazu einen noch dunkleren Umhang, unter dem jegliche Körperformen verschwammen. Ihr streng aufgestecktes, dunkles Haar verbarg sie unter einem hässlichen, einer Schwesternhaube ähnelnden Hut, und der Ausdruck in ihrem Gesicht schwankte zwischen Verwirrung und Hilflosigkeit. Immerhin war das Gesicht ebenmäßig. Christopher atmete auf. Sarah Bleachum war nichtssagend. Hässlich war sie nicht.

»Nun setzen Sie schon endlich die Brille auf!«, drängte Gloria. Natürlich war ihre Lehrerin ohne Brille schöner, aber es machte bestimmt auch keinen guten Eindruck, wenn sie so ziellos wie jetzt hinter Lilian her stolperte. Lilian hielt immerhin die Richtung. Sie steuerte ohne jede Hemmung auf den Reverend zu.

Christopher beschloss, die Initiative zu ergreifen. Zielstrebig, wenn auch ohne aufgesetzte Eile, näherte er sich der kleinen Gruppe.

»Sarah? Sarah Bleachum?«

Die junge Frau lächelte vage in seine Richtung.

Schöne Augen hatte sie. Irgendwie umflort, verträumt, ein helles Grün. Vielleicht hatte der erste Eindruck ja doch getäuscht.

Aber dann nestelte Sarah ihre Brille aus der Tasche. Ihre ansprechenden Züge verschwanden hinter dem monströsen Gestell. Das dicke Glas ließ ihre Augen wie Murmeln wirken.

»Christopher!« Sie strahlte und hob die Hände. Dann wusste sie nicht weiter. Wie verhielt man sich in einem solchen Moment? Christopher lächelte ihr zu. Aber er schien sie zu taxieren. Sarah senkte die Augen.

»Sarah. Wie schön, dass ihr da seid. Hattet ihr eine anstrengende Reise? Und wer von den beiden Hübschen ist denn nun Gloria?«

Während der Reverend sprach, streichelte er Lilian leicht übers Haar. Gloria drückte sich an Miss Bleachum. Sie hatte jetzt schon entschieden, dass sie den Reverend nicht mochte, da konnte er noch so freundlich tun. Aber dieser Ausdruck, der eben über sein Gesicht gehuscht war, als Miss Bleachum die Brille aufgesetzt hatte – und jetzt diese aufgesetzte Fröhlichkeit. Warum nannte er sie hübsch? Gloria war nicht hübsch, und das wusste sie.

»Dies ist Gloria Martyn«, stellte Sarah vor, schon weil es ihr die Möglichkeit bot, unverfänglich Konversation zu machen. »Und der Rotschopf ist Lilian Lambert.«

Der Reverend wirkte ein wenig verwirrt. Er hatte eine Zeitlang in London studiert und dabei die Gelegenheit gehabt, Kura-maro-tini Martyn auf der Bühne zu sehen. Größere Familienähnlichkeit bestand seiner Ansicht nach zu keinem der Kinder, aber wenn, hätte er der Sängerin die hübsche, aufgeschlossene Lilian zugeordnet und nicht die schüchterne Gloria. Er fasste sich jedoch schnell. »Und die beiden sollen nun nach Oaks Garden? Da habe ich eine gute Nachricht für euch, Mädchen. Ich konnte mir für heute eine Chaise borgen. Wenn ihr mögt, bringe ich euch sofort hin.«

Er erwartete Begeisterung von Seiten der Kinder, aber Lilian hatte offensichtlich nicht zugehört, und Gloria schien die Aussicht eher zu erschrecken.

»Die ... äh ... Schule wird doch auch einen Wagen schicken ...«, meinte Sarah. Ihr ging das alles ein bisschen zu schnell. Wenn Christopher die Mädchen jetzt nach Oaks Garden fuhr, würde sie auf dem Rückweg mit ihm allein sein. Schickte sich das überhaupt?

»Ach, das habe ich geregelt. Miss Arrowstone erwartet uns. Sie weiß, dass ich die Mädchen bringe.« Christopher lächelte ermutigend. Gloria schien den Tränen nahe.

»Aber Miss Bleachum, sollten wir nicht erst morgen ... es hieß doch, die Schülerinnen würden erst morgen erwartet. Was machen wir denn dann ganz allein in der Schule?«

Sarah zog sie an sich. »Ganz allein werdet ihr schon nicht sein, Liebes. Ein paar Mädchen kommen immer früher an. Und manchmal bleiben sogar während der Ferien welche da ...«

Sarah biss sich auf die Lippen. Das hätte sie nicht sagen sollen. Schließlich war es genau dieses Schicksal, das auch Gloria und Lilian erwartete.

»Miss Arrowstone freut sich schon auf euch!«, erklärte der Reverend. »Besonders auf dich, Gloria!«

Das sollte aufmunternd wirken, aber Gloria mochte es nicht glauben. Warum sollte eine Schulrektorin in England sich ausgerechnet auf Gloria Martyn aus Kiward Station freuen?

Das Mädchen schwieg denn auch verstört, während Christopher das Gepäck der Kinder und Miss Bleachums Habseligkeiten in seinen Wagen lud und die drei einsteigen ließ. Er half Sarah galant in die Chaise. Die junge Frau errötete, als sie dabei die Blicke von mindestens drei weiblichen Bewohnern Sawstons auf sich gerichtet fühlte. An diesem Abend würde sie Dorfgespräch sein.

Lilian dagegen plapperte den ganzen Weg lang vergnügt vor sich hin. Die Landschaft um Sawston gefiel ihr; sie freute sich über Pferde und Rinder auf den Weiden entlang der Straße und fand auch die steinernen Cottages hübsch, in denen die Menschen wohnten. In Neuseeland wurde lediglich in großen Städten mit Sandstein gebaut. Dörfer wie Haldon oder auch Kleinstädte wie Greymouth bestanden zum größten Teil aus bunt angestrichenen Holzhäusern.

»Ist Oaks Garden wohl auch so ein Haus?«, erkundigte sie sich.

Der Reverend schüttelte den Kopf. »Oaks Garden ist viel, viel größer. Ein ehemaliges Herrenhaus, fast ein Schloss. Es gehörte einer Adelsfamilie, aber die letzte Besitzerin starb ohne Nachkommen, und sie bestimmte, dass ihr Haus und ihr

Vermögen zur Gründung einer Schule dienen sollten. Und Lady Ermingarde liebte die schönen Künste. Das ist der Grund, weshalb Oaks Garden sich besonders um die kreative Förderung seiner Zöglinge bemüht.«

»Gibt es Pferde?«, fragte Gloria leise.

Der Reverend verneinte wieder. »Nicht für die Schülerinnen. Ich nehme an, der Hausmeister wird über ein Gespann verfügen; es müssen ja Einkäufe gemacht und öfter mal Schülerinnen vom Zug abgeholt werden. Aber Reiten gehört nicht zum Lehrplan. Tennis auch nicht ...«

Letzteres schien der Reverend eher zu bedauern.

Gloria schwieg wieder, bis der Wagen durch ein opulentes Steintor in einen von schmiedeeisernen Gittern umschlossenen Park rollte. Oaks Garden trug seinen Namen nicht zu Unrecht. Die Außenanlagen waren zweifellos von einem Gartenliebhaber gestaltet worden, der sein Metier verstand. Und es musste Dutzende, wenn nicht Hunderte von Jahren her sein, dass jemand die Eichen gepflanzt hatte, die den weitläufigen Park beherrschten. Sie waren riesig und säumten eine breite Zufahrt, die zum Haus führte. Hier jedoch hatte der Architekt weniger Genie bewiesen. Das Haus war ein eher klobiger Backsteinbau ohne die üblichen Erker und Türmchen, wie man sie sonst an englischen Herrenhäusern findet.

Gloria fühlte sich gleich davon erdrückt. Sie hielt nach Stallgebäuden Ausschau. Es musste doch welche geben! Vielleicht hinten heraus ...

Aber nun hielt der Reverend erst einmal vor dem gewaltigen, zweiflügeligen Tor. Er schien sich hier durchaus zu Hause zu fühlen und machte sich nicht die Mühe, die Türklingel zu bedienen. Das war offensichtlich auch nicht nötig, die große Eingangshalle wirkte wie ein öffentlicher Ort. Sarah Bleachum hatte nicht zu viel versprochen: Lilian und Gloria waren nicht die ersten Mädchen, die an diesem Tag eintrafen.

Ein paar andere huschten bereits mit Koffern und Taschen hin und her, kicherten miteinander und schmiedeten aufgeregte Pläne zur Zimmerbelegung. Ein paar ältere Mädchen musterten die Neuankömmlinge. Lilian lächelte ihnen zu, während Gloria den Eindruck machte, sich in Sarahs Röcken verkriechen zu wollen.

Die junge Gouvernante schob sie sanft von sich.

»Nun sei nicht so schüchtern, Gloria. Was sollen die anderen Mädchen von dir denken?«

Gloria schien das völlig egal zu sein. Aber sie löste sich jetzt doch von ihrer Lehrerin und sah sich um. Der Eingangsraum wirkte durchaus wohnlich. Hinter einer Art Rezeption stand eine ältere, mütterlich wirkende Frau und beantwortete geduldig die Fragen der Mädchen. Außerdem gab es Sessel und Teetischchen, anscheinend für wartende Eltern oder Schülerinnen. Ein paar Mütter und Väter waren tatsächlich anwesend und gaben ihren Töchtern letzte Verhaltensanweisungen für das neue Schuljahr.

»Ich möchte, dass du dich beim Geigespiel mehr anstrengst, Gabrielle!«, hörte Gloria und erschrak. Das Mädchen sah nicht älter aus als sie. Erwartete man etwa, dass sie Geige spielte?

Der Reverend trat lächelnd an die Rezeption und begrüßte die Dame.

»Guten Tag, Miss Barnum. Hier bringe ich Ihnen unsere Kiwis! Sagt man nicht so in Neuseeland, Sarah? Die Einwanderer haben sich den Spitznamen selbst gegeben, nach dem Vogel, nicht wahr, Sarah?«

Sarah Bleachum nickte peinlich berührt. Sie selbst hätte sich nie »Kiwi« genannt.

»Er ist fast blind ...«, bemerkte Gloria leise. »Und er kann nicht besonders gut fliegen. Aber er kann riechen. Man sieht ihn ganz selten, aber man hört ihn rufen – manchmal die ganze Nacht hindurch, außer bei Vollmond. Er ist ziemlich ... hm ... flauschig.«

Ein paar Mädchen kicherten.

»Zwei blinde Vögel!«, lachte die Braunhaarige, die ihre Eltern eben mit Gabrielle angesprochen hatten. »Wie haben sie bloß hergefunden?«

Gloria errötete. Lilian funkelte die Sprecherin an.

»Sieht aus, als hätten wir's gerochen«, gab sie zurück. »Nein – wir sind einfach dahin geflogen, wo man am schlechtesten Geige spielt!«

Gabrielle schaute verärgert drein, und die anderen Mädchen kicherten schadenfroh. Musik war wohl nicht Gabrielles Stärke.

Sarah lächelte, tadelte Lilian dann aber pflichtschuldig für ihr loses Mundwerk. Miss Barnum erteilte Gabrielle einen ähnlichen Verweis. Dann wandte sie sich den Neuankömmlingen zu.

»Herzlich willkommen in Oaks Garden«, begrüßte sie die Mädchen. »Ich freue mich, euch kennen zu lernen. Besonders dich, Lilian, du wohnst nämlich im Westflügel, und da bin ich die Hausmutter. Du bekommst das Mozart-Zimmer. Suzanne Carruthers, eine deine Mitbewohnerinnen, ist auch schon da. Ich stelle euch nachher vor.«

Glorias Augen weiteten sich. Lilian sprach aus, was sie dachte.

»Können wir denn nicht zusammenwohnen, Miss Barnum? Wir sind doch Cousinen!« Lilian produzierte ihren unschuldigsten Bitte-bitte-Blick.

Doch Miss Barnum schüttelte den Kopf. »Gloria ist viel älter als du. Bestimmt möchte sie lieber bei Gleichaltrigen wohnen. Dir wird es auch besser gefallen, wenn du die anderen Mädchen erst kennen gelernt hast. Die Mittelstufe wohnt im Ostflügel, die Jüngeren im Westflügel.«

»Können Sie nicht mal eine Ausnahme machen?«, erkundigte sich Miss Bleachum. Sie spürte beinahe körperlich, wie Gloria sich wieder verschloss. »Die Mädchen waren noch nie von ihrem Zuhause weg ...«

»Das geht den anderen Schülerinnen hier nicht anders«, erklärte die Hausmutter streng. »Tut mir leid, Mädchen, aber ihr werdet euch schon eingewöhnen. Und jetzt lernt ihr erst mal Miss Arrowstone kennen. Sie erwartet Sie in ihrem Büro, Reverend. Sie wissen ja, wo das ist.«

Das Büro der Rektorin befand sich im ersten Stock des Hauptgebäudes, in dem auch das Lehrerzimmer und einige Klassenräume lagen. Der Weg dorthin führte über eine geschwungene, aufwändig gestaltete Treppe, vorbei an opulenten Gemälden, die Szenen aus der griechischen und römischen Mythologie zeigten. Lilian betrachtete sie neugierig.

»Warum reitet das Mädchen eine Kuh?«, wollte sie wissen und brachte Sarah damit beinahe zum Lachen.

»Das ist Europa mit dem Stier«, erklärte die junge Lehrerin.

Glorias Miene war anzusehen, dass nur komplette Dummköpfe ein Rind dem Pferd als Reittier vorziehen würden. Europas Sitz schien ihr auch wenig gefestigt. Und warum malte überhaupt jemand so einen Unsinn?

»Ich bin sicher, ihr werdet die Geschichte im Unterricht hören«, meinte Sarah, die nun wirklich keine Lust hatte, ihren Zöglingen die Verführung phönizischer Prinzessinnen durch griechische Götter zu erklären. Erst recht nicht im Beisein ihres Cousins.

Der klopfte nun auch schon an das Zimmer der Rektorin.

»Herein!« Eine tiefe, befehlsgewohnte Stimme.

Sarah versteifte sich unweigerlich. Gloria versuchte, sich hinter ihr unsichtbar zu machen. Nur Lilian schien unbeeindruckt. Auch der gewaltige Eichenschreibtisch, hinter dem die füllige Rektorin thronte, konnte sie nicht einschüchtern. Fasziniert blickte sie auf die strenge, komplizierte Frisur, zu der Miss Arrowstone ihr offenbar kräftiges braunes Haar arrangiert hatte.

»Die Queen!«, wisperte der Reverend Sarah mit einem halben Lächeln zu. Tatsächlich fühlten sich auch die Mädchen an Bilder der einige Jahre zuvor verstorbenen Königin Victoria erinnert. Miss Arrowstones Gesicht war nahezu faltenlos, aber streng, ihre Augen wasserblau, ihre Lippen schmal. Es war bestimmt kein Vergnügen, wegen irgendeiner Verfehlung von ihr vorgeladen zu werden. Aber jetzt lächelte sie.

»Habe ich richtig gehört? Die Schülerinnen aus Neuseeland? Mit ...« Sie blickte fragend zwischen Sarah und dem Reverend hin und her.

Sarah wollte sich eben vorstellen, als Christopher auch schon erklärte: »Miss Sarah Bleachum, Miss Arrowstone. Meine Cousine. Und meine ... äh ...« Er blinzelte verschämt, woraufhin Miss Arrowstones Lächeln noch strahlender wurde.

Sarah dagegen fiel es schwer, eine freundliche Miene zu wahren. Christopher schien ihre bevorstehende Vermählung für beschlossene Sache zu halten. Schlimmer noch, offensichtlich hatte er sie bereits seinem ganzen Bekanntenkreis als Verlobte angekündigt.

»Ich bin Lehrerin, Miss Arrowstone«, stellte sie richtig. »Gloria Martyn war bislang meine Schülerin, und da ich Verwandte in Europa habe ...«, sie streifte Christopher mit einem kurzen Blick, »habe ich die Gelegenheit genutzt, die Mädchen nach England zu begleiten und Familienbande neu zu knüpfen.«

Miss Arrowstone produzierte so etwas wie ein Kichern.

»Familienbande, aha ...«, meinte sie anzüglich. »Nun, wir freuen uns jedenfalls sehr für den Reverend, und die Pfarre kann eine weibliche Hand gut brauchen.« Wieder dieses

Kichern. »Sicher werden Sie ihm doch während Ihres … Besuchs … im Sprengel zur Hand gehen?«

Sarah wollte einwenden, dass sie eigentlich mehr an eine neue Anstellung als Lehrerin dachte, doch Miss Arrowstone hatte ihre Aufmerksamkeit bereits auf ein neues Ziel gelenkt. Aus der neugierigen Matrone wurde die gestrenge Rektorin. Sie betrachtete die beiden Mädchen durch eine Brille, deren Gläser fast so dick waren wie die Sarahs. Dabei zog ein Ausdruck der Verwunderung über ihr Gesicht.

Gloria wand sich unter diesem Blick.

Immerhin verwechselte Miss Arrowstone sie nicht mit Lilian. Die Rektorin hatte sich über ihre Schülerinnen informiert. Sie wusste, dass Gloria die Ältere war.

»Du bist nun also Gloria Martyn«, bemerkte sie. »Also, von deiner Mutter hast du gar nichts.«

Gloria nickte. An diese Feststellung war sie schließlich gewöhnt.

»Zumindest nicht auf den ersten Blick«, schränkte Miss Arrowstone ein. »Aber deine Eltern haben angedeutet, dass du über bislang unentdeckte musikalische oder gestalterische Talente verfügst.«

Gloria blickte verwirrt. Vielleicht sollte sie es lieber gleich gestehen.

»Ich … ich kann nicht Klavier spielen«, bemerkte sie leise.

Miss Arrowstone lachte. »Ja, das hörte ich bereits, Kind. Deine Mutter ist sehr betrübt darüber. Aber du bist schließlich erst fast dreizehn, da ist es noch nicht zu spät, ein Instrument zu lernen. Möchtest du denn Klavier spielen? Oder lieber Geige? Oder Cello?«

Gloria errötete. Sie wusste nicht einmal genau, was ein Cello war. Und spielen wollte sie es ganz sicher nicht.

Zum Glück half ihr jetzt wieder mal Lilian aus der Klemme.

»Ich spiele Klavier!«, erklärte sie selbstbewusst.

Miss Arrowstone musterte sie streng. »Wir erwarten von unseren Schülerinnen, dass sie nur sprechen, wenn sie gefragt werden«, rügte sie. »Ansonsten ist es natürlich sehr erfreulich, dass du dich zu diesem Instrument hingezogen fühlst. Du bist Lilian Lambert, nicht wahr? Eine Nichte von Mrs. Martyn?«

Kura-maro-tini hatte hier offensichtlich Eindruck gemacht, was Miss Arrowstone auch gleich näher erläuterte.

»Miss Kura-maro-tini Martyn hat unser Haus persönlich besucht, um ihre Tochter anzumelden«, erklärte sie Sarah und Christopher. »Wobei sie uns die Freude eines kleinen Privatkonzerts gemacht hat. Die Mädchen waren alle tief beeindruckt und freuen sich schon sehr auf dich, Gloria.«

Gloria biss sich auf die Lippen.

»Auf dich natürlich auch, Lilian. Ich bin sicher, unsere Musiklehrerin, Miss Tayler-Bennington, wird dein Pianospiel zu schätzen wissen. Möchten Sie nun einen Tee, Miss Bleachum ... Reverend? Die Mädchen können ja schon mal hinuntergehen. Miss Barnum wird ihnen ihre Zimmer zeigen.«

Miss Arrowstone trank offensichtlich mit Eltern und Verwandten ihrer Zöglinge Tee, würde sich aber niemals auf die Ebene ihrer Schülerinnen hinunterbegeben und den Mädchen ebenfalls welchen anbieten.

»O ja, ich wohne im Westflügel!«, erklärte Lilian gewichtig. Das mit dem Sprechverbot ohne vorherige Aufforderung hatte sie schon wieder vergessen. »Ich bin die ›Lily of the West‹!«

»Lilian!«, rügte Sarah entsetzt, während der Reverend laut losprustete. Miss Arrowstone runzelte die Stirn. Sie schien die Geschichte der *Lilie des Westens*, einer untreuen Bardame, die ihren Liebsten ins Verderben stürzt, zum Glück nicht zu kennen. Solche Songs spielte man in Pubs, nicht in Salons.

Gloria warf ihrer Lehrerin einen verzweifelten Blick zu.

»Geh einfach mit, Glory«, meinte Sarah sanft. »Miss Barnum wird dich deiner eigenen Hausmutter vorstellen. Bestimmt wirst du dich wohlfühlen.«

»Und verabschiede dich schon mal von deiner Lehrerin«, fügte Miss Arrowstone hinzu. »Vor dem nächsten Sonntagsgottesdienst wirst du sie sicher nicht wiedersehen.«

Gloria versuchte, sich zu beherrschen, doch ihr Gesicht war tränenüberströmt, als sie vor Miss Bleachum knickste. Sarah konnte nicht anders. Sie zog das Mädchen an sich und küsste es zum Abschied.

Miss Arrowstone betrachtete dies mit deutlicher Missbilligung.

»Die Kleine ist zu sehr auf Sie fixiert«, bemerkte sie, als die Mädchen den Raum verlassen hatten. »Es wird ihr guttun, sich ein wenig von Ihnen zu lösen und auf andere Menschen zuzugehen. Und Sie«, wieder dieses verschwörerische Lächeln, »werden in absehbarer Zeit ja sicher eigene Kinder haben.«

Sarah errötete tief.

»Ich wollte meinen Beruf vorerst eigentlich nicht aufgeben«, machte sie einen weiteren Vorstoß in Richtung Anstellung. »Im Gegenteil wäre ich gern noch ein paar Jahre im Schuldienst tätig und wollte in diesem Zusammenhang fragen ...«

»Wie stellen Sie sich das denn vor, meine Liebe?«, fragte Miss Arrowstone zuckersüß und goss Sarah Tee ein. »Der Reverend braucht Sie doch an seiner Seite. Ich weiß ja nicht, wie das auf der anderen Seite der Erdkugel gehandhabt wird, aber in unserem Schulsystem sind Lehrerinnen grundsätzlich unvermählt.«

Sarah fühlte die Falle hinter sich zuschnappen. Miss Arrowstone würde sie bestimmt nicht einstellen. Also gab es nur noch die Möglichkeit, sich im Ort um eine Stellung als Hauslehrerin zu bemühen. Aber einen besonders begüterten Eindruck hatte da niemand gemacht. Und wahrscheinlich wollten auch die Matronen im Dorf dem »Glück ihres Reverends« nicht im Wege stehen. Sie würde ein ernstes Wort mit Christopher reden müssen. Im Grunde sprach es ja für ihn, dass er so offensichtlich fest entschlossen war, Sarah nur aufgrund einer in Briefen beschworenen, vagen Seelenverwandtschaft zu ehelichen. Aber ein paar Wochen der Entscheidung musste er Sarah mindestens lassen. Sie warf einen scheuen Seitenblick auf den Mann neben ihr. Würden ein paar Wochen reichen, um ihn wirklich kennen zu lernen?

Gloria wurde einer Miss Coleridge vorgestellt, der Hausmutter des Ostflügels. Miss Coleridge war älter als Miss Barnum und schien ansonsten ihr genaues Gegenteil zu sein. Statt rundlich und mütterlich wirkte sie hager und streng.

»Du bist Gloria Martyn? Von deiner Mutter hast du aber gar nichts!« Aus Miss Coleridges Mund klang es deutlich missbilligend.

Gloria verzichtete diesmal auf das Nicken. Miss Coleridge warf ihr einen weiteren, eher ungnädigen Blick zu und konzentrierte sich dann auf ihre Aufzeichnungen. Im Gegensatz zu Miss Barnum wusste sie nicht aus dem Kopf, in welchen Zimmern ihre Mädchen untergebracht waren.

»Martyn ... Martyn ... ah ja, hier haben wir es. Das Tizian-Zimmer.«

Während die Zimmer im Westflügel nach berühmten Komponisten benannt waren, trugen die im Ostflügel die Namen von Malern. Gloria hatte den Namen »Tizian« allerdings noch nie gehört. Dagegen horchte sie auf, als Miss Coleridge geschäftsmäßig weiter vorlas.

»Zusammen mit Melissa Holland, Fiona Hills-Galant und Gabrielle Wentworth-Hayland. Gabrielle und Fiona sind schon da ...«

Gloria folgte der Hausmutter durch die am Nachmittag eher düsteren Flure des Ostflügels. Sie versuchte, sich einzureden, dass es in dieser Schule bestimmt zwanzig Gabrielles gab, aber sehr wahrscheinlich war das nicht. Und tatsächlich sah ihr das hübsche, etwas spitze Gesicht des braunhaarigen Mädchens, dem sie schon an der Rezeption begegnet waren, entgegen, als Miss Coleridge die Tür öffnete. Gabrielle räumte eben ihre Schuluniformen in einen der vier schmalen Schränke. Ein anderes Mädchen – Gloria erkannte eine zarte Blonde, die in der Eingangshalle mit Gabrielle zusammen gewesen war – schien damit schon fertig zu sein. Sie stellte ein paar Familienbilder auf ihren Nachttisch, unter die eher düsteren Reproduktionen opulenter Ölgemälde, die ansonsten die Wände des Zimmers zierten. Gloria fand die Porträts und Historienschinken durchweg scheußlich. Später sollte sie erfahren, dass hier dem Namensgeber ihres Zimmers gehuldigt wurde. Sämtliche Bilder an den Wänden stammten von Tizian.

»Fiona, Gabrielle – dies ist eure neue Zimmergenossin«, stellte Miss Coleridge kurz vor. »Sie kommt ...«

»Aus Neuseeland, das wissen wir schon, Hausmutter!«, meinte Gabrielle brav und knickste. »Wir haben sie bei der Ankunft kennen gelernt.«

»Na, dann habt ihr euch ja gleich etwas zu erzählen«, erklärte Miss Coleridge, offensichtlich zufrieden, dass sie das Eis zwischen den Mädchen nicht brechen musste. »Ihr bringt Gloria dann nachher mit zum Abendessen.«

Damit verließ sie den Raum und schloss die Tür hinter sich. Gloria blieb linkisch am Eingang stehen. Welches Bett sollte wohl ihres sein? Fiona und Gabrielle hatten sich die Betten am

Fenster bereits gesichert. Aber Gloria war das sowieso egal. Sie hätte nur gern eine Decke gehabt, die sie sich über den Kopf ziehen konnte.

Unsicher schob Gloria sich auf das Bett in der äußersten Ecke zu. Es schien sich zum Verkriechen am besten zu eignen. Aber die anderen Mädchen hatten nicht die Absicht, Gloria einfach sich selbst zu überlassen.

»Da haben wir ja unser blindes Vögelchen!«, bemerkte Gabrielle gehässig. »Allerdings hab ich gehört, dass es recht schön singen soll. Ist deine Mutter nicht diese Maori-Sängerin?«

»Wirklich? Ihre Mutter ist 'ne Neeegerin?« Fiona zog die Silben des letzten Wortes lang. »Aber sie sieht eigentlich nicht schwarz aus ...« Sie musterte Gloria angelegentlich.

»Vielleicht ein Kuckucksei?«, kicherte Gabrielle.

Gloria schluckte. »Ich ... wir ... bei uns zu Hause gibt es keinen Kuckuck ...«

Sie verstand nicht, warum die anderen lachten. Sie verstand auch nicht, was sie den Mädchen getan hatte, und sie würde nie begreifen, dass man auch ganz ohne Anlass zum Objekt des Spottes werden konnte. Aber sie verstand, dass die Falle zuschnappte.

Sie hatte keine Chance, all dem zu entkommen.

5

Charlotte Greenwood kam mit ihren Eltern nach Kiward Station. Vier Wochen, nachdem sie Jack in Christchurch kennen gelernt hatte, und anlässlich einer förmlichen Einladung von Gwyneira McKenzie. Offizieller Anlass war eine kleine Feier nach dem erfolgreichen Abtrieb der Schafe aus den Highlands. Jetzt, im März, setzte in den Bergen der Winter ein, und es war Zeit, die Tiere auf die Farm zu holen. Nun geschah das in jedem Herbst und war nicht unbedingt ein Grund für Festivitäten. Aber Jack hatte seine Mutter gedrängt, die Greenwoods einzuladen, und da war schließlich ein Anlass so gut wie der andere.

Jetzt strahlte Jack, als Charlotte aus der Kutsche stieg. Sie trug ein schlichtes, dunkelbraunes Kleid, das die Farbe ihres Haars noch wärmer wirken ließ. Ihre riesigen braunen Augen leuchteten, Jack meinte goldene Lichter darin aufblitzen zu sehen.

»Hatten Sie eine angenehme Reise, Charlotte?«, fragte er und kam sich dabei schon wieder linkisch vor. Er hätte ihr auch aus dem Wagen helfen können, doch ihr Anblick hatte ihn erneut erstarren lassen.

Charlotte lächelte. In ihren Mundwinkeln zeigten sich Grübchen. Jack war hingerissen.

»Die Straßen sind weitaus besser, als ich sie in Erinnerung habe«, sagte Charlotte mit ihrer singenden Stimme.

Jack nickte. Er sehnte sich danach, irgendetwas Intelligentes zu sagen, aber in Charlottes Gegenwart konnte er nicht klar denken. Wenn er vor ihr stand, war er nur noch Gefühl.

Alles in ihm wollte diese Frau berühren, beschützen, an sich binden … aber wenn es ihm nicht irgendwann gelang, sie wenigstens ein bisschen zu beeindrucken, würde sie ihn ewig für einen Dorftrottel halten.

Immerhin gelang es ihm, das Mädchen halbwegs flüssig seinen Eltern vorzustellen, wobei James McKenzie sofort genau die Galanterie entwickelte, die Jack im Umgang mit Charlotte gänzlich abging.

»Internatserziehung in England erscheint mir plötzlich eine sehr gute Sache«, bemerkte er. »Wenn sie derart reizende Geschöpfe wie Sie hervorbringt, Miss Charlotte. Und Sie interessieren sich für die Maori-Kultur?«

Charlotte nickte. »Ich würde die Sprache gern erlernen«, erklärte sie. »Jack spricht ja wohl fließend Maori …« Sie streifte Jack mit einem Blick, der James McKenzie wachsam werden ließ. Das Leuchten in den Augen seines Sohnes war ihm früher schon aufgefallen. Aber auch Charlotte schien interessiert zu sein.

»Er wird zweifellos die nächsten drei Monate damit zubringen, Ihnen Worte wie Taumatawhatatangihangakoauauotamateaturipukakapikimaungahoroukupokaiwhenuakitanatahu beizubringen.« James zwinkerte ihr zu.

Charlotte biss sich auf die Lippen. »Sie haben so … lange Wörter?«

Ihr schienen soeben Zweifel an ihrem Vorhaben zu kommen. Und wieder war da dieses ernsthafte Stirnrunzeln, das Jack schon bei ihrem ersten Treffen entzückt hatte.

Das Bedürfnis, das Mädchen zu trösten, setzte Jacks normales Sprachvermögen erneut in Gang. Er schüttelte den Kopf. »Das ist ein Berg auf der Nordinsel«, klärte er sie auf. »Und das Wort gilt auch unter Maoris als Zungenbrecher. Am besten beginnen Sie mit einfacheren Worten. *Kia ora* zum Beispiel …«

»… heißt Guten Tag!«, lächelte Charlotte.

»Und *haere mai* …«

»Willkommen!«, übersetzte Charlotte, die offensichtlich schon erste Studien betrieben hatte. »Frau heißt *wahine*.«

Jack lächelte. »*Haere-mai, wahine* Charlotte!«

Charlotte wollte etwas erwidern, suchte aber nach einem Wort. »Und was heißt Mann?«, fragte sie.

»*Tane*«, half James.

Charlotte wandte sich Jack erneut zu. »*Kia ora, tane* Jack!«

James McKenzie suchte den Blick seiner Frau Gwyneira. Auch sie hatte die Begrüßung der jungen Leute beobachtet.

»Sieht aus, als brauchten sie keinen Umweg über Irish Stew«, lächelte Gwyneira und spielte auf das erste Aufkeimen ihrer Liebe zu James an. Sie hatte das Maori-Wort für Thymian gesucht, und James hatte die Kräuter für sie gefunden.

»Aber Bibelsprüche könnten demnächst wichtig sein«, zog er sie auf und warf den jungen Leuten vielsagende Blicke zu. Als Gwyneira nach Neuseeland gekommen war, hatte es erst ein Buch gegeben, das in Maori übersetzt worden war: die Bibel. Wenn sie ein bestimmtes Wort brauchte, hatte sie oft lange darüber nachgedacht, in welchem Zusammenhang es dort wohl zu finden sein könnte. »Wo du hingehst, da will auch ich hingehen …«

Während Gwyneira und James mit George und Elizabeth Greenwood plauderten, führte Jack Charlotte über die Farm, auf der es jetzt, nach dem Abtrieb der Schafe, vor Leben wimmelte. Alle Ställe waren mit dickbäuchigen Wolllieferanten besetzt, sämtlich gut genährt und gesund, mit gleichermaßen sauberer, dicker Wolle am Leib. Sie würde die Tiere im Winter warm halten und dann, bei der Schur vor dem erneuten Auftrieb in die Berge, zum Wohlstand von Kiward Station beitragen. Über die Schafe zu sprechen fiel Jack leichter als Salonkonversation zu machen, und langsam fand er seine Selbstsicherheit wieder. Schließlich wanderten er und Charlotte ins Maori-Dorf hinüber, und Jacks selbstverständlicher Umgang mit den Ureinwohnern sorgte nun auch endlich dafür, dass Charlotte beeindruckt wirkte. Sie freute sich an dem idyllischen Dorf am See und bewunderte die Schnitzereien der Versammlungshäuser.

»Wenn Sie Lust haben, reiten wir morgen hinüber nach O'Keefe Station«, meinte Jack schließlich. »In dieser Siedlung hier wohnen nur noch die Leute, die täglich zur Arbeit auf die Farm kommen. Der Stamm selbst ist auf die alte Farm von Howard O'Keefe umgezogen. Die Maoris haben das Land als Ausgleichszahlung für Unregelmäßigkeiten beim Kauf von Kiward Station erhalten. Marama wohnt dort, die Sängerin. Und Rongo, die Kräuterfrau. Beide sprechen gut Englisch und kennen Unmengen von *moteateas* …«

»Das sind Lieder, die Geschichten erzählen, nicht wahr?«, fragte Charlotte sanft.

Jack nickte. »Es gibt Klagen, Wiegenlieder, Geschichten von Rache, von Stammesstreitigkeiten … Genau das, was Sie suchen.«

Charlotte sah mit leichtem Lächeln zu ihm auf. »Keine Liebesgeschichten?«

»Natürlich auch Liebesgeschichten!«, beeilte er sich zu versichern. Aber dann verstand er. »Würden Sie denn gern … eine Liebesgeschichte aufschreiben?«

»Wenn es sich so ergibt«, meinte Charlotte verlegen. »Aber ich meine … vielleicht ist es noch zu früh, irgendetwas aufzuschreiben. Vielleicht muss man erst noch mehr … erleben. Verstehen Sie? Ich möchte Sie näher kennen lernen …«

Jack spürte, wie ihm das Blut ins Gesicht schoss. »Die Maoris? Oder mich?«

Charlotte errötete ebenfalls. »Führt das eine nicht zum anderen?«, fragte sie lächelnd.

Die McKenzies und die Greenwoods kamen überein, dass Charlotte drei Monate auf Kiward Station bleiben sollte, um erste Forschungen auf ihrem Interessengebiet anzustellen, der Maori-Kultur. Elizabeth und Gwyneira tauschten dabei verschwörerische Blicke. Beiden war längst klar, was zwischen Jack und Charlotte begonnen hatte, und beide billigten es. Gwyneira fand Charlotte entzückend – auch wenn sie nicht immer auf Anhieb begriff, worüber sie sprach, aber das schien den Greenwoods nicht anders zu gehen. Wenn Charlotte in literarische Fachsprache verfiel, war sie nicht zu bremsen. Aber Elizabeth fürchtete inzwischen nicht mehr, dass sie als eine der ersten Dozentinnen an der Universität in Dunedin oder Wellington enden könnte. Charlotte hatte längst etwas gefunden, das sie mehr fesselte als die Welt der Wissenschaft.

Sie ritt mit Jack über die Farm, ließ sich von Gwyneira die Feinheiten der verschiedenen Wollqualitäten erklären und übte lachend die verschiedenen schrillen Pfiffe, mit denen die Hirten die Collies dirigierten. Die Viehhüter und Maoris waren ihr gegenüber anfangs reserviert – die junge Dame aus England mit ihren nach neuester Mode geschneiderten Kleidern und ihren perfekten Manieren wirkte einschüchternd. Aber Charlotte verstand es, das Eis zu brechen. Sie versuchte sich am *hongi*, dem traditionellen Gruß der Maoris, und lernte, dass es hier nicht um das gegenseitige Reiben von Nasen ging, sondern nur um eine leichte Berührung von Nase und Stirn des Gegenübers. Ihr ursprünglich elegantes Reitkleid wirkte bald abgenutzt, und sie tauschte den Damensattel schnell gegen einen der bequemeren Stocksaddles.

Hinter Charlottes wohlerzogener Fassade steckte ein Naturkind – und eine Frauenrechtlerin. Mit der erstaunten Gwyneira diskutierte sie die Schriften von Emmeline Pankhurst und schien beinahe enttäuscht darüber, dass es das Frauenwahlrecht in Neuseeland schon gab. In England war sie mit anderen Studentinnen dafür auf die Straße gegangen und hatte sich offensichtlich königlich amüsiert. James McKenzie neckte sie, indem er ihr eine Zigarre anbot – Rauchen galt als Protesthandlung der Suffragetten, der radikalen Frauenrechtlerinnen –, und Jack und Gwyneira lachten, als sie tatsächlich beherzt lospaffte. Im Grunde waren sich alle einig, dass die junge Frau das Leben auf Kiward Station bereicherte, und so langsam schaffte es auch Jack, sich in ihrer Gegenwart normal zu unterhalten. Dabei schlug sein Herz allerdings immer noch schneller, wenn er sie sah, und seine Augen leuchteten auf, wenn ihr Blick sie traf. Immer wieder wurde er von Anfällen der Schüchternheit erfasst, und schließlich war es Charlotte, die ihn im Mondschein nach draußen lockte, weil sie unbedingt noch einmal nach den Pferden sehen wollte. Vorsichtig schob sie ihre Hand in die seine.

»Ist es wahr, dass die Maoris sich nicht küssen?«, fragte sie leise.

Jack wusste das nicht so genau. Maori-Mädchen hatten ihn nie angezogen; ihr meist schwarzes Haar und ihre exotischen Züge erinnerten ihn zu sehr an Kura-maro-tini. Und was Kura anging, traf James' alte, spöttische Aussage immer noch zu: »Wenn sie die letzte Frau auf Erden wäre, ginge Jack ins Kloster!«

»Man möchte doch meinen, die Maoris hätten das Küssen inzwischen von uns *pakeha* gelernt …«, wisperte Charlotte weiter. »Findest du nicht, man kann es lernen?«

Jack schluckte. »Zweifellos«, meinte er. »Wenn sich der richtige Lehrer findet …«

»Ich hab's noch nie getan«, bemerkte Charlotte.

Jack lächelte. Dann nahm er sie vorsichtig in die Arme.

»Sollen wir mit Nasereiben anfangen?«, neckte er sie, schon um seine eigene Nervosität zu überspielen.

Aber Charlotte hatte die Lippen bereits geöffnet. Es gab nichts, was sie lernen mussten. Jack und Charlotte waren füreinander bestimmt.

Ihr Aufgehen in der jungen Liebe ließ Charlotte ihre Studien allerdings nicht vernachlässigen. Sie machte sich einen Spaß daraus, in der Sprache der Maoris mit Jack zu flirten, und fand zudem in James McKenzie einen geduldigen Lehrer. Nach drei Monaten auf Kiward Station konnte sie nicht nur den alten Zungenbrecher problemlos aussprechen, sondern hatte auch schon die ersten Maori-Mythen sowohl in Englisch als auch in der Originalsprache zu Papier gebracht. Letzteres natürlich mit Hilfe von Marama, die ihre Arbeit nach Kräften unterstützte. Charlotte hatte das Gefühl, als ob die Zeit raste. Aber dann gab es doch gewichtige Gründe, ihren Aufenthalt zu beenden.

»Ich würde natürlich gern länger bleiben«, erklärte sie ihren Eltern, die gekommen waren, um ihre Tochter abzuholen. »Aber ich fürchte, das schickt sich nicht.«

Dabei errötete sie und lächelte verschämt zu Jack hinüber. Der hätte beinahe die Gabel fallen lassen. Er hatte sich eben mit einem Stück Lammbraten bedienen wollen, schien jetzt aber den Appetit zu verlieren.

Der junge Mann räusperte sich. »Ja … äh … die Maoris sehen das ja anders, aber wir wollen doch die alten *pakeha*-Bräuche beibehalten. Und da … nun ja, wenn ein Mädchen verlobt ist, schickt es sich nicht, wenn es unter einem Dach mit seinem zukünftigen Mann …«

Charlotte tätschelte zärtlich Jacks nervös mit der Serviette spielende Hand. »Jack, du wolltest es doch richtig machen!«, sagte sie mit sanftem Tadel. »Du hättest meinen Vater jetzt um eine Unterredung unter vier Augen bitten und förmlich um meine Hand anhalten müssen ...«

»Kurz und gut, es scheint, als hätten die jungen Leute sich verlobt«, bemerkte James McKenzie, stand auf und entkorkte eine besonders gute Flasche Wein. »Ich bin achtzig, Jack. Ich kann nicht mehr warten, bis du es endlich schaffst, eine einfache Frage zu stellen. Zumal die Sache wohl ohnehin längst entschieden ist. Und in meinem Alter sollte man seinen Braten frisch essen, sonst wird er zäh, und das Kauen fällt schwer. Also stoßen wir jetzt kurz auf Jack und Charlotte an und widmen wir uns dann dem Abendessen! Irgendwelche Einwände?«

George und Elizabeth Greenwood erhoben keinen Einspruch. Im Gegenteil, beide zeigten sich erfreut über die Verbindung. Natürlich würde in den besseren Kreisen von Christchurch und den Canterbury Plains getuschelt werden. Zwar erfreute sich Jack allseitiger Achtung, aber die Schafbarone hatten natürlich nicht vergessen, dass der junge Mann der Liaison Gwyneiras mit einem Viehdieb entstammte. Die größten Klatschbasen würden sich auch noch daran erinnern, dass zwischen der Hochzeit der McKenzies und Jacks Geburt nicht ganz neun Monate verstrichen waren, und natürlich wusste jeder, dass Jack nicht der Erbe von Kiward Station war, sondern bestenfalls einen Verwalterposten bekleiden konnte. Die Tochter des schwerreichen George Greenwood hätte zweifellos eine bessere Partie machen können. George ließ das allerdings kalt. Er würde Charlotte eine ordentliche Mitgift geben, und er kannte Jack als fleißigen, verlässlichen Arbeiter, der obendrein einige Semester Landwirtschaft studiert hatte. Selbst wenn Kura-maro-tini Martyn die Farm irgendwann verkaufte oder sich mit den McKenzies überwarf, oder falls

Gloria Martyn die Leitung selbst übernehmen wollte, würde sich immer ein Verwalterposten für Jack finden. George machte sich folglich keine Gedanken um die Versorgung seiner Tochter. Er wollte sie vor allem glücklich sehen – und verheiratet! Über eine Suffragette in der Familie Greenwood hätte man deutlich mehr getuschelt als über die längst vergangenen Sünden der Sippe Warden-McKenzie.

Schließlich befand man ein halbes Jahr als angemessene Verlobungszeit und rechnete die drei Monate an, die Charlotte schon auf Kiward Station verbracht hatte. Jack und Charlotte heirateten folglich im Frühling, gleich nach dem Auftrieb der Schafe ins Hochland. Elizabeth hatte ein romantisches Gartenfest an den Ufern des Avon geplant, aber leider verregnete es, und die Gäste drängten sich in den sicherheitshalber aufgestellten Zelten und den Gesellschaftsräumen des Hauses. Jack und Charlotte zogen sich früh aus dem Trubel zurück und fuhren gleich am nächsten Tag nach Kiward Station. Mit allseitiger Billigung bezogen sie die Räume, die William und Kura Martyn zu Beginn ihrer Ehe geteilt hatten. William hatte sie äußerst geschmackvoll und teuer einrichten lassen, und Charlotte hatte nichts dagegen, umgeben von diesen Möbeln zu wohnen. Jack bestand lediglich auf einer weniger opulenten Schlafzimmereinrichtung und bat den Tischler in Haldon um ein schlichtes Bett und Schränke aus einheimischen Hölzern.

»Aber kein Kauri!«, verlangte Charlotte lächelnd. »Du weißt schon, Tane Mahuta, der Gott des Waldes, drängte Papa und Rangi auseinander!«

Papatuanuku, die Erde, und Ranginui, der Himmel, waren in der Maori-Mythologie zunächst ein Liebespaar gewesen, das eng umschlungen im Kosmos lag. Schließlich beschlossen seine Kinder, die beiden zu trennen, und schufen damit Licht, Luft und Vegetation auf der Erde. Doch Rangi, der Himmel, weinte immer noch fast täglich über die Trennung.

Jack lachte und nahm seine Frau in die Arme. »Uns trennt nichts mehr«, sagte er fest.

Kleine Veränderungen nahm Charlotte auch an Kuras ehemaligem Musikzimmer vor.

»Ich kann ein wenig Klavier spielen, aber mehr als eins brauche ich wirklich nicht«, erklärte sie. Im Salon der McKenzies stand schließlich immer noch Kuras prächtiger Flügel. »Erst recht nicht neben unserem Schlafzimmer. Da soll doch mal …« Sie errötete. Wer in englischen Internaten erzogen war, sprach nicht gänzlich ungezwungen vom Kinderkriegen.

Jack verstand sie auch so. Für ihn war es selbstverständlich, Babys nicht in entferntere Zimmer abzuschieben. Und vom Tag der Hochzeit an tat er sein Bestes, für Nachwuchs zu sorgen.

Obwohl Jack und Charlotte auf Kiward Station glücklich waren, sorgte George Greenwood doch für eine angemessene Hochzeitsreise.

»Es wird Zeit, dass du mal rauskommst, Jack!«, bestimmte er, als Jack tausend Gründe fand, die Farm nicht zu verlassen. »Die Schafe sind glücklich im Hochland, und mit den paar Rindern werden deine Eltern und die Arbeiter allein fertig.«

»Den paar *tausend* Rindern«, bemerkte Jack.

George verdrehte die Augen. »Du musst sie nicht täglich persönlich zu Bett bringen«, meinte er dann. »Nimm dir ein Beispiel an deiner Frau! Sie brennt darauf, die Pancake Rocks zu sehen!«

Charlotte hatte eine Reise an die Westküste vorgeschlagen. Allerdings lockten sie hier nicht nur die Naturwunder. Tatsächlich interessierte sie sich mindestens ebenso für einen Gedankenaustausch mit dem berühmtesten Maori-Forscher der Südinsel: Caleb Biller. Nachdem sie gehört hatte, dass

Jacks Nichte Elaine und ihr Mann nicht nur im gleichen Ort wohnten wie Biller, sondern obendrein mit ihm bekannt waren, kannte sie kein Halten mehr.

»Soweit ich weiß, sind die Lamberts und die Billers nicht gerade befreundet«, gab George zu bedenken, aber das konnte Charlotte nicht schrecken.

»Sie werden schon keine Todfeinde sein«, erklärte sie. »Und wenn doch, stiften wir Frieden. Außerdem müssen sie nicht die ganze Zeit dabeisitzen, wenn ich mich mit Mr. Biller unterhalte. Es reicht, wenn sie uns vorstellen. Und du kannst Gold schürfen, Jack! Wolltest du doch schon immer mal!«

Jack hatte ihr von Goldsucherfantasien in seiner Jugend erzählt. Wie alle Halbwüchsigen hatte er davon geträumt, irgendwo mit einem Claim sein Glück zu machen. Zumal James McKenzie dabei in Australien ganz erfolgreich gewesen war. Letztlich kam Jack jedoch nach seiner Mutter: Was ihn interessierte, waren vor allem Schafe. Gold waschen mochte aufregend sein und Spaß machen, aber Jack war bodenständig.

»Dann sollten wir lieber die O'Keefes in Queenstown besuchen«, brummte er. »In Greymouth fördert man Kohle. Und das lockt mich nicht besonders.«

»Nach Queenstown fahren wir nächstes Jahr!«, bestimmte Charlotte. »Schließlich will ich deine Schwester kennen lernen. Aber jetzt erst mal Greymouth, das ist auch einfacher. Schließlich gibt es hier eine Bahnlinie!«

Was das anging, konnte Jack nichts einwenden. Nur wenige Stunden mit der Bahn würden ihn von seinen geliebten Rindern trennen, und obendrein stellte George Greenwood ihnen seinen eigenen Salonwagen zur Verfügung. Das Luxusgefährt wurde an den regulären Zug angehängt, und die Hochzeitsreisenden konnten die Fahrt in Plüschsesseln oder sogar im Bett genießen, Champagner trinkend. Jack machte sich nicht viel daraus; nach wie vor ritt er lieber, als Bahn zu fahren, und ein gemeinsames Lager unter dem Sternenhimmel hätte er romantischer gefunden als das rollende Bett. Aber Charlotte war begeistert, also spielte er mit.

Weniger begeistert zeigten sich Tim und Elaine Lambert.

»Du willst wirklich Florence Biller einladen?«, meinte Tim entsetzt. »Deine angeheiratete Tante in allen Ehren, aber das ist zu viel!«

»Charlotte möchte Caleb Biller kennen lernen«, begütigte Elaine. »Und ich kann ihn wohl kaum allein zum Dinner bitten. Wie sähe das aus? Wir werden einfach einen Abend lang nett sein und über ... worüber redet man denn sonst mit Florence, wenn nicht über Bergbau?«

Tim zuckte die Schultern. »Vielleicht versuchst du es mit dem, worüber Frauen gewöhnlich reden. Familie? Kinder?«

Elaine kicherte. »Ich weiß nicht, ob man da zu tief schürfen sollte. Ist sie nicht gerade wieder schwanger und hat den hübschen Sekretär nach Westport weggelobt?«

Tim grinste. »Ein sehr interessantes Thema. Vielleicht schaffst du es ja, dass sie errötet. Ist das schon mal jemandem gelungen?« Er faltete seine Serviette zusammen. Die Lamberts hatten eben das gemeinsame Abendessen beendet, und den Kindern fielen schon die Augen zu. Es war ungewohnt, nur noch die Kleinen am Tisch zu haben und nicht mehr so sehr auf seine Worte achten zu müssen. Mit der aufgeweckten Lilian am Tisch hätte Elaine die Sache mit Florence Billers Kindern vorsichtiger formuliert.

»Wahrscheinlich Caleb, als er ihr reinen Wein einschenkte. Ob er tatsächlich die Worte ›warmer Bruder‹ gebraucht hat?«

»Lainie!« Tim musste lachen. Tatsächlich hatte Caleb diesen Begriff verwandt, als er Kura-maro-tini vor Jahren seine Veranlagung gestand. Er hatte nicht wirklich heiraten wollen, aber den Mut, ein freies Dasein als Künstler zu wählen und seine Wünsche irgendwann einfach auszuleben, hatte er dann doch nicht gehabt. Letztendlich war es zu der Ehe mit Florence gekommen, in der anscheinend beide Teile halbwegs zufrieden waren.

»Wir laden die Kinder einfach mit ein«, meinte Elaine schließlich. »Zumindest die beiden Ältesten. Dann bleiben sie nicht lange, und im Notfall plaudern wir über englische Internate. Benjamin ist doch ungefähr in Lilys Alter, nicht?«

Tim nickte. »Er soll dieses Jahr nach Cambridge. Gute Idee. Und wenn gar nichts mehr geht, reden wir über Schafzucht. Jack kann darüber sicher stundenlang dozieren, und ich wette, das ist ein Thema, bei dem Florence nicht das letzte Wort hat.«

Tim Lambert war eigentlich entschlossen gewesen, Jacks junge Frau Charlotte nicht sonderlich zu mögen – schon deshalb, weil sie ihm ein Treffen mit Florence Biller aufzwang. Aber dann eroberte die junge Frau sein Herz ebenso im Sturm wie Elaines und das der kleinen Jungen. Charlotte gelang es, Tims Behinderung nicht direkt zu »übersehen«, aber ganz unbefangen mit ihm umzugehen. Sie lachte mit Elaine und fand in ihr ein weiteres, aufgeschlossenes Publikum für ihre Abenteuer als Suffragette. Mit den Jungs spielte sie nicht nur begeistert Eisenbahn, sondern brachte ihnen auch ein Sortiment von einfachen Maori-Instrumenten mit und erzählte Geschichten von *haka*, die sofort lautstark nachgespielt wurden.

»Ich schätze, Kura-maro-tini hat von der Horde keine Konkurrenz zu fürchten!« Elaine lachte und hielt sich die Ohren zu. »Auch dann nicht, wenn Lilian noch dabei wäre und Klavier spielte. Meine Brut hat durchweg die eher unterentwickelte Musikalität der Lamberts geerbt.«

»Wie geht es denn Lilian? Schreibt sie?« Jack nutzte die

Gelegenheit, eine ihn seit langem drängende Frage zu stellen. Obwohl ihn die Ehe und die Arbeit auf der Farm mehr als ausfüllten, machte er sich doch Sorgen um Gloria. Die Briefe, die in regelmäßigen Abständen von ihr eintrafen, irritierten ihn eher, als ihn in Sicherheit zu wiegen, dass es ihr gut ging. Gwyneira und James mochten sich davon beruhigen lassen, dass Gloria nüchtern von Musikstunden, Leserunden im Garten und sommerlichen Picknicks am Ufer des Cam berichtete, aber für Jack klang das alles nichtssagend. Er fand nichts von Glorias Persönlichkeit in diesen Briefen. Es war fast, als hätte jemand anders sie verfasst.

Elaine nickte lächelnd. »Natürlich schreibt sie. Die Mädchen werden dazu angehalten. Jeden Samstagnachmittag sollen sie nach Hause schreiben ... was Lily nicht viel ausmacht, sie hat ja immer viel zu erzählen. Wobei ich mich frage, wie sie die Briefe durch die Zensur schmuggelt. Die Lehrerinnen werden doch immer wieder Stichproben machen, oder?«

Sie wandte sich an Charlotte. Die zuckte die Achseln.

»Eigentlich achten sie das Briefgeheimnis. Zumindest bei den Älteren und in der Schule, die ich besucht habe«, gab sie Auskunft. »Aber bei den Kleinen werden schon mal Rechtschreibkorrekturen gemacht.«

»Was schreibt Lilian denn Subversives?«, fragte Jack beunruhigt. »Ist sie nicht glücklich?«

Elaine lachte. »Doch. Aber ich fürchte, dass Lilys Vorstellung von Glück und die ihrer Lehrerinnen nicht immer ganz übereinstimmen. Hier, lies selbst!«

Sie zog Lilians letzten Brief aus einer Tasche ihres Kleides. Ein Beweis dafür, wie sehr sie ihre Tochter vermisste. Elaine pflegte Lilians Briefe mit sich herumzutragen und immer wieder zu lesen, bis die nächsten eintrafen.

»Lieber Mummy, lieber Daddy, liebe Brüder«, las Jack vor. »Ich habe eine schlechte Note in der Englischarbeit, in der wir eine Geschichte von Mr. Poe nacherzählen sollten. Sie war aber so traurig, da habe ich sie anders ausgehen lassen. Das war wohl falsch. Mr. Poe hat manchmal ziemlich traurige Geschichten geschrieben, und auch ganz unheimliche. Dabei gibt es doch gar keine Gespenster. Ich weiß das, denn ich war letztes Wochenende mit Amanda Wolveridge auf Bloomingbridge Castle. Ihre Familie hat ein richtiges Schloss, und da soll ein Geist spuken, aber Amanda und ich sind die ganze Nacht aufgeblieben und haben keinen Geist gesehen. Nur ihren blöden Bruder unter einem Bettlaken. Außerdem sind wir auf Amandas Ponys geritten, und es hat viel Spaß gemacht. Mein Pony war das schnellste. Rube, kannst du mir wohl eine Weta schicken? Letzte Woche haben wir eine Spinne in die Landkarte gesteckt, die Miss Comingden-Proust ausrollen musste. Sie hat sich furchtbar erschreckt und ist auf einen Stuhl gesprungen. Wir konnten ihre Unterhosen sehen. Mit einer Weta ginge das bestimmt noch besser, weil Wetas ja manchmal hinterherspringen …«

Charlotte kicherte, als wäre sie selbst noch ein kleines Mädchen, das seinen Lehrerinnen Streiche spielte. Neuseeländische Rieseninsekten würden in englischen Schulzimmern sicher interessante Wirkungen erzielen.

Auch Jack lachte, allerdings etwas beklommen. Dieser Brief war entzückend; man meinte geradezu, die kleine Lilian plaudern zu hören. Verglichen damit wirkten Glorias Briefe fast gespenstisch. Trockene Berichte von Unternehmungen, denen das Mädchen zu Hause nicht das Geringste hatte abgewinnen können. Er musste versuchen, da nachzuhaken. Nur hatte er keine Idee, wie man das am besten anstellte.

6

Gloria hasste jede Sekunde in Oaks Garden, und es schien sich alles gegen sie verschworen zu haben.

Das fing mit ihren gehässigen Zimmergenossinnen an, die kein gutes Haar an ihr ließen. Vielleicht neideten sie ihr die berühmte Mutter, aber womöglich suchten sie einfach nur einen geeigneten Sündenbock, an dem sie jeden Ärger abreagieren konnten. Gloria wusste es nicht, und sie stellte auch keine tiefschürfenden Überlegungen darüber an. Vor allem aber schaffte sie es nicht, den Hohn und Spott der Mädchen mit gleicher Münze heimzuzahlen – ebenso wenig, wie sie das alles ignorieren konnte. Schließlich wusste sie ja selbst, dass sie nicht hübsch war und in der Schulkleidung linkisch wirkte. Und ihre Dummheit und Talentlosigkeit wurden ihr jeden Tag in Oaks Garden gnadenlos vor Augen geführt.

Nun war die Schule – auch wenn sie ihren pädagogischen Schwerpunkt auf Förderung der schönen Künste legte – nicht gerade ein Hort kreativer Talente. Die meisten anderen Schülerinnen kleckster ebenso unbeholfen Farbe auf Leinwände wie Gloria und schafften es nur mit viel Hilfe, ein Haus oder einen Garten halbwegs perspektivisch korrekt zu zeichnen. Gabrielle Wentworth spielte grauenhaft Geige, und Melissas Cellospiel war nicht viel besser. Die wenigsten Mädchen hatten wirklich eine künstlerische Ader, bestenfalls begeisterten sie sich für Musik oder Malerei. Lilian Lambert zum Beispiel hatte keinerlei Hemmungen, ihrer künftigen Musiklehrerin »*Annabell Lee*« auf dem Klavier vorzuspielen und wunderte sich dann, dass Miss Tayler-Bennington darüber nicht in

Begeisterungsstürme ausbrach. Lily war nicht viel talentierter als Gloria, aber die Musikstunden machten ihr Spaß, und das ging den meisten anderen Mädchen ähnlich. Gut, in den Einzelstunden zwecks Beherrschung eines Musikinstruments wurde man gequält, aber Chorsingen zum Beispiel mochten alle bis auf Gloria. Allerdings musste auch keine andere Schülerin in der ersten Stunde eine vergleichbare Tortur erleben wie die Tochter Kura-maro-tini Martyns.

Gloria schwante schon etwas, als Miss Wedgewood, die Chorleiterin, sie als eine der Ersten zum Vorsingen aufs Podium rief.

»Die Tochter der berühmten Mrs. Martyn!« Miss Wedgewood bekam strahlende Augen. »Ich habe mich so auf dich gefreut. Unser Alt ist ein bisschen schwach besetzt, und wenn du auch nur halbwegs die Stimme deiner Mutter mitbringst, solltest du ihn wesentlich unterstützen! Singst du uns mal ein A?«

Sie schlug den Ton auf dem Klavier an, und Gloria versuchte, ihn nachzusingen. Das hatten vor ihr schon drei andere Mädchen mit mäßigem Erfolg probiert, woraufhin sie Miss Wedgewood mit leisem Seufzen verschiedenen Chorstimmen zugeordnet hatte. Aber keine Stimme hatte so gepresst geklungen wie Glorias, der es schon peinlich war, allein vor der Klasse und am Klavier zu stehen. Die Anspielung auf ihre Mutter gab ihr dann den Rest. Gloria brachte keinen Ton mehr heraus, erst recht keinen richtigen. Dabei hatte sie eine kräftige und wohlklingende Stimme. Aber das Mädchen traute sich nicht zu, auch nur das einfachste Lied richtig singen zu können, und ganz allein auf dem Podium versank sie ohnehin fast im Boden.

»Also wirklich, von deiner Mutter hast du ja gar nichts!«, meinte Miss Wedgewood schließlich enttäuscht und versenkte Gloria in die letzte Reihe. Dahin hatte es auch Gabrielle verschlagen, die von jetzt an keine Chance ungenutzt ließ, alle Fehler auf Gloria zu schieben. Wann immer der Alt etwas falsch intonierte, lag das angeblich daran, dass Gloria die anderen irritierte. Dabei sang sie meist so leise, dass ihre Mitschülerinnen sie ohnehin kaum hören konnten. Die Einzige, die sie vielleicht verteidigt hätte, war Lilian. Und die sang – laut und falsch – in der ersten Stimme mit.

Überhaupt half es Gloria nicht weiter, dass Lilian theoretisch die Schulbank mit ihr teilte. Die Mädchen waren gänzlich unterschiedlichen Klassen und Kursen zugeteilt, sie trafen sich nur beim Chorgesang und in den Pausen im Garten. Aber dort war Lilian schon nach den ersten Tagen umgeben von anderen Mädchen. Sie hatte gleich Freundinnen, mit denen sie herumalberte, und auch wenn sie Gloria nicht ausschloss, sondern im Gegenteil freudig in ihrem Kreis begrüßte, fühlte das Mädchen sich doch fehl am Platze. Die Unterstufenschülerinnen betrachteten sie als Vertreterin der Mittelstufe mit einer Mischung aus Bewunderung, Neid und Vorsicht. Zwischen den einzelnen Häusern in Oaks Garden herrschte Rivalität; man besuchte sich nicht gegenseitig, es sein denn, man wollte einander Streiche spielen. Das lag Gloria natürlich fern, aber unabsichtlich sorgte sie dann doch für Ärger im Westflügel, als Lilian sie zu einer Mitternachtsparty einlud. Gloria schlich sich weisungsgemäß hinüber und genoss es sogar fast, im Kreis der jüngeren Mädchen Kuchen zu knabbern und Limonade zu trinken. Lilian unterhielt sie dabei mit den gleichen wilden Geschichten, die Gloria auch schon auf Kiward Station fasziniert hatten, und schließlich lachte und schwatzte sie fast normal mit Lilians Freundinnen. Aber natürlich erwischten Gabrielle und ihre anderen Zimmergenossinnen sie bei der Rückkehr, erpressten in Windeseile ein Geständnis von ihr und verpfiffen Lilian umgehend bei der Hausmutter. Miss Barnum ertappte die Mädchen beim

Aufräumen nach der Party, und es regnete Strafmaßnahmen. Und natürlich machte man Gloria für den traurigen Ausgang der Feier verantwortlich.

»Ich glaub's dir ja!«, meinte Lilian mitleidig. Die Mädchen trafen sich beim »Strafexerzieren« im Garten. Bestrafungen in Oaks Garden bestanden in stundenlangen Spaziergängen, gewöhnlich im Regen. Eigentlich durften sie dabei nicht reden, doch Lily dazu zu bringen, den Mund zu halten, war ein Ding der Unmöglichkeit. »Diese Gabrielle ist ein Biest! Aber die anderen wollen dich jetzt natürlich nicht mehr dabeihaben. Tut mir ehrlich leid!«

Gloria blieb also weiter allein und deshalb auch gänzlich auf das Internatsleben beschränkt. Lilian ging es auch hier besser. Fast jedes Wochenende wurde sie von einer ihrer Freundinnen eingeladen, den Samstag und Sonntag mit ihrer Familie zu verbringen. Zwar kamen die Schülerinnen von Oaks Garden aus ganz England, aber etwa die Hälfte wohnte in der Nähe und lud die Auswärtigen gerne ein. So war es meist nur ein Häufchen Ausgestoßener, die auch das Wochenende im Internat verbrachten. Besondere Unterhaltungsangebote gab es nicht für sie. Die Mädchen waren somit durchweg mürrisch, und zumindest Gabrielle und Fiona – die es ebenfalls oft traf, da sie eng befreundet waren, aber beide von auswärts kamen – ließen ihre schlechte Laune gern an Gloria aus.

Immerhin schickte man die Mädchen am Sonntag zum Gottesdienst, und Gloria traf Miss Bleachum – der einzige Lichtblick in der ganzen Woche. Allerdings wirkte auch die junge Gouvernante nicht sonderlich glücklich. Gloria war verdutzt, sie am ersten Sonntag in Sawston an der Orgel zu sehen.

»Ich wusste gar nicht, dass Sie spielen können«, meinte sie schüchtern, als sie nach dem Gottesdienst endlich zusammentrafen. »Haben Sie Grandma Gwyn nicht gesagt, Sie gäben keine Musikstunden?«

Sarah Bleachum nickte. »Glory, mein Schatz, wenn du auch nur ein bisschen Gehör hättest, könntest du nachvollziehen, warum!«, scherzte sie, hielt dann aber inne, als Glorias Gesicht sich schmerzlich verzerrte. Auf Kiward Station hatte man Glorias mangelnde Musikalität als gegeben hingenommen – und teilweise sogar begrüßt! Niemand hatte sich je etwas dabei gedacht, das Mädchen deswegen zu necken, und Gloria hatte mitgelacht. Aber jetzt schien Sarahs lachende Selbstkritik das Mädchen mehr zu treffen als früher jeder Tadel für nachlässig erledigte Aufgaben.

»Ich hab's nicht böse gemeint, Glory«, entschuldigte sich Sarah denn auch sofort. »Was ist denn mit dir? Hast du Ärger in der Schule, weil du genauso unbegabt bist wie ich?«

Gloria kämpfte mit den Tränen. »Sie sind doch nicht unbegabt! Sie spielen sogar in der Kirche!«

Sarah seufzte. Über ihren Auftritt in der Dorfkirche hatte es einige Diskussionen mit Christopher gegeben. Bislang hatte Miss Tayler-Bennington, die Musiklehrerin von Oaks Garden, am Sonntag die Orgel gespielt, und natürlich machte sie es viel besser als Sarah, der das nicht lag. Christopher bestand jedoch darauf, dass Sarah sich in die Gemeinde »einbrachte«, wie er es nannte. Er stellte sie allgemein als seine Cousine vor, doch der Dorfklatsch rankte sich natürlich um ihre bevorstehende Eheschließung. Fast jede Frau, mit der Sarah in Kontakt kam, sprach sie mehr oder weniger direkt darauf an – und hatte auch schon Ideen, wie sich die künftige Frau Pastor in der Gemeinde nützlich machen konnte. Sarah übernahm brav Bibelkreis und Sonntagsschule, aber trotz ihrer unbestreitbaren pädagogischen Talente traf ihr Engagement nicht auf Gegenliebe.

»Sarah, meine Liebe, die Frauen beschweren sich«, erklärte Christopher gleich nach der zweiten Woche. »Du machst ja eine Wissenschaft aus unserer Bibelstunde. All diese Geschichten aus dem alten Testament – muss das denn sein?«

»Ich dachte, ich lese mal Bibeltexte mit ihnen, in denen Frauen vorkommen«, rechtfertigte sich Sarah. »Und da gibt es im alten Testament nun mal die schönsten.«

»Die schönsten? Wie die von Deborah, die mit einem Feldherrn in die Schlacht zieht? Und die von Jael, die ihren Feind mit einem Zeltpflock umbringt?« Christopher schüttelte den Kopf.

»Na ja, die Frauen im Alten Testament waren ein bisschen ... hm ... tatkräftiger als die im Neuen«, gab Sarah zu. »Aber sie erreichen ja auch eine Menge. Esther zum Beispiel ...«

Christopher runzelte die Stirn. »Sag mal, Sarah, sympathisierst du mit den Suffragetten? Das hört sich ziemlich aufrührerisch an.«

»Es ist die Bibel«, bemerkte Sarah.

»Aber da gibt es doch auch schönere Stellen!« Christopher legte salbungsvoll die Hände auf das Neue Testament – und bewies Sarah gleich in der nächsten Sonntagspredigt, wie er sich die Behandlung des Themas »Frau und Bibel« vorstellte.

»Edler als die köstlichste der Perlen ist eine tugendhafte, gute Frau!«, begann er seinen Vortrag, streifte nur kurz die Verfehlungen Evas, um dann jenen Mann zu preisen, der ein gutes Weib sein Eigen nennen konnte. »Die Anmut des Weibes erquickt den Mann, ihre Klugheit ist ein Labsal seinen Gliedern!«

Die Frauen in der Gemeinde erröteten wie auf ein geheimes Kommando, genossen aber das Lob und ließen sich gleich darauf für Marias Ergebung in den Willen des Herrn und ihre mütterlichen Qualitäten begeistern. Schließlich erntete Christopher Zustimmung von allen Seiten.

»Im nächsten Bibelkreis liest du dann mit ihnen das Magnificat und sprichst darüber, wie die Jungfrau gesegnet wurde«, wies er Sarah gut gelaunt an. »Das ist auch nicht so lang wie die ganzen Bibelgeschichten. Die Frauen wollen ja noch über etwas anderes reden.«

Tatsächlich wurde im Bibelkreis mehr geklatscht als gebetet, wobei der Reverend ein beliebtes Thema war. Sämtliche Frauen schwärmten für ihn und schilderten Sarah seine Wohltaten für die Gemeinde in den höchsten Tönen.

»Sie werden ihm aber sicher auch eine gute Frau sein!«, meinte Mrs. Buster, Sarahs Hauswirtin, schließlich gönnerhaft. Christopher hatte sie bei der ältlichen Witwe einquartiert, und das Zimmer war tatsächlich sauber und bequem. Allerdings ließ Mrs. Buster ihrem Hausgast wenig Privatsphäre. Wenn sie reden wollte, musste Sarah zur Verfügung stehen. Die junge Frau rettete sich schließlich in lange Spaziergänge – meistens im Regen.

Ernsthafte Differenzen zwischen Sarah und der Gemeinde kamen allerdings erst auf, als Christopher die Lehrerin mit der Leitung der Sonntagsschule betraute. Sarahs Liebe galt nun einmal der Naturwissenschaft, und es gehörte zu ihren tiefsten pädagogischen Überzeugungen, die Fragen der Schüler stets wahrheitsgetreu zu beantworten.

»Was hast du dir bloß dabei gedacht?«, fragte Christopher aufgebracht, nachdem Sarahs erste Kinderstunde wütende Proteste der Eltern nach sich zog. »Du erzählst den Kindern, wir stammen vom Affen ab?«

Sarah zuckte die Schultern. »Billy Grant wollte wissen, ob Gott wirklich alle Tiere in sechs Tagen geschaffen hat. Und diese Theorie hat Charles Darwin nun mal widerlegt. Ich habe ihm also erklärt, dass in der Bibel eine sehr schöne Geschichte steht, die uns hilft, das Wunder der Schöpfung besser zu begreifen. Aber dann habe ich den Kindern erklärt, wie es wirklich war.«

Christopher raufte sich die Haare. »Das ist keineswegs erwiesen!«, entrüstete er sich. »Und wenn es zehnmal deine

Überzeugung ist, es gehört nicht in eine christliche Sonntagsschule. Sei in Zukunft vorsichtiger, was du den Kindern erzählst! Wir sind hier nicht am Ende der Welt, wo defätistisches Gedankengut vielleicht geduldet wird ...«

Sarah mochte es nicht zugeben, aber je länger sie sich als künftige Pfarrersfrau versuchte, desto häufiger sehnte sie sich an eben dieses Ende der Welt zurück. Bislang hatte sie sich immer für eine gute Christin gehalten, aber langsam wuchs ihre Befürchtung, dass das hier nicht genügte. Es sah aus, als fehle es ihr an Glaubensfestigkeit – und ganz sicher reichte ihre Nächstenliebe nicht aus, sich täglich mit den zum Teil kleinlichen und oft eingebildeten Sorgen der Gemeindemitglieder zu befassen. Der Umgang mit Kindern hatte sie mehr befriedigt. Und die kleine Gloria schien unter echten Problemen zu leiden.

Trotz Christophers deutlich gezeigter Ungeduld – nach dem Sonntagsgottesdienst waren er und Sarah meist bei einem Gemeindemitglied zum Essen eingeladen, und er mochte nicht unpünktlich sein – zog sie sich wenigstens kurz mit dem Mädchen zurück und ließ Gloria erzählen. In schönster Eintracht flohen die beiden auf den Friedhof hinter der Kirche. Kein sehr einladender Ort, aber doch ein Platz, um allein zu sein. Sarah mochte vor sich selbst noch nicht zugeben, was Gloria längst wusste: Beide waren ständig verzweifelt auf der Suche nach solchen Plätzen zum Rückzug.

»Ich bekomme nur schlechte Noten, Miss Bleachum«, klagte Gloria, wohl in der Meinung, dies müsse die Lehrerin mehr interessieren als die täglichen Quälereien der boshaften Gabrielle. »Ich kann nun mal nicht singen und Noten lesen. Für mich klingt das alles gleich. Und zeichnen kann ich auch nicht so gut, obwohl ... vor ein paar Tagen hab ich einen Frosch gesehen, einen grasgrünen, Miss Bleachum, mit winzigen Saugnäpfen an den Füßchen, und den hab ich abgezeichnet. So wie mein

Urgroßvater Lucas. Erst ein großes Bild von dem Frosch und dann ein kleines von den Füßen. Gucken Sie mal, Miss Bleachum!« Stolz beförderte Gloria eine schon leicht verschmierte Kohlezeichnung hervor, und Sarah war beeindruckt. Der Unterricht im perspektivischen Zeichnen schien durchaus auf fruchtbaren Boden zu fallen; das Mädchen hatte das Tier erstaunlich lebensecht abgebildet.

»Aber Miss Blake-Sutherland meint, das wäre eklig. Ich soll keine ekligen Sachen zeichnen, Kunst sollte Schönes abbilden. Gabrielle hat eine Zwei bekommen, weil sie eine Blume gemalt hat. Aber die sah gar nicht aus wie eine richtige Blume ...«

Sarah Bleachum seufzte. Gloria schien durchaus nicht untalentiert zu sein, doch künstlerische Verfremdung würde ihr immer unverständlich bleiben.

»Aber das weiß Miss Blake-Sutherland wahrscheinlich gar nicht«, führte Gloria weiter aus. »Botanik unterrichten sie in England nämlich gar nicht, und Tierkunde auch nicht, jedenfalls nicht viel. Erdkunde ist langweilig, was wir da machen, ist was für Babys. Und Latein gibt es nicht, dafür Französisch ...«

»Aber Französisch haben wir doch auch gelernt«, meinte Sarah mit schlechtem Gewissen. Sie hatte erst vor gut einem Jahr begonnen, Gloria in der Sprache zu unterrichten. In Oaks Garden hatten die Mädchen wahrscheinlich von der ersten Klasse an Französischstunden.

Gloria bestätigte das. Sie lag hoffnungslos zurück. Das aber brachte Sarah Bleachum auf eine Idee.

»Vielleicht könnte ich dir Nachhilfestunden geben«, schlug sie vor. »Am Samstag oder am Sonntagnachmittag. Würde dir das gefallen, oder wird es dir zu viel?«

Gloria strahlte. »Das wäre wundervoll, Miss Bleachum!« strahlte sie. Ein Wochenendnachmittag, an dem sie Gabrielle und Fiona entfliehen konnte, erschien ihr als Himmel auf Erden. »Sie können an Grandma Gwyn schreiben, wegen der Bezahlung.«

Sarah schüttelte den Kopf. »Das mache ich doch gern, Glory. Wir müssen nur mit Miss Arrowstone sprechen. Wenn sie es nicht erlaubt ...«

Obwohl Christopher abriet, machte Sarah sich gleich am nächsten Tag auf den Weg zum Internat und stürzte sich in den Kampf mit Miss Arrowstone. Die Rektorin war zunächst gar nicht erbaut von ihrem Vorschlag.

»Miss Bleachum, wir waren uns doch einig, dass das Mädchen sich eher abnabeln muss. Gloria fällt hier als eigenbrötlerisch auf, sie kommt mit ihren Klassenkameradinnen nicht zurecht, und sie verweigert sich dem Lehrstoff. Mitunter sind ihr die Unterrichtsinhalte sicherlich fremd, aber manchmal ist sie auch einfach renitent! Die Lehrerin in Biblischer Geschichte brachte sie neulich zu mir, weil sie in einem Aufsatz darwinistisches Gedankengut vertrat! Statt über die Erbsünde schrieb sie etwas über die Entstehung der Arten! Ich habe sie scharf gerügt und eine Strafe ausgesprochen.«

Sarah wurde rot.

»Das Mädchen ist völlig weltfremd aufgewachsen!«, erklärte Miss Arrowstone mit allen Anzeichen der Empörung. »Und daran sind Sie zweifellos nicht ganz unschuldig. Aber gut, die Kleine ist auf dieser Schaffarm gewiss verwildert. Das bisschen Hausunterricht kam dagegen wahrscheinlich kaum an. Zumal die Familienverhältnisse da unten in Neuseeland ... ist es wahr, was Lilian erzählt? Der Großvater war tatsächlich ein Viehdieb?«

Sarah Bleachum musste lächeln. »Lilians Urgroßvater«, stellte sie richtig. »Gloria ist mit James McKenzie nicht verwandt.«

»Aber sie ist doch in der Familie dieses zweifelhaften Volkshelden aufgewachsen, oder? Das alles ist sehr undurchsichtig ... Und wer ist dieser ›Jack‹?« Während sie sprach, zog Miss Arrowstone ein Blatt Briefpapier aus ihrer Schreibtischschublade.

Sarah erkannte Glorias große, etwas steile Schrift und geriet sofort in Harnisch.

»Lesen Sie etwa die Briefe der Mädchen?«, fragte sie empört.

Miss Arrowstone sah sie strafend an. »Nicht grundsätzlich, Miss Bleachum. Dieser hier allerdings ...«

Die Schülerinnen von Oaks Garden wurden angehalten, regelmäßig nach Hause zu schreiben. Die letzte Schulstunde am Freitagnachmittag war dafür reserviert. Man teilte Briefpapier aus, und es gab eine Aufsicht, die nicht nur auf Ruhe hielt, sondern auch Fragen bezüglich der richtigen Schreibweise schwieriger Wörter beantwortete. Dies war natürlich besonders bei den jüngeren Jahrgängen nötig: Mädchen wie Lilian Lambert schrieben aufgeregt und ohne Punkt und Komma. In Glorias Klasse verliefen die Schreibstunden dagegen meist ruhig. Die Mädchen lieferten ihre Berichte gelassen ab. Viel zu erzählen hatten die wenigsten, aber natürlich hatten sie gelernt, kleine Ereignisse – eine gute Note für eine Zeichnung zum Beispiel, oder ein neues Übungsstück im Geigenunterricht – zu Höhepunkten aufzubauschen.

Gloria dagegen saß sprachlos vor ihrem Blatt Papier. So sehr sie sich Mühe gab, formierten sich doch keine Worte in ihrem Kopf, die ihr Elend beschrieben. Allenfalls stiegen die Bilder wieder in ihr auf, die ihre Woche bestimmt hatten: Der Montagmorgen, als sie ihre am Sonntag mühsam gebügelte Schulbluse zerknittert unter all den Kleidern wiederfand, die Gabrielle am

Abend ausgezogen hatte. Das Mädchen hatte Besuch von ihren Eltern gehabt und war nach einem Ausflug spät in das gemeinsame Zimmer zurückgekehrt – müde, aber doch nicht zu erschöpft für einen bösen Streich. Gloria hatte prompt einen Tadel von ihrer Hausmutter geerntet; sie fiel bei Kleiderinspektionen immer auf. Die weißen Blusen schienen selbst dann an ihrem Körper zu zerknittern, wenn sie vor dem Anziehen glatt gewesen waren. Wahrscheinlich lag das an dem absolut nicht sitzen wollenden Blazer. Oder bewegte Gloria sich einfach mehr und anders als die anderen? Vielleicht sah die Hausmutter bei ihr aber auch nur besonders genau hin. Ein paar der jüngeren Schülerinnen, unter ihnen Lilian, wirkten auch nicht immer ordentlich gekleidet, aber sie sahen dennoch hübsch oder wenigstens lustig aus. Gloria dagegen sah in Miss Coleridges Blick, wie unpassend und hässlich sie wirkte.

»Eine Schande für das Haus!«, erklärte Miss Coleridge und trug Gloria ein paar Strafpunkte ein. Gabrielle feixte.

Oder der Dienstag, an dem Chorsingen auf dem Plan stand. Die Rektorin war diesmal in den Unterricht gekommen und hatte darauf bestanden, ein paar der Neuen noch einmal vorsingen zu lassen. Darunter natürlich Gloria – wahrscheinlich war das Ganze ohnehin nur ihretwegen organisiert. Miss Arrowstone wollte wissen, ob die Tochter der berühmten Mrs. Martyn wirklich so hoffnungslos war, wie Miss Wedgewood behauptete. Natürlich versagte Gloria völlig – und wurde diesmal auch noch für ihre schlechte Haltung auf dem Podium gerügt.

»Gloria, ein Mädchen trägt sich wie eine Dame! Richte dich auf, heb den Kopf, sieh deine Zuhörer an! Dadurch gewinnt auch die Stimme an Wohlklang …«

Gloria zog den Kopf zwischen die Schultern. Sie wollte nicht gesehen werden. Und sie war keine Dame.

Schließlich brach sie mitten im Lied ab, rannte weinend

vom Podium und versteckte sich im Garten. Sie kassierte weitere Strafpunkte, als sie erst zum Abendessen wieder auftauchte.

Dann der Mittwoch und die unsägliche Geschichte mit der Erbsünde. Sie hatte davon in der Sonntagsschule in Haldon gehört, aber nicht besonders gut aufgepasst. »Vererbung«, bezog sich für Gloria auf Wollqualität bei Schafen, Hüteinstinkt bei Hunden und Reiteigenschaften bei Pferden. Das alles ließ sich durch richtige Anpaarung verbessern, aber Adam und Eva hatten da natürlich keine große Auswahl gehabt. Gloria war insofern bereit, die Erbsünde großmütig zu vergeben. Und da ihr zum Thema »Paradies« immer nur die weitläufige Landschaft von Kiward Station einfiel und all das, was ihr Miss Bleachum und James McKenzie über die einheimischen Pflanzen und Tiere erzählt hatten, streifte sie die Genesis nur kurz und ging dann zur Entwicklung verschiedener Tierarten in unterschiedlichen Lebensräumen ein. »Der Mensch«, so endete sie schließlich, »hat sich nicht auf Neuseeland entwickelt. Die Maoris kamen aus Hawaiki, die *pakeha* aus England. Affen gibt es dort aber auch nicht, wahrscheinlich kamen die ersten Menschen also eher aus Afrika oder Indien. Aber das Paradies lag da wohl nicht, denn es gibt dort keine Äpfel.«

Gloria verstand gar nicht, warum man sie aufgrund dieser Sätze zur Rektorin zitierte und streng abmahnte. Zur Strafe musste sie die Schöpfungsgeschichte dreimal abschreiben, wobei sie lernte, dass das Paradies zwischen Euphrat und Tigris lag und dass Äpfel in der Bibel überhaupt nicht vorkamen. Gloria fand das alles seltsam.

Schließlich der Donnerstag mit einer furchtbaren Klavierstunde, zu der Gabrielle obendrein Glorias Noten vertauschte. Mit dem Notenheft für Fortgeschrittene konnte sie nichts anfangen, und Miss Tayler-Bennington ließ sie zur Strafe für ihre Nachlässigkeit auswendig spielen. All die mühsamen

Übungsstunden während der Woche waren damit vergebens gewesen. Ohne Noten ging bei Gloria gar nichts. Am Nachmittag dann das »Abarbeiten« der Strafpunkte mittels eines langen, schweigenden Spaziergangs. Natürlich regnete es wieder, und Gloria fror in ihrer Schuluniform.

All das konnte sie unmöglich nach Hause berichten. Sie könnte es auch gar nicht niederschreiben, ohne wieder zu weinen. Gloria verbrachte die Stunde, indem sie starr geradeaus blickte, ohne das Lehrerpult, die Tafel und die Aufsicht führende Miss Coleridge auch nur wahrzunehmen.

Als sie schließlich zur Feder griff, tauchte sie den Füllhalter so heftig in die Tinte, dass Tropfen wie Tränen auf ihr Briefpapier fielen. Und dann schrieb sie die einzigen Worte nieder, die ihren Kopf füllten:

»Jack, bitte, bitte, hol mich heim!«

»Da sehen Sie es, Miss Bleachum!«, erklärte Miss Arrowstone ungnädig. »Hätten wir diesen ›Brief‹ abschicken sollen?«

Sarah blickte fassungslos auf Glorias Hilfeschrei. Sie biss sich auf die Lippen.

»Ich verstehe, dass Sie streng sein müssen«, sagte sie dann. »Aber was ich anbiete, sind nur ein paar zusätzliche Französischstunden. Es wird Gloria bei der Eingliederung helfen, wenn sie im Unterricht besser mitkommt. Und am Wochenende verpasst sie doch nichts.«

Sarah war entschlossen, sich heimlich mit Gloria zu treffen, wenn Miss Arrowstone nicht einlenkte. Aber die Rektorin ließ sich jetzt doch erweichen.

»Also gut, Miss Bleachum. Wenn der Reverend nichts dagegen hat ...«

Sarah wollte erneut aufbrausen. Was hatte Christopher damit zu tun, dass sie Gloria unterrichtete? Seit wann brauchte sie seine Erlaubnis, eine Schülerin anzunehmen? Aber dann beherrschte sie sich. Wenn sie Miss Arrowstone weiter gegen sich aufbrachte, war damit nichts gewonnen.

»Übrigens eine sehr schöne Predigt zur Stellung der Frau in der Bibel!«, bemerkte die Rektorin, als sie ihre Besucherin herausführte. »Wenn Sie ihm das bitte bestellen würden. Wir alle waren sehr angerührt ...«

Gloria kam eingeschüchtert und verweint zu spät in ihre erste Stunde am Sonnabendnachmittag.

»Es tut mir leid, Miss Bleachum, aber ich sollte zuerst noch einen Brief schreiben«, entschuldigte sie sich. »Heute Abend muss ich ihn Miss Coleridge vorlegen. Aber ich ...«

Sarah seufzte.

»Dann wollen wir das mal zuerst angehen«, erklärte sie. »Hast du das Briefpapier bei dir?«

Liebe Grandma Gwyn, lieber Grandpa James, lieber Jack,
viele Grüße aus England. Ich hätte schon eher geschrieben, aber ich muss viel lernen. Ich habe Klavierunterricht und singe im Chor mit. Im Englischunterricht lesen wir Gedichte von Mr. Edgar Alan Poe. Wir lernen auch Gedichte auswendig. Ich mache gute Fortschritte im Zeichenunterricht. Am Wochenende sehe ich Miss Bleachum. Am Sonntag besuchen wir den Gottesdienst.

Ich habe Euch alle sehr lieb.

Eure Gloria

7

Die »Nachhilfestunden« am Samstagnachmittag wurden für Gloria bald zum Höhepunkt der Woche. Sie freute sich schon montags darauf, und wenn ihr Alltag besonders schrecklich war, träumte sie sich an die Seite der jungen Lehrerin und klagte ihr in Gedanken ihr Leid. Natürlich beschränkte Miss Bleachum sich nicht auf schlichten Französischunterricht. Zwar widmeten sie dem stets sehr konzentriert die erste Stunde – schließlich sollten Miss Arrowstone und Madame Laverne, die Französischlehrerin, ja Fortschritte sehen. Aber dann berichtete Gloria auch von ihrem täglichen Martyrium mit Gabrielle und den anderen Mädchen, und Sarah gab nützliche Tipps, damit umzugehen.

»Du darfst dir nicht alles gefallen lassen, Gloria!«, erklärte sie zum Beispiel. »Es ist nicht ehrenrührig, wenn du manchmal die Hausmutter um Hilfe bittest. Besonders bei so boshaften Streichen wie der Sache mit der Tinte!«

Gabrielle hatte Glorias Schulbluse verdorben, indem sie Tinte darauf kleckste.

»Und wenn du nicht direkt petzen willst, dann bitte doch die Hausmutter, die Sachen für dich in Verwahrung zu nehmen. Oder steh in der Nacht auf, schau, ob das Mädchen wieder etwas angestellt hat, und vertausch die Kleider. Gabrielle wird schön dumm gucken, wenn sie die Flecken auf ihrer eigenen Bluse findet, während du dich schon angezogen hast und hinaus bist. Ihr habt doch in etwa die gleiche Größe. Oder jubele die schmutzigen oder zerknitterten Kleider einer anderen Zimmergenossin unter. Dann kriegt Gabrielle von der

Zunder. Und spiel dem Mädchen auch ruhig selbst mal einen Streich ...«

Gloria nickte mutlos. Sie hatte, was das Ärgern anderer Leute anging, keinerlei Fantasie. Ihr fiel einfach nichts ein, um Gabrielle zu verletzen. Aber schließlich kam ihr der Einfall, Lilian einzuweihen. Lilian und ihre Freundinnen spielten den Lehrern und Mitschülern ständig Streiche; die Geschichte von der Spinne in der Landkarte war in aller Munde.

Der rothaarige kleine Kobold hörte sich denn auch Glorias Sorgen geduldig an und lächelte sanft. »Das ist die Ziege, die uns damals nach der Party verpfiffen hat, nicht?«, erkundigte sie sich. »Aber klar lasse ich mir da etwas einfallen!«

In der nächsten Geigenstunde musste Gabrielle dann feststellen, dass ihr Instrument völlig verstimmt war. Kein Problem für wirklich musikalische Schülerinnen, aber Gabrielles Gehör war nicht besser als Glorias, und sie pflegte eine hochbegabte kleine Geigerin aus Lilians Klasse mit Süßigkeiten zu bestechen, damit sie ihr die Violine vor dem Unterricht stimmte. Nun musste sie das allerdings allein erledigen, vor den Augen und Ohren Miss Tayler-Benningtons. Die Blamage war vollkommen, und Lilian kicherte.

Gloria erfüllte der gelungene Streich mit einer Art Triumph, aber keiner echten Freude. Es bereitete ihr keine Befriedigung, andere leiden zu sehen, und sie stritt sich nicht gern. Gwyneira hätte ihr Harmoniebedürfnis auf ihr Maori-Erbe zurückgeführt; ihre Großmutter Marama war ähnlich geartet. In Oaks Garden interpretierte man Glorias friedfertige Art jedoch als Schwäche. Die Lehrerinnen nannten sie »antriebslos«, die Schülerinnen quälten sie auch weiterhin, wo sie nur konnten.

Lediglich an den Nachmittagen mit Miss Bleachum erwachte die alte, vergnügte und an allem in der Welt interessierte Gloria. Um weder von Christopher noch von Mrs. Buster belauscht zu werden, unternahmen die beiden nach der Französischstunde lange Spaziergänge. Begeistert angelte Gloria Froschlaich aus einem Tümpel, und Sarah fand eine versteckte Stelle in Mrs. Busters Garten, um ihn in einem Glas reifen zu lassen. Gloria beobachtete fasziniert die Entwicklung der Kaulquappen, und Mrs. Buster erschrak fast zu Tode, als schließlich zwanzig muntere Fröschlein durch ihre Blumenbeete hüpften. Sarah brauchte Stunden, um sie einzusammeln und zu ihrem Tümpel zurückzubringen, und handelte sich damit wieder mal einen milden Tadel des Reverends ein.

»Das war nicht sehr damenhaft, meine Liebe! Du solltest mehr daran denken, den Gemeindefrauen ein Vorbild zu sein.«

»Werden Sie den Reverend denn jetzt bald heiraten?«, fragte Gloria eines Tages im Sommer. In der Schule waren Ferien, aber natürlich hatte sie nicht nach Neuseeland zurückreisen können, und auch ihre Eltern waren wieder einmal in Gegenden der Welt unterwegs, in denen sie ihre Tochter nicht brauchen konnten. Diesmal bereisten sie Norwegen, Schweden und Finnland. Die in der Schule verbleibenden Mädchen wurden nicht allzu streng beaufsichtigt, und so stahl Gloria sich fast jeden Tag ins Dorf, um Miss Bleachum zu besuchen. Sie half bei den Vorbereitungen zum Gemeindebasar und zum Sommerfest und versüßte Sarah damit einige ungeliebte Pflichten.

Zu Sarahs Verwunderung kam Gloria mit den Frauen der Gemeinde gut zurecht. Die Dorfbewohner waren ja einfache Menschen, durchaus vergleichbar mit den Leuten in Haldon oder den Familien der Viehhüter, mit denen das Mädchen früher verkehrt hatte. Von Kura-maro-tini Martyn und ihrer sensationellen Stimme hatte hier nie jemand etwas gehört. Gloria war nur eine Internatsschülerin wie alle anderen. Als die Leute erst einmal heraushatten, dass sie nicht dünkelhaft und hochnäsig war wie viele andere Mädchen aus Oaks Garden, behandelten sie Gloria wie die Kinder aus dem Dorf. Hinzu kam, dass Girlanden flechten, Lampions aufhängen und Tisch decken ihr weitaus mehr lagen als Klavierspielen und Gedichte rezitieren. Sie machte sich nützlich, wurde gelobt und fühlte sich endlich wieder ein bisschen wohler in ihrer Haut. Im Grunde ging es ihr in der Gemeinde besser als Sarah, die sich unter den Dorfbewohnern immer noch unwohl fühlte. Insofern fand sie auch keine schnelle Antwort auf Glorias Frage.

»Ich weiß es nicht«, meinte sie schließlich. »Alle gehen davon aus, aber …«

»Lieben Sie ihn denn, Miss Bleachum?« Diese vorwitzige Frage kam, wie könnte es anders sein, von Lilian. Auch sie verbrachte einen Teil der Ferien im Internat und langweilte sich zu Tode. In der nächsten Woche würde sie allerdings nach Somerset reisen. Eine Freundin hatte sie auf das Gut ihrer Eltern eingeladen, und Lilian freute sich auf Ponys und Gartenfeste.

Sarah wurde wieder einmal rot, allerdings längst nicht mehr in der gleichen Intensität wie einige Monate zuvor. Inzwischen war sie es schließlich gewöhnt, ständig auf ihre bevorstehende Heirat angesprochen zu werden.

»Ich glaube, ja …«, flüsterte sie – und war sich wieder nicht sicher. Die ehrliche Antwort wäre gewesen, dass Sarah es nicht wusste, schon deshalb, weil sie den Begriff »Liebe« immer noch nicht richtig definieren konnte. Früher hatte sie geglaubt, eine Seelenverwandtschaft mit Christopher zu verspüren, aber seit sie in England war, zog sie das zusehends in Zweifel. Im Grunde, das erkannte die junge Lehrerin mit immer größerer Klarheit, hatten sie und der Reverend wenig gemeinsam. Sarah strebte nach Wahrheit und sicheren Erkenntnissen. Wenn sie unterrichtete, wollte sie ihren Schülern die Welt erklären. Im religiösen Bereich hätte das dem Missionseifer entsprochen, aber davon verspürte die Lehrerin wenig. Zu ihrer Schande wurde ihr langsam klar, dass es ihr eigentlich egal war, was die Menschen glaubten. Wahrscheinlich hatte sie deshalb auch nie Probleme mit ihren Maori-Schülern gehabt. Gut, sie hatte die Bibel mit ihnen gelesen, aber es hatte sie nicht mit heiligem Zorn erfüllt, wenn die Kinder mit Maori-Sagen dagegenhielten. Sie hatte dabei lediglich ihr Englisch korrigiert, wenn ihnen Grammatikfehler unterliefen.

Zornig machte Sarah viel eher Ignoranz – und auf die traf sie in Sawston leider nur zu häufig. Auch Christopher erschien ihr hier zunächst anfällig, aber dann stellte sie fest, dass ihr Cousin die Meinungen, die er lauthals vertrat, durchaus nicht immer teilte. Der Reverend war intelligent und gebildet, aber die Wahrheit war ihm nicht so wichtig wie sein Ruf in der Gemeinde. Er wollte geliebt, bewundert und geachtet werden – und hängte sein Mäntelchen dafür bereitwillig nach dem Wind. Christophers Bibelauslegungen waren einfach und ließen keinen Raum für Zweifel. Er schmeichelte seinen weiblichen Gemeindemitgliedern und hielt sich mit Kritik an den Sünden der männlichen zurück. Sarah erfüllte das manchmal mit Zorn. Sie hätte sich oft klarere Worte gewünscht, wenn ihm wieder einmal eine Frau ihr Leid klagte, weil ihr Gatte das Geld im Pub durchbrachte und sie schlug, wenn sie dagegen protestierte. Aber Christopher pflegte hier nur zu beschwichtigen. Sarah glaubte nicht, dass sie besser damit zurechtkäme, wenn sie erst als Pfarrersfrau neben Christopher wirkte. Im Gegenteil, dann würden die Frauen zu ihr kommen, und an die sich daraus ergebenden Auseinandersetzungen mochte sie gar nicht denken.

Dennoch – mehr als zuvor zog Christopher Bleachum die junge Frau an. Nachdem sie sich praktisch darein ergeben hatte, offiziell mit ihm verlobt zu sein, erlaubte sie ihm, sie zu Picknicks und Ausfahrten abzuholen. Schon deshalb, um der bohrenden Langeweile im Dorf zu entgehen. Und kaum, dass sie mit ihm allein war, verspürte sie den Charme, mit dem er wohl auch die Gemeindefrauen an sich fesselte. Christopher gab ihr das Gefühl, nur für sie allein da zu sein und sich für nichts auf der Welt mehr zu interessieren als für Sarah Bleachum. Er sah ihr in die Augen, nickte ernsthaft zu ihren Gesprächsbeiträgen, und manchmal ... manchmal berührte er sie. Das begann mit einem zarten, fast zufälligen Streifen ihrer Hand, wenn beide gleichzeitig nach einem Hühnerschenkel auf der Picknickdecke griffen. Es wurde dann zu einer bewussteren Berührung ihres Handrückens mit seinen Fingern, wie um eine Bemerkung zu unterstreichen, die er gerade machte.

Sarah erschauerte unter diesen Annäherungen, Hitze stieg in ihr auf, wenn sie die Wärme seiner Finger spürte. Und dann griff er irgendwann nach ihrer Hand, um ihr beim Spaziergang über eine sumpfige Stelle hinwegzuhelfen, und sie fühlte seine Sicherheit und Kraft. Am Anfang machte sie das nervös, aber er ließ immer sofort los, wenn die schwierige Wegstrecke überwunden war, und schließlich ergab Sarah sich in das Gefühl, die Berührung zu genießen. Christopher schien das instinktiv zu spüren. Als Sarah sich endlich entspannte, ließ er ihre Hand in seiner, spielte irgendwann zärtlich mit ihren Fingern und sagte ihr dabei, wie schön sie war. Sarah verunsicherte das, aber sie wollte es zu gern glauben, und wie konnte jemand lügen, der einem so die Hand hielt? Sie zitterte innerlich, aber dann begann sie, sich auf seine Annäherungen zu freuen. Sie erbebte nicht mehr vor nervöser Erregung, sondern in Vorfreude darauf, dass Christopher den Arm um sie legte und zärtliche Worte sprach.

Irgendwann küsste er sie, im Schilf an dem Weiher, in dem sie mit Gloria Froschlaich gesammelt hatte. Und das Gefühl, seine Lippen auf den ihren zu spüren, raubte ihr erst den Atem und dann den Verstand. Sie konnte nicht mehr denken, wenn Christopher sie hielt; sie war nur noch Gefühl und Genuss. Das musste Liebe sein, dieses Vergehen und Dahinfließen in den Armen des anderen. Seelenverwandtschaft war Freundschaft, aber dies ... dies war Liebe ... ganz sicher.

Natürlich kannte Sarah Bleachum auch das Wort »Begehren«. Aber im Zusammenhang mit Christopher oder gar mit sich selbst war es für sie undenkbar. Was sie hier empfand, sollte etwas Gutes sein, etwas Heiliges – Liebe eben, wie sie gesegnet war, wenn das Paar sich verlobte.

Für Christopher Bleachum war die vorsichtige Annäherung an Sarah eher Mühsal als Genuss. Natürlich hatte er gewusst, dass sie prüde sein würde. Lehrerinnenseminare waren kaum besser als Nonnenklöster, von Erzieherinnen wurde Enthaltsamkeit erwartet, und die jungen Frauen standen unter strenger Aufsicht. Aber insgesamt hatte er doch gehofft, sie schneller erwecken zu können, zumal er an langwierigen Werbungen keinen Gefallen fand. Christopher liebte es, verführt zu werden. Er war es gewohnt, dass Frauen ihn anschmachteten, und er verstand sich darauf, ihre leisesten Signale zu deuten. Ein Augenaufschlag, ein Lächeln, ein Nicken ... Es brauchte nicht viel, um Christopher zu entflammen, zumal wenn die Frau schön war und einladende Rundungen aufwies. Dann begann er ein verbotenes Spiel, das er virtuos beherrschte. Der Reverend erging sich in Andeutungen und kleinen Schmeicheleien, er lächelte, wenn die Frauen scheinbar verschämt erröteten, ihm dann aber doch die Hand reichten und wohlig erschauerten, wenn er sie erst mit seinen Fingern, dann mit den Lippen liebkoste. Letztendlich waren es auch immer die Frauen, die mehr wollten und dafür meist verschwiegene Orte wählten. Die mit all dem verbundenen Heimlichkeiten erregten Christopher zusätzlich, und sie erlaubten ihm, schnell zur Sache zu kommen. Auch deshalb bevorzugte er erfahrene Frauen. Die langsame Einweihung einer Jungfrau in die Freuden der Liebe bereitete ihm kein Vergnügen.

Genau das aber schien Sarah zu fordern. Wie es aussah, verstand sie gerade so viel von körperlicher Liebe, dass sie sich zwar davor fürchtete, andererseits aber wusste, dass Genuss damit verbunden war. Stocksteif unter ihm liegen ohne sich jemals darüber zu beklagen, würde sie nicht. Und sie hatte ihm immer noch kein ausdrückliches Ja-Wort gegeben! Nicht auszudenken, dass sie es sich anders überlegte, nachdem er sie nun schon dem ganzen Sprengel als seine künftige Gattin vorgestellt hatte! Er war auch nach wie vor davon überzeugt, dass sie sich zur Pfarrersfrau eignete – obwohl es anfänglich ein paar Differenzen gegeben hatte.

Sarah war klug und hochgebildet; wenn er sie noch ein bisschen formte, konnte sie ihm viele Aufgaben in der Gemeinde abnehmen. Leider zeigte sie sich oft etwas renitent. Christopher mochte es gar nicht, wenn sie mit dem Martyn-Mädchen herumzog, statt sich in der Gemeinde zu engagieren. Immerhin war sie kompromissfähig. Seit der Debatte um den Darwinismus ließ sie biblische Geschichten weitgehend unkommentiert, entzog sich aber gern dem Auftrag zur religiösen Erziehung der Sonntagsschüler. Stattdessen wanderte sie mit ihnen hinaus in die Natur, um ihnen Gottes schöne Welt zu zeigen, und sie lernten dabei mehr über Pflanzen und Tiere denn über Nächstenliebe und Bußfertigkeit. Bisher hatte sich hier allerdings niemand beschwert, und im Winter würde es ganz von allein ein Ende finden.

Christopher war durchaus optimistisch, was die Umformung seiner etwas blaustrümpfigen Cousine zur braven Pfarrersfrau anging. Bezüglich des Anliegens des Bischofs, der sie eher als Bollwerk gegen Anfeindungen der Tugend seines viel zu gut aussehenden Gemeindepfarrers sah, machte der Reverend sich weniger Hoffnung. Natürlich würde er versuchen, treu zu sein – aber schon jetzt langweilte ihn Sarah und die umständliche Werbung, die sie ihm abforderte. Immerhin fiel es ihm nicht schwer, sich zurückzuhalten. Sarah war nicht hässlich, aber ihr fehlten die geschmeidigen Bewegungen, die ihn schon beim Anblick von Frauen wie Mrs. Walker erregten, und obendrein erschien sie ihm flach wie ein Brett unter ihren züchtigen Kleidern. Sarah Bleachum zu ehelichen war eine Entscheidung der Vernunft. Liebe oder auch nur innige Zuneigung empfand Christopher nicht.

»Ich glaube nicht, dass der Reverend in Miss Bleachum verliebt ist«, plapperte Lilian, als sie neben Gloria zurück zur Schule schlenderte.

Gloria war froh, sie bei sich zu haben, denn über die Vorbereitungen zum Gemeindefest war es spät geworden, und das Schultor war sicher verschlossen. Gloria hätte klingeln müssen und bestimmt einen Rüffel bekommen, aber Lilian hatte behauptet, mindestens zwei Möglichkeiten zu kennen, den Zaun heimlich zu überwinden.

»Wieso das denn?«, erkundigte sich Gloria. »Bestimmt liebt er sie!« Gloria konnte sich nicht vorstellen, dass irgendjemand auf der Welt Sarah Bleachum nicht liebte.

»Er guckt sie nicht so an«, erklärte Lilian. »Nicht so ... na ja, nicht so ... weiß ich auch nicht. Aber er guckt Mrs. Walker so an. Und Brigit Pierce-Barrister.«

»Brigit?«, fragte Gloria. »Du bist verrückt!«

Brigit Pierce-Barrister war eine Schülerin von Oaks Garden.

Sie ging in die Abschlussklasse und war älter als die meisten anderen – wie Gloria hatte man sie erst spät ins Internat geschickt, sie war lange zu Hause unterrichtet worden. Jetzt war sie bereits siebzehn und voll entwickelt. Die Mädchen kicherten mitunter über Brigits »schwellende Brüste« unter der zwangsläufig knapp sitzenden Schuluniform.

»Der Reverend kann doch nicht in Brigit verliebt sein!«

Lilian kicherte. »Warum denn nicht? Brigit ist jedenfalls in ihn verliebt. Und Mary Stellington auch, ich hab sie belauscht. Sie schwärmen beide für ihn, Mary hat ihm ein Lesezeichen aus gepressten Blumen gemacht und zu Mittsommer geschenkt. Jetzt stiert sie dauernd auf seine Bibel und hofft, dass er es benutzt und dabei an sie denkt. Und Brigit sagt, sie darf nächste Woche im Gottesdienst singen. Und sie hat Angst, dass sie keinen Ton rauskriegt, wenn er dabei ist …«

Letzteres konnte Gloria gut nachvollziehen.

»Sogar die Mädchen aus meiner Klasse schwärmen für ihn. Und Gabrielle. Mensch, das musst du doch gemerkt haben!«

Gloria seufzte. Sie hörte schon längst nicht mehr auf das Getuschel zwischen Gabrielle und ihren Freundinnen. Und wie jemand für Reverend Bleachum schwärmen konnte, entzog sich ihrem Verständnis. Erst mal war er natürlich viel zu alt für all diese Mädchen. Und dann … Gloria konnte sich nicht helfen, sie mochte den Reverend nicht. Irgendetwas an ihm schien unehrlich zu sein. Er schmeichelte ihr, wann immer sie sich trafen, sah ihr aber nie in die Augen. Außerdem mochte sie es nicht, von ihm berührt zu werden. Reverend Bleachum hatte die Angewohnheit, seinem Gegenüber zu nahe zu kommen, seine Hand tröstend oder beschwichtigend auf dessen Finger oder Schulter zu legen. Gloria hasste das.

»Ich persönlich würde ihn ja nicht heiraten«, plauderte Lilian weiter. »Allein, wie er alle angrapscht. Wenn ich mal heirate, soll mein Mann nur mich anfassen und nur mir allein schöne Dinge sagen und nicht allen Frauen, die er trifft. Und er dürfte auch nur mit mir tanzen. Wetten, dass Reverend Bleachum auf dem Sommerfest mit Brigit tanzt? Guck mal, da ist der Baum. Schaffst du es, zum untersten Ast hochzuspringen? Wenn man den hat, kann man ganz einfach raufklettern und über den Zaun kommen.«

Gloria blickte sie beleidigt an. »Natürlich kann ich da hochspringen. Aber ist auf der anderen Seite auch ein Ast?«

Lilian nickte. »Klar, es ist ganz leicht. Klettere mir einfach hinterher!«

Ein paar Minuten später landeten die Mädchen sicher im Garten der Schule. Tatsächlich ein unproblematischer Weg, auf den Gloria auch selbst hätte kommen können. Wie so oft schalt sie sich für ihr Ungeschick. Wann würde sie endlich lernen, anders als völlig gradlinig zu denken? Und nun hatte Lilian ihr obendrein Angst gemacht. Wenn der Reverend Miss Bleachum nicht liebte, würde er sie womöglich nicht heiraten. Sie würde zurück nach Neuseeland gehen und sich eine neue Stelle suchen. Und was um Himmels willen wurde dann aus Gloria?

Sarah Bleachum war weit davon entfernt, das Sommerfest der Gemeinde zu genießen. Sie saß nicht bei den jungen Mädchen, sondern war von Mrs. Buster an den Tisch der Matronen des Ortes gelotst worden. Hier machte sie nun gelangweilt Konversation, nachdem sie vorher den Basar für die Armen und den Kuchenverkauf überwacht hatte. Natürlich hatte sie auch selbst etwas kaufen müssen. Lustlos erstand sie einen von Mrs. Buster gestrickten Eierwärmern und einen gehäkelten Überzug für eine Teekanne.

»Man braucht so vieles für einen jungen Haushalt!«, erklärte Mrs. Buster. Für sie war selbstverständlich, dass ihre von Sarah gekauften Handarbeiten bald die Tafel des Reverends zieren würden, und es schien sie glücklich zu machen. Sarah nickte vage. Sie fand im Grunde alles scheußlich, was angeboten wurde, aber sie sagte sich, dass ein Eierwärmer so gut war wie der andere.

Den Reverend selbst sah sie an diesem Nachmittag eigentlich nur von Weitem. Vorhin hatte er mit ein paar Männern geplaudert, jetzt unterhielt er sich scheinbar angeregt mit Miss Arrowstone. Die Rektorin war mit ihren im Internat verbliebenen neun Schülerinnen und zwei Lehrerinnen, denen wohl auch nichts anderes einfiel, als die Ferien in Sawston zu verbringen, zum Fest gekommen. Die Mädchen vergnügten sich mit dem Winden von Kränzen, Lilian sah in ihrem weißen Festkleidchen und dem Blumenkranz wie eine winzige Waldfee aus. Gloria blickte schon wieder missmutig drein. Irgendjemand musste sie geärgert oder gehänselt haben; auf jeden Fall nahm sie ihren Kranz ab und warf ihn fort. Er hielt auch kaum auf ihren drahtigen Locken, die sie an diesem Tag resigniert offen trug. Gewöhnlich versuchte sie, Zöpfe daraus zu flechten, aber das war schwierig, und wenn es endlich gelang, standen sie vom Kopf ab, als hätte man sie mit Drähten verstärkt. Sarah tröstete das Mädchen damit, dass die Haare einfach noch wachsen mussten. Irgendwann würde die Schwerkraft siegen, und die Zöpfe würden herunterhängen wie bei allen anderen Mädchen. Aber Gloria glaubte nicht recht daran.

Brigit Pierce-Barrister schmachtete eben den Reverend an. Sie sah aus wie eine füllige Nymphe. Ihr Kleid wirkte viel zu kindlich für ihre schon voll entwickelte Figur. Sarah fragte sich, warum Miss Arrowstone das Mädchen nicht wenigstens dazu anhielt, ihr Haar aufzustecken.

Brigit sagte etwas zu Christopher, und er antwortete lächelnd. Sarah spürte einen Stich der Eifersucht. Was natürlich

Unsinn war. Die Kleine mochte für ihn schwärmen, aber der Reverend würde ein siebzehnjähriges Mädchen niemals ermutigen.

Sarah überlegte, ob sie aufstehen und zum Tisch von Oaks Garden hinüberschlendern sollte. Bestimmt wäre die Unterhaltung mit den Lehrerinnen interessanter als der Klatsch, den Mrs. Buster und ihre Freundinnen austauschten. Aber dafür würde Christopher sie wieder rügen – und Sarah hasste es, seinen Unmut zu erregen. Das verwirrte sie, denn am Anfang hatte es ihr nicht allzu viel ausgemacht, sich auch mal an ihm zu reiben. Seit sie einander ihre Liebe gestanden hatten, tadelte Christopher sie zwar seltener, »strafte« dafür aber subtiler. Wenn Sarah ihn mit irgendwelchen Worten oder Handlungen erzürnte, beachtete er sie tagelang nicht, hielt ihre Hand nicht auf jene sanfte, herzerwärmende Art – und natürlich nahm er sie auch nicht in die Arme und küsste sie.

Sarah hatte früher nie über Zärtlichkeiten nachgedacht. Sie träumte nicht von Männern, wie es sich die anderen Mädchen im Seminar manchmal unter dem Siegel der Verschwiegenheit gestanden, und es kam selten vor, dass sie verstohlen unter der Bettdecke ihren Körper streichelte. Aber jetzt verspürte sie brennende Sehnsucht und litt, wenn Christopher sie auf Abstand hielt. Am Tag war sie ruhelos, nachts lag sie endlos wach und dachte darüber nach, wie sie ihn hatte verärgern können und was sie tun konnte, um ihn zu versöhnen. In ihrer Fantasie durchlebte sie immer wieder seine Küsse, hörte seine dunkle Stimme zärtliche Worte sagen.

Manchmal schoss ihr das Wort »besessen« durch den Kopf, doch sie schreckte davor zurück, dieses Wort im Zusammenhang mit ihrer Liebe zu Christopher auch nur zu denken. Besser war »verzaubert« oder »verzückt«. Sarah träumte davon, in Christophers Armen vollständige Erfüllung zu finden, und wünschte sich, es ihm besser zeigen zu können. Aber nachdem sie am Anfang erstarrt war, wenn Christopher sie berührte, schien sie jetzt zu zerfließen. Sie schaffte es nicht, ihn ihrerseits zu liebkosen, sondern wurde nur willenlos in seinen Armen. In diesen Momenten konnte sie kaum erwarten, endlich einen Hochzeitstermin festzulegen. Für Christopher schien es schließlich festzustehen, dass sie Ja sagte, und einen romantischen Heiratsantrag hielt er offensichtlich nicht für nötig. Es gab Zeiten, in denen Sarah sich darüber ärgerte. Aber wenn sie ihn sah oder wenn er sie gar berührte, war das vergessen. Vielleicht, dachte sie, sollte ich ihn einfach darauf ansprechen, das Aufgebot auszuhängen. Aber dann siegte doch wieder ihr Stolz über ihre Schwäche.

Das war auch jetzt der Fall, als sich die Kapelle formierte und zum Tanz aufrief. Sarah erwartete, dass Christopher zu ihr herüberkommen würde, aber tatsächlich forderte er Miss Wedgewood auf. Zur allgemeinen Begeisterung führte er die Musiklehrerin durch einen Walzer. Gleich darauf war Mrs. Buster an der Reihe.

»Da siehst du's, er tanzt nicht mit Miss Bleachum!«, wisperte Lilian triumphierend Gloria zu. »Er macht sich nichts aus ihr.«

Das Letzte, was Gloria an diesem Tag hören wollte, waren weitere schlechte Nachrichten. Sie hatte vorhin einen Brief ihrer Eltern erhalten, der ihren Besuch in den Herbstferien ankündigte. Eigentlich hätte es noch in diesem Sommer klappen sollen, aber Kura und William wollten nun doch länger in Paris, wo sie mittlerweile waren, bleiben.

»Da könntest du doch hinfahren!«, hatte Lilian verwundert gemeint – und damit genau das ausgesprochen, was Gloria dachte. Die Martyns hatten sich nichts dabei gedacht, sie allein aus Neuseeland kommen zu lassen. Es konnte nicht sein, dass sie ihr jetzt nicht zutrauten, von London nach Paris zu reisen.

»Tja, wenn sie die liebe Gloria denn mal haben wollten!«, höhnte Fiona Hills-Galant. Das Mädchen hatte Lilians Worte gehört und nutzte die Gelegenheit, Gloria einen Stich zu versetzen. »Aber so, wie du Klavier spielst, Glory, bist du auf der Bühne nicht sehr nützlich. Wenn dir wenigstens noch der Blumenkranz stünde! Dann könntest du mit den Negertänzern im Baströckchen auf die Bühne springen!«

Gloria hatte ihre Blumen daraufhin wütend weggeworfen. Sie konnte noch so sehr versuchen, sich zu schmücken – niemand wollte sie! Nicht auszudenken, dass es Miss Bleachum womöglich genauso erging. Der Reverend musste sie einfach lieben!

»Na, in Mrs. Buster wird er doch wohl auch nicht verliebt sein!«, bemerkte Gloria. Sie war erleichtert, als der Reverend die Matrone in der Polka herumschwenkte und nicht etwa die hübsche Mrs. Winter.

»Natürlich nicht. Aber er kann ja nicht nur mit denen tanzen, in die er verliebt ist. Das fällt auf«, erklärte Lilian altklug. »Pass auf, jetzt tanzt er noch mit ein paar alten Damen und dann mit Brigit.«

Tatsächlich führte Christopher noch weitere »Stützen seiner Gemeinde« über den Tanzboden, bevor er zurück zum Tisch von Oaks Garden kam. Daneben war die Teebowle aufgestellt, ein kaltes Getränk aus Tee und Fruchtsaft, das die Tänzer erfrischen sollte. Brigit Pierce-Barrister füllte ihm eifrig ein Glas.

»Sie sind ein guter Tänzer, Reverend!«, schmeichelte sie ihm und lächelte neckisch. »Schickt sich denn das für einen Gottesmann?«

Christopher lachte. »Auch König David tanzte, Brigit«, bemerkte er. »Gott hat seinen Kindern Musik und Tanz geschenkt, auf dass sie sich daran erfreuen. Warum sollten seine Amtsdiener also nicht daran teilhaben?«

»Tanzen Sie dann auch einmal mit mir?«, erkundigte sich Brigit.

Christopher nickte, und jetzt sah selbst Gloria das Funkeln in seinen Augen. »Warum nicht? Aber kannst du es denn? Ich wusste nicht, dass Oaks Garden Tanzunterricht anbietet.«

Brigit lachte und zwinkerte. »Ein Cousin zu Hause in Norfolk hat es mir gezeigt ...«

Sie legte ihre Hand leicht auf den Arm des Reverends, während er sie auf die Tanzfläche führte.

Gloria warf Sarah einen Blick zu. Auch die junge Lehrerin beobachtete ihren Beinahe-Verlobten. Sie schien gelassen zu sein, aber Gloria kannte sie gut genug, um zu erkennen, dass sie erzürnt war.

Brigit schmiegte sich wie selbstverständlich in Christophers Arme und folgte geschickt seiner Führung. Natürlich war nichts Unschickliches an seiner Berührung, aber es war doch zu erkennen, dass er hier keine Pflichtübung ableistete.

»Ein schönes Paar!«, bemerkte dann auch Mrs. Buster. »Obwohl das Mädchen natürlich viel zu jung für ihn ist. Tanzen Sie nicht, Miss Bleachum?«

Sarah wollte scharf erwidern, dass sie sehr gern tanzte, wenn man sie nur aufforderte, hielt sich dann aber zurück. Erstens wäre das unpassend gewesen, und zweitens stimmte es nicht einmal. Sarah war keine gute Tänzerin. Mit Brille war es ihr peinlich, sich auf dem Tanzboden zur Schau zu stellen, und ohne Sehhilfe war sie fast blind. Dazu hatte sie bislang selten Gelegenheit gehabt, an Tanzvergnügen teilzunehmen. Sie konnte im Grunde gut darauf verzichten – wenn sie jetzt nur nicht das drängende Bedürfnis empfunden hätte, so von

Christophers Armen umschlungen zu werden wie die impertinente kleine Brigit auf dem Tanzparkett.

»Haben Sie Mary Stellingtons Lesezeichen noch?«, erkundigte Brigit sich eben. »Die süße kleine Mary! Sie ist noch so kindlich, sie hat die Blumen dafür am Busen getragen. Und nun schaut sie jeden Tag danach aus, ob Sie das Lesezeichen wirklich bei sich tragen ...«

Christopher lächelte und zog Brigit fester an sich. Die Polka ging in einen Walzer über, da war das vertretbar.

»Du kannst ihr sagen, ich halte es in Ehren«, bemerkte er. »Und du hast Recht, Mary ist ein reizendes Kind ...« Seine Finger spielten leicht mit ihrer Hand.

»Aber Ihnen ist eine Frau lieber, nicht wahr, Reverend?«, flüsterte Brigit verschwörerisch. »Ich frage mich, ob ich Ihnen gefalle ...«

Christopher biss sich scheinbar peinlich berührt auf die Lippen. Jetzt begann das Spiel, das er liebte: Die Frage, wer wem eher seine Unschuld anbot – das Mädchen dem Geistlichen oder der Geistliche der Frau. Vorerst würde es sich auf harmlose Plänkeleien beschränken, ein Wort hier, eine Berührung da. Und bei einem so jungen Mädchen wie Brigit würde er kaum über einen Kuss hinausgehen. Obwohl ... sie schien erfahrener, als er gedacht hatte ...

Mehr als zwei Tänze mit einer Partnerin zu tanzen, noch dazu einer so jungen, schickte sich nicht für den Reverend. Deshalb trennte Christopher sich nach dem Walzer von Brigit. Nicht zu ungern, das gehörte zum Spiel. Er verbeugte sich formvollendet vor ihr und führte sie zurück zu ihrem Tisch. Während er ihr den Stuhl zurechtrückte, hörte er zwei Mädchen am Nebentisch miteinander flüstern.

»Da siehst du's, er ist verliebt in sie!«, erklärte Lilian triumphierend. »Ich hab's dir gesagt. Er tanzt mit ihr, aber lieber würde er sie küssen. Und für Miss Bleachum hat er keinen Blick ...«

Christopher erstarrte. Der rothaarige Kobold! Verdammt! War seine Zuwendung zu Brigit Pierce-Barrister wirklich so offensichtlich, oder hatte dieses Mädchen einfach ein Gespür für Verwicklungen? Auf jeden Fall war es geschwätzig. Wenn er nicht völlig in Verruf geraten wollte, musste ihm bald etwas einfallen. Christopher dachte an die letzte Standpauke des Bischofs und fühlte sich elend. Wenn seinem Vorgesetzten noch einmal etwas zu Ohren kommen sollte, konnte ihn das die Stelle kosten. Und Christopher war so gern in Sawston ... Er gab sich einen Ruck, lächelte den Schülerinnen und Lehrerinnen von Oaks Garden noch einmal zu und schlenderte dann zu Sarah hinüber.

»Würdest du gern tanzen, meine Liebe?«, fragte er höflich.

Sarah nickte und lächelte strahlend. Eben noch hatte sie etwas unwillig ausgesehen. Ahnte auch sie etwas? Christopher nahm ihre Hand. Er musste das jetzt durchziehen. Hatte er nicht längst entschieden, dass Sarah die ihm von Gott bestimmte Gattin war? Es wurde Zeit, die Sache zu beschleunigen.

Sarah nahm ihre Brille ab und folgte ihrem Cousin halb blind auf die Tanzfläche. Es war schön, von ihm umfasst zu werden. Sarah hatte das Gefühl, sich ganz seiner Führung zu überlassen, aber Christopher hatte das Gefühl, einen Mehlsack in seinen Armen zu halten. Entweder musste er sie ziehen, oder sie trat ihm auf die Füße. Er zwang sich, trotzdem zärtlich zu lächeln.

»Ein schönes Fest, meine Liebe«, bemerkte er. »Und du hattest großen Anteil daran. Was hätten wir ohne deine Vorbereitungshilfe getan?«

Sarah hob den Kopf und blickte zu ihm auf, sah sein Gesicht aber nur verschwommen. »Aber ich habe so wenig von dir«, beschwerte sie sich sanft. »Musst du mit all diesen Frauen tanzen? Mrs. Buster hat schon eine Bemerkung gemacht ...«

Christopher durchfuhr es heiß und kalt. Die alte Hexe hatte also auch etwas gemerkt. Es half nichts, er musste Nägel mit Köpfen machen. »Sarah, meine Liebe, Mrs. Buster wird jede Gelegenheit nutzen, boshaften Klatsch zu verbreiten. Aber wenn es dir recht ist, werden wir ihr eine gute Botschaft mit auf den Weg geben. Ich möchte dich heiraten, Sarah! Hast du etwas dagegen, wenn wir es heute aller Welt verkünden?«

Sarah errötete sofort und konnte nicht weitertanzen. Endlich! Er hatte endlich gefragt! Eine winzige Regung in ihr protestierte noch – ein Heiratsantrag war für Sarah eigentlich eine intimere Angelegenheit. Und an sich hätte sie auch erwartet, Christopher würde ein Ja von ihr hören wollen, ehe er es ausposaunte. Aber diese Regungen gehörten noch zu der alten Sarah, der Frau, die sie gewesen war, bevor sie wirklich liebte. Sarah bemühte sich zu lächeln.

»Bitte ... ich möchte ... also, ich ... habe nichts dagegen ...«

»Miss Bleachum sieht aus, als wäre sie vor eine Tür gelaufen«, bemerkte Lilian respektlos.

Der Reverend hatte die Kapelle eben um Ruhe gebeten und vom Podium aus der gesamten Gemeinde verkündet, dass er sich soeben offiziell mit Miss Sarah Bleachum verlobt habe. Sarah schien dabei im Boden versinken zu wollen; ihre Haut war blass, doch auf den Wangen zeichneten sich rote Flecken ab.

Gloria fühlte mit ihr. Es musste schrecklich sein, da oben zu stehen und von allen angestarrt zu werden. Zumal Brigit und Mrs. Emily Winter nicht sehr freundlich guckten. Miss

Wedgewood hatte sie ebenfalls schon glücklicher gesehen. Die hatte sich sicher Hoffnungen auf die Hand des Reverends gemacht. Eigentlich hätten die beiden auch ganz gut zusammengepasst. Miss Wedgewood spielte die Orgel viel besser als Miss Bleachum. Aber Gloria war natürlich froh, dass er sich für ihre frühere Hauslehrerin entschieden hatte. So würde Miss Bleachum auf jeden Fall bleiben – und sie trösten und ihr die Briefe diktieren, die sie nach Hause schickte, damit ja niemand merkte, wie unglücklich sie war.

»Ich finde jedenfalls nicht, dass sie glücklich aussieht«, beharrte Lilian.

Gloria beschloss, nicht auf ihre Cousine zu achten.

8

Charlotte fand, dass Jack es mit seiner Sorge um Gloria übertrieb.

»Gott ja, natürlich schreibt sie ein bisschen hölzern«, erklärte sie. »Gerade im Unterschied zu Lilian – die scheint ja ein Wirbelwind zu sein. Aber Gloria ist dreizehn, die hat anderes im Kopf, als tiefschürfende Gedanken zu Papier zu bringen. Wahrscheinlich will sie schnell fertig werden und denkt gar nicht über die Inhalte nach.«

Jack runzelte die Stirn. Die beiden saßen im Zug von Greymouth nach Christchurch und hatten sich eben noch einmal die Höhepunkte ihrer Hochzeitsreise vor Augen geführt. Es war wunderschön gewesen. Caleb Biller hatte sich als äußerst anregender Gesprächspartner für Charlotte entpuppt und ihnen obendrein verschiedene Tipps für Ausflüge und andere Unternehmungen gegeben. Elaine und Timothy gingen selten aus – auch wenn Tim es nicht zugab, brachte ihn selbst der Alltag oft bis an die Grenzen der Erschöpfung. Seine Hüfte war nach dem Unfall nicht perfekt zusammengewachsen und schmerzte höllisch, wenn er mehr als ein paar Schritte ging oder zu lange auf harten Stühlen saß. Er war froh, wenn er an Wochenenden und Feiertagen in seinem Sessel sitzen und sich der Familie widmen konnte. Wanderungen zu Naturwundern wie den Pancake Rocks kamen nicht in Frage.

Elaine, eigentlich ein Naturkind, unternahm regelmäßige Ausritte, die sie aber nur in die nähere Umgebung des Ortes führten. Allerdings lieh sie Jack und Charlotte bereitwillig ein Gig und eins ihrer Pferde, womit die beiden begierig die Westküste erforschten. Caleb Biller war dabei ein ausgezeichneter Ratgeber. Ein- oder zweimal begleitete er das junge Paar sogar zu ihm bekannten Maori-Stämmen, von denen sie gastlich aufgenommen wurden. Charlotte freute sich an einem Hochzeits-*haka*, den man extra für sie intonierte, und glänzte mit ihren frisch erworbenen Sprachkenntnissen.

»Sie werden es als Forscherin weit bringen«, meinte Caleb schließlich. »Um die Sagen und Mythen hat sich bislang kaum jemand gekümmert. Kura und ich waren mehr an der Musik interessiert, und mich begeistert auch die Schnitzkunst. Aber Sie machen sich um die Sache verdient, wenn Sie die alten Geschichten bewahren, bevor sie mit neueren Geschehnissen verwoben werden. Ich sage bewusst nicht ›verwässert‹ – es gehört zum Wesen mündlich überlieferter Kultur, dass sie sich dem Zeitenwandel anpasst. Und gerade die Maoris sind wahre Meister der Anpassung. Es tut mir fast schon leid, wie schnell sie ihre eigenen Lebensformen aufgeben, wenn ihnen die der *pakeha* komfortabler erscheinen. Sie werden es irgendwann einmal bedauern, und dann ist es gut, wenn die alten Überlieferungen bewahrt bleiben.«

Charlotte war stolz auf das Lob und widmete sich mit noch mehr Eifer ihren Studien. Jack ließ ihr gutmütig Zeit dafür und frischte seine alte Freundschaft mit Elaine wieder auf, indem er mit ihr ritt und ihr half, die Hunde zu trainieren. Dabei kam die Rede zwangsläufig immer wieder auf die beiden Mädchen im englischen Internat – und Jacks Sorge um Gloria wuchs, je mehr Elaine von Lilian und ihren fröhlichen Briefen erzählte.

»Gloria ist eigentlich nicht oberflächlich«, sagte er nun zu seiner Frau. »Im Gegenteil, sie denkt eher zu viel nach, wenn eine Sache sie beschäftigt. Und sie war immer ganz erfüllt vom Leben auf Kiward Station. Aber jetzt … keine Frage nach den Schafen oder den Hunden. Sie hat ihr Pony geliebt, aber jetzt erwähnt sie es gar nicht mehr! Ich kann nicht glauben, dass sie sich stattdessen für Klavierspielen und Malerei begeistert!«

Charlotte lächelte. »Kinder ändern sich, Jack. Du wirst das erkennen, wenn wir selbst welche haben. Möglichst bald, finde ich, oder bist du anderer Meinung? Ich möchte erst ein Mädchen und dann einen Jungen. Du auch? Oder lieber zuerst einen Sohn?« Sie spielte mit ihrem Haar und machte Anstalten, den Zopf zu lösen. Dabei warf sie vielsagende Blicke auf das breite Bett, das George Greenwoods Salonwagen beherrschte. Jack fand es irritierend, sich im Rhythmus des fahrenden Zuges zu lieben, aber für Charlotte war es wohl der Höhepunkt der Hinreise gewesen.

Jack küsste sie.

»Ich nehme, was immer du mir schenkst!«, sagte er zärtlich, hob sie auf und trug sie zum Bett hinüber. Charlotte war leicht wie eine Feder. Ganz anders als Gloria, die schon als Kind eher stämmig gewesen war ... Er konnte sich nicht vorstellen, dass sie sich plötzlich nahtlos in ein Internatsleben wie das Oaks Gardens einpasste.

»Wenn es dich so beunruhigt, warum schreibst du ihr nicht einfach?«, fragte Charlotte. Sie schien seine Gedanken zu lesen; auf jeden Fall fiel ihr auf, dass Jack nach wie vor nicht bei der Sache war. Und der Grund dafür war Gloria, da war sie sich sicher. Charlotte bedauerte, das Mädchen nicht näher gekannt zu haben. Es war fast, als wäre ihr damit eine wichtige Facette von Jacks Persönlichkeit entgangen. »Schreib ihr einen persönlichen Brief, nicht die langen Bestandsaufnahmen, die Miss Gwyn sich alle paar Tage abringt. Die schreibt nämlich auch nicht sehr episch, im Grunde klingen ihre Berichte fast so hölzern wie die von Gloria: ›Den letzten Zählungen zufolge hat Kiward Station zurzeit einen Bestand von elftausenddreihunderteinundsechzig Schafen.‹ Wen interessiert denn das?«

Gloria, dachte Jack, fühlte sich aber dennoch getröstet. Er würde dem Mädchen schreiben. Aber jetzt hatte er anderes zu tun …

Das ganze Dorf Sawston schien in den Vorbereitungen der Hochzeit seines verehrten Reverends aufzugehen. Als Datum für die Feier war der 5. September anberaumt, der Bischof würde es sich nicht nehmen lassen, seinen Reverend und die junge Miss Bleachum selbst zu trauen. Er hatte das Paar zu einem Abendessen in sein Haus geladen, als er von der Verlobung erfuhr, und Sarah war es gelungen, den allerbesten Eindruck zu erwecken. Die Gattin des Bischofs sprach mit ihr über die Pflichten einer guten Pfarrersfrau und hatte großes Verständnis dafür, dass Sarah sich oft noch überfordert fühlte.

»Daran gewöhnt man sich, Miss Bleachum. Und Ihr künftiger Gatte steht ja auch erst am Anfang seiner Laufbahn. Wobei er, wenn ich meinen Mann richtig verstanden habe, hervorragend einschlägt. Sicher erwarten ihn später noch größere Aufgaben, und wenn erst ein Vikar als Helfer zur Verfügung steht, können Sie sich gezielt den Aufgaben widmen, die Ihnen besonders liegen …«

Sarah fragte sich, welche Aufgaben das sein sollten. Bisher fand sie an der Kirchenarbeit überhaupt kein Interesse. Aber auch wenn Zweifel sie plagten: Es genügte ein Blick aus Christophers faszinierend braunen Augen oder eine beiläufige Berührung seiner Hand, um Sarah von ihrer Berufung zur Pfarrersfrau zu überzeugen.

So blieb sie gelassen, als Mrs. Buster darauf bestand, ihr ein Hochzeitskleid anzumessen – im Stil der Mode um 1890. Sie hörte sich geduldig die Vorstellungen der Mütter ihrer Sonntagsschulklasse an, die ihre sämtlichen Sprösslinge zum

Schleppetragen und Blumen streuen anboten, und versuchte so diplomatisch wie möglich darauf hinzuweisen, dass Gloria Martyn und Lilian Lambert hier deutlich die älteren Rechte hatten. Dabei wäre Gloria gern bereit gewesen, darauf zu verzichten.

»Ich bin doch gar nicht hübsch, Miss Bleachum«, murmelte sie. »Die Leute werden nur lachen, wenn ich Ihre Ehrenjungfrau sein soll.«

Sarah schüttelte den Kopf. »Sie werden auch lachen, wenn ich meine dicke Brille trage«, erklärte sie. »Wobei ich darüber noch nicht ganz entschieden habe. Vielleicht lasse ich sie doch weg.«

»Aber dann werden Sie sich auf dem Weg zum Altar verlaufen«, gab Gloria zu bedenken. »Und eigentlich ... also eigentlich muss der Reverend Sie doch auch mit Brille lieb haben, oder?«

Gloria legte die Betonung ganz selbstverständlich auf das »oder«. Sie hatte die Hoffnung, um ihrer selbst willen geliebt zu werden, längst aufgegeben. Natürlich las sie die Briefe, die Grandma Gwyn ihr schrieb, und sie glaubte den McKenzies auch, dass sie ihre Urenkelin vermissten. Aber liebten sie wirklich Gloria? Oder ging es hier um das Erbe von Kiward Station?

Gloria verbrachte ganze Nächte mit Grübeleien darüber, warum Grandma Gwyn sich dem Willen ihrer Eltern so selbstverständlich gebeugt hatte. Sie meinte, sich zu erinnern, dass Jack dagegen gewesen war. Aber Jack hatte auf ihren Brief nicht geantwortet. Er würde nicht kommen, um sie zu holen. Wahrscheinlich hatte auch er sie vergessen.

»Der Reverend liebt mich mit und ohne Brille, Glory, genau wie ich dich liebe, egal ob dir diese hässlichen Blümchenkleider stehen oder nicht. Und deine Grandma liebt dich auch, und deine Eltern ...« Miss Bleachum gab sich Mühe, aber Gloria wusste, dass sie log.

Lilian dagegen war begeistert von ihren Aufgaben bei der Hochzeit und sprach von nichts anderem mehr. Am liebsten hätte sie gleich noch die Orgel gespielt, aber das übernahm Miss Wedgewood, auch wenn sie bei den Proben stets ein wenig verschnupft aussah.

Christopher Bleachum war zufrieden mit der Entwicklung, obwohl ihm immer wehmütig zumute war, wenn er Brigit Pierce-Barrister beim Gottesdienst sah. Er hatte die zarten, eben geknüpften Bande zu dem Mädchen nicht wieder aufleben lassen. Jetzt, da er offiziell verlobt war, wollte er treu sein. So schwer es werden würde, aber er war fest entschlossen, Sarah ein guter, treu sorgender Mann zu werden – auch wenn er meinte, dass Mrs. Winter ihn neuerdings wieder mit Interesse und beinahe etwas Mitleid ansah. Sie musste wissen, dass Sarah nicht die Frau war, von der er zeitlebens geträumt hatte; andererseits wären weder Emily Winter noch Brigit Pierce-Barrister nur im Entferntesten für die Aufgaben einer Pfarrersgattin prädestiniert. Christopher empfand es als sehr christlich und äußerst heroisch, dass er beide Frauen nicht mehr ansah, sondern vermehrt um Sarah warb. Sie war längst Wachs in seinen Händen; es ging viel zu leicht, um ihn auch nur im Entferntesten zu reizen.

Schließlich rückte der große Tag näher, und die Gemeinde schien vor Aufregung zu brodeln. Sarah probierte ihr Kleid an und vergoss Tränen, als es so gar nicht sitzen wollte. Außerdem ließen die viel zu aufwändig verteilten Rüschen sie kindlich wirken. Ihre wenigen vorhandenen Formen verloren sich unter dem Meer von Satin und Tüll, das sich an den falschen Stellen bauschte und spannte.

»Ich bin ja nicht eitel, aber so kann ich doch nicht vor den Bischof treten!«, klagte sie Christopher ihr Leid. »Bei aller

Rücksicht auf den guten Willen von Mrs. Buster und Mrs. Holleer – aber sie können nicht wirklich nähen. Jetzt wollen sie nachbessern, aber es ist kaum zu schaffen ...«

Christopher hatte sich um solche Fragen bislang nicht gekümmert, aber er sah die Notwendigkeit ein, dass Sarah angemessen gekleidet vor den Altar trat. Natürlich schmeichelte es den Matronen der Gemeinde, die junge Braut eingekleidet zu haben, und bislang hatte Christopher die nervöse Sarah immer beruhigt. Aber wenn das Kleid nun so gar nicht passte ...

»Mrs. Winter ist eine geschickte Näherin«, bemerkte er. »Sie sollte das in Ordnung bringen können. Ich werde sie morgen ansprechen.«

»Es entbehrt ja nicht einer gewissen Ironie«, bemerkte Emily Winter, als Christopher mit seiner Bitte bei ihr anklopfte. »Ausgerechnet ich schneidere das weiße Kleid deiner jungfräulichen Braut ... Sie ist doch noch Jungfrau, oder?«

Emily stand in der Tür ihres Hauses. Sie war keineswegs allein mit Christopher, schaffte es aber doch, sich so zu positionieren, dass ihre Haltung aufreizend auf ihn wirkte. Emily war eine relativ kleine, aber gut gebaute Frau mit weichen Rundungen und einem puppenhaften Gesicht mit sahneweißem, weichem Teint. Ihre Lider hingen schwer über den grünbraunen Augen, ihr braunes Haar fiel in üppigen Locken über ihren Rücken, wenn sie es nicht in einem tief sitzenden Dutt bändigte, wie jetzt.

»Selbstverständlich habe ich sie nicht angerührt!«, erklärte Christopher. »Und bitte, Emily, sieh mich nicht so an. Ich bin ein fast schon verheirateter Mann, und die Sache mit uns hat genug Ärger bereitet ...«

Emily lachte ein heiseres Lachen. »Trotzdem würdest du

Jahre deines Lebens dafür geben, wenn ich an deinem Hochzeitstag neben dir herschreiten und ein züchtiges Ja hauchen würde. Oder begehrst du mich nicht mehr?«

»Es geht nicht um Begehren, Emily, es geht um meinen guten Ruf. Und um deinen, das solltest du nicht vergessen. Also, wirst du Sarah nun helfen?« Christopher versuchte verzweifelt, seine Erregung zu verbergen.

Emily nickte. »Ich werde das Beste aus dem Mäuschen machen. Wir sollten Sarah durch einen dicken Schleier verhüllen, nicht wahr?« Sie lachte wieder. »Schick sie nur so bald wie möglich her, ich kenne Mrs. Buster. Das Kleid wird völlig umgenäht werden müssen.«

Sarah erschien noch am selben Nachmittag und brach erneut in Tränen aus, als sie die Anprobe vor Mrs. Winters Spiegel wiederholte. Emily schlug die Augen gen Himmel. Auch noch eine Heulsuse! Aber sie würde ihr Versprechen halten. Kurz entschlossen befreite sie das Kleid von allem Tüll und sämtlichen Rüschen und verordnete Sarah, die sonst meist Schneiderkostüme trug und im Sommer gern zum weiten Reformkleid tendierte, ein enges Sans-Ventre-Korsett.

»Darin krieg ich keine Luft!«, stöhnte Sarah, doch Emily schüttelte den Kopf. »Ein bisschen Atemlosigkeit tut einer Braut ganz gut!«, behauptete sie. »Und das Korsett hebt Ihren Busen und betont Ihre Hüfte. Das brauchen Sie! Sie werden eine ganz andere Figur haben, glauben Sie mir!«

Tatsächlich schaute Sarah fasziniert in den Spiegel und sah zu, wie Mrs. Winter das nun schlichte Kleid körpernah absteckte, den Rock enger machte und das Dekolleté vergrößerte.

»Das ist zu offenherzig!«, protestierte Sarah, aber Emily kreierte einen Tülleinsatz, der das Kleid hochgeschlossen wirken ließ, die Aufmerksamkeit aber trotzdem auf Sarahs nun endlich erkennbaren Busen lenkte. Die junge Frau war merklich getröstet, als sie Emily schließlich verließ. Auf einem sehr schlichten Schleier hatte sie allerdings bestanden, während Mrs. Winter zu einer komplizierteren Kreation riet.

»Dann mache ich Ihnen aber wenigstens das Haar!«, erklärte Emily. »Es könnte sehr schön sein, wenn Sie es nicht immer so streng nach hinten kämmen würden ...«

Sarah erkannte sich selbst kaum wieder, als sie an ihrem Hochzeitstag vor dem Spiegel stand. Emily Winter war in letzter Minute mit dem Kleid fertig geworden, aber es saß nun wie angegossen. Natürlich konnte sich Sarah in dem Korsett kaum bewegen, doch der Anblick im Spiegel war unglaublich.

Lilian und Gloria konnten sich vor Begeisterung kaum halten.

»Vielleicht, wenn Sie auch für mich schneidern würden ...«, begann Gloria unsicher.

Beide Mädchen machten in ihren Brautjungfernkleidern nicht die beste Figur. Mrs. Buster hatte auf rosafarbenen Kleidern bestanden, und die bonbonartige Kreation stand nicht einmal Lilian. Die Farbe biss sich mit ihren roten Locken. Und Gloria machte sie wieder mal dick.

»Du musst noch ein bisschen wachsen«, meinte Mrs. Winter. »Du streckst dich noch. Ansonsten brauchst du weite Kleider. Diese Schärpe um die Taille dürfte nicht sein. Aber darüber machen wir uns jetzt keine Gedanken! Brautjungfernkleider müssen hässlich sein. Es geht ja nicht an, dass die Blumenmädchen die Braut ausstechen.«

Was in diesem Fall nicht schwierig wäre, überlegte Emily. Sie war zwar recht zufrieden mit ihrer Arbeit, aber es hätte ganz anderer Anstrengungen bedurft, aus Sarah Bleachum eine Schönheit zu machen. Das fing schon damit an, dass die weiße Farbe ihr nicht stand. Sie ließ ihre Haut blass und ihre Züge ausdruckslos wirken. Ein geschickt aufgesteckter Schleier hätte das verbessern können, aber Sarah hatte ja auf diesem schlichten Ding bestanden …

Emily drapierte den Stoff so kunstfertig wie eben möglich um Sarahs Haar, das die junge Frau auch partout nicht offen tragen wollte. Emily hatte es jetzt etwas raffinierter aufgesteckt, und mit den bunten Sommerblumen darin – Lilian hatte sie gesammelt und einen Kranz gewunden – sah es recht hübsch aus.

Emily Winter hatte auf jeden Fall ihr Bestes getan. Und sie würde von Christopher ihren Lohn dafür einfordern.

Christopher Bleachum wartete in der Sakristei auf seine Braut. Er war glücklich, sich hier in Ruhe etwas sammeln zu können, bevor er diesen Schritt nun wirklich tat. Der Bischof plauderte draußen mit seinen Schäfchen, und Sarah wurde wohl noch von den Frauen hergerichtet. So etwas konnte dauern. Christopher lief nervös hin und her.

Plötzlich hörte er die Tür der Seitenpforte, die vom Friedhof in einen Vorraum der Sakristei führte. Der Reverend pflegte hier an nassen Tagen Mantel und Stiefel abzulegen. Aber es war ein trockener Herbsttag und die Besucherin, die eben eintrat, trug nur ein apfelgrünes Festkleid und darüber einen dunkelgrünen Schal. Sie hatte das üppige Haar mit einer breiten Spange am Hinterkopf zusammengefasst und den Zopf zu schweren, großen Locken gedreht. Sie flossen weich über ihre Schultern. Ein keckes grünes Hütchen betonte ihre sattbraune Farbe.

»Emily! Was machst du hier?« Der Reverend blickte erstaunt und leicht verstimmt auf ihre propre Erscheinung.

Emily Winter musterte seine schlanke, aber kräftige Gestalt

in dem eleganten schwarzen Gehrock, den er zur Hochzeit geliehen hatte.

»Na, was wohl? Ich präsentiere dir die Früchte meiner Arbeit. Hier...« Sie wandte sich dem kleinen Fenster der Sakristei zu und wies nach draußen. Man konnte eine Seite der Kirchentreppe gut überblicken, und Emily musste Sarah dort irgendwie geschickt platziert haben. Die junge Braut plauderte mit Gloria und Lilian, die beide wie Zwerge aus Zuckerguss wirkten. Sarah dagegen war völlig verändert. Christopher sah verblüfft auf ihre zarte, aber nicht gänzlich kurvenlose Figur in dem schlichten Satinkleid. Sarah schien sich aufrechter zu halten. Das in komplizierten Flechten aufgesteckte Haar ließ ihr Gesicht ein wenig voller wirken.

»Gefällt sie dir?« Emily schob sich näher an Christopher heran.

Er holte tief Luft.

»Emily ... Mrs. Winter ... natürlich gefällt sie mir. Du ... Sie ... haben Wunder vollbracht ...«

Emily lachte. »Nur ein paar Zaubertricks. Heute Abend wird die Prinzessin wieder zum Aschenputtel werden. Aber dann gibt es kein Zurück mehr.«

»Das gibt es schon jetzt nicht!« Christopher versuchte, sich der Annäherung Emilys zu entziehen. Aber er tat es ungern. Er spürte Erregung in sich aufsteigen, den Reiz des Verbotenen. Was wäre, wenn er Emily jetzt noch einmal nähme? Hier, neben seiner Kirche, ein paar Yards vom Bischof entfernt ... und von Sarah.

»Aber es ist nicht zu spät für ein paar schöne Erinnerungen«, lockte Emily. »Komm, Reverend ...« Sie sprach das Wort langsam und lasziv. »Mein Mann trinkt schon mal einen auf das Wohl des Brautpaars. Der Bischof segnet sämtliche Blagen des Dorfes, und deine Sarah tröstet ihre hässliche kleine Gloria darüber hinweg, dass sie aussieht wie ein fetter

Flamingo. Niemand wird uns stören...« Sie ließ ihren Schal sinken. Christopher hatte nur noch den Wunsch, in ihrem Fleisch zu versinken.

»Komm, Christopher, noch ein einziges Mal...«

Sarah konnte sich nicht schlüssig werden. Sie sah so schön aus – zum ersten Mal in ihrem Leben! Sie meinte jetzt schon das Leuchten in Christophers Augen zu sehen, wenn sie zu ihm in die Kirche trat. Er würde ihre Verwandlung kaum glauben können. Er *musste* sie lieben, jetzt noch mehr als zuvor...

»Siehe, meine Freundin, du bist schön.« Das Hohelied würde eine ganz neue Bedeutung für ihn gewinnen und auch für Sarah. Denn sie war schön, die Liebe ließ sie erstrahlen.

Wenn da bloß diese Brille nicht wäre! Sarah wusste, dass ihre Augen dahinter riesig und rund wie Kuhaugen wirkten und dass sie all die Zartheit ihrer Züge verdeckte. Sie wünschte sich, das Ding weglassen zu können. Aber damit beraubte sie sich natürlich des ersehnten Anblicks der strahlenden Augen ihres Geliebten vor dem Altar. Und sie würde den Trauring ertasten müssen... Gloria hatte Recht, es konnte passieren, dass sie den Bischof glatt umrannte. Und das durfte nicht sein. Sarah wollte und konnte nicht blind durch ihre Hochzeitszeremonie stolpern. Ein paar Minuten ohne Brille, geführt von ihrem Liebsten, mochten angehen. Doch nicht die gesamte Zeremonie.

Aber vielleicht ließ sich ja doch etwas machen. Christopher sollte sie zumindest einmal in voller Schönheit sehen, auch wenn das angeblich Unglück brachte. Sooo schlimm konnte es nicht sein, wenn er schon vor dem Eintritt in die Kirche einen Blick auf sie warf. Sie würde ihn einfach kurz in der Sakristei besuchen, ihm erzählen, wie fabelhaft Emily gearbeitet hatte – und vielleicht würde er sie ja küssen. Bestimmt würde er sie küssen, es konnte gar nicht anders sein! Sarah raffte Kleid und Schleier zusammen.

»Ich bin gleich wieder da, Mädchen. Sagt das dem Bischof, wenn er fragt. Wir können in fünf Minuten anfangen. Aber jetzt muss ich ...« Sie rückte ihre Brille zurecht und eilte um die Kirche herum auf den kleinen Eingang zur Sakristei zu. Er war nicht verschlossen. Natürlich nicht, Christopher war hier schließlich eingetreten.

Atemlos in ihrem Korsett, aber auch vor Aufregung, nahm Sarah die Brille ab und tastete sich in den Vorraum. Die Tür zur Sakristei stand offen. Und da ... da bewegte sich ein seltsam kompakter Körper, halb über einen Sessel gelegt ... etwas Grünes und Schwarzes ... Und etwas Rosafarbenes. Nackte Haut?

»Christopher?« Sarah tastete in den Falten ihres gerafften Kleides nach ihrer Brille.

»Sarah, nicht!« Christopher Bleachum versuchte, das Schlimmste zu verhindern, aber Sarah hatte ihre Brille schon aufgesetzt.

Emily wäre es ohnehin nicht gelungen, ihr Kleid so rasch wieder herunterzuziehen ... und Christophers Hosen ...

Der Anblick war entwürdigend. Er war abstoßend.

Und er ließ Sarah Bleachum, die Besessene, Verführte, Liebende, wieder zu der klugen jungen Frau werden, die nicht davor zurückschreckte, ihre Welt in Frage zu stellen.

Fassungslos starrte sie sekundenlang auf die halb nackten Körper im Raum neben dem Gotteshaus. Dann blitzten ihre Augen vor Wut und Enttäuschung auf.

Christopher musste an ihre Lieblingsheldinnen aus der Bibel denken. Es war leicht vorstellbar, was Daphne, Esther und Jael mit ihm und Emily getan hätten ...

Sarah griff ihn jedoch nicht an. Sie sprach nicht einmal.

Blass, den Mund fest zusammengepresst, riss sie sich den Schleier vom Haar.

Emily fürchtete fast, sie würde auch das Korsett lösen, denn sie griff bereits nach dem Verschluss des Kleides; dann aber kam sie wohl doch noch zu sich. Ohne den beiden Ertappten noch einen Blick zu schenken, lief sie hinaus.

»Du musst dich anziehen, der Bischof ...« Emily fand als Erste in die Wirklichkeit zurück. Doch es war zu spät.

Christopher glaubte nicht, dass Sarah in ihrem Zustand den Bischof darüber informiert hatte, was geschehen war, aber wenige Minuten vorher hatte er vor der Kirche gestanden. Er musste gesehen haben, wie sie kopflos aus der Sakristei stürmte.

Der Reverend zog instinktiv den Kopf ein und wappnete sich. Der Zorn Gottes würde über ihn kommen ...

»Es tut mir leid, Glory, es tut mir wirklich leid.«

Sarah Bleachum wiegte das schluchzende Mädchen in den Armen. »Aber du musst doch verstehen, dass ich unter diesen Umständen nicht bleiben kann. Wie würden die Leute mich denn ansehen?«

»Das ist mir egal!«, schluchzte Gloria. »Aber wenn Sie jetzt zurück nach Neuseeland fahren ... Hat Grandma Gwyn es wirklich erlaubt? Schickt sie Ihnen wirklich das Geld?«

Sarah Bleachum war am Hochzeitstag kopflos geflohen, aber schon als sie an der verwirrten Hochzeitsgesellschaft vorbeirannte, begannen ihre Gedanken wieder zu fliegen. Sie musste weg von diesem Ort, so schnell wie möglich. Zunächst aus Sawston, dann aus England, sonst würde sie verrückt werden.

Sarah erreichte ihr Zimmer in Mrs. Busters Haus unbehelligt, riss sich das Kleid und vor allem das unsägliche Korsett vom Körper und zog das nächstbeste Kostüm über, das sie fand. Sie raffte ihre Kleider zusammen und machte sich auf den Weg nach Cambridge.

Sieben Meilen, das war zu schaffen. Am Anfang rannte sie fast, dann ging sie, am Ende schleppte sie sich nur noch dahin. Aber wenigstens war ihr glühender Zorn verraucht, und auch die erste Scham wich der Erschöpfung. In Cambridge gab es Hotels. Sarah hoffte nur, dass sie nicht zu viel Geld im Voraus würde zahlen müssen. Schließlich fand sie eine bescheidene, jedoch anheimelnd wirkende Pension und klopfte an. Und zum ersten Mal an diesem schrecklichen Tag hatte sie Glück. Die Betreiberin, eine Witwe namens Margaret Simpson, stellte keine Fragen.

»Sie können mir später erzählen, was geschehen ist ... wenn Sie wollen«, sagte sie sanft und stellte eine Tasse Tee vor die junge Frau. »Zunächst müssen Sie sich ausruhen.«

»Ich brauche ein Postamt«, flüsterte Sarah. Jetzt, da sie zur Ruhe kam, fror sie und zitterte am ganzen Körper. »Ich muss eine Depesche absenden ... nach Neuseeland. Glauben Sie, das geht von hier?«

Mrs. Simpson füllte die Teetasse erneut und legte ihrem sonderbaren Gast eine Wolljacke um die Schultern. »Natürlich. Aber das hat Zeit bis morgen ...«

Sarah hätte niemals gedacht, dass sie nach diesem Tag Schlaf finden würde, aber zu ihrer Überraschung schlief sie tief und fest – und erwachte am nächsten Morgen mit einem Gefühl der Befreiung. Sie empfand natürlich auch Scham und Angst vor der Zukunft. Vor allem aber war eine Art Zwang von ihr abgefallen. Im Grunde freute sie sich, nach Hause zurückkehren zu können. Wenn nur Gloria nicht gewesen wäre.

»Deine Großmutter muss mir nicht ›erlauben‹, nach Neuseeland zurückzukehren, Schäfchen«, beschied sie dem Mädchen nun freundlich, aber bestimmt. »Wo ich leben möchte, bestimme ich ganz allein. Aber sie hat mir versprochen, die Reise zu bezahlen, wenn sich meine ... äh ... Hoffnungen hier nicht erfüllen. Und das wird sie halten, sie hat es bereits bestätigt.«

Tatsächlich hatte Gwyneira McKenzie Sarahs Telegramm gleich am selben Tag erhalten – Andy McAran brachte es aus Haldon nach Kiward Station – und ihr sofort durch Greenwood Enterprises Geld anweisen lassen. Sarah würde in den nächsten Tagen nach London reisen und dann das erste Schiff nach Lyttelton oder Dunedin nehmen. Aber erst musste sie es Gloria sagen. Schweren Herzens bestellte sie eine Droschke nach Oaks Garden und schritt hocherhobenen Hauptes an den säuerlich blickenden Lehrerinnen und Hausmüttern vorbei.

Wie erwartet war Gloria untröstlich.

»Können Sie nicht wenigstens in England bleiben?«, fragte sie verzweifelt. »Vielleicht würde sogar Miss Arrowstone Sie anstellen ...«

Sarah schüttelte den Kopf.

»Nach dem, was geschehen ist, Glory? Nein, das ist unmöglich. Stell dir nur vor, ich müsste Christopher bei jedem Sonntagsgottesdienst begegnen ...«

»Aber wird der Reverend denn nicht versetzt?«, fragte Gloria. »Lily meint, er müsste rausgeworfen werden.«

Sarah fragte sich, was die Mädchen gehört oder vielleicht sogar gesehen hatten. Sie waren in der Nähe der Sakristei gewesen, und sie hatten Sarah fliehen sehen. Zumindest die neugierige Lily mochte daraufhin gleich nachgesehen haben, was geschehen war. Möglicherweise waren auch beide Mädchen dem Bischof gefolgt ... Aber ganz gleich, was Lilian Lambert erzählte und Gloria Martyn wusste: So wie es aussah, würde Christopher Bleachum seine Stellung nicht verlieren.

Der Bischof mochte Zeuge seines unwürdigen Verhaltens gewesen sein, aber er würde ihn nicht vor der Gemeinde und der gesamten Kirchenführung bloßstellen. Selbstverständlich würde seine Rüge scharf ausfallen, aber die Schande der geplatzten Hochzeit blieb an Sarah hängen. Wahrscheinlich würde man ihre Flucht mit Torschlusspanik oder einem hysterischen Anfall erklären, während man den »armen Reverend« nach Kräften bedauerte.

»Ich weiß nicht, was mit dem Reverend passiert, aber ich gehe jedenfalls fort«, sagte Sarah mit fester Stimme. »Ich wünschte, ich könnte dich mitnehmen, aber das geht nun einmal nicht. Und nun kommen doch auch bald deine Eltern, Glory. Dann wirst du dich besser fühlen ...«

Gloria hatte da ihre Zweifel. Einerseits war sie gespannt auf ihre Eltern, andererseits fürchtete sie sich vor der Begegnung. Aber Liebe und Verständnis erwartete sie nicht.

»Ich kann Grandma Gwyn auch erzählen, wie unglücklich du hier bist«, schlug Sarah halbherzig vor. »Vielleicht kann sie ja doch etwas tun ...«

Gloria zog die Lippen zu einem Strich zusammen und straffte sich.

»Machen Sie sich nicht die Mühe«, sagte sie leise.

Gloria glaubte nicht mehr an Wunder. Niemand auf Kiward Station schien sie ernstlich zu vermissen, und Jack würde ganz sicher nicht kommen, um sie zu holen.

Sie spielte mit dem Brief in ihrer Tasche, der am Morgen gekommen war. Gwyneira McKenzie erzählte in ihrem tatsächlich sehr sachlichen Briefstil von einer Hochzeit. Jack war jetzt mit Charlotte Greenwood verheiratet. Bestimmt würden sie bald Kinder haben. Und darüber würde er Gloria vergessen.

»Es ist außerordentlich erfreulich, dass Sie gerade jetzt kommen!« Miss Arrowstone begrüßte William Martyn euphorisch – und das hatte sicher nichts mit dem Zeitpunkt seines Eintreffens zu tun. Stattdessen spielte eher sein Charme eine Rolle. Von wenigen Ausnahmen abgesehen war es William immer gelungen, Damen um den Finger zu wickeln. Die rundliche Rektorin schnurrte jetzt wie eine Katze und sah fast verliebt zu dem großen, gut aussehenden Mann auf. William Martyn war in mittleren Jahren, aber immer noch schlank und stattlich. In sein blondes, lockiges Haar schlich sich längst noch kein Grau ein, und das Leuchten seiner klaren blauen Augen und das Lächeln in seinem immer leicht gebräunten Gesicht machten ihn unwiderstehlich. Mit seiner dunkelhaarigen, exotisch anmutenden Gattin Kura bildete er ein auffallend schönes Paar. Miss Arrowstone fragte sich, wie zwei derart gut aussehende, charismatische Menschen ein solches Durchschnittskind wie Gloria hatten zustande bringen können.

»Wir haben da einen Brief für Gloria erhalten, der uns gelinde gesagt ein wenig sorgenvoll stimmt …« Miss Arrowstone nestelte einen Umschlag aus ihrer Schreibtischschublade.

»Wie geht es Gloria überhaupt?«, fragte William mit seiner einnehmenden Stimme. »Ich hoffe, sie hat sich gut eingelebt und macht ihren Lehrerinnen Freude.«

Miss Arrowstone zwang sich zu einem Lächeln. »Nun ja … Ihre Tochter kämpft noch mit der Umstellung. Sie ist wohl ein wenig verwildert aufgewachsen da unten am anderen Ende der Welt …«

William nickte und winkte ab. »Pferde, Rinder und Schafe, Miss Arrowstone«, sagte er dramatisch. »Das ist alles, was die Leute da im Kopf haben. Die Canterbury Plains … Christchurch, das sich neuerdings eine Großstadt nennt … Kathedralenbauten … Das klingt alles sehr vielversprechend, aber wenn Sie da einmal gelebt haben … wie gesagt – Pferde, Rinder und Schafe! Wir hätten Gloria viel früher in eine anregendere Atmosphäre bringen lassen sollen. Aber wie es so ist, Miss Arrowstone. Großer Erfolg bedeutet eben auch große Anstrengungen.«

Miss Arrowstone lächelte verständnisvoll. »Deshalb ist Ihre Gattin jetzt auch nicht bei Ihnen, um Gloria abzuholen«, bemerkte sie. »Dabei hatten wir uns alle auf ein Wiedersehen gefreut.«

Und auf ein weiteres Gratiskonzert, dachte William, antwortete allerdings überaus freundlich: »Kura war nach der letzten Tournee ein wenig indisponiert. Und Sie werden verstehen, dass auch kleinste Erkältungen bei Sängern sehr ernst zu nehmen sind. Deshalb hielten wir es für besser, wenn sie in London bleibt. Wir haben eine Suite im Ritz …«

»Besitzen Sie denn kein Stadthaus, Mr. Martyn?«, wunderte sich Miss Arrowstone. Bei der Erwähnung des berühmten Hotels, das erst vor wenigen Jahren feierlich eröffnet worden war und unter der Schirmherrschaft des Prince of Wales stand, leuchteten ihre Augen auf.

William schüttelte mit leichtem Bedauern den Kopf. »Auch kein Landhaus, Miss Arrowstone. Ich habe das Thema eines stilvollen Wohnsitzes zwar schon öfter angeregt, aber meine Frau mag nicht sesshaft werden. Ihr Maori-Erbe, nehme ich an.« Er lächelte gewinnend. »Aber was ist nun mit dem Brief, den Sie erwähnten, Miss Arrowstone? Belästigt jemand unsere Tochter? Vielleicht noch etwas, an das Gloria sich wird gewöhnen müssen. Erfolgreiche Künstler haben immer Neider …«

Miss Arrowstone nahm den Briefbogen aus dem Umschlag und entfaltete ihn. »Ich würde das nicht ›Belästigung‹ nennen. Und es ist mir auch ein wenig unangenehm, dass wir den

Brief geöffnet haben. Aber Sie müssen verstehen ... als Vater einer Tochter werden Sie unzweifelhaft begrüßen, dass wir hier auf die Tugend der Zöglinge achten. Briefe mit einem männlichen Absender, der in einer uns nicht bekannten verwandtschaftlichen Beziehung mit dem Mädchen steht, öffnen wir sicherheitshalber. Wenn es sich als unverfänglich herausstellt, was natürlich fast immer der Fall ist, stellen wir den Brief anschließend zu, als wäre nichts gewesen. Andernfalls muss das Mädchen Rede und Antwort stehen. Ja, und diesmal ... aber lesen Sie selbst.«

Meine allerliebste Gloria,
ich weiß nicht recht, wie ich diesen Brief beginnen soll, aber ich bin zu beunruhigt, um weiter abzuwarten. Meine geliebte Gattin, Charlotte, hat mich deshalb ermutigt, Dir einfach zu schreiben und Dir meine Sorge um Dich vorzutragen.

Wie geht es dir, Gloria? Vielleicht empfindest Du das ja als eine lästige Frage. Deinen Briefen entnehmen wir schließlich, dass Du immer sehr beschäftigt bist. Du berichtest vom Klavierspiel, vom Zeichnen und vielen gemeinsamen Unternehmungen mit Deinen neuen Freundinnen. Aber mir erscheinen Deine Briefe sonderbar knapp und hölzern. Kann es denn wirklich sein, dass Du uns alle auf Kiward Station vergessen hast? Willst Du nicht wissen, wie es Deinem Hund geht und Deinem Pferd? Vielleicht ist es dumm, aber ich lese niemals ein Lachen zwischen den Zeilen und höre nie ein persönliches Wort. Im Gegenteil, manchmal scheinen diese wenigen kurzen Sätze Traurigkeit auszustrahlen. Wenn ich an Dich denke, höre ich immer noch diese letzten Worte, die Du vor der Abreise zu mir sagtest: ›Wenn es ganz schlimm wird, Jack, holst du mich dann?‹ Damals habe ich Dich vertröstet, ich wusste nicht, was ich sagen sollte. Aber die richtige Antwort ist natürlich: Ja. Wenn Du wirklich verzweifelt bist, Gloria, wenn Du allein bist und keine Hoff-

nung siehst, dass sich etwas daran ändert, dann schreib mir, und ich komme. Ich weiß nicht, wie ich es anstellen werde, aber ich bin für Dich da.

Dein Dich über alles liebender Halbgroßonkel
Jack

William überflog die Zeilen mit gerunzelter Stirn.

»Sie hatten ganz Recht, das abzufangen, Miss Arrowstone«, bemerkte er dann. »Die Beziehung zwischen meiner Tochter und diesem jungen Mann hatte schon immer etwas Ungesundes. Werfen Sie den Brief weg.«

Gloria war allein. Ganz allein.

VERLORENE PARADIESE

Canterbury Plains, Cambridge, Auckland,
Cape Reinga, Amerika, Australien, Greymouth
1914–1915

1

»Auf die Gefahr hin, dass ich mich anhöre wie der alte Gerald Warden, aber irgendwas stimmt da nicht.«

James McKenzie schleppte sich durch den ehemaligen Rosengarten von Kiward Station, schwer auf einen Stock und leicht auf den Arm seiner Frau Gwyneira gestützt. In der letzten Zeit wurde ihm jede Fortbewegung zur Qual, seine Gelenke versteiften, das Rheuma erinnerte an unzählige, unter freiem Himmel verbrachte Nächte. Es mussten schon besondere Anlässe sein, wie eben die Ankunft der Schafherden und ihrer Treiber aus den Bergen, damit James das Haus verließ. Doch obwohl sein Sohn Jack die Leitung der Farm längst de facto in Händen hatte, ließ der alte Vormann es sich doch nicht nehmen, einen Blick auf die wohlgenährten Mutterschafe und Jungtiere zu werfen. Wie eine Ansammlung fetter Wattebäusche standen die Tiere auf den Weiden und in den Pferchen von Kiward Station, zornig blökend, wenn der Viehtrieb verwandte oder befreundete Tiere auseinandergerissen hatte. Gwyneira und James konnten zufrieden sein. Die Schafe waren in bester Verfassung, die Verlustrate verschwindend gering.

Jack, der den Viehtrieb geleitet hatte, scherzte mit den Maori-Treibern und umarmte seine Frau Charlotte.

Charlotte hatte sich während seiner Abwesenheit sicher nicht gelangweilt. Wahrscheinlich hatte sie die Zeit, in der auch die Maori-Dörfer weitgehend von Männern verwaist waren, eher genutzt, um mit den Frauen Geschichten auszutauschen. Schließlich hatte sie längst herausgefunden, dass

Männer und Frauen die gleichen Legenden oft ganz unterschiedlich erzählten und ausschmückten. Charlotte konnte diese Nuancen inzwischen sehr genau erkennen. Nach mehr als fünf Jahren auf Kiward Station, beschäftigt mit ständigem Studium der Maori-Überlieferungen, sprach sie die Sprache längst fließend und, wie Jack manchmal scherzhaft bemerkte, fast besser als ihr Mann.

Auch jetzt rief sie den Männern Scherzworte und Grüße ihrer Frauen in ihrer Sprache zu, während sie sich zärtlich an Jack schmiegte. Den Maoris war diese Intimität in aller Öffentlichkeit nicht peinlich – nur die Sitte des Küssens anstelle des Nasenreibens schien ihnen seltsam vorzukommen.

Aber James McKenzies immer noch scharfe braune Augen hatten nicht nur die Verfassung seiner Schafe erkannt und abgeschätzt. Er streifte auch Charlottes schlanke Gestalt mit seinem Blick, und das veranlasste ihn zu der besorgten Bemerkung gegenüber seiner Frau. Die alten McKenzies hatten zwar Essen und Whiskey gespendet, würden aber am anschließenden Fest zum Ende des Viehtriebs nicht teilnehmen. Gelassen schlenderten sie durch den Garten auf den hinteren Eingang des Hauses zu. Auch noch nach so vielen Jahren bevorzugten beide den Kücheneingang in der Nähe der Ställe gegenüber dem hochherrschaftlichen Entree.

»Gut fünf Jahre Ehe, und das Mädchen ist dünn wie ein Grashalm. Irgendetwas ist da nicht in Ordnung.«

Gwyneira nickte sorgenvoll. Das Thema kam immer wieder zwischen den Ehepartnern zur Sprache, aber keiner von ihnen mochte Jack und Charlotte direkt darauf ansprechen. Zu genau hatten sie noch Gwyneiras Martyrium in Erinnerung, als Gerald Warden, ihr damaliger Schwiegervater, täglich ihre schlanke Taille kommentierte und ihr Unfruchtbarkeit vorwarf.

»Am mangelnden Üben liegt es hier allerdings nicht«,

meinte sie scherzhaft. »Die zwei können sich ja nach wie vor kaum aus den Fingern lassen. Unwahrscheinlich, dass sie im Schlafzimmer nicht weitermachen ...«

James schmunzelte. »Und im Unterschied zu einer gewissen Miss Gwyn vor einem halben Jahrhundert macht unsere Charlotte auch einen sehr glücklichen Eindruck«, neckte er seine Frau. Gwyneira hatte sich damals in ihrer Not an James gewandt. Ihr Gatte Lucas war offensichtlich unfähig, ein Kind zu zeugen, und so sollte der Vormann einspringen. Die junge Frau hatte sich monatelang eingeredet, ihr »Zuchtversuch« habe nichts mit Liebe zu tun.

Gwyneira runzelte die Stirn. »Wenn es um Jack geht, schon«, schränkte sie ein. »Und sie liebt die Arbeit mit den Maoris. Aber sonst ... Findest du nicht, dass sie zu dünn ist, James? Natürlich ist sie bildhübsch, aber doch fast etwas mager, oder irre ich mich da? Und diese dauernden Kopfschmerzen ...«

Charlotte neigte, eigenen Angaben nach, zu Migräneanfällen, seit sie denken konnte. Schon in den ersten Jahren ihrer Ehe hatte sie immer mal eine Woche bei abgedunkelten Fenstern in ihren Räumen verbracht und war dann blass und verhärmt wieder aufgetaucht. Weder die Pülverchen des Arztes in Haldon noch die Kräuter der Maori-Hebamme Rongo Rongo vermochten wirklich zu helfen. Allerdings war dies relativ selten geschehen, während Gwyneira in den ersten drei Monaten dieses Jahres schon vier Anfälle zählte.

»Wahrscheinlich macht sie sich Gedanken. Sie hat sich doch immer Kinder gewünscht«, meinte James. »Was sagt denn Rongo? Hast du sie nicht wieder mal hingeschickt?«

Gwyneira zuckte die Schultern. »Ich kann dir nur sagen, was Dr. Barslow sagt«, bemerkte sie. »Das hat mir Charlotte verraten. Wahrscheinlich, weil es sie so glücklich machte zu hören, dass seiner Ansicht nach alles in Ordnung ist. Rongo kann ich schlecht nach Charlottes Gesundheitszustand fragen. Aber sie stecken ja wegen dieser alten Geschichten dauernd zusammen. Das nimmt mir auch ein bisschen die Sorge. Würde ihr ernsthaft etwas fehlen, würde Rongo es merken.«

James nickte. »Wenn ich es mir recht überlege«, meinte er dann, »wäre es auch für mich mal wieder Zeit, Rongo Rongo aufzusuchen. Das Rheuma bringt mich um. Aber ich kann nicht nach O'Keefe Station reiten. Denkst du, Rongo würde sich zu einem Hausbesuch herablassen?« Er lächelte.

»Wobei du sie ganz vorsichtig und unauffällig über Charlottes intimste Geheimnisse aushorchen könntest?«, neckte Gwyn. »Tu's nur, ich bin genauso neugierig! Aber pass auf, sie wird nichts verraten! Und ich werde darauf bestehen, dass du anschließend jeden bitteren Aufguss zu dir nimmst, den sie dir verordnet!«

Rongo Rongo kam natürlich ins Haus und traf James im Bett an. Die letzten Regenfälle hatten sein Rheuma derart verschlimmert, dass er sich nicht aufraffen konnte, sich auch nur bis zu seinem Lehnstuhl am Erkerfenster zu schleppen.

»Das ist die Zeit, Mr. James, sie lässt die Knochen verrotten«, seufzte Rongo, eine inzwischen fast weißhaarige kleine, aber nach wie vor äußerst agile Frau. In der Tradition der Frauen ihrer Familie praktizierte und lehrte sie die Heilkunst. Leider hatte sie nur drei Söhne und keine Tochter, die sie zur Hebamme ausbilden konnte. Rongo brachte eine Nichte mit, aber das Mädchen wirkte nicht sonderlich aufgeweckt. Eher unlustig suchte es auf Rongos Anweisung nach Kräutern und Amuletten. »Man kann den Schmerz etwas lindern, aber heilen kann man das Rheuma nicht mehr. Halten Sie sich vor allem warm, wehren Sie sich nicht gegen die Schwäche. Es hilft nichts, wenn Sie aufstehen und die Knochen zu zwingen versuchen. Davon wird es nur schlimmer. Hier …« Sie nahm ein paar Kräuter von ihrer kleinen Helferin entgegen. »Das setzt man Ihnen heute Abend in der Küche auf. Morgen seiht Kiri es durch, und Sie trinken alles in einem Schluck. Auch wenn es bitter ist. Fragen Sie Kiri, die nimmt das Gleiche, und sie ist viel beweglicher als Sie!«

Kiri war seit Jahrzehnten als Köchin auf Kiward Station tätig und weigerte sich standhaft, ihre Stellung einer Jüngeren zu überlassen.

»Gegen mich ist Kiri ein Kind!«, behauptete James. »In ihrem Alter kannte ich das Wort ›Gliederschmerzen‹ noch gar nicht!«

Rongo lächelte. »Den einen berühren die Götter eher, den anderen später«, sagte sie ruhig, aber mit traurigem Unterton. »Seien Sie glücklich, dass Ihnen ein langes Leben beschert wurde … und viele Nachkommen.«

»Da wir gerade dabei sind …« James drehte sich mühsam in eine bequemere Stellung und nahm die Ermittlungen auf. Er konnte das wirklich besser als Gwyneira, nicht nur, weil er diplomatischer veranlagt war. Im Gegensatz zu seiner Frau sprach er auch fließend Maori. Rongo Rongo war zwar des Englischen mächtig – sie hatte einst zu Helen O'Keefes ersten Schülerinnen gehört –, aber der Austausch in ihrer Muttersprache fiel ihr doch leichter. Wenn sie Geheimnisse verriet, so eher in ihrem eigenen Idiom.

»Wie sieht es mit meiner Schwiegertochter Charlotte aus? Wird sie Nachkommen haben?«

James lächelte, fast ein bisschen verschwörerisch, aber Rongo Rongo blieb ernst.

»Mr. James, der Fluch der *wahine* Charlotte ist nicht ihre Kinderlosigkeit«, sagte sie leise. »Meine Großmutter hat mir in Fällen wie dem ihren geraten, eine Geisteraustreibung durchzuführen, und das habe ich auch getan …«

»Mit Charlottes Zustimmung?«, fragte James verblüfft.

Rongo nickte. »Ja, obwohl sie es nicht ernst genommen hat. Sie wollte wohl einfach wissen, wie eine solche Besprechung vor sich geht …«

»Dann hat es wohl nicht viel genützt?«, meinte James belustigt. Er hatte schon von vielen erfolgreichen Beschwörungsritualen gehört, aber sie waren nur dann hilfreich, wenn die Betroffenen an ihre Wirkung glaubten.

Rongo schüttelte ernst den Kopf. »Mr. James, es ist nicht wichtig, ob Miss Charlotte an die Geister glaubt. Es sind die Geister, welche die Macht der *tohunga* fürchten müssen …«

»Und?«, fragte James. »Hatten wir es hier mit ausreichend ängstlichen Geistern zu tun?«

Rongo runzelte unglücklich die Stirn. »Ich bin nicht sehr mächtig«, gab sie dann zu. »Und es sind starke Geister. Ich habe Miss Charlotte geraten, einen *pakeha-tohunga* in Christchurch zu Rate zu ziehen. Dr. Barslow in Haldon hat nicht mehr Macht als ich …«

James war beunruhigt. Rongo Rongo hatte vorher noch nie eine Patientin zu einem englischen Mediziner geschickt. Mit Dr. Barslow, dem Dorfarzt in Haldon, pflegte sie eine freundschaftliche Rivalität – mal gelang dem einen eine rasche Besserung kleiner Leiden, mal der anderen. Bei Charlotte hatten bislang beide versagt. Und die Diagnosen »Die Kinderlosigkeit ist nicht der Fluch« und »Sie müssen es einfach weiter versuchen, medizinisch gibt es keinen Grund, warum Sie nicht empfangen«, glichen sich auf beängstigende Weise.

»Ich habe die Tage gezählt!«, sagte Charlotte zu ihrem Mann.

Sie hatte eben ihr Haar gebürstet, und Jack beugte sich über sie und atmete in die honigblonde Fülle, immer wieder überrascht und beglückt davon, dass so viel Schönheit ihm gehörte.

»Wenn wir es heute versuchen, könnte ich ein Kind bekommen.«

Jack küsste ihr Haar und ihren Nacken. »Ich bin jedem Versuch gegenüber aufgeschlossen«, lächelte er. »Aber du weißt, ich bin nicht böse, wenn es kein Kind gibt. Ich brauche keinen Erben, ich will und brauche nur dich.«

Charlotte sah sein Gesicht in ihrem Schlafzimmerspiegel und genoss seine Zärtlichkeiten. Sie wusste, dass er es ernst meinte. Jack hatte nie einen Zweifel daran gelassen, wie glücklich sie ihn machte.

»Woher weißt du denn überhaupt, wie du die Tage zählen musst?«, erkundigte er sich.

»Von Elaine«, erklärte sie. »Und der hat es einmal ...«, sie kicherte ein bisschen und errötete, »... der hat es einmal ein Freudenmädchen erklärt. Dabei ging es natürlich eher darum, wie man eine Schwangerschaft verhindert. Aber das ist ja das gleiche Prinzip, nur umgekehrt.«

»Du sprichst mit Elaine über unsere Schwierigkeiten?«, fragte Jack verwundert. »Ich dachte, das hier ginge nur uns etwas an?«

Charlotte zuckte die Schultern. »Du kennst Lainie, sie ist ziemlich gerade heraus. Als sie zum letzten Mal hier war, hat sie mich direkt gefragt. Also haben wir darüber geredet. Ach Jack, ich wünsche mir so sehr ein Kind! Lainies Jungs sind so niedlich. Und die Briefe von ihrer kleinen Lilian ...«

»So klein ist die gar nicht mehr«, brummte Jack. »Gloria ist achtzehn, Lilian muss also vierzehn oder fünfzehn sein.«

»Sie ist jedenfalls bezaubernd. Ich kann es gar nicht abwarten, sie kennen zu lernen. In zwei Jahren wird sie die Schule abschließen, nicht wahr? Und Gloria schon in einem Jahr! Wie schnell die Kinder groß werden!«

Jack nickte grimmig. Auch nach so vielen Jahren hatte er nicht aufgehört, sich über Glorias Verhalten zu wundern. Ihre nichtssagenden, kurzen Briefe, ihr Schweigen auf die drei verzweifelten Anfragen, die er sich im Laufe der Jahre abgerungen hatte ... Irgendetwas stimmte nicht, aber er kam nicht zu ihr durch. Im nächsten Sommer sollte sie nun endlich diese Internatsausbildung beenden. Aber von Heimkehr war vorerst nicht die Rede.

»Nach dem Schulabschluss werde ich mit meinen Eltern durch Nordeuropa reisen.« Ein knapper Satz in Glorias letztem Brief. Kein Wort darüber, ob sie sich darauf freute oder ob sie lieber direkt nach Hause gekommen wäre. Kein Wort darüber, ob sie die Schule vermissen würde, ob sie an ein Studium dachte ... Glorias Briefe beschränkten sich auf kürzeste Berichte. Wenn sie die Ferien nicht im Internat, sondern mit ihren Eltern verbrachte, was in den fünf Jahren dreimal vorgekommen war, schrieb sie gar nicht.

»Du wirst dich freuen, wenn sie zurückkommt, nicht wahr?«, meinte Charlotte. Sie beendete ihre Haarpflege, stand auf und ließ ihren seidenen Morgenrock über ihre Schultern gleiten. Darunter trug sie ein zart besticktes Nachthemd. Jack registrierte, dass sie dünner geworden war.

»Wenn du Kinder haben willst, solltest du zuerst mehr essen«, wechselte er das Thema und legte sanft die Arme um seine Frau.

Sie lachte leise, als er sie hochhob und aufs Bett legte. »Du bist zu zart, um auch noch ein Baby zu tragen.«

Charlotte erschauerte leicht unter seinen Küssen, kam dann aber auf Gloria zurück. Sie mochte nicht über ihre Figur reden; die Maori-Frauen zogen sie schon oft genug damit auf, dass ihr Mann sie bald nicht mehr mögen würde. Maori-Männer liebten füllige Frauen.

»Aber du wirst enttäuscht«, warnte sie Jack. »Die Gloria,

die jetzt zurückkommt, hat mit dem kleinen Mädchen von damals wahrscheinlich nichts mehr zu tun. Sie interessiert sich nicht mehr für Hunde und Pferde. Sie wird Bücher lieben und Musik. Du solltest dich schon mal in schöngeistiger Konversation üben.«

Jacks Verstand sagte ihm das Gleiche, wenn er Glorias Briefe las. Aber sein Herz konnte es nicht glauben.

»Das soll sie Nimue selbst sagen!«, bemerkte er mit einem Blick auf Glorias Hündin, die, ebenso wie sein eigener Hütehund, auf dem Flur vor ihrem Schlafzimmer schlief. »Und sie ist die Erbin von Kiward Station. Sie wird sich für die Farm interessieren müssen, Internat hin oder her.«

Charlotte schüttelte den Kopf. »Wird der Hund sie denn überhaupt noch erkennen?«

Jack nickte. »Der Hund erinnert sich. Und Gloria ... sie kann kein anderer Mensch geworden sein. Das geht einfach nicht.«

Gloria band ihr Haar im Nacken zusammen. Nach wie vor stand es wild vom Kopf ab; die Locken waren einfach zu dick, um sich formen zu lassen. Immerhin war es inzwischen lang, es reichte bis tief über ihren Rücken, zumindest wegen ihrer jungenhaften Frisur neckten die anderen Mädchen sie nicht mehr. Ansonsten war es ihr aber auch längst egal, was Gabrielle, Fiona und die anderen über sie sagten. Gloria hatte zwar kein dickes Fell entwickelt, aber eine Art Pufferschicht um sich herum aufgebaut. Sie ließ einfach nicht mehr zu, dass die Sticheleien sie verletzten, versuchte, die Bedeutung der Worte für sich auszuschalten, wenn Gabrielle oder einer ihrer anderen Quälgeister mit ihr sprach. Das galt auch für die Bemerkungen der meisten Lehrer, besonders für die neue Musiklehrerin Miss Beaver. Miss Wedgewood hatte drei Jahre zuvor

Reverend Bleachum geheiratet und die Schule verlassen. Und mit Miss Beaver kam eine glühende Verehrerin von Kura-maro-tini Martyn. Sie brannte darauf, Gloria kennen zu lernen und hoffte auf musikalische Wundertaten – als Gloria die nicht erbrachte, wollte sie zumindest Einzelheiten von allen Konzertreisen hören, an denen das Mädchen in den letzten Jahren teilgenommen hatte.

Dabei konnte Gloria nicht viel berichten, was das anging: Sie hasste die Ferien mit ihren Eltern. Allein die Blicke der Mitglieder des Ensembles, wenn sie das Mädchen zum ersten Mal sahen, verletzten sie bis ins Mark. Es waren auch immer wieder neue Tänzer und Sänger, die ihre Eltern um sich scharten. Die meisten Maoris waren heimatverbunden und blieben nicht länger als eine Saison bei der Truppe. Außerdem kam es oft zu Auseinandersetzungen der Künstler, wenn die Martyns echte *tohunga* anheuerten, also Musiker, die auch in ihrer Heimat den allerbesten Ruf hatten.

Kuras Interpretationen der *haka* wichen inzwischen immer mehr von der traditionellen Aufführung ab; sie passte sich westlichen Standards an und verlangte das auch von den Maori-Künstlern. Gerade die besten waren dazu allerdings nicht bereit, stritten sich dann lautstark und warfen manchmal von einer Minute zur anderen das Handtuch. Kura und William waren deshalb dazu übergegangen, keine echten Maoris mehr zu beschäftigen, sondern *pakeha*-Mischlinge. Die entsprachen auch eher westlichen Schönheitsvorstellungen, und das wurde immer mehr zum Hauptkriterium für ihre Auswahl. Es gab inzwischen Tanzlehrer und Impresarios, die Neulinge für die Show einstellten und anlernten. Kura und William reisten mit einem gewaltigen Tross, der fünf Schlaf- und Salonwagen füllte. Die Privatwaggons wurden Linienzügen zu den jeweiligen Zielen in ganz Europa angehängt.

Wenn Gloria mit der Show reiste, musste sie mit fünf anderen Mädchen den Waggon teilen, also auf noch engerem Raum zusammenleben als im Internat. Manchmal hatte sie Glück, und die jungen Tänzerinnen waren nur mit sich selbst beschäftigt. Aber mitunter gab es auch unter ihnen quälsüchtige Charaktere, die Gloria die reichen und berühmten Eltern neideten und sie das spüren ließen. Gloria verzog sich dann auch während der Tourneen hinter ihren Schutzwall aus Gedanken und starrte stundenlang still vor sich hin. Während man das im Internat als »verträumt« interpretierte, musste sie auf den Tourneen hören, dass man sie für blöd hielt.

»He, Glory, wach auf! Bist du denn immer noch nicht fertig?« Lilian Lambert stürzte ins Zimmer – wie immer ohne anzuklopfen – und riss Gloria aus ihren trüben Gedanken.

»Und wie hast du dich wieder angezogen?«, fragte sie ungeduldig. »Du brauchst keine Schuluniform anzuziehen, dies ist ein Picknick! Wir sehen uns das Training für das Bootsrennen an und feiern dann die Jungs, die es in den Cambridge-Achter schaffen. Das ist Spaß, Gloria! Und wir lernen Jungen kennen! Einmal im Jahr kommen wir raus aus diesem Nonnenkloster, und was machst du …«

»Mich guckt doch sowieso keiner an«, meinte Gloria mürrisch. »Am liebsten würde ich hierbleiben. Oder diese Boote selbst rudern. Das muss Spaß machen!«

Lilian verdrehte die Augen. »Los, zieh jetzt das blaue Kleid an, das deine Mutter dir in Antwerpen gekauft hat. Das ist hübsch und steht dir gut, weil es schön weit ist.«

Gloria seufzte und warf einen Blick auf Lilians Wespentaille. Sie trug zweifellos ein modisches Korsett, hätte das aber gar nicht gebraucht. Schon jetzt war abzusehen, dass die Fünfzehnjährige figurmäßig ihrer Mutter und Großmutter nachkam: klein, schlank, aber doch mit Rundungen an den richtigen Stellen. Gloria selbst dagegen musste sich in ihr Korsett zwängen und sich ernstlich kasteien, wenn sie ihre Maße den modischen Kleidern anzupassen versuchte. Das weite Reformkleid aus Antwerpen stand ihr tatsächlich viel besser, aber es war nicht der letzte Schrei, sondern galt eher als Attribut von Blaustrümpfen und Frauenrechtlerinnen. Das galt erst recht für die Hosenanzüge, die man neuerdings in Großstädten sah. Gloria hätten sie überaus gereizt, aber Kura hatte hier nur den Kopf geschüttelt. Und sie mochte auch gar nicht daran denken, was sie im Internat zu hören bekommen hätte.

Schließlich war Gloria zu Lilians Zufriedenheit hergerichtet. Die Jüngere hatte ihr auch noch die Augenbrauen gezupft und mit einem vorher abgebrannten Streichholz, das sie dann mit Ruß aus dem Kamin schwärzte, ein wenig nachgezogen.

»So sieht es viel besser aus!«, erklärte sie vergnügt. »Und rund um die Augen musst du auch noch einen ganz dünnen Strich ziehen. Etwas dicker wäre besser bei dir, aber dann merkt es Miss Arrowstone und kriegt Anfälle!«

Tatsächlich ließ die improvisierte Schminke Glorias Augen etwas größer wirken. Die Farbe betonte ihre klare Haut, und die weniger buschigen Brauen ließen die Augen besser zur Geltung kommen. Sie war weit davon entfernt, schön zu sein, aber sie fand sich doch nicht mehr abstoßend. Wahrscheinlich würde sich kein Junge für sie interessieren, doch darauf kam es Gloria nicht an. Sie wollte vor allem nicht auffallen, weder positiv noch negativ.

2

»Komm jetzt, der Wagen fährt gleich ab!«, drängte Lilian. Das rothaarige Mädchen war Gloria nach wie vor eine gute Freundin. Gloria fragte sich oft, was diesen Wirbelwind dazu brachte, ihr die Treue zu halten. Nachdem beide Mädchen endlich in der Oberstufe waren, machte der Altersunterschied auch nicht mehr so viel aus. Für Gloria hatte die Aufnahme in Lilians Stufe jedoch eine weitere Demütigung bedeutet. Im zweiten Jahr in Oaks Garden hatte man sie zurückgestuft. Ohne Miss Bleachums Nachhilfeunterricht holte sie in den schöngeistigen Fächern einfach nicht auf. Lilian hatte hier keine Probleme und schalt Gloria immer wieder für deren Unsicherheit.

»Es ist ganz egal, Glory, ob du verstehst, was Mr. Poe oder sonst ein Dichter mit seinem Geschreibsel sagen wollte. Die wussten das wahrscheinlich selbst nicht. Also denkst du dir irgendwas aus. Je seltsamer, desto besser. Man kann da eigentlich gar nichts falsch machen ...«

Lilian mochte keine Künstlerin sein, aber sie war einfallsreich und hatte Charme. Miss Beaver verzieh ihr selbst das lausige Klavierspiel, wenn Lilian dabei nett lächelte und wieder eine fantasievolle Ausrede dafür parat hatte, warum sie nicht zum Üben gekommen war. Gloria konnte in solchen Fällen nur verstummen – und mürrisches Schweigen verzieh niemand.

Oaks Garden hatte eine Vereinbarung mit dem College in Cambridge, die gelegentliche Treffen zwischen den älteren Mädchen des Internats und den jüngeren Jahrgängen der College-Studenten vorsah. Natürlich fand dabei alles unter Aufsicht statt, aber wenn es trotzdem dazu kam, dass zwei sich verliebten, war die Verbindung praktisch immer eine passende. Auf jeden Fall mussten die Mädchen auf ihre kommende Rolle in der Gesellschaft vorbereitet werden, und dazu gehörte auch der mehr oder weniger unbefangene Umgang mit dem anderen Geschlecht. So war es nun also der Wagen der Schule, der fünfzehn aufgeregte Mädchen der letzten Jahrgänge nach Cambridge brachte, wo auf dem Cam die letzten Ausscheidungswettkämpfe für das legendäre Boat Race stattfanden. Das Boat Race selbst, das alljährliche Rennen der Achter von Oxford und Cambridge und Höhepunkt der Rudersaison, fand eine Woche später in London statt. Gloria dachte bei sich, dass die Mannschaften dafür sicher bereits bestimmt waren – es war unwahrscheinlich, dass die Trainer die Zusammenstellung von einem einzigen Ausscheidungsrennen so kurz vor dem Wettkampf abhängig machten. Aber im Grunde war es egal. An diesem sonnigen Samstagnachmittag würden alle Spaß haben. Jeder Anlass, das Internat zu verlassen, war ein guter Anlass.

Der Gärtner, der in Oaks Garden auch als Kutscher fungierte, lenkte seine zwei schweren Warmblüter in flottem Trab über die Straße nach Cambridge. Gloria freute sich am frischen Grün auf den Weiden. Vereinzelt waren schon Pferde, Schafe und Rinder draußen, und noch immer verglich sie die Qualität der Tiere mit der Zucht auf Kiward Station. Es war erfrischend, mal wieder durch eine Landschaft zu fahren, die nicht von Mauern und Zäunen begrenzt wurde. Der Park von Oaks Garden war wunderschön, aber Glorias Augen suchten die Weite. Das Grün der Hügel um Cambridge beruhigte und erfreute sie, aber noch immer meinte sie, hinter dem Grasland die Alpen sehen zu müssen, und noch immer erschien ihr die Luft in England weniger klar, die Sicht beschränkter und das Sonnenlicht verhangener als in den Canterbury Plains.

Die Köchinnen von Oaks Garden hatten ein Picknick vorbereitet, und die beiden Aufsicht führenden Lehrerinnen bewachten die Körbe, als enthielten sie mindestens einen Staatsschatz. Auch die Wahl des idealen Picknickplatzes am Ufer schien eine große Sache zu sein. Lilian und ihre Freundinnen diskutierten sie ausführlich mit lauten, manchmal schrillen Stimmen – und Gloria wünschte sich wieder mal weit weg von all dem. Viel lieber, als hier dem Bootsrennen zuzusehen, wäre sie allein am Cam entlanggeschlendert, hätte Vögel beobachtet und Frösche und Kröten aufgescheucht, bis sie mit ulkigen Kopfsprüngen ins Wasser flüchteten. Nach wie vor war sie an Naturkunde interessiert, und immer noch zeichnete sie die Tiere, die ihr in Englands Fluren begegneten. Allerdings legte sie die Bilder längst nicht mehr ihren Lehrerinnen vor, sondern schickte sie höchstens Miss Bleachum nach Dunedin. Die junge Lehrerin hatte dort eine Stellung an einer Mädchenschule angenommen und schrieb Gloria regelmäßig. Mit ihr machte sie auch manchmal vorsichtige Pläne für die Zeit nach der Schule. Dunedin hatte eine Universität, die begrenzt Mädchen aufnahm. Vielleicht konnte sie dort endlich ihren Neigungen nachgehen und ein naturwissenschaftliches Fach studieren. Natürlich würde Gloria einiges nachholen müssen, aber Miss Bleachum war überzeugt, dies würde ihr leicht gelingen. Von einer Rückkehr nach Kiward Station träumte Gloria schon lange nicht mehr. Es tat zu weh, sich an diese verlorene Welt zu erinnern, und sie würde sich dort auch kaum noch sicher fühlen. Ihre Eltern hatten sie einmal herausgezerrt. Es gab keine Garantie, dass sie es nicht wieder täten.

Lilian und die anderen hatten sich endlich für eine Stelle am Ufer entschieden, näher am Ziel als am Start der Bootsrennen. Damit hatte sich die Fraktion der Mädchen durchgesetzt, die auf größeres Interesse jener Jungen bauten, die ihr Rennen bereits hinter sich hatten. Die mochten dann zwar etwas abgekämpft sein, hatten aber wenigstens Zeit, sich den jungen Damen zu widmen. Ein paar andere hatten damit argumentiert, dass die Ruderer sicher vor dem Start nach einer Glücksfee Ausschau hielten. Sie waren schließlich mit der Aussicht ruhig gestellt worden, man könne ja vor den Rennen und dem Picknick einen unverfänglichen Spaziergang zum Ausgangspunkt des Rennens einlegen.

Lilian und ein paar andere brachen auch gleich auf, während Gloria den Lehrerinnen half, die Picknickkörbe auszuladen und Decken und Tischtücher auf dem Rasen zu verteilen. Bestimmt konnte sie sich anschließend unauffällig davonschleichen. Am Cam waren an diesem Tag zwar sicher sämtliche Vögel ausgeflogen, aber in der Nähe lag ein Wäldchen. Vielleicht begegnete ihr dort ja ein Eichhörnchen oder ein Marder. Beide Tierarten gab es in Neuseeland nicht, und Gloria war hingerissen, wenn es ihr gelang, eins der für sie exotischen Geschöpfe zu beobachten.

Lilian Lambert dagegen fand ihre eigene Gattung immer noch interessanter als alle anderen Wesen, gleich auf welchem Kontinent. Auch sie mochte Tiere und hätte naturwissenschaftliche Studien interessanter gefunden als den Lehrstoff von Oaks Garden. Aber wenn es um die Frage »Jungs oder Eichhörnchen« ging, waren Lilys Prioritäten klar gesetzt. Und auf dem Anlegesteg vor den Bootsliegeplätzen von Cambridge wimmelte es von passenden Jungs. Alle trugen die typischen College-Pullover oder Hemden, alle waren muskulös vom täglichen Rudertraining. Genau wie die anderen Mädchen lugte Lilian geziert unter ihrem Sonnenschirm hervor, wagte mitunter ein schüchternes Lächeln, wenn ihr Blick sich für Sekundenbruchteile mit dem eines der Jungen kreuzte und plauderte ansonsten so unbefangen mit ihren Freundinnen, als habe sie überhaupt kein Interesse am anderen Geschlecht. Dabei hatte sie ihrer Erscheinung an diesem Tag stundenlange Aufmerksamkeit geschenkt. Lilian trug ein mattgrünes Kleid, an Ausschnitt und Saum verziert mit brauner Spitze. Ihr rotes Haar trug sie offen, darüber allerdings einen breiten Sonnenhut, ebenfalls lindgrün. Den Sonnenschirm hätte sie deshalb gar nicht gebraucht. Es war gerade erst Mitte März, und auch wenn das Wetter es außergewöhnlich gut mit den jungen Leuten meinte, wäre eine Jacke eher angebracht gewesen als Sonnenschutz. Aber der Schirm bot sich einfach an, um damit neckisch zu tändeln, und was die Jacke anging: Lieber fror Lilian ein wenig, als ihr hübsches Dekolleté zu verdecken.

Die Jungen musterten die Mädchen ihrerseits, wussten sie doch, dass am Ende des Rennens ein Picknick auf sie wartete, das die Mädchen bereit waren, mit ihnen zu teilen. Eine gewisse Vorauswahl konnte man da jetzt schon treffen. Für die meisten Jungs war dies nicht die erste Regatta, und sie wussten sehr wohl, dass sich am Start nur die keckeren der Mädchen einfanden. Die schüchternen warteten später am Fluss. Hier dagegen war durchaus schon ein kleines Gespräch oder sogar ein Flirt möglich – wenn man es geschickt anfing. Die wenigen Jungen, die Schwestern oder Cousinen unter den Internatsschülerinnen hatten, waren natürlich im Vorteil. Eine Freundin von Lilian entdeckte ihren Bruder – und wurde gleich mehreren jungen College-Studenten vorgestellt. Sie ihrerseits schob Lily und die anderen Mädchen in den Kreis, und schon war das Eis gebrochen. Zu einem lebhaften Geplänkel, zu dem die schlagfertige Lily etwas hätte beitragen können, kam es dabei jedoch noch nicht. Schließlich waren nicht nur die Mädchen, sondern auch die Jungen befangen, und so sprachen die einen über das Wetter – »wunderschön, ein echter Glücksfall!« – und die anderen über die Zusammenstellung der Mannschaft. Die Nominierung von einem oder zwei Jungen war wohl noch strittig, und die Ruderer diskutierten sie lautstark.

»Ich bitte dich, Ben, dieses Küken! Natürlich überzeugt er, aber der hat doch noch drei Jahre Zeit, um seinen Ruhm zu ernten. Dieses Jahr muss Rupert noch mal ran. Für den ist es die letzte Chance, und für mich ist er auch besser ...«

»Ben trainiert härter ...«

»Ben ist ein Streber!«

Lilian hörte gelangweilt zu und fragte sich, wer wohl die Jungen waren, über die man sich hier so leidenschaftlich stritt. Ben hörte sich interessant an. Er schien einer der Jüngsten zu sein und würde damit gut zu Lilian passen. All die anderen Jungen in diesem Kreis waren mindestens sechzehn, die meisten siebzehn oder achtzehn Jahre. Der Altersunterschied machte ihr ein bisschen Angst.

Schließlich wies einer der Jungen auf Rupert, einen vierschrötigen, großen Braunhaarigen, der eben mit anderen Mädchen flirtete. Lily stellte sofort fest, dass er für sie nicht in Frage kam. Sie mochte seine aufschneiderische Art nicht, die selbst auf die Entfernung hin erkennbar war; außerdem war er wirklich zu erwachsen. Dann aber fiel ihr Blick auf einen blonden Jungen, der abseits von allen anderen in einer schilfbewachsenen Bucht Dehnungsübungen durchführte. Lilian fand, dass er jung und vertrauenswürdig wirkte. Beiläufig trennte sie sich von ihrer Gruppe und schlenderte zu ihm hinüber. Dabei klopfte ihr Herz ein bisschen schneller. Es war sicher nicht erwünscht, dass sie sich hier selbstständig machte. Aber in der Bucht war es schön, ruhiger als am Anleger. Sie konnte den schweren Atem des Jungen hören und seine kräftige Muskulatur unter dem dünnen Hemd erahnen. Dabei war er eher zart gebaut; sehnig, aber dünn. Nur die Arm- und Beinmuskeln verrieten das ständige, harte Training an den Ruderbänken.

»Glauben Sie wirklich, das nutzt jetzt noch etwas?«, fragte Lilian.

Der Junge wandte sich erschrocken um. Er schien völlig weltentrückt gewesen zu sein. Lilian sah in ein klares, längliches Gesicht, beherrscht von wachen, hellgrünen Augen. Alles andere an dem jungen Mann war vielleicht etwas farblos, aber seine Züge waren durchaus fein geschnitten, die Lippen voll, jetzt jedoch vor Konzentration fest zusammengepresst.

»Was?«, stieß er hervor.

»Das Training«, führte Lilian aus. »Ich meine, was Sie jetzt noch nicht können, das lernen Sie doch vor dem Rennen auch nicht mehr.«

Der Junge lachte.

»Das ist kein Training, das sind Aufwärmübungen. Man kommt dann schneller in Fahrt, wenn's losgeht. Echte Sportler machen das so.«

Lilian zuckte die Achseln. »Ich versteh nicht viel von Sport«, gab sie zu. »Aber wenn es so gut ist, warum machen die anderen es nicht auch?«

»Weil sie lieber mit den Mädchen schwatzen«, erklärte der Junge mit angewidertem Gesichtsausdruck. »Sie nehmen das nicht richtig ernst.«

Lilian fiel die Bemerkung des Jungen wieder ein, Ben sei ein Streber.

»Sind Sie Ben?«, fragte sie.

Der Junge lachte wieder. Er sah deutlich besser aus, wenn der strenge Ausdruck aus seinem Gesicht schwand.

»Was haben die Ihnen über mich erzählt?«, fragte er zurück. »Lassen Sie mich raten: Ben ist ein Streber.«

Lilian lachte jetzt auch. Ein bisschen verschwörerisch. Sie neigte immer noch zu diesem Kobold-Lachen. Der Junge musterte sie nicht ohne Interesse.

»Stimmt aber nicht«, bemerkte sie. »Wie ich das so sehe, schwatzt Ben gerade mit einem Mädchen. Ihr Boot wird noch das Rennen verlieren!« Sie zwinkerte ihm zu und spielte dabei neckisch mit ihrem Sonnenschirm. Ben schien das jedoch gar nicht zu bemerken; die Erinnerung an das Rennen ließ ihn wieder in seine eigene Welt abdriften.

»Es ist sowieso egal, sie nominieren ohnehin diesen Rupert Landon«, meinte er. »Weil der sich doch in den ganzen Jahren am College so um den Achter verdient gemacht hat. Dabei haben wir jedes Mal verloren, wenn er Schlagmann war. Der Kerl ist ein Blender. Er verkauft sich gut. Und nun soll er im letzten College-Jahr noch einmal eine Chance haben.«

»Und beide können Sie nicht mitmachen?«, fragte Lilian. »Ich meine, es gibt doch acht Plätze?«

»Aber nur einen Schlagmann. Also Rupert oder mich.« Ben nahm seine Dehnübungen wieder auf.

»Der Schlagmann gibt das Tempo an, nicht?«, erkundigte sich Lilian.

Ben nickte. »Er sorgt für gleichmäßiges Eintauchen der Ruder, vereinfacht gesagt. Wozu er ein gutes Rhythmusgefühl braucht. Ruperts Rhythmusgefühl liegt etwa bei null.« Er streckte sich.

Lilian zuckte die Schultern. »Pech für Cambridge«, meinte sie dann. »Aber Sie sind noch im ersten Semester, nicht? Sie können nächstes Jahr gewinnen.« Sie setzte sich ins Gras und sah Ben bei seinen Übungen zu. Er hatte geschmeidige Bewegungen, ein bisschen wie ein Tänzer. Lilian gefiel, was sie sah.

Ben verzog das Gesicht. »Wenn es ein nächstes Mal gibt. Aber Mr. Hallows, unser Geschichtslehrer, meint, es gibt Krieg.«

Lilian blickte ihn verwundert an. Von irgendeiner Kriegsgefahr hatte sie nie etwas gehört. Das vermittelte Geschichtswissen in Oaks Garden endete mit dem Tod der Queen Victoria. Krieg hatte mit Florence Nightingale zu tun, Kipling schrieb etwas darüber; ansonsten war es wohl eine heroische Angelegenheit mit Pferden und Ritterrüstungen.

»Mit wem?«, fragte sie verwundert.

Ben zuckte die Schultern. »Hab ich auch nicht ganz verstanden. Sicher ist Mr. Hallows sich natürlich nicht. Aber es könnte sein. Und im Krieg wird nicht gerudert.«

»Das wäre jetzt wirklich schade«, meinte Lilian. »Können Sie denn wenigstens heute gewinnen?«

Ben nickte, und seine Augen blitzten. »Heute fährt mein Achter gegen seinen.«

Lilian lächelte. »Dann wünsche ich viel Glück. Ich bin übrigens Lily. Von Oaks Garden. Und wir machen am Ziel ein Picknick. Wenn Sie Lust haben, können Sie kommen. Auch wenn Sie nicht gewinnen.«

»Ich gewinne«, sagte Ben. Mit verbissenem Gesicht widmete er sich wieder seinen Aufwärmübungen.

Lily blieb noch ein paar Minuten, hatte dann aber das Gefühl, zu stören.

»Bis dann also!«, sagte sie.

Ben hörte sie gar nicht.

Lilian verfolgte das Rennen auf einer Decke mit Gloria. Letzterer war die Flucht aus dem Einflussbereich der Lehrerinnen nicht gelungen. Miss Beaver versuchte wieder mal, sie in ein Gespräch über die Maori-Kultur und vor allem Musik zu verwickeln, wovon Gloria nicht das Geringste wusste, und Miss Barnum brauchte Hilfe beim Öffnen eines Picknickkorbes, dessen Verschluss sich offenbar verzogen hatte. Gloria nestelte ihn geschickt wieder auf. Technische Probleme durchschaute sie schnell und erntete dafür ausnahmsweise ein Lob.

Ihre naturkundliche Wanderung konnte sie allerdings vergessen. Lilian und die anderen Mädchen waren inzwischen wieder aufgetaucht, schwatzten unausgesetzt von Jungen und stritten sich um die besten Plätze, um das Rennen zu beobachten.

Auch Lilian hatte etwas zu erzählen. Ihr neuer Freund Ben befehligte wohl einen der Achter, und Lilian redete bereits von der Steuerung von Ruderbooten, als hätte sie die letzten drei Jahre auf See verbracht.

Schließlich wurde das Rennen gestartet, und die Mädchen jubelten ihren jeweiligen Favoriten zu. Gloria war der Ausgang eigentlich egal, aber sie bemerkte schnell, dass in Bens Achter offensichtlich größere Disziplin herrschte als bei seinem Konkurrenten. Die Ruder schlugen gleichmäßiger und schneller aufs Wasser, das Boot glitt dahin wie ein Delfin in den Wellen. Dazu schien der Schlagmann eine strategische Begabung zu sein. Er hielt seinen Achter zunächst gleichauf mit seinem Konkurrenten und zog erst im letzten Drittel des Rennens vorbei, dann aber schwungvoll. Bens Boot siegte mit einer guten Länge Vorsprung.

Lilian hüpfte vor Begeisterung.

»Er hat gewonnen! Jetzt müssen sie ihn auch in London starten lassen. Sie müssen! Sonst ist es nicht gerecht!«

Gloria fragte sich, wie Lilian nach fünf Jahren in Oaks Garden noch an Gerechtigkeit glauben konnte. Selbst beliebten Mädchen wie Lily gaben die dort vergebenen Noten und schriftlichen Beurteilungen noch Rätsel auf. Mit den Jahren hatte sich die »künstlerisch-kreative« Orientierung der Schule noch verstärkt; viele Lehrerinnen waren schrullig und beurteilten nach undefinierbaren Gesichtspunkten.

Der geniale Schlagmann Ben jedenfalls hatte an diesem Tag kein Glück. Er wirkte geknickt, als er zu den Mädchen schlenderte.

Lilian strahlte ihn an. Eigentlich hätte sie gedacht, sie würde ihn holen müssen. So einen gewaltigen Eindruck schien sie schließlich nicht auf ihn gemacht zu haben; er hatte sich doch mehr auf sein Rennen konzentriert als auf die Unterhaltung mit ihr. Aber irgendetwas an dem rothaarigen Kobold musste ihn doch fasziniert haben – oder er brauchte jetzt einfach eine Schulter zum Ausweinen.

»Ich hab's Ihnen gesagt, sie werden Rupert nominieren«, erklärte er, und Lilian meinte fast, etwas wie Tränen in seinen ausdrucksvollen Augen zu sehen. »Egal ob ich gewinne. Und genau so ist es ...«

Lilian sah ihn mitleidig an. »Aber das Rennen war großartig. Und wenn Cambridge jetzt in London verliert, werden alle wissen, woran es lag!«, tröstete sie ihn. »Kommen Sie, essen Sie etwas. Diese Hähnchenschenkel sind sehr gut, und Sie dürfen sie in die Hand nehmen! Und dies hier ist Stachelbeerwein aus dem Küchengarten. Na ja, kein Wein, mehr Saft. Aber er schmeckt!«

Lilian bediente den Jungen ganz selbstverständlich und lachte dabei. Gloria fragte sich, wie sie so unbeschwert mit ihm plaudern konnte. Ben jagte ihr zwar nicht sonderlich viel Angst ein – er musste jünger sein als sie –, aber sie hätte nicht gewusst, was sie mit ihm reden sollte.

»Wie ist es denn auf dem College?«, fragte dagegen Lilian, obendrein mit vollem Mund. »Ist es wirklich so schwierig? Alle sagen, man müsste wer weiß wie intelligent sein, um nach Cambridge zu kommen ...«

Ben verdrehte die Augen. »Manchmal ist es bloß eine Frage der richtigen Familie«, erklärte er dann. »Wenn der Vater und der Großvater in Cambridge waren, ist alles schon einfacher.«

»Und?«, fragte Lilian. »Waren sie? Ihr Daddy und Ihr Grandad? Was studieren Sie überhaupt?«

»Sie sehen überhaupt nicht wie ein Student aus!«, mischte Lilians Freundin Hazel sich ein. Sie hatte bislang keinen Jungen zum Platznehmen auf ihrer Decke bewegen können und wollte nun wohl an Lilians Eroberung teilhaben. Sehr geschickt stellte sie es nicht an. Ben wurde umgehend rot.

»Ich hab ein paar Schuljahre übersprungen«, gab er zu und schenkte Lilian ein etwas schiefes Lächeln. »Ein Streber, wie gesagt ... Und dann hat Cambridge mir ein Stipendium angeboten. Literatur, Sprachen und Englische Geschichte. Meine Eltern sind nicht so begeistert.«

»Das ist aber dumm von Ihren Eltern!«, erklärte Lilian geradeheraus, was Ben offensichtlich aus dem Herzen sprach, Miss Beaver allerdings zu einer strengen Rüge veranlasste.

Ben, der sich unversehens im Mittelpunkt der gesamten weiblichen Aufmerksamkeit fand, räusperte sich.

»Ich ... äh ... müsste dann mal wieder ... Ich meine, ich muss zu meinen Freunden. Aber vielleicht ... hätten Sie nicht Lust, Miss Lilian, mich ein paar Schritte zu begleiten? Nur bis zu den Docks natürlich ...«

Lily strahlte. »Sehr gern!«, erklärte sie, wollte aufstehen, überlegte es sich aber im letzten Moment anders. Mit sanftem Gesichtsausdruck hielt sie Ben die Hand entgegen, damit er ihr aufhalf. Anmutig glitt sie von ihrer Decke.

»Ich bin gleich wieder da«, beschied sie Miss Beaver, Hazel und der gänzlich desinteressierten Gloria, schulterte ihren spitzenbesetzten Sonnenschirm und tänzelte neben Ben von dannen.

Ben atmete auf. Aber was tat er jetzt mit dem Mädchen? Er konnte sie unmöglich zu den lauten, aufdringlichen Jungen mitbringen, deren Achter er gerade zum Sieg geführt hatte. Womöglich machte sie ihm noch einer von ihnen abspenstig.

Zum Glück steuerte Lilian gleich auf das Wäldchen zu, sobald sie aus der Sicht ihrer Lehrerinnen war.

»Kommen Sie hierher, hier ist es schattig. So ein warmer Tag heute, nicht wahr?«

Letzteres stimmte zwar nur bedingt – für März war das Wetter schön, aber insgesamt suchte man doch eher die Wärme der schwachen Frühlingssonne als kühlenden Schatten –, doch Ben nickte eifrig. Gleich darauf wanderten sie einen Waldpfad entlang und fühlten sich beide so frei wie seit langem nicht mehr. Ben hatte gar nicht das Gefühl, unbedingt reden zu müssen. Er fühlte sich ausgesprochen gut mit diesem hübschen, lächelnden Mädchen neben sich. Lilys Mundwerk abzustellen war allerdings unmöglich. Mit ihrer klingenden, hellen Stimme erzählte sie von Oaks Garden und dass sie auch eine der jüngsten Schülerinnen gewesen war, als sie dorthin kam.

»Ich wurde zusammen mit meiner Cousine Gloria ins Internat geschickt. Deren Eltern wollten das unbedingt, aber sie ist schüchtern, und wir wohnen sehr weit weg. Deshalb wurde ich mitgeschickt, damit sie sich nicht ganz allein fühlt. Tut sie aber doch. Manche Leute fühlen sich immer allein ...«

Ben nickte voll tiefstem Verständnis. Lilian schien instinktiv zu erfassen, wie er sich fühlte. Allein. Schon mit seinen Schulkameraden hatte er nicht viel anfangen können, und mit den viel älteren Jungen im College erst recht nicht. Bens Glück war, dass ihm der Lehrstoff leichtfiel und Freude machte. Auch wenn ihn weder Geologie faszinierte, wie seinen Vater, noch Wirtschaftslehre, was seine Mutter favorisierte. Ben sah sich mehr als Dichter. Und ertappte sich dabei, dass er dies erstmalig jemandem erzählte. Lilian lauschte hingerissen.

»Wissen Sie ein Gedicht auswendig?«, fragte sie neugierig. »Bitte sagen Sie eins auf!«

Ben errötete. »Ich weiß nicht, ich habe noch nie … nein, das schaffe ich nicht. Mir würden die Worte wegbleiben …«

Lilian runzelte gespielt strafend die Stirn. »Ach was! Wenn Sie wirklich Dichter werden wollen, müssen Sie später Lesungen machen. Da kann Ihnen auch nicht die Spucke wegbleiben. Los!«

Ben schoss das Blut noch intensiver in den Kopf, während er, den Blick scheu von Lilian abgewandt, rezitierte.

»Wenn du eine Rose wärest, würd mit dem Tau ich zu dir schwimmen.

Wärest du ein Blatt im Sturm, würde mit dem Wind ich für dich singen,

und ich würde dich erkennen, wer und was du wohl auch bist,

Lieder gern für dich ersinnen, bis im Traum du mich dann küsst.«

»Oh, wie schön!«, sagte Lilian seufzend. »So tief empfunden!«

Der Junge sah sie ängstlich an, entdeckte aber keinen Spott in ihrem jetzt verträumt wirkenden Gesicht.

»Es reimt sich auch richtig!«

Ben nickte. Seine Augen leuchteten.

Lilian schien wieder aus ihrem Traum zu erwachen. »Aber jetzt haben Sie mich geduzt!«, sagte sie neckisch. »Wie alt sind Sie eigentlich?«

Ben errötete schon wieder. »Fast fünfzehn«, sagte er.

Lilian lächelte. »Ich auch! Das ist ein Zeichen!«

Ben sah es jetzt auch. »Das ist ein Zeichen. Wollen Sie … willst du … mich wiedersehen?«

Lilian senkte züchtig den Blick. »Das ginge nur heimlich«, sagte sie zögerlich. »Ihr dürft vielleicht aus dem College raus, aber ich …«

»Weißt du denn keinen Weg?«, fragte Ben schüchtern. »Ich

meine, wenn es gar nicht geht ... ich könnte dich ja Samstag abholen und sagen, ich wäre dein Cousin oder so.«

Lilian lachte. »Das würde bloß keiner glauben.« Sie überlegte, ob sie Ben von ihrer Herkunft aus Neuseeland erzählen sollte, sah dann aber erst mal davon ab. Sie wollte mit dem Jungen nicht über Kohle- und Goldminen, Walfang und Schafzucht reden, und was den Leuten sonst noch zu Neuseeland einfiel. Vor allem wollte sie nicht über ihre Verwandtschaft mit Kura-maro-tini Martyn sprechen. Wie Gloria hatte auch Lilian längst herausgefunden, dass eine Erwähnung dieser Berühmtheit jedes Interesse an ihrer eigenen Person erlahmen ließ. Sie hatte sich angewöhnt, das Thema geschickt zu umgehen, was Gloria zu ihrer Verwunderung nie gelang.

»Aber ich weiß einen Weg, keine Sorge. Wenn du vom Portal unserer Schule aus eine viertel Meile südwärts am Zaun entlanggehst, kommst du an eine riesige Eiche. Ihre Zweige hängen über dem Zaun, man kann leicht rüberklettern. Da wartest du auf mich. Du kannst mir beim Klettern helfen«, fügte sie dann noch kokett hinzu. »Aber du darfst mir nicht unter den Rock gucken!«

Ben errötete wieder, war nun aber eindeutig verzaubert. »Ich komme«, meinte er atemlos. »Aber es wird ein bisschen dauern. Jetzt muss ich ja erst nach London, als Reserve-Ruderer werde ich sicher eingeteilt ...«

Lilian nickte. »Ich kann warten«, sagte sie ernst – und fand das im Stillen besonders romantisch. »Aber ich glaube, wir müssen jetzt wirklich zurück zu den anderen. Hazel wird mich vermissen, und so neidisch wie sie war, steckt sie es bestimmt Miss Beaver, dass ich überfällig bin.« Resolut drehte sie sich um, doch Ben hielt sie auf.

»Warte noch einen Moment. Ich weiß, es schickt sich nicht so ganz, aber ... ich muss dir gerade noch in die Augen sehen. Ich versuche es schon den ganzen Nachmittag, aber ich möchte nicht starren. Und so konnte ich es nicht genau erkennen. Sind sie grün oder braun?«

Ben legte Lilian linkisch die Hände auf die Schultern und zog sie etwas näher an sich heran. Er hätte ihr nie gestanden, dass er gewöhnlich eine Brille trug.

Lily lächelte und schob ihren breiten Hut zurück. »Sie sind manchmal grün, manchmal braun, irgendwie gesprenkelt, wie ein Taubenei. Wenn ich lustig bin, sind sie grün, wenn ich traurig bin, braun …«

»Und wenn du verliebt bist?«, fragte Ben.

Er sollte es an diesem Nachmittag nicht mehr herausfinden. Lilian schloss die Augen, als er sie küsste.

3

»So kann es doch nicht weitergehen, Charlotte! Selbst Rongo Rongo meint, du solltest einen Arzt in Christchurch aufsuchen.«

Jack hatte lange gezögert, Charlotte auf ihre ständigen Kopfschmerzen anzusprechen, aber als er nach einem langen Arbeitstag nach Hause kam, fand er sie wieder schmerzgeplagt in einem verdunkelten Zimmer. Sie hatte einen Wollschal um ihren Kopf gebunden und ihr Gesicht wirkte blass, abgehärmt und verzerrt.

»Es ist Migräne, Liebster«, schwächte sie ab. »Du weißt doch, das habe ich immer mal wieder ...«

»Das hast du jetzt zum dritten Mal in diesem Monat«, meinte Jack. »Das ist viel zu oft!«

»Das Wetter, Liebster ... Aber ich kann aufstehen. Zum Essen komme ich herunter, bestimmt. Es ist nur ... mir wird immer so leicht schwindelig.« Charlotte versuchte, sich aufzusetzen.

»Bleib liegen, um Himmels willen!« Jack küsste sie und schob sie mit sanfter Gewalt in die Kissen zurück. »Ich bringe dir das Essen ans Bett. Aber tu mir einen Gefallen und schieb es nicht auf das Wetter oder die Jahreszeit oder was auch immer. Das Wetter in den Canterbury Plains hat sich seit hundert Jahren nicht geändert. Nach wie vor regnet es im Winter praktisch jeden Tag, und im Sommer eigentlich auch. Wenn man davon Migräne bekäme, wäre ganz Canterbury krank. Du erholst dich jetzt, und dann fahren wir nach Christchurch. Wir besuchen deine Eltern, machen uns ein paar schöne Tage und gehen zu einem Arzt, der mehr von Kopfschmerzen versteht als unser Dorfdoktor. In Ordnung?«

Charlotte nickte. Im Grunde wollte sie nur in Ruhe gelassen werden. Sie liebte Jack, und seine Nähe wirkte beruhigend und lindernd auf ihre Schmerzen, jedes Gespräch strengte sie jedoch an. Ihr war auch jetzt schon übel, wenn sie ans Essen dachte, aber sie würde sich zusammennehmen und ein paar Bissen herunterbringen. Jack sollte sich nicht sorgen. Es genügte, dass sie sich sorgte.

Es sollte lange dauern, bis Lilian und Ben einander wiedersahen. Das Mädchen fieberte ihrem ersten Rendezvous entgegen. Allerdings fiel ihr am Tag nach dem Bootsrennen siedend heiß ein, dass sie keinen konkreten Termin ausgemacht hatten. Nun wusste sie nicht, wann Ben am Gartenzaun auf sie warten würde – oder ob er sie nicht gar vergessen hatte. Als der Sommer begann, ohne dass sich irgendetwas rührte, nahm Lilian Letzteres an. Aber dann fuhr ihre Freundin Meredith Rodhurst am Wochenende nach Hause und traf dort ihren Bruder Julius, den Cambridge-Studenten, den Lily beim Bootsrennen kurz kennen gelernt hatte. Zurück in Oaks Garden platzte sie fast vor Aufregung.

»Lily, denkst du noch an den Jungen, den du beim Picknick eingeladen hattest? Ben?«

Lilians Herz schlug schneller, aber bevor sie irgendetwas sagte, zog sie Meredith entschlossen in die hinterste Ecke des Korridors vor den Klassenzimmern. Dieses Gespräch musste nicht jeder mitbekommen.

»Natürlich denke ich an Ben! Seit das Schicksal uns trennte, habe ich keine Minute verbracht, ohne von ihm zu träumen.«

Meredith prustete los. »Seit das Schicksal euch trennte!« Sie kicherte. »Du bist verrückt …«

»Ich bin verliebt!«, erklärte Lilian würdevoll.

Meredith nickte. »Und er auch!«, erklärte sie. »Mein Bruder sagt, er kommt andauernd her und schleicht um unseren Garten wie ein verliebter Kater. Aber so wird das natürlich nie was, er müsste ja schon mehr als Glück haben, wenn er dich durch Zufall trifft.«

Lilians Gedanken arbeiteten fieberhaft. »Können wir uns nicht schreiben? Dein Bruder weiß doch seinen Nachnamen, und ...«

Meredith strahlte sie an. »Du brauchst ihm nicht zu schreiben. Du hast ein Rendezvous! Ich habe Julius gesagt, du triffst dich mit Ben. An der ›Fluchteiche‹, Freitag um fünf.«

Lilian fiel ihrer Freundin spontan in die Arme.

»Oh, Meredith, das vergess ich dir nie! Obwohl Freitag kein idealer Termin ist, da habe ich Chorstunde. Aber was soll's, mir fällt schon was ein. Was soll ich bloß anziehen? Ich muss ... ich muss noch so viel vorbereiten ...«

Lilian schwebte davon. Sie würde den Rest der Woche damit verbringen, Pläne zu schmieden. Und Stunden zu zählen. Es war jetzt Montag, halb neun ...

Die Frage, mit welchen ihrer Freundinnen Lilian ihr großes Geheimnis teilen sollte, beschäftigte sie während der ersten beiden Tage. Sie hätte stundenlang über Ben und ihr Rendezvous reden können, aber das Risiko einer Entdeckung stieg natürlich mit jeder Mitwisserin. Schließlich weihte sie nur Hazel und Gloria ein, wobei es Letztere nicht sonderlich zu interessieren schien, mit wem ihre Cousine sich traf. Hazel dagegen zitterte mit ihr und half bei der sorgfältigen Auswahl von Kleidung und Accessoires. Bis Freitag um vier hatten sie fünf verschiedene Toiletten verworfen, und das sechste

Kleid, das Lilian endlich als angemessen empfand, wies einen Flecken auf. Lilian war den Tränen nahe.

»Aber das kannst du doch ausbürsten«, meinte Hazel. »Lass mich mal! Weißt du inzwischen, was du Miss Beaver erzählst? Sie wird in die Luft gehen, wenn du die Chorstunde schwänzt!«

»Ich sag, ich hatte Kopfschmerzen«, meinte Lilian desinteressiert. »Oder am besten du bestellst es ihr. Ich neige neuerdings zu Migräne. Das ist eine praktische Krankheit, kommt wie angeflogen, immer wenn es gerade passt. Liegt bei uns in der Familie.«

»Wirklich?«, fragte Hazel.

Lilian zuckte die Achseln. »Nicht, dass ich wüsste. Obwohl die Frau von Onkel Jack sie wohl hat. Also ist es nicht gelogen. Auf jeden Fall ist die Chorstunde einfach die ideale Zeit, um sich rauszuschleichen. Da sind alle beschäftigt. Auch Mary Jaine.«

Mary Jaine war Lilians und Hazels erklärte Feindin. Die Mädchen konnten sicher sein, dass sie Lilians geheime Pläne sofort an die Lehrerinnen verraten hätte. Insofern ahnte Lilian auch Schlimmes, als ausgerechnet Alison, Mary Jaines Busenfreundin, zehn Minuten nach vier an ihre Tür klopfte. Lilian hatte eben das notdürftig gereinigte Kleid angelegt, ein leichtes Sommerkleid mit Blumenmuster.

»Kannst du darin überhaupt klettern?«, hatte Hazel gefragt, als sie der ächzenden Lilian in ihr Korsett half. An diesem heißen Tag im Juli würde sie sich darin halb tot schwitzen.

»Es sind der Liebe Flügel, die mich tragen!«, hatte Lily behauptet.

In diesem Moment klopfte es an die Tür.

»Du sollst zu Miss Arrowstone kommen, Lily«, meldete Alison. »Gleich.«

Lilian fuhr herum. »Habt ihr wieder gepetzt? Wie habt ihr es herausgefunden! Du hast doch nichts gesagt, Hazel, oder? Und Gloria ...« Einen Verrat von Gloria konnte Lilian sich nicht vorstellen. Aber Miss Arrowstone musste etwas wissen. Auch wenn Alison jetzt so tat, als wundere sie sich.

»Mir hat überhaupt keiner was gesagt«, erklärte sie voller ehrlicher Entrüstung. »Ich ging zufällig über den Flur, und Miss Arrowstone sah mich und trug mir auf, dich zu holen. Kann sein, dass du Besuch hast ...«

Lilian lief sofort rot an. Besuch? Ben? Hatte er es nicht ausgehalten und wollte es nun doch mit der »Cousin-Lösung« versuchen? Oder hatte ihn jemand am Zaun gesehen und sich dabei das Seine gedacht? Mary Jaine war es zuzutrauen ...

»Und wenn du dich nicht langsam auf den Weg machst, kriegst du Ärger«, bemerkte Alison. »Wieso hast du dich eigentlich so schick gemacht? Für die Chorstunde? Bis letzte Woche hatten wir da noch Uniformzwang ...«

Lilian zögerte. Umziehen oder nicht? Wenn Miss Arrowstone wirklich nichts Besonderes von ihr wollte, konnte sie das Rendezvous nach dem Appell bei ihr noch schaffen. Andererseits würde Miss Arrowstone garantiert etwas argwöhnen, wenn sie im Sonntagsstaat vor ihr erschien.

»Nun mach schon!«, erklärte Alison.

Lilian traf ihre Entscheidung. Wenn es irgendeine Chance gab, Ben noch zu sehen, würde sie ein bisschen Ärger mit Miss Arrowstone auf sich nehmen müssen. Die nervöse Hazel machte das Siegeszeichen, als das Mädchen hinausging.

Tatsächlich war Miss Arrowstone nicht allein in ihrem Büro. Allerdings war sie auch nicht sonderlich gut gelaunt. Mit säuerlicher Miene unterhielt sie sich mit einem älteren Herrn, der beschwörend auf sie einzureden schien.

Er wandte sich um, als Lilian eintrat.

»Lily! Meine Güte, wie hübsch du geworden bist! So schön

wie deine Mutter in dem Alter, du siehst viel erwachsener aus als auf den Fotos!«

»Was daran liegen dürfte, dass unsere Schülerinnen zu den Fototerminen Schulkleidung anlegen«, bemerkte Miss Arrowstone trocken. »Was bereitet uns das zweifelhafte Vergnügen, dich heute aufgeputzt wie zum Ball bei uns zu sehen?«

Lilian achtete nicht auf sie.

»Onkel George!« Wenig damenhaft flog sie in George Greenwoods Arme. In Greymouth war der Hauptinvestor der Lambert-Mine häufig Gast bei ihren Eltern gewesen, und Elaine, ihre Mutter, hatte ihn als Kind schon »Onkel« genannt. Für Lilian und ihre Brüder war er ebenfalls fast ein Verwandter und immer gern gesehen – zumal der alte Herr offensichtlich gern Spielzeug einkaufte. Wann immer er nach Europa reiste, brachte er kleine Wunderwerke mit wie Dampfmaschinen en miniature oder Puppen mit echtem Haar.

»Wie schön, dass du mich besuchst!« Lilian strahlte ihren Nenn-Onkel an und hatte sogar noch ein bisschen Charme für Miss Arrowstone übrig. »Alison verriet mir, dass ich besonderen Besuch hätte, und da habe ich mich rasch umgezogen«, behauptete sie.

Miss Arrowstone schnaubte ungläubig.

»Du siehst jedenfalls entzückend aus, Kind!«, erklärte George. »Aber setz dich doch erst mal, bevor wir zum Grund meines Besuches kommen, der leider kein erfreulicher ist …«

Lilian wurde blass. Sie wusste nicht recht, ob sie sich in Miss Arrowstones Allerheiligstem wirklich setzen durfte. Aber wenn ja, so sicher, weil eine besonders furchtbare Nachricht ihrer harrte.

»Mummy … Daddy … Ist etwas …?«

George schüttelte den Kopf. »Sie sind wohlauf. Verzeih, Lily, wenn ich dich erschreckt habe. Auch deinen Brüdern geht es gut. Es ist nur, dass ich allgemein sehr beunruhigt bin … Ich glaube, ich mache im Moment nicht die intelligenteste Konversation.«

Er lächelte entschuldigend.

»Aber was ist dann …?« Lilian stand noch immer und trat von einem Fuß auf den anderen.

»Du kannst dich setzen, Kind«, sagte Miss Arrowstone huldvoll.

Lilian ließ sich auf der Kante eines Besucherstuhls nieder.

George Greenwood nickte ihr zu. »Vielleicht freust du dich ja auch über mein Anliegen«, bemerkte er. »Obwohl deine Eltern mir sagten, dass du hier sehr glücklich bist. Das spricht für deinen Lerneifer und diese Schule …« Ein weiteres Nicken, diesmal anerkennend und in Richtung Miss Arrowstone. Auf das Gesicht der Rektorin stahl sich der Ausdruck einer gestreichelten Katze. »Aber trotzdem habe ich den Auftrag, dich mit dem nächsten Schiff nach Hause zu bringen …«

»Was?« Lilian fuhr auf. »Nach Hause? Nach Greymouth? Ausgerechnet jetzt? Aber warum? Ich … ich meine, es ist doch nur noch ein Schuljahr …« Und vor allem war da Ben. Um Lilian schien sich der Raum zu drehen.

»Hast du vom Attentat in Sarajewo gehört, Lilian?«, fragte George Greenwood. Er blickte Miss Arrowstone diesmal strafend an, als Lilian den Kopf schüttelte.

»Am 28. Juni. Der österreichisch-ungarische Thronfolger ist ermordet worden.«

Lilian zuckte die Schultern. »Das tut mir sehr leid für Österreich-Ungarn«, sagte sie höflich, aber weitgehend desinteressiert. »Und natürlich für die Familie seiner Kaiserlichen Hoheit.«

»Seine Frau wurde auch erschossen. Aber das nur nebenbei. Das Ganze mag dir sonderbar erscheinen, aber gut informierte Kreise in ganz Europa befürchten, dass es zum Ausbruch eines Krieges führen wird. Schon jetzt gibt es ein Ultimatum der Regierung Österreich-Ungarns gegen Serbien, die Attentäter vor Gericht zu stellen. Wenn das nicht passiert, wird man Serbien den Krieg erklären.«

»Und?«, fragte Lilian. Sie hatte nur ungefähre Vorstellungen von der Lage Serbiens und Österreichs auf der Landkarte, aber soweit sie wusste, waren beide Länder weit von Cambridge entfernt.

»Dadurch werden verschiedene Bündnisse aktiviert, Lilian«, meinte George. »Ich kann das hier nicht im Einzelnen erklären, aber es brodelt in vielen Teilen der Welt. Ist die Lunte erst entzündet, wird Europa brennen, womöglich die ganze Welt. Wobei es unwahrscheinlich ist, dass es Kämpfe in Australien und Neuseeland geben wird. Aber England halten deine Eltern und ich nicht für sicher, und das Meer erst recht nicht. Wenn der Krieg erst ausbricht, wird es auch Seeschlachten geben. Insofern möchten wir dich nach Hause bringen, bevor irgendetwas passiert. Vielleicht ist es übertriebene Vorsicht, wie deine Lehrerin hier meint ...«, George wies mit dem Kinn auf Miss Arrowstone,. »... aber wir möchten uns später keine Vorwürfe machen.«

»Ich möchte aber hierbleiben!«, fuhr Lilian auf. »Hier sind meine Freundinnen, hier ist ...« Sie wurde rot.

George Greenwood lächelte verschwörerisch. »Ist da womöglich schon ein kleiner Freund? Womöglich ein weiterer Grund, dich rasch nach Hause zu bringen?«

Lilian antwortete nicht.

»Nun, es ist jedenfalls egal, wie du dazu stehst«, bemerkte Miss Arrowstone mit schmalen Lippen. »Wie diesem Herrn und deinen Eltern auch meine Meinung über eine abgeschlossene Schulausbildung ziemlich gleichgültig zu sein scheint. Wenn ich Mr. Greenwood richtig verstanden habe, geht am 28. Juli ein Schiff von London nach Christchurch. Eine Passage für dich ist gebucht. Du wirst noch heute Abend mit Mr. Greenwood nach London reisen. Die Chorstunde brauchst du nicht mehr mitzumachen. Deine Freundinnen können dir packen helfen.«

Lilian wollte sich auflehnen, sah jedoch, dass es keinen Sinn hatte. Aber dann fiel ihr siedend heiß etwas ein.

»Und ... Gloria?«

»Was heißt das, es ist Krieg?« Elizabeth Greenwood balancierte ihre Teetasse zierlich zwischen zwei Fingern. Was das anging, war sie jeder Zoll eine Lady, auch wenn Helen O'Keefes Benimmunterricht inzwischen sechzig Jahre zurücklag.

Charlotte, ihre Tochter, nahm es nicht ganz so genau. Die junge Frau wirkte blass und nervös. Wie um sich zu wärmen schloss sie die Hände um das feine Porzellan. Der Krieg im fernen Europa interessierte sie nicht. Weit wichtiger für ihr persönliches Schicksal war der Termin bei Dr. Alistar Barrington, einem noch jungen, aber schon über die Grenzen Christchurchs hinaus bekannten Internisten. Elizabeth hatte ihn auf ihr Bitten für sie anberaumt, und am Tag zuvor war sie mit Jack aus Kiward Station in die Stadt gekommen. Die beiden hatten im Haus ihrer Eltern übernachtet, eng aneinandergeschmiegt in der gemeinsamen Sorge, die sie doch nicht miteinander teilen wollten. Einer von ihnen tat unbeschwerter als der andere. Jetzt aber zeigte Jack Beunruhigung. Die Nachricht vom Kriegsausbruch in Europa schien ihn zumindest kurzfristig auf andere Gedanken zu bringen. Seinen Tee ließ er kalt werden. Das Frühstück schien ihm nicht mehr zu schmecken.

»Österreich-Ungarn hat Serbien den Krieg erklärt«, antwortete er auf Elizabeth' Frage. »Das heißt, das Deutsche Reich ist ebenfalls betroffen. Angeblich machen sie schon mobil.

Und Russland ist mit Serbien verbündet, Frankreich mit Russland …«

Elizabeth zuckte die Schultern. »Na, wenigstens hat England nichts damit zu tun«, bemerkte sie erleichtert. »Schlimm genug, wenn die anderen sich die Köpfe einschlagen.«

Jack schüttelte den Kopf. »George sieht das anders«, meinte er. »Wir haben neulich erst darüber gesprochen. Großbritannien hat Verträge mit Frankreich und Russland. Vielleicht wird es sich in der ersten Zeit heraushalten. Aber auf die Dauer …«

»Wird es denn ein langer Krieg?« Charlotte war nicht wirklich interessiert, aber sie hatte das Gefühl, etwas sagen zu müssen. Alles war besser als schweigend zu warten, bis es Zeit zur Abfahrt war.

Jack zuckte die Achseln, streichelte aber beruhigend über ihre Hand. »Keine Ahnung. Ich weiß nichts vom Krieg, Liebes. Aber bis hierher wird er kaum dringen. Mach dir keine Sorgen.«

Charlotte wandte ihm ihr gequältes Gesicht zu. Die Lage in Europa war zurzeit das Letzte, worum sie sich sorgte.

»Wann müsst ihr bei Dr. Barrington sein?«, erkundigte sich Elizabeth. »Er wird dir gefallen, Charlotte, ein reizender junger Mann! Wir sind übrigens mit seinem Vater auf dem gleichen Schiff nach Neuseeland gekommen. Du kennst die Barringtons doch auch, nicht wahr, Jack? Damals nannten wir sie noch Lord und Lady. Aber der junge Viscount hat den Titel als Erster unter den Tisch fallen lassen. Das war ein schneidiger junger Mann damals. Ein bisschen verschossen in Gwyneira Silkham. Und unsere Daphne konnte nicht die Augen von ihm lassen …«

Charlotte und Jack hörten geduldig zu, während Elizabeth weitere Geschichten ihrer Einwanderung erzählte. Für sie war ihre fast gewaltsame Verschiffung in ein neues Land das Wunder ihres Lebens gewesen. Als verlorenes, chancenloses Kind aus einem Londoner Waisenhaus war sie als Hausmädchen nach Neuseeland geschickt worden. Eigentlich noch viel zu jung, um in Stellung zu gehen und vor allem so unbedarft, dass kein Londoner Haushalt sie hätte haben wollen. Doch dann hatte sich erst Helen O'Keefe ihrer angenommen, und obendrein entpuppte sich Elizabeth' »Herrschaft« als freundliche alte Dame, die eher eine Gesellschafterin als eine Zofe suchte. Letztendlich hatte sie das Mädchen adoptiert und ihr damit den Weg in bessere Kreise geebnet. Die Heirat mit George Greenwood machte Elizabeth endgültig zu einer hoch geachteten Stütze der Christchurcher Gesellschaft.

Schließlich warf Jack einen Blick auf seine Taschenuhr.

»Es ist Zeit, Liebes. Bist du fertig?«

Charlotte nickte. Jack sah genauso verängstigt und elend aus, wie sie sich fühlte.

»Sicher«, sagte sie mit gezwungenem Lächeln. »Ich hoffe bloß, der Arzt wird uns nicht zu lange aufhalten. Du hast doch nichts dagegen, wenn wir hinterher noch diese Schneiderin besuchen ...?« Ihre Stimme klang gepresst.

Jack schüttelte den Kopf und bemühte sich ebenfalls um ein beiläufiges Lächeln. »Ich habe Dad auch versprochen, mich nach schottischem Whiskey umzusehen. Auf seine alten Tage besinnt er sich auf seine Wurzeln. Er meint, nichts helfe besser gegen Gliederschmerzen, als sich mit gutem Scotch einreiben zu lassen. Von der innerlichen Anwendung ganz zu schweigen.«

Alle lachten, aber nur Elizabeth wirkte wirklich unbeschwert. Sie dachte sich nicht viel bei dem Wunsch ihrer Tochter, Dr. Barrington zu konsultieren. Charlotte hatte ihr Leben lang Migräne gehabt. Auch diese Kopfschmerzen würden sich als harmlos entpuppen.

»Gloria!« George Greenwood war überrascht. Die Wirtin des Pubs, in dem er vor seinem Besuch in Oaks Garden ein Mittagessen eingenommen hatte und nun die Zeitung las, während er auf Lilian wartete, hatte ihm zwar eine junge Dame angekündigt, aber natürlich hatte er mit Lilian gerechnet. Ein bisschen früh zwar, aber vielleicht freute sie sich ja letztendlich doch auf die Reise.

Statt der zierlichen Rothaarigen im Reisekostüm stand jetzt jedoch eine erhitzte, etwas grobknochige Brünette vor ihm, deren blassblaue Schuluniform so gar nicht zu ihr passen wollte. Gloria Martyn war gewachsen, seit er sie zum letzten Mal gesehen hatte, aber sie hatte sich nur begrenzt gestreckt. Nach wie vor war sie kräftig gebaut; allerdings war sie George Greenwood niemals hässlich erschienen. Er kannte sie als glückliches Kind, geachtet und kompetent als künftige Erbin von Kiward Station, die auf der Schaffarm ungemein stolz »ihren Mann« stand, wie Gwyneira lachend ausgeführt hatte. George hatte das Mädchen auf dem Pferd gesehen, eine schneidige Reiterin. Er hatte fasziniert verfolgt, wie sie ihrem Halbgroßonkel Jack bei der Schafschur zur Hand ging und sogar damit betraut wurde, die Ergebnisse zu notieren, während Jack selbst am Wettbewerb der besten Scherer teilnahm. Gloria Martyn hatte sich dabei nie verrechnet und nie dazu hinreißen lassen, zu Jacks Gunsten zu schummeln. Sie war lebhaft und geschickt bei der Erledigung ihrer Aufgaben. Ihre Schüchternheit gegenüber Fremden und ihre manchmal linkische Art bei gesellschaftlichen Anlässen hatte George ihr da gern verziehen.

Das Mädchen, das jetzt vor ihm stand, hatte mit der selbstbewussten kleinen Reiterin und Hundeausbilderin allerdings nichts mehr gemein. Gloria wirkte blass und gehetzt. Ihre Schuluniform saß nicht nur schlecht, sondern war auch zerknittert und fleckig. Und in ihren Augen stand der Ausdruck eines verletzten, in die Enge getriebenen Tieres.

Gloria bemühte sich, nicht zu weinen, sondern den Zorn aufrechtzuerhalten, der sie zu dieser spontanen Aktion bewogen hatte. Lilys Bericht von Greenwoods Auftauchen, ihre Empörung über die Entscheidung ihrer Eltern und den Ärger über diesen »dummen Krieg«, der ihr das Stelldichein mit ihrem Ben verdarb – das alles hatte das Fass in ihr zum Überlaufen gebracht. Zum ersten Mal seit den Tagen mit Miss Bleachum verließ sie das Internat ohne Erlaubnis. Ohne auf ihre Kleidung zu achten, rannte sie durch den Park und schwang sich in den Baum, der Lily und anderen, unternehmungslustigeren Schülerinnen als »Fluchthelfer« diente. Auf der anderen Seite wartete der blonde Junge, nach dem Lilian so verrückt war. Ihm musste es ähnlich gehen – fünf Uhr war längst vorbei.

»Hast du eine Nachricht von Lily?«, fragte er begierig, als Gloria sich vor ihm zu Boden gleiten ließ. »Warum ist sie nicht gekommen?«

Gloria hatte keine Lust, sich mit ihm zu befassen.

»Lilian fährt heim«, erklärte sie kurz. »Es gibt Krieg.«

Ben bestürmte sie daraufhin mit tausend Fragen, aber sie hörte gar nicht hin, sondern eilte weiter ins Dorf. Sie hatte Lilian nicht gefragt, wo sie Greenwood finden würde, aber viele Möglichkeiten gab es da nicht. Wenn Onkel George nicht in der einzigen Pension abgestiegen war, die Sawston zu bieten hatte, konnte er nur in einem der beiden Pubs warten. Gloria fand ihn gleich im ersten.

»Es ist ungerecht!«, brach es jetzt aus ihr heraus. »Du musst mich mitnehmen, Onkel George! Vielleicht mag Jack mich ja nicht mehr, jetzt, wo er geheiratet hat, aber ich habe ein Recht, auf Kiward Station zu sein! Du kannst nicht Lilian mitnehmen und mich hierlassen. Das geht einfach nicht ...«

Glorias Augen füllten sich nun doch mit Tränen.

George fühlte sich überrumpelt. Er verstand sich auf harte

Verhandlungen mit Handelshäusern in der ganzen Welt. Aber niemand hatte ihn auf weinende Mädchen vorbereitet.

»Nun setz dich doch erst mal, Gloria. Ich lasse dir einen Tee bringen. Oder lieber eine Limonade? Du siehst erhitzt aus.«

Gloria schüttelte den Kopf. Ihre wilden Locken befreiten sich dabei aus dem nachlässigen Nackenknoten, zu dem sie das Haar zusammengefasst hatte.

»Ich will keinen Tee und keine Limonade. Ich will Kiward Station!«

George nickte sanft.

»Das wirst du auch irgendwann bekommen, Gloria«, versuchte er sie zu beruhigen. »Aber vorerst ... was ist das für ein Unsinn mit Jack, Gloria? Natürlich mag er dich noch, und Miss Gwyn bat mich ausdrücklich, bei deinen Eltern zu intervenieren, als sie hörte, dass die Lamberts Lilian nach Hause holen. Ich kann dir ihre Depesche zeigen ...«

Glorias ohnehin schon angespannte Züge verkrampften sich noch mehr. Sie biss sich auf die Lippen.

»Meine Eltern wollten nicht? Ihnen ist es egal, was aus mir wird, wenn es hier Krieg gibt?«

Bis jetzt hatte Gloria an einen tatsächlichen Kriegsausbruch im friedlichen Cambridge keinen Gedanken verschwendet. Aber jetzt dämmerte ihr, dass Lilians Eltern vielleicht nicht aus einer Laune, sondern aus ernster Besorgnis heraus handelten.

Greenwood schüttelte den Kopf. »Natürlich nicht, Gloria. Im Gegenteil, dein Vater sieht die politische Lage vielleicht klarer als ich. Er lebt schließlich schon lange in Europa und hat es bei all diesen Reisen sehr genau kennen gelernt. William und Kura werden durchaus ihre Konsequenzen aus diesem unseligen Kriegsausbruch ziehen. Allerdings andere als Lilys Eltern. Soviel ich weiß, sollst du die Schule ebenfalls verlassen. Zumindest vorerst. William hofft, dass der Krieg bald zu

Ende geht, sodass du die Ausbildung regulär beenden kannst. Aber in diesem Sommer begleitest du deine Eltern nach Amerika. Die Tournee ist längst geplant, und zumindest vorerst ist kein Kriegseintritt der USA zu erwarten. Die Reise wird ein halbes Jahr dauern. Die Entfernungen zwischen den Veranstaltungsorten sind riesig. Es wird also nicht jeden Tag einen Auftritt geben. Kura wird mehr Zeit für dich haben als sonst, und sie freut sich schon, dich endlich näher kennen zu lernen.«

George lächelte Gloria zu, als hätte er ihr eine gute Nachricht überbracht. Doch Gloria schien immer noch mit den Tränen zu kämpfen.

»Nach Amerika? Noch weiter weg?« Glorias Reiselust hielt sich in Grenzen. Und was konnte ihre Mutter wohl von ihr wollen? In den letzten Jahren war Gloria dreimal mit ihrem Tross gereist, aber mehr als ein paar Worte am Tag hatte sie kaum mit der gefeierten Sängerin gewechselt. Wobei die oft genug wenig aufbauend waren.

»Steh nicht im Weg, Gloria!« – »Zieh dich ein bisschen gefälliger an, Gloria!« – »Warum spielst du nicht öfter Klavier?«

Gloria konnte sich nicht vorstellen, ihrer Mutter bei längerem Zusammensein näherzukommen. Sie war durchaus bereit, Kura Martyn zu bewundern, aber gemeinsam hatten sie nichts.

»Und danach soll ich noch mal zur Schule?« Gloria war jetzt bereits achtzehn, fast neunzehn, älter als die meisten anderen Schülerinnen von Oaks Garden. Sie hatte genug vom Internat.

»Das wird man dann sehen«, beschied sie George Greenwood. »Lass es doch einfach an dich herankommen, Glory. Ich kann dir nur sagen, dass es nicht an deinen Verwandten in Neuseeland liegt. Von Miss Gwyn aus gesehen, könntest du morgen zurückkommen!«

George wollte Gloria anbieten, sie mit seiner Droschke zum Internat zurückfahren zu lassen, aber als sie nun wie erschöpft und geschlagen hinausschlich, wagte er es nicht, sie noch einmal anzusprechen. Womöglich fiel sie ihm dann noch heulend um den Hals – eine Szene, die er so gar nicht brauchen könnte.

Er beschloss, noch einmal mit Miss Gwyn, James und Jack zu reden, sobald er nach Hause zurückkam. Es musste irgendwelche Möglichkeiten geben, auf William und Kura einzuwirken. Dieses Mädchen hier war todunglücklich. Und eine Reise durch Amerika war das Letzte, was sie brauchte, um sich besser zu fühlen.

»Ich kann nicht wirklich etwas feststellen, Mrs. McKenzie«, gestand Dr. Alistar Barrington. Er hatte Charlotte eben ausführlich untersucht, sie gewogen, ihren Kopf abgeklopft und vermessen – alles nur mit dem Ergebnis, dass erneute Kopfschmerzen in ihr aufstiegen. »Aber ich bin zutiefst beunruhigt. Natürlich ist es immer noch möglich, dass Sie einfach unter Migräneanfällen leiden. Es kommt durchaus vor, dass sich so etwas häuft. Aber in Verbindung mit dem Schwindel, dem Gewichtsverlust, Ihrem … hm … schwankenden Zyklus …« Charlotte hatte dem Arzt errötend gestanden, dass sich auch ihr Kinderwunsch trotz intensiver Bemühungen nicht erfüllte.

»Es könnte etwas Ernstes sein?«, fragte Jack besorgt. Der junge Arzt hatte ihn eben wieder hinzugerufen; die letzte Stunde hatte er innerlich zitternd und betend auf einem harten Stuhl im Wartezimmer verbracht. Wobei es ihm nicht widerstrebt hatte, Charlotte mit Dr. Barrington allein zu lassen. Der Mediziner erwies sich als sympathisch, sehr gelassen und freundlich. Sein schmales Gelehrtengesicht mit dem sauber gestutzten Bart und dem hellbraunen, üppigen Haar, dazu ruhige braune Augen, flößten den Patienten und ihren Angehörigen Vertrauen ein.

Dr. Barrington zuckte die Achseln. »Das könnte leider sein«, sagte er.

Jacks Nerven waren zum Zerreißen gespannt. »Vielleicht spannen Sie uns dann nicht weiter auf die Folter, sondern sagen uns, was es sein könnte.«

Charlotte, blass und zart in ihrem schlichten, dunkelblauen Kleid, machte den Eindruck, als wollte sie es gar nicht wissen. Doch Jack war ein Mensch, der Gefahren gern ins Auge sah.

»Wie gesagt, ich kann mich da nicht festlegen«, meinte Barrington. »Aber ein paar Symptome ... nur ein paar, Mrs. McKenzie, ich bin mir keineswegs sicher ... könnten auf einen Gehirntumor hindeuten ...« Der Arzt sah so unglücklich aus, wie Jack sich fühlte.

»Und das hieße?«, fragte Jack weiter.

»Auch das kann ich nicht sicher sagen, Mr. McKenzie. Es hängt davon ab, wo der Tumor zu lokalisieren ist ... ob das überhaupt möglich ist ... und davon, wie schnell er wächst. Das alles müsste eruiert werden. Und das kann ich nicht.«

Der Mann war wenigstens ehrlich. Charlotte schob ihre Hand in die ihres Mannes.

»Heißt das ... ich muss sterben?«, fragte sie heiser.

Dr. Barrington schüttelte den Kopf. »Vorerst heißt das alles noch gar nichts. Wenn Sie mich fragen, so sollten Sie möglichst schnell Dr. Friedman in Auckland aufsuchen. Dr. Friedman ist Hirnspezialist, er hat bei Professor von Bergmann in Berlin studiert. Wenn es in diesem Teil der Welt einen Gehirnspezialisten und Hirnchirurgen gibt, dann ist er es.«

»Das heißt, er würde die Geschwulst ... aus mir herausschneiden?«, fragte Charlotte.

»Wenn das möglich ist«, meinte Barrington. »Aber darüber

sollten Sie vorerst gar nicht nachdenken. Machen Sie die Reise nach Auckland und konsultieren Sie Dr. Friedman. Aber lassen Sie es ruhig angehen. Gestalten Sie es als eine Art Urlaubsreise. Schauen Sie sich die Nordinsel an ... sie ist wunderschön. Und versuchen Sie, meine Befürchtungen erst einmal zu vergessen. Vielleicht sind Sie in vier Wochen wieder da, und Ihre Frau ist schwanger! Sowohl bei Unfruchtbarkeit als auch bei Migräne empfehle ich eine Luftveränderung ...«

Charlotte hielt Jacks Hand fest umklammert, als sie zurück auf die Straße traten.

»Willst du jetzt noch zu der Schneiderin?«, fragte er leise.

Charlotte wollte tapfer nicken, aber dann sah sie sein Gesicht und schüttelte den Kopf. »Und du? Willst du Whiskey kaufen?«

Jack zog sie dichter an sich heran. »Ich werde Fahrkarten nach Blenheim kaufen. Und dann für die Fähre zur Nordinsel. Für unsere ... Urlaubsreise.« Seine Stimme klang heiser.

Charlotte schmiegte sich an ihn. »Ich wollte immer nach Waitangi«, sagte sie leise.

»Und die Regenwälder sehen ...«, ergänzte Jack.

»Den Tane Mahuta.« Charlotte lächelte. Der gewaltige Kauri-Baum im Waipuha Forest wurde von den Maoris als Gott des Waldes verehrt.

»Den lieber nicht«, flüsterte Jack. »Ich will nichts mit Göttern zu tun haben, die Liebende trennen.«

4

In Oaks Garden merkte man vorerst nichts vom Krieg, auch wenn Großbritannien seit Anfang August mobil machte. Am 5. August erklärte England dem Deutschen Kaiserreich den Krieg, und der zuständige Minister, Horatio Kitchener, hielt mehrjährige Kampfhandlungen für möglich. Doch die meisten Menschen schüttelten darüber nur den Kopf. Man ging von einem kurzen Krieg aus, die Freiwilligen strömten zu den Fahnen. Das war auch nötig, denn England besaß nur ein relativ kleines Heer, das hauptsächlich in den Kolonien eingesetzt wurde. Eine Wehrpflicht bestand nicht, doch angesichts der offensichtlichen Kriegsbegeisterung in Deutschland und Frankreich wollten die Engländer nicht zurückstehen. Sehr schnell waren sechs neue Divisionen aufgestellt, und die Navy verfrachtete sofort einhunderttausend Soldaten nach Frankreich.

In Oaks Garden las man Kriegslyrik und bemalte Fahnen. Der Naturkundeunterricht wurde lebensnäher, da man Krankenschwestern bat, die Schülerinnen in Erster Hilfe zu unterweisen.

An Gloria rauschte das alles weitgehend vorbei. Ihr Abreisetermin stand inzwischen fest: Am 20. August ging das Schiff von London nach New York. Die Martyns reisten mit kleiner Truppe. Sie würden in Amerika weitere Tänzer anwerben; mittlerweile nahm man es mit der Maori-Abstammung nicht mehr so genau. Die wenigen Sänger und Tänzer, die mitfuhren, waren meist schon jahrelang bei der Truppe und verstanden sich auf die Einweisung neuer Darsteller. Eine von ihnen, Tamatea, eine ältere Maori-Frau, erschien am 19. August in Oaks Garden, um Gloria abzuholen.

Miss Arrowstone schaute höchst ungnädig, als sie das Mädchen ins Büro rief. Sie hatte der kleinen dunkelhäutigen Frau keinen Tee servieren lassen. Dafür hielt sie ihr nochmals den Vortrag, den sich schon George Greenwood hatte anhören müssen: Frauenbildung, besonders auf dem künstlerischen Sektor, sei auch und gerade im Krieg ein wichtigeres Anliegen als die Sicherheit der Zöglinge. Zumal England in keiner Weise gefährdet sei und Cambridge erst recht nicht. Für Miss Arrowstone war es eindeutig ein Zeichen von Feigheit, sich »in die Kolonien« davonzumachen. Tamatea, die nur gebrochen Englisch sprach, hörte sich alles ruhig an. Sie breitete die Arme aus, als Gloria eintrat.

»Gloria! *Haere mai!* Ich mich freuen, dich sehen.«

Tamatea strahlte übers ganze Gesicht, und Gloria ließ sich bereitwillig in ihre Arme fallen.

»Auch ich bin glücklich, taua!«, grüßte sie. Ihr Maori war eingerostet, aber sie war stolz, dass ihr die Grußworte noch einfielen. Tamatea freute sich offensichtlich über die Anrede. Sie gehörte der gleichen Generation an wie Kuras Mutter Marama und kam vom gleichen Stamm. Für Maori-Kinder gehörte sie damit zu den »Großeltern«, egal, ob man verwandt war oder nicht. Tamatea war ihre *taua,* ihre Großmutter. Für Gloria war Tamatea in den letzten Jahren überdies das gewesen, was einer Verwandten am nächsten kam. Die alte Maori-Tänzerin hatte sie auf den Tourneen stets getröstet, sich um sie gekümmert, wenn sie mit einem ihrer häufigen Anfälle von Reisekrankheit kämpfte, und sie gegen die Neckereien der jungen Tänzerinnen in Schutz genommen.

»Deine Eltern fanden wohl keine Zeit, dich abzuholen«, meinte Miss Arrowstone spitz.

Tamatea nickte lächelnd. »Ja. Müssen vorbereiten viel. Deshalb geschickt mich. Mit Zug, dann Droschke. Du fertig, Gloria? Dann wir gehen!«

Gloria genoss den galligen Ausdruck auf Miss Arrowstones Gesicht. Tamatea, das hatte sie oft beobachtet, ließ sich nicht aus der Ruhe bringen. Sie war im Grunde gutmütig, konnte aber durchaus streng sein, wenn ihre Tänzerinnen und Tänzer sich nicht an die Regeln hielten. Selbst Kura-maro-tinis manchmal etwas westliche Auslegung der Maori-Gesänge und Tänze wagte sie zu kritisieren. Gloria hatte den Wortlaut der Diskussionen meist nicht verstanden, denn Kura und Tamatea stritten in raschem Maori. Aber sie sah, dass Tamatea sich meistens durchsetzte. Sie war die einzige Maori-*tohunga,* die bislang bei der Truppe verblieben war. Warum sie sich die jahrelange Trennung von ihrem Stamm antat, blieb ihr Geheimnis. In den Streitereien mit Kura fiel jedoch sehr oft der Name »Marama«. Vertrat Tamatea womöglich Kuras Mutter, die in ganz Aotearoa bekannte Musikerin? War sie die letzte Hüterin der Tradition? Gloria wusste es nicht, aber sie war froh über den Aufschub.

Die Reise mit Tamatea verlief bestimmt gelassener als eine Fahrt mit William oder Kura. Die letzten Male war Gloria stets von ihrem Vater abgeholt worden, und die Unterhaltung beschränkte sich auf eine Examinierung über den letztjährigen Lehrstoff von Oaks Garden sowie ausführliche Schilderungen von Kuras Erfolgen. Letztere durchsetzt mit Klagen über die Kosten für Tänzer und Transporte.

»Freust du dich auf Amerika, *taua?*«, erkundigte sich Gloria, als sie mit Tamatea in der Droschke nach Cambridge saß. Hinter ihr verschwand der Park von Oaks Garden am Horizont. Gloria sah nicht zurück.

Tamatea zuckte die Achseln. »Für mich ist ein Land wie das andere«, meinte sie. »Keins ist wie das der Ngai Tahu.«

Gloria nickte traurig. »Wirst du irgendwann zurückgehen?«, fragte sie.

Die ältere Frau nickte. »Sicher. Vielleicht schon bald. Ich werde zu alt für die Bühne. Das meinen zumindest deine Eltern. Zu Hause ist es ja nichts Ungewöhnliches, dass Großmütter tanzen und singen. Aber hier tun das wohl nur junge Leute. Ich trete auch kaum noch auf. Meistens schminke ich die Mädchen – und natürlich weise ich sie ein. Das Schminken ist das Wichtigste. Ich male die alten Tätowierungen auf die Gesichter. Dann sieht man auch nicht, dass die Tänzer keine wirklichen Maoris sind.«

Gloria lächelte. »Malst du mich auch mal an, *taua?*«

Tamatea musterte sie prüfend. »Bei dir wird es echt aussehen«, sagte sie dann. »Du hast das Blut der Ngai Tahu.«

Gloria wusste nicht, warum sie ihre Worte mit so unbändigem Stolz erfüllten. Aber nach dem Gespräch mit Tamatea ging es ihr besser als lange Zeit zuvor. Es gab ihr Mut, ihrer Mutter aufrecht entgegenzutreten.

William Martyn überwachte gerade das Abladen einiger Requisitenkisten, als Tamatea und Gloria vor dem Ritz eintrafen. Die Martyns waren wieder im mondänsten Hotel Londons abgestiegen, und Tamatea hatte Gloria erzählt, dass hier auch noch ein Abschiedskonzert geplant war, bevor Kura und ihre Truppe in die Staaten reisten.

»Aber die Eintrittsgelder behalten sie nicht«, erklärte Tamatea ohne wirkliches Verständnis. »Die sammeln sie für die englischen Soldaten oder Kriegswitwen oder so etwas ... Dabei kämpfen sie noch gar nicht richtig. Es weiß doch gar keiner, ob es überhaupt Tote geben wird.«

Gloria musste beinahe lachen. Da war die alte Maori nun bereits durch die halbe Welt gereist, aber sie dachte immer noch in den Kategorien der Stämme, bei denen längst nicht jede groß angekündigte Fehde in ernsthafte Kämpfe ausartete. Oft belauerte man sich nur, sang ein paar möglichst kriegerische *haka* und wedelte mit den Speeren, aber dann fand man doch zu irgendeiner Einigung.

Bei diesem Krieg war davon nicht auszugehen. Die Engländer mochten zwar noch nicht in Kämpfe verwickelt worden sein, aber die Gräueltaten der Deutschen in Belgien beschäftigten bereits die Zeitungen in halb Europa.

»Vorsichtig mit den Kisten! Sie enthalten wertvolle Instrumente!« William Martyns weit reichende Tenorstimme ließ Gloria nervös zusammenfahren, obwohl diesmal nicht sie gerügt wurde, sondern die Männer von der Spedition. Die Ausstattung für Kura-maro-tinis Bühnenshow beschränkte sich längst nicht mehr auf ein paar Flöten und ein Klavier. Die wenigen festen Ensemblemitglieder wie Tamatea spielten auch größere Maori-Instrumente, und den Hintergrund für die Tänze bildete ein stilisiertes Maori-Dorf mit authentischen Schnitzereien.

»Da bist du ja, Tamatea. Und Gloria! Schön, dich zu sehen, Mädchen, du scheinst noch etwas gewachsen zu sein. Das war aber auch nötig. Zeit, dass du dich streckst ...« William küsste Gloria flüchtig auf die Wange. »Bring sie doch gleich rauf zu ihrer Mutter, Tamatea. Kura wird froh sein, dich zu sehen, Glory, du kannst ihr helfen ...« Damit wandte er sich wieder seinen Aufgaben zu.

Glorias Herz klopfte heftig. Wobei sollte sie ihrer Mutter helfen können?

William hatte mit einer knappen Handbewegung einen Hausdiener angewiesen, sich um Glorias Gepäck zu kümmern. Während der Mann die Koffer ins Hotel trug, folgte Gloria Tamatea in die elegante Eingangshalle. Im Grunde sollte sie daran gewöhnt sein, aber die mondänen Hotels, in denen ihre Eltern abzusteigen pflegten, schüchterten das Mädchen immer wieder ein. Umso selbstverständlicher bewegte sich Tamatea in dieser Welt der Reichen und Berühmtheiten. Die alte Maori schritt ebenso gelassen über das Parkett und die Orientteppiche des Ritz wie über das Grasland der Canterbury Plains.

»Schlüssel bitte, für Gloria Martyn, Tochter von Kura-maro-tini.«

Tamatea fand nichts dabei, den Portier herumzukommandieren. Der Mann war offensichtlich neu in seiner Stellung; Gloria hatte ihn hier noch nie getroffen. Zwangsläufig traf sie der verblüffte »Das ist die Tochter von ...!«-Blick. Gloria errötete.

»Mrs. Martyn erwartet Sie bereits«, erklärte der Portier. »Aber einen speziellen Schlüssel habe ich leider nicht für Sie, Miss Martyn. Ihre Familie hat eine Suite gemietet, in der ein Zimmer für Sie vorbereitet ist.«

Gloria nickte. An sich bevorzugte sie Einzelzimmer. Nach der Zeit im Internat genoss sie die Möglichkeit, allein zu sein und hinter sich abschließen zu können. Aber natürlich würde sie auch in der Suite ihr eigenes Zimmer haben – und ihre Eltern kamen selten früh nach Hause. Entweder fanden Konzerte statt, oder es gab einen Empfang oder eine Party, zu denen sie geladen waren.

Die Suite lag im obersten Stockwerk des Hotels. Gloria betrat den Aufzug wie immer mit leichtem Schaudern. Tamatea schien es ähnlich zu gehen. »Hätten die Götter gewollt, dass die Menschen sich in Rangis Arme begeben, hätten sie ihnen Flügel gegeben«, raunte sie Gloria zu, als der Liftboy sie routinemäßig auf die wundervolle Aussicht von diesem Stockwerk aus hinwies. Die alte Maori gönnte London von oben denn auch keinen Blick, sondern klopfte sofort an die Tür der Suite.

»Herein!« Kura-maro-tini Martyn schien selbst dieses schlichte Wort zu singen. Ihre Stimme klang kräftig und melodisch. Sie war eigentlich ein Mezzosopran, schaffte aber ausreichende Höhen, um auch den meisten Sopranpartien der Oper gewachsen zu sein. Andererseits reichte ihre stimmliche Bandbreite auch weit in den Alt hinein. Sie war ein Stimmwunder und nutzte das bei ihren Interpretationen der Maori-Musik. Dabei waren die Lieder der Stämme meist gar nicht so kompliziert, weshalb Kuras Arrangeur sie inzwischen auch mehr als Quelle der Inspiration für eigene Kompositionen, denn als Vorlage für spezielle Arrangements nutzte.

»Gloria! Komm herein! Ich warte seit Stunden auf dich!« Kura Martyn hatte am Flügel gesessen und ein paar Noten durchgesehen. Jetzt erhob sie sich aufgeregt und ging Gloria entgegen. Sie wirkte jung und geschmeidig; eine neunzehnjährige Tochter hätte man ihr niemals zugetraut. Allerdings war Kura bei Glorias Geburt noch sehr jung gewesen. Sie war erst Mitte dreißig.

Gloria grüßte schüchtern und wartete auf die üblichen allgemeinen Floskeln, wie groß sie geworden sei und wie erwachsen sie aussähe. Kura-maro-tini schien es immer wieder zu verblüffen, dass ihre Tochter heranwuchs. Zwischen den seltenen Besuchen nahm sie keinerlei Anteil an Glorias Leben und befürchtete wohl nicht, da irgendetwas zu verpassen. Doch auch sie selbst schien ja nicht zu altern. Kura Martyn war in den letzten Jahren eher noch schöner geworden. Nach wie vor war ihr Haar hüftlang und tiefschwarz – jetzt allerdings kunstvoll aufgesteckt; wahrscheinlich gab es wieder irgendeine Abendeinladung. Ihr Teint war klar und cremefarben wie sahniger Kaffee, und ihre Augen leuchtend azurblau. Ihre Lider wirkten ein wenig schwer, was ihr einen verträumten Ausdruck gab; ihre Lippen waren voll und von zartem Rot. Kura-maro-tini schnürte sich nicht, aber man hätte ihre Roben auch kaum als »Reformkleider«, bezeichnet. Seit sie eine gewisse Berühmtheit besaß, ließ sie ihre Kleider nach eigenen Entwürfen anfertigen, ohne Rücksicht auf die aktuelle Mode. Der Schnitt war immer körperbetont, aber doch so weit, dass die Stoffe sie zu umspielen und zu umschmeicheln schienen. Ihre fraulichen Formen zeichneten sich ebenso darunter ab wie ihre schmale Taille, ihr schlanker Körper und ihre schlanken Beine. Kura trug auf der Bühne niemals »Baströckchen«, wie sie anfangs gehöhnt hatte, als William anregte, sie solle in möglichst traditioneller Kleidung auftreten. Aber sie hatte ebenso wenig Hemmungen, ihren Körper zur Schau zu stellen, wie eine Maori-Frau, die mit nackten Brüsten tanzte.

An diesem Nachmittag trug Kura ein verhältnismäßig schlichtes Hauskleid aus azur- und smaragdfarbener Seide.

Zu Glorias langweiligem, dunkelblauem Reisekostüm äußerte sie sich diesmal nicht, wie sie auch darauf verzichtete, auf irgendwelche äußeren Veränderungen einzugehen.

»Du musst mir ein bisschen helfen, Liebes. Das tust du doch gern, nicht? Stell dir vor, Marisa ist krank geworden. Ausgerechnet jetzt, vor dem Abschiedskonzert in England. Eine wirklich schwere Grippe, sie kann sich kaum auf den Beinen halten ...«

Marisa Clerk, eine ätherisch zarte, blonde Frau, war Kura-maro-tinis Pianistin. Sie war ungemein begabt und bildete auf der Bühne obendrein einen reizvollen Kontrast sowohl zu der exotisch wirkenden Sängerin als auch zu den oft barbarisch anmutenden Tänzen der angeblichen Maoris. Gloria schwante Schlimmes.

»Nein, keine Angst, du musst mich nicht auf der Bühne begleiten. Wir wissen ja, dass du da Hemmungen hast ...« Gloria meinte fast, Kuras Gedanken zu lesen: »Mal ganz abgesehen davon, dass du wenig dekorativ wirkst ...« Kura fuhr fort: »Aber ich habe hier gerade ein neues Arrangement erhalten. Caleb hat sich selbst übertroffen, und dabei hatte ich kaum noch Hoffnung, dass die Noten rechtzeitig eintreffen.«

Nach wie vor arrangierte Caleb Biller aus Greymouth, mit

dem gemeinsam Kura ihre allerersten Auftritte geplant hatte, die Musikstücke für ihre Show. Der Minenerbe war ein begnadeter Musiker, allerdings zu menschenscheu, um sich selbst auf die Bühne zu wagen. Statt Kura in die Welt zu folgen, hatte er das Leben als Privatgelehrter im langweiligen Greymouth gewählt – eine Entscheidung, die Kura nicht nachvollziehen konnte. Immerhin nahm er nach wie vor Anteil an ihrer Karriere und begriff fast instinktiv, worauf es ankam und was ihr Publikum forderte. Längst lieferte er mehr Eigenkompositionen als Arrangements.

»Und das hier ist wunderschön, eine Art Ballade. Im Hintergrund spielt sich der *haka* ab, ein simpler Tanz. Das hat Tamatea den Tänzern in fünf Minuten beigebracht. Und im Vordergrund erzählen die Geister die Geschichte, die der Ballade zugrunde liegt. Erst ein Musikstück für Piano und *picorino* – nur die Geisterstimme, ganz ätherisch – und dann Piano und Gesang. Ich würde es zu gern morgen schon zur Aufführung bringen. Es wäre so etwas wie ein würdiger Abschluss, aber auch appetitanregend auf Neues. Die Leute sollen ja wieder in meine Show kommen, wenn wir aus den Staaten zurück sind. Aber gerade jetzt ist Marisa nicht abkömmlich. Dabei müsste ich zumindest den Flötenpart ein paar Mal üben, man muss da oft etwas anpassen, du verstehst, was ich meine, nicht wahr, Glory?«

Gloria verstand praktisch nichts, außer dass ihre Mutter offensichtlich von ihr erwartete, Marisa zumindest bei den Proben zu ersetzen.

»Spiel du doch eben den Klavierpart für mich ein, ja, Glory? Hier sind die Noten, setz dich. Es ist ganz einfach.«

Kura schob Gloria den Klavierschemel zurecht und nahm selbst die kleine Flöte zur Hand, die auf dem Flügel gelegen hatte. Gloria blätterte ein wenig hilflos in dem handgeschriebenen Notenstapel.

Inzwischen hatte sie seit fünf Jahren Klavierunterricht, und an der Fingerfertigkeit sollte es nicht mangeln. Wenn sie lange genug übte, schaffte sie auch recht schwere Stücke, doch es war immer eine Fleißarbeit. Vom Blatt gespielt hatte Gloria noch nie. Bislang pflegte ihre Musiklehrerin ihr die Übungsstücke vorzuspielen, sie auf Klippen hinzuweisen und dann Takt für Takt mit ihr zu erarbeiten. Bis es so klang wie bei Miss Beaver dauerte es Wochen.

Dennoch wagte sie nicht, jetzt einfach abzulehnen. Mit dem verzweifelten Willen, ihrer Mutter zu gefallen, kämpfte sie sich durch das Musikstück. Kura hörte ziemlich fassungslos zu, unterbrach sie aber nicht, bevor sie an einem Takt zum dritten Mal scheiterte.

»Ein Fis, Gloria! Siehst du nicht das Kreuz vor dem F? Der Akkord ist ganz gängig, den musst du doch schon mal gespielt haben! Mein Gott, stellst du dich so dumm, oder bist du wirklich untalentiert? Dagegen war ja selbst deine Tante Elaine gottbegnadet!«

Elaine hatte Kura bei ihrem allerersten Konzert in Blenheim begleitet, und auch sie hatte viel üben müssen, um den Vorstellungen der Vollblutmusikerin auch nur halbwegs gerecht zu werden. Wobei Elaine durchaus musikalisch war – im Gegensatz zur hoffnungslosen Gloria.

»Versuch es noch mal!«

Gloria, inzwischen völlig verunsichert, begann von vorn, kam diesmal halbwegs sicher über die ersten Takte und blieb dann erneut stecken.

»Vielleicht, wenn du es mir einmal vorspielst …?«, fragte sie hilflos.

»Warum soll ich es dir vorspielen? Kannst du nicht lesen?« Kura wies auf die Partitur. Sie war nun wirklich verärgert. »Himmel, Mädchen, was machen wir bloß mit dir? Ich dachte, ich könnte dich auf dieser Tournee als Korrepetitorin einsetzen, Marisa kann das nicht alles allein machen. Die Einführung von neuen Tänzern zum Beispiel, dazu ist sie auch überqualifiziert. Aber so ... Geh jetzt auf dein Zimmer. Ich werde die Rezeption anrufen. Dies hier ist London, die Stadt hat eine Oper, tausend Musiktheater ... da wird sich doch ein Pianist finden, der mir kurzfristig unter die Arme greift. Und du wirst zuhören, Gloria! Deine Lehrer im Internat haben die Ausbildung offensichtlich schleifen lassen. Und du mochtest ja nie sehr viel üben ...«

Kura vergaß, dass sie Gloria noch gar kein Zimmer angewiesen hatte. Während ihre Mutter telefonierte und aufgeregt in den Hörer sprach, schlich das Mädchen durch die Suite, bis sie schließlich einen Raum mit einem Einzelbett fand. Sie warf sich darauf und weinte. Sie war hässlich, nutzlos und dumm. Gloria hatte keine Ahnung, wie sie die folgenden sechs Monate überstehen sollte.

Charlotte McKenzie brauchte zwei Tage, um sich von der Überfahrt von Blenheim nach Wellington zu erholen. Jack tat sein Bestes, die Reise zu einem schönen Erlebnis werden zu lassen, und Charlotte bemühte sich, die Ausflugsziele zu genießen, die er dabei ansteuerte. Sie aß Hummer in Kaikoura und tat, als interessiere sie sich wirklich für die Wale, Robben und Delfine, die man dort von kleinen Booten aus beobachten konnte. Ihre Kopfschmerzen in Blenheim führte sie auf den ungewohnten Alkohol bei der Weinprobe zurück, zu der eine befreundete Familie sie einlud. Gwyneira McKenzie hatte den Burtons vor vielen Jahren eine Herde Schafe verkauft, und Jack, damals noch ein Junge, hatte helfen dürfen, die Tiere dorthin zu treiben. Der Viehtrieb gehörte zu seinen schönsten Erinnerungen, und er wurde nicht müde, davon zu erzählen. Charlotte hörte lächelnd zu und nahm die Opiumtinktur, die

Dr. Barrington ihr verschrieben hatte. Sie fühlte sich nicht wohl dabei. Auf die Dauer half es schließlich nicht, höchstens dann, wenn man mehr und mehr davon schluckte. Charlotte hasste es auch, dass die Droge sie müde und antriebslos werden ließ. Sie wollte die Welt mit allen Sinnen wahrnehmen – und sie wollte keine Sekunde mit Jack verlieren.

Die Überfahrt zur Nordinsel war dann jedoch zu viel für sie. In der Cook Strait wüteten wieder einmal die berüchtigten »Roaring Forties«, die See war rau, und Charlotte war nie sehr seefest gewesen. Sie versuchte, launig zu erzählen, wie übel ihr auf der Reise nach England und zurück gewesen war, aber irgendwann konnte sie nicht mehr und ergab sich in ihr Schicksal, sich immer und immer wieder zu übergeben. Am Ende war ihr so schwindelig, dass sie kaum laufen konnte. Jack trug sie fast vom Anleger zur Droschke und schließlich auf ihr Hotelzimmer.

»Wir sollten sofort nach Auckland aufbrechen, wenn es dir besser geht«, meinte er besorgt, als sie wieder die Fenster verdunkelte und den Wollschal hervorholte. Dabei brachten Wärme und Dunkelheit längst nicht mehr so viel Erleichterung, wie Charlotte es von früheren Migräneanfällen gewöhnt war. Eigentlich half nur noch das Opium, aber das dämpfte nicht nur den Kopfschmerz, sondern auch ihre Gefühle und Wahrnehmungen.

»Aber du wolltest doch noch so viel sehen«, wandte Charlotte ein. »Den Regenwald. Und *rotorua*, die heißen Quellen. Die Geysire …«

Jack schüttelte wütend den Kopf. »Zum Teufel mit den Geysiren und Bäumen und der ganzen Nordinsel. Wir sind hergekommen, um Dr. Friedman zu sehen. Alles andere ist dummes Zeug, das habe ich nur so gesagt, weil …«

»Weil es doch eine Urlaubsreise sein sollte«, sagte sie sanft. »Und weil du nicht wolltest, dass ich mich ängstige.«

»Aber Waitangi, wo du hinwolltest, da können wir vorbeifahren ...« Jack versuchte, sich zu beruhigen.

Charlotte schüttelte den Kopf. »Das habe ich auch nur so gesagt«, flüsterte sie.

Jack sah sie hilflos an. Aber dann hatte er einen Einfall. »Wir können es auf dem Rückweg machen! Wir besuchen jetzt erst diesen Arzt. Und wenn er dann ... wenn er dann gesagt hat, dass alles in Ordnung ist, bereisen wir die Insel. Einverstanden?«

Charlotte lächelte. »Das tun wir«, sagte sie leise.

»Sie heißt übrigens ›Te Ika a Maui‹ – Mauis Fisch. Die Nordinsel, meine ich.« Jack wusste, dass er plapperte, aber Schweigen hätte er jetzt nicht ertragen. »Der Halbgott Maui zog sie als Fisch aus dem Meer ...«

»Und seine Brüder hackten auf ihn ein, um ihn zu zerteilen, sodass sich Berge, Klippen und Täler auftaten«, ergänzte Charlotte.

Jack schalt sich für seine Torheit. Charlotte kannte die Maori-Legende wahrscheinlich besser als er.

»Das war sowieso ein pfiffiger Kerl, dieser Maui ...«, sprach sie versonnen weiter. »Er konnte die Sonne anhalten. Als die Tage ihm zu schnell vergingen, fing er sie und zwang sie, langsamer zu ziehen. Das würde ich auch gern ...«

Jack nahm sie in die Arme. »Wir fahren morgen nach Auckland.«

In einem Tag war die Reise nach Auckland nicht zu schaffen, obwohl es seit einigen Jahren eine Eisenbahnverbindung gab. Der North Island Main Trunk Railway führte bergauf und bergab durch oft atemberaubend schöne Gegenden. Zuerst ging es die Küste entlang, dann durch vulkanische Landschaften, schließlich durch Farmland. Für Charlotte war die Reise in der schmalspurigen Bahn mit ihrer zum Teil abenteuerlichen Streckenführung jedoch kaum weniger belastend als die Seereise. Sie kämpfte auch hier mit Übelkeit und Schwindel.

»Zurück lassen wir es langsamer angehen«, versprach Jack am letzten Tag der dreitägigen Reise.

Charlotte nickte desinteressiert. Sie wollte nur noch heraus aus diesem Zug und sehnte sich nach einem Bett, das nicht unter ihr schwankte. Kaum zu glauben, dass sie ihre Hochzeitsreise in George Greenwoods Privatwaggon derart genossen hatte. Damals hatten sie Sekt getrunken und über das wackelige Bett gelacht. An diesem Tag konnte sie kaum einen Schluck Tee bei sich behalten.

Beide waren froh, als sie Auckland erreichten, aber keiner hatte mehr Sinn für die Schönheit der auf Vulkanland erbauten Stadt.

»Wir müssen auf den Mount Hobson oder Mount Eden … die Aussicht soll fantastisch sein«, bemerkte Jack lustlos. Die terrassenbedeckten Berge leuchteten in sattem Grün über der Stadt. Das Meer, aufgelockert durch Dutzende vulkanische Inseln, wirkte einladend azurblau, und die Grafton Bridge, die erst vor wenigen Jahren vollendete, längste Bogenbrücke der Welt, zog sich in faszinierendem Schwung über den Grafton Gully.

»Später«, sagte Charlotte. Sie hatte sich auf ihrem Hotelbett ausgestreckt und wollte nichts mehr sehen und hören. Nur Jacks Arme um sich spüren und sich vorstellen, dass dies alles nichts als ein böser Traum war. Am kommenden Morgen würden sie in ihrem Schlafzimmer auf Kiward Station aufwachen und sich nicht einmal mehr an den Namen Dr. Friedmans erinnern. Und Auckland … irgendwann würden sie die Nordinsel besuchen, wenn es ihr besser ging … wenn sie Kinder hatten … Charlotte schlief ein.

Jack machte sich gleich am nächsten Morgen auf die Suche nach Dr. Friedmans Praxis. Der Hirnspezialist residierte in der feudalen Queen Street, einer Straße, die als Flaniermeile angelegt wurde, bevor Auckland die Würde der Hauptstadt Neuseelands an Wellington abgeben musste. Die Stadt hatte damals Neusiedler aus den Metropolen der Alten Welt angelockt, und auf der Queen Street fand sich ein stattliches viktorianisches Wohnhaus neben dem anderen.

Jack fuhr die Straße mit der Trambahn entlang, eine Fortbewegungsart, die ihm in Christchurch stets ein kindliches Vergnügen bereitet hatte. An diesem sonnigen Sommertag in Auckland war er aber nur von Furcht und bösen Vorahnungen erfüllt. Immerhin wirkte das herrschaftliche Steinhaus des Professors vertrauenerweckend. Er musste zumindest gut verdienen, wenn er sich ein derart prachtvolles Wohn- und Praxisgebäude mitten in Auckland leisten konnte. Andererseits erfüllte Jack auch dies mit Furcht. Würde der berühmte Chirurg ihn überhaupt empfangen?

Diese Sorge erwies sich jedoch als unbegründet. Wie sich herausstellte, hatte Dr. Barrington seinem bekannten Kollegen bereits geschrieben, und Professor Friedman erwies sich als wenig dünkelhaft. Ein Sekretär kündigte Jack an und bat ihn, kurze Zeit zu warten, bis der Arzt seine augenblickliche Konsultation beendet hatte. Danach rief er ihn in sein Büro, das eher einem Herrenzimmer glich als einer Arztpraxis.

Professor Friedman selbst war ein kleiner, eher zierlicher Mann mit buschigem Bart. Er war nicht mehr jung, Jack schätzte ihn auf über sechzig Jahre, aber seine hellblauen Augen wirkten wach und neugierig wie die eines Zwanzigjährigen. Der Chirurg hörte aufmerksam zu, als Jack ihm Charlottes Symptome schilderte.

»Es ist also schlimmer geworden, seit Sie Dr. Barrington konsultiert haben?«, fragte er ruhig.

Jack nickte. »Meine Frau führt es auf die Reise zurück. Sie wurde immer schnell seekrank, dazu die halsbrecherische Zugroute. Sie leidet vor allem unter verstärktem Schwindel und Übelkeit.«

Professor Friedman lächelte väterlich. »Vielleicht ist sie schwanger«, meinte er.

Jack schaffte es nicht, das Lächeln zu erwidern. »Wenn Gott uns diese Gnade erweisen würde ...«, flüsterte er.

Professor Friedman seufzte. »Gott teilt die Gnade zurzeit nicht gerade mit vollen Händen aus«, murmelte er. »Allein dieser sinnlose Krieg, in den Europa zurzeit hineintaumelt ... wie viele Leben da zerstört werden, wie viel Geld verschwendet, das die Forschung dringend bräuchte. Die Medizin macht in der letzten Zeit rasante Fortschritte, junger Mann. Aber in den nächsten Jahren wird alles stillstehen, und die einzigen Fertigkeiten, in denen die Ärzte sich vervollkommnen, sind die Amputationen von Gliedmaßen und die Versorgung von Schusswunden. Nun, dafür werden Sie in Ihrer Situation wenig Sinn haben. Lassen Sie uns also keine weitere Zeit mit Reden vergeuden. Sie bringen mir Ihre Frau her, sobald sie sich nur eben kräftig genug fühlt. Hausbesuche mache ich ungern, ich habe alle meine Diagnoseinstrumente hier. Und ich hoffe aus ganzem Herzen mit Ihnen, dass sich alles als harmlos herausstellt.«

Charlotte brauchte noch einen Tag, um sich für die Konsultation zu wappnen, am nächsten Morgen saß sie neben Jack im Wartezimmer Professor Friedmans. Jack hatte den Arm um sie gelegt, und sie schmiegte sich an ihn wie ein ängstliches Kind. Sie wirkt kleiner in diesen Tagen, fuhr es ihm durch den Kopf. Ihr Gesicht war immer schmal gewesen, aber jetzt schien es nur noch aus riesigen braunen Augen zu bestehen.

Ihr Haar war immer noch üppig, aber glanzlos. Jack mochte sich kaum von ihr trennen, als Dr. Friedman sie schließlich in die Untersuchungsräume rief.

Er verbrachte eine angsterfüllte Stunde, zu angespannt, um zu beten oder auch nur zu denken. Es war angenehm warm im Wartezimmer, doch Jack empfand eine innere Kälte, die auch der heißeste Sonnenschein nicht hätte lindern können.

Schließlich bat ihn Dr. Friedmans Sekretär herein. Der Professor saß wieder an seinem Schreibtisch, Charlotte klammerte sich ihm gegenüber an eine Tasse Tee. Auf ein Zeichen des Arztes hin füllte der Sekretär auch eine Tasse für Jack, bevor er taktvoll das Zimmer verließ.

Professor Friedman hielt sich nicht mit langen Vorreden auf.

»Mr. und Mrs. McKenzie ... Charlotte ... es tut mir leid, dass ich keine guten Nachrichten habe. Aber Sie haben bereits mit meinem sehr kompetenten jungen Kollegen in Christchurch gesprochen, der Ihnen seine Befürchtungen nicht vorenthielt. Seine Verdachtsdiagnose hat sich in meiner Untersuchung leider bestätigt. Meiner Ansicht nach, Charlotte, leiden Sie an einer Geschwulst im Gehirn. Sie verursacht Kopfschmerzen, Schwindel, Übelkeit und all die anderen Symptome, an denen Sie leiden. Und wie es aussieht, wächst sie, Mr. McKenzie ... Die Symptome sind heute bereits viel ausgeprägter, als sie sich Dr. Barrington vor kurzer Zeit dargestellt haben.«

Charlotte nippte resigniert an ihrem Tee. Jack zitterte vor Ungeduld.

»Und was machen wir nun, Professor? Können Sie ... können Sie das Ding herausschneiden?«

Professor Friedman spielte mit dem teuren Füllfederhalter, der auf seiner Seite des Schreibtisches lag.

»Nein«, sagte er leise. »Es liegt zu tief im Schädel. Ich habe ein paar Tumore operiert. Hier in Neuseeland und auch noch in der alten Heimat mit Professor Bergmann. Aber es ist immer riskant. Das Gehirn ist ein sensibles Organ, Mr. McKenzie. Es ist zuständig für all unsere Sinne, unsere Gedanken und Gefühle. Man weiß nie, was man zerstört, wenn man darin herumschneidet. Nun ist es richtig, dass Schädelöffnungen und Manipulationen am Gehirn seit der Antike praktiziert werden. Vereinzelt natürlich, und ich weiß nicht, wie viele Menschen es früher überlebten. Heute, da wir über die Gefahren von Infektionen wissen und sehr sauber arbeiten, können wir manchen am Leben erhalten. Aber mitunter zu einem hohen Preis. Manche Menschen erblinden oder bleiben gelähmt. Oder sie verändern sich ...«

»Es wäre mir egal, ob Charlotte gelähmt würde. Und ich hätte auch noch zwei Augen, wenn sie blind würde. Ich möchte nur, dass sie bei mir bleibt.« Jack tastete nach Charlottes Hand, doch sie entzog sich ihm.

»Mir wäre es nicht egal, Liebster«, sagte sie leise. »Ich weiß nicht, ob ich weiterleben möchte, wenn ich mich nicht bewegen kann und nichts mehr sehe ... und womöglich weiter Schmerzen habe. Und noch schlimmer wäre es, wenn ich dich dann nicht mehr liebte ...« Sie schluchzte trocken.

»Wie sollte das gehen? Wie solltest du aufhören, mich zu lieben, nur weil ...« Jack wandte sich ihr betroffen zu.

»Es gibt Persönlichkeitsveränderungen«, erklärte Professor Friedman heiser. »Manchmal scheint unser Skalpell alle Gefühle auszulöschen. Man denkt daran, das bei der Behandlung von Geisteskranken zu nutzen. Die Menschen sind anschließend nicht mehr gefährlich, man braucht sie nicht in Anstalten wegzusperren. Aber sie sind auch nicht mehr in dem Sinne Menschen ...«

»Und wie groß ist die Gefahr, dass so etwas passiert?«, fragte Jack verzweifelt. »Sie müssen doch irgendetwas tun können!«

Professor Friedman schüttelte den Kopf. »Ich würde die Operation in diesem Fall nicht befürworten. Der Tumor liegt zu tief, selbst wenn ich ihn entfernen könnte, würde ich zu viel Hirnmasse zerstören. Vielleicht würde ich Ihre Frau dabei umbringen. Oder ihren Geist verdunkeln. Wir sollten ihr das nicht antun, Mr. McKenzie … Jack … Wir sollten ihr nicht die Zeit rauben, die ihr sonst noch bleibt.«

Charlotte saß mit gesenktem Kopf da. Der Professor hatte schon vorher allein mit ihr gesprochen.

»Das heißt, sie … sie muss nicht unbedingt sterben? Auch wenn Sie nicht operieren?« Jack klammerte sich an jede Hoffnung.

»Nicht gleich …«, meinte der Arzt vage.

»Sie wissen es also nicht?«, fragte Jack. »Sie meinen, sie könnte noch lange leben? Sie könnte …«

Professor Friedman warf Charlotte einen verzweifelten Blick zu. Sie schüttelte fast unmerklich den Kopf.

»Wie lange Ihre Frau noch leben wird, weiß nur Gott allein«, sagte der Arzt.

»Es könnte sich also auch bessern?«, flüsterte Jack. »Der … die … Geschwulst könnte aufhören zu wachsen?«

Professor Friedman hob die Augen zum Himmel. »Es liegt alles in den Händen des Ewigen …«

Jack atmete tief durch.

»Wie ist es mit anderen Behandlungen, Professor Friedman?«, fragte er dann. »Gibt es Medikamente, die helfen können?«

Der Arzt schüttelte den Kopf. »Ich kann Ihnen etwas gegen die Schmerzen geben. Eine Medizin, die zuverlässig wirkt, zumindest eine Zeitlang. Aber was sonstige Behandlungen angeht … manche experimentieren mit seltsamen Essenzen, ich habe gehört, in den Staaten versucht es jemand mit Quecksilbergaben. Aber ich glaube nicht an all das. Am Anfang hilft es vielleicht ein bisschen, weil es den Patienten Hoffnung gibt. Aber auf die Dauer macht es sie eher kränker.«

Charlotte erhob sich langsam. »Ich danke Ihnen sehr, Professor«, sagte sie sanft und drückte die Hand des alten Arztes. »Es ist besser, Bescheid zu wissen.«

Professor Friedman nickte. »Denken Sie in Ruhe darüber nach, wie Sie weiter verfahren wollen«, sagte er freundlich. »Wie gesagt, ich rate Ihnen nicht zur operativen Behandlung, aber wenn Sie es trotzdem wagen wollen, könnte ich es versuchen. Ansonsten …«

»Ich möchte keine Operation«, erklärte Charlotte.

Sie hatte das Haus des Arztes eng an Jack geschmiegt verlassen. Diesmal nahmen sie nicht die Straßenbahn, Jack hielt eine Pferdedroschke an. Charlotte lehnte sich in die Polster, als wolle sie darin versinken. Jack hielt ihre Hand. Sie sprachen kein Wort, bis sie ihr Hotelzimmer erreichten. Aber dann legte Charlotte sich nicht gleich hin, sondern sah aus dem Fenster. Das Hotel bot einen atemberaubenden Ausblick über den Hafen von Auckland. Waitemata – ein passender Name für diese natürliche Bucht, die den Schiffen Schutz vor den oft heftigen Pazifikstürmen bot.

Charlotte blickte über das grünblau schimmernde Wasser.

»Wenn ich das nicht mehr sehen könnte …«, sagte sie leise. »Wenn ich die Bedeutung der Worte nicht mehr verstehen könnte … Jack, ich will kein bewegungsloses Etwas werden und dir zur Last fallen. Das ist es nicht wert. Und diese ganze Operation … Sie müssten mir das Haar scheren, ich wäre hässlich …«

»Du wärest niemals hässlich, Charlotte«, meinte Jack, trat hinter sie, küsste ihr Haar und blickte ebenfalls aufs Meer. Im

Stillen fand er, dass sie Recht hatte. Auch er würde nicht mehr leben wollen, wenn er all die Schönheit um ihn herum nicht mehr wahrnehmen könnte. Und am meisten würde ihm der Anblick Charlottes fehlen. Ihr Lächeln, ihre Grübchen, ihre klugen braunen Augen.

»Aber was wollen wir dann tun?«, fragte er mit verzweifeltem Trotz. »Wir können nicht einfach dasitzen und abwarten ... oder beten ...« Er sah sie unglücklich an.

Charlotte lächelte. »Das werden wir auch nicht. Es hätte keinen Sinn. Die Götter lassen sich so schnell nicht erweichen. Da müssten wir sie schon überlisten wie Maui die Sonne ... und die Totengöttin ...«

»Das war nicht sehr erfolgreich«, erinnerte Jack sich an die Legende. Der Maori-Halbgott hatte versucht, die Totengöttin zu besiegen, während sie schlief. Aber das Gelächter seiner Begleiter verriet ihn, und er starb.

»Er hat es immerhin versucht«, meinte Charlotte. »Und wir versuchen es auch. Schau, Jack, ich habe jetzt die Medizin von Dr. Friedman. Ich muss keine Schmerzen mehr leiden. Also werden wir alles das tun, was wir uns vorgenommen hatten. Morgen fahren wir nach Waitangi. Und wir besuchen die örtlichen Maori-Stämme, bestimmt gibt es schon Legenden um den Vertrag ... bei den *pakeha* gibt es die schließlich auch.«

Im Vertrag von Waitangi unterwarfen sich die Führer verschiedener Maori-Stämme der Oberhoheit der Britischen Krone. So ganz hatten die Häuptlinge allerdings nicht gewusst, was sie da unterzeichneten. 1840 konnte noch keiner der Eingeborenen lesen und schreiben. Insofern bestritten Maori-Führer wie Tonga, Gwyneiras Nachbar auf Kiward Station, immer wieder die Bindung der Ureinwohner an den Vertrag. Das galt besonders für Stämme wie die Ngai Tahu, deren Vertreter in Waitangi gar nicht zugegen waren.

»Und dann möchte ich nach Cape Reinga, wenn wir schon auf der Nordinsel sind. Und nach Rotorua, da soll es noch Maori-Stämme geben, die kaum Kontakt zu den *pakeha* haben. Es wäre interessant, mit ihnen zu reden, zu hören, ob sie ihre Geschichten anders erzählen ...« Charlotte wandte sich zu Jack um. Ihre Augen leuchteten.

Jack schöpfte wieder Hoffnung. »Genau das werden wir tun!«, erklärte er. »Das ist genau der Trick, den Maui anwenden würde: Wir werden diese Geschwulst in deinem Kopf einfach nicht beachten. Wir vergessen sie, und darüber wird sie verschwinden!«

Charlotte lächelte matt.

»Wenn wir nur daran glauben ...«, flüsterte sie.

5

Lilian Lamberts Liebeskummer überdauerte die Abreise aus Oaks Garden nur wenige Tage. In London war sie noch schweigsam und gefiel sich in der Rolle der unglücklich Liebenden. In ihrer Fantasie sah sie Ben, wie er verzweifelt versuchte, etwas über ihren Verbleib herauszufinden, woraufhin er jahrelang suchte, bis er sie endlich fand. Sie dachte gerührt an all die Liebenden aus ihren Liedern und Geschichten, die sich aufgrund von Untreue oder Verlust des Liebsten selbst entleibten und dann mit einer weißen Taube auf der Brust bestattet wurden. In der Praxis hielt Lilian es allerdings für unwahrscheinlich, dass man so einen Vogel für sie auftrieb, mal ganz abgesehen davon, dass es ihr vor all den möglichen Todesarten gruselte. Insofern ergab sie sich dann auch recht schnell in ihr Schicksal und fand bald zu ihrem gewohnten, fröhlichen Selbst zurück. George Greenwood verdankte ihr – allen kriegsbedingten Sorgen zum Trotz, welche die Passagiere der *Prince Edward* wortreich miteinander teilten – die vergnüglichste Überfahrt seines Lebens. Lilian begleitete ihn und die anderen Passagiere fröhlich plappernd beim Flanieren an Deck. Neuseelandreisen waren längst keine gefährlichen Abenteuer mehr, sondern glichen zumindest für First-Class-Passagiere mondänen Kreuzfahrten. Sie regte Deckspiele an, die sonst wegen der eher depressiven Stimmung der Kriegszeit nur wenig frequentiert wurden, und war schon beim Frühstück gut gelaunt. George ließ die Depeschen, die ihn auch auf See über den Stand der Kriegshandlungen informierten, dann gerne sinken und befragte lieber Lilian nach ihren Träumen in der letzten Nacht und Plänen für die Zukunft. In diesen Plänen kam der Krieg natürlich nicht vor. Bis jetzt konnte Lilian sich nicht vorstellen, dass Menschen tatsächlich aufeinander schossen. In Liedern und Geschichten kam das natürlich vor – im Moment rankte ihre Lieblingsfantasie sich darum, dass Ben auf irgendeinem Kriegsschauplatz verloren ging, woraufhin Lilian sich in Männerkleidung aufmachte, ihn wiederzufinden – aber doch nicht im Europa des noch jungen 20. Jahrhunderts!

»Ich weiß nicht, ob ich heirate …«, meinte Lilian dramatisch. Bens Verlust mochte sie nicht gleich tödlich getroffen haben, aber ihr Herz sah sie zumindest vorerst als gebrochen an. »Die wahre große Liebe mag zu viel sein für eines Menschen Herz.«

George Greenwood bemühte sich tapfer, ernst zu bleiben. »Wer hat sich denn das einfallen lassen?«, fragte er lächelnd.

Lilian errötete leicht. Sie konnte kaum zugeben, dass die Feststellung zu den Gedichten gehörte, die Ben ihr im Anschluss an ihren ersten Kuss in jenem Wäldchen am Cam vorgetragen hatte.

George ließ sich Kaffee nachschenken und dankte der Bedienung mit einem knappen Nicken. Lilian schenkte dem schmucken Steward ein Lächeln, das ihre Heiratsunlust eher unglaubwürdig machte.

»Und was tust du stattdessen?«, erkundigte George sich interessiert. »Willst du ein Blaustrumpf werden, womöglich studieren, wie meine Charlotte es vorhatte?«

»Bevor auch sie dem süßen Ruf des Herzens folgte?«

George verdrehte die Augen. Er wusste nicht viel über Mädchenschulen mit künstlerisch-kreativem Anspruch, aber wenn derart schaurige Lyrik tatsächlich zum Lehrplan von Oaks Garden gehört hatte, konnte es mit der Qualität des Unterrichts nicht weit her sein.

»Bevor sie ihren späteren Mann kennen lernte«, korrigierte George.

»Und sie interessiert sich ja nach wie vor sehr für die Maori-Kultur. Hast du auch irgendein Fach, das dir besonders am Herzen liegt? Dem du besonderes wissenschaftliches Interesse entgegenbringst?«

Lilian dachte nach. »Eigentlich nicht«, meinte sie dann und biss in eine Honigwecke. Das Dampfschiff schob sich zurzeit noch über den Atlantik, und der Seegang war ziemlich stark, aber das konnte ihren Appetit nicht beeinträchtigen. »Ich könnte Klavier unterrichten. Oder Malen. Aber im Grunde kann ich nichts davon besonders gut.«

George lächelte. Zumindest war sie ehrlich.

Lilian schleckte Honig von ihren rosa Lippen. »Vielleicht könnte ich meinem Vater in der Mine helfen«, überlegte sie dann. »Das würde ihn sicher freuen ...«

George nickte. Lamberts Älteste war immer von ihrem Vater verwöhnt worden, und die Aussicht, Tim endlich wiederzusehen, hatte sie mehr als alles andere über ihren Trennungsschmerz von England hinweggetröstet.

»Unter Tage?«, neckte sie George.

Lilian sah ihn strafend an, doch in ihren grünbraunen Augen blitzte der Schalk. »Da sind Mädchen nicht erwünscht«, klärte sie ihn auf. »Die Bergleute sagen, eine Frau unter Tage bringt Unglück, was natürlich Unsinn ist. Aber sie glauben das wirklich. Nicht mal Mrs. Biller fährt ein!«

Was die gute Florence sicher hart ankam. George schmunzelte. Offensichtlich hatten Tim und Elaine ihre Tochter über die weiter schwelende Fehde zwischen der Lambert- und der Biller-Mine auf dem Laufenden gehalten. Aber Florence Billers Absicht, gelegentlich auch unter Tage nach dem Rechten zu sehen, hatte immerhin ganz Greymouth aufs Schönste unterhalten. Die Kumpel der Biller-Mine hatten daraufhin geschlossen mit Kündigung gedroht. Frauen unter Tage, so argumentierten sie, führten zu sofortigen Wassereinbrüchen, Steinschlägen und Gasaustritten. Florence Biller hatte dem zunächst vehement widersprochen, aber die Haltung der Bergleute stand fest. Schließlich hatte die rührige Minenbetreiberin klein beigegeben – ein »historisches Vorkommnis«, wie Tim Lambert bemerkte. Stattdessen zwang Florence ihren Gatten Caleb in die Mine. Der war immerhin Geologe und fand auch gleich hochinteressante Gesprächsthemen mit dem ebenfalls geologisch interessierten Steiger. Anschließend wussten beide mehr über außergewöhnliche Verläufe von Kohlenflözen besonders im ostasiatischen Raum, aber die Effektivität des Abbaus unter Greymouth hatte Calebs Besuch nicht positiv beeinflusst. Florence tobte.

»Ich kann ganz gut rechnen«, führte Lilian aus. »Und ich lass mir nichts bieten – also von anderen Mädchen! Da muss man manchmal ganz schön kiebig sein, wenn man mit solchen Biestern zu tun hat wie Mary Jaine Lawson! Und diese Mrs. Biller ist auch so eine …«

George kämpfte schon wieder mit seiner Heiterkeit. Die kleine Lilian Lambert im Zickenkrieg mit Florence Biller! Wie es aussah, kamen auf Greymouth interessante Zeiten zu.

»Dein Vater und Mrs. Biller werden sich in Zukunft schon vertragen«, meinte er begütigend. »Für Rivalität ist im Krieg kein Raum. Sämtliche Minen werden bis an die Grenzen ihrer Möglichkeiten ausgelastet sein. Europa braucht Kohle für die Stahlproduktion. Die wird jetzt wahrscheinlich auf Jahre hinaus auf Hochtouren laufen.« Er seufzte. George Greenwood war Geschäftsmann, aber er war immer fair gewesen. Es widerstrebte ihm, jetzt am Krieg zu verdienen. Aber zumindest konnte man ihm keine böse Absicht vorwerfen. Er hatte nicht an Kriegsgewinne gedacht, als er die Anteile an der Lambert-Mine kaufte.

»Du jedenfalls wirst damit zur guten Partie, Lily«, zog er seine kleine Freundin auf. »Tims paar Anteile an der Mine werden die Lamberts wieder reich machen.«

Lilian zuckte die Achseln. »Wenn ich jemals heirate, soll der Mann mich um meiner selbst willen lieben. Ob ein Bettler oder ein Prinz, es kommt nur darauf an, wie unsere Herzen sprechen.«

George lachte jetzt wirklich. »Zumindest der Bettler würde deine Mitgift zu schätzen wissen!«, meinte er dann. »Aber meine Neugier ist geweckt. Es interessiert mich brennend, wer einmal dein Herz gewinnt!«

Jack beobachtete glücklich, mit welchem Elan Charlotte die steile Straße zum Leuchtturm auf Cape Reinga emporstieg. Die Medizin von Professor Friedman hatte Wunder gewirkt, Charlotte war seit drei Wochen schmerzfrei und offensichtlich von neuem Mut erfüllt. So war ihr Besuch von Waitangi ein voller Erfolg gewesen. Die McKenzies bewunderten den Versammlungsplatz, auf dem Gouverneur Hobson die Maori-Häuptlinge 1840 in einem improvisierten Zelt empfangen hatte, und besuchten anschließend die in der Nähe ansässigen Stämme. Jack bewunderte ihre mit aufwändigen Schnitzereien geschmückten Versammlungshäuser. Natürlich kannte er den Stil von den Ngai Tahu, aber die Stämme der Südinsel schienen der Gestaltung ihrer *marae* doch nicht so viel Aufmerksamkeit zu widmen. Vielleicht lag es daran, dass sie häufiger wanderten. Die Bewohner der Nordinsel schienen sesshafter zu sein. Charlotte interessierte sich weniger für Architektur. Sie sprach stundenlang mit älteren Angehörigen der Stämme, die sich noch an Erzählungen ihrer Mütter und Väter erinnerten. Charlotte dokumentierte die Sicht der Maoris auf den »Vertrag von Waitangi«, notierte die Interpretationen der zweiten Generation der Betroffenen und vor allem die unterschiedlichen Meinungen dazu bei Männern und Frauen.

»Die *pakeha* hatten eine Königin!«, berichtete eine alte Frau, heute noch aufgeregt. »Meiner Mutter hat das sehr gefallen. Sie gehörte zu den Stammesältesten und wäre selbst gern zum Treffen gegangen. Aber die Männer wollten es unter sich ausmachen. Sie tanzten Kriegs-*haka*, um sich Mut zu machen. Und dann erzählte der Abgesandte der Stämme von seiner Herrin Victoria – das heißt ›Sieg‹! Es hat uns mächtig beeindruckt. Sie war wohl auch so etwas wie eine Göttin für ihn. Jedenfalls versprach sie uns Schutz, und wie sollte sie das sonst, von so weit weg, wäre sie keine Göttin gewesen? Später gab es dann ja doch Streit ... Stimmt es, dass sie Kriegsgesänge anstimmen, da, wo ihr herkommt?«

Charlotte bestätigte den Kriegsausbruch in Europa. »Aber wir kommen nicht von dort«, stellte sie richtig. »Wir sind nur von der Südinsel aus hierher gereist, von Te waka a Maui.«

Die alte Frau lächelte. »Es ist nicht wichtig, wo ihr geboren seid, sondern woher eure Ahnen stammen. Daher kommt ihr, und dahin kehren eure Geister zurück, wenn sie sich befreien.«

»Es wäre mir gar nicht recht, wenn mein Geist letztlich nach England wanderte«, scherzte Jack, als sie die Siedlung schließlich verließen. »Oder nach Schottland oder Wales. Deine Eltern stammen wenigstens beide aus London.«

Charlotte lächelte schwach. »Aber London ist ein schlechter Ort für Geister«, sagte sie sanft. »Zu laut, zu hektisch. Hawaiki erscheint mir reizvoller ... Eine Insel im blauen Meer, keine Sorgen ...«

»Kokosnüsse, die dir in den Mund wachsen, wenn sie dir nicht vorher auf den Kopf fallen«, neckte sie Jack, doch er fühlte sich ein wenig beklommen. Es war zu früh, so unbefangen vom Tod zu sprechen, auch wenn es nur um die Mythologie der Maoris ging. Neuseelands Ureinwohner hatten ihren Ursprung auf einer polynesischen Insel, die sie Hawaiki nannten. Von dort aus waren sie in Kanus nach Neuseeland gekommen, nach Aotearoa, und bis heute bewahrte jede Familie das Wissen um den Namen des Kanus, das ihre Ahnen hergebracht hatte. Nach dem Tod des Einzelnen, so die Sage, kehrte sein Geist nach Hawaiki zurück.

Charlotte griff nach Jacks Hand. »Ich mag keine Kokosnüsse«, sagte sie leichthin. »Aber hier in Waitangi bin ich fertig. Wollen wir morgen nach Norden fahren?«

Der Ninety Mile Beach und Cape Reinga, einer der nördlichsten Plätze Neuseelands, boten fantastische Ausblicke auf sturmumtoste Klippen. Hier trafen sich der Pazifische Ozean und die Tasmanische See – für die *pakeha* ein spektakulärer Aussichtspunkt und ein Muss bei einer Reise über die Nordinsel, für die Maoris eine Art Heiligtum.

Jack zuckte die Achseln. »Wird dir das wirklich nicht zu anstrengend, Liebling? Der Aufstieg ist steil, die letzten Meilen muss man zu Fuß gehen. Bist du sicher, dass du das schaffst? Ich weiß, du hattest seit drei Wochen keine ... Migräneanfälle mehr, aber ...«

Er ließ unausgesprochen, was ihm trotz Charlottes offensichtlicher Energie Sorgen machte: Sie war weiterhin dünn, schien sogar noch mehr Gewicht zu verlieren, was kein Wunder war, da sie kaum etwas aß. Ihre Hände in seinen fühlten sich wie Feenfinger an, und wenn er sie nachts an sich zog, schien ihr Körper fiebrig heiß zu sein. Eine Bergtour war das Letzte, was er sich für sie wünschte, aber sie hatte mehrmals den Wunsch geäußert, speziell Cape Reinga zu besuchen.

Charlotte lächelte. »Dann musst du mich eben tragen. Vielleicht können wir auch Pferde oder Maultiere mieten. Es soll dort doch Wildpferde geben, dann kommen sicher auch Reittiere hinauf. Der Leuchtturmwärter hat bestimmt ein Packtier, er braucht doch Verpflegung ...«

Jack zog seine Frau an sich. »Gut, dann trage ich dich. Ist mir egal, was die Leute sagen. Habe ich dich übrigens in unserer Hochzeitsnacht über die Schwelle getragen? Ich kann mich gar nicht mehr erinnern ... nicht an diese unwesentlichen Details.«

Die letzte Siedlung der *pakeha* vor Cape Reinga war Kaitaia, ein kleiner Ort, in den sich nur dann Fremde verirrten, wenn sie den nördlichsten Teil der Insel erforschen wollten. Das Land hier war noch üppig grün, was Jack verwunderte. Er hatte mit grauer Berglandschaft gerechnet. Auch die Pfade rund um den Ort sahen nicht besorgniserregend aus. Jack nahm ein Zimmer in einer Pension und sprach mit dem Wirt über Reitpferde oder besser noch ein Gespann.

»Es sind noch ein paar Dutzend Meilen bis zu den Klippen«, meinte der Mann skeptisch. »Ich wäre mir nicht sicher, ob Ihre Lady sich so lange auf einem Pferd hält. Nehmen Sie besser einen Wagen. Aber damit kommen Sie wieder die letzten Meilen nicht hoch. Es ist mehr als anstrengend, Sir, Sie sollten sich überlegen, ob das bisschen Aussicht die Mühe wert ist.«

»Es ist mehr als ein bisschen Aussicht«, meinte Charlotte versonnen, als Jack ihr die Ansicht des Wirtes übermittelte. »Jack, so weit in den Norden kommen wir nie wieder! Mach dir keine Sorgen um mich, ich schaffe das schon!«

Und hier waren sie nun, nach langer Fahrt durch eine trostlose Felsenlandschaft, die allerdings mitunter durch atemberaubende Ausblicke in sandige Buchten oder auf lang gestreckte Strände unterbrochen wurde.

»Der Ninety Mile Beach«, sagte Jack. »Wunderschön, nicht? Der Sand ... ich habe gehört, man nutzt ihn zur Glasgewinnung. Das wundert nicht, er leuchtet jetzt schon wie Kristall.«

Charlotte lächelte. Sie sprach wenig auf dieser Fahrt, ließ nur die grandiose Landschaft, das Meer und die Berge auf sich wirken.

»Es muss einen Baum geben, einen *pohutukawa*. Er spielt in den Geschichten eine Rolle ...«

Jack runzelte die Stirn. »Bist du sicher? Sehr baumreich ist die Gegend nicht gerade.«

Der *pohutukawa* – von den *pakeha* auch Eisenholzbaum genannt – war ein rot blühender, immergrüner Baum, typisch für die Nordinsel. Jack und Charlotte hatten die Gewächse schon in Auckland bewundert.

»Am Cape ...«, meinte Charlotte vage. Dann verfiel sie wieder in Schweigen. Und auch während des Aufstiegs zu den Klippen schwieg sie. Der Wirt der Pension hatte Recht gehabt: Mit dem Gespann kam man nicht bis zum Leuchtturm; es lief auf eine anstrengende Wanderung hinaus. Aber Charlotte schien sie nichts auszumachen. Jack sah Schweißtropfen auf ihrem Gesicht, aber sie lächelte.

Erst nach mehreren Stunden kam der Leuchtturm in Sicht, das Wahrzeichen des Kaps. Jack hoffte, dass der Wärter sich über Gesellschaft freute, und tatsächlich lud er die Besucher zum Tee ein. Charlotte lehnte aber zunächst ab.

»Ich möchte den Baum sehen«, sagte sie leise, aber bestimmt. Der Leuchtturmwärter schüttelte den Kopf, wies jedoch in Richtung der Klippen.

»Da drüben. Ein ziemlich verkrüppeltes Ding allerdings, ich weiß nicht, warum die Eingeborenen solch ein Gewese darum machen. Es geht aber um irgendwelche Geister, und angeblich ist da ein Eingang in die Unterwelt ...«

»Und? Schon mal was gesichtet?«, scherzte Jack.

Der Wärter, ein bärtiges Raubein, zuckte die Achseln. »Ich bin ein guter Christ, Sir. Wenngleich meine Ahnen aus Irland kamen. Zu *samhain* lass ich die Türen verschlossen. Aber im Frühjahr ist das Wetter meist ohnehin so stürmisch, dass man keinen Geist vor die Tür jagen wollte, wenn Sie wissen, was ich meine, Sir.«

Jack lachte. Mit *samhain*, dem Allerheiligenfest, hatte seine Mutter ihm als Kind manchmal Angst gemacht. Dann waren die Tore zwischen Geister- und Menschenwelt angeblich nicht ganz geschlossen, und manchmal könnte man Gespenster sehen. Sein Maori-Freund Maaka, der diese Geschichten gehört hatte, aber nicht glaubte, hatte einmal versucht, ihn mit dem Klang der *pecorino*-Flöte aus dem Schlaf zu schrecken, aber natürlich schaffte der Junge es nicht, die Geisterstimme zu erwecken. Jack war deshalb nicht erschrocken, sondern nur von den unmelodischen Tönen gereizt. Das Ganze endete damit, dass Gwyneira einen Eimer Wasser über dem schaurigen Musikanten ausleerte.

Charlotte schaute versonnen über das Meer, während Jack mit dem Leuchtturmwärter plauderte.

»Gibt es hier oben Maori-Ansiedlungen?«, erkundigte sie sich schließlich.

»Meine Frau erforscht die Mythologie der Eingeborenen«, fügte Jack erklärend hinzu.

Der Wächter schüttelte den Kopf. »Keine festen in der nächsten Umgebung. Hier wächst ja nichts. Wovon sollten die Leute leben? Aber es lagern immer mal Stämme am Strand, fischen, machen Musik ... Zurzeit sind auch welche da. Die Maoris kommen nicht über den Landweg hier herauf, sie nehmen immer den Pfad vom Strand hoch. Der ist im Grunde auch schöner. Aber da muss man wirklich klettern. Nichts für Sie, Lady!« Er lächelte entschuldigend.

»Aber das Lager muss doch auch anderweitig erreichbar sein, oder?«, fragte Jack.

Der Leuchtturmwärter bejahte. »Kommen Sie rein, trinken Sie einen Tee, und ich erkläre Ihnen den Weg«, lud er ein.

Charlotte folgte nur widerwillig. Sie schien sich von dem Ausblick auf das brodelnde Meer nicht losreißen zu können. Auch Jack fand das Zusammentreffen der Meere faszinierend, aber inzwischen ging ein starker Wind, und es wurde kalt.

»Eine Unterkunft kann ich Ihnen leider nicht anbieten«, meinte der Mann bedauernd. »Haben Sie ein Zelt oder so etwas im Wagen? Sie können nicht heute noch nach Kaitaia zurück ...«

»Die Maoris werden uns aufnehmen«, erklärte Charlotte. Jack stimmte ihr zu. Der Leuchtturmwärter schien eher skeptisch.

»Wir haben oft bei ihnen genächtigt«, erklärte Jack. »Sie sind sehr gastfreundlich. Vor allem, wenn man ihre Sprache spricht. Wie kommen wir da nun hin?«

Es wurde dunkel, als sie das Lager des Stammes erreichten. Es bestand aus wenigen, eher primitiven Zelten. In der Mitte brannte ein Feuer, über dem große Fische rösteten.

»Es müssten Nga Puhi sein«, meinte Charlotte, die sich mit den Stämmen der Region offensichtlich vertraut gemacht hatte. »Oder Aupouri oder Rarawa. Der Landbesitz war immer zwischen den Stämmen umstritten. Es hat hier viele Kämpfe gegeben.«

Dieser Stamm wirkte jedoch ganz friedlich. Als Jack die Kinder, die sich dem Gespann sofort neugierig näherten, auf Maori begrüßte, war das Eis gleich gebrochen. Die Kinder durften sich um die Pferde kümmern, was sie offensichtlich gern taten, und die Erwachsenen baten Jack und Charlotte ans Feuer.

»Seid ihr wegen der Geister hier?«, erkundigte Jack sich unsicher, nachdem beide mit gerösteten Süßkartoffeln und dem ungemein schmackhaften, frischen Fisch versorgt waren. »Ich meine ... bei den *pakeha* ist das so. Wenn irgendwo ein spiritueller Ort ist, pilgern die Leute hin.«

Tipene, der Häuptling, runzelte die Stirn. »Wir sind wegen der Fische hier«, erklärte er in der üblichen, pragmatischen Art der Maoris. »Sie beißen gut in dieser Jahreszeit, und das Angeln macht uns Spaß. Wenn du Lust hast, kannst du morgen mitmachen.«

Jack nickte eifrig. Die Maoris betrieben hier eine Art Brandungsangeln, das ihn interessierte. Bisher hatte er nur in Flüssen gefischt.

»Die Frauen haben sicher noch tagelang zu reden«, meinte er.

Tipene lachte. »Sie beschwören die Geister«, erklärte er. »Irihapeti ist eine *tohunga*, keine erzählt schöner von Hawaiki als sie.«

Er wies auf eine alte Frau, die längst in ein Gespräch mit Charlotte vertieft war. Jack machte sich Sorgen, dass all dies zu viel für sie werden könnte, aber die Frauen waren bereits in Decken gegen die Abendkühle gehüllt und Irihapeti legte Charlotte gerade eine weitere um die Schultern. Charlotte nippte an einem dampfenden Becher. Offensichtlich war sie zufrieden. Dennoch lag eine Anspannung auf ihren Zügen, die Jack nicht gefiel.

»Hast du deine Medizin genommen, Liebes?«, fragte er.

Charlotte nickte. Trotzdem sah sie aus, als litte sie zumindest leichte Schmerzen. Jack dachte voller Unbehagen an Professor Friedmans Worte. »Es nimmt den Schmerz, zumindest vorerst ...« Aber nach diesem anstrengenden Tag war es sicher normal, dass Charlotte erschöpft wirkte.

»Erzähl von den Geistern, Irihapeti«, forderte sie die alte

Frau schließlich auf. »›Te rerenga wairua‹ heißt ›Absprungsort der Geister‹, ja?«

Te rerenga wairua war der Maori-Name für Cape Reinga.

Irihapeti nickte und machte am Feuer Platz, als sich nun auch eine Gruppe Kinder um sie drängte, um die Geschichte zu hören.

»Wenn irgendwo einer der unseren stirbt«, sagte die *tohunga* mit leiser, beschwörender Stimme, »wandert sein Geist nach Norden. Es zieht ihn zum Meer herunter, zu diesem Strand ... wenn ihr die Augen schließt, werdet ihr vielleicht den leichten Luftzug spüren, wenn einer unser Lager durchquert ... Nein, davor musst du dich nicht fürchten, Pai, heiße die Seele nur willkommen.« Sie drückte ein kleines Mädchen an sich, dem die Sache mit den Geistern wohl unheimlich wurde. Über dem Meer ging der Mond auf und tauchte den Strand in ein unwirkliches Licht. »Von hier aus steigen die Geister die Klippen hinauf ... genau auf dem Weg, Hone, den wir heute Morgen genommen haben ...«

Ein kleiner Junge nickte wichtig.

»Und dann fertigen sie Seile aus Seetang und seilen sich ab zu jenem *pohutukawa*-Baum, ganz nordöstlich an der Küste ... Hast du ihn gesehen, Charlotte? Er ist viele hundert Jahre alt. Vielleicht kam sein Samen mit unseren Ahnen aus Hawaiki. Die Geister springen vom Baum, steigen hinab zu den Wurzeln und rutschen herab, tief hinunter nach Reinga ...«

»Das ist eine Art Unterwelt, nicht?«, fragte Charlotte. Jack fiel auf, dass sie sich keine Notizen machte.

Die alte Frau nickte. »Der Weg führt sie dann nach Ohaua, wo die Geister noch einmal ans Licht kommen, um Aotearoa Lebwohl zu sagen. Und dann ...«

Ohaua war der höchste Punkt der drei kleinen Inseln gegenüber der Küste.

»Dann kommen sie niemals zurück«, sagte Charlotte leise.

»Dann wandern sie nach Hawaiki, in die Heimat ...« Die alte Frau lächelte. »Du bist sehr müde, Kind, nicht wahr?«

Charlotte nickte.

»Warum legst du dich nicht einfach schlafen, Liebste?«, fragte Jack. »Du musst völlig erschöpft sein. Von den Geistern kannst du dir auch morgen noch erzählen lassen.«

Charlotte nickte wieder. Ihr Gesicht zeigte einen fast leeren Ausdruck.

»Ich helfe dir mit dem Zelt!«

Jack hatte ein einfaches Zelt und Decken im Wagen. Während Charlotte ins Feuer starrte, machte er sich auf, es zu holen. Irihapeti wies ihm einen Platz zum Aufbauen an. Er lag nah am Meer; die Wellen würden die Besucher in den Schlaf singen.

In der Erwartung, Anschluss an einen Maori-Stamm zu finden, hatten die McKenzies auch ein paar Geschenke mitgebracht. Saatgut für die Frauen und eine Flasche Whiskey, um ein wenig zur Stimmung am Lagerfeuer beizutragen. Jack brachte sie nun mit und ließ sie kreisen. Charlotte zog sich wirklich bereits zurück.

»Ich komme bald!«, sagte Jack zärtlich und küsste sie, als sie sich verabschiedete. Irihapeti fuhr sanft mit der Hand über ihre Wange.

»*Haere mai*«, sagte sie leise, »du bist willkommen.«

Jack stutzte. Irgendetwas musste er missverstanden haben. Besorgt nahm er einen großen Schluck Whiskey und gab die Flasche dann an die alte Frau weiter. Sie lächelte ihm zu. Vielleicht war er einfach ein bisschen betrunken.

Während die Männer tranken, griffen Irihapeti und ein paar andere Frauen zu ihren Flöten, was Jack erneut verwunderte. Die Maoris untermalten Gespräche selten mit Musik und begannen damit auch kaum mitten in der Nacht. Die Frauen aber spielten leise und in sich gekehrt, und mehr als einmal vernahm Jack die berühmte »Geisterstimme« der *picorino*-Flöte. Vielleicht waren die Sitten auf der Nordinsel ja anders, oder es handelte sich um ein Ritual, das man speziell hier für die scheidenden Geister zelebrierte.

Als Jack schließlich in sein Zelt kroch, war er müde vom Whiskey, vom monotonen Flötenspiel und von den langen Geschichten der Männer – er war mit Maoris aufgewachsen, aber noch immer fiel es ihm schwer, den tieferen Sinn ihrer Erzählungen zu begreifen. Ein bisschen unheimlich, von der Geisterstimme in den Schlaf gesungen zu werden ... aber Charlotte schien es nicht zu stören, sie schlummerte anscheinend tief und fest neben ihm. Jacks Herz war erfüllt von Zärtlichkeit, als er sie auf dem primitiven Lager sah, das offene Haar ausgebreitet auf der Decke, die ihr als Kissen diente, das Gesicht allerdings nicht völlig entspannt. Wie lange war es her, dass er sie wirklich friedlich hatte schlafen sehen, unbeschwert von Schmerzen und Angst? Er schob den Gedanken beiseite. Charlotte ging es besser, sie würde sich erholen ... Er küsste sie vorsichtig auf die Stirn, als er sich neben sie legte. Dann schlief er ein.

Charlotte hörte die Stimmen der Geister. Sie riefen sie bereits die ganze Nacht, aber bisher war es nur ein sanftes Locken gewesen. Jetzt wurden sie fordernder, einladender. Es war Zeit.

Charlotte stand leise auf und tastete sich zum Ausgang des improvisierten Zeltes. Jack schlief tief, das war gut so. Sie schenkte ihm einen letzten Blick voller Liebe. Eines Tages ... im Sonnenschein einer Insel irgendwo im Meer ...

Charlotte schob ihr Haar zurück und suchte nach ihrem Umhang. Aber sie würde ihn nicht brauchen. Auch wenn es jetzt noch kühl war, beim Aufstieg würde ihr warm werden.

Sie folgte dem Weg, den ihr Irihapeti gewiesen hatte. Er stieg sofort steil an. Zum Glück sorgte der Mond für ausreichend Licht, die Stufen im Fels zu erkennen. Charlotte ging schnell, aber ohne Hast. Sie fühlte sich nicht einsam, es gab andere Seelen, die mit ihr den Aufstieg teilten. Charlotte meinte, sie in Aufregung und Vorfreude tuscheln und lachen zu hören. Sie selbst empfand Bedauern, aber keine Angst. Der Aufstieg dauerte lange, aber für Charlotte schien die Zeit dahinzufliegen. Ab und zu hielt sie inne und sah hinunter auf das im Mondlicht kristallen funkelnde Meer. Irgendwo dort war Jack ... sie geriet in Versuchung, ihn in seinen Träumen zu berühren. Aber nein, es war besser, sie ließ ihn schlafen. Und das Lager der Maoris war längst außer Sicht. Charlotte folgte immer steileren, verschlungenen Pfaden, aber sie verlief sich nicht, sie trieb mit den Geistern. Schließlich tauchte der Leuchtturm vor ihr auf. Hier musste sie aufpassen, noch einmal zurück in die wirkliche Welt finden und sorgsam ihren Weg durch die Schatten suchen. Es war zwar unwahrscheinlich, dass der Leuchtturmwärter jetzt nicht schlief, aber Charlotte wollte auf keinen Fall entdeckt und womöglich gezwungen werden, ihr Vorhaben aufzugeben. Sie wollte es aber auch nicht beschleunigen. Ihre Tat war etwas Wohlüberlegtes, beinahe Heiliges. Es sollte nicht in Hast geschehen.

Der sturmzerzauste *pohutukawa*-Baum war vom Leuchtturm aus nicht einzusehen. Charlotte entspannte sich. Sie sollte nun ein Tau aus Seetang winden, um sich zu ihm abzuseilen, aber hier war kein Seetang. Das war ihr auch zuvor schon seltsam erschienen, bei Irihapetis Geschichte. Sie musste irgendjemanden danach fragen.

Charlotte lächelte. Nein, sie würde keine Sagen mehr aufschreiben. Sie würde Teil der Legenden werden ...

Ein kleines Stück oberhalb des Baumes fiel die Klippe steil ab. Charlotte trat an den Rand. Unter ihr brandete das Wasser an einen kleinen Strand. Der Ozean dehnte sich vor ihr aus wie ein Meer aus Licht.

Hawaiki, dachte Charlotte. Das Paradies.

Dann flog sie.

Als Jack erwachte, herrschte Totenstille. Das war ungewöhnlich, schließlich waren sie inmitten eines ganzen Dorfes von Maoris eingeschlafen, und eigentlich sollte der Strand von Lachen und Plaudern, Kinderstimmen und dem Prasseln der Feuer erfüllt sein, an dem die Frauen Brotfladen buken.

Jack griff neben sich und stellte fest, dass Charlotte fort war. Seltsam, warum hatte sie ihn nicht geweckt? Er rieb sich die Stirn und kroch aus dem Zelt.

Sand und Meer. Fußspuren, aber keine Zelte. Nur eine alte Frau, Irihapeti, wie er sich erinnerte, saß am Strand und beobachtete das Anbranden der Wellen.

»Wo sind alle hin?« In Jack stieg Angst auf. Es war, als erwache er in einem seltsamen Albtraum.

»Sie sind nicht weit. Aber es ist besser für dich, heute allein zu sein. Tipene meinte, du würdest uns vielleicht zürnen. Und das sollst du nicht. Du sollst Frieden finden.« Irihapeti sprach langsam, ohne ihn anzusehen.

»Warum sollte ich euch zürnen?«, fragte Jack. »Und wo ist Charlotte? Ist sie bei den anderen? Was geht hier vor, *wahine?*«

»Sie wollte ihrem Geist den Weg zeigen.« Irihapeti wandte ihm endlich ihr Gesicht zu. Es war ernst und von Falten durchzogen. »Sie sagte mir, er fürchte sich vor der Trennung von ihrem Körper, weil es kein Hawaiki für ihn gäbe. Aber hier brauchte er nur den anderen zu folgen. Du hättest ihr nicht helfen können.«

Die alte Frau sah wieder aufs Meer hinaus.

In Jacks Kopf begann es zu arbeiten. Die Geister ... die Klippen ... die vagen Worte des Arztes ... Er hatte es nicht wahrhaben wollen, aber Charlotte wusste, dass sie sterben würde.

Nur nicht so! Nicht allein!

»Sie ist nicht allein«, sagte Irihapeti. Jack wusste nicht, ob sie seine Gedanken las oder ob er die letzten Worte laut ausgesprochen hatte.

»Ich muss sie suchen!«

Jack empfand ein überwältigendes Gefühl von Schuld, als er auf den Felsenweg zurannte. Wie hatte er schlafen können? Warum hatte er nichts bemerkt, nichts gefühlt?

»Du kannst auch hier auf sie warten«, sagte Irihapeti.

Jack hörte nicht hin. Er jagte den steilen Weg hinauf wie von Furien gehetzt, hielt nur manchmal inne, um Atem zu schöpfen. Für die Schönheit der Felsen und des Meeres hatte er keinen Sinn. Dabei war der Himmel bedeckt, und alles schien in einem seltsamen blauen Zwielicht versunken. Geisterlicht? Jack zwang sich, noch schneller zu gehen. Vielleicht holte er sie noch ein. Er hätte die alte Frau fragen sollen, wann Charlotte gegangen war. Aber wahrscheinlich wusste sie das auch nicht. Für Maori-*tohunga* verging die Zeit anders.

Als Jack endlich den Leuchtturm erreichte, war es Mittag, aber die Sonne war immer noch nicht ganz aufgegangen. Der Wärter begrüßte ihn fröhlich – bis er sah, in welchem Zustand er sich befand. Von Charlotte gab es keine Spur.

»Es gibt Dutzende mögliche Stellen«, meinte der Leuchtturmwärter mitfühlend, als Jack ihm in kurzen, unzusammenhängenden Worten seine Befürchtung geschildert hatte. »Direkt an diesem Baum würde ich nicht springen. Da geht es nicht ganz steil abwärts. Aber gleich darüber. Und etwas links davon ... wie gesagt, Sie können höchstens nach Fußspuren suchen. Aber vielleicht regen Sie sich ja ganz grundlos auf. Diese Maori-Großmütter erzählen viel, wenn der Tag lang ist. Vielleicht ist die kleine Lady ganz wohlbehalten bei ihren

Freunden. So zart und schwach wie sie aussah, ist sowieso kaum zu glauben, dass sie den schweren Aufstieg geschafft hat.«

Jack ging zu den Klippen oberhalb des *pohutukawa*-Baumes. Hier musste es gewesen sein, er schien Charlottes Präsenz noch zu spüren. Aber nein, das konnte nicht sein. Ihre Seele sollte längst Ohaua erreicht haben …

Jack schickte den Inseln einen stummen Gruß. Er wusste nicht, weshalb er keine Verzweiflung empfand, aber da war nur Leere in ihm, schreckliche, eiskalte Leere.

Wie in Trance stieg er den Weg wieder hinab. Wenn er jetzt stolperte … Aber Jack stolperte nicht. Er war nicht bereit für Hawaiki, noch nicht. Ließ er sie damit im Stich? Jack konnte nicht einmal denken. Da war nur diese Kälte und Dunkelheit in seinem Kopf, obwohl seine Augen endlich die Sonne hinter Wolkenbänken hervorkommen sahen und seine Füße den Pfad sicher ertasteten.

Irihapeti wartete immer noch, als der Strand wieder in Sicht kam, aber als Jack die Füße auf den Sand setzte, schien die alte Frau etwas zu erkennen.

»Komm, *tane!*«, sagte sie ruhig und watete ins Wasser.

Es war schwer für sie, gegen die Brandung anzugehen, Jack war stärker. Er holte sie schnell ein, und jetzt sah auch er es. Ein weites blaues Kleid, aufgebauscht von den Wellen. Langes blondes Haar, mit dem die Brandung spielte.

»Charlotte!« Jack rief ihren Namen, obwohl er wusste, dass sie ihn nicht hören konnte. Er verlor den Boden unter den Füßen, begann zu schwimmen.

»Du kannst einfach warten«, sagte Irihapeti. Sie blieb weiter vorn im Wasser stehen.

Jack umfasste den Körper seiner Frau, kämpfte mit dem

Meer, um ihn schwimmend an Land zu bringen. Er war außer Atem und am Ende seiner Kräfte, als er Irihapeti erreichte. Sie half ihm wortlos, Charlotte an Land zu tragen. Sie betteten sie auf eine Decke, die Irihapeti ausgebreitet hatte.

Jack schob das Haar aus dem Gesicht seiner Frau – und sah zum ersten Mal seit langer Zeit den Ausdruck vollkommenen Friedens. Charlottes Körper war frei von Schmerzen. Und ihre Seele folgte dem Weg der Geister …

Jack zitterte.

»Ich friere«, sagte er leise und unvermittelt. Dabei war es ein warmer Tag, die inzwischen aufgegangene Sonne trocknete bereits seine Kleidung.

Irihapeti nickte.

»Es wird lange dauern, bis die Kälte geht.«

6

»Ist das denn ein *haka?*«

Gloria stand neben Tamatea hinter der improvisierten Bühne im Ritz und lauschte Kura-maro-tinis vorläufigem Abschiedskonzert im alten Europa. William hatte die Künstlerin vorher groß angekündigt und nochmals betont, dass die Erlöse Kriegswaisen zugute kämen. Die gab es inzwischen wohl auch in England. Amerika blieb vorerst neutral.

Marisa war wieder halbwegs auf dem Damm und hatte Kura eben virtuos durch die Ballade begleitet, an der Gloria sich am Vortag erfolglos versucht hatte. Das Mädchen hätte das Stück nicht wiedererkannt – Marisa brachte das Klavier neben der Geisterstimme der *picorino* zum Flüstern und vermittelte zwischen dem stampfenden Rhythmus des Kriegstanzes im Hintergrund und der von Kura vorgetragenen Ballade. Die Komposition war ein filigranes Kunstwerk und der Applaus entsprechend laut. In den Maori-Dörfern um Kiward Station hatte Gloria jedoch niemals etwas Vergleichbares gehört, und der nun folgende *haka* erschien ihr auch nicht authentischer. Nun hätte sie nie von sich behauptet, etwas von Musik zu verstehen, aber die *haka* der Maoris hatte sie immer recht eingängig gefunden. Als Kind hatte sie lachend mitgetanzt, wenn ihre Großmutter Marama sie in den Kreis zog, oder vergnügt die Trommeln geschlagen. Man konnte da kaum Fehler machen; die Rhythmen erschlossen sich auch Menschen mit wenig musikalischem Talent. Hier jedoch sah sie ausgefeilte Tanzschritte, hörte sich verzweigende Melodien und Instrumente, die zweifellos von den Maoris entwickelt worden waren, aber sehr viel differenzierter eingesetzt wurden als im Ursprungsland. Irgendwann wagte sie dann vorsichtig zu fragen in der Hoffnung, Tamatea würde sie nicht auslachen.

Die alte Maori zuckte die Achseln. »Es ist ... Kunst«, meinte sie dann, wobei sie für »Kunst« auf das englische Wort zurückgriff.

»›Kunst‹ und ›künstlich‹ haben wohl dieselben Wurzeln.«

Tamatea wählte ihre Worte vorsichtig, aber ihrem Ausdruck war leicht zu entnehmen, dass sie Kuras Interpretation der Maori-Musik nicht unbeschränkt billigte.

William Martyn, der Glorias Frage ebenfalls gehört und sogar verstanden hatte, warf der alten Frau einen missbilligenden Blick zu. Er sprach nur ein paar Worte Maori, aber mit Hilfe der zwei englischen Worte konnte er sich ihre Entgegnung zusammenreimen.

»Wir sind da nicht so puristisch, Gloria«, bemerkte er seinerseits. »Ob das nun Original-Maori-Musik ist oder nicht, wen kümmert's? Hauptsache ist, die Leute können folgen. Wir überlegen auch, zumindest Kuras Songtexte ins Englische zu übersetzen. Das wurde uns für Amerika sehr empfohlen. Die Leute da haben es nicht mit zu viel Folklore ...«

»Aber im Programm steht doch, es sei authentisch.« Gloria wusste nicht genau, was sie störte, aber sie hatte das Gefühl, um irgendetwas betrogen zu werden, das ihr wichtig war. Vielleicht war sie einfach zu dünnhäutig. Sie hatte sich zuvor dabei ertappt, zärtlich über die Saiten der Tumutumu zu streicheln und das Holz der dickbäuchigen Flöten zu liebkosen. Es war tröstlich, diese Dinge zu spüren. Gloria musste sich manchmal vergewissern, dass es ihr Land auf der anderen Seite der Erdkugel überhaupt noch gab.

William verdrehte die Augen. »In Programmen steht viel«, meinte er dann. »Wir haben in Paris einen Auftritt dieser Mata

Hari gesehen. Sehr schön, sehr künstlerisch – aber die Frau hat doch nie einen indischen Tempel von innen gesehen, geschweige denn, dass sie dort eine Tanzausbildung erhalten hätte. Ich habe das mal genauer unter die Lupe genommen. Sie ist nicht mal Inderin, und schon gar nicht adliger Abkunft oder was immer sie behauptet. Aber das interessiert die Leute gar nicht. Hauptsache, Exotik und viel nackte Haut. Daran werden wir auch noch arbeiten, unsere Show muss attraktiver werden…«

»Noch mehr nackte Haut?«, fragte Gloria. Die Kostüme der Tänzerinnen waren schon jetzt ziemlich offenherzig. Ihre *piupiu* – hellbraune Röcke aus gehärteten Flachsblättern – endeten weit über dem Knie und zeigten die nackten Beine der Mädchen. Die ebenso knappen, gewebten Oberteile reichten allerdings nicht an die Realität heran. Maori-Frauen tanzten oft mit nacktem Oberkörper. Gloria hatte sich bei diesem Brauch nie viel gedacht; auf Kiward Station war es ihr völlig natürlich erschienen. Hier dagegen … die Leute starrten die Tänzerinnen jetzt schon an.

»Sei nicht so prüde, Kleines!« William lachte. »Wir denken jedenfalls an noch knappere Röckchen, während das mit der Gesichtsbemalung…« Er warf Tamatea einen fast trotzigen Blick zu. »Das wollen wir abbauen. Jedenfalls bei den Mädchen. Die Männer sollen ja Furcht erregend wirken. Der Gruseleffekt ist fast so wichtig wie die Exotik. Gerade in Amerika…« William setzte zu einem weiteren Vortrag darüber an, was in der Neuen Welt zu beachten war, wenn es um Show ging.

Auf der Bühne erschien inzwischen eine Gruppe männlicher, martialisch aufgemachter Tänzer. Tatsächlich waren die Kriegs-*haka* das einzig Authentische, das Kuras Show noch zu bieten hatte. Die Männer waren in bunten Farben bemalt, schrien Drohungen gegen den Feind und fuchtelten mit den Speeren. Es schien den Tänzern ausgesprochenen Spaß zu machen, und wie es aussah, lag das Kampfspiel nicht nur Polynesiern im Blut. Keiner der Tänzer war mehr wirklich neuseeländischer Abkunft.

William führte noch weiter aus, was er in der nächsten Zeit zu ändern plante, aber Gloria hörte nicht allzu genau hin. Im Grunde war ihr die Arbeit ihrer Mutter ziemlich gleichgültig. Sie verspürte nur ein unbestimmtes Bedauern. Das winzige Stück Neuseeland, das sie bisher noch in den Shows gefunden hatte, war nun auch geschwunden. Auf die Dauer würde Tamatea heimkehren; es gab nichts mehr, was es zu hüten lohnte. Aber Gloria würde bleiben müssen ... Sie hasste Amerika jetzt schon.

Lustlos ging sie an Bord des Dampfers. Es hatte endlos gedauert, bis Kuras sämtliche Bühnenrequisiten in Kisten verladen an Bord gehievt worden waren, aber die Sängerin bestand darauf, das alles selbst zu überwachen. Dabei zeigte sich das Londoner Wetter noch einmal von seiner schlechtesten Seite. Es nieselte pausenlos, und Gloria sah aus wie eine nasse Katze, als sie endlich ihre Kabine in der Ersten Klasse betrat. Sie teilte sie mit Tamatea, was immerhin eine Erleichterung darstellte. Junge Tänzerinnen reisten nicht mit der Truppe. William hatte das Ensemble nach dem letzten Konzert verabschiedet, in New York würde man ein neues anwerben.

»Kommst du auf die Brücke, Gloria?«

Gloria hatte gehofft, in der Kabine ihre Ruhe zu haben, doch wie es aussah, ließ der Kapitän es sich nicht nehmen, Kuramaro-tini und ihre Familie sofort selbst an Bord willkommen zu heißen. Da er so kurz vor der Abfahrt nicht abkömmlich war, empfing er sie auf der Brücke und überschüttete die Frauen mit tausend Informationen über ein Hochseeschiff. Gloria musste daran denken, dass dies alles sie vor ein paar Jahren noch brennend interessiert hatte, aber jetzt sah sie nur, dass der Käpt'n ihr dabei keinen Blick gönnte. Er sprach einzig und allein zu Kura-maro-tini, die sich zweifellos langweilte, ihm aber in der Manier einer Königin lauschte. Der Regen und der Wind taten ihrer Schönheit keinen Abbruch. Im Gegenteil, es ließ sie rührend, aber auch aufregend wirken, wenn der Sturm an ihrem Haar riss.

»Und das ist Ihre Tochter?«

Die übliche Bemerkung, die übliche Verwunderung im Gesicht des Käpt'ns. Gloria senkte die Augen und wünschte sich weit fort ...

Die Überfahrt von London nach New York verlief ruhig. Ein paar Passagiere ängstigten sich zwar wegen des Krieges, und das Bild in den Häfen wurde von Männern in Marineuniformen beherrscht. Auf See jedoch begegnete ihnen kein Kriegsschiff mehr, nachdem sie den Ärmelkanal verlassen hatten. So wich die beklommene Stimmung, die London so kurz nach Kriegsausbruch beherrscht hatte, bald lebhaftem und unbeschwertem Bordleben. Zumindest in der Ersten Klasse feierte man. Wie es auf dem Zwischendeck aussah, wo arme Auswanderer und Kriegsflüchtlinge zusammengepfercht dem Ende der Reise entgegenfieberten, wusste Gloria nicht. Die First Class und die Zwischendeckpassagiere blieben strikt getrennt – was den Erzählungen von Grandma Gwyn und Elizabeth Greenwood von ihrer eigenen Auswanderung nach Neuseeland widersprach. Bei den monatelangen Überfahrten auf noch ziemlich unsicheren Segelschiffen hatte es zwangsläufig Kontakte gegeben. Grandma Gwyn hatte von gemeinsamen Gottesdiensten und sogar Vergnügungen erzählt.

Gloria genoss die Seereise, soweit sie willig und fähig war, irgendetwas zu genießen. Die abendlichen Bankette, die Deckspiele und anderen Lustbarkeiten im Kreise der Passagiere langweilten sie, aber wie schon bei der Fahrt von Lyttelton nach England beruhigte sie der Blick auf die endlose Weite des Meeres. Stundenlang saß sie alleine an Deck und schaute hinunter in die Wellen, sie freute sich, wenn Delfine oder Wale das Schiff begleiteten.

Glorias Eltern ließen sie weitgehend in Ruhe. Kura genoss ihren Starruhm unter den Passagieren, William trank mit Lords und tanzte mit Ladys wie mit seinesgleichen. Der Kapitän bestürmte Kura, für seine Passagiere und Offiziere zu singen, und schließlich gab sie dem Drängen nach. Natürlich wurde das Konzert ein voller Erfolg – und Gloria durchlitt das übliche Spießrutenlaufen.

»Und das Töchterchen macht auch Musik? Nein? Wie schade! Aber Sie müssen stolz auf Ihre Mutter sein, Miss Martyn!«

Noch ein Satz, den Gloria in diesen Tagen zu hassen lernte, lautete: »Gloria ist noch sehr kindlich.« Kura und William entschuldigten damit, dass Gloria wenig zu den Tischgesprächen beitrug und nicht tanzen mochte, wenn die Schiffskapelle allabendlich aufspielte.

Schließlich gab sie beim Dinner mit dem Kapitän dem Drängen eines jungen Maats nach, stand ihm aber nur auf den Füßen. Oaks Garden unterrichtete zwar neuerdings Gesellschaftstanz, allerdings erst im letzten Schuljahr. Zu spät für Gloria.

»Wie können die Leute hier leben?«, fragte Tamatea, als das Schiff Ellis Island passierte und endlich New York in Sicht kam. »Die Häuser sind zu hoch, um den Himmel zu sehen. Der Boden ist versiegelt, das Licht künstlich. Und der Lärm …

die Stadt ist erfüllt von Lärm, ich höre ihn bis hierher. Das vertreibt die Geister. Die Menschen müssen ruhelos sein, entwurzelt ...«

Gloria hatte diesen Eindruck eigentlich schon von London gehabt, doch die alte Maori hatte Recht. New York war noch größer, noch lauter, noch unübersichtlicher, und wäre Gloria ein Geist gewesen, wäre sie lieber heute als morgen geflohen.

»Es gibt einen riesigen Park in der Mitte der Stadt, da gibt es sogar hohe Bäume«, meinte Kura ungeduldig. Sie brannte darauf, das Schiff zu verlassen und diese neue, besondere Stadt in Besitz zu nehmen. Wobei sie nicht daran zweifelte, dass es ihr gelingen würde. Ihr Konzertveranstalter hatte Depeschen aufs Schiff geschickt. Das Interesse an ihren Auftritten war enorm. Die ersten Abende waren bereits ausverkauft. Vorher war allerdings noch einiges zu tun, und Kura brannte vor Tatendrang. Selbstverständlich fuhren die Martyns mit einem der neuen Automobile zu ihrem Hotel, dem Waldorf Astoria. Gloria gefiel weder das ratternde Gefährt, in dem sich Tamatea regelrecht zu fürchten schien, noch die einschüchternde Eleganz der Hotellobby. Immerhin erregte sie kein Aufsehen. Die Hotelbediensteten zollten Kuras auffallender Schönheit zwar Aufmerksamkeit, erkannten die Berühmtheit aus Europa jedoch noch nicht und fragten erst recht nicht danach, ob ihre Tochter ihr ähnlich sah. Gloria bezog ein Zimmer in der Suite ihrer Eltern, stellte aber zu ihrer Erleichterung fest, dass man die neuen Ensemblemitglieder nicht hier vorsprechen und vortanzen ließ. Dafür hatte William einen Raum im nahen Theaterviertel anmieten lassen.

Tamatea hatte dabei zu sein, wenn sich die jungen Tänzer vorstellten, und so war Gloria in ihren ersten Tagen in New York weitgehend auf sich allein gestellt. William und Kura schlugen ihr vor, Museen oder Galerien zu besuchen. Das wäre auch für ein einzelnes junges Mädchen schicklich, zumal das Hotel für ein Automobil sorgen würde, das Gloria hin- und zurückbrachte. Gehorsam ließ Gloria sich folglich zum Metropolitan Museum of Art fahren. Desinteressiert betrachtete sie jene Gemälde, für die man sie seit sechs Jahren zu begeistern versuchte, an die sie aber immer noch die falschen Fragen stellte. Interessanter fand sie Waffen und Musikinstrumente aus verschiedenen Erdteilen. Die Artefakte von den Pazifischen Inseln erinnerten sie an die Arbeiten der Maoris, und sie fand den Anblick beinahe anheimelnd. Dennoch war das alles zu viel für Gloria. Sie wusste nicht, was sie in dieser Stadt tat; es gab nichts, was sie hier suchte. Schließlich floh sie, entdeckte den Eingang zum Central Park und verlor sich in den weitläufigen Gärten. Immerhin sah man dort die Erde und den Himmel. Aber den Horizont begrenzten die Hochhäuser Manhattans. Über New York lag eine Dunstglocke; es war Herbst, und der Wind wehte rubinrote Blätter durch den Park. Auf Kiward Station war jetzt Frühling. Wenn Gloria die Augen schloss, sah sie frisch geschorene Schafe auf regengrünen Weiden, bereit für den Auftrieb ins Hochland in Richtung der Alpen, sah deren schneebedeckte Gipfel, die durch kristallklare Luft zu den Farmen hinübergrüßten. Jack würde mit den Tieren reiten, vielleicht begleitet von seiner Frau Charlotte. Grandma Gwyn schrieb, die Ehe sei glücklich. Aber wie konnte auch jemand unglücklich sein auf Kiward Station?

Als Gloria endlich zurück zum Museum kam, wartete ihr Wagen bereits. Der Fahrer war in heller Aufregung, da sie die Zeit verpasst hatte. William machte ihr deshalb Vorwürfe, als sie im Hotel eintrafen, obwohl die Martyns sich ganz sicher keine Sorgen um ihre verloren gegangene Tochter gemacht hatten. Dafür waren sie zu sehr mit den Proben dieses Tages beschäftigt. Sie stritten sich wegen zwei oder drei Tänzerinnen, die entweder für William zu wenig Haut zeigen wollten oder für Kura zu wenig Gefühl für Rhythmus besaßen. Tamatea fand die Mädchen durchweg zu dünn, um Maori-Frauen darzustellen, was Gloria seltsam fand; schließlich waren die meisten Maori-Mädchen schlank.

Am nächsten Tag, als sie den Proben beiwohnte, verstand sie allerdings, was die alte Tänzerin meinte. Die Bewerberinnen hatten sämtlich die sehnigen Körper von Balletttänzerinnen und waren groß und langgliedrig. Maori-Frauen waren kompakter, ihre Hüften breiter, die Brüste schwerer. Dafür aber bewegten diese Mädchen sich mühelos, wie es wohl auch Mata Hari bei ihren Aufführungen tat, und an der schienen die Martyns sich orientieren zu wollen. Sie stellten Tamatea gleich eine New Yorker Ballettmeisterin zur Seite – zumindest drückten sie es so aus. Tamatea war verärgert darüber, und so herrschte dicke Luft in der Compagnie.

Gloria verbrachte die nächsten Tage zumeist auf ihrem Zimmer. Sie hatte keine Lust auf die ewigen Streitereien, bei denen jeder versuchte, sie auf seine Seite zu ziehen. Dabei hatte Gloria eigentlich keine Meinung. Es war lange her, seit Grandma Gwyn sie lachend ihre »kleine *tohunga*« genannt hatte, womit sie auf Glorias Wissen über Schafe und Pferde anspielte. Lustlos schrieb sie einen Brief nach Kiward Station.

New York ist riesig. Unser Hotel ist modern und sehr schön. Wir haben ein Automobil zur Verfügung, das mich überallhin bringt, wohin ich möchte. Meine Eltern arbeiten sehr viel. Ich bin meist allein.

Gloria las den Brief noch einmal durch und strich dann den letzten Satz.

George Greenwood konnte Lilian nicht bis nach Greymouth begleiten. Auf ihn warteten dringende Geschäfte in Christchurch – und die Nachricht vom Tod seiner Tochter Charlotte. Gwyneira McKenzie, die ihre Urenkelin gleich in Lyttelton abholte, bestellte ihm mit ernstem Ausdruck, dass Elizabeth ihn im Hotel erwarte. Lyttelton, bei Gwyns Ankunft über sechzig Jahre zuvor noch eine winzige Ansiedlung, war inzwischen zu einer richtigen Stadt mit allen Annehmlichkeiten angewachsen.

George verabschiedete sich kurz von seiner jungen Reisebegleitung und machte sich auf den Weg zu seiner Frau. Gwyneira sah ihm bedauernd nach. Auch sie war in Trauer, wollte Lilian aber nicht die Ankunft verderben. So trug sie nicht einmal Schwarz, sondern nur Kleider in gedeckten Farben.

Lilian bemerkte ihre gedämpfte Stimmung nicht. Sie war aufgedreht und glücklich, wieder heimzukommen, und sie strahlte, als Gwyn ihr eröffnete, sie würde ihre Mutter heute noch sehen. Elaine hatte das Warten nicht mehr ausgehalten. Sie kam mit dem Nachtzug aus Greymouth; Lilian und Gwyn würden sie gleich abholen. Danach sollten Mutter und Tochter noch ein paar Tage auf Kiward Station verbringen.

»Und Daddy?«, fragte Lilian. »Der kommt nicht mit?«

»Offensichtlich unabkömmlich«, bemerkte Gwyn. »Der Krieg. Aber jetzt komm, wir lassen dein Gepäck mit dem Fährdienst nach Christchurch bringen.«

»Ich sage jetzt nicht, du bist groß geworden!«, neckte Elaine ihre Tochter, nachdem sie das Mädchen endlich aus ihren Armen ließ. Lily und Gwyn hatten den Bahnhof rechtzeitig erreicht und die Ankunft des Zuges ungeduldig erwartet. »Das war schließlich anzunehmen.«

»Ich bin gar nicht groß!«, protestierte Lilian. »Nicht mal so groß wie du.« Das stimmte. Lilian war nach wie vor klein und feenhaft, sah ihrer Mutter aber sonst sehr ähnlich. Auch Gwyn meinte bei ihrem Anblick in einen Zauberspiegel zu sehen. Abgesehen von der Augenfarbe und davon, dass ihr Haar glatter war und einen anderen Rotton aufwies, glich Lilian vollständig dem Mädchen, das sie selbst mit fünfzehn gewesen war.

»Ich erwarte geistige Größe!«, scherzte Elaine. »So viele Jahre englisches Internat. Du solltest ein wandelndes Lexikon sein!«

Lilian verzog das Gesicht. Anscheinend machte man sich hier falsche Vorstellungen von Mädchenbildung in Oaks Garden, aber letztlich war das egal. Niemand würde sie abfragen.

»Reiten kann sie jedenfalls noch«, meinte Grandma Gwyn gespielt fröhlich.

Die alte Dame wirkte angestrengt und schien seit Elaines letztem Besuch stark gealtert. Elaine drückte ihr stumm die Hand. Sie hatte kurz vor ihrer Abfahrt von Jacks und Charlottes Tragödie erfahren.

»Ist Jack noch im Norden?«, fragte sie leise.

Gwyn nickte. »Elizabeth möchte Charlotte überführen lassen, aber wie sie das anstellen sollen, wissen wohl beide nicht. Sie haben auf George gewartet – was muss das für eine Heimkehr für ihn sein!«

»Kein Telegramm aufs Schiff?«

»Hätte das etwas geändert? Elizabeth wollte es ihm selbst sagen ...« Gwyneira brach mit einem Seitenblick auf Lilian ab.

»Ist irgendwas?«, fragte das Mädchen.

Elaine seufzte. »Dein Onkel Jack ist in Trauer, Lily, und auf Onkel George wartet ebenfalls eine schlechte Nachricht. Seine Tochter Charlotte, Jacks Frau, ist gestorben ...«

Gwyneira betete, dass Lilian nicht nach den näheren Umständen fragte, aber dem Mädchen schien Charlottes Verlust ziemlich egal zu sein. Lily kannte Jack nur flüchtig, seine Frau hatte sie nie kennen gelernt. Insofern bekundete sie auch nur kurz ihr Bedauern und begann dann wieder fröhlich zu plaudern. Sie erzählte Gwyn von den Pferden ihrer Freundinnen in England, Elaine von der Seereise – und natürlich von ihren Plänen, Tim Lambert demnächst bei der Minenleitung zu helfen.

Elaine lächelte. »Er wird dich brauchen, die Minen arbeiten auf Hochtouren. Der Krieg. Tim hat das gleich vorausgesagt, als die Kämpfe ausbrachen, aber dass es so schnell gehen würde ... England schreit nach Stahl, und folglich nach Kohle. Nun heißt es natürlich auch, der ganze Krieg ginge bald vorbei, die Industrie müsste sich also beeilen und schnellstmöglichst viel Profit machen. Florence Biller scheint diese Ansicht zu teilen. Sie baut Biller massiv aus. Die anderen müssen sehen, dass sie den Anschluss halten ... Kriegen wir wirklich unser ganzes Gepäck in diese kleine Chaise, Grandma?«

Die Frauen hatten den Bahnhof verlassen und schritten auf Gwyns Einspänner zu, vor dem eine elegante Cobstute wartete.

Gwyneira schüttelte den Kopf. »Nein, wir haben noch einen Lieferwagen hier, der wird die Sachen mitnehmen. Aber ich dachte, ihr hättet Lust auf eine flotte Fahrt. Und ich will James auch nicht zu lange allein lassen. Charlottes Tod hat ihn schwer getroffen. Wir haben sie alle sehr gern gehabt. Und James ... nun, ich mache mir ernsthaft Sorgen.«

James McKenzie war von Unruhe erfüllt. Er hätte eher Trauer empfinden sollen, aber was er fühlte, war beinahe Zorn. Charlotte war so jung gewesen, so lebensfroh. Und Jack hatte sie unendlich geliebt. James wusste, wie es sich anfühlte, so sehr zu lieben ... seine Gwyn ... es war Zeit, dass sie zurückkam. Wo war sie noch mal hingefahren? In der letzten Zeit verschoben sich James' Erinnerungen. Manchmal wartete er auf das junge Mädchen, das wie ein Wirbelwind auf seinem braunen Pony über die Ebenen der Canterbury Plains geritten war. Er meinte die Hündin Cleo hinter ihr traben zu sehen oder seine Friday, den legendären Hütehund des Viehdiebs McKenzie. Dann war er beinahe überrascht, dass Gwyns Gesicht plötzlich von Falten durchzogen war und ihr Haar fast weiß. Und dass kein schwanzwedelndes, seelenvergnügtes Hundetier hinter ihr her lief, sondern nur die stets ein wenig verdrossene Nimue, die nach wie vor nicht in ihrem Korb schlief, sondern in dem kleinen, ehemals als Empfangsraum geplanten Vorbau mit Blick auf die Haustür. Sie wartete auf Gloria. Wenn es sein musste, würde sie ihr Leben lang warten.

Aber jetzt würde er heruntergehen und Gwyn vor den Ställen in Empfang nehmen. Sein Herz klopfte heftig, seine Glieder schmerzten an diesem Tag nicht. Er hätte fast reiten können. Ja, es wäre schön zu reiten ...

James stützte sich nur leicht auf seinen Stock, als er die Treppe hinunterstieg. Es war wirklich ein guter Tag. Die Pferde wieherten, als er die Ställe betrat. Es hatte aufgehört zu regnen; er musste Poker sagen, dass sie hinauskonnten. Oder Andy ... aber Poker ... Poker war ... nein, es konnte nicht sein, dass sein alter Freund und Trinkgefährte fast ein Jahr zuvor gestorben war.

Im Stall werkelte Maaka, ein Maori-Arbeiter und Jacks bester Freund. Er vertrat den Vormann Jack während dessen Abwesenheit. Jetzt lachte er James zu.

»Schönen guten Tag, Mr. James! Na, können Sie's nicht abwarten, Miss Lily zu sehen? Aber Miss Gwyn kann noch nicht da sein. Selbst wenn sie früh weggekommen sind ...«

»Ich denke, ich werde ihnen entgegenreiten«, meinte James. »Sattelst du mir ein Pferd?«

»Ein Pferd, Mr. James? Aber Sie sind monatelang nicht geritten.«

Maaka zögerte.

»Dann wird es ja mal wieder Zeit, nicht?« James ging zu seinem braunen Wallach und klopfte ihm den Hals. »Hast du mich vermisst?«, fragte er freundlich. »Damals, als Miss Gwyn hierherkam, ritt ich einen Schimmel ...« Er lächelte bei der Erinnerung.

Maaka zuckte die Schultern. »Wenn's ein Schimmel sein soll ... einer der neuen Viehhirten hat einen. Dem macht's bestimmt nichts aus, wenn Sie ihn nehmen. Ist ein hübscher Kerl ...«

James zögerte. Dann lachte er. »Warum nicht? Noch einmal ein Schimmel.«

Er wartete, bis Maaka den Wallach, einen leichten Rotschimmel, gesattelt hatte. Dann zäumte er ihn selbst auf.

»Vielen Dank, Maaka. Miss Gwyn wird staunen.«

James fühlte sich von jugendlichem Überschwang erfasst, als er den Schimmel herausführte. Seine Knochen ließen ihn ausnahmsweise nicht im Stich ... Wenn nur sein Herz nicht so seltsam tanzte. Irgendetwas stimmte da nicht, es tat auch ein bisschen weh ... der leichte Schmerz zog in den Arm hinauf. Vielleicht, dachte James, sollte ich doch nicht reiten. Aber, zur Hölle! Wie pflegte Gwyn zu sagen? Wenn man nicht mehr reitet, ist man tot.

James gab die Hilfen zum Antreten, und der Schimmel folgte ihnen lebhaft. Er trabte auf die Straße nach Christchurch.

»Wirklich? Ich darf die Zügel halten?«

Lilian hatte das Reiten tatsächlich nicht verlernt. Schließlich war sie fast jedes Wochenende bei einer ihrer vielen Freundinnen zu Gast gewesen, die zu einem großen Teil dem Landadel angehörten, und selbstverständlich hatte es dort Pferde gegeben. Im letzten Herbst hatte Lily sogar an zwei Fuchsjagden teilgenommen, was ihre Urgroßmutter gebührend beeindruckte. Kutschiert hatte sie jedoch noch nie, und die Stute vor Gwyns Wagen war keineswegs eine langweilige Mähre. Die »flotte Fahrt« war nicht zu viel versprochen.

»Aber sicher, es ist ganz ähnlich wie beim Reiten. Du darfst nur nicht ins Ziehen geraten, dann scheinen die Leinen immer länger zu werden, aber auf das Pferd macht es keinen großen Eindruck.« Gwyn erklärte und freute sich über Lilians Interesse.

»Viele Leute kaufen ja jetzt Automobile«, wandte sie sich schließlich an Elaine, während Lily konzentriert die Zügel führte. »Aber ich kann mich mit dem Gedanken nicht anfreunden. Natürlich habe ich es mal versucht. Schwer zu fahren sind sie eigentlich nicht ...«

»Du hast ein Auto gefahren?«, lachte Elaine. »Du selbst?«

Gwyn sah sie vorwurfsvoll an. »Warum denn nicht? Ich hab meine Wagen noch allemal selbst gelenkt! Und glaub mir, gegen einen Cobhengst ist ein Automobil eine lahme Ente!«

Elaine lachte wieder. »Wir haben neuerdings auch eins«, berichtete sie. »Nachdem Florence Biller stolz mit so einem Ding vorfuhr, konnte Tim nicht widerstehen. Völliger Unsinn. Er selbst kann es gar nicht fahren mit seinen Beinschienen, das Einsteigen fällt ihm auch schwer, und über die Federung reden wir gar nicht, die ist Gift für seine Hüfte. Aber das würde er niemals zugeben. Roly ist natürlich hellauf begeistert von dem Gefährt – vor Pferden hat er sich ja immer ein bisschen gefürchtet – und die Jungs genauso. Ein Spielzeug für Männer. Aber wenn sich das durchsetzen soll, müssen sie bessere Straßen bauen.«

Lilian hatte das Pferd inzwischen gut unter Kontrolle. Sie ließ es lebhaften Trab gehen. Die Meilen schmolzen nur so dahin unter den Hufen der braunen Stute.

James sah die Stute herantraben. Das sah Gwyn ähnlich … immer volles Tempo, und Igraine machte das gerne mit. Moment, war das Igraine …? Er dachte verschwommen daran, dass dieses Pferd einen anderen Namen haben musste. Die Stute Igraine war damals mit Gwyn aus Wales gekommen. Sie konnte nicht mehr am Leben sein …

Aber da war sie doch … dieser markante Kopf, die hohen Bewegungen im Trab, die lange, im Wind wehende Mähne. Und Gwyn auf dem Bock … ein so schönes Mädchen … wie jung sie war … und dieses rote Haar, der wache Ausdruck, das Strahlen in ihrem Gesicht, die pure Freude an der raschen Fahrt und dem willigen Pferd.

Gleich würde sie ihn sehen. Gleich würden ihre Augen aufleuchten, wie sie es immer getan hatten. Auch in der Zeit, in der sie geleugnet hatte, ihn zu lieben. Die vielen Jahre, in denen sie seine Tochter als das Kind eines anderen großzog, den sie nicht betrügen wollte. Ihre Augen hatten sie immer verraten …

James hob den Arm, um zu winken. Zumindest wollte er das tun. Aber der Arm gehorchte ihm nicht … und dieser Schwindel …

Gwyn sah den Schimmel herantraben. Und zuerst glaubte auch sie an ein Trugbild. James, auf seinem alten Pferd. Wie damals, wenn er ihr und Fleurette entgegengeritten war, weil sie länger ausgeblieben waren. Er hatte sich immer Sorgen um sie gemacht. Aber jetzt … er sollte nicht reiten, er …

Gwyneira sah James schwanken. Sie rief Lilian zu, den Wagen anzuhalten, aber er fiel bereits herunter, als es dem Mädchen gelang, die Stute zu stoppen. Der Schimmel blieb brav neben ihm stehen.

Elaine wollte ihrer Großmutter helfen, aber Gwyneira wehrte sie ab. Sie sprang fast aus ihrer Chaise und eilte zu ihrem Mann.

»James! Was ist denn, James?« In ihren Schrecken mischte sich Angst.

»Gwyn, meine wunderschöne Gwyn …«

James McKenzie starb in den Armen seiner fast achtzigjährigen Gwyneira, doch vor seinen Augen stand das Bild der walisischen Prinzessin, die sein Herz vor so vielen Jahren gewonnen hatte.

Gwyneira flüsterte nur seinen Namen.

7

Gloria erfuhr erst Wochen später von den Todesfällen in ihrer Familie. Der Postweg von Neuseeland in die Staaten war kompliziert, und obendrein gingen die Briefe an Kuras Konzertagentur in New York. Die musste die Künstlertruppe dann erst aufspüren und die Briefe an sie weiterleiten. Diesmal erreichte die Post sie in New Orleans, einer quirligen Stadt, die Kura-maro-tini geradezu elektrisierte. Auf den Straßen machten dunkelhäutige Menschen irritierend andersartige Musik, und wenn Kura nicht selbst auftrat, zog sie mit William durch die Nachtklubs des French Quarters, hörte jene seltsame Musik, die man Jazz nannte, und tanzte.

Die traurigen Nachrichten aus der alten Heimat interessierten sie dagegen kaum. Weder William noch Kura hatten Charlotte gekannt, und James McKenzie hatte keiner von ihnen sonderlich freundliche Gefühle entgegengebracht, was auf Gegenseitigkeit beruhte. So nahmen sie den Inhalt von Elaines Brief gelassen zur Kenntnis. Gwyneira hatte sich nach dem Tod ihres Mannes nicht imstande gefühlt, die Nachricht weiter zu verbreiten, und so schrieb Elaine an ihre Verwandten. Sie adressierte den Brief an »Familie Martyn«. Gesondert an Gloria zu schreiben erschien ihr überflüssig. Gloria erfuhr deshalb nicht einmal Einzelheiten. Kura teilte ihr fast nebenbei mit, dass ihr Urgroßvater gestorben war, und zeigte sich erstaunt über ihre Trauer.

»Weinst du, Glory? Er war nicht mal dein richtiger Großvater. Und er war sehr alt, über achtzig. Das ist der Lauf der Welt … Aber ich kann diesen Trauer-*haka* heute Abend singen.

Ja, das passt auch zu New Orleans ... ein bisschen morbid ...«

Gloria wandte sich ab. So würde nun also auch der Tod ihres Großvaters dazu missbraucht werden, Sympathien für Kura zu werben. Obwohl der *haka* schön war. Er stammte noch aus Kuras erstem Programm und klang ziemlich authentisch – beinahe so, als trauerten hier Maoris und *pakeha* gemeinsam um einen geliebten Menschen. Tamatea sprach Gloria ihr Beileid aus.

»Er war ein guter Mensch. Die Stämme haben ihn immer geschätzt.«

Gloria dankte ihr abwesend. Sie überließ sich nur dann ihrer Trauer, wenn sie allein war, was selten genug vorkam. Auf der Reise war das Leben beengt, und wenn Gloria auch in den Hotels die Suiten ihrer Eltern teilte, so brachte man sie doch während der schier endlosen Zugfahrten gemeinsam mit den jungen Tänzerinnen unter. Eine von ihnen war schöner als die andere, alle »moderne junge Frauen«, die stolz darauf waren, ihr eigenes Geld zu verdienen, ungebunden und frei zu sein. Die schwerfällige, scheue Gloria erschien ihnen wie ein Relikt vergangener Zeiten, und sie neckten sie mit ihrer englischen Internatserziehung und ihrer Prüderie.

In Bezug auf Letzteres wusste Gloria nicht einmal genau, was man ihr vorwarf. Tatsächlich ging sie Männern keineswegs aus dem Weg und schlug schüchtern die Augen nieder, wie die Mädchen lachend behaupteten. Gloria vermied den Blickkontakt mit beiden Geschlechtern und sprach niemanden an. Wandte jemand die Rede an sie, fuhr sie zusammen – auch dies unabhängig davon, ob es sich um Männer oder Frauen handelte. Sicher fühlte sie sich lediglich bei Tamatea, aber auch die fiel ihr zusehends auf die Nerven.

»Sieh doch nur das Land, *mokopuna!* Der Fluss ... wie nennt man ihn? Mississippi? Ein seltsames Wort. Aber sieh nur, wie träge er fließt, hör auf seine Stimme …«

Die Maori-Frau wurde nicht müde, die für sie fremdartigen Pflanzen in diesem warmen, feuchten Klima zu bewundern und zu berühren. Sie staunte über die endlosen Baumwoll- und Zuckerrohrfelder und versuchte, Gloria dafür zu begeistern. In New Orleans fand sie dann sogar eine Freundin, eine dicke Schwarze, mit der gemeinsam sie Voodoo-Geister beschwor und Lieder sang, deren Rhythmen dem ursprünglichen *haka* näher kamen als Kuras filigrane Arrangements. Aber Gloria war längst fest entschlossen, nichts an diesem fremden Land zu mögen. Sie schaute lieber in ein Buch als durch die Fenster der Züge, die schließlich Louisiana und die anderen Südstaaten hinter sich ließen und in die endlosen Prärien des Westens vorstießen. Tamatea sah mit Sorge, wie das Mädchen immer tiefer in einem Strudel aus Selbsthass und Selbstmitleid versank. Dabei hätte ihr dieses Land gefallen können. Gut, es war nicht grün wie die Canterbury Plains; das Gras war eher sonnenverbrannt. Doch im Hintergrund schimmerten rote und blaue Berge. Es gab Pferde und Rinder, und die aus Holz erbauten, schlichten Kleinstädte glichen Haldon weit mehr als New York und New Orleans.

Auch die Menschen waren gänzlich anders als die Leute in den Großstädten. Die Männer mit ihren Denimhosen, karierten Hemden und breiten Hüten und die Frauen in ihren Kattunkleidern, die in Orten wie Dallas und Santa Fé in Kuras Vorstellungen kamen, hatten weit mehr von Gwyneira McKenzies Pioniergeist als von Kuras und Williams Weltgewandtheit. Der Musik standen sie oft verständnislos, den offenherzigen Verkleidungen der Tänzerinnen entrüstet gegenüber. Glorias wortkarges, aber gerades und pragmatisches Wesen wäre ihnen entgegengekommen.

Aber Gloria wagte es kaum noch, allein über eine der staubigen Straßen zu schlendern und die Pferde anzusehen, die das Auto hier noch nicht in dem Maße ersetzt hatte wie in New York und London. Man erkannte sie sofort als Mitglied des Ensembles und starrte sie schon deshalb an wie ein exotisches Tier. Gloria fieberte dem Ende der Tournee entgegen, aber das lag noch in weiter Ferne. Die Fahrt führte quer durch den Kontinent, von New York nach San Francisco – natürlich auf Umwegen. Man frequentierte größere Städte und reiste im Zickzack durch das riesige Land. An der Westküste sollte die Gastspielreise dann aber eigentlich enden. William und Kura wollten auf dem kürzesten Weg nach New York zurückkehren; mit dem Zug dauerte es nur sieben Tage.

Gloria erhoffte sich eine Direktpassage zurück nach Neuseeland. Ihre Eltern mussten inzwischen festgestellt haben, dass sie mit ihr nichts anfangen konnten. Zwar kämpfte sie sich tapfer durch ihre Arbeit als Korrepetitorin und begleitete die Proben der Tänzerinnen am Klavier, aber selbst hier war sie unvollkommen. Die Mädchen klagten immer wieder, das Piano brächte sie aus dem Takt, und neckten Gloria mit ihrem »absolut schlechten« Gehör. Es gab mindestens zwei unter ihnen, die ein bisschen Klavier spielten und Glorias Job genauso gut oder eher besser getan hätten. Ansonsten half sie Tamatea bei den Kostümen und beim Schminken, wobei ihr Letzteres noch am ehesten lag. Tamatea bewunderte, wie schnell sie sich in die Formen und die Bedeutung der traditionellen *moko* einarbeitete. Sie zeichnete den Tänzern die filigranen, an stilisierte Farne erinnernden Zeichen auf die Haut, die früher eintätowiert worden waren. Einmal bemalte sie sich aus Langeweile selbst – und verblüffte damit nicht nur Tamatea, sondern auch ihre Mutter.

»Du siehst wie eine reinblütige Maori aus, Gloria!«, wunderte sich Kura. »Zieh mal eins von den Kostümen an! Nein, nicht die neuen, die älteren, die Tamatea entworfen hat …«

Die alten *piupiu* ähnelten der traditionellen Kleidung der Maori-Frauen, und weil damals noch wirkliche Maori-Mädchen mitgetanzt hatten, waren sie auch weiter geschnitten.

Gloria blickte staunend in den Spiegel. Tatsächlich passte nur ihr krauses rotbraunes Haar nicht ins Bild, ansonsten hätte sie hier eine Frau der Stämme vor sich haben können.

»Das Haar bindest du einfach im Nacken zusammen oder benutzt ein breites, besticktes Stirnband«, riet Tamatea. Tatsächlich erzielte sie damit eine verblüffende Wirkung.

»So könnte sie glatt bei uns auftreten!« Kura lachte, und Gloria wischte sich die Schminke rasch wieder ab. Eine Rolle in der Show gehörte zu den letzten Albträumen, die sich für sie noch nicht verwirklicht hatten.

Doch auch als Maskenbildnerin wurde Gloria nicht dringend gebraucht. Die Tänzerinnen wurden kaum noch traditionell bemalt. Die wenigen Arabesken, die sich dekorativ um ihre Augen und Wangen wanden, hatten mit Maori-Tradition nichts mehr zu tun, und die Mädchen schminkten sich selbst. Die paar männlichen Tänzer bemalte Tamatea. Glorias Hilfe wurde zwar freundlich angenommen, notwendig war sie jedoch nicht.

Das Mädchen hoffte verzweifelt, dass ihre Eltern dies nun endlich einsahen. Sechs Jahre »Die Welt sehen« war genug, Gloria gehörte nach Kiward Station!

San Francisco war eine aufblühende Stadt und lag in hügeligem Gelände am Meer. Fasziniert und voller Erwartung blickte Gloria hinaus auf den Pazifik – der Ozean, der sie heimführen würde! Aber auch sonst gefiel die Stadt ihr ein bisschen besser als New York und New Orleans. Die vielen viktorianisch anmutenden Gebäude und die Cable Cars, die hier eine ebenso große Sensation darstellten wie die historische Straßenbahn in ihrer Heimat, erinnerten sie an Christchurch.

Kura und ihr Ensemble feierten Triumphe in der Great American Music Hall, die Tänzer schwärmten von Fisherman's Wharf, und Tamatea schleppte Gloria mit, die Seelöwen anzusehen, die träge an den Bootsanlegern lagen.

»Die gibt es bei uns auch!«, rief Gloria voller Vorfreude, obwohl sie bislang noch keinen gesehen hatte. Sie hatte die Westküste nie bereist, wusste natürlich aber von Seelöwen und Walen. Tamatea freute sich, das Mädchen zum ersten Mal nach Monaten wieder lachen zu hören, und erzählte Maori-Sagen, die von Seehunden und riesigen Fischen handelten.

Noch sprach niemand von Abreise, obwohl die Tänzerinnen unruhig wurden. Das Engagement bei Kura hatte ihnen gefallen, und die meisten Mädchen reisten gern. In New York würden sie wieder vortanzen und sich um ihren Lebensunterhalt sorgen müssen. Aber dann rief William nach dem eigentlich vorletzten Konzert die ganze Truppe zusammen.

»Ich habe euch eine Mitteilung zu machen«, erklärte er wichtig. »Wie ihr wisst, war ursprünglich geplant, unsere Zusammenarbeit übermorgen zu beenden. Meine Frau und ich wollten nach Europa zurückkehren, wir hatten da weitere Verpflichtungen. Aber wie ihr wisst, herrscht in Europa weiterhin Krieg. Unsere ursprünglichen Pläne, mit dem neuen Programm Frankreich, Belgien, Deutschland, Polen und Russland zu bereisen, sind null und nichtig. Dort steht zurzeit niemandem der Sinn nach Musik ...«

Unter den Tänzern, die bislang noch miteinander geflüstert hatten, herrschte plötzlich Totenstille.

»Insofern kam es uns gerade recht, dass Kuras Konzertagentur uns angeboten hat, den Aufenthalt in den Staaten zu verlängern. Wie es genau weitergeht, wird dabei von euch abhängen. Wenn ihr eure Engagements verlängern möchtet, ziehen wir von hier aus nach Sacramento, Portland, Seattle, dann später nach Chicago und Pittsburgh. Den genauen Plan würde die Agentur ausarbeiten. Falls ihr aussteigen wollt, müssten wir nach New York zurück, neue Tänzer anwerben und von dort aus neu starten. Also, wie ist es? Möchtet ihr weitermachen?«

Unter den Tänzern brach jubelnde Zustimmung aus. Nur zwei oder drei mussten aus familiären oder sonstigen Gründen an die Ostküste zurück. Der Rest atmete auf und freute sich auf weitere Monate auf Tour.

»Und ich?«

Williams Eröffnung vor den Tänzern hatte Gloria erstarren und verstummen lassen. Niemals hätte sie vor all den Leuten die Stimme erhoben und auf sich aufmerksam gemacht. Aber jetzt, in der Hotelsuite ihrer Eltern, die entspannt zusammensaßen – William ein Glas Whiskey, Kura einen Weißwein vor sich –, schaffte sie es, ihre brennende Angst in Worte zu fassen.

William blickte sie verwundert an. »Was soll mit dir sein?«, erkundigte er sich. »Du kommst natürlich mit, was sonst?«

»Aber ich bin hier nicht von Nutzen! Niemand hier braucht mich … und …« Gloria hatte tausend Dinge sagen wollen, aber sie brachte nur ein paar gestammelte Sätze heraus.

Kura lachte. »Dummerchen, natürlich machst du dich nützlich. Und wenn nicht, was soll's? Du kannst nicht nach Europa zurück, falls du studieren möchtest. Da herrscht Krieg, da erschießen sie sich gegenseitig. Hier bist du sicher.«

»Auf Kiward Station ist kein Krieg!« Gloria wollte schreien, aber es wurde kaum mehr als ein Flüstern.

»Ach, daher weht der Wind. Du möchtest wieder auf diese Schaffarm ...« William schüttelte den Kopf. »Gloria, Herzchen, von hier nach Neuseeland ist eine Weltreise! Wir können dich unmöglich allein losschicken. Und was soll das auch? Mädchen, du lernst hier die Welt kennen! Schafe scheren kannst du noch lange genug, wenn du es wirklich willst. Das kann doch nicht dein Ernst sein! Überleg nur, wenn wir nach dem Krieg zurückkehren: Du wirst Frankreich sehen, Spanien, Portugal, Polen, Russland ... es gibt kein Land in Europa, in dem wir noch nicht waren und das nicht darauf brennt, weitere Programme zu sehen. Vielleicht werden wir endlich ein Stadthaus in London kaufen ... Ja, ich weiß, Kura, du magst nicht sesshaft werden. Aber denk mal an die Kleine, die sollte doch standesgemäß debütieren. Irgendwann wird sich ein netter Mann finden, du wirst heiraten ... du bist dazu erzogen worden, eine Lady zu sein, Gloria! Keine Landpomeranze!«

Gloria antwortete nicht. Ihr Gesicht war schneeweiß geworden, und sie meinte, nie wieder Worte finden zu können. Eine Tournee durch Europa, ein Stadthaus in London, Debütantinnenbälle ... Als Kura und William Gloria nach England geholt hatten, hatten sie nie daran gedacht, sie zurückzuschicken. Sie sollte auf immer und ewig bleiben und ... nun, irgendwann würde sie Kiward Station erben, wenn Kura es nicht vorher verkaufte. Und das würde sie spätestens dann tun, wenn Grandma Gwyn starb ...

Gloria ertappte sich bei dem Gedanken, ihre Eltern totzuwünschen. Ein Unfall vielleicht, oder das Attentat eines Verrückten. Aber das war natürlich illusorisch. Kura war Mitte dreißig; sie konnte noch mehr als vierzig Jahre leben.

Weitere vierzig Jahre fern von Kiward Station? Gloria sah eine endlose Abfolge von Demütigungen vor sich: »Ist das Mrs. Martyns Zofe?« – »Nein, Sie werden es nicht glauben, es ist ihre Tochter!« – »Dieser Trampel? Also von der Mutter hat sie ja gar nichts …«

Gloria hatte das kurze Gespräch an diesem Morgen in der Hotellobby gehört. Es schmerzte sie inzwischen nicht mehr jedes Mal. Sie war daran gewöhnt. Aber weitere vierzig Jahre?

Gloria dachte an die Gefängnisinsel Alcatraz in der Bucht vor San Francisco, zu der sie am Tag zuvor noch mit leichtem Grusel hinübergeblickt hatte. Aber verglichen mit ihrem täglichen Spießrutenlaufen musste der Aufenthalt dort ein reines Vergnügen sein. Gloria holte tief Luft. Sie musste irgendetwas sagen. Aber dann schwieg sie wieder. Es gab ohnehin nichts, was ihre Eltern umstimmen würde. Reden nützte nichts. Sie musste handeln, und zwar allein.

Am nächsten Morgen wanderte Gloria zum Meer, blind für die Schönheit der Stadt. Dabei herrschte Frühling in Kalifornien, die Sonne schien golden vom Himmel, und in den Gärten und entlang der Boulevards blühten Blumen. Hier an der Westküste war es bereits sommerlich warm – ein verwirrendes Gefühl für Gloria, die bei »Westküste« eher an ungemütliches, regenreiches Klima dachte. Auf den Straßen San Franciscos herrschte reges Leben. Man sah Menschen aller Hautfarben und Nationalitäten. Gloria fielen vor allem die vielen schlitzäugigen Chinesen oder Japaner auf. Die meisten von ihnen wirkten genauso scheu und verängstigt wie sie selbst; das Mädchen meinte fast, ihre Fremdheit spüren zu können. Andererseits hatten sie hier ein eigenes Stadtviertel – Chinatown. Ein paar der Tänzerinnen waren zum Essen da gewesen und hatten sich damit gebrüstet, selbst vor geröstetem Hund nicht zurückzuschrecken. Gloria wurde schon bei dem Gedanken übel.

Schließlich erreichte sie das Hafenviertel, das zum Glück nicht so dunkel und verwinkelt war wie in London oder New York. Der Hafen von San Francisco war weitläufig und modern. Die San Francisco Bay und das Golden Gate schenkten der Stadt ein natürliches Hafenbecken, und die Docks, Hafengebäude und Anlegestellen waren nach dem Erdbeben und dem großen Feuer 1906 renoviert, vielfach auch gänzlich erneuert worden. Es gab Zuganbindungen und einen großen Handelshafen, an dem Güter aus aller Welt anlandeten und von Menschen aus aller Welt gelöscht wurden. Aufgeschlossene Besucher hätten das aufregend gefunden, aber für Gloria war es eher beängstigend. Wie sollte sie sich hier zurechtfinden? Wen sollte sie fragen, wenn diese schwarz- oder gelbhäutigen Menschen womöglich nicht mal Englisch sprachen?

Dann aber erkannte sie Passagierdampfer. Dies mussten die Docks sein, an denen Einwandererschiffe anlegten; zumindest lagen hier die Büros der zuständigen Behörden. Gloria hatte gehört, dass in San Francisco hauptsächlich Neubürger aus Frankreich und Italien ins Land kamen, obwohl früher, zu Zeiten des Goldrausches, auch viele Iren und andere Bürger Großbritanniens das Golden Gate angesteuert hatten. Aber egal, wer hier einwanderte, Gloria zog es fort. Und die Überseedampfer waren ihr erstes Ziel. Hier gab es stets eine luxuriöse Erste Klasse mit Dutzenden von Bediensteten. Die meisten davon waren zwar Männer, aber Gloria konnte sich nicht vorstellen, dass die Stewards Betten machten und Kartoffeln schälten. Es musste auch Zimmer- und Küchenmädchen geben!

Gloria hoffte, auf einem solchen Dampfer anheuern und sich die Überfahrt verdienen zu können. Wenn sie nur wüsste, welches der Schiffe nach Neuseeland fuhr ... Unsicher strich sie an den Docks entlang. Geschäftige Menschen liefen hier genug herum, aber Gloria konnte sich nicht überwinden, jemanden anzusprechen. Plötzlich blieb ein schlaksiger junger Mann in Matrosenkleidung vor ihr stehen und fixierte sie neugierig.

»Na, Hübsche? Haste dich verlaufen? Hier ist nichts zu verdienen, und wenn die Polizei dich aufgreift, kriegste Ärger. Versuch's lieber auf Fisherman's Wharf.«

»Ich ... welches ... äh ... Schiff hier ... geht wohl nach Neuseeland?« Gloria zwang sich, den Mann anzusehen. Die freundliche, wenn auch etwas gönnerhafte Ansprache machte ihr Mut.

Nun blickte sie in ein grinsendes, etwas spitzes Gesicht. Gloria musste an ein kleines Nagetier denken.

»Zu den Kiwis zieht's dich? Schätzchen, das wird schwierig.«

Gloria biss sich auf die Lippen. Das Gleiche hatte ihr Vater gesagt. Gab es womöglich überhaupt keinen Weg von Amerika nach Polynesien?

»Schau, Kleine, hier sind wir ...« Der Matrose kauerte sich hin und zeichnete eine Art Karte in den Straßenstaub. »Und da, auf der anderen Seite der Welt, ist Australien ...«

»Aber ich will nach Neuseeland«, wiederholte Gloria.

Der Mann nickte. »Neuseeland ist da ganz nah dran«, behauptete er.

»Zweitausendvierhundert Meilen«, sagte Gloria. »So weit ist es von Neuseeland nach Australien.« Ihr persönlich kam das ziemlich weit vor.

Der Matrose machte eine wegwerfende Handbewegung. »Aber ein Katzensprung im Vergleich zur Entfernung zwischen hier und Australien. Dazu musst du nämlich erst mal nach China. Was nicht schwer ist, dahin geht praktisch jede

Woche ein Schiff. Aber dann: Indonesien, Australien, und von da aus nach Kiwiland. Das lohnt sich nicht, Süße! Glaub's mir, ich war mal da. Auf der so genannten Südinsel. Ein paar Orte, die aussehen wie Good Old England, ein paar Wiesen und Schafe. Auf der einen Seite. Auf der anderen gibt's Bergwerke und Pubs. Da kannst du natürlich ein bisschen was verdienen. Aber – nichts für ungut! – solche wie dich gibt's da wie Sand am Meer ...«

Gloria nickte ernsthaft und weit davon entfernt, beleidigt zu sein. »Ich komme ja auch von dort.«

Der Matrose lachte dröhnend. »Na, dann bist du aber weit gereist und hast unterwegs hoffentlich was gelernt!« Er sah sie prüfend an. »Man sollte es fast ausprobieren. Sauber siehst du ja aus, und süß bist du. Ein bisschen polynesisch, nicht? Die Mädchen da hab ich immer gemocht, mehr als die mageren Hühner, die sich hier verkaufen. Also, wie wär's mit uns beiden? Was nimmst du für ein Stündchen um die Mittagszeit?«

Gloria blickte den Mann irritiert an. Sie brauchte nicht zu ihm aufzusehen, er hatte etwa ihre Größe. Auch das nahm sie für ihn ein; es machte ihn weniger bedrohlich als etwa ihren Vater oder Reverend Bleachum. Und er fand sie »süß« ... Gloria hatte das Gefühl, als erwärme sich ihr Herz. Aber sonst war der Mann seltsam. Warum sollte sie schmutzig sein? Sie hatte an diesem Morgen ihr hübschestes Kleid angezogen, ein weites Hängekleid mit großen bunten Blumen, eher im Stil der Maori-Tradition als in dem der neuesten Mode. Und was ihr Haar anging, war sie Tamateas Ratschlag gefolgt und hielt es sich mit einem extrabreiten Stirnband aus dem Gesicht. Das alles sollte einen guten Eindruck auf jeden Zahlmeister machen, der Zimmermädchen einstellte. Und diese Bewerbung wollte Gloria auch nicht aus den Augen verlieren, egal was der Mann ihr da anbot.

»Ich ... ich muss erst ein Schiff finden. Und Arbeit, weil ... ich habe nicht viel Geld. Und Sie meinen, ich muss wirklich erst nach China? Vielleicht können Sie mir ja helfen. Ich dachte an einen Passagierdampfer. Die brauchen doch bestimmt Personal ...« Gloria blickte ihren neuen Freund ernsthaft an.

Der Matrose verdrehte die Augen. »Süße, kein Mensch, der seine fünf Sinne beisammen hat, macht eine Kreuzfahrt nach China. Da verkehren nur Frachtdampfer. Ich fahr zum Beispiel auf einem. Pacific Mail Steamship Company. Abalone-Muscheln nach Kanton, Tee und Seide zurück. Aber Mädchen heuert mein Käpt'n nicht an.«

»Ich bin stark«, sagte Gloria hoffnungsvoll. »Ich könnte auch an Deck arbeiten oder Ladung löschen oder so was.«

Der Matrose schüttelte den Kopf. »Goldschatz, das fängt schon damit an, dass die Hälfte der Besatzung glaubt, eine Frau an Bord brächte Unglück. Und wo wolltest du schlafen? Klar, die Jungs würden sich um eine Kabine mit dir reißen, aber ...«

Der Mann hielt inne. Dann ließ er seine Blicke forschend über ihr Gesicht und ihren Körper wandern. »Hm, mir kommt da gerade eine Idee ... Du hast wirklich kein Geld, Süße?«

Gloria zuckte die Schultern. »Ein paar Dollar«, meinte sie dann. »Aber nicht viel.«

Der Matrose kaute auf seiner Unterlippe, was den Eindruck eines Nagetiergesichts noch verstärkte. Ein Frettchen, dachte Gloria und schämte sich für den unfreundlichen Gedanken. Vielleicht eher ein Eichhörnchen ...

Der Mann schien zu einem Entschluss gekommen zu sein und sprach jetzt fast geschäftsmäßig. »Das ist schade. Denn es wäre schon so, dass du mir das Risiko vergelten müsstest. Wenn wir das wirklich durchziehen, was mir da gerade durch den Kopf ging, und es kommt raus ... dann sitze ich ohne

Job in Kanton. Wenn der Käpt'n mich nicht gleich über Bord wirft!«

Glorias Blick umwölkte sich vor Sorge. »Darf er denn das? Ich meine ... Sie würden dann ja ertrinken!«

Der Matrose verzog das Gesicht, als kämpfe er mit Belustigung, blieb aber ernst. »Klar, darf er das, Kleine!«, behauptete er. »Auf dem Schiff hat er die absolute Befehlsgewalt, musst du wissen. Wenn er dich entdeckt, holt er dich kieloben – und mich gleich mit! Also, wie dringend willst du nach China?«

»Ich will nach Hause«, sagte Gloria kläglich. »Mehr als alles in der Welt. Aber wie soll das gehen? Soll ich mich verstecken? Wie ein blinder Passagier?«

Der Mann schüttelte den Kopf. »Nöö, Kleine, so viele Verstecke gibt's nicht auf dem Kahn, dass dich da niemand fände. Und bei dem knappen Proviant, den wir mitnehmen, fällt auch jeder Esser auf. Ich dachte eher an Tarnung. Unser Smutje, der Koch, sucht einen Schiffsjungen ...«

In Glorias Gesicht ging ein Strahlen auf. »Sie meinen, ich soll mich verkleiden? Als Junge? Das kann ich, das ist kein Problem. Ich hab früher immer Hosen getragen. Als ich klein war, meine ich. Und mit der Arbeit komme ich auch zurecht. Niemand wird etwas merken!«

Der Matrose verdrehte die Augen. »Die Mannschaft müssen wir schon einweihen. Auch wegen der Vergütung. Du müsstest ... Also, wenn ich das für dich arrangiere, und alle halten die Klappe, müsstest du unterwegs schon ein bisschen nett zu uns sein.«

Gloria nickte ernsthaft. »Natürlich werde ich nett sein«, versprach sie. »Ich bin nicht zickig wie die meisten Mädchen, bestimmt nicht.«

»Und das Geld streiche ich ein, kapiert? Dafür passe ich auf dich auf. Damit sich keiner mehr nimmt, als ihm zusteht ...«

Gloria runzelte die Stirn. »Das Geld können Sie gern haben«, meinte sie großzügig. »Verdient man denn so gut als Schiffsjunge?«

Sie verstand nicht, warum der Matrose wieder dröhnend lachte.

»Du bist mir eine Marke! Dann komm, wir schauen mal, ob wir ein paar passende Klamotten für dich finden. Da hinten, bei Fisherman's Wharf, da handelt ein Jude mit Altkleidern. Und der alte Samuel kann den Mund halten, der hat Kunden mit mehr Dreck am Stecken, als wir beide je ansammeln können. Wie heißt du überhaupt?«

»Gloria. Gloria Mar ...« Sie hielt inne, bevor sie ihren Nachnamen genannt hatte. Das alles war nicht wichtig. Sie brauchte ohnehin einen anderen Namen. Plötzlich schoss ihr der Gedanken an eins von Lilians albernen Liebesliedern durch den Kopf, *Jackaroe*. Es handelte von einem Mädchen, das sich als Mann ausgab, um ihren Liebsten jenseits des Meeres zu suchen.

»Ich heiße Jack«, sagte Gloria. Jack – ein Name, den sie auch noch mit jemand anderem verband ... Jack sollte ihr Glück bringen.

Eine Stunde später stand Gloria vor dem Smutje, einem dicken, schmierig wirkenden Mann mit ehemals weißer Schürze über der weiten Matrosenkluft. Gloria selbst war ähnlich gekleidet. Harry, ihr neuer Freund und Beschützer, hatte ihr einen weiten weißen Blouson und eine abgewetzte, locker sitzende blaue Baumwollhose ausgesucht. Dazu passte ein ebenfalls bereits abgetragener schwarzer Wollpullover. Gloria trug ihn jetzt, obwohl es warm war. Sie hatte ihr langes Haar im Kragen versteckt. Unter die Schirmmütze, die Harry ebenfalls ausgewählt hatte, passte die Fülle nicht.

»Das muss aber ab!«, erklärte der Smutje streng, nachdem er das Mädchen prüfend gemustert hatte. »Auch wenn's schade drum ist. Wenn's offen ist, sieht die Kleine wahrscheinlich aus wie 'n Rauschgoldengel. Aber sonst haste Recht, Harry, sie geht als Bursche durch.«

Der Mann hatte erst mit einem Lachanfall reagiert, als Harry ihm sein Ansinnen nannte – was Gloria im Übrigen überflüssig fand. Sie hätte versucht, den Smutje zu täuschen; es hätte doch genügt, wenn sie selbst und Harry Bescheid wussten. Davon schien Harry allerdings nichts zu halten. Immerhin zeigte der fette Koch sich dann willig, sein Ansinnen wohlwollend zu prüfen. Aus irgendwelchen Gründen gehörte es dazu, Gloria in Po und Brüste zu kneifen. Ihr war das unangenehm, aber sie hatte so etwas bei Mägden und Knechten schon gesehen. Wenn es ihm Freude machte, würde sie es wohl aushalten.

»Eins muss allerdings klar sein: Ich hab drei Nummern die Woche frei, und sonst ist auch der halbe Ertrag für mich. Schließlich trage ich das größte Risiko.« Der Koch fixierte Harry streng.

»Das größte Risiko tragen die, mit denen sie die Kajüte teilt«, widersprach Harry. »Dich kann sie getäuscht haben. Schließlich gehste deinen Küchenjungs doch wohl nicht an die Wäsche, oder?«

Der Koch machte eine drohende Geste.

Gloria sah sich in der Kombüse um, während die Männer weiter verhandelten. Sie hätte ihren Pullover gern ausgezogen, denn es war eng und brüllend heiß. Auch wirkten die Arbeitsplatten, Töpfe und Pfannen nicht sonderlich sauber. Der Smutje brauchte wirklich Hilfe. Neben der schmierigen Küche befand sich ein ebenso wenig einladender Speiseraum für die Mannschaft. Alle auf einmal, vermutete Gloria, fanden dort keinen Platz. Andererseits kamen moderne Dampfschiffe mit relativ wenig Leuten aus. Und die *Mary Lou* war nicht das größte Schiff. Alles unter Deck war eng und dunkel; das Leben in den Mannschaftsunterkünften musste die Hölle sein. Aber besser in stickiger Enge auf dem Weg nach Neuseeland, als gefangen in Kura-maro-tinis Luxussuiten in Grand Hotels oder Williams Stadthaus …

»Ich kann meine Haare abschneiden«, sagte sie ruhig.

Die beiden Männer schienen sich inzwischen geeinigt zu haben.

»Also schön, ich sag dem Zahlmeister, dass der Bursche morgen kommt – oder besser erst übermorgen früh, gleich vor der Abfahrt. Kannste um fünf Uhr hier sein, Jack?«, fragte der Smutje mit anzüglichem Grinsen.

Das Mädchen nickte ernsthaft. »Ich bin pünktlich.«

»Wo kann ich mich denn jetzt umziehen?«, fragte Gloria schüchtern, als sie, immer noch in Harrys Schlepptau, den Frachter *Mary Lou* verließ. Ihr war eben siedend heiß eingefallen, dass ihr das Hinterzimmer des Altkleidersammlers Samuel sicher nicht noch einmal als Umkleide zur Verfügung stand.

Harry musterte sie erstaunt. »Kannste nicht so nach Haus? Haste kein eigenes Zimmer?«

Gloria wurde rot. »Ja … nein … also, so kann ich mich im Hotel nicht blicken lassen, ich …«

»Im Hotel!« Harry grinste. »Vornehmer Ausdruck. Klingt ja fast nach Nobelpuff. Aber du hast auch mehr Klasse als die anderen Mädchen. Rennst du vor irgendwas weg, Kleine? Sieht verdammt so aus. Aber mir soll's egal sein. Lass dich bloß nicht erwischen!«

Gloria fühlte sich erleichtert. Trotzdem war es sicher besser, wenn Harry ihre wahre Identität nicht erfuhr.

Der kleine Matrose dachte jetzt erst mal über das Kleidungsproblem nach.

»Das«, lachte er schließlich, »schreit nach kollegialer Hilfe! Schauen wir doch mal, wo Jenny sich rumtreibt.«

Gloria folgte ihm irritiert durch verschlungene Gassen rund um die Docks. Sie hatte das unbestimmte Gefühl, langsam ins Rotlichtviertel abzudriften, aber der Laden von Samuel war auch schon nahe dran gewesen. Dennoch schluckte sie, als sie schließlich mehrere Mädchen auf der Straße sah. Noch nicht viele, schließlich war heller Mittag. Doch eine abgehärmte Blonde mit ähnlichem Nagetierausdruck wie Harry präsentierte sich mit halb offenem Mieder vor einer Krabbenküche, aus der es nach ranzigem Fett roch.

»Harry, alter Junge! Auch mal wieder im Lande? Bist du die Schlitzaugen in Kanton leid?« Das Mädchen lachte und umarmte Harry beinahe schwesterlich. Dann warf sie einen Blick auf Gloria in ihrer Verkleidung als Schiffsjunge. »Und was bringst du da an? Einen Frischling! Wie süß! Wo habt ihr denn das Babyface aufgegriffen? Ein Landei?«

Harry verdrehte die Augen. »Jenny, Süße, wenn ich dir den ins Bett leg, erlebste die Überraschung deines Lebens! Na, die Täuschung klappt jedenfalls perfekt, wenn nicht mal du was merkst. Dabei siehst du wahrscheinlich pro Woche mehr Männer als unser alter Zahlmeister im Jahr ...«

»Wie die Natur sie schuf, Alter!«, kicherte Jenny. »Was ist nun dran an dem Knaben? ... He, Moment mal!«

Sie wurde schlagartig ernst, als sie Gloria näher musterte.

»Der Knabe ist ein Mädchen! Schleifst du mir die Konkurrenz jetzt schon an meinen Arbeitsplatz?«

Harry hob beschwichtigend die Hand. »Jenny, keine kommt dir gleich. Aber die da ... die ist mehr vom fahrenden Gewerbe. Jedenfalls wird sie uns auf dem Schiff beglücken, sie will partout ans andere Ende der Welt ...«

»Ans andere Ende der Stadt würd schon reichen«, brummte Jenny. »Und warum verkleidest du sie als Junge? Törnt dich das neuerdings an?«

»Jenny, Goldschatz, das erklär ich dir alles später. Aber jetzt braucht die Kleine mal 'ne überdachte Bleibe, um wieder zum Mädchen zu werden. Komm, gib deinem Herzen 'nen Stoß und lass uns kurz in deine Kammer!« Harry streichelte Jenny zärtlich übers Haar. Sie schnurrte wie eine Katze.

»Damit du da 'ne andere bumst?«, fragte sie dennoch argwöhnisch.

»Jenny, mein Herzblatt, selbst wenn ich sie kurz flachlege ... nur zu Testzwecken, verstehst du? Diese Nacht gehört dir! Ich führe dich aus wie eine Königin, Miss Jenny! Hummer ... Shrimps ... Du kannst es dir aussuchen. Nur eine Viertelstunde, Jenny. Bitte!«

Gloria, die von der ganzen Unterhaltung nur die Hälfte verstand, lächelte dem Mädchen dankbar zu, als Jenny endlich nickte und einen Schlüssel in Harrys offene Hand fallen ließ.

»Ist Jenny deine Freundin?«, fragte Gloria, während sie ihm in ein ziemlich heruntergekommenes Gebäude folgte, in dem es nach Urin und ranzigem Kohl roch. »Sie sieht aus wie eine ...«

»Kindchen, du kommst wirklich vom anderen Stern, was? Für eine aus dem Gewerbe bist du mehr als naiv. Natürlich schafft Jenny an. Aber sie hat ein Herz aus Gold. Jetzt mach aber schnell. Wenn sie einen Freier findet, braucht sie das Zimmer.«

Das »Zimmer« war ein winziger Verschlag in einer Wohnung, die wohl in mehrere solcher Abteile aufgeteilt worden war. Sie enthielt eine primitive Kochstelle, einen Tisch, einen Stuhl und vor allem ein Bett. Die Laken waren alles andere als sauber. Gloria rümpfte die Nase.

»Willst du nicht rausgehen?«, fragte sie, als Harry sich gelassen auf dem Bett niederließ und sie erwartungsvoll musterte.

Der Matrose runzelte die Stirn. Und zum ersten Mal trat ein unwilliger, beinahe ärgerlicher Zug auf sein Gesicht.

»Süße, Prüderie ist ja niedlich, aber wir haben's ein bisschen eilig. Also lass das Theater, zieh dich aus, und sei nett zu mir. Sozusagen als Anzahlung. Dank meiner Wenigkeit bist du fast schon in China.«

Gloria starrte ihn verwirrt an. Dann endlich begriff sie. »Du meinst, ich soll ... ich soll mich ... dir hingeben?« Das war der einzige Ausdruck, der ihr dazu einfiel. Lilian pflegte ihn zu verwenden, wenn die Helden ihrer wilden Geschichten zusammen auf ein Bett oder häufiger in einen Heuhaufen oder in hohes grünes Gras fielen.

Harry verdrehte die Augen. »Du hast es erfasst, Schätzchen. Schiffspassagen wollen bezahlt sein. Oder möchtest du nicht mehr nach China?«

»Nach Neuseeland«, sagte Gloria tonlos. Sie zögerte kurz. Aber dann dachte sie an die Alternative. Ob sie jetzt mit Harry schlief oder irgendwann mit einem Mann, den ihre Eltern ihr aussuchten – wo war der Unterschied? Außerdem schmeichelte es ihr beinahe, dass Harry sie wollte. In allen Geschichten, die sie bislang gehört und gelesen hatte, gab man sich einander aus Liebe hin. Und Harry war bereit, dafür beträchtliche Risiken auf sich zu nehmen. Gloria zog sich aus – und freute sich darüber, dass der Mann auf dem Bett wieder lächelte.

»Schön biste!«, erklärte er bewundernd, als Gloria in Büstenhalter und Höschen vor ihm stand. »Noch Blumen im Haar und Baströckchen, dann sähste aus wie 'ne Hawaianerin ...«

Trotz ihrer Scham schaffte Gloria ein kleines Lächeln.

»Hawaiki ist das Paradies ...«, sagte sie leise.

»Dann bring mich mal hin, Süße!«

Gloria schrie erschrocken auf, als Harry plötzlich nach ihr griff und sie aufs Bett zog. Aber dann schwieg sie. Sie hielt ängstlich still, während er ihr die letzten Kleidungsstücke vom Leib riss. Der Mann nahm sich nicht die Zeit, sich selbst ebenfalls zu entkleiden. Er zog nur rasch die Hose herunter. Gloria erstarrte, als sie sein Glied vor sich aufragen sah. Sie schloss die Augen und zerbiss sich die Lippen, als er ohne große Vorbereitung in sie eindrang und heftig zustieß. Irgendetwas in ihr zerriss. Gloria keuchte vor Schmerz und spürte Flüssigkeit über ihre Schenkel rinnen. War das Blut? Harry stöhnte und fiel schließlich schwer auf sie. Einen Moment später richtete er sich verblüfft und ernüchtert auf.

»Du warst noch Jungfrau? Sag, dass das nicht wahr ist! Mein Gott, Mädchen, ich hab doch gedacht ... Mensch, so 'ne Jungfrau, die hätt ich ganz anders geknackt. Da tauscht man doch vorher ein paar Küsse und so ...« Harry klang zerknirscht. Linkisch streichelte er über Glorias besudelten Körper. »Tut mir leid, Kleine, aber das hättste mir sagen müssen. Und ich würd auch gern wissen, wovor du wegläufst. Hab gedacht, du hast 'nen miesen Zuhälter oder so. Aber du ...« Er strich ihr das Haar mit der gleichen, fast zärtlichen Geste aus dem Gesicht, die er zuvor Jenny geschenkt hatte.

Gloria funkelte den Matrosen an.

»Ich hab gezahlt, oder?«, fragte sie hart. »Du wolltest das hier ... Ich sollte nett sein. Jetzt stell keine Fragen!«

Harry machte eine abwehrende Handbewegung. »Ist ja schon gut, Süße, ich will's gar nicht wissen! Du kommst übermorgen auf die *Mary Lou*, der Rest bleibt unter uns. Ich erzähl's keinem, und am Anfang ... na ja, ich sorg dafür, dass du dich langsam einarbeitest. Nichts für ungut, Süße, ja?«

Gloria nickte mit zusammengebissenen Zähnen.

»Wenn du jetzt vielleicht rausgehen würdest?«, fragte sie. »Ich möchte mich anziehen.«

Harry nickte zerknirscht. »Natürlich, Prinzessin. Man sieht sich ...« Er warf ihr eine Kusshand zu, während er hinausging.

Als Gloria schließlich fertig war, stand Harry geduldig wartend vor der Haustür.

»Ich muss Jenny den Schlüssel zurückbringen«, sagte er entschuldigend.

Gloria nickte. »Man sieht sich.«

8

Gloria schlich sich zum Hotel zurück. Sie hoffte inständig, dass ihre Eltern noch nicht zurück waren. Innerlich wand sie sich vor Ekel, und ihr Körper schmerzte. Auf keinen Fall wollte sie jetzt Kura oder William Rede und Antwort stehen oder auch nur Tamatea eine gute Geschichte dazu erzählen, wo sie den halben Tag lang gewesen war. Tatsächlich hatte sie die Suite jedoch für sich; wahrscheinlich fanden Proben statt, die ihre Eltern beschäftigten. Aufatmend verstaute Gloria die Männerkleidung in der hintersten Ecke ihres Schrankes und ließ sich ein Bad ein. Sie überlegte, mit welcher Begründung sie ihr Kleid rasch selbst waschen konnte, entschied sich aber dann, es einfach wegzuwerfen. Sie würde es doch nicht mehr anziehen; es war viel zu gefährlich, Frauenkleider mit an Bord der *Mary Lou* zu nehmen. Zwar hoffte sie, die Kabine mit Harry zu teilen, der ohnehin Bescheid wusste, aber sie wollte kein Risiko eingehen. Besser wäre es, am nächsten Tag noch einmal zu Samuel zu gehen und Männerkleidung zum Wechseln zu kaufen.

Gloria glitt in das heiße Wasser und schrubbte das grässliche Erlebnis, das sie in Jennys Bleibe gehabt hatte, von sich ab. Sie wollte nicht weiter darüber nachdenken, auch nicht über mögliche Wiederholungen auf dem Schiff. Wenn es sein musste, würde sie Harry weiterhin zu Willen sein. Es war ein verhältnismäßig geringer Preis für die Passage nach Hause. Natürlich war es widerlich und schmerzhaft, aber es war schnell vorbeigegangen. Gloria meinte, es aushalten zu können. Sie hielt sich an Harrys freundlichen Worten fest.

»Schön bist du …« Das hatte bislang niemand zu ihr gesagt.

Gloria konnte ihre Ungeduld am nächsten Tag kaum zügeln. Sie wanderte tatsächlich noch mal zum Hafenviertel und erstand eine weitere Hose, zwei Hemden und eine warme Jacke bei Samuel, einem spitzbärtigen alten Mann, der sie neugierig anschaute. Auf dem Rückweg verlief sie sich und landete schließlich erneut bei der Krabbenküche, vor der Jenny ihrem Gewerbe nachging. Die blonde Hure blitzte sie argwöhnisch an.

»Du schon wieder? Ich dachte, du verschwindest nach Übersee?«

Gloria nickte ernst. Dann meinte sie, sich bedanken zu müssen. »Ich will Ihnen wirklich keine Konkurrenz machen«, erklärte sie. »Bestimmt nicht, ich … ich werde als Schiffsjunge arbeiten, auf der *Mary Lou* …«

Jenny lachte. »Als Schiffsjunge? Da hat Harry mir aber was anderes erzählt. Komm, Mädchen, so naiv kannst du nicht sein. Egal, was Harry für Blödsinn erzählt. Verrät der mir doch im besoffenen Kopf unter dem Siegel der Verschwiegenheit, du wärst bis gestern noch Jungfrau gewesen!« Sie kicherte. »Den Trick musst du mir mal verraten!«

Gloria errötete und empfand Scham. Harry hätte nicht mit diesem Mädchen über sie reden dürfen. »Es stimmt schon«, sagte sie leise. »Ich … ich wusste nicht …«

»Was wusstest du nicht? Dass Kerle nie was umsonst tun? Denkst du, Harry hätte dich aus purer Ritterlichkeit von der Straße geholt? Mädchen, Mädchen, ich frag mal besser nicht, von wo du entsprungen bist …«

Gloria antwortete nicht. Sie wollte nur weg. Aber Jenny schien jetzt ihr angeblich so großes Herz zu entdecken.

»Haste denn wenigstens den Schatten einer Ahnung davon, wo die kleinen Kinder herkommen?«, erkundigte sie sich.

Gloria errötete wieder. »Ja … nein … also, ich weiß, wie Schafe und Pferde …«

Jenny lachte schallend. »Tja, und gestern wird Harry dir wohl gezeigt haben, wie's beim Menschen geht. Aber nun werd mal nicht gleich blass, Kleine, da ist nicht jeder Schuss ein Treffer. Man kann auch ein bisschen was tun, um's zu verhindern. Vorher und nachher. Aber nachher ist teuer und riskant, und auf See gibt's keine Engelmacher … Ich sag dir was, Kleine: Hier hure ich mir heute keine Mahlzeit mehr zusammen, nicht bevor's dunkel wird. Wie wär's, wenn du mich zu … sagen wir mal, 'ner guten Krabbensuppe und Sauerteigbrot einlädst, und dafür erzähl ich dir, was ein Mädchen wissen muss …«

Gloria zögerte. Sie wollte Jennys widerliche Geheimnisse eigentlich gar nicht teilen. Andererseits hatte sie noch ein paar Cent, und das Mädchen vor ihr war offensichtlich hungrig. Viel schien ihr Gewerbe nicht einzubringen. Gloria verspürte Mitleid. Schließlich nickte sie. Jenny lächelte sie offen an und ließ sie zwei Zahnlücken sehen.

»Gut, dann komm … nein, nicht dieser Schuppen, da gibt's bessere Lokale.«

Tatsächlich saßen die Mädchen kurze Zeit später in einer zwar dunklen und engen, aber doch relativ sauberen Garküche und ließen sich eine Spezialität San Franciscos schmecken: Krabben mit Sauerteigbrot. Das Essen war überraschend gut. Zu ihrer Verwunderung begann Gloria sogar, Jennys Gesellschaft zu genießen. Das blonde Freudenmädchen verspottete sie nicht, sondern erklärte ihr nur gelassen die Besonderheiten ihres Berufes.

»Lass dich nicht auf den Mund küssen, das ist eklig … und

wenn sie's von hinten wollen oder Französisch, dann lässt du dir das extra bezahlen. Du weißt, was Französisch ist?«

Gloria errötete zutiefst, als Jenny es verriet, aber das Mädchen machte sich nicht einmal darüber lustig. »So hab ich auch mal geguckt, Süße. Ich bin schließlich nicht im Freudenhaus aufgewachsen. Ich komm vom Land ... wollt ehrbar heiraten. Aber mein Daddy mochte mich zu gern, wenn du verstehst, was ich meine ... Mein Liebster fand es schließlich raus ...« Sie sprach nicht weiter, und Gloria erwartete, Tränen in Jennys Augen zu sehen, aber die hatte scheinbar längst vergessen, wie man weinte.

Das Mädchen verdrückte drei Portionen Krabbensuppe und klärte Gloria dabei beiläufig über den weiblichen Zyklus auf. Außerdem darüber, wie man eine Empfängnis verhütete. »Besorg dir Gummis, das ist noch das Beste. Aber die Kerle mögen sie nicht aufziehen, du musst drauf bestehen ... und sonst ... die Hure, die mich angelernt hat, schwor auf Essigspülungen. Ist aber nicht sicher ...«

Irgendwann errötete Gloria nicht mehr und wagte zum Schluss sogar eine Frage zu stellen. »Was macht man, damit es nicht so wehtut?«

Jenny lächelte. »Salatöl, Kleine. Ist wie mit Maschinen, Kind, Öl macht gängig.«

Am Abend stahl Gloria Essig und Öl von der Tafel des Hotels St. Francis; außerdem legte sie eine Schere bereit und nahm klopfenden Herzens ihren Reisepass aus der Schublade, in der ihr Vater die Unterlagen verwahrte. Natürlich fand sie lange keinen Schlaf, zumal ihre Eltern erst spät in der Nacht von einem Empfang heimkehrten. Gloria machte sich wieder einmal Sorgen. Was, wenn sie erst im Morgengrauen kamen? Bei ihrem üblichen Ungeschick mochte sie ihnen genau in die

Arme laufen. William und Kura erschienen jedoch gegen drei, beide fröhlich und angetrunken.

Als Gloria sich um vier Uhr morgens hinausschlich, schliefen sie tief und fest. Auch der Nachtportier war nicht gerade munter. Gloria entkam durch die Lobby, als er sich eben einen Tee holte. Sie trug bereits Männerkleidung und ihr Bündel mit den Sachen zum Wechseln. Hätte der Mann sie entdeckt, wäre sie weggerannt wie ein Dieb, der von der Straße hereingekommen war. Als Mädchen hätte Gloria sich gefürchtet, nachts durch die Stadt zu wandern, aber sie merkte gleich, dass ihr als Junge keine neugierigen Seitenblicke folgten. Schließlich verzog sie sich in eine stille Wohnstraße, in der um diese Zeit alles schlief. In einer Mauernische schnitt sie sich die Haare – ohne jedes Bedauern. Sie erinnerte sich, das früher schon einmal getan zu haben. Die Strähnen warf sie in eine Mülltonne. Weg mit Gloria! Hier kam Jack!

Im Hafen herrschte bereits reges Treiben, doch niemand beachtete den Schiffsjungen mit seinem Bündel, der dem China-Dock zustrebte. Harry erwartete Gloria an Deck und schien erleichtert, als sie tatsächlich erschien.

»Da bist du ja! Ich hatte schon befürchtet, nach der Sache vorgestern ... aber lassen wir das. Hilf uns hier mit den Seilen, der Smutje braucht dich erst, wenn wir auf See sind. Gestern hab ich deine Arbeit getan und den Proviant für dich geladen. Schließlich konntest du ja kaum schon mal vorbeikommen. Du wirst ...«

»Ich werde nachher nett zu dir sein«, sagte Gloria mit unbewegter Miene. »Was soll ich so lange machen?«

Die Maschinen liefen bereits, die Heizer waren seit Stunden dabei, Kohle in die Öfen zu schaufeln, um Wasser zu erhitzen und damit den Dampf zu erzeugen, der das Schiff antrieb. Es war kleiner als die Passagierdampfer, auf denen Gloria vorher gereist war. Man spürte das Stampfen der Turbinen als ständiges Vibrieren. Irgendwann sollte Gloria das Gefühl entwickeln, als hämmerten die Kolben direkt in ihrem Körper oder als wäre sie Teil der *Mary Lou* und des Lärms. An diesem Morgen jedoch erfüllte das Geräusch des erwachenden Schiffes sie mit Vorfreude und Aufregung. Es war, als liefe sich ein gewaltiges, walartiges Lebewesen für eine lange Reise warm. Als die Sonne aufging, setzte der voll beladene Dampfer sich behäbig in Bewegung. Gloria warf einen aufatmenden, letzten Blick auf San Francisco. Was immer ihr bevorstand, hierher musste sie nie mehr zurück! Von jetzt an würde sie nur noch aufs Meer hinaussehen – in Richtung Heimat.

Nach der Abreise sollte Gloria allerdings nicht mehr viel Gelegenheit haben, wie früher in die Wellen zu starren. Wenn überhaupt, so kam sie allenfalls nachts an Deck, aber oft vergingen Tage, an denen sie kein bisschen frische Luft schnappen konnte. Die Arbeit in der Kombüse war schwer; der Smutje ließ sie Wasser schleppen und den alltäglichen Eintopf aus Pökelfleisch und Kohl in riesigen Töpfen rühren. Sie schrubbte die Herde, wusch das Geschirr und bediente die Mannschaft bei Tisch. Seltener brachte sie das meist etwas bessere Essen für den Käpt'n und seine Crew in die Offiziersmesse, immer voller Angst, ihre Tarnung könnte auffliegen. Dabei waren die Männer sehr nett zu dem schüchternen Schiffsjungen. Der Käpt'n merkte sich seinen Namen, und der Zahlmeister stellte ein paar wohlwollende Fragen zu seiner Herkunft und Familie. Er hakte allerdings nicht nach, als Gloria herumdruckste. Einmal lobte der Erste Offizier sie für den ordentlich gedeckten Tisch in der Messe, und Gloria errötete, worüber die Männer lachten. Sie sahen eigentlich alle nicht so aus, als würden sie blinde Passagiere kurzerhand über Bord werfen, aber Gloria zog es vor, Harry zu glauben. Sie versuchte, Harry möglichst alles zu glauben, vor allem die Zärtlichkeiten, die er ihr manchmal zuflüsterte. Sie brauchte etwas, an dem sie sich festhalten konnte, um nicht verrückt zu werden.

Denn wenn das Nachtmahl am Ende des Tages aufgetragen und das Geschirr gespült war, begann erst Glorias eigentliche Arbeit.

Gloria sah ein, dass sie Harry eine Vergütung schuldete und dass auch der Smutje für sein Schweigen bezahlt werden wollte. Warum sie allerdings auch allen anderen Mannschaftsmitgliedern in einer ihr unklaren Reihenfolge zu Diensten sein musste, erschloss sich ihr nicht. Nicht einmal die sechs Männer, mit denen sie und Harry die Kajüte teilten, hätten bemerkt, dass der Schiffsjunge Jack ein Mädchen war. Man zog sich zum Schlafen nicht aus; auch Gloria schlüpfte in ihren unförmigen Männerkleidern unter die Decke. Aber Harry bestand darauf, dass sie jeden Abend zur Verfügung stand.

Die Besuche des Smutje hasste Gloria besonders. Sie hielt jedes Mal den Atem an, wenn sich der stinkende, ungewaschene Körper des fetten Kochs über sie warf. Er brauchte erheblich länger als Harry, bevor er mit ihr fertig war, ab und zu zwang er sie, sein Glied in die Hand zu nehmen und zu kneten, da es sich von selbst anscheinend nicht versteifte.

Hinterher verbrauchte Gloria die Hälfte ihres kostbaren Trinkwassers, um sich die Hände zu schrubben. Wasser zum Waschen gab es nicht, Körperreinigung war nicht vorgesehen. Gloria versuchte jedoch, sich am Morgen wenigstens feucht abzureiben; sie hasste es, nach all den Männern zu riechen und diesen speziellen Geruch der ... Liebe? ... an sich zu haben. Das Mädchen verstand beim besten Willen nicht, was die Männer daran fanden, ihren schmutzigen, stinkenden

Körper zu besitzen, doch Harry und den anderen schien das nichts auszumachen. Manche flüsterten ihr sogar zu, wie gut sie roch, und einigen gefiel es, ihre Brust, ihren Bauch oder gar die unaussprechlichen Körperteile, in die sie sonst ihre Glieder steckten, zu lecken. Harry beschränkte sich auf diese Aktivität, wenn Gloria ihre empfängnisbereiten Tage hatte. Andere Männer zogen dann eine Art Gummischlauch über, und ein paar behaupteten, sie zögen ihr Ding schon rechtzeitig wieder heraus, bevor es gefährlich würde. Vor dieser Methode aber hatte Jenny ausdrücklich gewarnt; deshalb verlegte Gloria sich lieber auf den Essig. Damit wusch sie sich inzwischen sowieso fast jeden Tag, denn in der Küche gab es ausreichend davon.

Ansonsten versuchte sie einfach, so wenig wie möglich zu denken. Gloria hasste die Männer nicht, die ihr jede Nacht beilagen, sie empfand einfach gar nichts für sie. Am Anfang war sie eine Zeitlang wund gewesen, aber darauf hatte Harry Rücksicht genommen. Erst zwei Tage nachdem sie an Bord gingen, ließ er die Mannschaftsmitglieder zu ihr. Inzwischen schmerzte es nicht mehr, mit den Männern zu schlafen, wenn sie sich vorher mit Öl einrieb, und wären der Gestank, die Körperflüssigkeiten und die Scham nicht gewesen, hätte Gloria sich fast dabei gelangweilt. So zählte sie vor allem Tage und Stunden. Die Überfahrt nach Kanton dauerte etwa zwei Wochen. Das würde sie aushalten.

Wenn sie nur wüsste, was danach kam! Sie musste ein Schiff nach Australien finden, aber die verkehrten nicht so regelmäßig wie die Handelsschiffe zwischen China und San Francisco. Es war Glückssache, ob gerade eines vor Anker lag.

»Wenn nicht, bringen wir dich auf einem Kahn nach Indonesien unter«, meinte Harry gelassen. »Musst du eben einmal mehr umsteigen …«

Wenn es doch nur so einfach gewesen wäre wie bei Zugfahrten! Im Grunde grauste es Gloria vor China, und so war sie einerseits erleichtert, fühlte sich andererseits aber mehr als beklommen, als endlich Land in Sicht kam.

»Bleib einfach da!«, wies Harry sie an, als das Schiff angelegt hatte und die Ladung gelöscht wurde. Bevor das nicht erledigt war, hatte die Mannschaft keinen Ausgang, und ein paar Leute mussten ohnehin an Bord bleiben. Gloria konnte sich vorstellen, womit sie sich über den langweiligen Wachdienst hinwegtrösten würden. »Ich schau mich für dich um, Ehrensache! Wir finden schon was ...«

Gloria durfte in dieser Nacht immerhin an Deck gehen. Sie schöpfte Meerwasser und wusch sich gründlich damit, nachdem sie den Männern zu Diensten gewesen war. Hoffentlich hatte das nun wenigstens ein Ende! Auf dem neuen Schiff musste niemand erfahren, dass sie ein Mädchen war.

Harry und der Smutje waren bester Laune, als sie spät in der Nacht zurück zum Schiff kamen. Die meisten Besatzungsmitglieder blieben weg, um die Nacht bei einer schlitzäugigen Hure zu verbringen, aber die beiden verlangte es wohl mehr nach Gloria.

»Das ... das allerletzte Mal!«, lallte der Smutje. »Morgen wird die Ladung gelöscht ... Ware ... gut verkauft!« Er lachte.

»Welche Ladung?«, fragte Gloria. Die Güter, welche die *Mary Lou* befördert hatte, waren schließlich längst an Land.

»Du ... meine Süße! Was denkste denn? Dein Kerl hat dich gut verkauft, Kleine ... und ich hab auch meinen Schnitt gemacht ...«

»Verkauft? Mich?« Gloria wandte sich verwirrt an Harry. Dem Matrosen schienen die Eröffnungen des Kochs alles andere als recht zu sein.

»Er meint, ich hab einen Platz auf einem Schiff für dich

gefunden«, erklärte er widerwillig. »Hast Glück, der Dampfer geht durch bis Australien. Auswandererschiff, fährt unter englischer Flagge, aber alles voller Chinesen. Der Steward, der die Aufsicht auf dem Zwischendeck hat, wird dich decken ...«

»Braucht der denn einen Schiffsjungen?«, fragte Gloria ängstlich. »Werden sie mich anstellen?«

Der Smutje verdrehte die Augen. Harry funkelte ihn an und gebot ihm Schweigen.

»Süße, da brauchst du keine Anstellung. Wie gesagt, im Zwischendeck wuselt es vor Menschen. Ein Fresser mehr oder weniger fällt gar nicht auf ...«

»Und Kunden hat's da reichlich«, kicherte der Smutje.

Gloria sah Harry ängstlich an. »Ich muss zu dem Steward nett sein, nicht wahr?«, fragte sie.

Harry nickte.

»Aber sonst ... auf dem Zwischendeck sind doch viele Frauen, oder? Auswanderer gehen meist mit der ganzen Familie, stimmt's?« Das hatte Gloria zumindest gehört. Grandma Gwyn und Elizabeth Greenwood hatten von irischen Familien mit Dutzenden von Kindern erzählt.

Der Smutje lachte, aber Harry runzelte die Stirn. »Genau, Süße, massenhaft Chinesen aller Art. Und jetzt sei noch mal besonders nett zu mir. Morgen gehen wir in die Stadt, da lernst du den Steward kennen.«

Gloria nickte. Wahrscheinlich würde auch der sie »testen« wollen wie Harry in San Francisco. Sie wappnete sich für ein Pendant zu Jennys Absteige.

Kanton war eine verwirrende Mischung aus engen Gassen, in denen anscheinend ständig Markt gehalten wurde, schreienden und streitenden Menschen in seltsamer, meist blaugrauer Kleidung, breiten, flachen Hüten und langen Zöpfen, egal ob

Mann oder Frau. Die Frauen trippelten mitunter seltsam daher; sie schienen sehr kleine Füße zu haben. Die Chinesinnen hielten die Köpfe gesenkt und trugen oft schwere Lasten auf den Schultern. Männer und Frauen waren winzig; selbst die größten Männer erreichten allenfalls die Größe Glorias, und alle schienen pausenlos zu reden. Harry lotste sie über einen Markt, auf dem fremde Gewürze, seltsam eingelegte Gemüse und Wurzeln und lebende und tote Schlachttiere feilgehalten wurden. Gloria zuckte zusammen, als sie verzweifelt jaulende Hunde entdeckte, die offensichtlich einem traurigen Schicksal als Braten entgegensahen.

»Der Koch auf dem Schiff ist aber Engländer, oder?«, fragte sie nervös.

Harry lachte. »Davon geh ich aus. Keine Angst, man wird dich schon nicht mit Hunden füttern. Komm, gleich sind wir da.«

Der Steward der *Niobe* wartete in einer Art Teezimmer. Es gab allerdings keine richtigen Möbel, sondern man kniete um kleine Lacktischchen herum. Der Mann stand höflich auf, um Gloria zu begrüßen, schien sonst aber nicht davon auszugehen, ein mündiges, intelligentes Wesen vor sich zu haben. So richtete er das Wort nur an Harry; Gloria hätte ebenso gut stumm sein können. Auch in Bezug auf seine Wortwahl war er nicht sehr zurückhaltend.

»'ne Schönheit ist sie ja nicht«, bemerkte er, nachdem er Gloria gründlich gemustert hatte.

Harry verdrehte die Augen. »He, was willste? 'ne englische Rose? Die hier ist mehr der Polynesiertyp. Macht sich ohne Kleider deutlich besser. Und ist ja auch nicht so, als hättest du viel Auswahl.«

Der Steward grummelte. Auch er war keine Schönheit. Er war zwar groß, aber plump, und sein Körper wirkte gedrungen. Gloria mochte sich gar nicht vorstellen, wie es sein würde, wenn er auf ihr lag. Sie zwang sich, an Australien zu denken. Inzwischen sah sie die Sache wie Harry. Australien, das war fast schon daheim ...

»Und sie ist nicht ausgelutscht? Halbwegs sauber? Da legen die Wert drauf. Man kann sagen, was man will, aber zumindest die Japse baden öfter als wir.«

Gloria sah Harry Hilfe suchend an.

»Gloria ist sehr sauber«, erklärte er. »Und sie ist noch nicht lange im Gewerbe, ein braves Mädchen, das nur aus irgendeinem Grund ans andere Ende der Welt will. Also nimm sie oder lass es. Ich kann sie auch diesem Russen geben, der nach Indonesien will ...«

»Fünfzig Dollar!«, sagte der Steward.

Harry verdrehte die Augen. »Müssen wir das noch mal durchziehen? Und diesmal vor den Ohren des Mädchens? Hatten wir das nicht gestern schon?«

»Sie soll ruhig wissen, was sie wert ist.« Der Steward versuchte erneut, Glorias Figur unter der Männerkleidung zu taxieren. Er hatte hellblaue, kleine Augen mit fast farblosen Wimpern. Sein Haar war hellrot. »Dann macht sie mir keine Zicken. Was hatten wir also noch gesagt? Sechzig?«

»Fünfundsiebzig! Und keinen Cent weniger!« Harry blitzte den Mann an und warf Gloria dann einen entschuldigenden Blick zu. »Ich geb dir zehn ab!«, wisperte er ihr zu.

Gloria konnte nicht einmal nicken.

Widerwillig zückte der Mann seine Börse. Langsam zählte er fünfundsiebzig Dollar ab.

Gloria suchte Harrys Blick. »Es ... es ist wahr? Du verkaufst mich?« Sie konnte es immer noch nicht glauben.

Harry wand sich unter ihren vorwurfsvollen Augen. »Schau, Süße, so ist das nicht, es ...«

»Herrgott, was soll das denn nun?« Glorias neuer Besitzer schlug verärgert die Augen gen Himmel. »Klar verkauft er dich, Mädchen, das kann dir doch nicht neu sein. Wenn der Kerl mich nicht belogen hat, hast du gerade vierzehn Tage für ihn angeschafft. Und jetzt tust du's für mich, so einfach ist das. Also spiel nicht die Unschuld vom Lande, sondern reiß dich los. Wir müssen noch ein paar Klamotten für dich kaufen, meine Kunden stehen nicht auf Männerkleidung …«

Gloria ließ fassungslos zu, dass Harry sie zum Abschied umarmte. Dabei ließ er unauffällig zehn Dollarscheine in ihre Tasche gleiten.

»Nichts für ungut, Süße!«, bemerkte er augenzwinkernd. »Mach einen guten Job, dann wird man dich auch gut behandeln. Und in ein paar Wochen zählst du wieder Schäfchen in Kiwiland …«

Harry wandte sich ab. Gloria meinte, ihn pfeifen zu hören, als er das Teezimmer verließ.

»Heul ihm bloß nicht nach«, bemerkte der Steward. »Der hat sich an dir 'ne goldene Nase verdient. Und jetzt los, wir haben's eilig. Heute Nacht geht's nach Down Under!«

9

In den nächsten Wochen durchlebte Gloria die Hölle. Der »Job« auf der *Niobe* war nicht im mindesten vergleichbar mit dem, was sie auf der *Mary Lou* getan hatte. Harrys Mannschaftskollegen waren zwar schmutzig und oft auch grob gewesen, aber im Großen und Ganzen hatten sie Gloria doch mit Freundlichkeit behandelt, und in gewisser Hinsicht herrschte auch so etwas wie Komplizenschaft. Die Männer verbargen »ihr Mädchen« vor den Offizieren, und alle hatten eine diebische Freude daran, tagsüber den Schiffsjungen »Jack« um sich zu haben und zu necken. Niemand hatte jemals versucht, ihr absichtlich wehzutun.

Auf der *Niobe* war es ganz anders, obwohl die Sache sich zuerst gut anzulassen schien. Es dämmerte schon, als der Steward Gloria zum »Australien-Dock« führte, wie er es nannte – der Name der Chinesen für die Stadt und Hafenanlagen war unaussprechlich. Gloria fragte sich trotzdem, wie er einen fremden Jungen oder gar ein weißes Mädchen aufs Schiff schmuggeln wollte, aber das gestaltete sich dann als einfach. Tatsächlich wimmelte es an Land und an Deck nur so vor auswanderungswilligen Chinesen. Sie schienen kaum Gepäck mitzunehmen; die meisten schleppten ihre Habe in einem kleinen Bündel an Bord. Die Schifffahrtsgesellschaft musste wohl darauf spekulieren und hatte sehr viel mehr Billets verkauft als auf anderen Auswandererschiffen üblich. Da keinerlei Koffer und Kästen unterzubringen waren, teilten sich die kleinen gelben Leute nicht zu sechst die Kabinen, sondern quetschten sich zu zehnt oder zu zwölft in eine der winzigen

Unterkünfte. Und zu Glorias Verblüffung und späterem Entsetzen waren es fast ausschließlich Männer. Höchstens zweien oder dreien von ihnen trippelten zarte, kleine Frauen hinterher.

»Warum?« Gloria schaffte es nicht, ihre Schüchternheit zu überwinden und die Frage auszusprechen, aber der Steward antwortete trotzdem.

»Ist verboten«, erklärte er knapp. »Zumindest in den Staaten, da dürfen nur Kaufleute ihre Weiber mitbringen, keine Arbeiter. Und die Australier bürgern sowieso keine Asiaten mehr ein, also wäre die Lady nur unnötiger Ballast. Die Kerle lassen die Familien hier und schicken lieber Geld. Das kommt billiger. Ein Dollar ist in Down Under schnell weg, aber hier ist das ein Vermögen ...«

Während er sprach, lotste er Gloria durch das Menschengewimmel an Deck. Kein Mensch störte sich an dem Schiffsjungen ohne Reisepapiere. Der Strom der kleinen gelben Menschen teilte sich wie selbstverständlich vor dem hochgewachsenen Weißen in Uniform und schloss sich dahinter wieder. Gloria hätte das Gefühl gehabt, sich auf einer beweglichen Insel zu befinden, wäre die Geräuschkulisse nicht gleich geblieben. Das Reden, Lachen und Weinen der Chinesen dröhnte in ihren Ohren. Es war störender als das Vibrieren der Maschinen auf der *Mary Lou*, denn es gab keinen Rhythmus darin. Noch Wochen später sollte die Erinnerung daran Gloria Kopfschmerzen verursachen.

»Hier, das ist dein Reich!« Der Steward war inzwischen mit Gloria in den Bauch des Schiffes abgetaucht. Sie durchquerten dunkle, enge Gänge zwischen den Kabinen, in denen zum Teil Nahrungsmittel lagerten. Die Männer hatten sich anscheinend wenigstens Verpflegung mitgebracht. Gloria schauderte, wenn sie an den möglichen Inhalt der Pakete dachte.

Wieder schien der Steward ihre Gedanken zu lesen.

»Nur Reis, kein Hund«, beruhigte er sie. »Die Kerle hier können sich Fleisch gar nicht leisten. Aber ihr Reis ist ihnen heilig, und sie haben wohl gehört, dass die Verpflegung hier … nun ja, sich mehr an westlichen Mägen orientiert, wenn man bei dem Fraß überhaupt von Verpflegung reden kann …«

Während er sprach, schob er Gloria in eine der Kajüten. Es gab sechs schmale Kojen, übereinander angeordnet an den Wänden. Bislang war allerdings keine belegt. Der Steward wies auf ein paar zusammengefaltete Decken.

»Am besten machst du dein Bett auf dem Boden. Damit die Kerle sich nicht den Kopf stoßen, wennste sie bedienst …«

Gloria blickte ihren neuen Herrn zweifelnd an. »Soll ich denn hier allein wohnen? Kommt sonst keiner mehr?«

Sie wagte das kaum zu hoffen, hatte sie doch angenommen, das Bett »nach der Arbeit« mit dem Steward teilen zu müssen.

»Wer soll denn noch kommen?«, fragte der Mann. Dann grinste er. »Aber sei unbesorgt, wir lassen keine Einsamkeit aufkommen. Hör zu, ich werde mich jetzt um das Chaos da draußen kümmern. Die Kerle müssen gleich lernen, dass hier Disziplin herrscht. Und du machst dich vorerst unsichtbar, kann schließlich sein, dass sich doch mal einer von der Mannschaft hier runter verläuft. Wenn das Schiff erst fährt und die Kerle ihren ersten Katzenjammer kriegen, sehen wir weiter. Mach dich schon mal hübsch für mich …«

Er zwickte Gloria zum Abschied in die Wange und verschwand im Gang. Gloria konnte ihr Glück kaum fassen. Eine eigene Kabine! Keine stinkenden Männerkörper mehr bei Nacht, kein Schnarchen … vielleicht konnte sie sich einmal unbeobachtet ausziehen und zumindest flüchtig waschen.

Sie breitete die Decken auf dem Boden aus, rollte sich unter einer davon zusammen und schlief, erleichtert und glücklich. Wenn sie aufwachte, würde sie auf dem Weg nach Australien sein, fast schon zu Hause ...

Doch als sie erwachte, brach die Hölle los.

Der Steward fand keinen Gefallen daran, eine Frau auf normale Weise zu besitzen. Schon in der ersten Nacht an Bord ließ er Gloria am eigenen Leibe erfahren, was Jenny als »andere Spielarten der Liebe« bezeichnet hatte.

»Machen wir alle nicht gerne«, hatte das blonde Freudenmädchen bemerkt. »Aber Nein sagen kann sich kaum eine leisten. Besteh aber auf einem Aufpreis, auch wenn sie dir sagen, die Susie von nebenan machte das umsonst. Wir halten da zusammen – zum Normalpreis hat das keine im Angebot ...«

Gloria wurde nicht gefragt. Aber im Stillen dankte sie Jenny für die Aufklärung. So wusste sie, was auf sie zukam, und ertrug es stoisch. Sie versuchte, den Schmerz zu ignorieren und an etwas anderes zu denken, während der Mann sich an ihr abmühte. Irgendwann gelang es ihr, sich in den Scherschuppen von Kiward Station zu versetzen. Das Blöken der Schafe übertönte das Gemurmel der Chinesen von draußen. Der durchdringende Lanolingeruch der Wolle überdeckte den Schweißgestank des Stewards, während Gloria die Schafe zählte, mit denen die Scherer fertig waren. Mit gemischten Gefühlen dachte sie an die Schur. Früher hatte sie keinen Gedanken an die Angst der Tiere verschwendet, die brutal auf den Rücken geworfen und rasch, aber nicht gerade liebevoll ihrer Wolle beraubt wurden. Jetzt, hilflos von diesem Fremden auf den Boden der Kabine gepresst, fühlte Gloria sich den Tieren mehr verbunden als den Scherern.

»Braves Mädchen«, lobte der Steward, als er endlich von ihr abließ. »Der Kerl in Kanton hatte Recht. Du weißt nicht viel, aber du bist willig. Schlaf dich jetzt aus, heute Nacht haben alle mit sich selbst zu tun. Morgen früh gehst du an die Arbeit ...«

»Was soll ich denn machen?«, fragte Gloria verwirrt. Es hatte schließlich geheißen, sie brauchte keine Küchendienste oder Ähnliches mehr zu tun.

Der Steward lachte anzüglich. »Was du am besten kannst, Kleine! Um acht endet die Nachtschicht. Da holen sich die Heizer gern noch die nötige Bettschwere, bevor's in die Kojen geht. Hier wird in drei Schichten geschafft, Süße, du hast rund um die Uhr zu tun ...«

In den ersten Tagen erwies sich das als übertrieben, denn die Mannschaft war noch »satt« von den Huren in Kanton, und die Passagiere waren längst nicht so ausgehungert, dass sie ihr schmales Reisebudget an ein Freudenmädchen verschwendet hätten. Aber nach der ersten Woche kam Gloria nur noch selten zur Ruhe, und nach der zweiten wurde ihr Leben endgültig zum Albtraum. Der Steward – er hieß Richard Seaton, aber Gloria konnte nicht an ihn denken, als wäre er ein Mensch mit einem Namen wie alle anderen – verkaufte sie hemmungslos an jeden, der ein paar Cent dafür bot, und er überließ sie den Männern ohne jegliche Auflagen. Natürlich hatten die meisten keine Sonderwünsche, aber diejenigen, die ihren Sadismus an dem Mädchen ausließen, hinderte niemand daran. Ebenso wenig schritt jemand ein, wenn zwei oder drei Männer sich das »Ticket« teilten. Gloria versuchte, alles so teilnahmslos über sich ergehen zu lassen wie die Gelüste der Männer auf der *Mary Lou*, aber das waren höchstens zwei oder drei pro Abend gewesen. Hier dagegen begann die Tortur am Morgen, wenn die Maschinisten und Heizer von der Nachtschicht kamen, und endete erst spät am

Abend, nachdem auch die Küchencrew ihre Arbeit beendet hatte und Entspannung suchte. Bei fünfzehn Kunden und mehr pro Tag versagte die schützende Wirkung des Öls. Gloria wurde wund, und das nicht nur an den geheimen Stellen. Ihr Körper scheuerte auch an den groben Decken, gegen die sie immer wieder gestoßen wurde. Der Stoff riss ihre nackte Haut auf, und die Wunden entzündeten sich, da sie keine Möglichkeit hatte, sich zu waschen. Dazu war das improvisierte Deckenlager nach einigen Tagen verklebt und verkrustet vom Schmutz und den Körperflüssigkeiten unzähliger Männer, und frische Laken gab es nicht. Irgendjemand musste zudem Ungeziefer eingeschleppt haben, Gloria kämpfte gegen Wanzen und Flöhe. Am Anfang versuchte sie noch, dem wenigstens zeitweise zu entkommen, indem sie in eine der Kojen kletterte, wenn sie allein war und Zeit zum Schlafen fand. Das kam jedoch immer seltener vor, je länger die Reise währte, und am Ende fand sie tagelang keine Muße und keine Kraft mehr, das improvisierte Lager auf dem Boden zu verlassen. Ihr Körper war gefangen, doch Gloria klammerte sich an ihre geistige Gesundheit. Verzweifelt träumte sie sich fort aus ihrem dunklen Verlies, stellte sich vor, im Sonnenschein von Kiward Station Schafe zusammenzutreiben, verlor sich in der Weite der Canterbury Plains ... um sich dann doch wieder im Chorraum von Oaks Garden wiederzufinden, wo sie vor dem Klavier stand und beim Vorsingen kläglich versagte. Immer öfter wurden Tagträume zu Albträumen. Gloria merkte, dass sie fieberte, und versuchte, an irgendwelchen Vorstellungen festzuhalten, um nicht völlig abzudriften. Aber es wurde immer schwerer, klare Gedanken zu fassen oder sich gar angenehme Gefühle vorzustellen. Gefühl bedeutete Schmerz, Ekel und Selbsthass – wobei der Hass noch am wenigsten wehtat.

So konzentrierte Gloria sich immer mehr auf den Hass. Zuerst richtete sie diesen Hass auf den Steward. In den endlosen Stunden, wenn ein Freier nach dem anderen über sie herfiel, stellte sie sich vor, ihn zu töten. Immer und immer wieder. Auf diese oder jene Art, je grausamer, desto besser. Schließlich übertrug sie den Hass auch auf die Freier. Sie malte sich aus, wie das Schiff unterging und sie alle ertranken. Noch besser war ein Brand, der ihre stinkenden Körper verschlang. Gloria meinte, ihre Schreie zu hören ... Wenn ein Mann über ihr stöhnte, träumte sie davon, dass es Schmerz statt Lust war. Sie wünschte alle diese Kerle zur Hölle. Nur das gab ihr die Kraft, ihre Demütigung zu überleben.

In der Enge und Dunkelheit ihrer Kabine verlor sie schließlich jedes Zeitempfinden. Sie hatte das Gefühl, seit einer Ewigkeit auf dem Schiff zu sein und bis zum letzten Tag weiter in ihrem Hass baden zu müssen. Aber dann grinste sie eines Tages einer der wenigen Männer an, die für sie noch ein Gesicht hatten.

»Letztes Mal heute!«, erklärte der junge Heizer. Er war Australier und unterschied sich für Gloria dadurch von seinen Kollegen, dass er sich vor dem Besuch bei ihr zumindest notdürftig wusch. »Morgen sind wir in Darwin.«

»In ... Australien?«, fragte Gloria. Sie hatte eben noch in einem hasserfüllten Albtraum unter ihm gelegen, aber jetzt schlug seine Stimme eine lang verstummte Saite in ihr an. Fast ungläubig verspürte sie Hoffnung.

»Wenn wir uns nicht arg verfahren haben!« Der Mann grinste. »Musst nur sehen, wie du von Bord kommst. Die Einwanderungsbehörden sind ganz schön streng, da wird jeder registriert.«

»Der ... der Steward wird mich schon rausschmuggeln«, bemerkte Gloria, noch immer fassungslos.

Der Heizer lachte. »Da würd ich mich mal nicht drauf verlassen! Mensch, Mädchen, der hat doch kein Interesse, dich freizugeben! Wie der dich hier hält ... wie ein Vieh! Wir von der Mannschaft haben schon überlegt, dem Hafenmeister einen Tipp zu geben. Besser sie schieben dich ab, als dass du hier verreckst!«

»Du ... du meinst ...« Gloria setzte sich mühsam auf.

»Ich meine, dass sich in dem Moment, in dem wir Darwin erreichen, ein Schlüssel in dieser Tür drehen wird«, erklärte der Mann und wies auf den Eingang der Kabine. »Und nicht, um sie dir zu öffnen, wenn du verstehst, was ich meine! Wir bleiben hier nicht lange, ein paar Tage, dann geht's zurück nach Kanton. Der Mistkerl braucht nicht mal hierzubleiben, um dich zu bewachen. Wenn er dir einen Eimer Wasser und ein bisschen Essen reinstellt, überlebst du schon. Und prompt macht er weiteren Profit auf der Rückfahrt ...«

»Aber ich ... die Vereinbarung ...« Um Gloria drehte sich alles.

Der junge Heizer verdrehte die Augen. »Du willst doch nicht behaupten, dass das hier Teil einer ›Vereinbarung‹ war, oder? Seaton hat dich gekauft, und er wird das Beste aus seinem Geld machen. Zumal eine tote Hure schnell über Bord geworfen ist. Wenn sie dich dagegen in Darwin schnappen, und du erzählst ihnen, wie du hergekommen bist ... also, wie gesagt: Versuch, hier möglichst schnell rauszukommen. Auch auf die Gefahr hin, dem Hafenmeister in die Arme zu laufen ...«

Gloria schaffte es nicht einmal, dem Mann für seine Warnungen zu danken. Ihre Gedanken überschlugen sich, als er hinausging und zwei chinesischen Einwanderern Platz machte, die zum Glück keine Sonderwünsche hatten und auch kein Wort Englisch sprachen. Gloria ließ ihre Lust über sich ergehen und versuchte, eine Art Plan zu schmieden. Der Heizer hatte Recht: Es war unwahrscheinlich, dass der Steward sie freiwillig gehen ließe. Aber sie hatte das alles auch nicht auf sich genommen, um sich von den Behörden erwischen zu lassen und mit

Schimpf und Schande zu ihren Eltern zurückgeschickt zu werden. Gut, es war möglich, dass man sie nach Neuseeland zu ihren Verwandten schickte. Das lag näher und war für die Australier vielleicht einfacher zu organisieren. Vielleicht aber auch nicht. Und selbst wenn sie Glück hatte: Grandma Gwyn würde erfahren, was sie auf dem Schiff getan hatte. Und das durfte nicht sein. Niemand durfte es erfahren! Eher würde sie sterben.

In den Kajüten um sie her herrschte Aufbruchstimmung. Gloria schalt sich dafür, das nicht eher bemerkt zu haben. Beinahe hätte sie in Agonie abgewartet, bis die Falle hinter ihr zuschlug. Doch an diesem Abend gab es kaum Freier. Verständlich eigentlich. Sie hatten mit dem Anlegemanöver zu tun und keinen Grund mehr, ihre Dienste in Anspruch zu nehmen: Wozu die dreckige Schiffshure aufsuchen, wenn am nächsten Tag das Rotlichtviertel von Darwin wartete? Wenn Gloria Pech hatte, würde der Steward sein Privatbordell noch vor Mitternacht schließen.

Sie musste sofort raus!

Als die beiden Asiaten fertig waren, zwang sie sich aufzustehen und ihre wenigen Sachen zu einem Bündel zusammenzuschnüren. Gloria vertauschte ihr verlaustes, zerrissenes Kleid wieder mit dem Kostüm des Schiffsjungen Jack. Die Hosen und das Hemd erschienen ihr schwer, und sie hoffte, darin schwimmen zu können. Aber eine andere Möglichkeit gab es nicht: Sie würde es bis an Land schaffen oder ertrinken.

Gloria schleppte sich durch die Gänge, in denen die Einwanderer ihre Habseligkeiten ordneten. Wieder ließ man sie kommentarlos durch. Hoffentlich kommt keiner der Männer auf die Idee, den Steward zu benachrichtigen!, fuhr ihr durch den Kopf. Aber dann beruhigte sie sich. Die kleinen gelben Männer wagten es nicht einmal, dem vermeintlichen Schiffsjungen auch nur ins Gesicht zu sehen. Gut möglich, dass sie Gloria nicht erkannten. Soweit sie es einschätzte, waren auch kaum Freier darunter. Die Asiaten, die der Steward zu ihr gebracht hatte, waren wahrscheinlich aus der Zweiten Klasse heruntergestiegen. Die Zwischendeckpassagiere, die ärmsten der Armen, hatten sich den Besuch bei ihr kaum leisten können.

An Deck schlug ihr kühle Luft entgegen. Natürlich, auf dieser Hälfte der Erde war Winter. Andererseits befand sie sich im Norden Australiens; es herrschte tropisches Klima. So kalt konnte es also gar nicht sein! Gloria atmete tief durch. Tatsächlich gewöhnte sie sich langsam an die Temperaturen, die, wie sie schätzte, um zwanzig Grad lagen. Nach der stickigen Hitze und der verbrauchten Luft unter Deck schien es zwar frisch, aber ideal zum Schwimmen …

Gloria nahm sich zusammen. Sie schleppte sich im Schatten der Aufbauten und Rettungsboote über das Deck. Ein Rettungsboot wäre auch eine Möglichkeit, überlegte Gloria … aber nein, sie würde es nie allein schaffen, einen solchen Kahn über Bord zu hieven. Von dem dabei entstehenden Lärm ganz abgesehen. Gloria warf einen Blick über die Reling. Das Meer lag tief unter ihr, aber immerhin war es ruhig. Und die Lichter der Stadt waren bereits gut zu sehen; es konnte nicht allzu weit sein. Das Schiff schien sich auch kaum noch zu bewegen. Wartete man vielleicht auf einen Lotsen, der die *Niobe* in den Hafen führen sollte? In diesem Fall bestand wenigstens keine so große Gefahr, in die Schiffsschraube zu geraten und zerrissen zu werden. Andererseits konnte der Lotse die Schwimmerin aufgreifen. Aber zuerst würde sie springen müssen. Gloria erschauerte vor der Höhe. Sie war seit Jahren nicht mehr geschwommen. Und ins Wasser gesprungen war sie sowieso noch nie.

Aber dann hörte sie Stimmen. Irgendjemand kam an Deck,

eher Besatzungsmitglieder als Passagiere, aber das war egal. Wenn sie Gloria fanden, war ihr Schicksal besiegelt. Egal, ob man sie zu Seaton zurückbrachte oder dem Kapitän vorführte.

Gloria holte tief Luft. Dann warf sie ihr Bündel voraus und sprang.

Vom Schiff aus hatten die Strände von Darwin zum Greifen nahe gewirkt, aber Gloria schien dem Land nicht wirklich näher zu kommen. Sie hatte das Gefühl, seit Stunden zu schwimmen. Wenigstens war sie inzwischen frei von Angst. Sie hatte sich an das kühle Wasser gewöhnt. Die Kleider störten zwar, doch es war zu schaffen. Ihre Sachen hatte Gloria sich auf den Rücken gebunden – sie in der Hand zu behalten hatte sie beim Schwimmen behindert. Und es war angenehm, nach all der Zeit in der dreckigen Kabine von Wasser umspült zu werden. Gloria hatte das Gefühl, als wasche der Ozean nicht nur den Schmutz, sondern auch die Schande von ihr ab. Ab und zu tauchte sie das Gesicht ins Wasser und dann, mutig geworden, auch Kopf und Haar. Sie versuchte, so lange unter Wasser zu bleiben, bis die Läuse ertranken. Die Flöhe waren bestimmt schon tot. Sie musste beinahe lachen. Und schwamm immer weiter.

Gloria brauchte eine Nacht und einen halben Tag, bis sie sich endlich an einem einsamen Strand unterhalb Darwins an Land geschleppt hatte. Später erfuhr sie, dass man ihn Casuarina nannte und dass es dort Salzwasserkrokodile gab. Aber die Tiere ließen sich nicht blicken, und Gloria war so müde, dass sie sich davon auch kaum hätte abhalten lassen, in den Sand zu sinken und zu schlafen.

Am Ende war sie unterkühlt und so völlig erschöpft gewesen, dass sie kaum noch Schwimmbewegungen hatte machen können. Sie hielt sich gerade noch so über Wasser, und dann half ihr der gegen Mittag auffrischende Wind von See und die dadurch aufkommende Brandung. Der Sand war bereits aufgewärmt von der Sonne, er trocknete Glorias Sachen am Körper, während sie schlief.

Als sie erwachte, wurde es bereits Abend. Ein wenig benommen setzte das Mädchen sich auf. Es war geschafft. Sie war dem Steward und der Hafenpolizei entkommen. Offensichtlich rechnete niemand damit, dass jemand von China nach Australien schwamm. Gloria hatte schon wieder das Bedürfnis, hysterisch zu kichern. Sie war am Ziel ... am anderen Ende der Welt. Nur noch zweitausendsechshundert Meilen von Neuseeland entfernt. Wenn man den halben Erdball nicht mitrechnete, der sich zwischen Darwin und Sydney erstreckte. Gloria wusste nicht, ob zwischen dem Northern Territory und der Südinsel Neuseelands Schiffe verkehrten, aber von Sydney aus konnte man nach Lyttelton reisen. Sie dachte an Grandpa James, den man damals, als Viehdieb, von den Canterbury Plains nach Botany Bay geschickt hatte. Anschließend hatte er sich zu den Goldfeldern durchgeschlagen und war mit recht ansehnlichen Gewinnen nach Hause zurückgekehrt. Gloria fragte sich, ob in Australien überhaupt noch geschürft wurde, und wenn, dann wo. Aber für sie war das ohnehin keine Lösung. Zwar war sie fest entschlossen, bis zur Rückkehr nach Hause »Jack« zu bleiben, aber auch als Junge graute es ihr vor einem Camp voller Männer.

Plötzlich verspürte Gloria nagenden Hunger. Das Problem musste als Erstes gelöst werden, selbst wenn es bedeutete, irgendetwas Essbares zu stehlen. Aber dazu musste sie in die Stadt ... und ihre Kleider waren noch klamm; es würde auffallen, wenn sie wie eine nasse Katze durch die Straßen lief.

Gloria zog den Wollpullover aus und breitete ihn im Sand aus. Hemd und Hose auszuziehen, wagte sie nicht, so menschenleer der Strand auch schien. Aber die Taschen konnte sie umstülpen, damit sie schneller trockneten. Sie tastete sich durch den klammen Stoff und fühlte feuchtes Papier …

Als Gloria es herauszog, blickte sie fassungslos auf die zehn Dollarnoten, Harrys »Abschiedsgeschenk«. Ihr Anteil von ihrem Verkauf an den Steward.

Gloria lächelte. Sie war reich!

10

Eigentlich hatte niemand damit gerechnet, aber Lilian Lambert machte sich nützlich. Nach James McKenzies Tod war sie zunächst mit ihrer Mutter auf Kiward Station geblieben und hatte Jacks und George Greenwoods Ankunft mit Charlottes Leichnam abgewartet. Das Wiedersehen mit ihrem Vater und ihren Brüdern musste warten, bis alle Toten unter der Erde waren. Tim Lambert war in der Mine unabkömmlich.

»Aber jetzt helfe ich dir!«, erklärte Lilian resolut, nachdem sie endlich in Greymouth eingetroffen und ihre Heimkehr gründlich gefeiert worden war.

»Was willst du denn in der Mine machen, Spatz?«, fragte Tim lächelnd. Es würde ihn freuen, seine hübsche Tochter täglich um sich zu haben, aber so recht wollte ihm keine Aufgabe für sie einfallen.

Lilian zuckte die Achseln. »Was man halt so macht in einem Büro. Rechnungen schreiben, Leute anrufen ...« Lily zeigte zumindest keinerlei Furcht vor den neuen Telefonapparaten, die neuerdings in jedem Büro standen und die Kommunikation mit Kunden und Geschäftspartnern erheblich erleichterten. »Ich kann alles, was deine Sekretäre auch können ...«

Tim lachte. »Und was machen wir mit meinem Sekretär?«, neckte er sie.

Lilian verdrehte die Augen. »Vielleicht brauchen wir ja mehrere«, meinte sie vage. »Und sonst ...« Sie kicherte. »Unter Tage ist doch auch noch was zu tun ...«

Tim Lambert schickte zwar keinen seiner Büroangestellten unter Tage, aber trotzdem fand sich Arbeit für Lilian. Das Mädchen übernahm als Erstes den gesamten Telefondienst und wickelte ihre Gesprächspartner reihenweise um den Finger. Ein Nein von Zulieferern oder Speditionen akzeptierte sie nicht, und immerhin war man es in Greymouth bereits gewöhnt, von einer Frau herumkommandiert zu werden. Was Florence Biller allerdings mit Härte anging, schaffte Lily mit Charme. Besonders jüngere Geschäftspartner beeilten sich schon deshalb mit den Lieferungen, um das Mädchen mit der hellen Telefonstimme kennen zu lernen. Und Lilian enttäuschte sie nicht, sondern brachte sie zum Lachen und unterhielt sie, wenn sie auf ihren Vater oder den Steiger warten mussten. Auch der Umgang mit den Bergleuten fiel Lilian leicht, obwohl natürlich auch sie sich die abergläubischen Geschichten über Frauen in der Mine anhören musste. Ein alter Bergmann wies sie sogar darauf hin, als sie nur die Räume betrat, in denen die Dampfmaschine zum Betreiben der Förderkörbe untergebracht war.

»Und was ist mit der heiligen Barbara?«, fragte Lily stirnrunzelnd. »Deren Bild hängt in jedem Förderkorb! Außerdem will ich ja gar nicht mit runter. Ich komme nur, um Mr. Gawain den Krankenstand mitzuteilen ... Ruft ihn jetzt mal jemand rauf?«

Lilian wirbelte durch die Büroräume. Sie verbrühte sich ständig beim Kaffeekochen, fand sich aber schnell in die Buchhaltung hinein. Im Gegensatz zu den meist älteren und hölzern agierenden Bürodienern begeisterte sie sich geradezu für Neuheiten wie die Schreibmaschine und lernte in Rekordzeit tippen.

»Geht viel schneller als mit der Hand!«, freute sie sich. »Damit könnte man auch gut Geschichten schreiben!«

Lilian war stets gut gelaunt und heiterte ihren Vater auf, dem der Winter zugesetzt hatte wie jedes Jahr. Seine Hüfte und seine Beine schmerzten in der Kälte unerträglich, ganz zugfrei waren die Büros jedoch kaum zu halten. Schließlich liefen immer wieder Leute hinein und hinaus, und die Räume lagen zu ebener Erde. Tim versuchte, sich zusammenzunehmen, doch wenn er überarbeitet war – und das war er in diesem ersten Jahr des Krieges fast immer –, ließ er seinen Unmut mitunter an seinen Sekretären aus. Durch Lilians Anwesenheit wurde das besser. Nicht nur, weil er sie liebte, sondern auch, weil sie seltener Fehler machte. Das Mädchen war klug und zeigte Interesse an der Leitung des Unternehmens. Sie fragte ihren Vater auf dem Weg zur Arbeit aus und hielt dann oft schon die richtigen Unterlagen für eine Unterredung oder Entscheidung bereit, bevor Tim den Büroangestellten erklärt hatte, worum es ging.

»Wir hätten sie Bergwerkstechnik studieren lassen sollen«, sagte Tim lächelnd zu seiner Frau, als Lilian ihrem kleinen Bruder mit ernstem Gesicht das Prinzip eines Förderturms erklärte. »Oder Betriebswirtschaft. Ich glaub inzwischen auch, dass sie Florence Biller das Fürchten lehren könnte.«

Lilian hatte in Sachen Minenführung allerdings keine wirklichen Ambitionen. Die Arbeit für ihren Vater war nicht mehr als ein Spiel für sie. Natürlich wollte sie alles so gut wie möglich machen und schaffte das auch, aber in ihren Tagträumen jonglierte sie nicht mit Bilanzen herum wie Florence in ihrem Alter. Lilian träumte nach wie vor von der großen Liebe – leider konnte Greymouth' bessere Gesellschaft nur wenige Jungen in ihrem Alter aufweisen. Natürlich gab es genug Sechzehn- und Siebzehnjährige unter den Bergarbeitern, aber die Söhne der oberen Schichten studierten in England oder zumindest in Christchurch oder Dunedin.

»Du bist sowieso noch zu jung«, beschied Elaine ihr, wenn sie darüber klagte. »Werde erst mal erwachsen, dann findet sich auch der passende Mann.«

Elaine und Tim fanden den Mangel an Junggesellen eher beruhigend. Elaine hatte ihre erste Ehe viel zu jung geschlossen, und das Ergebnis war katastrophal gewesen. Sie war fest entschlossen, Lilian solche Erfahrungen zu ersparen.

So verging das erste Kriegsjahr ereignislos für die Lamberts. Lilian seufzte, als der Frühling verging und sich in Sachen Liebe nichts weiter abzeichnete. Die Arbeit in der Mine machte sie inzwischen fast mechanisch. Sie war immer noch tüchtig, aber sie begann sich zu langweilen und durchstöberte die Bücherregale ihrer Eltern. Zum Glück teilte sie mit ihrer Mutter Elaine die Vorliebe für eher leichte Lektüre. Elaine schimpfte nicht, wenn sie die neuesten Romane aus England bestellte, im Gegenteil – Mutter und Tochter fieberten mit den Heldinnen um ihre Geliebten.

»Mit der Wirklichkeit hat das natürlich nichts zu tun«, meinte Elaine zwar richtigstellen zu müssen, doch Lilian träumte weiter vor sich hin.

»Sonntag kannst du in Wirklichkeit tanzen«, meinte Tim eines Tages gutmütig, als Lilian mal wieder von Debütantinnenbällen und dramatischen Verwicklungen in ihren Romanen schwärmte. »Wenn auch nur beim Kirchenpicknick. Wir müssen uns sehen lassen, Lainie, auch beim Wohltätigkeitsbasar. Vielleicht hast du ja was beizusteuern. Wir machen eine größere Spende; es soll ja ein Gemeindehaus gebaut werden. Die Billers haben sich ebenfalls auf die Liste gesetzt und lassen sich nicht lumpen. Ganz so großzügig kann ich nicht sein, unsere Aktionäre möchten Gewinn sehen. Aber privat werden wir uns natürlich einbringen …«

Elaine nickte. »Ich frage den Reverend, inwiefern ich helfen kann. Ob Florence auch mal wieder zur Schöpfkelle greift?«

Tim lachte. Es gehörte dazu, dass die Frauen der Minenbesitzer sich in der Gemeinde engagierten. Auch praktisch; reines Mäzenatentum galt in Kleinstädten wie Greymouth als

Arroganz. Elaine Lambert und Charlene Gawain, die Frauen der Lambert-Minenleitung, hatten da keine Berührungsängste. Beide hatten unter den Bergleuten gelebt und gearbeitet – wobei niemand mehr ein Wort darüber verlor, dass die hoch geachtete Mrs. Gawain ehemals als Freudenmädchen angeschafft hatte. Florence Biller lag es allerdings fern, sich in Armenküchen zu engagieren, der ganze Ort hatte im letzten Jahr gelacht, als sie beim Sommerfest so ungeschickt Bowle ausgeschenkt hatte, dass sowohl ihr Kleid als auch der Feststaat der Gäste arg in Mitleidenschaft gezogen wurden.

»Die Billers werden auf jeden Fall da sein. Ihr Ältester ist übrigens zurück aus Cambridge.« Tim schnallte seine Beinschienen ab und machte es sich vor dem Kamin gemütlich. Frühling um Frühling regnete es in Greymouth anhaltend, und das Wetter fuhr ihm in die Knochen. Es ging ihm nicht besser, als es ihm im Winter ergangen war.

»Im Ernst? Er ist doch noch sehr jung. Hat er das Studium schon beendet?« Elaine wunderte sich. Erheblich geschickter als Florence Bowle einschenkte, goss sie Tim heißen Tee ein. Lilian suchte nach Plätzchen.

»Er ist wohl ein ziemlicher Überflieger. Wie sein Vater.« Tim zuckte die Achseln.

»Wie sein ...? Ach, Lily, geh doch mal eben in die Speisekammer. Hier sind keine Kekse mehr, aber Mary hat welche gebacken, die Dose im zweiten Bord links.«

Lilian zog einen Flunsch. Sie wusste, wann sie hinausgeschickt wurde.

»Du wirst es nicht glauben, aber der Junge sieht Caleb ähnlich«, bemerkte Tim. Er wusste, dass Lainie Klatsch liebte. »Das gleiche schmale Gesicht, der schlaksige Körperbau ...«

»Aber haben wir nicht alle gedacht, es wäre ihr Sekretär gewesen? Der, mit dem sie zuerst so gut auskam und der dann so plötzlich gefeuert wurde, als sie schwanger war?«

Elaine konnte an Caleb Billers Vaterschaft nicht recht glauben.

»Ich sag's dir, wie's ist, ich hab ihn gesehen. Beim Eisenwarenhandel. Matt meinte, ich sollte mir die neuen Verstrebungen selbst ansehen. Tja, und Florence hatte wohl irgendein Hühnchen mit Hankins zu rupfen ...«

Jay Hankins betrieb die Schmiede.

Elaine lachte. »Sie hat ihn persönlich zur Schnecke gemacht?«

»Ab und zu braucht sie das wohl. Auf jeden Fall stand der Junge daneben und wollte vor Scham fast im Boden versinken. Auch das ist typisch Caleb. Von der Mutter hat er nur die Augen, er wirkt sehr sportlich. Soll aber ein Bücherwurm sein. Hankins meint, er hätte Literatur studiert oder so was ...«

»Woher weiß er das?«, erkundigte sich Elaine und nahm sich einen Keks. »Vielen Dank, Lily.« Lilian stellte eben die Dose auf den Tisch.

»Anscheinend hat Florence vorher ihren Sohn heruntergeputzt, auch in aller Öffentlichkeit. Weil er Schrauben nicht von Nägeln unterscheiden konnte oder irgend so was. Jetzt versucht sie ihn jedenfalls auf Linie zu bringen. Er soll in der Mine mitarbeiten.«

»Aber was immer er studiert hat, er kann noch nicht fertig sein«, rechnete Elaine nach. »Er ist in Lilys Alter, ein bisschen jünger sogar ...«

»Wahrscheinlich haben sie ihn wegen des Krieges zurückgeholt. Sein Bruder geht gar nicht nach England, den schicken sie nach Dunedin, hab ich gehört. Europa ist zu unsicher.«

Elaine nickte. »Dieser unselige Krieg ... kommt er dir auch so unwirklich vor?« Sie rührte in ihrer Tasse.

»Nicht, wenn ich unsere Bilanzen sehe. All die Kohle, das steht für Stahl. Und Stahl steht für Waffen und Waffen für Tod. Kanonen, Maschinengewehre ... eine ganz teuflische Erfindung! Die armen Kerle sterben da unten wie die Fliegen. Warum, habe ich immer noch nicht richtig begriffen.« Tim runzelte sorgenvoll die Stirn. »Ich bin jedenfalls froh, dass wir weit weg sind, auch wenn man mir das als Feigheit auslegen kann ...«

Elaine lachte. »In der Beziehung kannst du dir wohl einiges leisten«, meinte sie dann, in Gedanken einmal wieder bei dem schweren Minenunglück achtzehn Jahre zuvor, bei dem Tim alles andere als feige gewesen war.

»Und dass unsere Jungs zu klein sind, um da irgendwelchen Unsinn zu machen«, fügte Tim hinzu. Die Army warb neuerdings auch in Neuseeland und Australien Rekruten an. Das erste Aufgebot des ANZAC, des Australian and New Zealand Army Corps, sollte demnächst nach Europa verschifft werden.

Elaine nickte und hätte dem Himmel beinahe zum ersten Mal für Tims Behinderung gedankt. Zumindest brauchte sie keine Angst zu haben, dass jemand ihren Mann in den Krieg schickte – oder dass Tim selbst auf dumme Gedanken kam.

Am Sonntag hatte der andauernde Regen endlich aufgehört, und Greymouth zeigte sich wie frisch gewaschen. Die Minenanlagen verschandelten die schöne Landschaft zwar ein wenig, aber die Natur gewann die Oberhand. Farnwälder ragten bis an die Stadt heran, und am Fluss Grey gab es viele romantische Ecken. Die Kirche lag ein wenig außerhalb, und die Straßen, über die Roly das Automobil der Lamberts lenkte, führten an sattgrünen Wiesen entlang.

»Ein bisschen wie in England«, behauptete Lilian, die sich an jenen Tag des Bootsrennens in Cambridge erinnerte. Ben sollte tatsächlich Recht behalten. Das berühmte Boat Race Cambridge gegen Oxford fiel kriegsbedingt erst mal aus.

Auch nach Ruperts Abgang vom College würde Ben keine Chance bekommen, sich als Schlagmann zu profilieren.

Die Szenerie vor der Kirche bot sich dann genau so dar, wie Lilian sie aus ihren Kindertagen in Erinnerung hatte. Männer bauten Tische auf, Frauen schleppten, fröhlich plaudernd, Picknickkörbe und suchten schattige Plätze, um die Leckereien während des Gottesdienstes zu deponieren. Da das Wetter mitspielte, machte der Reverend Anstalten, den Gottesdienst nach draußen zu verlegen. Aufgeregte Kinder breiteten Decken rund um den improvisierten Altar aus, während ihre Mütter und Großmütter die Tische für den späteren Basar schmückten. Natürlich sollten auch Kuchen versteigert und Backerzeugnisse prämiert werden. Mrs. Tanner, die sich selbst für die wichtigste Stütze der Gemeinde hielt, tuschelte mit ihren Freundinnen über die rührige Pub-Besitzerin und Puffmutter Madame Clarisse, die sich davon aber nicht irritieren ließ. Wie jeden Sonntag führte sie ihre Herde leichter Mädchen zum Gottesdienst und hatte offensichtlich vor, sich auch das Picknick nicht entgehen zu lassen.

Elaine und ihre Küchenhilfe Mary Flaherty luden ihre Körbe aus, während Roly und Tim mit den anderen Autobesitzern der Gemeinde über ihre Fahrzeuge diskutierten.

»Hilf mir lieber mit dem Korb«, pfiff Mary ihren Freund an, der sich eben damit brüstete, dass der Cadillac der Lamberts eindeutig mit der höchsten PS-Zahl aufwarten konnte. Roly fügte sich seufzend.

Elaine begrüßte mit gezwungenem Lächeln ihre Schwiegermutter Nellie Lambert und zwang ihre Brut, artig vor ihr zu knicksen und zu dienern. Dann verschwanden die kleinen Jungs in der Menge, um gleich danach mit ihren Freunden Fangen zu spielen und zu lärmen. Lilian schloss sich ein paar Mädchen an, die Blumen für den Altar pflückten.

Und schließlich, kurz vor Beginn des Gottesdienstes, rollte

das Auto der Billers heran. Noch größer und moderner als Tims und Rolys Lieblingsspielzeug. Die Männer warfen dem riesigen Wagen denn auch begehrliche Blicke zu, während Elaine und ihre Freundin Charlene sich eher auf die Insassen konzentrierten. Auch Matt Gawain hatte seiner Frau von der bemerkenswerten Ähnlichkeit zwischen Caleb Biller und Florence' Ältestem berichtet; deshalb hielten die beiden den Atem an, als Caleb und der Junge aus dem Wagen stiegen. Sie wurden nicht enttäuscht. Schon der etwas mürrische Ausdruck auf dem Gesicht des Halbwüchsigen erinnerte an den jungen Caleb. Elaine konnte sich noch gut an ihre erste Begegnung bei einem Pferderennen erinnern. Calebs Vater hatte ihn zur Teilnahme gezwungen, und die ganze Haltung des jungen Mannes spiegelte Furcht und Trotz.

Auch der junge Biller schien nicht ganz freiwillig mitgekommen zu sein oder hatte sich zumindest mit seiner Mutter gestritten. Sie warf ihm unwillige Blicke zu, woraufhin er eine weitere Eigenheit Calebs widerspiegelte. Er ließ resigniert die Schultern hängen. Benjamin war sportlicher und muskulöser, aber ebenso groß und dünn wie sein Vater. Mit seinen jüngeren Brüdern, beides kleinere, kräftige Typen, die eher nach ihrer Mutter und – wie Nellie Lambert es beschönigend ausdrückte – nach dem »dunkleren Zweig der Familie Weber« schlugen, hatte er praktisch nichts gemeinsam.

Florence scharte ihre Familie um sich. Sie war eine kompakte Frau; als Mädchen hatte sie zu einer gewissen Rundlichkeit geneigt. Inzwischen hatte sich das verwachsen. Florence' anstrengender Job ließ ihr keine Zeit, zu oft und zu viel zu schlemmen. Zu einer Schönheit machte sie das jedoch nicht. Nach wie vor wirkte ihr Gesicht ein bisschen teigig, und trotz der Büroblässe war es voller Sommersprossen. Ihr dickes braunes Haar war zu einem strengen Knoten geschlungen, der kleine Mund unwillig verzogen. Florence zwang sich zu einem Lächeln, als sie ihre drei Jungen auf den Reverend zuschob. Die Jüngeren produzierten sofort einen schnellen, absolut lehrbuchgerechten Diener vor dem Geistlichen, während der Älteste sich renitent zeigte und die Verbeugung nur andeutete. Dann aber sah er die Mädchen, die Blumen um den Altar wanden, und seine Augen blitzten interessiert auf.

Die kleine Rothaarige ...

Lilian arrangierte die letzte Girlande und musterte den Altar mit gerunzelter Stirn. Ja, so konnte es bleiben. Sie wandte sich Beifall heischend zum Reverend um und blickte in klare, hellgrüne Augen. Ein längliches Gesicht, helles Haar, der durchtrainierte Körper des Ruderers, der sich jetzt straffte, als der Junge sie erkannte.

»Ben«, sagte sie tonlos.

Auch die Züge des Jungen spiegelten zunächst Unglauben. Aber dann ging ein fast überirdisches Lächeln darin auf.

»Lily! Wie kommst du denn hierher?«

KRIEG

Canterbury Plains, Greymouth, Gallipoli, Wellington
1914–1915–1916

1

Als ihre Sachen endlich vollständig getrocknet waren, schleppte Gloria sich in die Stadt. Sie war halb tot vor Hunger. Es wurde kühl, und sie brauchte etwas zu essen und einen Schlafplatz. Zumindest an Essen zu kommen war nicht schwierig. Es gab reichlich Restaurants, Teestuben und Garküchen in der Hafenstadt. Gloria achtete darauf, weder dem Hafen noch dem meist in der Nähe angesiedelten Rotlichtviertel zu nahe zu kommen. Sie mied auch Lokale, in denen hauptsächlich Männer saßen, egal wie appetitlich es teilweise aus den Küchen duftete.

Schließlich entschied sie sich für eine kleine Teestube, in der eine Frau bediente. Wahrscheinlich gab es hier nur Sandwiches, aber das war besser, als sich den Blicken der Kellner und der männlichen Gäste auszusetzen. Die Teestube war fast leer, lediglich ein paar ältere Leute saßen an den Tischen, unterhielten sich oder lasen Zeitung. Von diesen Greisen schien keine Gefahr auszugehen. Gloria entspannte sich. Und zu ihrer Überraschung gab es auch nicht nur kalte Speisen, sondern ein paar der Gäste löffelten ein dickes Stew. Vielleicht Stammgäste, die hier täglich speisten? Gloria bat schüchtern um eine Mahlzeit, indem sie auf das Essen der anderen wies. Sie sollte es eigentlich gewöhnt sein, in Restaurants zu dinieren. Die Martyns hatten die angesagtesten Etablissements Europas und Amerikas frequentiert. Aber Gloria hatte die Aufmerksamkeit der Kellner und erst recht das Interesse der anderen Gäste an ihrer berühmten Mutter immer gehasst.

An diesem Ort war jedoch keine besondere Etikette vonnöten. Die Bedienung war freundlich, aber nicht redselig. Sie brachte Gloria eine große Schüssel Stew und beobachtete wohlgefällig, wie der vermeintliche junge Mann das Essen in sich hineinschlang.

Mit beinahe verschwörerischem Lächeln holte sie ihm einen Nachschlag.

»Hier, Kleiner, du bist ja ganz ausgehungert! Was hast du gemacht? Bist du von Indonesien bis hierher geschwommen?«

Gloria wurde glühend rot. »Woher wissen Sie, dass ...?«

»Dass du von einem der Schiffe kommst? Das ist nicht schwer zu erraten. Erstens ist die Stadt hier ein Dorf. Einen so hübschen Jungen wie dich hätt ich schon mal gesehen. Und dann siehst du auch aus wie ein Seemann, der gerade von Bord kommt. Dein Haar schreit nach dem Barbier, Kleiner! Mit dem Bartwuchs hapert's ja noch ...« Die Frau lachte. Sie war rundlich, rotgesichtig und offensichtlich harmlos. »Aber ein Bad hast du genommen. Das spricht für dich. Und du hängst noch nicht am Whiskey. Alles sehr lobenswert. Erste Heuer?«

Gloria nickte. »Aber es war schrecklich«, brach es aus ihr heraus. »Ich ... ich möchte jetzt an Land bleiben.«

»Wirst seekrank?« Die Frau nickte verständnisvoll. »Als ich in deinem Alter war, sind wir von England nach Down Under ausgewandert. Meiner Treu, ich hing die halbe Reise über der Reling! Zum Seemann muss man wohl geboren sein. Was willste jetzt machen?«

Gloria zuckte die Schultern. Dann nahm sie allen Mut zusammen.

»Wissen Sie vielleicht, wo ich ... wo ich einen Platz zum Schlafen finde? Viel Geld habe ich nicht, ich ...«

»Kann ich mir denken, dich ham sie für 'n paar Cent angeheuert, die Gauner! Und dann nicht mal ordentlich gefüttert, bist ja nur noch Haut und Knochen. Von mir aus kannste morgen wiederkommen, ich geb dir 'n gutes Frühstück. Hatte selbst 'nen Jungen wie dich, aber der ist jetzt groß und beim Eisenbahnbau. Da verdient man nicht viel, aber ihm gefällt's, dass er ein bisschen rumkommt. Und schlafen … der Reverend von der Methodist Church hat ein paar Wohnstätten für Männer. Wer kann, macht 'ne kleine Spende, aber wenn du das Geld nicht hast, sagt auch keiner was. Nur beten musste natürlich. Morgens und abends …«

Gloria hatte seit Monaten nicht mehr gebetet, auch nicht vor ihrer unseligen Reise. William und Kura Martyn legten keinen Wert darauf, dass ihre Tochter den Gottesdienst besuchte. Sie selbst gingen nicht zur Kirche. Und Gloria hatte auch den Gottesdienst in Sawston nur widerwillig besucht. Bei jedem Blick auf Reverend Bleachum hatte sie sein Bild in der Sakristei vor Augen – ein Geistlicher mit heruntergezogener Hose über einer Frau aus der eigenen Gemeinde. Zehn Minuten, bevor er einer anderen die Treue schwören sollte. Gloria wusste nicht recht, ob sie an Gott glaubte, aber für die Integrität seiner Diener auf Erden hätte sie keinen Pfifferling gegeben.

Entsprechend nervös drückte sie sich denn auch in die Kirche an der Knuckey Street, einem noch ziemlich primitiven Bau. Der Reverend, ein großer blonder Mann, hielt eben einen schlecht besuchten Gottesdienst. Beklommen blickte Gloria auf drei abgerissen wirkende Männer in der zweiten Reihe. Waren das die Gäste der Männerpension?

Gloria betete brav, verzichtete aber aufs Mitsingen beim Schlusschoral. »Jack Arrow« war noch jung, aber den Stimmbruch sollte er schon hinter sich haben. Als die Messe endete, suchte sie den Reverend auf und erzählte stockend die Geschichte der Frau aus der Teestube: Angeblich hatte »Jack«, gebürtiger New Yorker, aus Abenteuerlust auf einem Schiff nach Darwin angeheuert. Der Käpt'n hatte ihn ausgebeutet, die anderen Mannschaftsmitglieder waren unfreundlich …

»So wie du aussiehst, hätten sie genauso gut zu freundlich werden können«, bemerkte der Reverend grimmig. »Du kannst Gott danken, unbeschadet an Leib und Seele da herausgekommen zu sein!«

Gloria verstand nicht, was er meinte, errötete jedoch.

Der Reverend nickte verständnisvoll. »Du bist offensichtlich ein guter Junge«, schloss er aus Glorias anscheinend noch vorhandenem Schamgefühl. »Solltest dir aber die Haare schneiden lassen. Heute Nacht schläfst du erst mal hier, dann sehen wir weiter.«

Bei so viel Freundlichkeit hatte Gloria fast auf ein Einzelzimmer gehofft, aber natürlich erwies sich die Männerpension als Schlafsaal. Fünf Etagenbetten waren in einem kleinen, ungemütlichen Raum zusammengepfercht; den einzigen Schmuck bildete ein Kruzifix an der Wand. Gloria suchte sich ein Bett in der äußersten Ecke und hoffte, möglichst wenig gestört zu werden, aber mit fortschreitendem Abend füllte der Raum sich mit »Gästen« verschiedenen Alters. Erneut fand sich Gloria in einem Albtraum aus Gestank nach ungewaschenen Körpern und Männerschweiß. Immerhin roch es nicht nach Whiskey; das schien der Reverend zu kontrollieren. Ein paar der Männer spielten Karten, andere unterhielten sich. Ein älterer Mann, der die Koje gegenüber Glorias bezogen hatte, versuchte auch sie in ein Gespräch zu ziehen. Er stellte sich als Henry vor und fragte sie nach ihrem Namen. Gloria antwortete einsilbig, noch mehr auf der Hut als im Gespräch mit dem Reverend. Das erwies sich als berechtigt. Henry, offenbar ein Seemann, schluckte die Geschichte nicht so fraglos wie der unbedarfte Geistliche.

»Ein Schiff von New York nach Darwin? Das gibt's doch gar nicht, Junge! Das müsste ja um die halbe Welt segeln ...«

Gloria errötete. »Ich ... sie ... sie wollten vorher noch nach Indonesien«, druckste sie. »Irgendwas einladen ...«

Henry runzelte die Stirn, begann dann aber seinerseits mit Geschichten von seinen Fahrten, die alle mit seiner offenbar unendlichen Einsamkeit an Bord zu tun hatten. Gloria hörte kaum hin. Sie bereute schon, gekommen zu sein, obwohl »Jack« natürlich keine Gefahr drohte.

Oder doch? Als die Öllampen, die bisher für funzeliges Licht gesorgt hatten, endlich gelöscht waren und Gloria sich zusammenrollte, um zu schlafen, spürte sie das vorsichtige Streicheln einer Hand an ihrer Wange. Sie musste sich bezähmen, nicht aufzuschreien.

»Hab ich dich geweckt, Jacky?« Henrys für einen Mann ziemlich hohe Stimme war nah an ihrem Gesicht. »Ich hab mir gedacht, so ein süßer Junge ... vielleicht hältst du mich ein bisschen warm heut Nacht ...«

Gloria fuhr voller Panik auf.

»Lassen Sie mich in Ruhe!« Sie wisperte scharf, wagte nicht zu schreien. In ihrer erhitzten Fantasie fürchtete sie, dass dann womöglich alle über sie herfielen. »Verschwinden Sie! Ich will allein schlafen!«

»Ich erzähl dem Reverend auch nichts von dem Schiff nach Darwin ... der mag's nämlich nicht, wenn man ihn anlügt ...«

Gloria zitterte. Im Grunde war es ihr egal, was der Kerl dem Reverend erzählte; sie wollte sowieso nur noch weg. Aber wenn er sie zwang, »nett zu ihm zu sein«, würde ihre Tarnung auffliegen. Wenn die Männer hier herausfanden, dass sie ein Mädchen war ... Mit dem Mut der Verzweiflung zog sie ihr Knie an und stieß es dem Mann mit aller Kraft zwischen die Beine.

»Verzieh dich!«, brüllte sie ihn an.

Zu laut. Jetzt regten sich die Männer um sie herum. Doch zu ihrer Verwunderung ergriffen sie für »Jack« Partei.

»Henry, du Schwein, lass den Jungen in Frieden! Du hörst doch, der will nichts von dir!«

Henry stöhnte, und Gloria gelang es, ihn von ihrem Bettrand zu stoßen. Anscheinend landete er dabei auf Tuchfühlung mit jemand anderem.

»Haste noch nicht genug, du schwuler Mistkerl? Kannst dir hier auch noch Prügel abholen ...«

Gloria begriff das alles nicht, atmete aber erst einmal auf. Risiken mochte sie allerdings nicht mehr eingehen. Sie verzog sich mit ihrem Bettzeug auf den immerhin ordentlich geschrubbten Abtritt und legte den Riegel vor. Dann hüllte sie sich so weit entfernt von den Pissoirs wie eben möglich in ihre Decke. Am Morgen verließ sie den Kirchenbereich, noch bevor jemand erwachte. Eine Spende ließ sie nicht zurück. Stattdessen suchte sie den nächsten Laden auf und investierte drei ihrer kostbaren Dollars in ein Messer und eine Scheide, die sie am Hosenbund befestigen konnte. Wenn sie sich in Zukunft schlafen legte, dann nur noch mit der Waffe in der Hand.

Als Nächstes waren die Läuse an der Reihe. Gloria hatte am Vortag schon gemerkt, dass ihnen das kurze Untertauchen im Meer nicht den Garaus gemacht hatte. Unsicher betrat sie eine Apotheke und fragte leise nach einem möglichst billigen Mittel.

Der Apotheker lachte. »Das Günstigste wäre, dir den Kopf zu scheren, Bursche. Brauchst sowieso einen Haarschnitt, du schaust aus wie ein Mädchen! Einmal ratzfatz, keine Haare, keine Läuse. Und anschließend den Kopf damit einstäuben.« Er reichte ein Mittel über den Ladentisch.

Gloria erstand das Pulver für ein paar Cent und suchte einen Barbier. Wieder einmal fielen ihre Locken, und diesmal vollständig. Sie erkannte sich selbst nicht wieder, als sie in den Spiegel sah.

»Wächst wieder, Junge!« Der Barbier lachte. »Macht fünfzig Cent.«

Gloria fühlte sich seltsam befreit, als sie sich jetzt Richtung Tearoom wandte. Sie brauchte dringend ein gutes Frühstück und war bereit, dafür zu bezahlen. Ihre neue Freundin hielt jedoch Wort und häufte ihr ohne Geldforderung Bohnen, Eier und Schinken auf den Teller. Allerdings trauerte sie um »Jacks« schönes Haar.

»Bisschen kürzer wär ja in Ordnung gewesen, aber gleich so ein Kahlschlag! Das werden die Mädchen nicht mögen, Kleiner!«

Gloria zuckte die Achseln. Solange sich mögliche Arbeitgeber nicht daran störten ...

Die Suche nach einem Job erwies sich jedoch als schwierig, zumal Gloria sich nicht ins Hafenviertel traute. An den Docks hätte es reichlich Arbeit gegeben. Man suchte ständig Leute, die beim Be- und Entladen der Schiffe halfen. Aber Gloria sah sich lediglich in der Stadt nach Beschäftigung um, und da sah es schlecht aus. Die meisten Jungen in »Jacks« Alter machten irgendwo eine Lehre. Abgerissene Burschen wie Jack, die nicht aus der Stadt kamen und für deren Leumund keiner bürgte, wurden mit Misstrauen betrachtet. Nach einem halben Tag vergeblicher Suche wünschte Gloria sich beinahe, die Methodistenkirche nicht so kopflos verlassen zu haben. Der Reverend hätte ihr sicher helfen können. Aber die Angst vor Henry und den anderen Männern war stärker. Schließlich investierte sie ein paar weitere Cent ihrer kostbaren Barschaft in ein Zimmer in einer kleinen Pension. Zum ersten Mal seit Monaten schlief sie ruhig, allein und gänzlich ungefährdet zwischen sauberen Laken. Am nächsten Tag hatte sie zudem Glück und konnte für einen Botenjungen einspringen, der aus irgendeinem Grund nicht bei der Arbeit erschienen war. Sie beförderte ein paar Briefe und Paketsendungen von einem Büro zum anderen und verdiente damit gerade genug, um das Zimmer eine weitere Nacht zu behalten. Auch in den nächsten Tagen schlug sie sich mit Aushilfsjobs durch, doch als sie nach einer Woche Bilanz zog, sah es trübe aus. Von ihren zehn Dollar waren gerade noch vier übrig, und von ihrem erarbeiteten Geld hatte sie keinen Cent sparen können. An eine Weiterreise nach Sydney war folglich nicht zu denken, es sei denn, sie machte sich zu Fuß auf den Weg.

Das tat sie schließlich auch. In Darwin war für »Jack« nichts zu verdienen. Gloria zog also die Küste entlang und versuchte, in kleineren Ansiedlungen befristete Arbeit zu finden. Dort, hoffte sie, gab es sicher Farmen, die einen Stallburschen brauchten. Oder Fischer, denen sie beim Fang helfen konnte.

Leider erwiesen sich sämtliche Hoffnungen als trügerisch. Nach zwei Wochen hatte »Jack« gerade mal hundert Meilen zurückgelegt, und das gesamte Geld war aufgebraucht. Mutlos zog sie durch die Gassen einer winzigen Hafenstadt. Wieder einmal wusste sie nicht, wo sie schlafen würde, und wieder einmal litt sie Hunger. Aber sie hatte nur noch fünf Cent; dafür gab es wohl nicht mal in der üblen Spelunke eine Mahlzeit, an der sie sich eben vorbeidrückte.

»Na, Kleiner, willste dir 'n paar Cent verdienen?«

Gloria fuhr zusammen. Ein Mann, offensichtlich auf dem Weg in den zweifelhaften Pub. Im Dunkeln konnte sie sein Gesicht nicht erkennen, aber seine Hand griff in seine Hose.

»Ich ... bin ein Junge«, flüsterte Gloria und tastete nach ihrem Messer. »Ich ...«

Der Mann lachte. »Na, das hoffe ich doch! Mit Mädchen hab ich nichts im Sinn. Ich such einen hübschen Knaben, der mir heute Nacht Gesellschaft leistet. Komm, ich zahl auch gut ...«

Gloria blickte sich panisch um. Der Mann versperrte den Weg in die nächste Gasse, aber er sah nicht aus, als würde er gleich über sie herfallen. Wenn sie den gleichen Weg nahm, auf dem sie hergekommen war ...

Gloria warf sich auf dem Absatz herum und rannte davon wie von Furien gehetzt. Sie lief, bis ihr der Atem ausging; dann brach sie auf einer Brücke fast zusammen. Sie führte über einen Fluss, der hier ins Meer mündete. Vielleicht war es auch eine Lagune ... Gloria wusste es nicht, und es war ihr gleichgültig. Aber wie es aussah, kam sie vom Regen in die Traufe. Zwischen Brücke und Hafenmauer flanierten ein paar leicht bekleidete Mädchen.

»Na, Hübscher? Suchst du noch Gesellschaft für heute Nacht?«

Gloria floh erneut. Schließlich fand sie sich schluchzend an einem Strand wieder. Womöglich gab es hier Krokodile. Aber im Vergleich zu den zweibeinigen Tieren, denen sie eben entkommen war, erschienen sie ihr harmlos.

Gloria lag eine Zeitlang zitternd im Sand, aber dann dachte sie nach. Sie musste weg, sie musste Australien verlassen. Aber wie es aussah, war es hoffnungslos, sich auf ehrbare Weise das Geld für die Reise zu verdienen. »Jack« konnte sich mittels Gelegenheitsarbeiten gerade so durchschlagen. Aber an eine Passage nach Neuseeland war nicht zu denken.

»Du tust einfach das, was du am besten kannst ...« Die zynischen Worte des Stewards.

Gloria wimmerte. Aber es war nicht zu leugnen: Sie war nie für etwas anderes bezahlt worden als dafür, »nett« zu Männern zu sein. Ohne Harrys zehn Dollar hätte sie nicht überlebt. Und wenn sie auf eigene Rechnung arbeitete, war mit dieser Sache offenbar Geld zu machen. »Der Kerl hat sich eine goldene Nase an dir verdient«, hatten sowohl der Steward von Harry wie auch der junge Heizer von Richard Seaton gesagt. Jenny in San Francisco war ihr allerdings nicht gerade reich erschienen ...

Gloria setzte sich auf. Es half nichts, sie musste es versuchen. Auch wenn es zweifellos gefährlich war – die anderen

Mädchen würden über die Konkurrenz nicht glücklich sein. Andererseits gab es Jenny zufolge viele Dinge, die normale Huren nicht oder nur widerwillig taten. Gloria empfand bei diesen Praktiken zwar ebenfalls Scham, Schmerz und Furcht, aber es gab nichts, was die Männer auf der *Niobe* nicht von ihr verlangt hatten. Sie hatte es dort überlebt, und sie würde es auch weiterhin durchstehen.

Gloria war übel, aber sie durchsuchte »Jacks« Bündel nach dem einzigen Kleid, das sie besaß. Widerwillig zog sie es über und schlenderte auf die Brücke zu.

2

»Nicht jetzt, später!«, zischte Lilian.

Das unverhoffte Wiedersehen mit Ben brachte ihren Herzschlag zwar eine Sekunde lang aus dem Takt, aber ihr Verstand funktionierte – und ließ sie blitzschnell erkennen, dass hier keine Freudenbekundungen angebracht waren. Ben stand neben Florence und Caleb Biller; er musste der Sohn sein, der eben aus Cambridge zurückgekehrt war! Und zweifellos würden weder die Billers noch Lilians eigener Vater besonders erbaut davon sein, dass ihre Kinder ihre Namen in einen Baum in England geritzt hatten, mit einem Herzchen der Liebe darum.

Ben begriff nicht ganz so schnell. Kein Wunder, ihm war Lilians Nachname schließlich noch nicht bekannt. Aber hier sorgte jetzt zum Glück der Reverend für Abhilfe. Vielleicht sogar bewusst – auch sein Geist war für rasches Arbeiten bekannt, und er mochte das Aufblitzen in Bens und Lilys Augen bemerkt haben.

»Ben! Wie schön, dass du wieder da bist!«, begrüßte er den Jungen, gleich nachdem er die üblichen Höflichkeitsfloskeln mit Florence und Caleb getauscht hatte. »Und groß bist du geworden. Die jungen Damen von Greymouth werden sich darum reißen, von dir zum Tanz aufgefordert zu werden. Hier darf ich dir gleich die ersten vorstellen ...« Er wies auf Lilian und die beiden anderen Mädchen, die gerade den Altar geschmückt hatten. »Erica Bensworth, Margaret O'Brien und Lilian Lambert.«

Erica und Margaret knicksten kichernd, Lilian schaffte nur

ein bemühtes Lächeln. Schließlich traf sie eben der kühle Blick Florence Billers. Lilian hatte im Rahmen ihrer Arbeit für ihren Vater ein paar Mal mit ihr zu tun gehabt und wahrscheinlich nicht den besten Eindruck erweckt. Im Gegensatz zu Tims sonstigen Angestellten ließ sie sich nicht einschüchtern; sie stellte Florence zum Beispiel nur dann am Telefon durch, wenn ihr Vater wirklich Zeit und Muße hatte, sich mit ihrem Anliegen zu beschäftigen. Sie hatte keinerlei Hemmungen, ihr Kunden abzuwerben oder Zulieferer zu umgarnen, damit Lambert schneller bedient wurde als Biller – in diesen Zeiten eine unschätzbare Kunst, denn die Wirtschaft brummte, und die Holzhandlungen und Eisenwarenhändler konnten gar nicht so schnell Schalholz, Stempel und Werkzeuge liefern, wie die Minen sich vergrößerten. Natürlich würde Florence höflich bleiben, aber im Familienkreis bezeichnete man die »kleine Lambert« schon mal als »unverschämte Göre«. Der Ausdruck war auch in Bens Beisein bereits gefallen. Und nun stand er diesem »kleinen Biest« leibhaftig gegenüber – und es entpuppte sich als seine Lily, das Mädchen, das er nicht aus dem Kopf bekam, seit es ihn in England versetzt hatte. Und für das er seitdem seitenweise Gedichte schrieb …

Lilian zwinkerte ihm kurz zu. Ben verstand.

Während des Gottesdienstes lagerten die beiden Familien an entgegengesetzten Enden der Wiese, doch Lilian und Ben konnten sich nicht auf den Reverend konzentrieren. Beide atmeten auf, als das letzte Lied verklungen war und alle zu den Erfrischungen strebten. Lilian schaffte es, beim Anstehen vor der Fruchtbowle neben Ben zu landen.

»Gleich, wenn alle gegessen haben und müde sind … dann sehen wir uns … hinter der Kirche …«, wisperte sie ihm zu.

»Auf dem Friedhof?«, fragte Ben.

Lilian seufzte. So prosaisch hatte sie das nicht ausdrücken wollen, und sie hatte natürlich auch überlegt, ob der Gottesacker sich für ein erstes geheimes Treffen zweier Liebender wirklich eignete. Letztlich aber war sie zu dem Ergebnis gekommen, dass dies durchaus eine romantische Komponente besaß. Ein bisschen morbid vielleicht, aber auch bittersüß. Wie ein Gedicht von Edgar Allen Poe …

Außerdem gab es keinen anderen Platz in der Gegend, der so garantiert elternfrei war wie der Friedhof.

Also nickte sie. »Behalte mich einfach im Blick, du siehst ja, wenn ich aufstehe.«

Ben nickte eifrig und nahm dann seine Limonade entgegen. Er überlegte kurz, sie Lilian anzubieten, um ihre Wartezeit zu verkürzen, kam dann aber zu dem Schluss, dass dies zu auffällig wäre. Also zwinkerte er ihr nur verschwörerisch zu und machte sich auf den Weg. Lilian sah ihm verzückt nach. Endlich passierte mal etwas! Und endlich war es genau so wie in ihren Romanen – der lang verlorene Liebste kam zurück. Lily seufzte. Aber ein Feind ihrer Familie. Wie bei Shakespeare! Bei der Weihnachtsaufführung in Oaks Garden hatte sie zu ihrer Verärgerung nie die Julia spielen dürfen. Aber jetzt war sie mittendrin in der Geschichte!

Schließlich war es Ben, der seine Familie als Erster verließ und unauffällig zur Kirche schlenderte. Lily trennte sich dagegen fast ungern von den »Tischgesprächen« zwischen Elaine und Tim, Matt und Charlene. Es ging wieder mal um die Billers und ihren ältesten Sohn. Lilians Mutter und Charlene konnten sich gar nicht beruhigen, wie sehr der Junge seinem Vater ähnlich sah. Lilian fand das ein wenig befremdlich. Auch ihre Brüder ähnelten Tim, und Charlenes Ältester war Matt Gawain wie aus dem Gesicht geschnitten. Aber niemand hatte je mehr als ein oder zwei Worte darüber verloren. Auf jeden Fall unterhielten die Familien sich bestens, und keiner achtete darauf, dass Lilian sich absetzte. Als sie zum Kirchhof kam, war Ben gerade dabei, ihre Initialen in die alte Buche zu schnitzen, die am Ostende der Einfriedung stand. Lilian fand das romantisch, wenn auch taktisch nicht sehr geschickt. So viele L. L.s und B. B.s konnte es in Greymouth schließlich nicht geben. Aber was sollte es? Sie beschloss, sich geschmeichelt zu fühlen, weil Ben Risiken für sie einging.

Er strahlte sie an, als sie zwischen den Gräberreihen auf ihn zukam.

»Lily, ich hätte nie gedacht, dass ich dich noch mal wiederfinde!«, begrüßte er sie. »Dieses komische Mädchen in Oaks Garden sagte mir, du gingest heim. Ich dachte, das wäre vielleicht London oder Cornwall oder irgendwas in England. Du hast mir nicht erzählt, dass du aus Greymouth bist!«

Lilian zuckte die Achseln. »Ich dachte auch, du kommst aus Cambridge oder Umgebung. Und ich dachte, du bist arm, wegen des Stipendiums …«

Ben lachte. »Nein, nur jung. Deshalb die Vorzugsbehandlung. Ich hatte ein paar Klassen übersprungen, und die Universitäten haben sich geradezu um mich geschlagen. Mit dem Stipendium konnte ich studieren, was ich wollte – nicht, was meine Eltern sich vorstellten. Jedenfalls bis jetzt. Aber mit diesem dummen Krieg hatten sie natürlich eine wunderbare Ausrede, mich zurückzuholen. Und nun sitze ich in diesem fürchterlichen Büro und soll mich dafür interessieren, wie man Kohle aus der Erde holt. Von mir aus könnte sie drinbleiben.«

Lilian runzelte die Stirn. Die Idee, Kohle einfach in der Erde zu lassen, war ihr nie gekommen und erschien ihr auch nicht allzu klug. Schließlich konnte man das Zeug teuer verkaufen. Aber Ben war natürlich ein Dichter, der sah das mit anderen Augen. Also lächelte sie milde.

»Du hast doch drei Brüder. Wollen die nicht die Mine übernehmen?«, fragte sie. »Dann könntest du weiter studieren.«

Ben nickte, allerdings mit grimmigem Gesichtsausdruck. »Die reißen sich sogar darum«, erklärte er. »Sam ist erst zwölf, aber er weiß mehr über das Geschäft als ich. Leider bin ich der Älteste ... Aber jetzt lass uns von dir reden, Lily. Du hast mich nicht vergessen?«

»Nie!«, sagte Lilian bestimmt. »Ich würde dich nie vergessen. Das war so schön in Cambridge. Und ich wollte auch wirklich kommen, ich hätte alles getan ... ausgerechnet an diesem Tag hat mein Onkel mich abgeholt. Und ich konnte nicht weglaufen, es waren dauernd Leute um mich rum. Aber jetzt sind wir ja hier.«

Ben lächelte. »Jetzt sind wir hier. Und wir könnten uns vielleicht ... also, ich meine ...«

»Du könntest noch mal gucken, welche Farbe meine Augen haben!«, meinte Lilian spitzbübisch. Dabei trat sie näher an ihn heran und sah zu ihm auf.

Ben streichelte schüchtern über ihre Wangen und legte dann den Arm um sie. Lilian hätte die ganze Welt umarmen können, als er sie küsste.

»Wer war der Junge auf dem Friedhof?«

Tim Lambert war selten streng mit seiner Tochter, aber jetzt baute er sich so drohend vor ihr auf, wie er es mit den Krücken und Beinschienen nur schaffte. Lilian saß an ihrem Schreibtisch in seinem Büro und hatte eben den Telefonhörer aufgelegt. Sie wirkte noch vergnügter und strahlender als sonst – ein geübterer Beobachter als Tim hätte ihr die Verliebtheit vielleicht angesehen. Tim hatte allerdings mehr Sinn für Bilanzen und Geschäftsabschlüsse. Einen solchen Abschluss hatte er eben in der Holzhandlung mit einem Whiskey gefeiert. Bud Winston, der Holzhändler, lieferte das Stützholz für die geplante Minenerweiterung, und Tim Lambert hatte

Florence Biller einen ganzen Waggon Schalholz vor der Nase weggeschnappt. Wenn Tim gerecht sein wollte, verdankte er das hauptsächlich Lilian, denn seine Tochter hatte die Verhandlungen geführt. Aber an diesem Tag ging es ihm weniger um Gerechtigkeit als um die Gerüchte, die in Greymouth umgingen. Sie mussten bereits weit verbreitet sein, wenn die Männer um Bud Winston sie kannten. Die Holzhandlung war schließlich keine Hochburg für Klatschbasen. Und es war gerade erst elf Uhr am Montagmorgen – bis zum Nachmittag würde garantiert die ganze Stadt wissen, dass Lilian Lambert sich heimlich mit einem Jungen traf.

»Leugne es nicht, die alte Tanner hat alles gesehen. Allerdings ist sie kurzsichtig – sie hat den Knaben nicht erkannt.«

Mrs. Tanner war die Klatschbase der Stadt. Lilian empfand leichte Beunruhigung.

»Was will sie denn gesehen haben?«, fragte sie dann, so unbeschwert sie es eben schaffte. Wenn Mrs. Tanner den Kuss verfolgt hatte, war sie in Schwierigkeiten.

Tim zuckte die Achseln. »Du hast dich mit einem Jungen unterhalten. Heimlich, auf dem Kirchhof. Die ganze Stadt redet darüber.«

»Dann kann es so heimlich ja nicht gewesen sein«, bemerkte Lily und blätterte wie beiläufig in einer Akte. Im Stillen atmete sie auf.

Tim ließ sich auf seinen Schreibtischstuhl fallen. Das nahm ihm die strategisch günstige Position, doch nach der Fahrt in die Stadt war er erschöpft, und seine Hüfte schmerzte.

»Lilian, war es Ben Biller?«, fragte er dann. »Irgendjemand brachte den Namen ins Gespräch. Und mir würde sonst niemand einfallen, der vom Alter her zu dir passt.«

Lilian lächelte ihm überirdisch zu. Gewöhnlich gehörte es durchaus zu ihren Stärken, ihr Gegenüber einzuschätzen, aber jetzt war sie verliebt.

»Du findest auch, dass er zu mir passt? Oh, Daddy!« Sie sprang auf und machte Anstalten, ihren Vater zu umarmen. »Ben ist so wunderbar! So sanft, so lieb ...«

Tim runzelte die Stirn und schob sie von sich. »Er ist was? Lilian, das kann nicht dein Ernst sein! Während du drei Minuten lang zwischen ein paar Grabsteinen mit ihm herumflaniert bist, hast du herausgefunden, dass er der Mann deines Lebens ist?« Er schwankte zwischen Entsetzen und Belustigung.

»Genau!« Lilian strahlte. »Aber wir haben uns schon in Cambridge gekannt ...«

Voller Begeisterung breitete sie die Geschichte des Bootsrennens vor ihrem Vater aus, wobei sie nur unwesentliche Kleinigkeiten ausließ, zum Beispiel den Kuss und das Herz im Baumstamm.

»Er schreibt Gedichte, Daddy! Für mich!«

Tim verdrehte die Augen. »Lilian«, meinte er dann und verlagerte mühsam sein Gewicht auf dem nicht sehr bequemen Stuhl. »Das mag dir ja alles sehr romantisch erscheinen. Aber es wäre mir doch lieber, der junge Mann schriebe seine Gedichte für jemand anderen. Du bist zu jung für einen Freund, und er ist zu jung für ein Mädchen. In euerm Alter habe ich noch Drachen steigen lassen!« Letzteres entsprach der Wahrheit, auch wenn die Angelegenheit nicht ganz so unschuldig gewesen war, wie Tim es jetzt darstellte. In Lilys Alter war er noch in einem englischen Internat gewesen, und der Drachen diente zur Übermittlung von Nachrichten an eine Farmerstochter namens Mary, deren Vater der Schule die Milch lieferte. Zu mehr als ein paar Liebesbriefen war es allerdings nicht gekommen. Mary suchte sich ihre Freunde lieber unter den älteren Schülern.

»Ben ist sehr reif für sein Alter!«, behauptete Lily. »Er hat zig Schulklassen übersprungen.«

Tim wehrte ab. »Das interessiert mich alles nicht, Lilian. Zweifellos ist der Junge intelligent, seine Eltern sind ja auch nicht dumm. Aber er sollte seinen Verstand nutzen und nicht ausgerechnet mit dem einzigen Mädchen in dieser Stadt herumtändeln, bei dem Schwierigkeiten vorprogrammiert sind. Du kannst dich nicht in den Sohn von Florence Biller verlieben, Lily!«

Tim wedelte mit seiner Krücke, um seine Worte zu unterstreichen, und kam sich selbst albern dabei vor.

Lilian warf ihr flammend rotes Haar zurück und hob stolz den Kopf.

»Kann ich doch!«

»Tim, das sind nichts als Spielereien. Wie kannst du das ernst nehmen?« Elaine Lambert saß im Garten ihres Hauses und beobachtete ihren wutschnaubenden Mann mit einer Mischung aus Sorge und Belustigung. Wie immer, wenn Tim sich über etwas aufregte, mochte er nicht stillsitzen. Vor seinem Unfall war er ein äußerst agiler Mann gewesen, der nur sporadisch im Büro aufgetaucht war. Eher suchte er den Kontakt mit den Bergarbeitern über und unter Tage, sprach persönlich mit den Zulieferern und erwies sich in seiner Freizeit als schneidiger Reiter. Die Einschränkung seiner Bewegungsfreiheit kam ihn auch Jahre nach dem Unglück hart an, und nun hinkte er vor Elaine zwischen Blumen- und Kräutergarten auf und ab und lamentierte über die offensichtliche Katastrophe, die Lilian und Ben gerade auslösten.

Dabei hatte er, zumindest Elaines Ansicht nach, durchaus eine Mitschuld an den letzten, dramatischen Verwicklungen. An diesem Montagmorgen hatte er sich nicht anders zu helfen gewusst, als seine renitente Tochter schnurstracks heimzuschicken. Lilian hatte sich auch brav auf die kleine Stute gesetzt, die ihr Grandma Gwyn aus Kiward Station geschickt hatte. Sie hatte das Pferd auf der Farm geritten, und Gwyn hatte es ihr geschenkt – mit schlechtem Gewissen, ging es hier doch um jenes Fohlen, das Jack damals aus Glorias Ponystute und einem der Cobhengste gezüchtet hatte. Aber Gloria schien ja vorerst nicht heimzukommen …

Nun jedenfalls besaß Lilian die lebhafte »Vicky« – und fand wohl, dass sie an diesem Tag noch dringend Bewegung brauchte. Vicky hatte Vollblutahnen. Sie brauchte lange Galoppstrecken, und da bot sich der gut ausgebaute Weg zur Biller-Mine natürlich an. Auf der halben Strecke traf Lilian dann auf den Wagen der Billers, was Vicky zum Anlass nahm zu scheuen. Der einzige Passagier im Fond des Wagens ließ den Chauffeur daraufhin halten. Ben.

Was anschließend passiert war, ließ sich kaum rekonstruieren, ohne die beiden Hauptbeteiligten einer hochnotpeinlichen Befragung zu unterziehen. Der Chauffeur – ursprünglich von der wutschnaubenden Florence dazu verdonnert, ihren widerspenstigen Sohn auf dem direkten Weg nach Hause zu bringen – berichtete, der junge Herr habe mit der Begründung aussteigen wollen, die junge Dame brauche vielleicht Hilfe bei der Bändigung ihres Pferdes. Danach war Ben, wohl auf der Suche nach Lily, im Farnwald am Fluss verschwunden, wohin der Chauffeur ihm verständlicherweise nicht folgen konnte.

»Wieso hatte Florence Ben denn weggeschickt?«, erkundigte sich Elaine. Lilian war noch nicht zu Hause, aber darüber hatte sie sich keine Gedanken gemacht. Das Mädchen ritt oft noch spazieren, während sein Vater mit dem Auto oder dem Einspänner heimkam. Und von der morgendlichen Auseinandersetzung zwischen Vater und Tochter wusste Elaine schließlich nichts.

Aber nun war Tim zur üblichen Zeit erschienen – offensichtlich bereit, seiner Tochter Daumenschrauben anzulegen. Er würde sich nur noch mehr aufregen, wenn er erfuhr, dass sie sich irgendwo herumtrieb, statt den am Morgen verhängten Hausarrest anzutreten. Elaine hatte ihn deshalb erst mal in den Garten gelotst, um Klarheit über die Geschehnisse zu gewinnen.

»Na, warum wohl?«, fragte Tim. »Der guten Florence hat es natürlich auch jemand gesteckt! Solche Gerüchte verbreiten sich doch wie ein Lauffeuer! Ist mir ein Rätsel, warum du's noch nicht mitgekriegt hast.«

Elaine zuckte die Achseln. Sie verriet ihrem Mann lieber nicht, dass sie und Charlene sich an diesem Nachmittag mit Madame Clarisse, der Bordellbesitzerin, zum Tee getroffen hatten. Die drei Frauen pflegten ihre alte Freundschaft, Matt und Tim sollten von allzu persönlichen Beziehungen zwischen ihren Frauen und den Freudenmädchen besser nichts erfahren. Bei Madame Clarisse liefen am Abend natürlich alle Gerüchte zusammen, aber tagsüber, wenn die ehrbaren Frauen klatschten, pflegten die Schönen der Nacht noch zu schlafen.

»Und ich denke mir, Florence regt sich mehr darüber auf als ich!«, sprach Tim weiter.

»Noch mehr?«, fragte Lainie spöttisch.

»Jedenfalls hat sie mich eben angerufen. Und wenn man Feuer und Schwert durchs Telefon schicken könnte, wäre mein Büro jetzt zerschlagen und verkohlt. Nach Aussagen ihres Chauffeurs hat unsere Lily wohl ihren Ben an den Haaren in ein Wäldchen gezerrt und dort ...« Er hielt inne.

Elaine kicherte. »Der arme Junge!«

»Lainie, bitte, nimm das ernst! Die angespannte Beziehung zu Biller ist alles andere als komisch, da muss Lilian es nicht noch schlimmer machen.« Tim setzte sich jetzt doch auf einen der Gartenstühle.

»Aber Tim, was macht sie denn? Wenn ich dich jetzt richtig verstanden habe, hat sie den Jungen in Cambridge kennen gelernt. Sie haben ein bisschen geflirtet, und nun ist Lily hin und weg davon, dass der Zufall sie hier wieder zusammengeführt hat. Du kennst sie doch, sie hat es mit der Romantik. Daraus ein Drama zu machen ist völliger Unsinn. Im Gegenteil, das bringt sie nur dazu, sich in die Sache zu verrennen.«

»Sie haben sich heimlich getroffen!«, beharrte Tim.

»Am hellen Nachmittag hinter der Kirche«, spottete Elaine. »So heimlich, dass ihnen selbst die Anwesenheit von Mrs. Tanner entgangen ist.«

»Das macht es ja gerade bedenklich«, brummte Tim. »Sie müssen sehr intensiv mit sich selbst beschäftigt gewesen sein ...«

Elaine lachte. »Völlig normal bei junger Liebe. Glaub mir, Tim, das Beste ist, darüber hinwegzusehen. Und das Allerbeste wäre, die Freundschaft ganz offen zuzulassen. Wenn die zwei sich heimlich treffen, kommt dieses Romeo-und-Julia-Gefühl auf. Aber hätten die Capulets den kleinen Montague mal zum Abendessen eingeladen, hätte Julia schnell rausgekriegt, dass der Junge nur an Schwertkampf dachte und zu dusselig war, einfache Anweisungen auszuführen, ohne sich gleich zu erdolchen.«

Tim musste wider Willen lächeln. »Die Capulets hätten das Dinner allerdings in einem Blutbad enden lassen«, gab er zu bedenken. »Zumindest, wenn sie so geartet waren wie Florence Biller. Deshalb ist es mehr oder weniger egal, wie wir dazu stehen, sie wird diese Freundschaft auf keinen Fall dulden. Und was mich angeht, so habe ich ihr versprochen, Lilian den Umgang mit ihrem Sohn zu verbieten. Strengstens.« Er stand mühsam auf, anscheinend um Autorität zu demonstrieren.

Elaine verdrehte die Augen und stützte ihn. Eine abschließende Bemerkung konnte sie sich allerdings nicht verkneifen.

»Na, dann sieh mal zu, wie weit du damit kommst.«

»Ich bitte dich, Florence, was tut er denn Schreckliches?« Caleb Biller pflegte Auseinandersetzungen mit seiner Frau meist zu umgehen, aber in diesem Fall schien ihm das feige. Deshalb nippte er jetzt auch schon an seinem zweiten Whiskey. Den ersten zum Mutmachen, den zweiten, um sich im Zweifelsfall daran festhalten zu können. Als Florence in den Salon stürmte und mit Anschuldigungen gegen ihren Sohn Ben begann, hätte er das kostbare Kristallglas mit dem nicht minder wertvollen Malt allerdings beinahe fallen lassen. Florence Biller galt zwar als aufbrausend, war im Allgemeinen aber ein äußerst beherrschter Mensch. Wenn sie trotzdem pausenlos Angestellte zusammenstauchte, so deshalb, weil sie das für zwingend notwendig hielt.

Am Anfang ihrer Tätigkeit als Geschäftsführerin der Biller-Mine hatte man sie oft nicht ernst genommen. Sachlich-konzentrierter Führungsstil – bei einem männlichen Chef sicher als Stärke verbucht – wurde einer Frau als Schwäche ausgelegt. Florence hatte sich nur durchsetzen können, indem sie Köpfe rollen ließ, und irgendwann begann ihr das Spaß zu machen. Inzwischen war sie bei Angestellten, Zulieferern und Geschäftspartnern gleichermaßen gefürchtet. Aber auch, wenn sie Zorn demonstrierte, blieb sie im Innern eiskalt, und ihre äußere Erscheinung litt nie darunter. Florence Billers »Bürouniform«, weiße Bluse und dunkelblauer, streng geschnittener Rock, wirkte immer wie frisch gebügelt und zeigte nicht mal im Hochsommer Schweißflecken. Ihr dickes braunes Haar war zu einem festen Knoten geschlungen, aus dem nicht die winzigste Strähne zu entweichen wagte.

An diesem Tag jedoch war das anders. Florence' Sohn Ben hatte sie aus der Reserve gelockt, ihr Gesicht war gerötet, und aus ihrem Knoten hatten sich Locken gelöst, die jetzt ihr Gesicht umspielten und es paradoxerweise weicher wirken ließen. Ihr dezentes blaues Hütchen saß schief im Haar. Sie hatte sich offenbar nicht die Mühe gemacht, es vor dem Spiegel in ihrem Büro zu richten.

»Er hat sich mit einem Mädchen getroffen!«, erklärte sie empört und ging im Zimmer auf und ab. »Gegen meine ausdrückliche Anordnung!«

Caleb lächelte. »Geht es jetzt um das Mädchen als solches, um ein ganz bestimmtes Mädchen oder um die Anordnung?«, erkundigte er sich.

Florence funkelte ihn an. »Um alles zusammen! Er hat meinen Anweisungen Folge zu leisten! Und was das Mädchen angeht ... unter allen Mädchen dieser Welt muss es ausgerechnet diese Lilian Lambert sein! Dieses freche kleine Biest mit seiner äußerst fragwürdigen Abstammung!«

Caleb runzelte die Stirn. »Die kleine Lilian ist unzweifelhaft ein bisschen eigen«, bemerkte er vage. Tatsächlich kannte er das Mädchen nur vom Sehen sowie von Florence' Schimpfereien über ihre Impertinenz am Telefon. »Aber was ist fragwürdig an der Abstammung von Timothy Lambert?«

»Elaine O'Keefe – oder sollte ich ›Lainie Keefer‹ sagen? – war eins von Madame Clarisse' Mädchen. Und Lilian wurde wenige Monate nach der Hochzeit geboren. Muss ich mehr dazu sagen?«, fragte Florence.

Caleb seufzte. »Was das angeht, könnte man über Abstammungen so einiges anmerken ...«, murmelte er. »Aber Lainie war nie ein Freudenmädchen. Sie hat im Pub Klavier gespielt, nicht mehr. Tims Vaterschaft bei Lilian ist absolut unumstritten ...«

»Elaine O'Keefe hat ihren ersten Mann niedergeschossen!«, trumpfte Florence auf.

»Aus Notwehr, wenn ich mich recht erinnere.« Caleb hasste es, alte Geschichten aufzuwärmen. »Jedenfalls ist Tim wohlauf. Sie hat es sich also nicht zur Gewohnheit gemacht, und es dürfte sich auch kaum vererben. Dazu hat Ben die kleine Lambert bislang erst einmal getroffen. Es ist nicht die Rede davon, sie zu heiraten!« Caleb nahm sich den dritten Whiskey.

Florence runzelte darüber die Stirn.

»Das eine führt zum anderen«, erklärte sie. »Auf jeden Fall setzt sie ihm Flöhe in den Kopf. Das habe ich vorhin an seinem Platz im Büro gefunden.« Sie zog ein Blatt Papier aus der Tasche. »Er schreibt Gedichte!«

Caleb nahm den Zettel und überflog ihn kurz. »›Rose von Cambridge, dein ist mein Boot, dein will ich warten bis in den Tod.‹ Das ist allerdings bedenklich«, bemerkte Caleb und schüttete seinen Whiskey in einem Zug herunter. »Er mag ja ein guter Linguist sein, aber literarische Begabung sehe ich nicht.«

»Caleb, mach dich nicht lustig!«, warnte Florence und riss ihren Hut vom Kopf. »Der Junge ist renitent, und das werde ich ihm austreiben! Auch die Dichterei. Er wird lernen, wie ein Geschäftsmann zu denken!«

Caleb griff nach der Whiskeyflasche. »Nie«, sagte er mutig. »Dafür ist er nicht geboren, Florence. Genauso wenig wie ich. Er ist auch mein Sohn ...«

Florence wandte sich zu ihm um. Sie lächelte mit hässlich aufgeworfenen Lippen, und Caleb erschauerte, als er in ihrem Blick die gleiche Geringschätzung erkannte, wie sie so oft in den Augen seines Vaters stand.

»Offensichtlich die Ursache des Übels!«, bemerkte sie giftig. »Hörst du die Haustür? Ich glaube, er kommt nach Hause ...«

Florence lauschte. Caleb vernahm zwar nichts, doch seine

Frau warf sich in Positur. »Das ist er! Und jetzt werde ich gehen und die kleine Lambert aus ihm herausprügeln! Und die Dichterei gleich mit!«

Sie rauschte hinaus.

Caleb trank einen weiteren Whiskey.

»Dann sieh zu, wie weit du kommst ...«, murmelte er und dachte an jene Nacht Jahre zuvor, als er bei Florence »seinen Mann stand«. Zum ersten und einzigen Mal ...

Caleb Billers Selbstbewusstsein war an einem Tiefpunkt angelangt, als er Florence Biller in jener Zeit um ihre Hand bat. Dabei hatte er sich noch kurze Zeit vorher verzweifelt gesträubt, eine Ehe einzugehen. Caleb machte sich nichts aus Frauen. Wann immer er an Liebe dachte, standen ihm männliche Körper vor Augen, und Erregung hatte er nur einmal kennen gelernt. Sein Zimmergenosse während seiner Internatszeit in England war sein Freund gewesen. Mehr als ein Freund.

Als Unternehmersohn in Greymouth machte Caleb sich jedoch keine Hoffnung, seine Veranlagung weiter ausleben zu können. Er fand sich mit einem Leben als Junggeselle ab, obwohl er wusste, dass das Ärger mit seinen Eltern nach sich ziehen würde. Die hofften schließlich auf einen Erben für die Biller-Mine. Dann jedoch hatte Caleb die Sängerin Kura-marotini kennen gelernt, die seine Fähigkeiten als Pianist, Komponist und Arrangeur schätzte. Gemeinsam erarbeiteten sie das erste Programm von »Ghost Whispering«, besuchten örtliche Maori-Stämme und studierten deren Kunst und Musik. Calebs Eltern arrangierten derweil die Ehe mit Florence Weber, was den jungen Mann mit Furcht und Entsetzen erfüllte. Schließlich kamen sich Caleb und Kura so nahe, dass er dem Mädchen seine Veranlagung gestand. Caleb erinnerte sich noch genau an das Gefühl unendlicher Erleichterung, als Kura die Eröffnung gelassen aufnahm. Bevor sie nach Greymouth kam, war sie mit einem Ensemble aus Opernsängern und Balletttänzern durch Australien und Neuseeland gezogen. Und unter Künstlern schien Liebe unter Männern etwas ganz Normales zu sein. Kura hatte dann einen Plan entwickelt, der es Caleb ermöglichen sollte, in Freiheit zu leben. Auch in ihm steckte schließlich ein Künstler. Wenn er als Kuras Pianist und Arrangeur Karriere machte, konnte er Greymouth verlassen und sein Leben einrichten, wie es ihm passte.

Das alles klang verlockend, scheiterte aber letztlich an Calebs Schüchternheit. Sein Lampenfieber ließ ihn auch vor den kleinsten Auftritten nicht schlafen; wenn größere Engagements drohten, machte es ihn krank. Schließlich hatte er vor dem wirklichen, großen Durchbruch die Waffen gestreckt. Er ließ Kura im Stich und traf eine Vereinbarung mit Florence. Sie würde die Biller-Mine leiten und fand sich dafür mit einer Josefsehe ab.

Allerdings kam nicht zur Sprache, dass Florence ihre Mine eines Tages an ihr eigenes Fleisch und Blut zu vererben gedachte. Caleb war entsetzt, als er die taxierenden Blicke bemerkte, die sie Büroangestellten und sogar Bergleuten zuwarf. Der offensichtlich Auserwählte war dann ihr Sekretär, und in seinen dunkleren Stunden hätte Caleb zweifellos geschwiegen und darüber hinweggesehen. Aber in diesen ersten Monaten nach der Hochzeit begann er, sich stärker zu fühlen. Zum ersten Mal war der Druck von ihm genommen, eine Arbeit erledigen zu müssen, die ihm nicht lag. Statt sich mit der Minenleitung herumzuärgern, schrieb er Artikel für Fachzeitschriften – und erntete zu seiner Verblüffung grenzenlose Begeisterung. Maori-Kunst war ein noch nicht erschlossenes Fachgebiet. Die Gazetten rissen sich geradezu darum, Calebs Artikel zu veröffentlichen, und kurze Zeit später stand er in regem Briefkontakt mit verschiedenen Universitäten der Alten und Neuen Welt. Hinzu kam, dass Kura-maro-tini in Europa Erfolge feierte – und ihm vereinbarungsgemäß seinen finanziellen Anteil daran überwies. Caleb erhielt Anerkennung und verdiente Geld. Zum ersten Mal im Leben schwoll ihm der Kamm. Er hielt sich aufrecht – und er würde nicht erlauben, dass ein kleiner Bergwerkssekretär ihm Hörner aufsetzte!

Florence Weber-Biller besaß nicht die Sensibilität, dies zu erkennen. Dazu erlaubte sie sich bei diesem, ihrem ersten Mann so etwas wie eine leichte Verliebtheit. Das führte zu Handlungen, die ihr später mehr als peinlich waren. Florence gestattete sich leuchtende Augen beim Treffen mit Terrence Bloom, und sie folgte seiner schlanken, athletischen Gestalt mit besitzergreifenden Blicken. Terrence nutzte das natürlich aus.

Geschäftspartner und Zulieferer wunderten sich, dass er plötzlich wagte, Meinungen zu äußern und Vorschläge zu machen – und Florence rügte ihn nicht, sondern nahm seine Worte auf wie Manna vom Himmel. Die männlichen und weiblichen Klatschmäuler von Greymouth begannen zu reden, und Caleb warf Terrence misstrauische Blicke zu. Der junge Mann erwiderte sie voller Arroganz – mit ein bisschen Sensibilität hätte Florence die sich aufbauende Spannung in den Büros spüren müssen, die sie damals noch pro forma mit Caleb teilte. Zum letztendlichen Eklat kam es allerdings an einem Wochenende, das Caleb bei einem befreundeten Maori-Stamm verbringen wollte. Der Stamm gehörte eigentlich in die Gegend von Blenheim, befand sich zu der Zeit aber auf einer Wanderung. Caleb rechnete damit, ihn in der Gegend von Punakaki anzutreffen, aber tatsächlich erwarteten ihn seine Freunde bereits bei Runanga: viel weiter südlich und näher an Greymouth. Insofern bestand für Caleb kein Grund, die Nacht im Zelt zu verbringen, nachdem er mit den Maoris Geschenke getauscht,

Erinnerungen an frühere Besuche geteilt und musiziert hatte. Caleb spielte inzwischen mehrere Maori-Instrumente und nutzte jede Gelegenheit, sich dabei weitere Instruktionen von den *tohunga* der Stämme zu holen. Während sie erzählten, sangen und tanzten, kreiste natürlich der Whiskey, und Caleb war nicht mehr ganz nüchtern, als er zu fortgeschrittener Stunde heimkam. Sein Gehör funktionierte allerdings noch hervorragend, und die Geräusche, die aus Florence' Räumen drangen, waren kaum falsch zu interpretieren.

Caleb überlegte nicht lange, sondern stieß die Tür auf. Es kam selten vor, dass ihn wirklich blinde Wut erfasste, aber der Anblick von Florence in den Armen ihres impertinenten kleinen Sekretärs – hier in seinem eigenen Haus! – ließ sein alkoholangereichertes Blut kochen. Natürlich wurde er dabei nicht tätlich. Caleb war ein Gentleman vom Scheitel bis zur Sohle. Kurze Zeit stand er wie erstarrt im Türrahmen, während Florence sich errötend aufsetzte und Terrence versuchte, sich wie schützend vor sie zu schieben.

»Mr. Bloom, Sie werden mein Haus und meine Firma sofort verlassen«, sagte Caleb ruhig, doch mit vor Wut bebender Stimme. »Ich möchte Sie in Greymouth nicht wiedersehen. Falls jemand anders daran denkt, Sie einzustellen, werde ich meinen Einfluss geltend machen. Das wäre sehr kompromittierend für Sie, weil ich natürlich behaupten müsste, Sie hätten sich auch in … sagen wir, finanzieller Hinsicht an meiner Familie bereichern wollen. Sollten Sie allerdings sofort verschwinden, wird meine Frau Ihnen zweifellos ein gutes Zeugnis nachsenden.«

Terrence Bloom blickte nach dieser Rede ebenso verblüfft wie Florence; dann aber beeilte er sich, das Bett zu verlassen. Caleb würdigte ihn keines Blickes, als er an ihm vorbeihastete, seine Kleidung an sich gedrückt.

»Und nun zu dir, Florence …« Caleb atmete tief durch. Dies

hier war schwierig, und er wusste nicht, ob er es wirklich zu Ende führen konnte, ohne sich gänzlich lächerlich zu machen. »Liebst du diesen Kerl, oder geht es um … Zucht?« Er spie ihr das letzte Wort entgegen.

Florence ließ sich nicht einschüchtern. Sie blitzte ebenso wütend zurück. »Du wirst mir doch wohl keinen Erben verweigern?«, fragte sie. »Dein Vater jedenfalls wäre sehr enttäuscht, wenn sich herausstellen würde, dass du …« Sie warf einen vielsagenden Blick auf Calebs Unterleib.

Caleb sog scharf die Luft ein. Der Abend mit den Maoris hatte ihn nicht nur in künstlerischer Hinsicht befriedigt, sondern auch anderes Begehren geweckt. Wie immer, wenn er die Männer ihre Kriegs-*haka* tanzen sah, fühlte er sein Geschlecht erstarken, und meist wählte er sich einen der Kämpfer aus, dessen Bild er später vor seinem inneren Auge heraufbeschwor, wenn er sich selbst befriedigte. Er versuchte nun, das Bild des bunt bemalten, muskelbepackten Tänzers mit Macht vor den gedrungenen, unbekleideten Körper Florence' zu schieben.

»Ich werde weder ihn noch dich enttäuschen«, sagte Caleb und öffnete seine Hose. Florence durfte jetzt bloß keine Diskussion beginnen. Wenn er ihre Stimme hörte … wenn sie weitere Beleidigungen ausstieß …

»Halt den Mund!« Caleb drückte seine Hand auf Florence' Gesicht, als sie etwas sagen wollte. Er warf sich über sie und zwang sie mit Händen und Knien, ruhig zu liegen, während er sich über sie zum Stoß erhob. Caleb versuchte, sich auf den stampfenden Rhythmus des *haka* zu konzentrieren, das Muskelspiel der Tänzer zu sehen … er dachte an die starken Hände der Männer, die ihre Speere schleuderten, ihre glänzende, von erdig duftendem Schweiß bedeckte Haut … zum Glück hatte Florence sich nicht parfümiert. Er konnte seine Fantasien aufrechterhalten, während er ihr nahekam, in sie eindrang ... Sie gab einen schwachen Ton von sich, als er sich in ihr bewegte. Sie sollte feucht sein, aber sie war es nicht. Caleb empfand ein vages Schuldgefühl, weil er ihr wehtat, aber dann vergaß er es ... Er durfte nicht an Florence denken, nicht, wenn er ... Caleb stieß im Rhythmus des *haka*. Er war der Speer in der Hand seines Lieblingstänzers, er wurde umfasst, gedrückt ... und schließlich freigelassen, um das Ziel zu finden, im Einklang mit Körper und Geist des Kämpfers ... Caleb sank über Florence zusammen, nachdem seine Waffe sich entladen hatte.

»Es tut mir leid«, sagte er leise.

Florence schob ihn von sich, stand mühsam auf und ging taumelnd ins Bad.

»Ich habe mich zu entschuldigen«, bemerkte sie. »Was ich getan habe, war unverzeihlich. Was du getan hast ... nun, nennen wir es unsere Pflicht ...«

Caleb erfüllte seine Pflicht nie wieder, aber Florence vermied es von nun an auf das Peinlichste, ihn erneut zu brüskieren. Sie errötete zutiefst, als sie ihm einige Wochen nach dieser Nacht eröffnete, dass sie schwanger war.

»Ich weiß natürlich nicht, ob ...«

Caleb nickte, inzwischen längst ernüchtert und immer noch beschämt. »Du wolltest einen Erben. Ob ich einen habe, ist mir ziemlich gleich.«

In den ersten Monaten und Jahren waren sich Caleb und Florence natürlich noch unklar über die Abstammung des kleinen Ben. Allerdings behauptete Calebs Mutter schon damals, das Kind sei ihrem Sohn wie aus dem Gesicht geschnitten. Später wurde das offensichtlich. Und nicht nur, was das Äußere betraf, war der Junge Calebs Sohn. Auch sein grüblerischer Charakter brach bald durch und sein forschender

Geist. Ben lernte bereits mit vier Jahren lesen und war dann kaum von den Büchern seines Vaters wegzubekommen. Musik und Kunsthandwerk interessierten ihn allerdings weniger als Sprachen. Er vertiefte sich begeistert in Calebs Wörterbücher und saugte die Sätze auf Maori, die sein Vater ihm vorsprach, wie ein Schwamm in sich auf.

»Wie reden sie denn auf Hawaiki?«, erkundigte er sich, als er sechs war, und fragte einen jungen Mann von den Cook-Inseln, den der Zufall in die Dienste eines Geschäftspartners der Billers verschlagen hatte, nach der Sprache seiner Heimat. Mit sieben langweilte er sich in der Grundschule von Greymouth zu Tode, und Florence stimmte dem Wunsch ihres Mannes zu, Ben nach England zu schicken. Caleb hoffte dabei auf höchstmögliche intellektuelle Förderung seines Sohnes, Florence eher auf Normalisierung. Der stille, sensible Junge, der zwar bereits komplizierte Rechenarten beherrschte, sich aber todsicher von seinen kleinen Brüdern übervorteilen ließ, wenn es um einen Einkauf im Süßwarenladen ging, war ihr nicht geheuer. Sam, ihr Zweitgeborener, der ihr selbst zum Glück weitaus ähnlicher sah als dem jungen Steiger, der ihn gezeugt hatte, schlug wesentlich besser ein. Er prügelte und stritt sich wie ein richtiger Junge, und statt Vergleiche zwischen Maori und anderen polynesischen Sprachen anzustellen, versuchte er, Wetas die Beine auszureißen. Auch der Dritte, Jake, kam eher nach Florence, obwohl sie selbst deutliche Ähnlichkeiten mit seinem Vater, diesmal wieder einem Büroangestellten, erkennen konnte. Allerdings ging sie hier natürlich keine Risiken mehr ein. Sowohl der Steiger als auch der Buchhalter waren entlassen oder zu Zechen in anderen Gegenden weggelobt worden, sobald die Schwangerschaft feststand. Erst dann gestand sie Caleb, dass sie erneut guter Hoffnung war. Er hatte alle Kinder ohne Kommentar anerkannt.

Caleb lächelte beim Gedanken an seinen einzigen leiblichen Sohn. Er konnte ihm die Beziehung zu Lilian Lambert nicht übel nehmen. Im Gegenteil, er hatte sich nie so erleichtert gefühlt. Gut, vielleicht war es das falsche Mädchen, aber es war immerhin ein Mädchen, das Bens Herz gewonnen hatte. Caleb hatte ihm seine unglückselige Veranlagung nicht vererbt. Ben würde nicht gegen ein Verlangen kämpfen müssen, für das die Welt ihn verachtete.

Während ihre Eltern stritten und grübelten, wanderten Lilian und Ben Hand in Hand durch den Farnwald am Fluss. Das war nicht ganz einfach, denn die wenigen Wege begannen meist an der Straße und endeten an irgendeinem idyllischen Plätzchen. Aber Ben und Lily wollten sich an ihren Uferspaziergang in England erinnern und kämpften sich folglich aus Gründen der Romantik über Böschungen und durch halb verrottetes Unterholz. Lilians Augen leuchteten auf, wenn Ben ihr ritterlich über Bodenunebenheiten hinweghalf, die sie gewöhnlich auch allein bewältigt hätte. Die kleine, koboldhafte Lilian war geschickter auf den Beinen als der schlaksige Ben. Wenn gerade keine Hindernisse zu überwinden waren, plauderten die beiden angeregt über ihre Zukunftspläne. Ben erläuterte wortreich, dass er gar nicht so unglücklich über seine Rückkehr nach Neuseeland war. Die Universitäten in Dunedin, Wellington oder Auckland boten deutlich bessere Forschungsmöglichkeiten in dem Bereich der Sprachwissenschaft, der ihn interessierte.

»Polynesische Sprachen. Jede Insel hat im Grunde ihre eigene, auch wenn natürlich Verwandtschaften bestehen. Aber gerade da liegt die Chance – wenn man Maori mit den anderen Sprachen vergleicht, müsste sich das Herkunftsgebiet der ersten Siedler auf Neuseeland eingrenzen lassen …«

Lilian hing an seinen Lippen, obwohl sie kaum ein Wort Maori sprach. Bis kurz zuvor war es ihr auch herzlich gleichgültig gewesen, wo das sagenhafte Land »Hawaiki« gelegen hatte. Ihrem romantischen Gemüt reichte die Geschichte der Heimkehr der Seelen über Cape Reinga. Aber wenn Ben darüber redete, war das natürlich etwas anderes.

Lilian selbst erzählte von ihrem Aufenthalt auf Kiward Station, wo sie trotz der Trauerfälle wieder sehr glücklich gewesen war. Sie wünschte sich, eines Tages auf einer Farm zu leben, viele Tiere um sich zu haben und »massenhaft« Kinder.

Ben hing an ihren Lippen, obwohl er weder Katzen noch Hunde besonders mochte und sich stets überwinden musste, bevor er auf ein Pferd stieg. Autos gefielen ihm deutlich besser, obwohl er bis jetzt nie eines selbst gelenkt hatte. Und kleine Kinder? Bisher hatte er ihren Lärm eher lästig gefunden. Aber wenn Lilian vom Familienleben schwärmte, war das natürlich etwas anderes.

Sie schrieb ihrer Freundin in England einen langen Brief, in dem sie ausführte, wie viel Ben und sie gemeinsam hatten, und Ben schwärmte in einem neuen Gedicht vom Treffen verwandter Seelen.

3

Gwyneira McKenzie zog sich zum Abendessen um, wobei sie neuerdings gern die Hilfe eines ihrer Maori-Hausmädchen annahm. Bis vor kurzem hatte sie ihr Alter kaum gespürt, doch nach den Vorfällen der letzten Wochen fühlte sie sich oft zu erschöpft und ausgelaugt, um ihr Korsett anzulegen und ihr weites Tageskleid mit einem eleganteren Kostüm zu vertauschen. Dennoch tat sie es an diesem Tag, obwohl sie eigentlich nicht wusste, warum sie überhaupt an der Tradition festhielt, die sie als junge Frau mit Pionierambitionen als lästig und unpraktisch empfunden hatte. Schließlich würde sie die Tafel nur mit ihrem einsilbigen, unglücklichen Sohn teilen, dessen Verzweiflung ihr immer wieder ins Herz schnitt. Auch sie trauerte; sie vermisste James mit jeder Faser ihres Herzens. Er war ihr zweites Ich gewesen, ihr Spiegel, ihr Schatten. Sie hatte mit ihm gelacht und gestritten; seit sie endlich zusammengefunden hatten, waren sie kaum einen Tag getrennt gewesen. Aber James' Verlust hatte sich abgezeichnet. Er war einige Jahre älter gewesen als Gwyneira und in den letzten Jahren zusehends hinfälliger geworden. Charlotte dagegen … Jack hatte auf ein langes Leben mit ihr gehofft. Sie hatten Kinder gewollt, Pläne gemacht … Gwyneira konnte sehr gut nachvollziehen, dass Jack untröstlich war.

Sie biss sich auf die Lippen, während das Hausmädchen Wai die letzten Knöpfe ihres Kleides schloss. Manchmal empfand sie fast ein bisschen Wut auf ihre Schwiegertochter. Natürlich konnte Charlotte nichts für ihre Krankheit. Aber ihre einsame Entscheidung in Cape Reinga hatte sie zu abrupt von Jacks Seite gerissen. Er hatte keine Zeit gehabt, Abschied zu nehmen und sich an den Gedanken zu gewöhnen, Charlotte zu verlieren. Andererseits konnte Gwyn Charlottes Entschluss nur zu gut verstehen. Auch sie selbst hätte einen schnellen Tod dem langsamen, qualvollen Ende vorgezogen, das die junge Frau vor sich gesehen hatte.

Seufzend ließ sie zu, dass Wai ihr einen schwarzen Schal um die Schultern legte. Seit James' Tod trug Gwyneira Trauer – wieder ein Brauch, an dem sie festhielt, obwohl er eigentlich sinnlos war. Sie musste ihr Leid nicht demonstrieren. Jack war es egal; er selbst kleidete sich seit Ende der Begräbnisfeierlichkeiten wieder normal. Und die Maoris kannten den Brauch der Trauerkleidung sowieso nicht.

»Kann ich jetzt gehen, Miss Gwyn? Kiri will, dass ich in der Küche helfe ...« Wai hätte nicht fragen müssen, aber sie war neu im Haus und ein bisschen schüchtern. Die anhaltende Trauer und die düstere Atmosphäre des Hauses verunsicherten sie zusätzlich.

Gwyneira nickte dem Mädchen zu und raffte sich auf, ihr ein aufmunterndes Lächeln zu schenken.

»Natürlich, Wai. Vielen Dank. Und wenn du heute Abend heimgehst, nimm bitte ein paar Saatkartoffeln für Rongo mit. Ihr Schlaftee hat mir sehr geholfen.«

Das Mädchen nickte und huschte hinaus.

Die Maoris ... Gwyneira dachte mit Wärme an den auf Kiward Station ansässigen Stamm der Ngai Tahu und ausnahmsweise nicht nur an ihre treuen Hausangestellten und die Zauberin Rongo Rongo. Auch Tonga, der Häuptling und eigentlich ihr alter Widersacher, besaß neuerdings ihre Sympathien. Nach James' Tod hatte er ihr geholfen, ein schier hoffnungsloses Dilemma zu lösen, nämlich die Frage nach einem Begräbnisplatz.

Wie auf jeder größeren Farm abseits der Städte gab es auch

auf Kiward Station einen Familienfriedhof. Gerald Wardens Frau Barbara lag dort bestattet, neben ihr Gerald selbst, der Begründer von Kiward Station, und schließlich Paul, sein Sohn. Für Lucas Warden, Gwyneiras ersten Mann, hatte sie eine Gedenktafel aufstellen lassen. James McKenzie aber war kein Warden gewesen, ebenso wenig Charlotte, und in Gwyneira sträubte sich alles, die beiden neben dem eigentlichen Gründer der Farm bestatten zu lassen. Nun hatten die Greenwoods ohnehin darum gebeten, ihre Tochter in Christchurch beisetzen zu dürfen, und Jack hatte willenlos zugestimmt.

James jedoch ... Gerald Warden hatte seinen ehemaligen Vormann als Viehdieb verfolgt. Er wäre außer sich gewesen, hätte er von seiner Vaterschaft an seiner ersten Enkelin Fleurette gewusst. Die Männer jetzt im Tod nebeneinander zu betten erschien Gwyn makaber, aber sie brachte auch nicht die Energie auf, einen zweiten Begräbnisplatz auf der Farm zu bestimmen.

Zu benommen, um auch nur darüber nachzudenken, empfing sie Tonga widerwillig zu seinem Kondolenzbesuch als Vertreter der Ngai Tahu. Wie immer trug der »Chief« die traditionelle Häuptlingskleidung, als er Gwyneira aufsuchte. Westliche Kleidung verachtete er seit Jahren. Allerdings verzichtete er ausnahmsweise auf eine Eskorte und die Mitnahme des Kriegsbeils. Stattdessen verbeugte er sich vor ihr und sprach höflich und in untadeligem Englisch sein Beileid aus. Außerdem, so meinte er, gäbe es noch etwas Wichtiges zu besprechen.

Gwyneira dachte mit schlechtem Gewissen an ihren damaligen Unwillen. Wahrscheinlich, dachte sie, wieder irgendwelche Gebietsansprüche oder Ärger mit Schafen auf einem Platz, der den Maoris vor dreihundert Jahren als *tapu* galt, als unantastbar und geheiligt, was Tonga jetzt erst herausgefunden hatte ...

Doch dann überraschte sie der Häuptling. »Sie wissen, Miss Gwyn«, bemerkte er, »dass es für mein Volk sehr wichtig ist, die Geister der Familie beisammenzuhalten und zufriedenzustimmen. Eine angemessene Grabstelle ist uns ein ausgesprochenes Anliegen, und Mr. James wusste das. Insofern fand er unser Verständnis, als er sich vor einiger Zeit mit einer besonderen Bitte an unsere Stammesältesten wandte. Sie betraf eine *urupa*, einen Begräbnisplatz für ihn ... und später auch für Sie und Ihren Sohn ...«

Gwyneira schluckte.

»Wenn es Ihnen recht ist, Miss Gwyn, bewilligen wir das Anlegen einer Grabstätte an dem Heiligen Ort, den Sie und Mr. James den Ring der Steinkrieger genannt haben. Mr. James meinte, er habe eine besondere Bedeutung für Sie ...«

Gwyneira war daraufhin zutiefst errötet und kurz davor, in Anwesenheit des Häuptlings in Tränen auszubrechen. Der Ring der Steinkrieger, eine Ansammlung von Felsen im Grasland, die einen Kreis zu bilden schienen, war vor vielen Jahren ihr Treffpunkt und Liebesnest gewesen. Gwyneira war davon überzeugt, dass ihre Tochter Fleurette dort gezeugt worden war.

Immerhin hatte sie es dann doch geschafft, Tonga würdevoll zu danken, und ein paar Tage später war James tatsächlich zwischen den Steinen beigesetzt worden. Im engsten Familienkreis, doch in Anwesenheit des gesamten Maori-Stammes. Gwyneira war das recht. Der Trauer-*haka* der Maoris hätte James viel besser gefallen als die Kammermusikgruppe, die in Christchurch bei Charlottes Beerdigung spielte. Charlotte hätte es wahrscheinlich genau so gesehen, aber Jack war nicht imstande, irgendetwas zu organisieren. Er überließ die Bestattung den Greenwoods und erwies sich bei der Feier als kaum ansprechbar. Gleich danach zog er sich nach Kiward Station zurück, wo er sich ganz seiner Trauer ergab.

Gwyneira und Jacks Freunde unter den Viehhütern versuchten zwar, ihn aufzumuntern oder wenigstens zu beschäftigen, doch auch wenn er tat, worum er gebeten wurde: Es war, als arbeite er im Halbschlaf. Standen Entscheidungen an, so traf Gwyneira sie gemeinsam mit dem stellvertretenden Vormann Maaka. Jack sprach nur, wenn er musste; er aß kaum und verbrachte die meiste Zeit brütend in den Zimmern, die er mit Charlotte geteilt hatte. Ihre Sachen durchzusehen und wegzugeben, weigerte er sich. Einmal fand Gwyneira ihn auf dem Bett, ein Kleid Charlottes in den Armen.

»Ihr Duft ist noch darin ...«, sagte er verlegen.

Gwyneira zog sich wortlos zurück.

Umso verwunderter war sie an diesem Abend, als sie ihn nicht wie sonst in Arbeitshosen und durchgeschwitztem Hemd am Abendbrottisch antraf, sondern gewaschen und in sauberer Hauskleidung. Allerdings hatte sie ihn erst am Tag zuvor sanft dafür gerügt, dass er sich gehen ließ.

»Davon wird es nicht besser, Jack! Und glaubst du, es hätte Charlotte gefallen, dich hier leiden zu sehen wie einen Hund?«

Sunday, James' alte Hündin, und Glorias Nimue hatten vor dem Kamin gelegen. Als Gwyneira eintrat, sprangen sie auf und begrüßten sie. Gwyn dachte mit Sehnsucht daran, dass sie lange keinen eigenen Collie mehr ausgebildet hatte. Und auch Jack ... sie beschloss, ihm einen Welpen aus dem nächsten Wurf aufzudrängen.

»Mutter ...« Jack schob ihr einen Stuhl zurecht. Er sah gut aus in seinem leichten Sommeranzug. »Ich habe etwas mit dir zu besprechen.«

Gwyneira lächelte ihm zu. »Hat das nicht Zeit bis nach dem Essen? Wie ich sehe, hast du dich heute festlich hergerichtet, und ich würde das Zusammensein mit dir gern genießen. Habt ihr die Männer mit den letzten Schafen auf den Weg geschickt?«

Es war November, und der Viehauftrieb in die Berge hatte schon früher stattgefunden. Aber ein paar Nachzügler, Mutterschafe, die spät gelammt hatten, und ältere Tiere, die nach dem Winter schwächlich wirkten, hatte Gwyneira noch länger unter Aufsicht halten wollen. Nun zogen ein paar Viehhüter mit ihnen ins Alpenvorland – und stellten gleich die Ablösung für die beiden Maoris, die mit dem ersten Teil der Herde geritten waren und zur Beaufsichtigung der Tiere in einer Berghütte hausten.

Jack nickte. Wai hatte inzwischen das Essen serviert, aber er schob die Speisen auf seinem Teller nur hin und her.

»Ja«, meinte er schließlich. »Und ehrlich gesagt, Mutter, ich hatte ernstlich darüber nachgedacht, selbst mit den Schafen zu gehen. Ich halte es nicht mehr aus. Ich hab's versucht, aber ich schaffe es nicht. Alles hier, jeder Winkel, jedes Möbelstück, jedes Gesicht, erinnert mich an Charlotte. Und das ertrage ich nicht. Mir fehlt die Kraft. Du sagst selbst, ich lasse mich gehen ...« Jack fuhr sich nervös durch sein rotbraunes Haar. Es fiel ihm sichtlich schwer, weiterzusprechen.

Gwyneira nickte. »Ich verstehe das gut«, sagte sie sanft. »Aber was willst du tun? Ein Einsiedlerleben in den Bergen halte ich nicht für die beste Idee. Vielleicht könntest du ein paar Wochen bei Fleurette und Ruben verbringen ...«

»Und in ihrem Warenhaus helfen?«, fragte Jack mit schiefem Lächeln. »Ich glaube nicht, dass da meine Begabungen liegen. Und komm mir jetzt bitte nicht mit Greymouth! Ich mag Lainie und Tim, aber zum Bergmann tauge ich ebenso wenig. Und ich möchte keinem zur Last fallen, sondern nützlich sein ...« Jack biss sich auf die Lippen, dann straffte er sich. »Kurz und gut, Mutter ... es hat ja keinen Sinn, um den heißen Brei herumzureden. Ich bin dem ANZAC beigetreten.«

Jack atmete tief aus und wartete auf ihre Reaktion.

»Dem was?«, fragte Gwyneira.

Jack rieb sich die Stirn. Das hier wurde schwieriger, als er erwartet hatte.

»Dem ANZAC. Dem Australian and New Zealand Army Corps ...«

»Der Armee?« Gwyneira suchte erschrocken seinen Blick. »Das kann nicht dein Ernst sein, Jack. Es ist Krieg!«

»Eben drum, Mutter. Sie werden uns nach Europa schicken. Das bringt mich auf andere Gedanken.«

Gwyneira blitzte ihren Sohn an. »Das will ich wohl meinen. Wenn dir Kugeln um die Ohren fliegen, wirst du schwerlich an Charlotte denken! Bist du noch bei Trost, Jack? Willst du dich umbringen? Du weißt doch nicht mal, wofür die da kämpfen!«

»Die Kolonien haben dem Mutterland England ihre uneingeschränkte Unterstützung zugesagt ...« Jack spielte mit seiner Serviette.

»Politiker reden Unsinn, seitdem es sie gibt!«

Gwyneira zumindest hatte ihr Sohn jetzt gründlich aus der trauerbedingten Lethargie gerissen. Sie saß aufrecht und stritt mit funkelnden Augen. Die ersten Strähnen ihres nun fast weißen, ehemals flammend roten Haares kämpften sich aus der strengen Frisur. »Du hast keine Ahnung, worum es in diesem Krieg geht, aber du willst losziehen, um wildfremde Leute zu erschießen, die dir nie etwas getan haben. Warum stürzt du dich nicht gleich wie Charlotte von den Klippen?«

»Es geht nicht um Selbstmord«, sagte Jack gequält. »Es geht um ... um ...«

»Es geht darum, Gott zu versuchen, oder?« Gwyneira stand auf und ging zu dem Schrank, in dem seit Jahrzehnten die Whiskeyvorräte standen. Ihr war gründlich der Appetit vergangen, und sie brauchte etwas Stärkeres als Tischwein. »Das ist es doch, Jack, nicht wahr? Du willst sehen, wie weit du gehen kannst, bevor dich der Teufel holt. Aber das ist Unsinn, und du weißt es!«

Jack zuckte die Achseln. »Es tut mir leid, aber du wirst mich nicht umstimmen«, sagte er ruhig. »Das ginge auch gar nicht. Ich habe mich bereits verpflichtet ...«

Gwyneira hatte ihr Glas gefüllt und wandte sich wieder zu ihrem Sohn um, jetzt pure Verzweiflung in den Augen.

»Und was ist mit mir? Du lässt mich ganz allein, Jack!«

Jack seufzte. Er hatte an seine Mutter gedacht, und er hatte seine Entscheidung immer wieder verschoben, um ihr nicht wehzutun. Nach wie vor hatte er auch auf Glorias Rückkehr gehofft. Das Mädchen tourte zurzeit mit seinen Eltern durch Amerika, aber inzwischen müsste Kura-maro-tini doch herausgefunden haben, dass sie sich so gar nicht zur Korrepetitorin eignete. Glorias letzte Briefe waren nichtssagend wie stets gewesen, aber Jack meinte doch, ihre Verzweiflung und Frustration zwischen den Zeilen zu spüren:

New York ist eine große Stadt. Man kann sich darin verlaufen. Ich habe ein paar Museen besucht, in einem gab es polynesische Kunst. Sie hatten Kriegskeulen der Maoris. Ich wünschte, der Krieg in Europa wäre bald zu Ende ...

New Orleans ist ein Mekka für alle, die Musik lieben. Meine Eltern genießen es. Mir liegt die Hitze nicht, alles scheint immer feucht zu sein. Bei Euch ist jetzt Winter ...

Ich arbeite viel, ich soll die Tänzerinnen am Klavier begleiten. Aber es liegt mir mehr, Tamatea beim Schminken zu helfen. Einmal hat sie mich angemalt. Ich sah aus wie ein Maori-Mädchen von unserem Stamm auf Kiward Station ...

Nach Reisebegeisterung hörte sich das nicht an, und William und Kura mussten das irgendwann einsehen. Jack hoffte, dass sie Gloria bald heimschickten und Gwyneira damit eine neue Aufgabe und neuen Lebensmut gaben. Er selbst fühlte sich nicht dazu imstande, seine Mutter aufzubauen. Jack wollte fort, egal wohin.

»Es tut mir leid, Mutter.« Jack verspürte den Wunsch, Gwyneira zu umarmen, schaffte es dann aber doch nicht, aufzustehen und sie an sich zu ziehen. »Aber es wird ja nicht lange dauern. Sie sagen, der Krieg wäre in wenigen Wochen aus, und dann kann ich ... dann schaue ich mich vielleicht noch ein bisschen in Europa um. Und zunächst geht es sowieso nach Australien. Die Flotte legt in Sydney ab. Sechsunddreißig Schiffe, Mutter. Der größte Konvoi, der jemals den Indischen Ozean überquert hat ...«

Gwyneira kippte ihren Whiskey hinunter. Der Great Convoy war ihr egal, ebenso der Krieg in Europa. Sie spürte nur, wie ihre Welt auseinanderbrach.

Roly O'Brien half seinem Herrn, sich zum Abendessen umzuziehen. An sich war das nicht üblich im Hause Lambert; die Mahlzeiten im Familienkreis verlangten keine formelle Kleidung. Aber an diesem Abend war in einem der Grand Hotels am Kai eine Besprechung der örtlichen Minenbetreiber mit den Vertretern der New Zealand Railway Corporation angesetzt. Im Anschluss an ein formelles Dinner, zu dem auch die Damen geladen waren, würde man sich zurückziehen und über die kriegsbedingten Veränderungen diskutieren, vor allem die Erhöhung der Förderkontingente und mögliche gemeinsame Transportregelungen. Die Minen waren inzwischen durchweg erweitert worden, und es wurden weitere Eisenbahnwaggons und Sonderzüge gebraucht, um die Kohle zu den Überseehäfen an der Ostküste zu bringen. Tim dachte bereits lächelnd daran, wie verwirrt die Eisenbahnvertreter darauf reagieren würden, wenn Florence Biller sich den Männern nicht nur anschloss, sondern unzweifelhaft das große Wort führte. Hoffentlich tat sie nichts Unüberlegtes.

Seit der Geschichte mit Lilian und Ben hatte sich die Beziehung zwischen den Lamberts und den Billers deutlich verschlechtert. Florence schien Tim persönlich dafür verantwortlich zu machen, dass Ben immer noch Gedichte schrieb, statt sich ernsthaft für die Mine zu interessieren. Tim fragte sich, ob Florence ihren Sohn mitbringen würde. Vielleicht anstelle ihres Mannes, der sich um gesellschaftliche Anlässe gern herumdrückte. Die Lamberts hatten sich jedenfalls vorsichtshalber entschlossen, Lilian zu Hause zu lassen. Das Mädchen schmollte deshalb schon den ganzen Tag.

Roly O'Brien zeigte sich schweigsam. Gewöhnlich ließ der schlaksige junge Mann praktisch nichts unkommentiert, was ihm und seinem Herrn begegnete, und meistens hatte er auch etwas zu erzählen, wenn er sich freinahm, wie während der heutigen Bürostunden.

Seine Verschlossenheit fiel Tim schließlich auf.

»Was ist los, Roly? So verstimmt nach deinem freien Tag? Ärger mit Mary? Oder ist was mit deiner Mutter?«

»Meiner Mom geht es gut ...«, druckste Roly. »Mary auch. Es ist nur ... Mr. Tim, was meinen Sie, könnten Sie vielleicht mal ein paar Wochen ohne mich auskommen?«

Jetzt war es wohl heraus. Roly sah Tim hoffnungsvoll an. Er hatte ihm eben in seine Weste geholfen und hielt nun das Jackett bereit. Tim zog es über, bevor er antwortete.

»Planst du einen Urlaub, Roly?«, fragte er lächelnd. »Gar keine schlechte Idee, du hattest nie länger als einen Tag frei, seit du für mich arbeitest. Aber warum so plötzlich? Und wo willst du hin? Vielleicht eine Hochzeitsreise?«

Roly wurde flammend rot. »Nein, nein, ich hab Mary noch gar nicht gefragt ... ich meine, ich ... also, bevor man heiratet, sagen die anderen Jungs, sollte man doch was erlebt haben ...«

Tim runzelte die Stirn. »Welche Jungs? Bobby und Greg vom Bergwerk? Was wollen die denn Großartiges erleben, bevor sie mit ihrer Bridie oder Carrie vor den Altar treten?« Er stand auf und betrachtete sich im Spiegel des Ankleidezimmers. Wie immer störten ihn die Beinschienen – vor allem, wenn er mit Fremden wie den Vertretern der Eisenbahngesellschaft zusammenkommen sollte. Sie würden ihn anstarren, ihn und Florence Biller. Den Krüppel und die Frau ... Im Grunde sollte er ihr dankbar sein, dass sie zumindest einen Teil der allgemeinen Aufmerksamkeit von seiner Behinderung lenkte.

»Bobby und Greg gehen zur Armee«, bemerkte Roly und entfernte ein Stäubchen von Tims Jackett. »Soll ich Sie noch rasieren, Mr. Tim? Seit heute Morgen haben sich da schon wieder ein paar Stoppel rausgeschoben ...«

Tim sah seinen Diener alarmiert an. »Die Jungs haben sich dem ANZAC verpflichtet? Sag nicht, dass du auch so was vorhast, Roly!«

Roly nickte schuldbewusst. »Doch, Mr. Tim. Ich ... ich habe ... meine Mom sagt, es war voreilig, aber die Jungs haben keine Ruhe gegeben. Jedenfalls hab ich unterschrieben ...«

Er senkte die Augen. Tim ließ sich auf einen Stuhl fallen.

»Roly, um Himmels willen! Aber das können wir rückgängig machen! Wenn ich mit dir zum Rekrutierungsbüro gehe und denen eindringlich klarmache, dass ich ohne deine Hilfe unfähig bin, diese Mine zu leiten ...«

»Das würden Sie für mich tun?« Roly wirkte gerührt.

Tim seufzte. Er hasste allein den Gedanken, sich mit irgendwelchen Militärs auseinanderzusetzen und Schwäche einzugestehen. »Natürlich. Und für deine Mutter. Die Lambert-Mine hat ihr den Mann genommen. Da schulde ich ihr wohl größtmögliche Sorge um das Leben ihres Sohnes.«

Roly O'Briens Vater war beim Einsturz der Lambert-Mine ums Leben gekommen.

Roly trat von einem Bein aufs andere.

»Wenn ich ... wenn ich das nun aber gar nicht will? Also ... es zurücknehmen, meine ich?«

Tim seufzte erneut. »Nun setz dich mal, Roly, wir müssen das besprechen ...«

»Aber Mr. Tim, Ihr Dinner. Miss Lainie wird warten ...«

Tim schüttelte energisch den Kopf und wies auf den zweiten Stuhl im Zimmer. »Meine Frau wird nicht verhungern, und das Dinner kann ohne uns anfangen. Aber dich in den Krieg schicken ... Wie kommst du denn überhaupt auf diese dumme Idee? Hat dir je ein Deutscher oder Österreicher oder Ungar oder wen auch immer du da erschießen sollst, irgendetwas getan?«

Roly kaute auf seiner Unterlippe. »Natürlich nicht, Mr. Tim«, meinte er dann. »Aber das Vaterland ... Greg und Bobby ...«

»Da rufen wohl eher Greg und Bobby als das Vaterland!«, bemerkte Tim. »Mein Gott, Roly, ich weiß ja, dass du mit diesen nichtsnutzigen Burschen aufgewachsen bist und sie deine Freunde nennst. Aber Matt Gawain ist nicht begeistert von ihnen, sie saufen mehr, als sie arbeiten. Wir behalten sie nur, weil es an Arbeitern mangelt, aber wir würden uns lieber heute als morgen von ihnen trennen. Kein Wunder, dass die Abenteuerlust sie packt – die Armee ist allemal ehrenvoller als ein Rausschmiss. Du musst da nicht mitmachen, Roly! Du hast eine sichere Stellung, jedermann schätzt dich, ein so gutes Mädchen wie Mary Flaherty wartet auf deinen Heiratsantrag ...«

»Sie sagen, ich hätte keinen Mumm!«, brach es aus Roly hervor. »Krankenbruder oder warmer Bruder, da wäre kein großer Unterschied ...«

Roly hatte den Spitznamen »Krankenbruder«, den ihm die Bergleute gegeben hatten, als er in den Monaten nach Tims Unfall als dessen Pfleger fungierte, stets mit Würde getragen. Aber an ihm genagt hatte der Spott wohl doch. Der Job eines Krankenpflegers oder auch Hausdieners galt unter den rauen Burschen der Westküste natürlich nicht viel.

»Und wegen dieses Unsinns willst du jetzt dein Leben riskieren?«, fragte Tim wütend. »Roly, das ist kein harmloses Abenteuer, das ist ein Krieg! Da wird scharf geschossen ... hast du überhaupt schon mal ein Gewehr in der Hand gehabt? Was sagt denn deine Mutter dazu?«

Roly zuckte die Schultern. »Sie ist wütend. Sie sagt, sie kapiert überhaupt nicht, warum wir da kämpfen, angegriffen hätte uns jedenfalls keiner. Also sollte ich bleiben, wo ich bin. Aber sie überschaut das nicht!«, erklärte er altklug. »Sie ist schließlich nur eine Frau ...«

Tim rieb sich die Stirn. Er persönlich hatte größte Hochachtung vor der resoluten Mrs. O'Brien, die ihre Kinder mit der Arbeit in einer Nähstube durchbrachte und dabei ein solches Geschick im Umgang mit den neumodischen Nähmaschinen zeigte, dass sie sämtlichen Damen- und Herrenschneidern der Region Konkurrenz machte. Im Stillen war er auch ganz ihrer Meinung: Wenn eine Regierung nicht fähig war, den Mrs. O'Briens unter ihren Bürgern klarzumachen, warum ein Krieg sein musste, sollte sie ihn besser nicht führen. Er dankte dem Schicksal, dass seine eigenen Söhne zu jung waren, um diesem Abenteuer zu verfallen.

»Deine Mutter trägt dich zu Grabe, wenn du fällst, Roly!«, sagte Tim drastisch. »Vorausgesetzt, dass England sich die Mühe macht, die gefallenen Neuseeländer nach Hause zu verschiffen. Wahrscheinlich begraben sie euch gleich in Frankreich …«

»Ich war noch nie in Frankreich!«, meinte Roly trotzig. »Sie haben leicht reden, von wegen Abenteuer und so. Sie waren schon überall in Europa. Aber wir? Wir kommen doch hier nicht weg. Mit der Armee sehen wir fremde Länder …«

Tim griff sich an die Stirn. »Haben sie euch das gesagt? Im Rekrutierungsbüro? Die Leute müssen verrückt sein! Der Krieg ist keine Ferienreise, Roly!«

»Aber er geht ja nicht lange!«, trumpfte Roly auf. »Nur ein paar Wochen, sagen sie. Und wir kommen zuerst in ein Ausbildungslager, ich nehme an, in Australien. Kann gut sein, dass der Krieg schon vorbei ist, wenn wir da fertig sind.«

Tim schüttelte den Kopf. »Ach, Roly …«, seufzte er. »Ich wünschte, du hättest früher mal mit mir gesprochen. Schau, ich weiß ja auch nichts Genaues, aber Bergbau und Industrie … wir richten uns auf einen jahrelangen Krieg ein, Roly. Also bitte, sei vernünftig! Hör auf Mrs. O'Brien und auf deine Mary. Die wird dir auch die Hammelbeine langziehen, wenn du ihr davon erzählst! Ich lasse morgen meine Beziehungen spielen, dann kommst du raus aus dem Vertrag. Glaub mir, das kriegen wir hin!«

Roly schüttelte den Kopf. Er wirkte ernüchtert, aber fest entschlossen.

»Das kann ich nicht, Mr. Tim. Wenn ich jetzt kneife, krieg ich in der Siedlung kein Bein mehr auf die Erde. Das können Sie mir nicht antun!«

Tim senkte den Kopf. »Also gut, Roly, ich komme ohne dich zurecht. Aber nicht auf ewig, verstanden? Du wirst gefälligst überleben, zurückkommen und deine Mary heiraten. Ist das klar?«

Roly grinste. »Versprochen!«

4

Die Menschen säumten die Straßen, winkten und jubelten den Soldaten zu, die in eher ungeordneten Sechserreihen zum Hafen zogen. Dunedin feierte die Vierte Neuseeländische Infanteriedivision; noch an diesem Nachmittag sollte der Truppentransporter nach Albany, Westaustralien, ablegen. Roly O'Brien, Greg McNamara und Bobby O'Mally marschierten vergnügt in der dritten Reihe. Die Jungen waren so stolz wie noch nie in ihrem Leben. Lachend hefteten sie die Blumen, die ihnen die Mädchen von Dunedin zuwarfen, an ihre neuen braunen Uniformröcke.

»Hab ich dir nicht gesagt, es wird großartig?«, fragte Greg und stieß Roly an. Alle drei waren nicht mehr ganz nüchtern. Bobby hatte eine Flasche Whiskey zum Sammelplatz mitgebracht, und auch andere Soldaten ließen ihre Muntermacher kreisen. Der Lieutenant, der den vergnügten Trupp anführte, hatte das zwar verboten, aber das kümmerte die frisch gebackenen Soldaten nicht. Die meisten von ihnen waren es gewohnt, öfter mal über die Stränge zu schlagen. Kaum einer hatte bislang ein Handwerk erlernt oder eine feste Anstellung gehabt. Eher hatten sie versucht, sich als Goldgräber durchzuschlagen.

»Dann habt ihr ja wenigstens Übung im Ausheben von Schützengräben«, seufzte der Lieutenant, der die Neuen gleich nach Spezialkenntnissen gefragt hatte. Roly hätte natürlich von seinen Erfahrungen als Krankenpfleger erzählen können, hielt sich hier aber zurück. Bloß nicht wieder auffallen! Bislang fühlte er sich sehr wohl in der Truppe. Vorn versuchten sie gerade, ein gemeinsames Lied anzustimmen, aber leider fiel ihnen keins ein. Vier verschiedene Gruppen begannen mit drei unterschiedlichen Liedern, bevor sich *It's a long Way to Tipperary* durchsetzte.

»Gehen wir wohl gleich an Bord oder noch in den nächsten Pub?«, erkundigte sich Bobby. Er war der Jüngste der drei und fasziniert von all den neuen Erfahrungen, die auf ihn einprasselten. Für Greg und Bobby war schon die Zugreise nach Otago ein Abenteuer gewesen. Roly sah das gelassener. Er war mit den Lamberts bereits viel gereist, kannte die gesamte Südinsel und war sogar mit Tim in Wellington auf der Nordinsel gewesen. Deshalb gab er sich jetzt abgebrüht.

»Das Schiff wartet nicht, Bob! Und die Armee geht nicht gemeinsam in Pubs. Hast doch gehört, was der Lieutenant gesagt hat: Wir fahren jetzt nach Australien und dann nach Frankreich, und da werden wir gedrillt.«

»Drill klingt gar nicht gut!«, kicherte ein Junge hinter ihnen. »Hier, wollt ihr 'n Schluck? Selbst gebrannt!« Er reichte eine Flasche nach vorn.

Auch der Hafen war gedrängt voller Leute, die ihre Helden verabschieden wollten. Nur ein sehr geringer Teil davon bestand aus Angehörigen der Männer – und die wenigen Mütter und Ehefrauen weinten eher, als dass sie jubelten. Die meisten waren einfach gekommen, um das Schiff ablegen und die Männer ins Abenteuer ziehen zu sehen. Sie bewunderten die glänzenden Abzeichen der NZEF, der Armee von Neuseeland, die an den breitkrempigen Hüten der Rekruten prangten, und stießen abwechselnd Hurra-Rufe auf Großbritannien und Schmähungen auf Deutschland aus – die Rekruten antworteten gut gelaunt. Die Einschiffung war ein einziges Fest. Da störte es Roly und seine Freunde auch nicht, dass die Kajüten viel zu dicht belegt, ja das ganze Schiff mit Passagieren völlig überladen war. Da nicht alle Platz an Deck fanden, um ihren

Bewunderern zum Abschied zuzuwinken, setzten sie sich teilweise und ließen die Beine über die Reling baumeln. Roly konnte Bobby – trunken vor Aufregung und billigem Whiskey – gerade noch davor retten, ins Wasser zu fallen.

Jack McKenzie hielt sich aus dem Trubel heraus. Er war still in einer der letzten Reihen mitmarschiert, hatte aber keinen Blick für den Jubel der Menschen. Über all dem Wirbel hatte er seinen Entschluss, sich der Truppe anzuschließen, fast schon bereut. Er hatte in den Krieg ziehen wollen, und nun schien er auf einem Rummelplatz gelandet zu sein. Während die anderen sich beim Auslaufen des Schiffes noch einmal feiern ließen, verstaute er seine wenigen Habseligkeiten in dem dafür vorgesehenen, winzigen Spind. Vielleicht war es auch ein Fehler gewesen, sich einer Infanteriedivision anzuschließen. Gwyneira war darüber außer sich gewesen.

»Du hast ein Pferd, Jack! Und eine ausgezeichnete Erziehung. Bei der Kavallerie könntest du schnell einen Offiziersrang erreichen. Meine Familie …« Gwyneira hielt inne. Es würde wenig Sinn haben, Jack von den Kriegserfahrungen seiner walisischen Vorfahren zu erzählen. Die Silkhams gehörten zum Landadel; ihre Söhne hätten niemals als einfacher Soldat gedient.

»Mutter, ich schleife doch Anwyl nicht in den Krieg!«, hatte Jack empört geantwortet. »Tausende von Meilen auf einem Schiff, nur damit er da drüben womöglich erschossen wird?«

»Du meinst, du kannst Anwyl den Krieg nicht zumuten?« Gwyneira war fassungslos. »Du hast Angst um dein Pferd, Jack? Während du selbst …«

»Mein Pferd ist kein Freiwilliger«, bemerkte Jack. »Es hat nie den Wunsch geäußert, sich der Armee anzuschließen. Insofern erschiene es mir nicht sehr fair, es von seiner Koppel zu reißen und nach Frankreich zu verschiffen. Außerdem sind wir nicht mehr im Mittelalter. Dieser Krieg wird mit

Maschinengewehren entschieden, nicht mit Kavallerieangriffen.«

Gwyneira hatte schließlich geschwiegen. Aber jetzt fragte sich Jack, ob sie nicht doch Recht gehabt hatte. Es wäre schön gewesen, den schwarzen Cobwallach bei sich zu haben. Anwyl war von freundlichem, ruhigem Wesen; selbst in den letzten, furchtbaren Wochen hatte er auf Jack tröstend gewirkt. Ebenso wie Nimue – aber die musste nun seiner Mutter Gesellschaft leisten. Und sicher kam Gloria auch bald zurück.

Jack ließ sich auf seine Koje fallen. Er hatte sich eine der unteren Etagen gesichert. Die primitiven Verschläge, in die man je neun Männer pferchte, waren mit rasch zusammengezimmerten Drei-Etagen-Betten versehen. Jack erschienen sie wenig vertrauenerweckend. Er hoffte, dass sich kein Schwergewicht über ihm breitmachte.

Aber er fand keine Ruhe. Schon kurz nachdem das Schiff abgelegt hatte und Jack hoffte, das Stampfen der Maschinen und die Wellen würden ihn in den Schlaf wiegen, stolperte etwas oder jemand die Treppen herunter. Zwei junge Burschen, ein blonder, untersetzter Kerl und ein Schlacks mit rotbraunem Wuschelhaar, stützten einen dritten, der nur noch vor sich hin lallte.

»Er kann doch nicht schon seekrank sein, Roly?«, fragte der Blonde. Der Wuschelkopf verdrehte die Augen. »Der ist nur sternhagelvoll. Hilf mir mal, ihn in die zweite Etage zu hieven. Hoffentlich kotzt er nicht ...«

Das hoffte Jack allerdings auch. Die Männer brachten ihren Freund zwar nicht direkt über ihm unter, aber gleich neben ihm.

»Hat er doch schon. Er sieht ganz schön daneben aus ...« Der Blonde wirkte nervös.

Wuschelkopf tastete fachmännisch nach dem Puls seines Freundes. »Ach, dem fehlt nichts, der muss nur ausschlafen«, meinte er gelassen. »Haben wir Wasser hier? Er wird einen Höllendurst haben, wenn er aufwacht.«

»Wasserfässer sind im Gang«, bemerkte Jack.

Der Blonde griff nach einem Eimer und taumelte hinaus.

Wuschelkopf bedankte sich höflich und warf Jack einen Blick zu.

»Kennen wir uns?«, fragte er dann.

Jack musterte ihn genauer und erinnerte sich dunkel an die jungenhaften Züge und die immer etwas treuherzig wirkenden graublauen Augen. Irgendwo hatte er den jungen Mann schon mal gesehen, aber nicht auf einer Farm. Er ...

»Du bist aus Greymouth, stimmt's?«, fragte er.

Roly O'Brien nickte und kramte seinerseits in seinen Erinnerungen. »Sie sind Mr. Jack! Der Cousin von Miss Lainie. Sie waren vor ein paar Jahren zu Besuch bei uns. Mit Ihrer Frau!« Roly strahlte. Jack dagegen versetzte die Erinnerung nur wieder einen Stich. Die Hochzeitsreise mit Charlotte nach Greymouth, ihr Aufenthalt bei den Lamberts ...

Der Junge war dort Hausdiener gewesen, jetzt fiel es ihm wieder ein. Und er hatte sich vor allem um Tim Lambert gekümmert.

»Konntest du deinen Herrn denn so einfach allein lassen?«, fragte er, schon um von Charlotte abzulenken.

Roly nickte. »Ein paar Wochen kommt der ohne mich aus!«, meinte er unbekümmert. »Wahrscheinlich besser als Ihre Frau ohne Sie!« Er grinste. Sonderlich respektvoll war er schon damals nicht gewesen. Aber auch nicht gefühllos. Sein Lächeln verschwand sofort, als er Jacks gequältes Gesicht sah.

»Hab ich ... hab ich was Falsches gesagt, Sir?«

Jack schluckte und schüttelte den Kopf. »Meine Frau ist vor kurzem gestorben«, sagte er leise. »Aber das konntest du nicht wissen ... wie war gleich dein Name?«

»Roly, Mr. Jack, Sir. Roland O'Brien, aber alle nennen mich

Roly. Und es tut mir sehr leid, Mr. Jack ... wirklich. Verzeihen Sie ...«

Jack winkte ab. »Nur Jack, bitte. Vergiss den Mister und erst recht den Sir. Ich bin Private Jack McKenzie ...«

»Und ich Private O'Brien. Aufregend, nicht, Sir? Private O'Brien! Das ist hier überhaupt alles aufregend.« Roly strahlte. Sein blonder Freund war inzwischen wiedergekommen und stellte den Eimer neben dem Bett ab.

»Dies ist Private Greg McNamara«, stellte er vor. »Und der andere ist Bobby O'Mally. Der ist sonst nicht so schweigsam, Mr. Jack. Hat bloß ein bisschen viel gefeiert. Denk dir, Greg, das ist Jack McKenzie aus den Plains. Der Cousin von Miss Lainie.« Während Roly munter plapperte, suchte er rasch ein Kochgeschirr aus seinen Habseligkeiten, füllte einen Becher für Bobby und hielt ihn dem Jungen an die Lippen. Außerdem befeuchtete er ein Taschentuch und legte es ihm auf die Stirn.

Jack fragte sich, warum der Mann nicht als Sanitäter angeheuert hatte. Rolys Umgang mit seinem angeschlagenen Freund war äußerst professionell, und er zuckte auch mit keiner Wimper, als Bobby sich noch einmal übergab, zum Glück in einen Eimer.

Jack reichte es jetzt allerdings. Sowohl der Geruch nach Erbrochenem als auch die ungetrübte Fröhlichkeit der jungen Männer. Er murmelte etwas von »frische Luft schnappen« und begab sich an Deck, wo immer noch gefeiert wurde. Der junge Lieutenant, der die Truppe befehligte, versuchte vergeblich, die Männer zur Ordnung zu rufen.

Jack begab sich nach achtern und warf einen letzten Blick auf die sich rasch entfernende neuseeländische Küste. »Land der Weißen Wolke« ... Heute lag es nicht im Nebel. Aber die ersten Maori-Kanus hatten sich ohnehin aus einer ganz anderen Richtung genähert. Hawaiki ... Jack versuchte, nicht an Charlotte zu denken, aber wie immer war es vergeblich. Er wusste, dass er irgendwann aufhören musste, sich in jeder Sekunde des Tages mit jedem Schlag seines Herzens nach ihr zu sehnen. Aber bislang sah er keinen Ausweg. Jack fror.

Die erste Nacht an Bord des improvisierten Truppentransporters – gewöhnlich beförderte die *Great Britain* Reisende nach Europa, aber jetzt hatte man auch die Räume der Ersten Klasse zu Einfachstquartieren umgestaltet – empfand Jack als höllisch. Keiner seiner Kajütengenossen war nüchtern, was sich bei einigen darin äußerte, dass sie alle paar Minuten aufstanden und an Deck taumelten, um Wasser abzuschlagen. Andere schliefen tief und fest, schnarchten und schnieften dabei in allen Tonlagen. Jack machte kaum ein Auge zu und floh schon früh am Morgen an Deck, direkt in die Arme des frustrierten Lieutenants.

»Hier sieht's aus wie im Schweinestall!«, fuhr der Mann ihn an, was Jack nicht direkt leugnen konnte. Das Deck zeugte von den am Vortag gefeierten Abschiedsorgien; es stank nach Urin und Erbrochenem, neben den Lachen diverser Körperflüssigkeiten lagen leere Flaschen und Essensreste. »Rekruten nennt sich das! Ich habe noch nie einen so undisziplinierten Haufen gesehen ...«

Der Mann sprach mit englischem Akzent. Anscheinend hatte man ihn aus dem Mutterland herübergeschickt, um sich der Kiwis als Ausbilder anzunehmen. Jack tat er fast leid. Sicher wusste der Mann, wie man Soldaten drillte, aber er schien direkt aus der Militärakademie zu kommen. Die meisten seiner Untergebenen waren älter und abgebrühter als er.

»Die Jungs sind nicht gerade die Blüte der neuseeländischen Jugend«, meinte Jack mit schiefem Lächeln. »Aber an der Front werden sie sich bewähren. Die sind es gewohnt, sich durchzuschlagen ...«

»So?«, fragte der Offizier mit beißendem Spott. »Schön, dass Sie mich an Ihren umfassenden Erkenntnissen bezüglich Ihrer Landsleute teilhaben lassen. Sie selbst sind natürlich etwas Besseres, Private ...?«

»McKenzie, Sir.« Jack seufzte. Das »Sir« hatte er eben vergessen. Und jetzt würde sich der ganze Ärger des jungen Mannes über ihm entladen. »Und nein, Sir, ich halte mich keineswegs für etwas Besseres.« Jack wollte noch mehr sagen und auf seine Erfahrungen mit abenteuerlustigen jungen Männern verweisen, die sich auf Kiward Station als Viehhüter - verdingten. Dann aber biss er sich auf die Lippen. Bloß nicht rechthaberisch klingen!

Trotz des Besänftigungsversuchs baute der Lieutenant sich kriegerisch vor ihm auf.

»Dann beweisen Sie das mal, Private McKenzie. Machen Sie hier klar Schiff! In einer Stunde hat das Deck zu glänzen!«

Während der junge Offizier davonstiefelte, machte Jack sich auf die Suche nach Eimer und Schrubber. Er wehrte sich gegen den aufkeimenden Zorn. Schließlich hatte er eine Beschäftigung gesucht, und Wasser war genug da. Als er gerade den dritten Eimer aus dem Meer schöpfte, gesellte Roly O'Brien sich zu ihm.

»Ich helf Ihnen, Mr. Jack. Kann sowieso nicht schlafen, Bobby und dieser Kerl aus Otago ... wie heißt er noch? ... dieser Joe, die schnarchen um die Wette.«

Jack lächelte ihm zu. »Nur Jack, Roly. Und wie es aussieht, sollten wir anfangen, uns an den Krach zu gewöhnen. Die Jungs werden in den nächsten Nächten kaum damit aufhören.«

Roly verdrehte die Augen und schwemmte eine Lache

Erbrochenes über Bord. »Jedenfalls haben sie jetzt keinen Whiskey mehr. Oder glauben Sie, da ist noch was übrig geblieben?«

Jack lachte. »In Australien werden die Nachschub finden. Und in Frankreich ... Was trinkt man da? Calvados?«

Roly runzelte die Stirn. Von Calvados hatte er sichtlich noch nie gehört; dann aber lachte er auf. »Wein! Mr. Tim und Miss Lainie trinken französischen Wein. Schickt ihnen Mr. Ruben, also Miss Lainies Vater, der hat ja ein Warenhaus in Queenstown. Aber mir schmeckt das Zeug nicht besonders. Ich ziehe 'nen guten Whiskey vor. Sie nicht, Mr. Jack?«

Jack hatte inzwischen zwei weitere Frühaufsteher erspäht und rekrutierte sie ohne viel Federlesens zum Deck schrubben. Kurz danach erschienen drei weitere, und als der Lieutenant exakt eine Stunde nach Erteilen des Befehls zurückkam, glänzte das Deck tatsächlich. Tropfnass, aber sauber.

»Sehr gut, Private McKenzie!« Der Offizier war zum Glück nicht nachtragend. »Sie können dann frühstücken – mit Ihren Leuten. Die Kombüse ist bemannt.« Letzteres klang regelrecht stolz. Anscheinend hatte der Lieutenant den Koch aus dem Bett werfen müssen, aber das war immerhin gelungen.

Jack nickte, während Roly versuchte, vor dem Offizier zu salutieren. So ganz klappte das noch nicht, aber dem Lieutenant rang es immerhin ein Lächeln ab.

»Die wird schon noch ...«, murmelte er und schlenderte über das nun saubere Deck davon.

Tatsächlich verbesserte sich die Disziplin nach dem ersten wilden Abend auf See – schon deshalb, weil die Alkoholvorräte größtenteils aufgebraucht waren. Allerdings hatten die Soldaten nicht viel zu tun. Die drangvolle Enge machte jeden Drill, den der junge Lieutenant vielleicht im Auge gehabt hatte, unmöglich. Zwar ließ der Offizier in Gruppen an Deck exerzieren, aber sehr erfolgreich war das nicht. Keiner der

Männer sah ein, weshalb er im Gleichschritt mit anderen gehen sollte, erst recht nicht hin und her auf dem schwankenden Schiff. Zum Entsetzen des Lieutenants endete der Drill denn meist in Gelächter. Der junge Offizier war sichtlich erleichtert, als die *Great Britain* endlich in den King George Sound einfuhr. Die Küste von Albany, Strände und bewaldetes Land, lagen einladend in der Sonne, beherrscht von der Princess Royal Fortress.

»Die Festung ist voll bemannt!«, erklärte der Lieutenant begeistert. »Und voll bewaffnet. Sie dient dem Schutz der Flotte. Wenn uns hier jemand angreift ...«

»Wer soll uns denn hier angreifen?«, erkundigte sich Greg McNamara, wohlweislich leise. »Als ob in Deutschland einer weiß, wo Albany liegt.«

Jack konnte im Grunde nur zustimmen. Auch er hatte vorher nie von dem kleinen Küstenort in Westaustralien gehört, und die Festung war wohl eher zwecks Disziplinierung der Sträflinge in der Botany Bay gebaut worden als zur Landesverteidigung. Dennoch nahmen die Männer von Albany ihren Job ernst, wie die Neuseeländer beim Landgang feststellen durften. Wer sich der Festung auch nur näherte, wurde angehalten, nach der Losung des Tages befragt und misstrauisch beäugt.

Schon beim Eintreffen der *Great Britain* lag ein Dutzend Schiffe in der Bucht vor Anker, und in den nächsten Tagen kamen weitere dazu. Am Ende formierten sich tatsächlich sechsunddreißig Truppentransporter, flankiert von diversen Schlachtschiffen.

Roly bewunderte die glänzenden Kanonen der *Sydney* und der *Melbourne*, riesige Kriegsschiffe, die den Great Convoy schützen sollten.

»Wenn sich überhaupt einer traut, uns anzugreifen!«, erklärte er begeistert. Wie die meisten anderen Soldaten empfand er unbändigen Stolz auf die gewaltige Flotte, die sich zur Abfahrt in Reihen formierte. Die Spitze bildeten die sechsundzwanzig australischen Schiffe in Dreierreihen; dahinter ordneten sich die zehn Neuseeländer in Zweierreihen ein. Der Anblick der Schiffe, der Flaggen und der vielen tausend Männer in Uniform, die sich zur Abfahrt an Deck versammelten, berührte selbst Jack. Und sogar das Wetter schien zu dieser Demonstration von Kampfkraft und Willen der Aussies und Kiwis beitragen zu wollen. Wie von einem Kriegsmaler inszeniert strahlte die Sonne, das Meer lag glänzend blau und ruhig wie ein Spiegel da, und die wunderschöne Küste Albanys grüßte herüber. Schließlich gaben auch die Männer in der Festung ihrer Begeisterung Ausdruck und feuerten Salut.

Roly, Greg und Bobby winkten strahlend. Doch in den Augen anderer Männer, vor allem der Australier, die hier einen letzten Blick auf ihre Heimat warfen, standen auch Tränen der Rührung.

Jack empfand ein unbestimmtes Gefühl der Erleichterung. Er hatte alles hinter sich lassen wollen, und jetzt war es endlich so weit. Er wandte sich vom Land ab und blickte ins Ungewisse.

Die Reise verlief vorerst ereignislos für die Soldaten. Das Wetter blieb beständig, das Meer ruhig. Das Jahr 1915, das die Männer in Albany begrüßt hatten, ließ sich gut an. Die Rekruten gerieten in Aufregung, als sich die *Sydney* auf Höhe der Cocos-Inseln vom Konvoi trennte. Erst Tage später kehrte sie zurück, und Roly berichtete Jack mit glänzenden Augen von der ersten »Feindberührung« des ANZAC. Tatsächlich hatte die *Sydney* das deutsche Schlachtschiff *Emden* in Keeling Island zum Anlanden gezwungen und zerstört. Das Ereignis wurde mit Hochrufen und auch dem einen oder anderen erneuten Alkoholexzess gefeiert. Die Männer hatten ihre Vorräte in Australien aufgefüllt, und der junge Lieutenant Keeler war noch weit davon entfernt, seine Truppe wirklich im Griff zu haben. Roly und seine Freunde blieben diesmal allerdings nüchtern – ihr Geld hatte schlicht nicht gereicht, den schnell knapp gewordenen und infolgedessen überteuerten Schnaps in Albany zu erstehen.

Diesmal hüteten Jack und Roly sich auch vor zu frühem Verlassen der Schlafräume, obwohl die Luft darin wieder einmal zum Schneiden war. Über dem Meer lag brütende Hitze, und kein Lüftchen wehte – ein Segelschiff wäre zu wochenlanger Bewegungslosigkeit verdammt gewesen. Die Dampfschiffe kamen bei der ruhigen See dagegen umso schneller vorwärts, doch die Männer in den vollgestopften Kajüten litten, und noch mehr die Pferde der Kavallerietransporte. Jack war froh über seine Entscheidung, Anwyl diesen Strapazen nicht ausgesetzt zu haben; andererseits beneidete er die Männer auf den Schiffen um den Kontakt mit den Tieren. Jack sehnte sich nach dem Duft von Pferdeschweiß und Heu anstelle des Gestanks ungewaschener Männerkörper. Er selbst und einige andere wuschen sich mit Salzwasser, woraufhin sie sich zwar besser fühlten, später aber mit Hautreizungen dafür bezahlten.

Und dann, nach einigen Tagen auf See, rief Lieutenant Keeler seine Männer an Deck. Er hätte, so verkündete er im Vorfeld, eine wichtige Mitteilung zu machen. Die Versammlung gestaltete sich dann natürlich als schwierig, wie Jack gleich erahnte. Alle achthundert Leute passten nicht an Deck, machten einander den knappen Platz jedoch streitig. Außerdem war Lieutenant Keelers Stimme für die weiter entfernten Männer kaum zu vernehmen. Schließlich vergingen Stunden mit Streit und Protesten, bis endlich auch der letzte Rekrut über die Neuigkeiten informiert war: Die Türkei hatte England den Krieg erklärt, und die britische Führung hatte sich daraufhin entschlossen, die ANZAC-Streitkräfte nicht nach Frankreich zu befördern. Stattdessen würde man sie im Bereich der Dardanellenstraße einsetzen.

»Was für eine Straße?«, fragte Roly verwirrt.

Jack zuckte die Achseln. Auch ihm war die Geografie des südöstlichen Europa völlig fremd.

»Die Ausbildung vor dem Kampfeinsatz«, erklärte der Lieutenant, »wird in Ägypten stattfinden. Nach einem Zwischenstopp in Colombo steuern wir Alexandria an.«

Von Alexandria hatte Jack zumindest schon einmal gehört, im Gegensatz zu Colombo. Er musste sich erst durchfragen, um herauszufinden, dass die Stadt auf Ceylon lag, einer grünen, tropischen Insel im Indischen Ozean.

»Bekannt durch ihren Teeanbau«, dozierte Lieutenant Keeler, der Jack gegenüber inzwischen deutlich gnädiger eingestellt war. Er hatte längst bemerkt, dass der rothaarige Viehzüchter aus den Plains nicht nur etwas älter, sondern auch gebildeter und gelassener war als die Mehrzahl seiner Männer. »Aber machen Sie sich keine Hoffnung auf Landgang, McKenzie. Wir nehmen nur Verpflegung auf.«

Tatsächlich ankerte die Flotte des ANZAC lediglich kurze Zeit im Hafen, und Roly zählte aufgeregt die dort liegenden Schiffe aller möglichen Nationalitäten. Von Ceylon selbst sahen sie nur die grüne Küste und die Silhouette einer kleinen, durch den Krieg offensichtlich florierenden Hafenstadt. Viele Rekruten murrten. Man langweilte sich nach wie vor; es gab praktisch nichts zu tun, als sich an Deck zu sonnen. Das Wetter war immer noch trocken und heiß – verblüffend besonders für die Leute von der Südinsel Neuseelands, auf der selten mehrere Tage ohne Regen ins Land gingen.

Noch einmal verbrachten die Männer fünfzehn Tage auf See, bevor die Flotte Suez erreichte. Zum ersten Mal hörten die Rekruten hier von Kampfhandlungen an Land, in die auch Australier verwickelt sein sollten. Angeblich hatte es Angriffe der Türken auf den Suezkanal gegeben. Lieutenant Keeler befahl seinen Männern erhöhte Wachsamkeit bei der Durchfahrt und stellte Wachen auf. Roly verbrachte eine angestrengte Nacht damit, ins Dunkel am Rand des Kanals zu starren und jedes Lagerfeuer oder jede Ansiedlung, von der Licht zu den Schiffen drang, nervös zu beäugen. Tatsächlich kam es jedoch zu keinen besonderen Vorkommnissen. Die Flotte durchquerte unbehelligt den Suezkanal und erreichte schließlich Alexandria.

»Die Aboukir-Bay!«, bemerkte Jack fast ehrfürchtig zu ihrem Ankerplatz. »Hier hat Nelson vor ziemlich genau hundert Jahren die Schlacht am Nil geschlagen!«

Roly, Greg und Bobby starrten so fasziniert in das ruhige blaue Wasser, als würde sich der Sieg des Admirals noch darin spiegeln.

»Nelson war ... Engländer?«, fragte Bobby vorsichtshalber.

Jack lachte.

In Alexandria wurden die Schiffe dann endlich entladen, aber viel sahen die ANZACs nicht von der berühmten Handelsstadt mit der glorreichen Vergangenheit. Die britischen Offiziere lotsten die aufgeregten Truppen in halbwegs disziplinierter Marschordnung zu einer Verladestation der Bahn.

»Nach Kairo!«, sagte Greg beinahe ungläubig. All die fremden Städtenamen, die engen, sonnenheißen Straßen, die kleinen Menschen in ihren arabischen Kaftanen, der Lärm fremder Sprachen und die ungewöhnlichen Gerüche und Geräusche der Stadt faszinierten die Jungs, verwirrten sie aber auch. Roly fühlte sich trotz der Nähe seiner Freunde verloren in einer fremden Welt; er hatte fast ein bisschen Heimweh.

Jack sog die Fremdheit in sich auf, rettete sich in die neuen Eindrücke und schaffte es bisweilen, nicht mehr zu grübeln und an Charlotte zu denken – wenn er nicht in Gedanken Briefe an sie formulierte. Auch das musste aufhören!

Jack überlegte, wem er stattdessen schreiben könnte, und entschied sich letztendlich für Gloria. Gut, von ihr hatte er in den letzten Jahren kaum etwas gehört, aber Jack fühlte sich dem Mädchen immer noch verbunden. Vielleicht würde sie ja auftauen und ein bisschen lebendiger von ihrem Leben in Amerika erzählen, wenn sie erfuhr, dass sie nicht als Einzige aus Kiward Station weit gereist war.

Also schilderte er Gloria die Schiffsreise mit der stolzen Flotte und später auch die Fahrt nach Kairo in einem vollgestopften Zug. Von der Landschaft war nicht viel zu sehen; die Truppe wurde nachts transportiert und erreichte die Stadt in den ersten Morgenstunden. Es war nach wie vor stockdunkel und zur Überraschung der Männer auch empfindlich kalt, als die Truppen sich zum Marsch in die Ausbildungslager formierten. Die meisten Australier würden ein Lager im Süden Kairos beziehen, die Neuseeländer erwartete ein Camp im Norden. Aber zunächst lag ein Nachtmarsch von mehreren Meilen vor ihnen – unerwartet anstrengend nach der erzwungenen, wochenlangen Untätigkeit an Bord der Schiffe.

Jack war durchgefroren und müde, als sie die Zeltstadt »Zeitoun« erreichten. Jeweils sechzehn Mann teilten sich eine Unterkunft; Roly und seine Freunde blieben bei Jack. Aufatmend belegten sie ein Dreieretagenbett.

»Puh, bin ich kaputt!«, stöhnte Greg.

Ein paar andere Männer, anscheinend Städter, schienen jedoch noch schlechter dran zu sein als die Jungs aus Greymouth. Ihre neuen Uniformstiefel drückten, besonders zwei Zeltkameraden schienen kaum fähig, noch einen Schritt zu gehen. Sie stöhnten, als sie die Stiefel von den Füßen zogen.

Jack nahm sich zusammen. Jemand musste für Ordnung sorgen. Als Erstes scheuchte er Bobby wieder hoch, der sich erschöpft auf eine der Pritschen geworfen hatte und nicht willens schien, noch einmal aufzustehen. »Keine Müdigkeit vorschützen, Private O'Mally!«, pfiff er den jungen Mann an. »Irgendjemand sagte vorhin was von Essensausgabe. In der Richtung machst du dich jetzt mal kundig. Zumindest heißen Tee kannst du besorgen, damit die Jungs da wieder auf die Beine kommen. Und du, Greg, Private McNamara, schaust dich nach Decken um. Eigentlich sollten in den Zelten welche sein, aber man scheint uns vergessen zu haben ...«

»Wir können doch mal in Kleidern schlafen«, mäkelte Greg lustlos.

Jack schüttelte den Kopf. »Dann kriegen wir morgen einen Anschiss, weil die Uniform zerknittert ist. Junge, dies ist ein Ausbildungslager. Die Reise ist vorbei, von jetzt an bist du Soldat!«

Roly wühlte bereits in dem Erste-Hilfe-Set, das zur Grundausstattung der Rekruten gehörte, und förderte Verbände hervor. »Keine Wundsalbe«, bemerkte er kritisch. »Aber was ist das hier?«

Er hielt fragend ein Fläschchen hoch.

»*Manuka,* Teebaumöl«, bemerkte ein Kamerad, dessen breite Gesichtszüge und dichtes schwarzes Haar auf Maori-Ahnen schließen ließen. »Uraltes Hausmittel bei den Stämmen. Kannst du den Kerlen auf die Füße schmieren. Dann heilt's schneller.«

Jack nickte. Auch auf Kiward Station wurde *manuka* zur Ersten Hilfe eingesetzt. Allerdings eher bei Schafen und Pferden ...

»Aber erst Füße waschen!«, bestimmte Jack. Es roch jetzt schon streng im Zelt. »Wer holt freiwillig Wasser?«

Am nächsten Morgen schnitt ihre Zeltgemeinschaft beim

Stubenappell durch den übernächtigt wirkenden Lieutenant Keeler hervorragend ab, und Jack erlebte seine erste Beförderung. Beim Antreten der Neuseeländischen Infanteriedivision wurde sein Name gemeinsam mit etlichen anderen aufgerufen.

»McKenzie – nach Absprache mit der Lagerführung ernenne ich Sie zum Lance Corporal!«, erklärte Lieutenant Keeler mit so strahlendem Lächeln, als überreiche er eben das Victoria-Kreuz. Anschließend musste er den Leuten allerdings erst erklären, worin denn nun ihre neuen Aufgaben bestanden. Im Grunde war es genau das, was Jack schon während der Reise gemacht hatte. Der Lance Corporal hatte jeweils sechs Leute dahingehend zu überwachen, dass sie Stube, Uniform und vor allem Waffen sauber hielten.

»Gibt ein bisschen mehr Sold«, meinte der junge Offizier widerwillig, nachdem ein paar der Kiwis die Beförderung ohne Begeisterung aufnahmen und zwei sogar verzichten wollten. Für Lieutenant Keeler völlig unverständlich. Schließlich, so heizte er den Leuten ein, sei das auch eine Frage der Ehre.

Jack trug die Ehre mit Fassung, Roly bewunderte seinen neuen Rang rückhaltlos.

»Ob ich das auch mal schaffe, Mr. Jack? Befördert werden muss was Tolles sein! Oder ein Orden, Mr. Jack! Für Tapferkeit vor dem Feind gibt's doch Orden!«

»Vorher brauchst du aber erst mal Feinde!«, murrte Greg. Das erste Exerzieren am Morgen hatte ihm gar nicht gefallen. Er sah nicht ein, wie ihm Marschieren in Reih und Glied und Hinwerfen auf Kommando dabei dienlich sein sollte, die Türken zusammenzuschlagen. Jack seufzte. Greg schien sich den Krieg wie eine überdimensionale Kneipenschlägerei vorzustellen.

Dennoch blieb ihm in den nächsten Monaten nichts anderes

übrig, als gründlich zu lernen, wie man in Deckung ging, über den Boden robbte, Schützengräben aushob und mit Gewehren und Bajonetten umging. Letzteres machte den meisten Soldaten Freude – und die Neuseeländer entwickelten auch ein nicht geringes Geschick als Schützen. Nun waren viele von ihnen von klein an daran gewöhnt, Kleinwild zu erlegen; durch die Kaninchenplagen lernte jeder Junge in den Plains mit dem Gewehr umzugehen. Die Besitzer der großen Schaffarmen zahlten zum Teil sogar kleine Abschussprämien. Die Glücksritter der Goldfelder erlegten die Tierchen zwar eher, um gelegentlich Fleisch in die Töpfe zu bekommen, aber auch sie feuerten geschickt auf bewegliche Ziele.

Weniger Begabung bewies die zusammengewürfelte Kiwi-Truppe überall da, wo es um rasche Befolgung von Befehlen ging. Gleichschritt lag ihnen nicht, und zum Entsetzen der britischen Ausbilder erkundigten sie sich oft angelegentlich nach dem Sinn einer Übung, bevor sie sich weisungsgemäß in den Wüstensand warfen. Auch das Training im fachgerechten Ausheben von Schützengräben stieß nicht auf die Begeisterung der Soldaten.

»Mann, das mache ich doch schon, seit ich dreizehn bin!«, beschwerte sich der Bergmann Greg. »Und ein bisschen tiefer unter der Erde als hier. Mir braucht nun wirklich keiner zu zeigen, wie man mit dem Spaten umgeht!«

Jack dagegen studierte die Technik, auch wenn sich alles in ihm bei dem Gedanken sträubte, vielleicht Wochen seines Lebens in einer Art Fuchsbau zu verbringen. Tatsächlich verlangte die Anlage von Schützengräben beträchtliches strategisches und architektonisches Geschick – zum Beispiel durften sie niemals in gerader Linie angelegt werden, sondern in einer Art Zickzackmuster. Kein Soldat sollte mehr als fünf Yards Länge einsehen können. Das erschien auf den ersten Blick lästig, erschwerte aber dem Feind die Orientierung, wenn er in einen Graben durchbrach. Dazu waren Buchten und Quergräben anzulegen, und die Erweiterung des Grabennetzes ohne Gefahr durch Beschuss erforderte geradezu Techniken des Höhlenbaus. Die erfahrenen Bergleute trieben routiniert Stollen in die Erde, die in der Wüste natürlich dauernd einbrachen. Bobby und Greg lachten darüber nur, aber einmal überraschte Jack Roly dabei, wie er schreckensbleich herausstürzte, nachdem die Männer gerade wieder von einer Ladung Sand überschüttet worden waren.

»Ich kann das nicht, Mr. Jack ...«, flüsterte er und tastete nach seinem Rucksack. Im Erste-Hilfe-Fach befanden sich jetzt nicht mehr nur Bandagen und Teebaumöl, sondern auch ein Flachmann. »Hier ... wollen Sie?«

Roly hielt Jack die Flasche hin. Seine Hände zitterten.

Jack roch kurz am Inhalt. Hochprozentiger Schnaps.

»Roly, dafür müsste ich dich eigentlich melden!«, rügte er. »Saufen im Dienst! Dabei bist du doch sonst nicht so ...«

Im Gegensatz zu seinen Kumpanen nutzte Roly nach Jacks Erfahrung nur selten die improvisierten Bars und Bordelle, die sich blitzschnell rund um das Camp etabliert hatten. Eher besuchte er die Filmvorführungen, welche die Y. M. C. A. organisierte. Das Kino faszinierte ihn. Und am Wochenende schloss er sich meist Jack und anderen höher gebildeten Soldaten an, die Ausflüge zu den Pyramiden, der Sphinx und anderen Sehenswürdigkeiten Ägyptens unternahmen. Betrunken hatte Jack den jungen Mann selten erlebt. Nicht einmal bei seiner kürzlich erfolgten Beförderung zum Lance Corporal war er über die Stränge geschlagen.

»Ist ... ist Medizin, Mr. Jack. Wenn ich ab und zu einen Schluck nehme, kriege ich das hin mit den Gräben ...« Roly korkte die Flasche wieder zu, war aber immer noch blass.

»Unser Roly war doch mal verschüttet!«, erklärte Greg lachend, als sei das der größte Witz der Geschichte von Greymouth. »Und dabei hat er Angst gekriegt. Hat keine Mine mehr betreten, der Kleine! Aber du siehst, Roly, es holt dich ein!« Die Männer johlten und schlugen dem kleinlauten Roly auf die Schulter.

Jack dagegen war eher beunruhigt. Roly O'Brien wirkte nach dem Grabeneinbruch deutlich angeschlagen; dabei war es hier nur um eine Übung gegangen. Im Wüstensand war der Versuch, den Grabenkrieg zu simulieren, weitgehend sinnlos. Im Ernstfall wurden jedoch Bunker angelegt; man munkelte, dass die Deutschen sogar mehrgeschossige Kellerkonstruktionen bauten. Wenn Roly Enge und Dunkelheit wirklich nicht aushielt ...

Jack, der sich inzwischen mit dem Dienstgrad eines Corporals schmücken durfte und für drei Dutzend Männer verantwortlich war, wandte sich besorgt an den zuständigen Ausbildungsoffizier.

»Private O'Brien war drei Tage lang verschüttet, Captain, Sir. Das hängt ihm noch nach. Ich würde zu seiner Verwendung in einer Versorgungskompanie raten oder einer anderen Truppe, die nicht von Schützengräben aus agiert.«

»Woher wissen Sie denn so genau, dass wir von Schützengräben aus agieren werden, Corporal?«, fragte Major Hollander und grinste. Jack nahm Haltung an, obwohl er sich im Geist an den Kopf fasste. Der Mann war ein harter Schleifer, aber Jack hatte ihn bislang nicht für dumm gehalten. Jetzt revidierte er seine Meinung.

»Das kann ich mir denken, Captain, Sir«, erklärte er ruhig. »Es scheint die effektivste Möglichkeit zu sein, in diesem Krieg Stellungen zu sichern.«

»Ein begabter Stratege also auch noch, Corporal! Aber das sparen Sie sich mal für die Zeit auf, wo Sie's zum General gebracht haben. Vorerst sollen Sie nicht denken, sondern Befehle befolgen. Die kleine Memme O'Brien werde ich im

Auge behalten. Verschüttet! Da wird er drüber wegkommen, McKenzie, das garantier ich Ihnen! Ach ja, teilen Sie Ihren Männern mit, dass wir das Lager auflösen. Mitternacht, am 11. April geht's mit dem Zug nach Kairo, dann Einschiffung Richtung Dardanellen.«

Jack trollte sich frustriert, aber auch mit klopfendem Herzen. Nun ging es also los – das ANZAC würde Ägypten verlassen. Sie zogen endgültig in den Krieg.

5

Die Aufteilung auf die Schiffe verlief diesmal anders als bei der Anreise. Die ursprünglich bunt zusammengewürfelte Truppe war jetzt in Divisionen und Bataillone eingeteilt; es gab verschiedene Dienstränge und Spezialistenteams. Jack waren hauptsächlich ehemalige Bergleute und Goldgräber unterstellt, die Schützengräben mit atemberaubender Geschwindigkeit aushoben. Jack war klar, dass man diese Männer nicht der ersten Gefahr aussetzen würde. Wenn es zum Angriff kam, würden zuerst Stellungen gesichert werden. Insofern erschien es ihm logisch, dass man seine Gruppe demselben Transporter zuteilte wie die Sanitäter und Ärzte des Feldlazaretts. Bergungstrupps, Krankenpfleger und Stabsärzte schleppten ihre Ausrüstung an Bord – aber der Erste, der in diesem Feldzug Leben rettete, war paradoxerweise Jack McKenzie.

Die Truppentransporter lagen etwas außerhalb des Hafens vor Anker, und die Männer und das Material wurden in Booten an Bord gebracht. Von einem Ruderboot aus sicherte Jack mit einigen seiner Männer die Rampe, über die Zelte und Tragen hochgereicht wurden; das Meer war ausnahmsweise ziemlich bewegt, und es wehte ein heftiger Wind. Was an Deck nicht befestigt war, wurde leicht über Bord geweht. Die Männer zurrten die Hutbänder fest; trotzdem flog immer wieder ein breitkrempiger Hut durch die Luft, und manchmal folgte auch ein fahrlässig irgendwo abgelegter Rucksack. Aber das, was plötzlich neben Jack vom Deck aus in die Wellen platschte, war deutlich schwerer – und vor allem gab es nach dem Aufprall ein herzzerreißendes Jaulen von sich. Verblüfft beobachtete Jack, wie ein kleiner brauner Mischlingshund aus dem Wasser auftauchte und um sein Leben paddelte – ziemlich aussichtslos bei dem hohen Seegang und der weiten Entfernung zum Land. Das Tierchen wurde in Sekundenschnelle abgetrieben.

Jack überlegte nicht lange.

»Übernimm mal für mich!«, rief er Roly zu und drückte ihm das Tau in die Hand, das er gehalten hatte. Dann zog er sein Hemd über den Kopf, schlüpfte aus seinen Stiefeln und sprang ins Wasser.

Jack war kräftig und gut trainiert. Mit ein paar Schwimmstößen hatte er den Hund erreicht und das zappelnde kleine Tier an sich gezogen. Gegen die Strömung zurück zum Boot zu schwimmen würde schwieriger sein, aber da sah er auch schon Roly und das Ruderboot neben sich. Die Jungs hatten keinen Moment gezögert. Sollte die Rampe schwanken – sie retteten jetzt erst mal ihren Corporal.

Jack reichte Roly den Hund ins Boot und zog sich dann selbst an Bord. Außer Atem landete er auf dem Boden des Ruderboots.

Roly betrachtete inzwischen lachend ihren neuen Passagier.

»Wer oder was bist du denn?«, fragte er das Tierchen, das sich jetzt erst einmal schüttelte und dabei sämtlichen Ruderern eine Dusche verpasste. Es war klein, krummbeinig und kompakt, und seine riesigen Knopfaugen wirkten, als hätte man sie mit Kajal umrahmt.

»Ein Dackel, würde ich sagen«, konstatierte Jack. »Zumindest hat der Dackel unter seinen Vorfahren sich am besten durchgesetzt. Insgesamt waren sicher 'ne Menge Vertreter mehr oder weniger durchgezüchteter Hunderassen beteiligt. Nur keine Seehunde …«

Das Tierchen schüttelte sich noch einmal. Es hatte Schlappohren und einen Ringelschwanz.

»Australiens Geheimwaffe!« Greg lachte und machte Anstalten, zum Schiff zurückzurudern.

Der Hund wedelte mit dem Schwanz.

An Deck des Schiffes entfaltete sich eben hektische Aktivität.

»Paddy! Paddy, hierher! Verdammt noch mal, wo ist der Köter?« Ein aufgeregter Adjutant stürmte aus den Offiziersunterkünften. »Helft mir mal, Jungs, ich muss das Vieh finden, bevor Beeston durchdreht.«

Jack und die anderen grinsten sich an. »Zumindest gehört er zur Mannschaft, wenn nicht gar zum Offizierskorps ...«

Roly gluckste. »General Godley?«, fragte er kichernd und salutierte vor dem Hund.

General Alexander Godley war der Oberbefehlshaber der ANZAC-Truppen.

»Jetzt macht mal, dass wir zum Schiff kommen! Ihr hört doch, der Kleine wird vermisst«, beendete Jack die Albernheiten. Er hielt den Hund fest, bis die Rampe erreicht war.

An Deck erschien eben ein untersetzter Mann im mittleren Alter, der die Uniform eines Stabsarztes trug. Joseph Beeston, Commander der Vierten Feldambulanz.

»Paddy! O Gott, hoffentlich ist er nicht wieder ins Wasser gefallen, bei dem Seegang ...« Der Mann schien ernstlich besorgt zu sein.

Das Ruderboot legte inzwischen an, und Jack erklomm die Rampe. Er hielt den zappelnden Paddy eisern fest, während er die schwankenden Planken hinaufstieg.

»Suchen Sie den hier, Sir?«, fragte er lachend.

Commander Beeston wirkte mehr als erleichtert, als er Jack das Hündchen abnahm.

»Über Bord?«, fragte er.

Jack nickte. »Konnte aber im heldenhaften Einsatz der Vierten Neuseeländischen Infanteriedivision schnell gerettet werden. Commander, Sir!« Er salutierte.

»Victoria-Kreuz, Victoria-Kreuz!«, skandierten Roly und die anderen im Boot. Das Victoria-Kreuz war die höchste Auszeichnung, die das British Empire für Frontkämpfer bereithielt.

Commander Beeston lächelte. »Das kann ich Ihnen nicht bieten, Corporal. Allerdings ein Handtuch und einen Whiskey zum Warmwerden. Bitte begleiten Sie mich in meine Unterkunft.«

Gefolgt von seinem Hund ging der Stabsarzt voraus. Jack folgte ihm neugierig. Bislang hatte er nie eine Offizierskajüte zu Gesicht bekommen und war nun ziemlich beeindruckt von der Einrichtung in Mahagoni und dem allgemeinen Luxus, mit dem die Offiziere sich umgaben. Commander Beestons Adjutant reichte ihm ein flauschiges Badetuch, der Stabsarzt selbst entkorkte eine Whiskeyflasche. Single Malt. Jack nippte genießerisch an seinem Drink.

»Ach, und bringen Sie uns doch auch noch heißen Tee, Walters, der junge Mann muss sich aufwärmen ...«

Der Adjutant machte sich auf den Weg, während Jack versicherte, so kalt sei es draußen wirklich nicht.

Beeston schüttelte jedoch den Kopf. »Keine Widerrede! Nicht, dass Sie eine Lungenentzündung kriegen und der Racker hier den ersten Toten vor Gallipoli auf dem Gewissen hat. Nicht, Paddy?«

Paddy wedelte wieder mit dem Schwanz, als er seinen Namen hörte. Der Stabsarzt rubbelte den Dackelmischling eigenhändig trocken.

»Gallipoli, Sir?«, fragte Jack.

Beeston lächelte. »Oh, ich hoffe, ich plaudere hier nicht gerade Militärgeheimnisse aus. Aber wie man uns mitteilte, ist das unser erster Einsatzort. Ein Gebirgskaff am Eingang zur Dardanellenstraße. Eigentlich unbedeutend, aber es sichert letztlich den Zugang nach Konstantinopel. Wenn wir die Türken dahin zurücktreiben, sind sie praktisch besiegt.«

»Und da fahren wir jetzt direkt hin?«, erkundigte sich Jack.

»Fast. Erst zum Stützpunkt für die Operation, Lemnos. Eine Insel in ...«

»Griechenland, Sir.«

Beeston nickte anerkennend. »Wir werden da noch ein paar Manöver durchführen. Zumindest mein Bataillon ist bisher eher für französische Verhältnisse trainiert worden. Aber in ein paar Tagen geht's los. Ihre erste Feindberührung?«

Jack nickte. »Neuseeland ist keine sehr kriegerische Nation«, bemerkte er. »Selbst unsere Eingeborenen sind friedlich ...«

Beeston lachte. »Und das gefährlichste einheimische Tier ist die Stechmücke, ich weiß. Australien ist da etwas rauer ...«

»An Kampfkraft werden wir den Aussies nicht nachstehen«, erklärte Jack stolz und fast etwas beleidigt.

Beeston lächelte und nickte. »Davon bin ich überzeugt. Aber jetzt muss ich Sie zurück zu Ihren Leuten schicken, Corporal ...«

»Jack McKenzie, Sir.«

»Corporal McKenzie. Ich werde mir Ihren Namen merken. Sie haben etwas gut bei mir! Und du könntest ruhig mal Pfötchen geben, Paddy!« Der Stabsarzt beugte sich zu seinem Hund hinunter und versuchte, ihm wenigstens ein »Sitz« abzuringen, aber Paddy war eindeutig kein Befehlsempfänger.

Jack lächelte, schüttelte leicht den Kopf und baute sich dann vor dem Hündchen auf. Er ruckte leicht an seinem Halsband, richtete sich seinerseits etwas auf – und Paddy ließ sich auf seinen Hintern plumpsen. Auf eine auffordernde Handbewegung Jacks gab er die Pfote.

Commander Beeston war wie vom Donner gerührt. »Wie haben Sie das gemacht?«, fragte er verblüfft.

Jack zuckte die Schultern. »Ganz einfache Techniken der Hundeausbildung«, meinte er dann. »Hab ich schon als Kind gelernt. Und der Kleine hier ist frech, aber klug. Geben Sie ihn mir ein paar Wochen, und ich bringe ihm bei, Schafe zu treiben.«

Beeston lächelte. »Jetzt haben Sie den Hund gerettet und seinen Herrn beeindruckt …«

Jack grinste. »Das ist Neuseeland, Sir. In Australien erschießt man die Raubtiere, wir lassen sie Pfötchen geben!«

»Dann bin ich gespannt auf die Reaktion der Türken«, meinte Beeston. Jack McKenzie – diesen Namen würde er ganz sicher nicht vergessen.

Lemnos war eine kleine Insel mit zerklüfteter Küste, kleinen, schmalen Stränden und hoch aufragenden Klippen. Vom Meer aus wirkte sie pittoresk, ein Stück Felsen mit ein wenig Grün, einsam in der endlos blauen See. Für die Einwohner erwies die Insel sich eher als ständige Herausforderung. Man lebte primitiv auf Lemnos. Die ANZAC-Soldaten blickten fasziniert und ob der Armut oft auch peinlich berührt auf die primitiven Steinhäuser, die von Ochsen gezogenen, steinzeitlichen Holzpflüge und die Menschen, die sich zum Teil noch in Schaffelle hüllten und entweder barfuß über ihr steiniges Land zogen oder die Füße mit rauen Sandalen aus Schafleder schützten. Der Hafen der Insel war allerdings angefüllt mit modernster Kriegstechnologie. Allein zwanzig Schlachtschiffe lagen hier vor Anker, unter anderem die riesige *Aga-*

memnon und die gewaltige *Queen Elizabeth*. Die Männer hatten allerdings kaum Zeit, den Anblick auf sich wirken zu lassen. Ihre Truppentransporter legten vor unterschiedlichen Stränden an und übten das Ausschiffen der Truppen in voller Kampfausrüstung. Die Männer wurden an Strickleitern heruntergelassen und ruderten an Land, teilweise bei Nacht und möglichst lautlos. Das Manöver schien der Heeresführung wichtig zu sein; es wurde eine Woche lang immer wieder trainiert.

»An sich ist das ja nicht schwer«, meinte Roly am vierten Tag, als die Gruppe einen sehr schmalen Strand ansteuerte, von dem hohe Klippen aufragten. »Aber was ist, wenn sie von Land aus schießen?«

»Ach, das trauen die sich gar nicht!«, behauptete Greg. »Mit all den Kriegsschiffen hinter uns. Die geben uns doch Deckung.«

»Wenn sie uns mal nicht selbst treffen«, bemerkte Jack pessimistisch. Er teilte Rolys Befürchtungen. Gänzlich kampflos würden die Türken ihren Strand sicher nicht aufgeben und ihre Stadt schon gar nicht. Und hatte Beeston nicht etwas von »Felsenkaff« gesagt? Womöglich saßen die Verteidiger in sicheren Stellungen und schossen von irgendwelchen Klippen auf sie hinunter.

»Ach, wenn die Türken genau solche Höhlenmenschen sind wie die Kaffern hier in Lemnos, dann sollen sie wohl nicht viel zustande kriegen!«, höhnte Bobby sorglos. »Wir hätten vielleicht ein paar Kriegskeulen von den Maoris mitbringen sollen. Dann wär's ein bisschen ausgeglichener.«

Jack zog die Augenbrauen hoch. Nach dem, was er gesehen hatte, waren auch die Griechen auf Lemnos fähig, ein Gewehr zu bedienen. Sie mochten sich in Felle kleiden, aber sie hatten scharfe Augen, und um einen Abzug zu ziehen, brauchte man nicht allzu viel Zivilisation.

Sie könnte sogar hinderlich sein, dachte Jack. Ihm persönlich graute davor, demnächst auf Menschen zu schießen.

Am 24. April 1915 war es dann so weit. Die Flotte legte ab, angeführt von der *Queen Elizabeth*, von den Männern liebevoll »Lizzie« genannt. Noch einmal versammelten sich die Männer an Deck. Voller Stolz auf ihren Konvoi ließen sie Lemnos hinter sich.

»Ist das nicht wundervoll, Mr. Jack?« Roly wusste kaum, wo er zuerst hinsehen sollte. Auf die majestätischen Schiffe um ihn herum oder die sonnenüberfluteten Küsten von Lemnos.

»Nur ›Jack‹«, verbesserte Jack mechanisch. Er teilte die Begeisterung seiner Kameraden nur begrenzt. Natürlich war die Flotte ein glorioser Anblick, aber er konnte den Gedanken nicht abwehren, dass sie ihre menschliche Fracht in den Tod fuhr. Am vorherigen Abend – nach einer heroischen Ansprache von General Birdwood an die gesamte Truppe – hatte Lieutenant Keeler seine Gruppenführer zur Lagebesprechung zusammengerufen. Jack kannte jetzt den Einsatzplan und hatte Karten der Küste von Gallipoli gesehen. Die Landung an diesem Strand würde höllisch werden – und Jack war nicht der Einzige, der so fühlte. Auch in den Gesichtern der zum Teil kampferprobten englischen Offiziere spiegelte sich die Angst.

Das Schiff mit Jacks Mannschaft war eines der letzten, die in Gallipoli einliefen. Sie fuhren zum Teil bei Nacht, und als der Morgen graute, fanden sie sich in einer Ansammlung von Schiffen in der Bucht von Gaba Tepe. Die Boote mit den ersten Landetrupps wurden eben bemannt. Männer warteten an Deck der Truppentransporter, um auf Zerstörer umgeladen zu werden. Diese kleinen, schnellen Kriegsschiffe verdrängten wenig Wasser und konnten die Truppen näher an den Strand bringen. Jeder von ihnen zog zwölf Rettungsboote in zwei Reihen, darin jeweils sechs Soldaten und fünf Seeleute. Letztere sollten das Boot zurück zum Schiff rudern, wenn sie ihre menschliche Fracht am Strand entladen hatten.

Die ersten Landetrupps bestanden ausschließlich aus Australiern – Jack erkannte, dass man die jüngsten Soldaten in die Schlacht schickte.

»In diesem Alter glaubt man noch an die eigene Unsterblichkeit!« Schaudernd erinnerte sich Jack an eine Standpauke seiner Mutter Gwyneira, bei der dieser Satz gefallen war. Er musste um die dreizehn Jahre alt gewesen sein, als ein Blitz in die Rinderställe auf Kiward Station einschlug. Jack und sein Freund Maaka hatten sich todesmutig ins Feuer begeben, um die tobenden Zuchtbullen zu retten. Den Jungs war das sehr heroisch vorgekommen, aber Gwyneira hatte entsetzlich geschimpft.

Die Männer in den Landungsbooten schätzte Jack auf höchstens achtzehn. Zwar nahm die Armee Freiwillige erst ab einundzwanzig an, aber so genau prüfte das niemand nach. Die Landetrupps lachten und winkten mit ihren Gewehren. Schwere Rucksäcke hingen über ihren Schultern, Ruder glitten lautlos durchs Wasser.

Jack wandte die Augen ab und ließ den Blick über den dunklen Strand und die Klippen schweifen. Es war vier Uhr neunundzwanzig. Um vier Uhr dreißig sollte der Angriff beginnen. Auf einmal leuchtete auf einem der Hügel ein gelbes Licht auf, das nach einigen Sekunden wieder verlosch. Einen Moment lang herrschte Totenstille in der Bucht, dann sah man die Silhouette eines Mannes auf einem Plateau über ihnen. Jemand schrie etwas, eine Kugel wurde abgefeuert und schlug auf dem Meer auf.

Dann brach die Hölle los.

Die Kriegsschiffe der Briten feuerten von einem Moment zum anderen aus allen Rohren, die Türken stürmten den Strand. Einige schossen direkt vom Ufer aus, andere von den Klippen, die dreihundert Fuß und höher waren. Jack sah die Männer am Strand fallen, niedergemäht von den Feuerstößen der *Queen Elizabeth*, der *Prince of Wales* und der *London*. Aber die Maschinengewehrnester in den Bergen waren nicht so leicht auszumachen. Und natürlich nahmen sie die anlandenden Ruderboote sofort unter Feuer.

»Mein Gott, sie … sie schießen …«, flüsterte Roly.

»Was hast du denn gedacht?«, fuhr Greg ihn an.

Roly antwortete nicht. Seine ohnehin schon großen Kinderaugen schienen sich noch mehr zu weiten. Vom Land aus wurden die Soldaten in den Booten reihenweise niedergemäht, dennoch erreichten immer mehr das Ufer, sprangen an den Strand und versuchten, schnell hinter den Felsen in Deckung zu gehen. Die Türken feuerten auf die zurückrudernden Seeleute. Andere nahmen die Boote in Schlepp, deren Skipper gefallen waren.

»Ich kann da nicht raus, verdammt.« Bobby O'Mally zitterte.

»Müssen wir auch …?«

»Nein«, sagte Jack ruhig. »Wir sind erst später dran. Mit den Sanitätern, vielleicht sogar noch später. Dankt Gott dafür, dass wir besser graben können als schießen.«

Doch zu Jacks Verwunderung waren die meisten seiner Leute immer noch Feuer und Flamme dafür, sich möglichst bald in den Kampf am Ufer zu stürzen. Ungeduldig warteten sie, bis sich die Angreifer bis zu einem Plateau im Inland, vielleicht eine Meile vom Strand entfernt, durchgekämpft hatten. Von dort aus gaben sie den neu anlandenden Truppen Deckung oder versuchten es jedenfalls. Nach wie vor lag der Strand unter Beschuss, und auch die Neuseeländer erhielten ihre Feuertaufe. Jack und seine Leute sicherten das Ausladen des Feldlazarettes. Letzteres war dringlich, die Verwundeten füllten bereits den Strand. Commander Beeston gab Befehl, dort gleich die Zelte aufzustellen.

»Und seht zu, dass der Beschuss hier aufhört!«, brüllte er den Neuseeländern zu. »Ich kann nicht arbeiten, wenn mir die Kugeln um die Ohren fliegen!«

Lieutenant Keeler formierte seine Männer für den Vorstoß ins Inland. Jack und die anderen hatten die Feldspaten geschultert. Ein Bataillon Australier machte sich bereit, ihnen Feuerschutz zu geben.

»Wir beginnen etwas hinter der vordersten Linie mit dem Ausheben von Schützengräben«, befahl Keeler. »Dann arbeiten wir uns weiter vor. Drei-Gräben-System, Sie wissen schon: Einer für Reservetruppen, ein Reisegraben und einer an vorderster Front ... ich würde mal sagen, fünfundsechzig Yards Zwischenraum ...«

Jack nickte. Das war das typische britische Verteidigungssystem. Der vorderste Graben war dabei nicht ständig voll bemannt, sondern vor allem in den Morgen- und Abendstunden, wenn die Kämpfe am heftigsten tobten. Im mittleren, dem Reise- oder Unterstützungsgraben, spielte sich das Leben der Verteidiger größtenteils ab, und im dritten konnten sich Reservetruppen sammeln, wenn eine Offensive anstand.

Jack und seine Männer schaufelten zuerst den letzten aus, was noch verhältnismäßig ungefährlich war, denn die Front lag weit genug entfernt, und sie bekamen Deckung. Nach und nach rückten allerdings auch die Grabenbauer Richtung Hauptkampflinie vor, und hier griffen die ausgeklügelten Techniken zur Erstellung der Gräben. Sie ähnelten dem Vorgehen beim Vortreiben von Schächten im Bergwerk, nur dass lediglich Boden und Wände abgestützt wurden. Die Decken riss man ein, wenn der Stollen ein paar Meter tief war. Sie polterten dann oft auf die Schultern der Arbeiter nieder – für Roly genügte das Geräusch, um in Panik zu verfallen. Jack setzte ihn vorerst hinten ein, wo er unter freiem Himmel graben und Abraum wegschaffen konnte und sein Bestes gab.

Roly war bärenstark, und die anderen Goldgräber und Bergleute nicht minder. Dennoch waren Hunderte von Männern nötig, um ein erstes Grabensystem auszuheben, und es dauerte Stunden. Jack und seine Leute gruben die ganze erste Nacht in Gallipoli, immerhin froren sie dabei nicht. Den Soldaten in den ersten Stellungen erging es schlechter. Das Wetter hatte mit dem Beginn der Kämpfe gewechselt; es regnete und war bitterkalt. Die Männer lagen nass und verängstigt mit ihren Waffen im Schlamm, die Türken feuerten ununterbrochen, die Versorgung mit Wasser und Verpflegung funktionierte noch nicht.

»Seht zu, dass ihr ein paar Bunker anlegt«, meinte Major Hollander, der in Frankreich schon Grabenkriegserfahrung gesammelt hatte. »Die Männer müssen ins Trockene, sobald Ablösung kommt …«

Jack nickte und wies seine Leute an, Teile des Grabensystems notdürftig mit Bretterverschlägen zu sichern. In einem solchen fielen seine Männer auch irgendwann in tiefen Schlaf, als über Gallipoli wieder die Sonne aufging. Selbst Roly folgte seinen Freunden unter die Erde, fand aber keine Ruhe. Schließlich schlich er sich heraus und suchte Schutz unter seinem Wachsmantel. Obwohl immer noch geschossen wurde, fühlte er sich so sicherer als im Graben. Er würde eine Zeltplane organisieren müssen …

Schon an diesem Morgen war klar, dass die Türken sich so schnell nicht weiter ins Inland zurücktreiben ließen. Man richtete sich also auf eine längere Belagerung ein und teilte die Soldaten in zwei Divisionen ein. Australien hielt die rechte Seite der Front, Neuseeland die linke. Inzwischen hatten die Männer Zeit, sich ein wenig zu orientieren.

»Sehr schöne Gegend, wenn man zum Einsiedler geschaffen ist«, bemerkte Greg sarkastisch. Tatsächlich war der Strand von Gallipoli gewöhnlich nicht bevölkert.

Jack versuchte, nicht an die Klippen bei Cape Reinga zu denken.

»Was ist denn dahinter?«, fragte Roly und zeigte auf die Berge.

»Weitere Berge«, antwortete Jack. »Mit ziemlich tiefen Tälern dazwischen. Flach ist hier gar nichts. Und zu allem Überfluss ist alles mit Gestrüpp bewachsen, ideale Tarnung für die Türken.«

»Das haben sie euch vorher gesagt?«, erkundigte sich Bobby. »Ich meine … sie wussten das? Wieso schicken sie uns dann her?«

Greg verdrehte die Augen. »Willst du jetzt Ruhm und Ehre, Bob, oder Spielchen spielen? Hast doch gehört, was der General gesagt hat: Dies ist eine der schwierigsten Unternehmungen, die Soldaten abverlangt werden können, aber wir vom ANZAC werden sie meistern!« Er warf sich stolz in die Brust.

»Jedenfalls wird es nicht einfach«, fasste Jack zusammen. »Und wenn ihr überhaupt die Chance zum Heldentum haben wollt, solltet ihr jetzt weitergraben. Sonst schießen sie euch ab wie die Kaninchen.«

Inzwischen waren auch auf der anderen Seite Grabungsarbeiten angelaufen. Die Türken legten ihrerseits ein Schützengrabensystem an, wahrscheinlich nicht minder kompliziert als das der Briten. Was sie allerdings nicht hinderte, weiter auf die ANZACs zu schießen und Bomben zu werfen. Zwar schlug die britische Artillerie immer effektiver zurück und löschte mehrere Maschinengewehrnester aus, aber Jack und die anderen waren doch froh, als die ersten Gräben fertig waren und ihnen Schutz boten. Nur Roly schien die Erdarbeiten mehr zu fürchten als den Beschuss. Nach wie vor schlief er draußen, statt sich mit den anderen im Bunker einzurichten. Die einzige Deckung gaben ihm ein paar Felsen zwischen den Gräben und dem Strand.

Jack sah dies nach wie vor mit Besorgnis; richtig brenzlig wurde es aber erst, als die Grabenbauer immer näher an die Türken heranrückten, was diese zu heftiger Gegenwehr veranlasste.

Jacks Gruppe grub gerade einen Stollen in die Erde. Roly, getrieben von den Neckereien der anderen, schuftete mit zusammengebissenen Zähnen und totenblassem Gesicht. Er schaffte trotzdem mehr als Greg und Bobby. Jack McKenzie und Lieutenant Keeler wechselten sich dabei ab, die beiden zu rüffeln.

»Bin doch kein Maulwurf«, murrte Bobby gerade wieder mal, und Jack wandte die Augen gen Himmel. Immer wieder die gleiche Ausrede für Faulheit. Auch Greg pflegte zu tönen, dass er viel lieber mit der Waffe in der Hand Streife ginge, statt sich in die Erde zu wühlen. Dabei flogen ihnen eigentlich genug Kugeln um die Ohren. Die Türken gegenüber – da es in Gallipoli überall eng war, hatten die Feinde sich kaum mehr als hundert Meter voneinander entfernt eingegraben – belegten die Truppe schon während des ganzen Tages mit Störfeuer. Jack grub deshalb in Windeseile. Er wollte fertig werden und der Artillerie das Schussfeld freigeben. Schließlich war es nur eine Frage der Zeit, bis die Türken ihre Gräben voll bemannt und schwerer bewaffnet hatten.

Und dann bewahrheiteten sich auf einen Schlag seine schlimmsten Befürchtungen. Im Gegensatz zu den Briten hatten die Türken Handgranaten, und irgendjemand auf der anderen Seite versuchte sich jetzt im Zielwerfen.

Jack und seine Leute arbeiteten »unter Tage«, als es passierte. Die Überlebenden aus dem nächsten Graben erzählten später, dass einer der Feinde sich todesmutig kurz über dem Graben aufgerichtet, das Geschoss entsichert, geworfen und mit tödlicher Zielsicherheit – oder einfach mit Glück – getroffen habe. Die Granate explodierte im Graben hinter Jacks Leuten. Sie schleuderte die Erde empor und zerriss die Männer, die den Boden dort mit Balken auslegten und die Wände verschalten. Jack und die anderen hörten den Lärm und die Schreie; direkt einsehen konnten sie die Stelle nicht, was sie auch vor Schrapnellsplittern und auffliegenden Trümmern schützte.

Doch Jack erkannte die Gefahr.

»Raus hier! Schnell! In die Gräben!«

Die Verbindungsgräben nach hinten boten Schutz und Rückzugsmöglichkeit. Allerdings vermutete Jack, dass sie jetzt von Soldaten verstopft waren, die gerade nach vorn drängten.

»Blödsinn!«, donnerte denn auch Lieutenant Keeler. »In Verteidigungsstellung! In die fertigen Gräben und zurückschießen! Bajonette aufpflanzen, falls jemand durchbricht! Schaltet die Kerle aus!«

Aber bevor die Männer die widersprüchlichen Befehle auch nur verarbeiten konnten, explodierten bereits weitere Granaten. Eine davon direkt über ihren Köpfen. Die Erde bebte, der Stollen brach ein ... Instinktiv hielten die Männer die Schalbretter über die Köpfe. Verschüttet werden konnten sie kaum, schließlich verlief der Stollen kaum mehr als einen Meter unter der Erde. Das herabstürzende Erdreich bot eher Deckung.

Roly O'Brien konnte jedoch nicht mehr denken. Statt liegen zu bleiben, schüttelte er die Erde wie von Sinnen von sich, robbte durch den Stollen, richtete sich halb auf und wollte nach hinten. Als er die Gräben von Menschen verstopft sah, machte er Anstalten, hinauszuklettern. Jemand zog ihn am Hosenbund zurück. Roly kämpfte gegen ihn ... und fand sich plötzlich Major Hollander gegenüber.

»Was soll das denn, Soldat?«

Roly starrte ihn mit irrem Blick an. »Ich will hier raus!«, schrie er und machte einen weiteren Ausbruchsversuch. »Ich muss weg ... die Mine stürzt ein!«

»Sie wollen desertieren, Soldat?«

Roly begriff seine Worte nicht. »Weg! Wir müssen alle weg ...!«

»Der Mann weiß nicht, was er redet.« Lieutenant Keeler, der sich inzwischen aus dem Schutt gearbeitet hatte und Anstalten machte, die neuen Männer auf die Schießscharten zu verteilen, schob sich dazwischen. »Erste Feindberührung, Sir. Es ist die Panik, Sir.«

»Das treiben wir ihm jetzt aus!« Der Major holte schwungvoll aus und versetzte Roly zwei gewaltige Ohrfeigen. Roly fiel nach hinten, verlor das Gleichgewicht, kam aber wieder halbwegs zu sich. Er tastete nach seiner Waffe.

»Richtig!«, lobte Lieutenant Keeler. »Gewehr aufheben, Schießscharte aufsuchen, Feuer erwidern. Umso schneller kommen Sie hier wieder raus!«

Fassungslos ließ Roly zu, dass ihn zwei Kameraden in eine Nische des Grabens zerrten und ihn zwangen, das Gewehr anzulegen. Der Himmel über ihm war zwar bleigeschwängert, aber immerhin frei. Roly konnte wieder atmen.

»Das wird Folgen haben, das verspreche ich! Auch für Sie, Lieutenant! Sie hätten den Kerl beinahe desertieren lassen. Wenn das hier zu Ende ist, will ich Sie beide in meinem Zelt sehen!« Major Hollander wandte sich noch kurz an Keeler und Roly; dann warf er sich in die Schlacht.

Die ANZACs feuerten jetzt mit aller Kraft, unterstützt von der Artillerie. In den türkischen Gräben wurde es ruhiger. Dennoch schien es den Männern endlos zu dauern, bis endlich die Nacht hereinbrach und das Feuer abebbte. Die gefährlichste Zeit waren die Morgen- und Abendstunden. Das Zwielicht bot mehr Deckung als der helle Tag. Tagsüber war es meist ruhig, und nachts beschränkten sich beide Seiten auf gelegentliches Störfeuer.

Jack und seine Leute wurden hinter die Linien zurückbeordert. Im Hauptkampfgraben verblieb nur eine kleine Besetzung. Vor allem war nun jedoch die Zeit der Bergungstrupps. Sie sammelten Verwundete und Tote ein. Bobby O'Mally erbrach sich, als er die zerfetzten Körperteile der Männer sah, die nur wenige Meter hinter ihnen gearbeitet hatten. Lieutenant Keeler war leicht verwundet. Roly versorgte den Streifschuss an seinem Arm mit Teebaumöl und Verbänden.

»Das machen Sie ja gut, Lance Corporal«, brummte der Lieutenant. »Aber das da vorhin …«

»Der Major wird ihn doch nicht wirklich vor ein Kriegsgericht stellen?« Jack machte sich Sorgen.

Keeler schüttelte den Kopf. »Nee, glaub ich nicht. So eine Panikattacke bei der ersten Feindberührung … das kann vorkommen. Zumal er ja hinterher ganz tapfer gekämpft hat. Sein Pech war, dem Major in die Arme zu laufen. Irgendwas wird der sich jetzt ausdenken. Lassen Sie mal den Kopf nicht hängen, Staff Corporal O'Brien. Der Major ist ein Heißsporn, aber er beruhigt sich auch wieder. Und nun los, bringen wir's hinter uns.«

Die Zelte der Offiziere lagen am Strand, wobei es einige immer noch vorzogen, auf den Schiffen zu nächtigen. Major Hollander war jedoch ein altes Frontschwein. Er ließ seine Männer nicht allein. Und sicher hatte er vorher schon Panikattacken erlebt.

Jack versuchte, sich auszuruhen und nicht an Roly und Keeler zu denken, aber er atmete doch erst auf, als Roly wohlbehalten zurück war. Wie fast immer hielt er sich außerhalb des Bunkers, in dem seine Freunde kampierten.

»Der Major hat uns natürlich gerüffelt«, erzählte Roly. »Aber sonst war's nicht schlimm. Wir sollen uns nur zu so einem Einsatz freiwillig melden ... geht morgen los, sie schicken ein paar Regimenter nach Cape Helles, wo die Engländer gelandet sind.«

»Mit dem Schiff?«, fragte Jack.

Roly schüttelte den Kopf. »Über Land. Wir sollen den Türken in den Rücken fallen und irgendeinen Berg erobern ...«

Greg grinste. »Klingt nach Abenteuer! Los, Bobby, wir melden uns auch!«

Roly lächelte hoffnungsvoll. »Und Sie, Mr. Jack?«, fragte er.

»Nur ›Jack‹. Ich weiß nicht, Roly ...«

»Nun sei mal kein Frosch, Corporal!« Bobby lachte. »Womöglich biste Sergeant, wenn wir zurückkommen.«

»Mich haben sie degla ... degra ... jedenfalls bin ich wieder nur Private«, meinte Roly bedauernd.

»Wenn du jetzt diesen Berg eroberst, wirst du General!«, erklärte Greg aufmunternd. »Und wir kriegen das Victoria-Kreuz. Kommt jetzt, wir gehen zu Keeler!« Er stand von der Pritsche auf, zog seine Uniformjacke über, um schneidig aufzutreten, und suchte seinen Hut. »Los, Bobby! Und du willst doch nicht kneifen, Jack!«

Jack wusste nicht, was er sagen sollte. Er meinte, die Stimme seiner Mutter zu hören: »Du ziehst in den Krieg, um Gott zu versuchen!« Vielleicht hatte Gwyneira Recht gehabt. Aber spätestens seit er an diesem Tag im Feuer der Türken gestanden und blind in den Rauch und das Mündungsfeuer der anderen Seite gefeuert hatte, wusste er, dass er den Tod nicht suchte. Bislang fand er auch nichts Heroisches an diesem Krieg, und er konnte die Türken nicht hassen. Sie verteidigten ihr Land, getrieben von Bündnissen mit einem Volk, das sie nicht kannten, gegen Truppen, die für eine Nation kämpften, die sie eigentlich auch nicht kannten. Jack erschien all das unsinnig, unwirklich fast. Aber natürlich würde er seine Pflicht erfüllen und seinen Mann stehen, wohin man ihn auch immer beorderte. Nach Cape Helles zog ihn jedoch nichts.

»Kommen Sie doch mit, Mr. Jack«, meinte Roly. »Ich werde auch ganz tapfer sein. Weil so ein Berg ... ein Berg ist nicht so schlimm ...«

Jack zog schließlich unwillig mit den Männern. Er empfand Roly gegenüber ein vages Pflichtgefühl. Aus ihm unerfindlichen Gründen hatte er das Bedürfnis, den Mann zu beschützen. So trottete er hinter den dreien durch die Gräben nach hinten. Lieutenant Keeler bewohnte einen Bunker hinter den Linien. Er war eben dabei, seine Sachen zu packen.

»Der auch?«, fragte Jack Roly.

Roly nickte. »Er soll einen Zug befehligen. Der Lieutenant von der Dritten Division ist wohl heute gefallen.«

Greg salutierte schneidig. Keeler sah ihn müde an.

»Gibt's irgendwas?«, fragte er unwillig.

Bobby O'Mally brachte mit stolzer Stimme ihr Anliegen vor. »Wir wollen endlich kämpfen, Sir!«, erklärte er. »Dem Feind Auge in Auge gegenüberstehen!«

Wie Jack es verstanden hatte, sollten sie den Türken wohl eher in den Rücken fallen. Aber er sagte nichts dazu, und auch Lieutenant Keeler schien fast ungläubig. Er sah von einem der Männer zum anderen und schien kurz zu überlegen.

»Ihr beiden ...«, er wies auf Greg und Bobby, »... von mir aus. Sie nicht, McKenzie!«

Jack fuhr auf. »Warum nicht, Sir? Trauen Sie mir nicht zu, dass ...«

Keeler machte eine abwehrende Handbewegung. »Das hat mit Zutrauen nichts zu tun. Aber Sie sind Corporal, McKenzie, und Sie haben Ihren Zug hier gut im Griff. Sie sind unentbehrlich.«

Irgendetwas in seinem Gesicht ließ Jack jede Erwiderung herunterschlucken.

»Aber es sind doch nur zwei oder drei Tage!«, meinte Roly.

Keeler schien antworten zu wollen, unterließ es dann aber. Jack meinte, seine Gedanken zu lesen. Und er erinnerte sich vage an die Karten, die man ihnen vor der Landung gezeigt hatte. Die Eroberung der Höhe, die man beschönigend »Baby 700« nannte, war ein Himmelfahrtskommando.

»Man kann überall sterben«, sagte Jack leise.

Keeler atmete tief durch. »Man kann auch überleben, und genau das werden wir! Bei Tagesanbruch marschieren wir, Jungs! Und Sie, McKenzie, bessern die Gräben aus, die heute beschossen wurden. Es ist lebenswichtig, dass die Hauptkampflinie befestigt wird, also machen Sie Ihren Leuten Dampf! Wegtreten!«

6

Roly und seine Freunde brachen im Dämmerlicht auf. Jack hörte Lärm, Gelächter und mehr oder weniger vergnügte Abschiedsworte. Die in den Gräben verbleibenden Männer schienen die abgeordneten Kampfgruppen fast zu beneiden. Viele von ihnen wiederholten die alten Klagen über ihre »Maulwurfstätigkeit«, während die anderen auf Abenteuer hoffen konnten.

Es sollte vier Tage dauern, bis Jack wieder von den Kämpfern um Cape Helles hörte, aber er hatte zwischendurch kaum Zeit, sich Sorgen darum zu machen. Major Hollander und die weitere englische Führung setzten die Grabenkolonnen massiv unter Druck.

»Die Türken ziehen Truppen zusammen, sie kriegen Verstärkung. Mit einer Gegenoffensive ist jeden Tag zu rechnen. Die Befestigung muss stehen!«

Am vierten Tag wankte Jack todmüde und mit wunden Fingern in seine Unterkunft. Sie hatten den ganzen Tag damit verbracht, die endlich fertigen Schützengräben mit Stacheldraht zu sichern, und in seinem Sektor hatte Jack die Hauptarbeit übernommen. Im Gegensatz zu den Bergleuten kannte er Stacheldraht von der Farmarbeit – er hasste ihn, aber es war die effektivste Art, Rinderweiden einzuzäunen. Allerdings war er bislang nie dabei beschossen worden ... Er beschloss, sich die in den letzten Tagen gesammelte Alkoholration an diesem Abend zu gönnen. Es gab ein kleines Glas Branntwein am Tag, und Jack, der selten allein trank, hatte seinen Schnaps seit Rolys Weggang nicht angerührt.

»Corporal McKenzie?«

Jack erhob sich mühsam von seiner Pritsche, als er Stimmen von draußen hörte. Die Männer hatten eine Plane vor ihren Unterstand gehängt, um wenigstens den Anschein von Privatsphäre zu genießen und halbwegs ruhig schlafen zu können, wann immer sie Gelegenheit dazu fanden. Im Grabensystem war schließlich Tag und Nacht etwas los, und gerade an diesem Abend trat längst noch keine Ruhe ein. In manchen Abschnitten war das Feuer in der Dämmerung so stark gewesen, dass die Bergungstrupps nicht zu den Verwundeten durchkamen. Jetzt, da es endlich dunkel war, eilten sie mit Lasttieren und Tragen durch die Gänge. Auch der junge Mann, der vor Jacks Unterkunft stand, trug die Uniform der Feldsanitäter.

»Wir sollen Ihnen den hier vorbeibringen«, erklärte er und schob den völlig verdreckten, nur noch in Lumpen gekleideten Roly O'Brien in den Unterstand. Roly wehrte sich, allerdings ziemlich schwach. Jack machte einen Schritt nach draußen.

»Sagt wer?«, fragte er tonlos.

»Sein Lieutenant. Keeler. Der liegt bei uns im Lazarett, und der Junge irrte da halt auch rum. Er hat den Lieutenant gegen Abend ins Lager geschleift. Wahrscheinlich hat er ihm das Leben gerettet, allein hätt er's kaum über die Klippen geschafft. Aber danach ... völlig durch den Wind, der Junge, kennt kaum noch seinen Namen ...«

»Bobby ...«, sagte Roly leise.

»Da hören Sie's, Corporal, tatsächlich heißt er ›Roland‹. Beeston hat's nachgesehen. Weil sich die Namen schon sehr ähnelten. O'Brien und O'Mally. Aber O'Mally ist gefallen. Das hier ist O'Brien ...«

Roly schluchzte. Jack legte den Arm um ihn.

»Vielen Dank, Sergeant. Ich kümmere mich um ihn. Was ... was hat denn der Lieutenant?«

Der Sanitäter zuckte die Schultern. »Bin nicht sicher, ich bin bei der Bergung, die Pflege machen andere. Aber ich glaub … ich glaub, Beeston wird ihm heute Nacht noch den Arm abnehmen …«

Jack schluckte. Dann zog er Roly nach drinnen und entzündete die Gaslampe, was eigentlich nur in Notfällen erlaubt war. Die Türken sollten den Verlauf der englischen Gräben nicht am Licht erkennen können. Andererseits waren immer Teile des Grabensystems beleuchtet. Jack beschloss, dass der Notfall gegeben war.

»Bobby ist tot«, flüsterte Roly. »Und Greg … Sie haben ihm die Beine abgeschossen. Eins … eins von diesen neuen Gewehren, die so unsäglich schnell schießen. Rattattat … und eine Kugel neben der anderen, verstehen Sie, Mr. Jack? Da war alles kaputt … nur Blut, Blut … Aber ich … ich hab ihn in einen von den Gräben gezogen, und sie haben ihn geholt. Vielleicht wird er ja wieder.«

Roly zitterte unkontrolliert. Jack flößte ihm seine Alkoholreserven ein. Der junge Mann trank in kleinen Schlucken.

»Was war denn überhaupt? Habt ihr diesen Hügel eingenommen?«, fragte Jack.

»Ja … nein …« Roly wischte sich den Mund ab. »Mir ist so kalt …«

Jack half ihm aus den Resten seiner Uniform und zog ihm seinen Trenchcoat über. Es war eigentlich warm in dieser Mainacht, aber er kannte die Kälte, die Roly lähmte.

»Sie haben den Hügel verteidigt, wie … wie die Verrückten, als ob … irgendwas Besonderes dran wäre an dem dummen Hügel …« Roly zog den Mantel enger um sich.

Jack fragte sich, ob er es auch noch wagen sollte, ein Feuer zu entzünden. Aber Roly brauchte etwas Warmes. Er sammelte Holzreste.

»Und wir robbten hoch. Wir waren wie Zielscheiben, sie haben Hunderte erschossen, Hunderte ... überall ... überall Tote. Aber wir haben's geschafft. Greg, Bobby und ich ... und ein paar andere. Hauptsächlich Aussies. Wir hatten diesen vermaledeiten Hügel, und wir haben uns da eingegraben. Aber ... aber es kam keine Verstärkung. Wir hatten nichts zu essen, kein Wasser. Es war kalt in der Nacht, die Uniformen waren feucht und zerrissen und blutig ...« Er wies auf die Fetzen seiner Hose.

»Und die Türken schossen ... und schossen ... und schossen.«

Roly fuhr zusammen, als von der Front her auch jetzt Schüsse zu hören waren. »Und Schrapnellfeuer ... wenn es einen traf ... von Bobby war gar nichts mehr übrig, Mr. Jack. Es ging ganz schnell, eben war er noch da, und dann ... nur noch Blut ... und eine Hand ... Greg hat geweint. Er hat nur noch geweint, er konnte gar nicht mehr aufhören. Und dann hieß es, wir sollten uns zurückziehen. Aber da waren doch überall Türken ... wir sind dann wieder gekrochen, diesmal bergab, aber dann waren da Büsche, wir dachten, wir rennen in Deckung, und da waren ja dann auch die Gräben von den Aussies ... Wir sind gelaufen ... o Gott, Mr. Jack, ich hab gedacht, meine Lunge platzt, dabei war ich so müde ... und dann hat's Greg erwischt.« Roly schluchzte. »Ich will nach Hause, Mr. Jack! Ich will nach Hause!«

Jack legte die Arme um ihn und wiegte ihn. Paradoxerweise dachte er dabei an Gloria. Als sie klein war und nachts aus Albträumen aufschreckte, hatte er das Mädchen so gehalten. Wer hatte das wohl in England für sie getan? Oder hatte sie sich allein in den Schlaf geweint?

Irgendwann kochte das Wasser in dem Kessel über dem Feuer. Jack ließ Roly los, zwang ihn, sich zu waschen und Tee zu trinken – und plünderte mit schlechtem Gewissen Greg

McNamaras Spind. Er wusste, dass der trinkfeste junge Bergmann dort Whiskeyreserven hortete. Zurzeit halfen sie ihm nichts, aber Roly brauchte die Stärkung.

»Morgen sieht alles anders aus«, meinte er tröstend, obwohl er es nicht glaubte. Womöglich startete am nächsten Tag die Gegenoffensive der Türken.

Was dies anging, so hatten die ANZACs noch einige Tage Galgenfrist. Ihr Verteidigungssystem stand, als es endlich so weit war, und auch sonst hatten die Truppen Glück. Ein britisches Aufklärungsflugzeug – versprengt und vom Kurs abgekommen – überflog rein zufällig Gallipoli und wurde des türkischen Aufmarsches gewahr. General Bridges zögerte nicht lange. Er ließ sämtliche Gefechtsstände bemannen.

Jack und Roly fanden sich unversehens an vorderster Front wieder. Die beiden duckten sich in ihren gerade ausgehobenen Schützengraben. Jack versuchte, seinen Freund wenigstens in einen überdachten Bereich zu ziehen, aber Roly konnte sich nicht entscheiden. Er schwankte zwischen seiner Angst vor den Türken und seiner Panik davor, verschüttet zu werden.

»Gefechtsposition einnehmen und Bajonette aufstecken!« Major Hollander flüsterte seinen Befehl. Es klang hohl wie eine Geisterstimme, und Roly zitterte. Jetzt, vor Sonnenaufgang, war es noch empfindlich kalt, und die Männer harrten seit Stunden aus.

Die Heeresleitung erwartete den Angriff der Türken im Morgengrauen, aber der Aufmarsch der Truppen in den Schützengräben hatte längst vorher begonnen. Jack rieb sich die Hände, um warm zu werden. Er spähte nach der Sonne aus. Roly spielte mit seinem Gewehr. Sein ausgemergeltes Gesicht war aschgrau – im Gegensatz zu den anderen Männern aus Jacks Zug wusste er, was ihm bevorstand. Am Abend zuvor hatte er schweigend den Rest von Gregs Whiskey geleert, während seine Kameraden ihre Vorfreude auf den Kampf lauthals äußerten. Besonders die Neuankömmlinge konnten den Angriff der Türken kaum erwarten; sie waren ganz wild darauf, endlich zu schießen.

Jack warf den zwei Neuen in seiner Abteilung einen Blick zu. Während Roly bei Cape Helles kämpfte, hatte Neuseeland Verstärkung geschickt, Bobby und Greg hatte man durch zwei junge Soldaten von der Nordinsel ersetzt. Beide Männer kamen von Schaffarmen wie Jack. Sie gehörten eigentlich zur Leichten Kavallerie, hatten ihre Pferde allerdings auf Lemnos zurückgelassen, um sich freiwillig für Gallipoli zu melden. Schließlich sei es Ehrensache, so erklärten sie, ihre Landsleute bei ihrem heldenhaften Kampf zu unterstützen.

Überhaupt bestand der zweite Schwung freiwilliger Aussies und Kiwis nicht mehr vorwiegend aus Glücksrittern, Gaunern und armen Schluckern, sondern eher aus Patrioten. Viele von ihnen hatten geschwindelt, als es um ihr Alter ging. Einer von Jacks Leuten war gerade erst neunzehn. Dass man ihn und seinesgleichen in die erste Reihe legte, bestätigte Jacks Verdacht beim Angriff auf die Bucht: Die Jüngsten dienten als Kanonenfutter. Nur durch ihre Furchtlosigkeit konnten Selbstmordaktionen ohne Aufmucken durchgeführt werden.

Jack selbst und seine Bergleute verdankten ihre exponierte Stellung eher ihrer genauen Kenntnis des Grabensystems – nicht nur auf der eigenen, sondern auch auf türkischer Seite. Schließlich hatten sie genug Zeit gehabt, die Türken bei der Arbeit an ihren Gräben zu beobachten – oder zumindest aus der Richtung ihrer Schüsse auf die Lage der Verteidigungsanlagen zu schließen.

»Die gefährlichste Stelle ist hier!«, erklärte Jack, ebenfalls flüsternd, seinen Leuten. »Hier werden sie versuchen, durchzubrechen. Der Abstand zwischen den Gräben ist gering, und ihre Anlage macht da drüben einen Knick. Von rechts und links können sie da hervorragend Feuerschutz geben, während sie von der Nische aus angreifen. Also, die besten Schützen zu mir! Ja, hier unters Dach ...«

Jack hatte diesen sensibelsten Bereich des Grabens durch eine Art Holzgitter sichern lassen. Es gab Schießscharten, und man konnte mit dem Periskop zum Feind hinüberschauen. Aber problemlos entern ließ der Graben sich nicht. Die Männer hatten freigebig Stacheldraht verlegt. »Und nicht blind feuern. Abwarten, bis sie näher dran sind und ihr sicher trefft. Der Major rechnet mit einer enormen Übermacht, also spart Munition!«

»Ich würd gern draußen bleiben, Mr. Jack«, sagte Roly leise.

Jack nickte. »Geh in den Reservegraben«, wies er den jungen Mann an, wohl wissend, dass er damit den Befehlen des Majors zuwider handelte. Sein Trupp sollte diesen Teil der Front halten, aber eben schickte er Roly hinter die Linien.

»Ich kann doch nicht ...«

»Geh!«, sagte Jack. In diesem Moment brach die Hölle los. Auf englischer Seite hatte niemand den Angriffsbefehl vernommen, aber die Türken stürzten alle gleichzeitig in geschlossener Front aus den Gräben. Von den Hügeln feuerten Maschinengewehre, die ersten Angreifer warfen Handgranaten in die feindlichen Stellungen.

Jack hatte keine Zeit mehr, auf Roly zu achten oder sich vor den Reihen der Feinde zu fürchten, die laut schreiend auf ihn zurannten. Er zielte nur und schoss – hinein in keuchende Lungen, rasende Herzen, aufgerissene Münder. Durchladen, schießen, durchladen, schießen ...

Jack hatte früher oft gedankenlos das Wort »Inferno«

benutzt, aber nach diesem Tag würde er es nie wieder tun. Die Angreifer rutschten auf dem Blut ihrer Kameraden aus und fielen über ihre Leiber. Dennoch erreichten manche von ihnen die Gräben, beherzte Männer stießen Bajonette in ihre Körper, Blutfontänen schossen in die Schießstände. Jack hörte Schmerzensschreie und ein Aufheulen des Entsetzens. Roly? Nur nicht zurückschauen, jeder kleinste Fehler konnte das Leben kosten.

Einer der jungen Soldaten stürzte sich im Blutrausch halb aus dem Graben, um die Angreifer mit dem Bajonett zu attackieren. Er büßte es mit seinem Leben. Von Kugeln durchsiebt fiel er vor Jack in den Graben. Ein anderer ersetzte ihn. Jack sah die entsicherte Handgranate in den Händen eines anstürmenden Türken. Er schoss, traf unsicher, der Mann konnte noch werfen, allerdings zu kurz. Die Erde vor Jacks Schießstand brach auf, Schutt und Leichenteile prasselten auf die Männer im Graben nieder.

»Die Mine stürzt ein!« Jack hörte Rolys irren Ruf. »Wir müssen raus, alle raus ...«

Roly ließ sein Gewehr fallen. Er versuchte, aus dem Graben zu klettern, aber ein anderer Soldat riss ihn zurück. Jack sah aus dem Augenwinkel, wie er daraufhin versuchte, sich durch die Reihen der Männer zu drängeln, um irgendwie hinter die Linien zu kommen. Ein Stück weiter explodierte eine Granate im Graben – Regen von Blut und Erde ...

Roly schrie. Jack nahm wahr, dass er sich zu Boden warf. Ein paar türkische Soldaten nutzten die Chance zum Durchbruch. In diesem Moment wirbelte Jack herum und griff an. Verzweifelt, wie ein Tier in der Falle, stieß und schlug er um sich. Es war hoffnungslos, hier schießen zu wollen. Dies war Nahkampf. Jack stieß sein Bajonett ohne nachzudenken in die Leiber der Männer vor ihm, schlug schließlich mit dem Grubenspaten zu, weil auch das Bajonett zu sperrig war. Der Spaten war scharf nach dem endlosen Graben in steiniger Erde. Er schlug riesige Wunden – einem der Angreifer trennte Jack fast den Kopf vom Körper, als er ihn in seine Kehle stieß.

»Schaff die Toten weg!«, brüllte er Roly zu, aber der schien nicht mehr ansprechbar. Jack und die anderen hatten die Eindringlinge niedermachen können. Sie stolperten über die Leichen, als sie nun wieder feuerten, wieder und wieder – der Ansturm der Türken schien nicht nachzulassen. Schließlich kamen erneut Männer durch, rannten in ihrem Rausch aber mitten in den Stacheldrahtverhau. Jack sah entsetzt, wie ihr Gewicht ihn niederriss. Die Türken stürzten, aus tausend Risswunden blutend, mit dem Draht in den Graben. Seine Männer verhedderten sich beim Versuch, sie niederzumachen, selbst im Draht, und um sie herum explodierten erneut Handgranaten. Aufwirbelnde Erde und Pulverdampf verdunkelten die Sicht. Jack hörte Roly wimmern, während Steine und Leichenteile auf sie niederprasselten. Der Junge musste sich irgendwo in eine Ecke gekauert haben. Jack war froh, dass er nicht mehr im Weg stand.

Major Hollander sah das allerdings anders. Als es für einige Sekunden etwas ruhiger wurde, hörte Jack, wie er brüllte.

»Soldat, was soll das? Nehmen Sie Ihr Gewehr und schießen Sie! Verdammt, Private, ich rede mit Ihnen! Das ist Feigheit vor dem Feind!«

Jack ahnte Schreckliches.

»Kommst du hier gerade allein klar?«, erkundigte er sich bei dem Jungen, der bislang neben ihm den Graben verteidigt hatte. Einer der Neuankömmlinge – anfänglich völlig furchtlos, jetzt todesmutig.

»Klar, Corporal. Aber vielleicht kann mal irgendeiner die Leichen ...« Der junge Mann feuerte erneut, aber Jack wusste, was er meinte. Immer noch herrschte in ihrem Grabenbereich ein Chaos aus Resten der Verschalung, Leichenteilen und Stacheldraht, der Boden war eine einzige blutige Schlamm-masse.

Jack musste sich erst orientieren, ehe er den Major und Roly in einer Ecke des Grabens entdeckte. Roly kauerte in einer Nische – so weit weg von den Schießscharten wie möglich und halb verschüttet von Dreck und Schutt, zitternd und weinend wie ein Kind.

»Die Mine, die Mine, Mr. Tim …«

»Soldat, stehen Sie auf, und nehmen Sie Ihr Gewehr!« Major Hollander trat nach dem jungen Mann, aber nicht einmal das brachte Roly noch zur Besinnung.

Jack kämpfte sich durch Schutt und Blut und warf sich zwischen seinen Freund und den Major. »Sir, er kann nicht, Sir … Das hatte ich Ihnen doch schon mal gesagt. Lassen Sie ihn wegschaffen, wenn das Bergungsteam kommt, er ist völlig in Panik …«

»Ich nenne das Feigheit vor dem Feind, McKenzie.« Der Major machte Anstalten, Roly auf die Füße zu zerren.

Bevor ihm das gelang und Jack etwas erwidern konnte, explodierte in ihrem Rücken die nächste Granate. Erneut sprangen Türken in den Graben. Sie schrien vor Schmerz, als der Stacheldraht ihnen Haut und Uniform zerfetzte. Jack schaute sich nach dem jungen Mann von der Nordinsel um, bevor er sich in den Nahkampf stürzte. Auch er lag am Boden und schrie. Die Granate hatte seinen rechten Arm zerfetzt, sein Blut mischte sich mit dem der Feinde. Major Hollander kämpfte kaltblütig mit dem Bajonett.

»Sanitäter!«

Niemand achtete mehr auf den wimmernden Jungen in der Bunkerecke, die Bergungstrupps hatten anderes zu tun, als sich seiner anzunehmen. Sie erledigten ihre Arbeit unter schwerstem Beschuss und erlitten ebenfalls Verluste.

Irgendwann hörte Jack endgültig auf zu denken. Er schlug

nur noch um sich und schoss, verlor dabei jedes Zeitgefühl. Hatte er je etwas anderes getan, als Menschen zu töten? Würde er je etwas anderes tun, als im Blut zu waten? Wie viele brachte er um? Wie viele starben überhaupt in ihrem selbstmörderischen Ansturm auf die Gräben?

Es wurde Nachmittag, ehe die Angriffswelle abebbte. Die Türken mussten erkennen, dass die Schlacht so nicht zu gewinnen war. Gegen fünf Uhr stoppte endlich das Feuer bis auf wenige Störsalven.

Major Hollander, blutig und verdreckt wie seine Soldaten, zog seine Taschenuhr. »Teatime«, sagte er kaltblütig.

Jack ließ sein Gewehr sinken. Er spürte bleierne Erschöpfung und Leere. Es war vorbei. Um ihn herum stapelten sich die Leichen von Freund und Feind, aber er lebte. Gott schien Jack McKenzie nicht zu wollen.

»Schafft diese Schweinerei hier weg und dann ab mit euch nach hinten.« Der Major wies auf die toten Feinde, die, zum Teil grässlich zerstückelt und entstellt, in den Gräben lagen. Die Bergungstrupps waren mit der Räumung der Gräben bis zuletzt nicht nachgekommen, sie hatten sich verständlicherweise zuerst um die eigenen Verwundeten gekümmert. »Der Graben wird von der Reserve bemannt ...«

Der Major stieß mit dem Fuß gegen eine der Leichen, als ob er seine Befehle dadurch bekräftigen wollte. Plötzlich bewegte der Mann sich.

»So dunkel ... die Mine, so dunkel ... das Gas ... wenn es brennt ...«

»Roly!«, rief Jack und hockte sich neben ihn. »Roly, du bist in keiner Mine ... Beruhige dich, Roly ...«

»Dieses feige Schwein liegt hier immer noch rum?« Der Major stürzte auf den wimmernden Roly zu und riss ein Schalbrett zur Seite, das dem Mann Deckung gewährt hatte. Er versetzte ihm einen brutalen Kinnhaken.

»Verschanzt sich und scheißt sich vor Angst in die Hose!«

Letzteres war nicht zu leugnen. Roly stank nach Urin und Exkrementen.

»Wo ist Ihr Gewehr, Private?«

Roly schien die Worte nicht zu verstehen. Sein Gewehr war nicht mehr zu finden. Es musste irgendwo am Boden liegen unter Erdmassen und Blut.

»Aufstehen jetzt! Und mitkommen, Sie stehen unter Arrest. Wir werden sehen, was wir mit Ihnen machen. Wenn's nach mir geht, gibt das ein Standgericht. Feigheit vor dem Feind.«

Der Major richtete seine Waffe auf Roly, der reflexhaft die Hände hob und sich aufrappelte. Er stolperte willenlos vor dem Offizier her.

Jack hätte dem Jungen gern geholfen, aber vorerst fiel ihm keine Möglichkeit dazu ein. Er war einfach zu müde zum Denken, und erst recht zu erschöpft, irgendetwas zu tun. Auch der Major, dachte Jack, müsste am Ende seiner Kräfte sein. Er würde Roly schon nicht sofort erschießen lassen.

Jack taumelte durch die Gräben, mit ihm andere, ebenso ausgebrannte Soldaten.

»Zweiundvierzigtausend ...«, sagte einer. »Es heißt, es waren zweiundvierzigtausend. Und zehntausend sind tot ...«

Jack empfand kein Grauen mehr, und erst recht keinen Triumph. Er fiel auf seine Pritsche und versank in Schlaf. In dieser Nacht quälten ihn noch keine Albträume. Er hatte nicht mal mehr Kraft zu frieren.

»Albert Jacka kriegt das Victoria-Kreuz!«, erklärte einer der Männer am Feuer. »Als erster Australier! Aber er hat's auch verdient. Hat die Kerle drüben bei Courtney's Post praktisch allein erledigt. Dabei hatten sie den Graben schon besetzt. Unglaublich!«

Die Sonne war wieder aufgegangen über Gallipoli. Die siegreichen Verteidiger versammelten sich an Hunderten von Feuern, löffelten ihr Frühstück und tauschten Heldengeschichten aus. Ein paar badeten bereits in der Bucht am Strand, obwohl es noch frisch war. Aber die Männer wollten den Gestank nach Blut und Pulver loswerden, und das Meer war die einzige Badewanne, die zur Verfügung stand. Die Türken beschossen die Schwimmer nicht mit der gewohnten Energie. Gewöhnlich zielten sie halbherzig auf Badende, die sich ihrerseits einen Spaß daraus machten, rechtzeitig unterzutauchen, bevor die Kugeln einschlugen. Aber an diesem Morgen bargen die Feinde ihre Toten. Es war keine offizielle, von den Generälen ausgehandelte Waffenruhe, sondern einfach ein Akt der Menschlichkeit. Die Australier und Neuseeländer hievten die Leichen über den Rand ihrer Schützengräben und schossen nicht auf die Bergungsmannschaften der Türken. Sie verfolgten die Männer zwar mit ihren Gewehren, aber wenn sie die weißen Binden um ihre Arme sahen, feuerten sie nicht.

Jack hatte sich vergewissert, dass die Überlebenden seiner Kompanie wohlauf waren, dass sie zu essen bekamen und Wasser zum Waschen holten. Auf Letzteres musste er mitunter ein Auge haben. Ein Teil der Goldgräber hatte mit Sauberkeit nicht viel zu tun, ihre Vorgesetzten fingen sich leicht eine Rüge der englischen Offiziere ein, wenn sie nicht ordnungsgemäß gekleidet auftraten. Jack musste über diesen Gedanken beinahe lachen. Einerseits Ordnung und Sauberkeit – andererseits Waten im Blut. Die Schützengräben waren inzwischen gesäubert, aber Jack würde sich darin nie mehr aufhalten können, ohne die Männer vor sich zu sehen, die der Stacheldraht fast gehäutet hatte, und das Gesicht des jungen Kerls, dem er mit der Schaufel den Kopf abschlug.

Jack machte sich auf den Weg zum Strand, um nach Roly zu suchen. Wo um Himmels willen mochte der Major ihn arretiert haben?

Gleich der erste Sanitäter, den Jack fragte, wies ihm den Weg zum »Gefängnis«. Der wilde Haufen, den Australien und Neuseeland in den Krieg geschickt hatten, brachte immer wieder Männer hervor, die selbst im Feld über die Stränge schlugen. Allein am Vorabend der Schlacht waren zwei Mann wegen Volltrunkenheit verhaftet worden, nur einer von ihnen konnte gegen Mittag gegen die Türken geschickt werden. Er fing sich prompt einen Schuss ein und lag jetzt im Lazarett. Der andere war erst an diesem Morgen wieder ansprechbar und wartete nun auf sein Verfahren, wobei noch unklar war, ob man ihn wegen Ruhestörung, Feigheit vor dem Feind oder gar Desertion anklagen würde. Jack fand die improvisierte Haftanstalt in einem Zelt am Strand, bewacht von einem älteren Sergeant und zwei jungen Soldaten.

»Wen suchen Sie? Den Feigling? Den haben wir heute erst mal zivilisiert, gestern war er ja nicht ansprechbar. Völlig durchgedreht … ich wollte schon einen Arzt rufen, aber die Ärzte hatten ja wohl anderes zu tun. Und jetzt wird's auch wieder. Schämt sich furchtbar und will mir die ganze Zeit was von 'ner Mine erzählen.« Der Sergeant rührte gemütlich in seinem Tee. »Da ist ihm wohl mal was auf den Kopf gefallen …«

Jack war einerseits erleichtert, andererseits verhieß es nichts Gutes, dass man Roly unter Arrest behielt, obwohl sich sein Zustand normalisierte.

»Was geschieht denn jetzt mit ihm?«, erkundigte er sich. »Major Hollander …«

»Der wollte ihn am liebsten gleich erschießen. Feigheit vor dem Feind …«, meinte der Sergeant. »Wollen Sie 'nen Tee?«

Jack lehnte ab. »Kann er das denn?«, fragte er besorgt. »Ich meine …«

Der Sergeant zuckte die Achseln. »Wahrscheinlich werden sie ihn nach Lemnos schaffen, vor's Kriegsgericht. Den anderen auch. Ob sie die Kerle dann gleich erschießen ... Wäre ja eigentlich Verschwendung, nicht? Ich denke, es läuft auf ein Strafbataillon hinaus. Was letztlich den gleichen Effekt hat, aber vorher können sie noch ein bisschen in Frankreich Gräben schaufeln ...«

»In Frankreich?«, fragte Jack entsetzt.

Der Mann nickte. »Für 'n reines Aussie-Strafbataillon wird's wohl nicht langen. Die Kerle hier sind ja wild, aber feige sind sie nicht! Wollen Sie den Mann jetzt sehen?«

Jack schüttelte den Kopf. Es brachte nichts, mit Roly zu reden, es gab ja doch nichts, was er ihm zum Trost sagen konnte. Er musste etwas unternehmen. Bevor sie den Mann nach Lemnos brachten! Wenn das Verfahren erst mal anlief, war es sicher nicht mehr zu stoppen.

Jack bedankte sich also bei dem freundlichen Gefängnisvorsteher und lief zu den Lazaretten.

»Die Feldambulanz ... Commander Joseph Beeston, wo finde ich den?« Jack sprach den nächstbesten Pfleger an.

»Der Stabsarzt wird wohl operieren. Die sind alle seit gestern im Einsatz ...« Der Mann schob einen offensichtlich desorientierten Verwundeten mit Kopfverband in eines der Zelte.

»Die Ärzte sind alle in den Zelten da drüben, fragen Sie einfach nach ihm. Aber kann sein, dass Sie warten müssen. Da ist die Hölle los!«

Jack musste sich überwinden, die Zelte zu betreten, in denen die improvisierten Operationssäle untergebracht waren. Ein Pfleger trug eben blutige Säcke heraus. Jack erkannte Mullbinden, aber auch abgeschnittene, zerschossene Gliedmaßen. Er kämpfte gegen den Drang, sich zu übergeben, als ihm von drinnen süßlicher Blutgeruch, durchmischt mit Lysoldämpfen und Äther entgegenwallte.

Auch im Zelt war der Boden voller Blut, die Männer kamen mit dem Aufwischen kaum nach. An mehreren Tischen arbeiteten Ärzte, man hörte Stöhnen und Schreie.

»Commander Beeston?« Jack sprach auf gut Glück einen der Ärzte an, die mit Mundschutz und Schürze kaum zu erkennen waren. Schlachterschürzen ...

»Da hinten, letzter Tisch rechts ... neben dem Köter ...« Der Arzt wies mit dem blutigen Skalpell in die angegebene Richtung.

Jack warf einen Blick hinüber und erkannte auch schon Paddy. Der kleine Hund lag in der äußersten Ecke des Zeltes und wirkte völlig verstört. Sein Keuchen und sein Zittern, als von fern Mündungsfeuer hörbar wurde, erinnerte Jack beinahe an Roly.

»Commander Beeston? Kann ich ... kann ich Sie kurz sprechen?«

Der Arzt drehte sich halb um, und Jack blickte in todmüde Augen hinter einer dicken Brille. Beestons Schürze war blutverschmiert, seine Arme blutig bis zum Ellbogen. Er schien verzweifelt zu versuchen, irgendetwas in den Eingeweiden seines Patienten zu flicken.

»Kenn ich Sie ...? Ach ja, sicher, Private McKenzie! Jetzt Corporal! Gratuliere!« Commander Beeston schaffte ein schwaches Lächeln. »Ich müsste Sie kurz sprechen«, wiederholte Jack dringlich. Garantiert gingen ständig Hospitalschiffe nach Lemnos. Irgendjemand konnte auf die Idee kommen, die Gefangenen mitzuschicken.

»Selbstverständlich«, meinte der Feldarzt. »Aber nicht jetzt. Sie müssen warten. Wenn ich ... wenn ich mit dem hier fertig bin, mache ich eine Pause. Es muss doch auch mal Verstärkung aus Lemnos kommen, wir schaffen es hier nicht mehr. Jedenfalls ... warten Sie im ›Kasino‹ oder wie sie die Hütte nennen. Das kann Ihnen hier jeder zeigen. Und wenn Sie es sich zutrauen, nehmen Sie Paddy mit. Der steht auch kurz vor dem Kollaps ...« Beeston wandte sich wieder seinem Patienten zu.

Jack versuchte, den Hund aus der Ecke zu locken. Er winselte. Jack leinte das Tier schließlich an, als es zwei Schritte in seine Richtung gerobbt war, und überredete es, ihm aus dem Zelt zu folgen. Paddy drängte zu den Schiffen.

»Kluger Hund«, bemerkte Jack. »Da zieht's wohl heute viele hin. Und wo ist jetzt das ›Kasino‹?«

Commander Beestons Ausdruck »Hütte« passte deutlich besser zu dem aus Zeltleinwänden und Schalholz zusammengehauenen Verschlag, in dem die Ärzte zwischen den Operationen kurze Verschnaufpausen einlegten. Als Jack eintraf, lag ein junger Sanitätsoffizier im Tiefschlaf auf einer Pritsche, ein dunkelhaariger, junger Arzt nahm einen tiefen Schluck aus einer Whiskeyflasche, spritzte sich Wasser aus einem Waschgestell ins Gesicht und eilte wieder hinaus.

Jack beschloss, vor dem Zelt zu warten, und vertrieb sich die Zeit mit ein paar Gehorsamsübungen mit Paddy. Der kleine Hund vergaß darüber seine Nervosität und folgte bald eifrig den Anweisungen. Auch Jack tat die Arbeit gut. Für kurze Zeit vergaß er die Erinnerungen an den Nahkampf im Graben.

»Kluger Hund!«, lobte Jack den kleinen Mischling schließlich zufrieden. Auf einmal empfand er bohrendes Heimweh. Was hatte ihn bewogen, Kiward Station, die Collies und die Schafe zu verlassen, um sich hier am Ende der Welt einzugraben und auf Menschen zu schießen, mit denen er keinen Händel hatte?

»Sie haben ein Händchen für Hunde!«, erklärte Commander Beeston beeindruckt, als er nach mehr als zwei Stunden endlich erschien, noch erschöpfter als zuvor. Es waren wohl doch noch mehr Operationen geworden als die eine, die er hatte vollenden wollen. »Ich hätte Paddy auf dem Schiff lassen sollen. Wir schlafen da meistens ... Aber gestern ...«

»Gestern sind wir alle an unsere Grenzen gekommen«, sagte Jack. »Einige mehr als andere ...«

»Kommen Sie rein!« Commander Beeston hielt ihm das Zelt auf und machte sich gleich auf die Suche nach der Whiskeyflasche. Immerhin war er zivilisiert genug, zwei Gläser zu füllen. »Sie mögen doch?«

Jack mochte.

»Und was kann ich jetzt für Sie tun?«, fragte der Stabsarzt.

Jack sagte es ihm.

»Ich weiß nicht ... gut, ich schulde Ihnen was, aber eine Memme kann ich hier auch nicht brauchen. Und Feigheit vor dem Feind ...«

Commander Beeston nippte an seinem Whiskey.

Jack schüttelte den Kopf. »Private O'Brien ist nicht feige. Im Gegenteil, nach der Schlacht bei Cape Helles hat er eine Belobigung bekommen, weil er zwei Verwundete aus den feindlichen Linien geholt hat. Und bei der Erstürmung dieses unsäglichen Hügels hat er auch ganz vorn mitgekämpft. Aber der Mann hat Platzangst. In den Gräben wird er wahnsinnig.«

»Unsere Bergungstrupps müssen auch in die Gräben«, gab Beeston zu bedenken.

»Aber ebenso auf freies Feld. Und gerade darum wird sich doch wohl sonst keiner reißen, oder?«, fragte Jack. »Mal ganz abgesehen davon, dass Sie den Mann sicher kaum bei den Bergungstrupps einsetzen wollen. Einen erfahrenen Pfleger ...«

Beeston runzelte die Stirn. »Der Mann hat Sanitätererfahrung?«

Eine halbe Stunde später bat Commander Beeston Major Hollander förmlich um die Abstellung von Private Roland O'Brien für den Sanitätsdienst.

»Viel zu schade für die Strafkompanie, Major! Seinem Freund zufolge ist der Mann ein ausgebildeter Pfleger, geschult von einer Schwester aus dem Krimkrieg. Eine männliche Florence Nightingale. Den verheizen wir doch nicht in Frankreich!«

Eine weitere Stunde später konnte Jack McKenzie aufatmen. Roly war gerettet. Dennoch schrieb Jack an Tim Lambert in Greymouth. Es war besser, zwei Eisen im Feuer zu haben.

Anschließend schrieb er an Gloria. Er wollte sie nicht belasten, und er wusste nicht, ob er den Brief wirklich absenden sollte. Aber wenn er nicht irgendjemandem von dem Kampf erzählte, das wusste Jack, würde er verrückt werden.

7

Als Gloria nach Monaten endlich Sydney erreichte, war sie bereit, die ganze Welt zu hassen. Im Geiste wütete sie gegen die Freier, die sie hemmungslos benutzten – und dann nicht mal bereit waren, die geringen Aufpreise zu zahlen, die das Mädchen für »besondere Dienste« forderte. Es kam mehr als einmal vor, dass Gloria ihren Dolch ziehen musste, um die Männer dazu zu zwingen – wobei sie es kaum fassen konnte, dass dies meist funktionierte. Die eigentlich harmlosen Kleinstädter, die nur die Chance nutzen wollten, ein noch schwächeres und rechtloseres Geschöpf auszunutzen, gaben klein bei, wenn der Stahl aufblitzte. Ein Gauner wie der Steward hätte ihn dem Mädchen leicht entwendet und sich womöglich blutig gerächt. Aber vielleicht erschraken die Männer auch vor dem Hass und der Mordlust in Glorias Augen, wenn sie das Messer zückte. Solange sie ihnen zu Willen war, wirkte sie still und schwach, und sie steckte das Geld für ihre Dienste wortlos ein. Verweigerte man ihr jedoch ihren Lohn, wurde sie zur Furie.

Gloria hasste auch die anderen Freudenmädchen, die nicht bereit waren, eine Neue in ihrem Revier zu akzeptieren. Oft genug kam ihr Messer zum Einsatz. Die Mädchen waren viel zu abgestumpft, um auf bloße Drohungen zu reagieren, und die meisten waren bessere Kämpferinnen als Gloria. Zweimal fand sie sich böse verprügelt im Straßendreck wieder, und einmal raubte ihre Gegnerin ihr auch noch den Tagesverdienst. Dabei machte Gloria den anderen Huren nicht mal allzu große Konkurrenz. Die Männer, die sie mitnahmen, suchten eher das Besondere als die üblichen Dienste.

Am Anfang verstand das Mädchen nicht, wie das zusammenhing, dann aber wurde ihr klar, dass es ihr rasierter Schädel war, der die Männer faszinierte. Dabei hatte sie zunächst befürchtet, der radikale Haarschnitt würde das Geschäft schädigen – bis sie merkte, dass gerade abartig veranlagte Männer ihre glatte Kopfhaut unwiderstehlich fanden. Gloria rasierte sich folglich erneut, als ihre Locken nachwuchsen. Nebenbei war das praktisch zur Ungezieferbekämpfung, denn obwohl sie ihr Gewerbe nicht mehr unter derart grässlichen Bedingungen ausübte wie auf der *Niobe*, so gab es doch auch in den Scheunen und Hafenschuppen, in die sie die Freier zog, zweifellos Flöhe. Am liebsten ging sie an irgendeinen Strand. Das war sauber, und das Rauschen des Meeres lullte sie ein, während die Freier sich an ihr vergnügten.

Gloria hasste auch die ehrbaren Frauen und die Ladenbesitzer, bei denen sie ihre wenigen Lebensmittel kaufte. Ihre Selbstgefälligkeit, wenn sie der Hure Gloria begegneten, und ihre mangelnde Bereitschaft, ihr irgendwie weiterzuhelfen. Sie hatte sich zur Gewohnheit gemacht, als Junge zu reisen und sich nur nachts in eine Frau zu verwandeln. In Männerkleidung fühlte sie sich sicherer und konnte sich auch leichter vor den anderen Freudenmädchen verstecken, die den Tag gern dafür nutzten, Jagd auf die »fahrende« Konkurrenz zu machen. Immer in der Hoffnung, das Geld für Lebensmittel einsparen und damit mehr für die Reise nach Neuseeland zurücklegen zu können, fragte Gloria auch als Junge ständig nach Arbeit. Es wäre ein Leichtes für die Krämer oder die Bauersfrauen in den Farmen am Weg gewesen, den Jungen ein paar Zäune reparieren, Lieferwagen abladen oder Gras schneiden zu lassen, um sich sein Essen zu verdienen. Aber nur wenige kamen der Bitte nach, die meisten forderten Geld. Bestenfalls bekam »Jack« ein Almosen mit auf den Weg: »Geh mit Gott, aber geh!«, rief man Gloria mehr als einmal nach.

Streuner waren in den Kleinstädten Australiens ungern gesehen. Immer wieder forderte man »Jack« auf, sich besser der Armee anzuschließen, als ziellos durch die Gegend zu ziehen.

Am meisten aber hasste Gloria das Land, in das es sie verschlagen hatte. Sie war von Neuseeland und erst recht von Amerika her große Entfernungen gewöhnt, aber die Distanzen, die in Australien zu überwinden waren, stellten das alles in den Schatten. Besonders am Anfang ihrer Reise hatte sie das zur Verzweiflung getrieben. Um von Darwin nach Sydney zu gelangen, hatte sie das spärlich besiedelte Northern Territory zu durchqueren, und es umfasste Hunderte von Meilen. Für die Schönheit der Wüstenregionen, die sie in Zügen, oftmals zu Fuß oder auf dem Wagen irgendeines mitleidigen Farmers oder geilen Goldgräbers durchquerte, hatte Gloria keinen Sinn. Sie sah weder die zum Teil rot schimmernden Felsformationen noch die seltsam geformten Termitenhügel und spektakulären Sonnenauf- und Untergänge, obwohl sie manchmal flüchtig daran dachte, dass sie all das wohl früher gezeichnet hätte. Aber das war ein anderes Leben gewesen, und was das Heute anging … Gloria hatte kein Leben. Sie sah ihre Existenz als einen Übergang – je weniger sie darüber nachdachte, wo sie war und was sie tat, desto einfacher würde es sein, all das später zu vergessen. Wenn sie die Augen schloss, sah sie die Canterbury Plains vor sich, das üppige Grasland, die Schafe, die Alpen im Hintergrund. Und sie lebte in der Angst, dass auch dieser letzte Traum irgendwann verblasste, wenn sie nicht schnell genug vorwärtskam.

Gloria umging die Lager der Aborigines, der Ureinwohner des Landes, suchte aber gezielt nach Goldgräbern und ihren Ansiedlungen. »Jack« versuchte sich dabei kurz im Goldwaschen, doch ohne eigenen Claim und genauere Kenntnisse der Materie hätte sie Jahre gebraucht, um genug Geld für die Weiterreise zu sparen. Als Hure verdiente sie mehr, obwohl in den Lagern Vorsicht angebracht war. Die meisten Goldgräber waren raue Kerle und zahlten nur bereitwillig, wenn sie gerade mal fündig geworden waren. Dann konnten sie ungemein großzügig sein, aber manchmal fielen sie auch in Gruppen über Gloria her und wollten anschließend nicht zahlen. Das Messer gegen diese Übermacht zu zücken, wagte das Mädchen nicht.

Auf jeden Fall atmete Gloria auf, als sie nach Wochen der Wanderschaft endlich wieder das Meer sah und nun halbwegs problemlos von einem Küstenort zum anderen ziehen konnte. Sie merkte sich die Namen der Dörfer, Städte und Häfen nicht. Alles war gleich für sie, die Landschaft verschmolz zu einer Wüste und einem Strand, die Gesichter der Männer zu einer einzigen Fratze. Gloria dachte nur daran, irgendwie vorwärtszukommen. Trotzdem dauerte es noch Monate der Schmerzen, Ängste und Demütigungen, bis sie Sydney endlich erreichte. »Jack« würde sich hier endgültig wieder in Gloria verwandeln müssen, denn auf diesen Namen lauteten ihre Papiere. Immer wieder hatte sie während ihrer Reise den Pass hervorgeholt, manchmal zitternd, wenn sie meinte, die Papiere in den Innentaschen ihrer Männerkleidung nicht mehr zu spüren. Inzwischen waren die Dokumente fleckig, vom Salzwasser durchfeuchtet und zerknittert, aber sie waren gültig.

Gloria Martyn ... der Name war ihr längst nicht mehr vertraut. Wenn sie überhaupt über das Wesen nachdachte, zu dem sie geworden war, nannte sie sich »Jack«. Flüchtig überlegte sie, ob die Verwendung der Dokumente die Gefahr barg, entdeckt und zurück zu ihren Eltern geschickt zu werden. Aber das hielt sie für unwahrscheinlich. Vielleicht, wenn sie eine Schwerverbrecherin wäre. Aber ein in San Francisco ausgerissenes Mädchen – die meisten Menschen würden wahrscheinlich eine Liebesgeschichte zusammenfantasieren. Wie Lilian … Gloria konnte kaum glauben, dass sie ihre vergnügte kleine Cousine womöglich bald wiedersehen würde.

In den letzten Wochen hatte Gloria ihr Haar wieder wachsen lassen, und bei ihrer Ankunft in Sydney umspielten kurze rotbraune Locken ihr mageres Gesicht. In einem Warenhaus erstand sie zwei Reisekostüme. Nicht teuer, aber auch nicht die allerschlechteste Qualität. Obwohl sie länger dafür hatte »arbeiten« müssen, war Gloria entschlossen, ein Billett Zweiter Klasse zu buchen. Das Zwischendeck würde sie nicht noch einmal ertragen, auch nicht als Passagierin.

Das erste Schiff Richtung Neuseeland fuhr nach Dunedin. Was das anging, hatte Gloria Glück. Sie hatte schwer mit der Frage gerungen, ob sie auf eine Passage zur Südinsel warten oder so bald wie möglich in See stechen sollte, auch wenn die Fahrt zur Nordinsel ging. Weniger schön war der Umstand, dass die *Queen Ann* erst in einer Woche ablegen würde. Gloria kämpfte mit sich. Sollte sie die Wartezeit als »Jack« in einer Männerpension verbringen und damit Geld sparen, oder nahm sie sich ein Zimmer? Letzteres würde ihre letzten Geldreserven aufbrauchen. Die lukrativste Lösung, noch ein paar Tage lang zu »arbeiten«, verwarf sie rasch. Nur keine Risiken mehr eingehen! Nach all dem, was sie hinter sich hatte, mochte sie keiner Attacke anderer Dirnen mehr zum Opfer fallen oder sich gar als »Jack« unter Männern die Schiffspassage stehlen lassen.

Plötzlich wurde Gloria von Angstanfällen geschüttelt. Was war, wenn man sie doch bei der Passkontrolle erkannte? Was, wenn die *Queen Ann* unterging? Wenn eines der Besatzungsmitglieder vorher auf der *Mary Lou* oder der *Niobe* gefahren war und sie erkannte? Und wie würde sich die Heimkehr darstellen? Grandpa James war tot, aber würde Grandma Gwyn noch leben? Hatten Kura und William Kiward Station vielleicht inzwischen verkauft, wütend darüber, dass Gloria weggelaufen war? War sie unter Umständen mitverantwortlich dafür, dass Jack und Grandma Gwyn ihre Heimat verloren? An Jack mochte Gloria kaum denken. Würde sie ihn hassen, wie sie alle Männer hasste?

Gloria verbrachte die Zeit bis zur Abfahrt ihres Schiffes zitternd und allein in einer billigen Pension. Von Sydney, der schmucken kleinen Stadt, die sich aus einer ehemaligen Sträflingskolonie entwickelt hatte, sah sie nichts außer den Hafenanlagen. Port Jackson war ein Naturhafen, eine tief ins Land reichende Meeresbucht schützte die Schiffe und Anleger. Aber nach wie vor hatte Gloria keinen Blick für Naturschönheiten. Ein Hafen war für sie nichts als ein Ort voller Gefahren und menschlichem Abschaum.

Sie investierte ihr letztes Geld in eine Droschke, um nicht zu Fuß durchs Hafenviertel gehen zu müssen, und rannte dann fast an Bord der *Queen Ann*. Gloria meinte, vor Erleichterung weinen zu müssen, als man ihr freundlich ihre Kajüte zuwies. Sie teilte den winzigen Raum mit einem aufgeregten jungen Mädchen, das mit seinen Eltern nach Neuseeland reiste. Seine Mutter, so erzählte es gleich eifrig, sei bei Queenstown geboren worden, habe dann aber nach Australien geheiratet. Jetzt müsse der Vater geschäftlich zur Südinsel und nähme seine Familie mit. Henrietta und ihre zwei Brüder würden endlich ihre Großeltern kennen lernen.

»Und du?«, fragte sie eifrig.

Gloria erzählte wenig. Die fröhliche Mitreisende ging ihr auf die Nerven wie damals die Mitschülerinnen in Oaks Garden. Sie fiel denn auch gleich wieder in ihre damaligen Verhaltensweisen zurück, schwieg und zeigte ein mürrisches Gesicht. Henrietta begann bald, Gloria zu meiden.

Die Überfahrt dauerte einige Zeit, und die Reederei bot den Passagieren der Ersten und Zweiten Klasse einige Zerstreuungen. Gloria hätte sich gern davon zurückgezogen – sie schwankte zwischen dem Wunsch, die Zeit an Deck zu verbringen und wider besseres Wissen nach ihren Heimatufern auszuschauen, und dem Drang, sich in ihrer Kabine zu verstecken. Allerdings waren Tanz und Musikdarbietungen stets mit den Mahlzeiten verbunden, und Gloria nutzte jede Gelegenheit, sich sattzuessen. In Australien hatte sie fast ständig Hunger gelitten, und jetzt würde sie keine Möglichkeit versäumen, das mit der Passage bezahlte Essen zu genießen. Dabei fiel es ihr anfänglich schwer, sich wieder auf gesellschaftlich akzeptierte Umgangsformen zu besinnen. Zu oft hatte sie Brot und Käse rasend schnell in sich hineingestopft, bevor womöglich ein anderer Streuner stärker war und dem Knaben »Jack« das Essen entriss.

Allerdings ließen auch die geregelten Mahlzeiten und der ordentliche Speisesaal auf dem Schiff die Erinnerungen an Oaks Garden wieder erwachen. Gloria verhielt sich wie damals: Sie schlich mit gesenktem Kopf an ihren Platz, wünschte ihren Tischnachbarn einen guten Appetit, ohne sie anzusehen, und aß dann so schnell wie möglich. Da es unhöflich gewesen wäre, anschließend gleich wieder aufzustehen, stand sie auch noch die folgenden Musik- oder Cabaret-Veranstaltungen durch, nippte an ihrem Wein und kaute dabei Nüsse, die als Snacks gereicht wurden. Wenn jemand sie ansprach, antwortete sie einsilbig. Alles in allem gelang es ihr hervorragend, die Rolle des schüchternen, überaus züchtigen Mädchens zu spielen. Nur einmal, als ein junger Mann sie nichts Böses ahnend zum Tanz aufforderte, brach ihr »Übergangsselbst« wieder durch. Sie blitzte ihn so hasserfüllt an, dass er fast rückwärtsstolperte, und Gloria erschrak vor sich selbst. Hätte er sie angefasst, hätte sie das Messer gezückt. Sie trug es immer noch bei sich. Die kleine Henrietta schien sich seit jenem Vorfall vor ihr zu fürchten. Gloria zählte die Tage der Reise.

Und dann endlich tauchte Neuseeland – Aotearoa – am Horizont vor ihnen auf. Gloria hatte von der großen weißen Wolke geträumt, aber tatsächlich erreichten sie Dunedin nicht am frühen Morgen, sondern am Nachmittag, und die Herbstnebel, mit denen hier sonst zu rechnen war, hatten sich längst verzogen. Aber immerhin erkannte man schon vom Schiff her die Silhouette der Berge im Hintergrund der schmucken Stadt in Otago. Der Kapitän wies die Passagiere der Ersten und Zweiten Klasse auf die Albatroskolonie auf der Otago Peninsula hin, und die Menschen reagierten mit den erwarteten Ahs und Ohs auf die gewaltigen, über der Insel kreisenden Vögel.

Gloria spielte mit ihrem Kleiderbündel, ihre Finger hätten den ausgeblichenen Stoff fast zerrissen. Zu Hause ... sie war endlich zu Hause. Sie hatte gehört, dass die Einwanderer zu Zeiten Grandma Gwyns mitunter auf die Knie gefallen und den Boden geküsst hatten, wenn sie das neue Land lebend erreichten, und sie konnte es ihnen nachfühlen. Sie empfand überwältigende Erleichterung, als die *Queen Ann* in Port Chalmers einlief.

»Was haben Sie jetzt vor, Mrs. Martyn?« Henriettas Vater, der neben ihr stand, fragte ohne viel Interesse, aber bis zuletzt bemüht um höfliche Konversation mit der seltsamen jungen Frau.

Gloria sah zu ihm auf – und stellte fest, dass sie keine Antwort wusste. In ihren Plänen war das Ziel Neuseeland gewesen. Aber was genau sie tun würde, wenn sie ankam ...

»Ich werde meine Familie aufsuchen«, sagte sie mit so fester Stimme wie möglich.

»Dann wünsche ich Ihnen viel Glück.« Mr. Marshall hatte

einen Bekannten auf Deck entdeckt und ließ Gloria stehen. Das Mädchen atmete auf. Und sie hatte ja auch nicht gelogen. Natürlich wollte sie nach Kiward Station. Allerdings …

»Die Reisenden nach Dunedin nehmen am besten den Zug«, gab ein Steward kund. »Die Züge verkehren regelmäßig, Sie kommen auch jetzt noch problemlos in die Stadt.«

»Wir kommen nicht in Dunedin an?«, fragte Gloria leise.

Der junge Mann schüttelte den Kopf. »Nein, Miss, Port Chalmers ist ein eigenständiger Ort. Aber wie gesagt, es ist kein Problem …«

Sofern man mehr Geld in der Tasche hatte als ein paar australische Cents. Gloria war sich sicher, die Bahnfahrt nicht bezahlen zu können, aber irgendwie erschien ihr das gar nicht so wichtig. Sie war wie in Trance, als sie die Gangway hinabstieg und endlich wieder neuseeländischen Boden betrat. Ohne Ziel wanderte sie am Meer entlang, setzte sich schließlich auf eine Bank und starrte hinaus auf das ruhige Wasser der Bucht. Sie hatte sich so oft vorgestellt, wie sie jauchzen und jubilieren würde, wenn sie Neuseeland endlich erreichte, aber tatsächlich fühlte sie jetzt nichts in sich als Leere. Keine Verzweiflung mehr, keine Angst, kein Unglück. Aber auch keine Freude. Es war, als sei alles in ihr abgetötet und jede Energie aufgebraucht. Gloria hatte keine Idee, was sie tun könnte, aber es beunruhigte sie nicht. Sie würde einfach sitzen bleiben bis … sie wusste es nicht.

»Guten Abend, junge Dame. Kann ich Ihnen irgendwie helfen?«

Gloria schrak auf, als sie eine Männerstimme hinter sich hörte. Instinktiv wollte sie nach ihrem Messer tasten, aber dann wandte sie sich doch erst um. Ein Mann, aber in der Uniform eines Constablers.

»Nein, ich … ruhe mich nur aus …«, stammelte Gloria.

Der Constabler nickte, runzelte dabei jedoch die Stirn. »Sie ruhen sich jetzt seit zwei Stunden aus«, erklärte er mit Blick auf seine Taschenuhr. »Und langsam wird es dunkel. Wenn Sie also ein Ziel haben, sollten Sie sich beeilen. Und falls Sie kein Ziel haben, dann denken Sie sich bitte eins aus. Ansonsten müsste ich mir nämlich etwas einfallen lassen. Sie sehen nicht aus wie eine Hafendirne, aber es gehört zu meinen Aufgaben, junge Damen gar nicht erst auf dumme Gedanken kommen zu lassen. Haben wir uns verstanden?«

Gloria musterte den Mann etwas genauer. Er war im mittleren Alter, behäbig und wenig Furcht einflößend. Aber er hatte Recht. Auf der Bank im Hafen konnte sie nicht bleiben.

»Wo gehören Sie denn hin, junge Frau?«, fragte der Polizist freundlich, als er ihren verwirrten Ausdruck sah.

»Nach Kiward Station«, sagte Gloria. »Canterbury Plains, Haldon.«

»Ach du lieber Gott!« Der Constabler verdrehte die Augen. »Da kommen Sie heute aber nicht mehr hin, Kind. Findet sich nicht irgendwas, das näher ist?«

Gloria zuckte die Achseln. »Queenstown, Otago?«, fragte sie mechanisch. Dort lebten Lilians Großeltern. Gloria kannte sie allerdings nur von einem einzigen Besuch.

Der Constabler lächelte. »Näher ist das schon, Mädchen, aber auch nicht gerade um die Ecke. Ich dachte jetzt an irgendeinen Ort, wo Sie heute vielleicht ein Bett finden. Wenn das schon in Port Chalmers nicht klappt – wie wär's mit Dunedin?«

Dunedin. Gloria hatte den Namen der Stadt tausendmal auf Briefumschläge gekritzelt. Natürlich kannte sie jemanden in Dunedin. Wenn sie nicht weggezogen war, eine andere Stelle angenommen oder geheiratet hatte. Es war lange her, seit sie Sarah Bleachum zum letzten Mal geschrieben hatte.

»Princess Alice School for Girls?«, fragte sie leise.

Der Constabler nickte. »Die gibt es!«, lobte er. »Liegt sogar zwischen der Innenstadt und Port Chalmers, ist also gar nicht so weit ...«

»Wie weit?«, erkundigte sich Gloria.

Der Polizist zuckte die Schultern. »Fünf Meilen«, riet er.

Gloria nickte sachlich. »Gut, die kann ich laufen. Welche Richtung? Gibt es eine ausgebaute Straße?«

Erneut löste sie Stirnrunzeln bei ihrem Gegenüber aus. »Sagen Sie, Kleine, wo kommen Sie denn her? Direkt aus der Wildnis? Selbstverständlich gibt es ausgebaute Straßen rund um Dunedin – und eine Eisenbahnlinie, garantiert ist ein Halt in der Nähe der Schule. Allerdings dürfte der letzte Zug schon weg sein. Wir suchen Ihnen also eine Droschke. Einverstanden?«

Gloria schüttelte den Kopf. »Ich hab kein Geld.«

Der Polizist seufzte. »So ähnlich hatte ich mir das gedacht ... Sie sahen nach Schwierigkeiten aus ... Also denken wir jetzt mal zusammen nach. Wie kommen Sie auf die Mädchenschule? Ich meine, kennen Sie dort jemanden?«

»Sarah Bleachum. Eine Lehrerin.« Gloria gab geduldig Auskunft. Sie verspürte immer noch nichts, weder Angst vor der Ordnungsmacht noch den Wunsch, in dieser Nacht irgendwo unterzukommen. Sarah Bleachum ... das war eine andere Welt.

»Und wie heißen Sie?«, fragte der Constabler.

Gloria nannte ihren Namen. Auch auf die Gefahr hin, dass sie gesucht wurde – jetzt würde man sie nicht mehr aufs nächste Schiff nach Amerika verfrachten. Ihre Verwandten lebten zu nah.

»Gut, Miss Martyn. Dann mache ich Ihnen folgenden Vorschlag. Hier um die Ecke ist das Polizeirevier – nun gucken Sie nicht so verschreckt, wir beißen nicht! Wenn Sie also nichts dagegen hätten, mich dorthin zu begleiten, könnten wir die Princess Alice School rasch anrufen. Wenn es dort wirklich eine Miss Bleachum gibt, der Sie ein bisschen am Herzen liegen, übernimmt sie sicher die Kosten für Ihre Droschke.«

Ein paar Minuten später saß Gloria, eine Tasse Tee vor sich, auf dem Polizeirevier, das sich Constabler McCloud mit Constabler McArthur teilte. Dunedins Einwohner waren fast alle schottischer Herkunft.

Constabler McCloud telefonierte zunächst mit einer Miss Brandon, dann mit einer Mrs. Lancaster, und schließlich wandte er sich Gloria zu. »Ja, sie haben eine Miss Sarah Bleachum, aber sie unterrichtet zurzeit ... Sternenkunde. Seltsames Fach, hätte ich nie gedacht, dass Mädchen für so was zu haben sind! Die Rektorin meint allerdings, ich sollte Sie einfach in eine Droschke setzen und hinschicken. Sie würde das mit den Kosten schon irgendwie regeln.«

Das klang tröstlich, und gleich darauf versank Gloria in den Polstern eines äußerst geräumigen Automobils; anscheinend rechnete man hier mit hohen Hüten der Passagiere. Der Fahrer tuckerte durch Port Chalmers, nicht ohne Gloria auf die Vorteile der elektrischen Straßenbeleuchtung hinzuweisen, die vor kurzem verlegt worden war, und dann auf gut ausgebauten, aber dunklen Straßen Richtung Dunedin. Gloria wünschte sich, die zum Teil durch bewaldete Gebiete führende Straße im Hellen zu sehen. Südbuchen ... Cabbage Trees ... Vielleicht würde sie sich weniger unwirklich fühlen, wenn sie die Vegetation ihrer Heimat wiedersah.

Das Gebäude der Princess Alice School erinnerte an Oaks Garden. Allerdings war es kleiner und architektonisch hübscher, ein verspielter Bau mit Erkern und Türmchen, erstellt aus dem landestypischen, hellen Sandstein. Eine Allee führte zum Haus, und Glorias Herz schlug heftig, als der Chauffeur vor der Freitreppe hielt. Wenn Miss Bleachum sie jetzt nicht wiedererkannte oder nichts mit ihr zu tun haben wollte … Was machte sie dann, um sich diese Taxifahrt zu verdienen?

Der Fahrer begleitete sie die Treppe hinauf, und dann stand sie in einer Eingangshalle, in der ein einladender Kamin die Herbstkühle fernhielt. Es gab Möbel aus Kauri-Holz, Sessel und Sofas und weiche Teppiche. Eine ältere, etwas füllige Frau öffnete und lächelte Gloria zu.

»Ich bin Mrs. Lancaster, die Rektorin«, erklärte sie und entlohnte erst mal den Fahrer. »Und nun bin ich gespannt, wer uns hier aus Australien zugeflogen ist.« Sie lächelte Gloria zu. »Unsere Miss Bleachum übrigens auch. Sie kennt niemanden in Australien.«

Gloria suchte nervös nach Worten, um das richtigzustellen, als sie Miss Bleachum die Treppe zum Foyer herunterkommen sah. Ihre Lehrerin war ein bisschen älter geworden, aber im Grunde stand es ihr gut. Sie wirkte nicht mehr so unsicher wie früher – ein Christopher Bleachum hätte ihr kaum noch imponieren können. Sarah Bleachum hielt sich gerade und bewegte sich mit festen, aber schwingenden Schritten. Ihr dunkles Haar war in einem Knoten zusammengefasst, und sie schien sich nicht mehr für ihre dicke Brille zu schämen. Jedenfalls spielte sie nicht mehr unsicher daran herum, als sie die Fremden im Foyer erkannte.

»Besuch für mich?«, fragte sie mit ihrer freundlichen, dunklen Stimme. Gloria hätte sie unter Tausenden erkannt. Doch Miss Bleachum musterte erst mal den Taxifahrer.

»Ich bin es«, sagte Gloria leise.

Miss Bleachum runzelte die Stirn und kam näher. Auch mit Brille sah sie nicht allzu gut.

»Gloria«, flüsterte das Mädchen. »Gloria Martyn.«

Miss Bleachum blickte einen kurzen Augenblick verwirrt, dann aber strahlten ihre Augen.

»Kind, ich hätte dich nicht erkannt!«, gab sie zu. »Du bist so erwachsen geworden. Und so dünn, du siehst ja ganz verhungert aus. Aber natürlich bist du's! Meine Gloria! Und hast dir schon wieder die Haare geschnitten!«

Miss Bleachum eilte auf Gloria zu und zog sie spontan in die Arme.

»Ich hatte mir solche Sorgen um dich gemacht, seit du nicht mehr geschrieben hast.« Miss Bleachum streichelte über Glorias kurzes, krauses Haar. »Und deine Großmutter ängstigt sich erst. Ich habe sie vor ein paar Monaten kontaktiert, um nach deinem Verbleib zu fragen, und sie sagte, du seist weggelaufen und man könnte dich nicht finden. Ich habe immer so etwas befürchtet. Aber jetzt bist du ja da. Meine Gloria ...«

Gloria nickte benommen. »Meine Gloria«. Miss Bleachums Gloria, Grandma Gwyns Gloria ... sie spürte, wie sich etwas in ihr löste. Und dann lehnte sie sich an Miss Bleachums Schulter und begann zu weinen. Zuerst in kurzen, trockenen Schluchzern, später kamen die Tränen. Sarah Bleachum führte das Mädchen zu einem Sofa in der Eingangshalle, setzte sich und zog es neben sich. Sie hielt Gloria fest an sich gedrückt, während sie weinte, weinte und weinte.

Mrs. Lancaster stand fassungslos da.

»Armes Mädchen«, murmelte sie. »Hat sie denn keine Mutter?«

Sarah sah auf und schüttelte fast unmerklich den Kopf. »Das ist eine lange Geschichte ...«, sagte sie müde.

Gloria weinte die ganze Nacht und den nächsten halben Tag. Zwischendurch fiel sie völlig erschöpft in kurzen Schlummer, um gleich wieder zu schluchzen, wenn sie erwachte. Sarah und Mrs. Lancaster hatten es irgendwann geschafft, sie die Treppe hoch und in Sarahs Zimmer zu führen. Mrs. Lancaster schickte schließlich Suppe und Brot für beide hinauf. Gloria schlang das Essen herunter, um sich dann wieder an Sarah zu klammern und erneut zu weinen.

Mrs. Lancaster – ein gänzlich anderer Typ der Schulleiterin als die strenge Miss Arrowstone – stellte Sarah am nächsten Tag frei. So saß die Lehrerin neben Gloria, bis das Mädchen endlich zu schluchzen aufhörte und in tiefen Schlaf sank.

Sarah Bleachum deckte sie zu und klopfte an die Tür der Rektorin. Mrs. Lancaster saß an ihrem penibel aufgeräumten Schreibtisch und trank Tee. Sie bot Sarah einen Platz an und holte eine Tasse für sie aus einem hübschen Wandschrank ihres wohnlich eingerichteten Büros.

»Ich sollte ein Telefongespräch führen«, erklärte Sarah und nippte an ihrem Tee. »Aber ich bin mir nicht sicher ...«

»Sie sind völlig übermüdet, Sarah«, meinte die Rektorin und schob einen Teller Teekuchen zu ihr hinüber. »Vielleicht legen Sie sich erst noch etwas hin. Ich kann ja die Familie benachrichtigen ... Sagen Sie mir nur, wo ich die Großeltern des Mädchens erreiche.«

Sarah zuckte die Schultern. »Vielleicht möchte sie das gar nicht. Verstehen Sie mich richtig, Gloria hat hier Verwandte, die wirklich an ihr hängen. Aber es wurde so oft über ihren Kopf hinweg entschieden. Ich würde lieber warten, bis sie ganz bei sich ist.«

»Was meinen Sie denn, was mit ihr geschehen ist?«, fragte die Rektorin. »Wer ist das Mädchen überhaupt? Eine frühere Schülerin von Ihnen, so viel habe ich schon verstanden. Aber wo kommt sie her?«

Sarah Bleachum seufzte. »Kann ich noch einen Tee haben?«, erkundigte sie sich. Und dann erzählte sie die gesamte Geschichte von Kura und Gloria Martyn.

»Zuletzt hat sie es wohl nicht mehr ausgehalten und ist weggelaufen. Was ihr allerdings auf der Reise und in Australien zugestoßen ist, entzieht sich meiner Kenntnis«, endete die

Lehrerin schließlich. »Ich weiß von Mrs. McKenzie, dass sie ohne Geld und ohne Gepäck, nur mit ihrem Reisepass, aus dem Hotel ihrer Eltern geflohen ist. Den Rest kann nur sie uns erzählen. Und bis jetzt weint sie ja nur.«

Mrs. Lancaster nickte bedächtig. »Am besten fragen Sie auch gar nicht. Sie wird reden, wenn sie es über sich bringt. Oder sie wird schweigen.«

Sarah runzelte die Stirn. »Aber sie muss es doch irgendwann erzählen! So schrecklich kann es nicht gewesen sein, dass sie es ewig für sich behält ...«

Mrs. Lancaster errötete leicht, schlug die Augen aber nicht nieder. Sie war nicht von Jugend an Lehrerin gewesen, sondern hatte erst geheiratet und mit ihrem Mann in Indien gelebt, bevor er starb und sie mit seinem Nachlass die Mädchenschule gründete. Jane Lancaster war alles andere als weltfremd.

»Sarah, denken Sie doch nach! Ein Mädchen, ohne Geld, ohne Hilfe, das sich ganz allein durch die halbe Welt schlägt ... Vielleicht wollen Sie gar nicht wissen, was das arme Ding erlebt hat. Es gibt Erinnerungen, mit denen man nur leben kann, wenn man sie mit niemandem teilt ...«

Sarah errötete zutiefst. Sie schien eine Frage stellen zu wollen, aber dann schlug sie die Augen nieder.

»Ich frage sie nicht«, flüsterte sie.

Als Gloria am nächsten Morgen erwachte, fühlte sie sich besser, aber völlig leer. Nach wie vor fehlte ihr die Energie, irgendetwas zu tun oder zu entscheiden, und sie war dankbar, dass Sarah ihr Zeit ließ. In diesen ersten Tagen folgte sie der Lehrerin wie ein Hündchen. Wenn Sarah ältere Schülerinnen unterrichtete, ließ sie Gloria einfach mit in die Klasse und hoffte, sie für den Unterricht interessieren zu können. Die Princess Alice School for Girls unterschied sich wesentlich von Oaks Garden. Hier standen wissenschaftliche Fächer im Mittelpunkt. Alles zielte darauf hin, die Mädchen auf einen Besuch der Universität von Dunedin vorzubereiten, die seit ihrer Gründung 1869 auch Frauen uneingeschränkt offen stand. Mrs. Lancaster, eine mütterliche Frau, deren Ehe zu ihrem großen Kummer kinderlos geblieben war, schaffte eine freundliche Atmosphäre. Natürlich gab es Rangeleien unter den Mädchen wie überall sonst, doch die Lehrerschaft sorgte dafür, dass niemand zu sehr ausgegrenzt oder gar gequält wurde. Die Mädchen ließen folglich auch Gloria in Ruhe und neckten sie nicht, wenn sie starr an einem der Pulte saß und teilnahmslos auf die Tafel oder aus dem Fenster starrte, ohne wirklich etwas zu sehen.

Unterrichtete Sarah die jüngeren Mädchen, so wartete Gloria vor der Klasse – bis Mrs. Lancaster sie da einmal entdeckte und ansprach.

»Langweilen Sie sich nicht, Gloria? Vielleicht hätten Sie Lust, ein bisschen im Haus zu helfen?«

Gloria nickte desinteressiert, folgte der Rektorin aber brav in die Küche. Sie schnippelte geduldig Gemüse oder schälte Kartoffeln, während die Köchin gutmütig auf sie einredete. Sie hatte Maori-Ahnen und erzählte stundenlang von ihrer Familie und dem Stamm ihrer Mutter, ihrem Mann, der in der Schule als Hausmeister tätig war, und ihren drei Kindern.

»Wenn du von einer Farm kommst, willst du vielleicht lieber im Garten helfen«, meinte sie freundlich. »Mein Mann findet sicher etwas für dich zu tun …«

Gloria, die normalerweise stumm zuhörte, schüttelte erschrocken den Kopf. Der Hausmeister war ein älterer, geduldiger Mann, es war eigentlich nicht zu erwarten, dass er über sie herfiel. Aber Gloria hätte am liebsten jedes männliche Wesen gemieden.

Was dies anging, war sie in der Princess Alice natürlich

genau richtig. Die Schule war ein Frauenrefugium, es gab keine männlichen Lehrer. Außer dem Hausmeister betrat lediglich der Vikar das Haus, der samstags den Gottesdienst abhielt, aber in die Kirche ging Gloria ohnehin nicht. Natürlich wusste das Mädchen, dass es die Schule irgendwann verlassen musste, und irgendetwas in Gloria sehnte sich auch nach wie vor, Kiward Station endlich wiederzusehen. Hätte ihr jemand während ihrer Wanderungen gesagt, dass sie nur eine kurze Zugreise von Christchurch entfernt tagelang verharren würde, hätte sie ihn für verrückt erklärt. Aber jetzt war sie wie gelähmt.

Sarah Bleachum konnte ihr noch so oft sagen, dass Grandma Gwyn sich um sie sorgte und sie mit offenen Armen aufnehmen würde – Gloria hatte Angst vor der Begegnung mit ihrer Familie. Grandma Gwyn hatte ihr immer angesehen, wenn sie etwas angestellt hatte. Was, wenn es ihr auch jetzt nicht gelang, sie zu täuschen? Was, wenn sie erkannte, was aus ihrer Gloria geworden war?

Noch schlimmer war der Gedanke an Jack. Was würde er über sie denken? Verfügte auch er über den Instinkt ihrer Freier, die stets sofort die Hure in ihr erkannt hatten?

Sarah sah mit Sorge, dass ihr Schützling begann, sich an der Princess Alice einzurichten. Schließlich entschloss sie sich, mit Gloria zu reden. Sie suchte das Mädchen in dem kleinen Zimmer auf, das Mrs. Lancaster ihr zugeteilt hatte. Gloria betrat es nur zum Schlafen, ansonsten folgte sie Sarah wie ein Schatten. Am liebsten wäre sie auch nachts nicht von ihrer Seite gewichen, denn sie litt unter qualvollen Albträumen.

»Glory, so geht das nicht weiter«, sagte Sarah sanft. »Wir müssen deine Großmutter endlich informieren. Du bist jetzt zwei Wochen hier. Du bist in Sicherheit, aber wir lassen zu, dass sie sich weiter um dich sorgt. Das ist grausam.«

Glorias Augen füllten sich schon wieder mit Tränen. »Wollen Sie, dass ich weggehe?«

Sarah schüttelte den Kopf. »Ich will dich nicht loswerden, Glory. Aber du bist doch nicht um die halbe Welt gereist, um dich in einem Internat in Dunedin zu vergraben! Du wolltest nach Hause, Glory. Nun geh nach Hause!«

»Aber ich ... ich kann nicht, nicht so ...« Gloria fuhr nervös durch ihr kurzes Haar.

Sarah lächelte. »Miss Gwyn legt keinen Wert auf Korkenzieherlocken. Sie hat dich schon mal mit einem Kurzhaarschnitt gesehen, weißt du nicht mehr? Und deine ganze Kindheit lang bist du in Reithosen rumgelaufen. Für deine Grandma brauchst du dich nicht in Schale zu werfen und für deinen Hund auch nicht.«

»Meinen Hund?«, fragte Gloria.

Sarah nickte. »Hieß er nicht Nimue?«

Glorias Gedanken rasten. Konnte Nimue noch am Leben sein? Sie war jung gewesen, als Gloria gegangen war. Seitdem waren acht Jahre vergangen ...

»Und hier könntest du sowieso nicht bleiben«, sprach Sarah weiter. »Nach den Sommerferien wird die Schule bis auf Weiteres geschlossen. Mrs. Lancaster hat entschieden, sie während des Krieges als Hospital zur Verfügung zu stellen.«

Gloria blickte sie verwirrt an. Natürlich, es war Krieg. Aber doch nicht in Neuseeland ... Auch in Australien war nichts vom Krieg zu merken gewesen. Klar, sie warben Freiwillige an, aber Kämpfe im Land gab es nicht. Wozu also ein Hospital?

Sarah Bleachum las ihr die Frage vom Gesicht ab.

»Glory, Liebes, hast du nie etwas von einem Ort namens Gallipoli gehört?«

8

Roly O'Brien wechselte aufatmend – wenn auch ein wenig beschämt darüber, dass er nun doch wieder als »Krankenbruder« endete – zu Commander Beestons Sanitätsbrigade. Er bewährte sich dort hervorragend.

»Scheint, als hätten Sie schon wieder was bei mir gut!«, erklärte Commander Beeston Jack vergnügt, als die Männer sich an einem warmen Juliabend am Strand trafen. »Ihr Private O'Brien ersetzt mir zwei Pfleger.« Commander Beeston ließ sich in den warmen Sand fallen. Paddy tollte in den Wellen, um die Männer herum herrschte Picknickstimmung. An der Front war es seit Wochen ruhig; die Türken waren offensichtlich übereingekommen, einfach abzuwarten. Am Strand von Gallipoli stellte der Feind schließlich nichts an, im Gegenteil, die hingehaltenen Streitkräfte konnten nirgendwo sonst eingesetzt werden.

Jack wehrte ab. »Ich wusste, dass Roly sich gut machen würde. Aber es war trotzdem ein Riesengefallen, den Sie mir da getan haben. Dafür hole ich Ihnen den kleinen Kläffer noch dreimal aus dem Wasser. An den Geschützlärm hat er sich jetzt ja auch gewöhnt ...«

Beeston zuckte die Schultern. »Ist schließlich kaum noch was zu hören. Aber lange geht das nicht gut. Wir sind hier, um den Zugang nach Konstantinopel zu erobern. Nicht zum Wellenreiten.« Er wies auf ein paar junge Soldaten, die sich im Wasser vergnügten.

»Sie meinen, wir werden angreifen?«, fragte Jack alarmiert. Nach wie vor grub er mit seinen Männern Schützengräben, das Grabensystem wurde ausgeweitet, speziell an der nördlichen Flanke der Linien. Jack irritierte das etwas, denn die Gegend dort war extrem schwierig, steinig und uneben. Ein Angriff wäre nur unter schwersten Verlusten möglich. Andererseits würden die Türken dort nie damit rechnen …

»Irgendwann bestimmt, es soll auch noch Verstärkung kommen. Weitere Sanitätsbrigaden – man rechnet also mit viel Blut …«

Commander Beeston streichelte seinen Hund.

»Manchmal frage ich mich, was ich hier mache …«

Jack antwortete nicht, fand aber im Stillen, dass die Ärzte noch die beste Begründung hatten, an der Front zu sein. Sie linderten immerhin die Leiden der Verwundeten. Warum man allerdings kam, um sich verwunden zu lassen … Er bereute seinen Entschluss längst, obwohl er sein Ziel durchaus ereicht hatte: Er dachte nicht mehr Tag und Nacht an Charlotte. Die Albträume, in denen er immer wieder Türken erschlug und im Blut der Schützengräben watete, hatten die bittersüßen Träume von seiner Frau verdrängt – und tagsüber dachte er vor allem ans Überleben. Der Krieg hatte ihn gelehrt, die Toten vielleicht nicht zu vergessen, aber doch ruhen zu lassen. Es war schlimm genug, dass sie ihn in seinen Albträumen heimsuchten.

Schon um sich abzulenken, fieberte er wie alle Männer nach Briefen aus der Heimat, nach Kontakt zu den Lebenden und etwas Normalität. Jack freute sich wie ein Kind, wenn seine Mutter schrieb und von Kiward Station berichtete. Auch Elizabeth Greenwood rang sich gelegentlich einen Brief ab, ebenso Elaine Lambert. Lediglich von Gloria gab es keine Nachricht, was Jack immer mehr beunruhigte. Gut, der Postweg in die Staaten war lang, und dann gingen die Briefe wohl auch noch an eine Agentur, die sie an die Musiker weiterschickte. Aber inzwischen war es weit mehr als ein halbes Jahr her, dass er Gloria die ersten Grüße und Berichte aus Ägypten geschickt hatte. Sie hätte längst antworten können.

Jack fühlte sich einsam, seit Roly an den Strand abkommandiert worden war. Zu den anderen Männern seines Platoons fand er keinen rechten Draht. Er war ihr geachteter Vorgesetzter, aber Freundschaften entwickelten sich nicht zwischen den Soldaten und ihrem Sergeant. Nach der Schlacht in den Gräben hatte man Jack erneut befördert. So blieb er abends meist allein und empfand sein Dasein als sinnlos. Die Ausflüge an den Strand boten da eine willkommene Abwechslung. Hier konnte man den Krieg vergessen; die Männer alberten herum wie Kinder. Wie lange noch? Commander Beeston hatte nur bestätigt, was Jack längst ahnte.

In den nächsten Tagen häuften sich denn auch die Anzeichen für eine nahende Offensive. Nicht nur, dass neue Truppen eintrafen und alle im Akkord Schützengräben und Bunker aushoben und sicherten. Es wurden Wassertanks installiert und Wasser hinaufgeschleppt. Die Männer murrten, dass sie alles allein machen mussten. Dabei gab es durchaus Packtiere: Ein paar indische Kanoniere hatten Maultiere, die ihre Waffen trugen und sie damit mobil machten. Auch die Bergungstrupps der Feldlazarette arbeiteten zum Teil mit Eseln, aber für die Front wurde keiner abgestellt.

»Der Feind wird sonst gewahr, dass sich hier etwas anbahnt«, erklärte Jack geduldig. »Deshalb auch die Grabungen bei Nacht. Los, Leute, es liegt in unserem eigenen Interesse, die Kerle zu überraschen. Zwischen unseren und ihren Gräben liegen fünfzehn Yards. Da werden wir drübermüssen …«

Am 5. August befahl man Jack und die anderen Unteroffiziere zu einer Lagebesprechung am Strand. Major Hollander erklärte kurz die Strategie der geplanten Angriffe.

»Männer, wir starten morgen eine Offensive. Ziel ist, die Türken bis Konstantinopel zurückzutreiben, und diesmal schaffen wir es. Ein Hoch auf die stolzen Truppen Australiens und Neuseelands! Wir werden auf breiter Linie angreifen!«

Jack und die anderen stimmten in die Hochrufe ein, wobei die meisten Männer ähnlich euphorisch wirkten wie der Major. Kein Wunder, viele von ihnen waren neu und hatten den Angriff der Türken im Mai nicht miterlebt.

»Aber Sir, wenn wir aus den Gräben springen, werden sie uns abknallen wie die Hasen«, gab dagegen ein anderer Veteran genau das zu bedenken, was Jack im Kopf herumging.

»Höre ich da eine gewisse Feigheit heraus, Corporal?«, fragte der Major hämisch. »Angst vor dem Tod, Soldat?«

»Zumindest keine Selbstmordabsichten ...«, murmelte der Mann, allerdings so leise, dass ihn nur die unmittelbar Umstehenden verstanden.

»Unser Ziel für den Durchbruch ist die linke Flanke, da sind die Abstände zwischen den Gräben gering, wir werden die Türken überrennen. Und um sie ausreichend abzulenken, starten wir morgen erst einen Scheinangriff. Wir gehen Lone Pine an ...«

»Lone Pine« nannten die Männer eine sehr starke türkische Gefechtsstation. Hier war das gegnerische Grabensystem ausgedehnt, der Feind hatte reichlich Platz, seine Truppen zu sammeln.

»Ziel ist, die Truppen des Gegners dort zu konzentrieren, an der nördlichen Flanke haben wir dann leichtes Spiel. Was unser Regiment angeht, so werden wir erst bei der zweiten

Angriffswelle eingesetzt. Ich erwarte allerdings, dass Sie die Kameraden in Lone Pine unterstützen und den Feind auch von Ihren Positionen aus gut beschäftigt halten. Der eigentliche Angriff wird nachmittags erfolgen, siebzehn Uhr dreißig, angekündigt durch drei Pfeiftöne, drei Angriffswellen. Gott mit uns!«

Was kümmerte Gott der Weg nach Konstantinopel?

Jack schaffte es kaum, den Gruß zu erwidern. Auf dem Weg über den Strand, zurück zu seiner Unterkunft, traf er Roly.

»Mr. Jack, haben Sie es schon gehört? Wir greifen morgen an!« Roly heftete sich an seine Fersen. Seit Jack ihm mit der Versetzung quasi das Leben gerettet hatte, war er rührend anhänglich und brannte nun darauf, ihm die vermeintlichen Neuigkeiten mitzuteilen. Die Sanitätstruppen hatte man offensichtlich früher von den Angriffsplänen in Kenntnis gesetzt. Natürlich mussten sie auch mehr vorbereiten.

»Nur ›Jack‹«, verbesserte Jack wie üblich. »Ja, man hat es uns eben mitgeteilt ... sei froh, dass du nicht rausmusst.«

Roly verzog das Gesicht. »Ich muss doch raus, ich bin bei den Bergungstrupps. Also sehen wir uns vielleicht morgen ... oder übermorgen?«

»Wir stehen an der Nordflanke, Roly. Also ein Tag Galgenfrist. Aber wieso schicken sie dich zu den Bergungstrupps? Hast du was angestellt?«

Roly lachte. Er wirkte unbekümmert und selbstbewusst; zweifellos wusste er, dass Commander Beeston ihn schätzte. »Nöö, Mr. Jack. Ist bloß so, dass die Verstärkung fürs Lazarett heute erst angekommen ist. Der Commander hat nicht schlecht geschimpft. Eben aus den Schiffen und dann gleich in den Kampf, die Leute kennen sich doch überhaupt nicht aus. Also behält er sie im Lazarett, und wir müssen alle raus. Aber das macht mir nichts, Mr. Jack. Ich brauch nicht in die Gräben ...«

»Im Niemandsland ist es viel gefährlicher«, gab Jack zu bedenken. »Es wird grauenvoll, Roly. Wie im Mai, nur dass diesmal wir übers freie Feld rennen und Schießscheiben spielen.«

»Aber wir haben doch die weißen Armbinden!«, meinte Roly, als machten die ihn unverwundbar. »Ich schaff das schon, Mr. Jack!«

Jack konnte ihm nur Glück wünschen. Am nächsten Tag kam er kaum dazu, an seinen Freund zu denken. Der Lärm aus der Gegend von Lone Pine war infernalisch. Wenn Jack das Periskop über den Grabenrand hob, konnte er die Soldaten fallen sehen. Die Türken schossen auf breiter Front aus allen Rohren. Jack und seine Leute erwiderten das Feuer erbittert, in der Hoffnung, den Feind zu zermürben.

»Wenn wir sie heute müde machen, haben wir morgen bessere Chancen«, behauptete Jack gegenüber seinen Männern. Die jüngeren unter ihnen nickten begeistert, während die älteren eher die Stirn runzelten.

»Die wechseln die Leute doch aus!«, meinte ein Lance Corporal.

Jack sagte dazu lieber nichts.

Der 7. August war ein weiterer, strahlender Hochsommertag an der türkischen Küste. Das Meer lag tiefblau und friedlich in der Sonne, das Gestrüpp an den Berghängen war ausgebleicht – und auf dem Niemandsland zwischen den Fronten trocknete das Blut. Während Jack lustlos sein Porridge löffelte und überlegte, ob er die wohlweislich bereits verteilte Alkoholration gleich vertilgen oder auf ein Überleben und Feiern nach dem Kampf hoffen sollte, kam Roly vorbei.

»Ich bring die Post!«, erklärte er und warf Jack einen Stapel Briefe für seine Leute zu. »Das soll die Stimmung heben, haben sie unten gesagt, wenn die Männer noch mal was von ihren Lieben hören. Meine Mary hat auch geschrieben!«

Jack sortierte die Post und fand einen Brief aus Kiward Station. Wieder nichts von Gloria.

»Wie war es gestern?«, fragte er leise.

Rolys Gesicht erblasste. »Schrecklich. So viele Tote … und sie werfen Bomben und schießen mit Schrapnellgeschossen. Das zerreißt die Männer, Mr. Jack. Sie amputieren fast nur noch unten im Lazarett. Wenn überhaupt noch genug übrig ist, um irgendwas abzuschneiden. Und die Gräben bei den Türken sind zum Teil überdacht, da müssen Sie aufpassen, Mr. Jack. Man muss drüberspringen und von hinten in die Kommunikationsgräben … Ich weiß ja, dass ich nicht sehr klug bin, Mr. Jack. Nur einfacher Private wieder, nicht mal Lance Corporal … und die Männer, die das bestimmen, sind Generäle und so. Aber das können wir nicht schaffen, Mr. Jack. Nicht mit hunderttausend Mann!«

Jack nickte. »Wir werden unser Bestes tun, Roly!«, sagte er aufmunternd.

Roly schaute ihn an, als wäre sein Freund nicht recht bei Trost.

»Und wir sterben für nichts«, sagte er ruhig.

Liebster Jack …

Jack öffnete Gwyneiras Brief, sobald Roly gegangen war. Vielleicht der letzte Brief. Es war ein sonderbares Gefühl, aber er überließ sich ganz dem Trost, die Stimme seiner Mutter in seinem Kopf zu hören. Zumal Gwyneira lebhafter schrieb, als es sonst der Fall war. Sie war keine geschickte Schreiberin, aber diesmal hatten ihr heftige Gefühle die Feder geführt.

... Du schreibst, dass es ruhig ist, bei Euch an der Front, und ich kann nur beten, dass es so bleibt. Jedes Mal, wenn ich ein Schreiben von Dir erhalte, atme ich auf, obwohl ich doch weiß, dass die Briefe oft wochenlang unterwegs sind. Du musst am Leben bleiben, Jack, ich vermisse Dich so sehr. Zumal sich unsere Hoffnung, Gloria möge endlich heimkommen, wohl nicht so bald oder zumindest nicht so einfach erfüllen wird. Gestern erhielt ich einen Anruf von Kura-maro-tini. Ja, tatsächlich, sie griff persönlich zum Telefon und war überaus aufgebracht.

Wie es aussieht, ist Gloria in San Francisco aus ihrem Hotel verschwunden. Eine Entführung schließen sie aus, sie hat ihre Reisedokumente mitgenommen. Allerdings wurde keine Schiffspassage auf ihren Namen gebucht, es gibt also keinen Beweis dafür, dass sie Amerika verlassen hat. Dennoch scheint Kura anzunehmen, dass sie innerhalb der nächsten paar Tage bei uns ankommen wird. Wie sie sich das vorstellt, ist mir schleierhaft, aber sie macht mich praktisch persönlich für Glorias Flucht verantwortlich. So, als hätte ich ihr eine dieser modernen Flugmaschinen geschickt oder einen Zauber. Kura ist völlig außer sich, sie sprach in einem Atemzug davon, wie undankbar das Mädchen sei, andererseits schimpfte sie über Glorias Unfähigkeit, sich irgendwie in ihrer Truppe nützlich zu machen. Es ist mir ein Rätsel, warum sie das Kind dann nicht einfach im Guten nach Hause schicken konnte. Auf jeden Fall ist Gloria verschollen, und ich mache mir größte Sorgen. Wenn ich nur Hoffnung hätte, dass Du bald zurückkommst.

Um die Farm brauchst Du Dir keine Gedanken zu machen, alles läuft gut unter Maakas Aufsicht. Die Preise für Wolle und Fleisch sind hoch, alles scheint vom Krieg zu profitieren. Aber ich denke an Dich und all die anderen, für die der Kampf nur Blut und Tod bedeutet.

Pass auf Dich auf, Jack. Ich brauche Dich.

Deine Mutter, Gwyneira McKenzie

Jack vergrub den Kopf in den Händen. Nun also auch noch Gloria. Er verlor, was immer er liebte ...

Jack war völlig furchtlos, als die ersten Pfeiftöne endlich ertönten und das Signal zum Gefecht gaben. Er sah und hörte, wie die ersten Angreifer aus den Gräben sprangen – um oft schon getroffen zu werden, wenn sie nur die Köpfe aus der Deckung hoben. Nur wenige rannten über das Niemandsland, keiner erreichte die gegnerischen Gräben.

Dann kam die zweite Angriffswelle.

Jack dachte nicht mehr, er stemmte sich aus dem Graben, und er rannte, rannte, rannte, hatte es fast geschafft ...

Irgendetwas stieß mit Wucht an seine Brust. Er wollte hingreifen und es wegwischen ... spürte Blut ... es war seltsam, es tat gar nicht weh, aber er schaffte es nicht, weiterzulaufen. Er fühlte sich furchtbar schwer ...

Jack fiel zu Boden und versuchte zu verstehen, was mit ihm vorging. Er spürte die Hitze der Sonne, sah in den leuchtend blauen Himmel ... Seine Hände gehorchten ihm nicht mehr, wollten nicht ertasten, woher all das Blut kam ... Er krallte sie in den harten Boden ...

Über ihn raste die dritte Angriffswelle hinweg. Sie kämpften jetzt drüben in den türkischen Gräben ... Jack blickte in die Sonne. Sie schien rot zu werden, alles nahm ein unwirkliches Licht an ...

Und dann war da ein Gesicht. Ein besorgtes, rundes, jungenhaftes Gesicht mit schweißfeuchten Locken.

»Mr. Jack ...«

»Nur ›Jack‹ ...«, flüsterte er. Seine Zunge schmeckte Blut. Er meinte, husten zu müssen. Und dann spürte er nichts mehr.

WEITE WEGE

Greymouth, Canterbury Plains, Auckland
1915–1916–1917–1918

1

Timothy und Elaine Lambert zeigten kein Talent zu Gefängniswärtern. Natürlich beharrte Tim zunächst darauf, dass Lilians Alleingang mit Hausarrest bestraft wurde. Schließlich hatte sie seinen ausdrücklichen Befehlen zuwider gehandelt, indem sie Ben zu jenem Spaziergang im Farnwald »verführte«. Nach verbüßter Strafe war Tim allerdings bereit, seiner Tochter zu verzeihen, und Lilian genoss wieder alle Freiheiten, die ihre Eltern ihr gewöhnlich ließen. Niemand kam auf den Gedanken, ihr das Ausreiten zu verbieten oder täglich inquisitorisch zu erfragen, wo sie sich denn herumgetrieben habe. Nun war das auch nicht nötig, denn obwohl Lilian auf keinen Fall vorhatte, den Kontakt zu Ben abzubrechen, blieb ihr doch jedes Treffen verwehrt.

Egal, wie häufig sie ihr Pferd im Bereich der Biller-Mine bewegte oder wie angelegentlich sie auf der Straße vor dem Stadthaus der Billers mit Freundinnen plauderte – Ben bekam sie nicht zu Gesicht. Florence Biller legte ihren gesamten Ehrgeiz darein, ihren Sohn von einer zu frühen und ihr obendrein ungelegenen Liebschaft abzuhalten. Sie erhielt seinen Hausarrest über Monate aufrecht und ließ ihn auch ansonsten kaum aus den Augen. Am Morgen fuhr er mit ihr im Auto zur Mine und erledigte unter ihrer Aufsicht Büroarbeiten, zu Hause war er sowieso ständig unter Beobachtung.

Eines Tages war Bens Geduld am Ende. Er versuchte, einen Brief an Lilian mit der Post der Mine herauszuschleusen. Unglücklicherweise wurde er sofort von seiner Mutter entdeckt.

»So ein Unsinn! Das Mädchen muss obendrein dumm sein, darauf hereinzufallen!«, höhnte Florence, nachdem sie das Gedicht überflogen hatte, das Ben für Lilian verfasst hatte. »›Mit den Regentropfen fließt mein Herz zu dir …‹ Regentropfen fließen nicht, Ben, sie fallen! Und Herzen fließen sowieso nicht. Jetzt setz dich hierher und bearbeite diese Rechnungen. Mit den Lieferscheinen abgleichen, bitte, und ins Wareneingangsbuch eintragen. Ohne Schnörkel und ohne Reime!« Florence knüllte den Brief samt Umschlag zusammen und warf ihn mit großer Geste aus dem wegen der Sommerhitze weit geöffneten Fenster.

Ben ließ die Tirade mit gesenktem Kopf und tiefrotem Gesicht über sich ergehen. Gewöhnlich stellte Florence ihn vor dem Personal nicht bloß; schließlich sollten die Leute dem Juniorchef Respekt entgegenbringen. Machte Ben Fehler bei der Arbeit, ahndete sie das unter vier Augen. In Sachen »Dichtung« kannte Florence jedoch keine Gnade – und half ihrem Sohn dabei in diesem Fall unfreiwillig weiter.

Denn nicht nur, dass die Büroangestellten ihn bedauerten, obwohl sie durchweg nichts von Reimen verstanden, zufällig war auch die junge Frau eines Büroboten anwesend, um ihrem Mann die Brote zu bringen, die er am Morgen vergessen hatte. Sie wartete im Vorraum, aber sie bekam Florence' Ausbruch mit – und war im Gegensatz zu Bens Mutter zu Tränen gerührt über die Dichtkunst des Jungen. Als sie ging, hob sie den Brief auf, glättete ihn, steckte ihn wieder in den Umschlag und warf ihn in den nächsten Briefkasten – leider, ohne ihn zu frankieren. So fiel er Elaine in die Hände, als der Briefträger Nachporto forderte.

Elaine schwankte ernstlich zwischen der Solidarität zu ihrem Mann, der zu ihrer Tochter und dem Briefgeheimnis. Tim hätte das Schreiben zweifellos direkt vernichtet, aber Elaine konnte sich nicht dazu durchringen. Schließlich entschloss sie sich zu einem Kompromiss: Sie entschied, den Brief zuerst zu lesen und dann zu entscheiden, ob er harmlos war und Lilian ausgehändigt werden konnte.

Lilian war natürlich empört, als sie letztlich das offene, zerknitterte Kuvert in Empfang nahm.

»Schon mal von Privatsphäre gehört?«, fauchte sie ihre Mutter an. »Nicht mal im Internat haben sie unsere Briefe gelesen!«

»Da wäre ich mir nicht so sicher«, bemerkte Elaine. »Ich habe jedenfalls öfter welche bekommen, die vor dem Verschicken geöffnet worden waren.«

»Was?« Lilian war gleich bereit, sich nachträglich noch aufzuregen, aber dann widmete sie sich lieber dem kostbaren Schreiben ihres Ben.

»Du hast nichts rausgenommen?«, fragte sie argwöhnisch.

Elaine schüttelte den Kopf. »Ich schwöre!«, erwiderte sie lachend. »Und er war schon, als er hier ankam, nicht richtig verschlossen und zerdrückt. Im Übrigen sträuben sich meine Nackenhaare beim Lesen. Falls ihr daran denkt, eines Tages von Bens Dichtkunst zu leben, sehe ich schwarz ...«

»Die Gedichte sind ja auch nur für mich!«, meinte Lilian mit selbstvergessenem Strahlen. »Du kannst sie nicht verstehen ...«

»Und dann verschwand sie mit Bens zerfließenden Herzen für drei Stunden in ihrem Zimmer«, berichtete Elaine später lachend ihrem Mann. Tim kam mit Matt Gawain von einem Geschäftstreffen in Westport, Lilian hatte ihn an diesem Tag nicht begleitet.

Nun verzog er unwillig den Mund. Er war erschöpft nach der Fahrt über die weitgehend ungeteerten Straßen. Das Auto war nicht wesentlich besser gefedert als die Chaise, die er früher bevorzugt hatte.

»Lainie, das ist nicht komisch! Und wir waren doch übereingekommen, die Sache nicht zu unterstützen. Wie konntest du ihr den Brief geben?«

Elaine drückte Tim auf einen Sessel, half ihm, die Beine hochzulegen, und begann, ihm sanft die Schultern zu massieren. »Dies ist kein Gefängnis, Tim«, bemerkte sie. »Und es gibt so etwas wie das Recht auf die eigene Post. Streng genommen hätte ich den Brief nicht einmal öffnen dürfen, aber das erschien mir doch etwas zu liberal. Und du kennst meine Ansicht: Diese Liebelei ist völlig harmlos. Wenn wir eine Staatsaffäre daraus machen, wird es nur noch schlimmer.«

Tim schnaubte. »Ich werde demnächst jedenfalls besser auf sie aufpassen. Sie kann den Chauffeur für mich spielen, jetzt, da Roly weg ist. Dann ist sie beschäftigt, und gleichzeitig habe ich sie im Blick. Und dass du ihr bloß nicht erlaubst, ihrerseits an den Knaben zu schreiben! Ich hätte Florence sofort am Telefon, und dabei ist sie jetzt endlich wieder besänftigt, nachdem sie die Eisenbahner das Fürchten gelehrt hat ...«

Lilian erwiderte Bens Brief nicht postwendend; schließlich war ihr klar, dass ihre Antwort als Erstes auf dem Schreibtisch seiner Mutter landen würde. In der nächsten Zeit war sie zudem damit beschäftigt, Autofahren zu lernen, eine Kunst, die ihr riesigen Spaß machte. Insofern wehrte sie sich auch nicht gegen ihre neuen Pflichten als Tims »Chauffeuse«, und Elaine atmete auf, dass seine »genauere Überwachung« keine weiteren Auseinandersetzungen nach sich zog. Kurzzeitig hoffte sie sogar, Lilian könnte ihre »große Liebe« über all den neuen Eindrücken vergessen. Schließlich kam sie mit ihrem Vater viel herum und lernte auch andere junge Männer kennen.

Hier jedoch täuschte sich Elaine. Lilian träumte nach wie vor von Ben, dessen Gedichte sie unter ihrem Kopfkissen aufbewahrte. Sie verwarf eine Idee nach der anderen, mit dem Jungen in Kontakt zu kommen, aber schließlich entwickelte sie einen Plan, für dessen Durchführung sie nur ihren kleinen Bruder bestechen musste. Bobby kassierte drei Rollen Lakritze dafür, dass er am Sonntag vor dem Gottesdienst unauffällig mit Ben Biller zusammenstieß. Scheinbar vertieft in ein »Fangen«-Spiel rannte der Knabe in Ben hinein, brachte ihn fast zu Fall und klammerte sich kurz an ihn, als brauche er eine Stütze.

»Toter Briefkasten, Südbuche, Friedhof!«, wisperte der Kleine wichtig. »Astgabel, rechts, auf Kopfhöhe ...« Bobby Lambert zwinkerte Ben noch kurz zu und wirbelte dann weiter. Ben blieb stirnrunzelnd zurück, offensichtlich bemüht, die Informationen zu ordnen.

Lilian spähte während des Gottesdienstes besorgt zu ihm hinüber. Wollte er sich nicht langsam auf den Weg machen? Er konnte doch nicht warten, bis der Gottesdienst vorbei und der Friedhof womöglich voller Leute war!

Ben brauchte ein bisschen länger, um sich über die Bedeutung von Bobbys Nachricht klar zu werden. Ihm fiel auch nicht gleich ein, dass der Kleine Lilians Bruder war. Deshalb stand er erst gegen Ende des Gottesdienstes auf und lief aus der Kirche. Florence schaute ein wenig unwillig, entdeckte dann aber Lilian bei ihren Eltern und wirkte beruhigt. Ben musste jetzt nur noch den Zettel finden ... Lilian betete zum ersten Mal an diesem Morgen mit wirklicher Inbrunst.

Vor der Kirche traf sie später einen auffällig glücklichen Ben. Der Junge strahlte derartig, dass Lilian schon fürchtete, seine

Mutter könnte Fragen stellen. Die war jedoch in ein Gespräch mit dem Reverend vertieft und bemerkte nicht einmal, dass Lilian ihrem Sohn kurz zuzwinkerte und das Sieg-Zeichen in seine Richtung machte. Der tote Briefkasten in der Südbuche war zweifellos ein Durchbruch in ihrer Beziehung.

Die nächste Zeit gestaltete sich überaus aufregend für die jungen Liebenden. Zwar sahen sie sich lediglich in der Kirche oder zufällig im Ort, wobei beide Desinteresse heucheln mussten, da sie in der Regel Tim und Florence begleiteten – brieflich jedoch unterhielten sie regen Kontakt. Besonders Lilian ließ sich immer neue Verstecke einfallen, in denen sie Nachrichten oder kleine Liebesgaben für ihren Ben deponierte. Ben selbst war weniger konspirativ veranlagt, griff ihre Ideen aber auf und tauschte ihre Päckchen mit selbst gebackenen Keksen und ihre reich mit selbst gemalten Blumenranken, Herzchen und Engelchen angereicherten Briefe eifrig gegen immer neue Elegien über ihre Schönheit und Klugheit.

Lilian schrieb gelegentlich Poesie-Album-Sprüche ab, berichtete aber hauptsächlich über ihren Alltag. Ihre Briefe betrafen ihr Pferd, das Auto, das ihr immer mehr ans Herz wuchs, je tiefer sie es wagte, das Gaspedal niederzutreten, und natürlich ihren brennenden Wunsch, wieder mal persönlich mit Ben zusammenzutreffen.

»Kannst du nicht nachts ausbrechen? Vielleicht hast du ja einen Baum vor dem Fenster oder so was?«

Ben war der Gedanke, sich nachts aus dem Haus zu schleichen, noch nie gekommen, aber grundsätzlich erschien er ihm so prickelnd, dass er gleich ein Gedicht darüber schrieb, wie Lilians Haar im Mondschein leuchten musste.

Lilian fand das hinreißend, war aber dennoch etwas enttäuscht. In seinen Gedichten konnte Ben sich stundenlang darüber auslassen, welche Heldentaten er begehen und welchen Gefahren er trotzen würde, um einen Kuss von Lilians Lippen zu erlangen. Aber in Wirklichkeit blieb er untätig. Schließlich entschloss das Mädchen sich zum Handeln.

»Donnerstagnacht, halb zwölf im Stall des Lucky Horse«, schrieb sie verwegen. Ein Treffpunkt, der Ben das Blut in den Kopf trieb, denn das Lucky Horse war nicht nur ein Pub, sondern auch das Stundenhotel der Madame Clarisse. Es kostete ihn schlaflose Nächte, darüber nachzugrübeln, wie seine schöne, unschuldige Lily in einen solchen Sündenpfuhl geraten konnte und ob es mit seinem Gewissen vereinbar wäre, sie darin auch noch zu bestärken.

Lilian machte sich keine dementsprechenden Sorgen. Sie dachte praktisch wie stets. Das Lucky Horse bot sich schlicht deshalb an, weil hier der Stammtisch ihres Vaters tagte. Tim Lambert und Matt Gawain ließen keinen Donnerstagabend aus, und neuerdings gehörte es zu Lilians Pflichten, ihren Vater in die Stadt zu chauffieren und kurz vor der Sperrstunde abzuholen. Natürlich bestand dabei die strengste Auflage, im Licht der Straßenlaternen zu parken, das Auto nicht zu verlassen und die Türen geschlossen zu halten. Bislang waren nur die Hauptstraßen von Greymouth elektrisch beleuchtet, und ein ehrbares Mädchen sollte sich nachts nicht auf der Straße blicken lassen.

Lily war jedoch nicht ängstlich und kannte sich zudem gut aus in der Umgebung des Lucky Horse. Ihre Mutter hatte im Stallanbau gewohnt, solange sie dort als Barpianistin tätig gewesen war, und sowohl Madame Clarisse als auch die Mädchen, die für sie arbeiteten, gehörten zu Elaines engsten Freundinnen. Als Lilian klein war, hatte Elaine sie häufig mitgenommen, wenn sie sich mit ihnen traf, und das Kind hatte im Stall und in den Straßen rund um das Gebäude gespielt. In den letzten Jahren war das zwar weniger geworden – Madame Clarisse' Mädchen wechselten häufig, weil die Bergleute sie meist nach wenigen Monaten wegheirateten –, doch Angst vor dem Bordell kannte Lilian nicht. Dazu wusste sie genau, welcher von Tims Freunden zu Pferde, per Auto oder einfach zu Fuß in den Pub kam. Im Stall war donnerstags nur ein Pferd zu erwarten, die knochige Stute des Schmiedes, und der Schmied verließ die Kneipe nie vor der Sperrstunde. Die jungen Liebenden würden also ungestört sein. Und wenn Lilian den Pub von hinten anfuhr und das Auto im Schatten des Anbaus parkte, bestand auch kaum das Risiko, mit dem Fahrzeug Aufsehen zu erregen. Noch sicherer – und auch romantischer – wäre natürlich ein Treffen außerhalb der Stadt gewesen. Aber Ben hätte dazu weit laufen müssen. Lilian verfluchte den Umstand, dass der Junge sich aus dem Reiten nichts machte und folglich kein eigenes Pferd hatte. Auch kutschieren lag ihm nicht. Er hätte nicht mal gewusst, wie man anspannte. Und das Familienauto steuerte bei den Billers allein der Chauffeur.

Lilians Herz pochte heftig, als sie sich im Schutz der Dunkelheit in den Stall des Pubs schlich. Er war nur schwach durch eine Laterne beleuchtet, aber sonst ging ihr Plan auf. Lediglich ein Pferd knabberte Heu, und Ben war auch schon da.

Lilian hätte fast aufgeschrien, als er sie in Filmstarmanier an sich riss und heftig küsste.

»He, du erdrückst mich!«, rief sie lachend. »Alles klar, hat niemand Verdacht geschöpft?«

Ben schüttelte den Kopf. »Das trauen sie mir nicht zu!«, sagte er stolz. »Ich bin ... ich wäre fast aus dem Fenster geklettert!«

Da Ben im ersten Stock schlief und sich kein Baum vor seinem Fenster befand, wollte er lieber nicht flunkern. Lilian fand, dass die Absicht genügte, um romantisch zu sein.

Die nächste halbe Stunde verbrachten die beiden mit kleinen Zärtlichkeiten, Liebesschwüren und Klagen über ihren tristen Alltag. Lilian fehlte lediglich Ben, Ben dagegen litt auch unter anderen Widrigkeiten des Daseins.

»Mir liegt die Büroarbeit einfach nicht. Und ich mache mir nichts aus Bergbau. Dabei musste ich jetzt sogar unter Tage ...«

»Und?«, fragte Lilian gespannt. »Wie war es?«

»Dunkel«, bemerkte Ben, bevor ihm klar wurde, dass dies für einen Poeten vielleicht eine etwas schwache Beschreibung war. »Grabesdunkel!«, fügte er hinzu.

Lilian runzelte die Stirn. »Aber ihr habt doch die modernen Grubenlampen. Onkel Matt meint, die Mine sei erleuchtet wie ein Tanzsaal.«

»Für mich war es dunkel wie die Hölle!«, erklärte Ben.

Lilian verzichtete darauf, anzumerken, dass die Hölle wahrscheinlich ebenfalls gut beleuchtet war. Schließlich brannte dort ausreichend Feuer.

»Und Rechnungen schreiben und all das liegt mir auch nicht. Neulich habe ich mich um fast tausend Dollar vertan, meine Mutter war äußerst erbost.«

Ganz unverständlich fand Lilian das nicht. Trotzdem streichelte sie ihrem Freund tröstend die Wange. »Aber bestimmt schicken sie dich doch wieder auf die Universität, oder? Bergbau muss man schließlich auch studieren. Ach, Ben, dann bist du noch weiter weg ...«

Lilian schmiegte sich an ihn, und er wagte es, sie hinunter auf einen Heuhaufen zu ziehen. Sie hielt still, während er nicht nur ihr Gesicht mit Küssen bedeckte, sondern auch ihren Hals und den Ansatz ihrer Brüste. Lilian ihrerseits schob die Hände unter sein Hemd und liebkoste zaghaft seinen immer noch muskulösen Brustkorb und seinen Rücken. Sie fand es schade, dass er nicht mehr ruderte. Es hatte ihr gefallen, seine Muskeln unter dem Hemd spielen zu sehen.

»Nächsten Donnerstag wieder?«, fragte sie atemlos, als sie sich endlich trennten.

Ben nickte. Er kam sich sehr heldenhaft und sogar ein bisschen verrucht vor.

Seit dem ersten Treffen im Stall des Pubs war Lilian unbeschränkt glücklich. Sie genoss ihre heimliche Liebe, aber auch die Arbeit für ihren Vater. Der Krieg erforderte ständige Erweiterungen der Förderkapazitäten der Mine, und Tim traf sich häufig mit anderen Bergbauingenieuren, Eisenbahnern und Geschäftsleuten. Lilian begleitete ihn sowohl zu Arbeitsessen wie auch mitunter zu gesellschaftlichen Anlässen, und Elaine schaute wohlgefällig zu, wie sie dort flirtete und tanzte. Sie hatte zwar den unbestimmten Verdacht, dass ihre Tochter immer noch für Ben Biller schwärmte, aber von ihren heimlichen Treffen und ihren immer wagemutigeren Zärtlichkeiten ahnte sie nichts.

Florence Biller blieb das erst recht verborgen. Sie fand allerdings reichlich andere Anlässe, sich über ihren ältesten Sohn aufzuregen. Bens offensichtliches Desinteresse an ihrer Arbeit und seine Unfähigkeit, die einfachsten praktischen Aufgaben zu erledigen, trieb sie zum Wahnsinn. Ben klagte immer verzweifelter über ihre Ausbrüche. Inzwischen hatte sich auch seine Hoffnung zerschlagen, die Universität von Dunedin besuchen zu können. Sein Vater plädierte zwar dafür, ihn zumindest ein paar Semester Bergbautechnik oder Wirtschaftslehre studieren zu lassen, traf bei Florence aber auf taube Ohren.

»Bergbautechnik, dass ich nicht lache! Unser Ben als Ingenieur! Dabei geht er schon in Deckung, wenn die Kaffeemaschine brodelt!« Der edle, versilberte Apparat zur Kaffeebereitung war Florence' neueste Errungenschaft. Er stand im Empfangsbereich ihres Büros und wurde allgemein bewundert. »Und in Sachen Wirtschaft kann er in Dunedin auch nicht mehr lernen als bei mir!«

Caleb seufzte. Florence hatte sich ihre Kenntnisse zwangsläufig selbst erarbeitet. Ihr Vater, ebenfalls Minenbesitzer, hätte nicht im Traum daran gedacht, das Mädchen studieren oder auch nur in seinem eigenen Geschäft mitarbeiten zu lassen. Doch Ben war zweifellos ein anderer Typ. Vielleicht hätte er sich für Wirtschaftstheorien begeistern können, hätte man ihm erlaubt, sich der Sache wissenschaftlich zu nähern. Nach wie vor sah Caleb eher eine Universitätskarriere für seinen Sohn als eine Nachfolge in der Minenführung. Glücklicherweise brannten Florence' jüngere Söhne darauf, dort einzusteigen. Der ältere interessierte sich für Geschäftspolitik, der jüngere bastelte jetzt schon an Dampfmaschinen herum und belud seine Spielzeugeisenbahn begeistert mit »Kohle«.

Caleb sah nicht ein, warum man da nicht auf Ben verzichten konnte, aber Florence hatte gern mehrere Eisen im Feuer. Ben war da; er war alt genug, um im Familienunternehmen zu arbeiten, und das sollte er gefälligst auch tun. Florence, dachte Caleb respektlos, hat so viel Fantasie wie ein Förderkorb.

Nun war Ben ja zum Glück noch jung. Gewöhnlich hätte ein Junge seines Alters noch nicht einmal die Schule beendet, geschweige denn die Universität besucht. Caleb hoffte, dass Florence' Interesse an ihm abkühlen würde, sobald Sam alt genug war, mit ihr im Büro zu arbeiten. Ben konnte dann immer noch nach Dunedin gehen und brauchte vielleicht nicht mal den Umweg über ein Wirtschaftsstudium einzuschlagen. Caleb gönnte ihm, einfach das zu studieren, was er wollte, er freute sich auf den intellektuellen Austausch mit dem jungen Sprachwissenschaftler.

Leider fehlte es Ben an der Geduld seines Vaters. Er sah keinen Ausweg aus seiner Situation. Das Verbot, in Dunedin oder Christchurch zu studieren, stürzte ihn in tiefste Depression.

»So bleiben wir doch wenigstens zusammen!«, tröstete ihn

Lilian. Doch selbst diese Aussicht konnte ihn nicht aufheitern.

»Was ist das für ein Zusammensein!«, klagte er. »Immer nur Heimlichkeiten, ständig Angst, entdeckt zu werden ... Wie lange soll das gehen, Lily?«

Lilian verdrehte die Augen. »Bis wir volljährig sind, natürlich!«, erklärte sie. »Danach können sie uns nichts mehr befehlen. Wir müssen nur noch ein bisschen durchhalten!«

»Ein bisschen?«, fragte Ben verzweifelt. »Bis ich einundzwanzig bin, vergehen noch Jahre!«

Lilian zuckte die Schultern. »Echte Liebe wird eben auf harte Proben gestellt!«, erklärte sie heroisch. »Das ist immer so. In Büchern und Liedern und all dem ...«

Ben seufzte. »Ich überlege, abzuhauen und zum Militär zu gehen ...«

Lilian erschrak. »Bloß das nicht, Ben! Dann erschießen sie dich. Außerdem musst du für das ANZAC einundzwanzig sein.« Sie umklammerte seine Hand. Es war kühl im Stall. Aber ein besserer Treffpunkt fiel ihr nicht ein.

»Da kann man aber tricksen«, erklärte Ben. »Und ich kann immerhin beweisen, dass ich auf der Universität in Cambridge war. Normalerweise muss man da über achtzehn sein.«

»Aber nicht einundzwanzig!«, beharrte Lilian ängstlich. Sie musste ihm das auf jeden Fall ausreden. Roly O'Brien schrieb nicht oft, aber das, was er von Gallipoli berichtet hatte, ließ ihr das Blut in den Adern gefrieren. In Büchern und Liedern war Krieg zweifellos romantisch, aber die Wirklichkeit schien anders zu sein. Und ihr Ben mit einem Gewehr ... Sicher würde er wundervolle Verse über das Heldentum seiner Kameraden schreiben, aber schießen oder gar treffen traute sie ihm nicht zu. Ihr musste unbedingt etwas einfallen.

»Ich habe nachgedacht«, verkündete Lily beim nächsten Treffen, fast einen Monat später. Die letzten Donnerstage war Tim nicht zum Stammtisch gekommen; Lilian hatte ihn nach Blenheim zu einer Tagung begleitet. George Greenwood war ebenfalls anwesend gewesen, sowie andere Aktionäre. Es war geplant, die Lambert-Mine um eine Kokerei zu erweitern. Ben nahm diese Information desinteressiert auf. Er kam gar nicht auf den Gedanken, dass Florence Biller wahrscheinlich einen Mord begangen hätte, um als Erste davon zu erfahren. Lilian berichtete ihm ohne jegliche Bedenken von ihres Vaters Plänen, sie war viel zu sehr mit dem Austausch von Zärtlichkeiten beschäftigt, als sich über die möglichen Folgen Gedanken zu machen.

Nach der langen Enthaltsamkeit schmeckten ihr Bens Küsse noch süßer – und bestärkten sie in dem Entschluss, den sie in Blenheim gefasst hatte. Ein heimlicher Besuch auf dem Standesamt hatte wesentlich dazu beigetragen.

»Ich bin doch jetzt siebzehn. Da kann ich heiraten.«

»Wen willst du denn heiraten?«, neckte Ben und öffnete mutig die obersten Knöpfe ihrer Bluse.

Lilian verdrehte die Augen. »Dich natürlich!«, erklärte sie. »Es ist ganz einfach. Wir nehmen den Zug nach Christchurch und dann nach Blenheim. Mit dem Wagen geht es zwar schneller, aber stehlen will ich nicht. Und von Blenheim aus geht die Fähre nach Wellington. Da heiraten wir. Oder in Auckland. Das ist vielleicht sicherer, in Wellington suchen sie uns womöglich. Australien ginge natürlich auch ...« Lilian zögerte ein wenig. Australien schien ihr doch recht weit weg.

»Aber ich habe keine Papiere«, gab Ben zu bedenken. »Sie werden nicht glauben, dass ich achtzehn bin.«

»Siebzehn reicht, auch für Jungen. Die paar Monate bis zu deinem Geburtstag können wir abwarten. Und ansonsten braucht man nur zu schwören, dass man nicht anderweitig verheiratet ist oder blutsverwandt oder so.«

Wenn man unter zwanzig war, benötigte man zusätzlich die Einwilligung der Eltern, aber damit belastete Lilian Ben vorerst nicht. Sie beabsichtigte, Tims Unterschrift kurzerhand zu fälschen, und bei Florence Biller hatte sie da noch weniger Hemmungen.

»Dann studierst du eben in Auckland. Geht doch auch, oder?«

Ben kaute auf seiner Unterlippe.

»Ginge sogar sehr gut«, meinte er dann. »Sie nehmen die Forschung im Bereich der Maori-Kultur sehr ernst, bauen ein Museum für die Artefakte und so was. Mein Vater ist ganz begeistert. Er denkt daran, bald mal hinzufahren. Wenn er uns dann natürlich erwischt ...«

Lilian stöhnte. Manchmal war Ben etwas zu zögerlich für ihren Geschmack.

»Wenn wir verheiratet sind, Ben, sind wir verheiratet. Das kann man nicht einfach so rückgängig machen. Außerdem wird es doch möglich sein, in einer so großen Stadt wie Auckland deinem Vater aus dem Weg zu gehen!«

Ben nickte. »Das wäre tatsächlich eine Lösung ...«

Es war zumindest ein faszinierender Gedanke, obwohl er es sich nicht wirklich vorstellen konnte. Sein Herz hämmerte schon bei dem Gedanken an eine Flucht auf die Nordinsel. Er würde das niemals wagen!

2

Gwyneira McKenzie hatte das Herrenhaus von Kiward Station immer als zu groß empfunden. Schon als sie es gemeinsam mit ihrer Familie bewohnte, hatten viele Räume leer gestanden, dann jahrelang ganze Zimmerfluchten, ehe Kura und William Martyn Gerald Wardens alte Wohnung neu eingerichtet hatten. Trotz des vielen Raums um sie herum hatte Gwyneira sich jedoch nie richtig einsam gefühlt – bis nach James' und Charlottes Tod, Jacks Meldung zum Militär und Glorias Verschwinden. So oft es ging, flüchtete sie aus dem leeren Haus in die Ställe und Scherschuppen, aber jetzt war Winter, Juni 1916. Während fast überall auf der Welt Schlachtenlärm tobte, herrschte auf Kiward Station eine geradezu gespenstische Stille. Draußen fiel der leichte, bindfadenartige Regen, der so typisch für die Canterbury Plains war. Die Tiere verzogen sich in die Unterstände, und die Farmarbeiter spielten wahrscheinlich in den Ställen Poker – wie damals, als Gwyn den Pferdestall von Kiward Station zum ersten Mal betreten hatte und einen James McKenzie kennen lernte. Andy McArran, Poker Livingston ... Inzwischen war keiner von ihnen mehr am Leben, Andy war seinem Freund James nur wenige Monate nach dessen Tod gefolgt.

Gwyneira dachte mit bitterem Lächeln, dass die Runde dann ja wohl wieder beisammen war und ihr Blatt jetzt auf irgendeiner Wolke ausspielte. »Beschummelt ja nicht den heiligen Petrus!«, murmelte sie und strich zum zehnten Mal unruhig durch ihr verlassenes Haus. Sie sorgte sich um Jack – er hatte seit einer Ewigkeit nicht geschrieben, dabei musste er längst fort sein von diesem Strand in der Türkei. Gallipoli – Gwyneira wusste bis jetzt nicht, wie man es richtig aussprach. Und es war wohl auch nicht mehr nötig, es zu lernen. Nach einer letzten, verzweifelten Offensive hatten die Engländer den Strand aufgegeben. Man hatte die ANZAC-Truppen abgezogen. Geordnet angeblich und praktisch ohne Verluste. Die Zeitungen von Christchurch feierten das wie einen Sieg – dabei war es doch nicht mehr als ein grandioses Scheitern. Und Jack wagte es vermutlich nicht einzugestehen. Gwyneira erschien das die einzige Erklärung für sein Schweigen.

Vor allem sorgte sie sich um Gloria. Es war gut ein Jahr her, dass sie aus dem Hotel in New York verschwunden war, und seitdem hatte niemand von ihr gehört. William und Kura beschäftigten nach wie vor mehrere Privatdetektive, aber bislang gab es keine Spur. Dabei schien Kura eher wütend zu sein, als sich zu sorgen; wahrscheinlich dachte sie an ihren eigenen Ausbruch aus ihrer Ehe und der Sicherheit von Kiward Station, der sie vor Jahren durch Neuseeland und Australien geführt hatte. Gefahren für Leib und Leben hatte sie da nicht gesehen, und auch Gwyneiras Sorge hatte sich damals in Grenzen gehalten. Zeitweise hatte sie zwar nicht genau gewusst, wo Kura steckte, aber es war immer recht sicher gewesen, dass sie die Südinsel nicht verlassen hatte. Gloria dagegen konnte überall sein – und ihr fehlte das unerschütterliche Selbstbewusstsein einer Kura-maro-tini. Zudem war San Francisco ein anderes Pflaster als Christchurch. George Greenwood, der die Stadt kannte, bezweifelte, dass Gloria sie je verlassen hatte.

»Es tut mir leid, Miss Gwyn, aber ein Mädchen allein in diesem Sündenpfuhl ...« George hatte nicht weitergesprochen, und Gwyneira mochte sich nicht ausmalen, wie ihre Urenkelin womöglich gestorben war.

»Entschuldigung, Miss Gwyn, aber Essen fertig!« Kiri, die alte Haushälterin, öffnete die Tür zu Gwyneiras kleinem Arbeitszimmer. Sie flüchtete sich gern in diesen Raum, in dem ihre Stimme wenigstens keinen Hall warf, wenn sie mit sich selbst sprach.

Gwyneira seufzte. »Ich habe keinen Hunger, Kiri ... Und der letzte Appetit vergeht mir, wenn du jetzt im Salon aufträgst. Ich kann zu euch in die Küche kommen, dann essen wir gemeinsam einen Happen, ja?«

Kiri nickte. Sowohl sie als auch die Köchin Moana waren Gwyneira längst mehr Freundinnen als Dienerinnen geworden. Sie hatten auch kein großes Essen vorbereitet, sondern nur nach einfachstem Maori-Rezept Fisch gebraten und Süßkartoffeln gegart.

»Rongo Rongo sagen, Gloria nicht tot!«, sagte Moana tröstend, als Gwyneira sich nur wenig davon auf den Teller füllte. Sie wusste genau, was ihre Herrin beschäftigte. »Sie Geister befragt, *tikki* sagen, ihr Herz singt traurige Lieder, aber ist nicht fern.«

»Vielen Dank, Moana.« Gwyn rang sich ein Lächeln ab. Moana mochte der Zauberin etwas für dieses Ritual gezahlt haben, aber vielleicht hatte Rongo es auch aus Interesse oder auf Anweisung des Häuptlings Tonga durchgeführt. Tonga fragte gelegentlich nach Gloria. Er machte sich Sorgen, wenn auch vielleicht aus anderen Gründen.

Im Salon klingelte das Telefon. Kiri und Moana fuhren zusammen.

»Geister rufen!«, meinte Moana, machte aber keine Anstalten, sich in den Salon zu begeben und das Gespräch anzunehmen. Kiri war mutiger – und neugieriger. Der seltsame kleine Kasten, aus dem Stimmen drangen, war allerdings beiden Maori-Frauen unheimlich. Gwyneira eigentlich auch, obwohl sie seine Vorteile zu schätzen wusste.

Kiri ging schließlich – und war nach kurzer Zeit wieder da.

»Gespräch aus Dunedin, sagt Vermittlung. Ob wir annehmen?«

»Sicher.« Gwyneira stand auf. Eigentlich hatte sie höchstens mit dem Tierarzt aus Christchurch gerechnet, der ein neues Entwurmungsmittel für Schafe für sie bereithielt. Aber Dunedin?

Sie wartete geduldig, bis die Vermittlung sie durchstellte.

»Sie können jetzt reden!«, sagte schließlich eine eifrige Stimme. Gwyneira seufzte. Die Vermittlung saß in Haldon, und die Frau »vom Amt« war bekannt dafür, jedes Gespräch mitzuhören und den Inhalt dann mit ihren Freundinnen zu diskutieren.

»Hier ist Kiward Station, Gwyneira McKenzie.« Gwyneira meldete sich und wartete.

Am anderen Ende der Leitung blieb es zunächst still. Dann eine Art Räuspern, eine erstickte Stimme.

»Grandma Gwyn? Hier ... hier ist Gloria.«

Gwyneira ließ es sich nicht nehmen, ihre Urenkelin in Dunedin abzuholen.

»Schaffen Sie das denn? Die lange Zugfahrt?«, sorgte sich Miss Bleachum. Gwyneira hatte nur sehr kurz mit Gloria, dann deutlich ausführlicher mit der Lehrerin gesprochen. Das Mädchen selbst brachte über die Meldung hinaus praktisch kein Wort heraus. Selbst dazu, wo sie steckte, machte sie nur unverständliche Angaben. »Bei Miss Bleachum, in der Schule ...« Gwyneira wurde nicht recht schlau daraus, was aber auch daran liegen konnte, dass ihr Herz wie rasend klopfte. Gloria war am Leben, sie war in Neuseeland!

Schließlich hatte Miss Bleachum dem Mädchen den Hörer aus der Hand genommen. Von ihr erfuhr Gwyneira das Wichtigste. »Ich kann Gloria doch einfach in den Zug setzen, und Sie holen sie in Christchurch ab.«

Doch davon wollte Gwyneira nichts hören.

»Selbstverständlich überlebe ich eine Zugreise, ich muss den Wagen ja nicht selbst ziehen!«, beschied sie der besorgten Erzieherin gewohnt resolut. »Vor allem gehe ich keine Risiken mehr ein! Auf keinen Fall lasse ich das Mädchen noch einmal allein. Sie soll bei Ihnen bleiben, und spätestens in drei Tagen bin ich da. Passen Sie gut auf sie auf!«

Ungeachtet ihres Alters tanzte Gwyneira regelrecht durch den Salon, zurück in die Küche, in der Hand eine Flasche Champagner.

»Ich fahre nach Dunedin, Kinder, ich hole Gloria! Ach ja, und Rongo Rongo soll sich einen Sack Saatgut abholen. Das hat sie gut gemacht, das mit den Geistern!«

Miss Bleachum und Gloria erwarteten Gwyneira am Bahnhof in Dunedin, und Gwyneira sah sofort, dass etwas nicht stimmte. Das Mädchen in dem hochgeschlossenen, dunkelblauen Reisekostüm klammerte sich zu nervös an die Hand der viel größeren, selbstbewussten Miss Bleachum. Beide wirkten ein bisschen altjüngferlich. Die betagte Gwyneira trug moderner geschnittene, farbigere Kleidung als die zwanzigjährige Gloria. Voller Freude über die Heimkehr ihrer Urenkelin hatte sie das triste Schwarz endlich abgelegt und dafür in Christchurch ein elegantes Reisekostüm in einem satten Marineblau erstanden. Weiße Streifen an Kragen und Manschetten lockerten es auf, und ein passendes Hütchen saß keck auf Gwyneiras inzwischen weißen Haaren.

»Gloria!« Gwyneira zwinkerte durch ihr Lorgnon. Sie fand dies eleganter als die unförmige Brille, die sie ebenfalls besaß, aber für ihr Alter waren ihre Augen ohnehin noch recht scharf. Sie brauchte die Brille nur zum Lesen. Jetzt aber wollte sie absolut klare Sicht auf ihre lang verschollene Enkelin. »Du bist erwachsen geworden!«

Gwyneiras Lächeln und ihre Worte kaschierten den Schrecken, der sie bei Glorias genauerer Musterung durchfahren hatte. Dieses Mädchen wirkte nicht nur erwachsen, es wirkte alt. Seine Augen blickten starr, fast ausdruckslos. Andererseits war Glorias Verhalten jedoch kindlich furchtsam. Miss Bleachum musste ihre Hand fast mit sanfter Gewalt aus ihrer eigenen lösen, um sie ihrer Großmutter entgegenzuschieben. Gwyneira umarmte sie, doch Gloria schien die Berührung unangenehm zu sein.

»Gloria, Kind, ich bin so glücklich, dass du wieder da bist! Wie hast du das bloß geschafft? Du musst mir alles erzählen …«

Gwyneira hielt Glorias Hände fest. Sie waren eiskalt.

Über Glorias Gesicht huschte ein Schatten. Sie schien blass zu werden, obwohl ihr Gesicht noch Spuren von Sonnenbräune zeigte. Sicher hat sie den letzten Sommer nicht vorwiegend im Haus verbracht wie die weißhäutige Miss Bleachum, dachte Gwyn.

»Du musst natürlich gar nichts, Glory …«, sagte Miss Bleachum sanft und warf Gwyn einen bedeutsamen Blick zu. »Gloria redet nicht gern über ihre Erlebnisse. Wir wissen nur, dass sie über China und Australien gereist ist …«

Gwyneira nickte bewundernd. »Und das ganz allein, eine so weite Reise! Ich bin stolz auf dich, mein Kleines!«

Gloria brach in Tränen aus.

Gwyneira begleitete Miss Bleachum und Gloria zur Schule und kämpfte sich durch eine verkrampfte Teestunde mit Miss Bleachum und Mrs. Lancaster. Die Lehrerinnen waren nett und versuchten alles, um ein Gespräch zwischen Urgroßmutter und Enkelin in Gang zu bringen, aber im Wesentlichen blieb es vergeblich. Gloria antwortete einsilbig, zerkrümelte ihren Teekuchen zwischen den Fingern und schien die Augen nicht von ihrem Teller heben zu können.

»Nehmen Sie den Nachtzug, Mrs. McKenzie, oder kann ich Ihnen eine Übernachtungsmöglichkeit anbieten?«, fragte Mrs. Lancaster fürsorglich.

Gwyneira schüttelte den Kopf. »Zweimal diese Fahrt an einem Tag, das wäre dann doch ein bisschen viel für meine alten Knochen. Aber ich habe ein Hotel in Dunedin gebucht. Wenn Sie uns nachher also einfach ein Taxi rufen würden ...«

Bei den Worten »uns« und »Hotel« wurde Gloria kreidebleich. Gwyneira sah, dass sie Miss Bleachum bittende Blicke zuwarf, aber die Lehrerin schüttelte den Kopf. Gwyneira konnte all dem nicht mehr folgen. Wollte Gloria nicht weg? Es sah aus, als fürchte sie sich zu Tode, die Schule zu verlassen. Gwyneira dachte daran, klein beizugeben und das Angebot anzunehmen, auch ihrerseits in der Schule zu übernachten. Aber dann überlegte sie es sich anders. Ein solches Verhalten würde das Problem nur um einen Tag verschieben. Außerdem musste sie dann den Plan aufgeben, am nächsten Morgen noch in Dunedin einkaufen zu gehen. Und wenn sie Miss Bleachum richtig verstanden hatte, brauchte Gloria dringend ein paar neue Sachen.

»Holst du dann bitte deine Tasche, Kleines?«, fragte sie freundlich, Glorias Ressentiments scheinbar nicht bemerkend. »Oder hast du noch gar nicht gepackt? Das macht nichts, sicher hilft dir Miss Bleachum, und ich unterhalte mich derweil ein bisschen mit Mrs. Lancaster.«

Sarah Bleachum verstand den Wink und verzog sich mit Gloria auf ihr Zimmer. Mrs. Lancaster bestätigte derweil Gwyneiras Eindrücke. »Es ist zweifellos richtig, das Mädchen heute schon mitzunehmen, und neue Kleider braucht sie auch. Sie besitzt nur zwei Kostüme, das andere entspricht ziemlich genau dem, das sie heute getragen hat. Ich habe Miss Bleachum mehrmals vorgeschlagen, mit ihr einkaufen zu gehen, wir hätten ihr das Geld selbstverständlich vorgestreckt. Aber Gloria wollte nicht.«

Gwyneira zog die Augenbrauen hoch. »Dann hat sie dieses ... hm ... Ensemble ... nicht mit ... Hilfe Ihrer Damen ausgewählt?«

Mrs. Lancaster lachte. »Mrs. McKenzie, wir sind eine Mädchenschule, kein Nonnenkloster! Unsere Schülerinnen tragen konventionelle Schulkleidung, aber außerhalb der Schulzeit halten wir sie keineswegs dazu an, sich zu kleiden wie eine Lehrerin in mittlerem Alter. Ich finde ja persönlich, dass da auch Miss Bleachum ... Aber lassen wir das, sie hat sicher Gründe, ihre Weiblichkeit ein bisschen ... hm ... zu unterdrücken. Und ich fürchte, Gloria ebenfalls. Sie werden sehr viel Geduld mit ihr haben müssen.«

Gwyneira lächelte. »Ich habe alle Geduld der Welt«, meinte sie. »Zumindest mit Pferden und Hunden. Bei Menschen versagt sie schon mal ... aber ich werde mir Mühe geben.«

»Sie sind Witwe?«

Über Gwyneiras Gesicht fiel ein Schatten. »Ja, seit knapp zwei Jahren. Ich werde mich nie wirklich daran gewöhnen ...«

»Entschuldigen Sie, ich wollte nicht an Ihre Trauer rühren. Es geht nur darum ... leben Männer in Ihrem Haushalt, Mrs. McKenzie?« Mrs. Lancaster biss sich auf die Lippen.

Gwyneira zog die Stirn kraus. »Mrs. Lancaster, ich verwalte eine Schaffarm ...« Sie lächelte. »Kein Nonnenkloster! Natürlich beschäftigen wir Viehhirten, Verwalter, ein Maori-Stamm lebt auf unserem Land. Was soll die Frage?«

Mrs. Lancaster kämpfte deutlich mit der Antwort. »Gloria tut sich schwer mit Männern, Mrs. McKenzie. Was ist ... was ist mit diesem Jack? Gloria hat von ihm erzählt, und ich glaube, Jack ist der Hauptgrund, weswegen sie die Heimkehr fürchtet.«

Gwyneira funkelte die Rektorin an. Sie schwankte zwischen Verwunderung und Zorn. »Sie fürchtet sich vor Jack? Aber mein Sohn würde ihr doch nie zu nahetreten! Die beiden hatten immer ein wunderbares Verhältnis. Allerdings lebt Jack zurzeit nicht auf Kiward Station. Er ist beim Militär ...«

»Das tut mir leid, Mrs. McKenzie. Falls Sie jetzt nicht zu den Frauen gehören, die kaum abwarten können, ihre Söhne in den Krieg zu schicken ... Aber Gloria dürfte es die Eingewöhnung erleichtern.«

Gwyneira glaubte das nicht, aber bevor sie die reichlich verwirrende Unterhaltung fortsetzen konnte, schob Miss Bleachum Gloria ins Zimmer. Das Mädchen wirkte bleich, aber gefasst. Im Taxi zum Hotel erzählte Gwyneira ihr von Jack und versuchte, ihre Reaktion darauf irgendwie zu deuten. Glorias Ausdruck schwankte zwischen Betroffenheit und Erleichterung.

»Alles«, sagte sie leise, »wird anders sein.«

Gwyneira schüttelte den Kopf. »Nicht so anders, Kleines. So viel ändert sich nicht auf einer Schaffarm. Es werden Lämmer geboren, wir treiben die Schafe ins Hochland, sie werden geschoren, wir verkaufen die Wolle ... jedes Jahr, Gloria. Es ist immer gleich ...«

Gloria versuchte, sich daran zu klammern.

Der Einkaufsbummel am nächsten Morgen gestaltete sich mühsam. Gloria wollte das Hotel am liebsten gar nicht erst verlassen, und als es Gwyn endlich gelungen war, sie in einen Laden zu schleppen, zog es sie zu den hässlichsten, weitesten und dunkelsten Kleidern.

»Als du klein warst, wolltest du Hosen!«, erklärte Gwyneira dagegen resolut und ließ nicht locker, bis Gloria tatsächlich einen der fast schockierend modernen Hosenröcke anprobierte, deren Gebrauch die Suffragetten für radfahrende und autofahrende Frauen populär gemacht hatten. In England war diese Mode fast schon wieder abgeflaut, aber hier am Ende der Welt galten die weiten, oft orientalisch beeinflussten Beinkleider noch als der neueste Schrei. Gloria standen sie hervorragend, sie blickte verblüfft in den Spiegel. Es war ein ganz anderes Mädchen, das ihr hier entgegenblickte. Die Verkäuferin setzte noch ein schlichtes, windschnittiges Hutmodell auf ihr kurzes, krauses Haar.

»Die passende Frisur haben Sie ja schon«, sagte sie lächelnd und strich Glorias Haar aus dem Gesicht. Gwyneira bestand darauf, dass ihre Urenkelin das Hosenkleid kaufte und auch gleich auf der Zugreise anbehielt. Schließlich war es gerade für solche Anlässe sehr praktisch. Gloria wand sich allerdings unter den abschätzenden Blicken der Mitreisenden. Auch Gwyneira konnte die Augen kaum von ihr wenden, als sie sich schließlich im Abteil gegenübersaßen.

»Hab ich irgendwas im Gesicht?«, fragte Gloria schließlich verärgert.

Gwyneira wäre fast errötet. »Natürlich nicht. Entschuldige, Kind, dass ich dich so anstarre. Aber jetzt, mit diesem Hut ... die Ähnlichkeit ist derart verblüffend ...«

»Ähnlichkeit mit wem?«, fragte Gloria schroff. Sie schien beinahe Verteidigungshaltung einzunehmen.

Gwyneira machte eine beschwichtigende Handbewegung.

»Mit Marama«, sagte sie dann. »Deiner Großmutter. Und mit deinem Großvater Paul. Es ist fast, als habe man ihre Fotografien ... es gibt leider keine, sonst könnte ich es dir beweisen ... als hätte man ihre Bilder auf durchscheinendes Papier gedruckt und die Porträts übereinandergelegt. Manchmal sehe ich Paul, wenn ich von rechts schaue, und Marama, wenn ich von links gucke. Daran muss ich mich erst gewöhnen, Gloria.«

Tatsächlich erinnerten Glorias Züge sie eigentlich mehr an Marama als an Paul. Nach Maori-Maßstäben war ihr eher breites Gesicht mit den dennoch hohen Wangenknochen durchaus schön, und ihre Figur entsprach genau dem Idealbild der Ureinwohner. Gloria gefiel Gwyneira besser als auf den letzten Fotos aus Amerika, auf denen ihre Züge verschwommen gewirkt hatten. Sie hatte Gewicht verloren und ihr Gesicht an Ausdruck und Struktur gewonnen. Von Paul hatte sie hauptsächlich die dicht zusammenstehenden Augen und das energische Kinn, aber das fiel kaum auf und passte jetzt sogar zu ihrer sportlichen Kleidung. Wenn da nur nicht dieser mürrische, in sich verschlossene Blick wäre ... Genau dieser Blick, die stets leicht gerunzelte Stirn, die angespannte Mundpartie erinnerten Gwyneira an Paul. Keine glücklichen Erinnerungen. Auch Paul war zornig auf die ganze Welt gewesen. Gwyneira begann, sich zu fürchten.

Maaka hatte einen Wagen geschickt, um Gwyneira und Gloria am Bahnhof abzuholen. Auf Gwyneiras ausdrückliche Anweisung kutschierte er eine Chaise mit zwei Cobs davor. Das Auto war in der Remise geblieben.

»Aber mit dem Wagen geht es viel schneller, Miss Gwyn!«, argumentierte der junge Maori, ein leidenschaftlicher Autofahrer. »Mit den Pferden brauchen wir die ganze Nacht.«

»Wir haben es nicht eilig!«, beschied Gwyn ihm. »Miss Gloria liebt Pferde. Sie wird sich freuen, die Cobs zu sehen.«

Tatsächlich heiterte Glorias Miene sich zum ersten Mal auf, als sie die Kutsche vor dem Bahnhof warten sah. Sie schreckte allerdings etwas zurück, da Maaka sie hielt.

»*Kia ora*, Miss Glory!«, grüßte der Vorarbeiter unbefangen. »*Haere mai!* Wir freuen uns sehr, dass Sie wieder zu Hause sind!« Er strahlte, aber Gloria schien es schon schwer zu fallen, ihm kurz zu danken.

»Komm, Glory, schau dir die Pferde an!«, rief Gwyneira das Mädchen zu sich. »Es sind Halbschwestern, beide von Cuchulainn. Ceredwen ist noch von Raven, die ich früher geritten habe, und Colleen von ...« Sie ratterte Abstammungen herunter.

Gloria hörte zu. Sie schien sich an die Pferde zu erinnern, ihr Gesicht zeigte mehr Interesse als bei all den Familiengeschichten, mit denen Gwyneira versucht hatte, sie auf der Fahrt zu unterhalten.

»Und Princess?«, fragte sie schließlich fast tonlos.

Gwyneira lächelte. »Die gibt es auch noch. Aber sie ist doch ein bisschen zu leicht für diese Chaise ...« Sie wollte weitersprechen, aber dann ging jede Unterhaltung in ohrenbetäubendem Kläffen unter. Die Frauen hatten sich der Chaise so weit genähert, dass der kleine dreifarbige Hund sie wittern konnte, den Maaka unter dem Bock angebunden hatte.

»Ich dachte, ich bring sie Ihnen mit, Miss Glory«, meinte er grinsend und löste den Strick.

Nimue schoss auf die Frauen zu, und Gwyneira beugte sich gewohnheitsmäßig hinunter, um sie zu begrüßen. Aber die Hündin hatte keinen Blick für sie. Bellend, jaulend, fast schreiend vor Glück sprang sie an Gloria hoch.

»Meine Nimue?« Gloria kniete sich auf die Straße, ihre neuen Kleider waren vergessen. Sie umarmte und herzte den Hund, der sie seinerseits mit feuchten Küssen bedeckte. »Sie kann doch nicht ... Ich hatte Angst, dass ...«

»Dass sie tot ist?«, fragte Gwyneira. »Deshalb hast du nicht nach ihr gefragt ... Aber schau, sie war noch ganz jung, als du weggingst, und Border Collies sind langlebig. Sie kann noch zehn Jahre leben ...«

Glorias Gesicht hatte alle Verschlossenheit, alle Verkrampfung verloren; es spiegelte nur das vollkommene Glück des Wiedersehens. Es gab also doch jemanden, der sie liebte.

Gwyneira lächelte sie an. Dann nahm sie auf dem Bock Platz.

»Lässt du mich kutschieren, Maaka?«

Der Maori lachte. »Das war mir schon klar, Miss Gwyn, dass ich die Zügel abgeben muss. Aber wenn's Ihnen recht wäre, würde ich ohnehin gern in Christchurch bleiben. Ich dachte, ich schau im Kontor von Mr. George vorbei. Die Wollrechnung ...«

»Und die reizende kleine Tochter von Reti«, neckte ihn Gwyn. Es war ein offenes Geheimnis, dass Maaka in die Tochter von George Greenwoods Geschäftsführer Reti verliebt war. Das Maori-Mädchen hatte ein College auf der Nordinsel abgeschlossen und half neuerdings im Büro. »Bleib ruhig da, Maaka, aber mach keine Dummheiten! Die Kleine ist westlich erzogen, sie erwartet eine Werbung mit Blumen und Pralinees! Vielleicht schreibst du ihr auch mal ein Gedicht!«

Maaka runzelte die Stirn. »Um ein so dummes Mädchen würde ich nicht werben!«, erklärte er. »Sie will keinen *tohunga*, der ihr Geschichten erzählt, und sie ist kein Kind, das man mit Bonbons erobert. Blumen blühen im Frühling auf der ganzen Insel, es brächte wohl eher Unglück, wenn man sie ohne Grund ausreißt.« Er lachte. »Aber ich habe das hier ...« Er nestelte einen Jadestein aus der Tasche, in den er die Konturen eines kleinen Gottes geschnitzt hatte. »Ich habe den Stein selbst gefunden, meine Geister haben ihn berührt ...«

Gwyneira lächelte. »Wie schön! Das wird sie freuen. Grüß Reti von mir, und Elizabeth Greenwood, falls du sie siehst.«

Gloria hatte dem Gespräch mit steinernem Gesicht gelauscht. Sie schien erneut zu verspannen, als Gwyn den jungen Mann mit seinem Flirt neckte. Ob sie unglücklich verliebt gewesen war?

»Hat dir auch schon mal ein Mann etwas geschenkt, Gloria?«, fragte sie sanft.

Gloria, ihren Hund an sich gedrückt, blickte Gwyn hasserfüllt an. »Mehr als mir lieb war, Grandma!«

Dann sagte sie Dutzende Meilen lang gar nichts mehr.

Gwyn schwieg ebenfalls, während die kräftigen Stuten Meile um Meile über die inzwischen gut ausgebaute Straße durch die Canterbury Plains trabten. Mit der Kutsche würden sie wirklich die ganze Nacht brauchen; es wäre besser gewesen, im White Hart zu übernachten. Andererseits war es eine so klare, schöne Nacht. Kalt natürlich, aber nicht regnerisch, der Himmel war voller Sterne, das Siebengestirn leuchtete über ihnen.

»Matariki«. James hatte Gwyn den Namen vor langer Zeit, in einer Nacht der Liebe beigebracht.

Gloria nickte ernst.

»Und *ika-o-te-rangi*. Die Milchstraße. Der Himmelsfisch für die Maoris.«

»Du kannst es ja noch!«, lächelte Gwyneira. »Marama wird sich freuen. Sie hatte immer Angst, dass du dein Maori vergisst. Wie Kura. Sie meint, dass Kura die Sprache vergessen hat. Was ich allerdings seltsam finde. Kura sprach noch als Erwachsene fließend Maori, und sie singt in der Sprache. Wie könnte sie die Worte vergessen haben?«

»Die Worte nicht«, sagte Gloria und dachte an Tamatea.

Gwyneira zuckte die Schultern. Bald würde die Sonne aufgehen, und sie näherten sich Kiward Station. Gloria musste die Gegend jetzt auch erkennen. Die Weiden, den See …

»Kann ich … kann ich kutschieren?«, fragte das Mädchen heiser. Ihre Sehnsucht, die Cobs selbst auf die Zufahrt zum Haus zu lenken, war so groß, dass sie sogar Nimue losließ.

Gwyneira wollte die Zügel schon hinüberreichen. Aber dann drängte sich ihr ein Bild auf: Lilian, an dem Tag, an dem sie aus England zurückkehrte. Ihre lachenden Augen, ihre anfeuernden Rufe, ihr Haar, das im Wind wehte. Gwyneira hatte sich jung gefühlt, war ganz aufgegangen in der Freude ihrer Urenkelin an den Pferden und der schnellen Fahrt. Und dann James, der mit dem Schimmel auf sie zugaloppierte. So wie damals, wenn er sie im Ring der Steinkrieger erwartet hatte. Lilian schien Gwyneira mit auf eine Reise in die Zeit zu nehmen. Aber dann …

Gwyneira hätte die Zügel nicht aus der Hand geben dürfen. Es hatte Unglück gebracht …

»Nein, lieber nicht!« Gwyneiras Finger verkrampften sich um die Leinen.

Glorias Gesicht verschloss sich. Sie sprach kein Wort mehr, bis sie die Ställe erreichten. Als einer der Viehhüter die Frauen im Stall begrüßte, wäre sie am liebsten in ein Mauseloch verschwunden.

»Lassen Sie mich abschirren, Miss Gwyn! Miss … Gloria?«

Der Mann war noch jung, ein Weißer. Er hatte Gloria als Kind nicht gekannt. Beim Anblick der jungen Frau in dem schicken Hosenrock – bislang hatte er wohl nie eine Dame so gekleidet gesehen – weiteten sich seine Augen. Gwyneira sah Faszination und Bewunderung, Gloria nur nacktes Begehren.

»Vielen Dank, Frank!«, sagte Gwyn freundlich und übergab ihm die Zügel. »Wo steht denn die kleine Princess, Frank? Miss Gloria möchte sie gleich sehen, es war ihr Kinderpony. Heute ist sie natürlich zu groß dafür.«

»Im Paddock hinter den Ställen, Miss Gloria!« Frank Wilkenson wies beflissen auf den hinteren Ausgang der Ställe. »Wenn Sie möchten, kann ich sie Ihnen gern einfahren. Vor einem leichten Gig würde sie eine gute Figur machen.«

Gloria sagte nichts.

»Sie kutschieren doch auch, oder, Miss Gloria?«

Gloria warf Gwyneira einen mürrischen Blick zu.

»Nein«, sagte sie kurz.

»Auf den hast du aber Eindruck gemacht«, versuchte sich Gwyneira an einer Neckerei, als sie ihre Urenkelin durch den Stall führte. Irgendwie musste sich die Missstimmung doch ausgleichen lassen. »Er ist ein netter junger Mann und sehr geschickt mit den Pferden. Ich würde über sein Angebot nachdenken. Princess wäre ein gutes Fahrpferd. Zu dumm, dass ich nicht längst selbst daran gedacht habe.«

Gloria schien etwas erwidern zu wollen, überlegte es sich dann aber anders und folgte ihrer Urgroßmutter schweigend. Ihr Gesicht hellte sich erst wieder auf, als sie die zierliche Fuchsstute neben den anderen Pferden im Auslauf sah.

»Prinzessin, Süße ...«

Princess erkannte ihre frühere Herrin natürlich nicht. Nach acht Jahren wäre das zu viel verlangt gewesen, und Gloria wusste das auch. Sie nahm es dem Tier nicht übel, schlüpfte aber unter dem Zaun durch und ging auf die Stute zu, um sie zu streicheln. Princess ließ das zu und rieb sogar kurz ihren Kopf an Glorias Schulter.

»Ich werde dich morgen putzen«, sagte Gloria lächelnd. Sie verstand den Wink. Der Stute juckte das Fell, und sie schien ein Mensch zu sein, der Zeit für sie hatte.

Gloria behielt das Strahlen bei, als sie zurück zu Gwyneira kam.

»Wo ist denn das Fohlen?«, fragte sie.

»Welches Fohlen ...?« Gwyneira fiel die Antwort siedend heiß ein, noch während sie die Frage stellte. Princess' Fohlen ... das Pferd, von dem Jack Gloria versprochen hatte, sie könnte es bei ihrer Rückkehr reiten.

Gwyneira biss sich auf die Lippen.

»Gloria, Liebes, es tut mir leid, aber ...«

»Ist es tot?«, fragte Gloria leise.

Gwyneira schüttelte den Kopf. »Aber nein, kein Gedanke. Es ist eine hübsche kleine Stute. Und es geht ihr gut. Aber ... ich habe sie Lilian geschenkt. Es tut mir wirklich leid, Gloria, aber es sah nicht danach aus, als ob du so bald zurückkämest. Und du hast auch nie geschrieben, dass du nach wie vor reitest ...«

Gloria starrte Gwyneira an. Die alte Dame versuchte, den Blick ihrer Urenkelin freundlich zu interpretieren, doch in ihren Augen stand blanker Hass.

»Wenn man nicht mehr reitet, ist man tot. Hast du das nicht immer gesagt? War ich ... bin ich ...?«

»Gloria, so habe ich das doch nicht gemeint! Ich habe mir gar nichts dabei gedacht. Es war nur so, dass die kleine Stute unbeschäftigt war, und Lilian kam gut mit ihr zurecht. Schau, Gloria, alle Pferde in diesem Stall gehören dir. Frank kann dir die Jungpferde morgen zeigen. Ein paar Vierjährige gehen schon sehr schön. Aber vielleicht möchtest du lieber eine schicke Dreijährige, mit der du selbst arbeiten kannst ...«

»Gehören sie nicht eher meiner Mutter?«, fragte Gloria kalt. »Wie alles hier? Mich eingeschlossen? Was wird eigentlich, wenn sie mich wieder wegholen will? Schickst du mich wieder fort?«

Gwyneira wollte sie umarmen, aber das Mädchen schien wie von einem Eishauch umgeben.

»Ach, Glory ...« Gwyneira seufzte. Sie wusste nicht, was

sie sagen sollte. Gwyn war nie die größte Diplomatin gewesen, und diese Situation überforderte sie vollkommen. Sie wünschte sich Helen herbei. Oder James. Die würden wissen, was zu tun war. Aber Gwyn war nur hilflos. Gloria musste doch wissen, wie sehr sie willkommen war!

»Wir können Princess einfach noch mal decken lassen!«, sagte sie schließlich. Gwyn löste Probleme lieber durch Taten als durch Worte.

»Können wir reingehen?«, fragte Gloria, ohne auf das Angebot einzugehen. »Wo soll ich eigentlich wohnen? Mein Zimmer ist doch wohl noch da? Oder hast du es auch Lilian gegeben?«

Gwyneira beschloss, einfach nicht zu antworten. Stattdessen ging sie Gloria langsam voraus; von den Ställen aus führte ein Pfad zum Küchentrakt von Kiward Station. Im letzten Moment fiel ihr ein, dass Gloria das wieder missverstehen könnte.

»Es ist dir doch recht, dass wir ... also, wir könnten natürlich auch durch den Haupteingang ... aber das wird mir in meinem Alter oft zu mühsam. Die vielen Stufen.«

Gloria verdrehte die Augen, aber es sah nicht komisch aus wie bei Lilian, eher verächtlich.

»Grandma Gwyn, ich möchte auf mein Zimmer. Wie ich hier hereinkomme, ist mir völlig egal.«

So schnell konnte sie sich dann aber doch nicht zurückziehen. In der Küche warteten Kiri, Moana und Glorias Großmutter Marama.

»*Haere mai, mokopuna!* Wie schön, dich wiederzuhaben!«

Gwyneira beobachtete die Maori-Frauen, die Gloria eifrig umtanzten, als Enkelin begrüßten und Anstalten machten, ihre Gesichter zum traditionellen *hongi* an das ihre zu schmiegen. Wenn sie bei Glorias Anblick ebenso erschraken wie Gwyn am Tag zuvor, so verstanden sie, das zumindest geschickt zu verbergen.

Marama verzichtete allerdings darauf, ihre Enkelin zu umarmen. Sie nahm ihre Hände und sagte etwas in ihrer Sprache. Gwyneira verstand es nicht genau, aber sie meinte, eine Entschuldigung herauszuhören.

»Verzeih deiner Mutter, meiner Tochter, *mokopuna*. Menschen waren ihr immer fremd ...«

Gloria ließ die herzliche Begrüßung weitgehend teilnahmslos über sich ergehen. Sie lächelte nur, als Nimue über die laute Freude der Frauen in Ekstase geriet und laut bellend um sie herumrannte.

»Jetzt erst mal ausruhen. Aber heute Abend gutes Essen!«, erklärte Kiri schließlich. Vielleicht führte sie Glorias mangelnde Regungen auf ihre Müdigkeit nach der nächtlichen Fahrt zurück. »Wir machen *kumera*, Süßkartoffel. Du sicher nicht gegessen seit Weggehen nach England!«

Gwyneira führte ihre Urenkelin schließlich in ihr Zimmer – das gleiche, das Gloria vor ihrer Abreise bewohnt hatte. Sie vermerkte erfreut, dass die Anspannung im Gesicht des Mädchens sich löste, als sie den Raum betraten. Gwyneira hatte nichts im Zimmer verändert. Noch immer zierten Pferdebilder die Wände, die letzte Fotografie von Gloria mit Princess, kindlich ungeschickte Zeichnungen und ein paar naturkundliche Abbildungen der heimischen Flora und Fauna, die noch von Lucas stammten, Gwyneiras erstem Mann.

»Du siehst, wir haben dich immer erwartet«, sagte Gwyneira steif, aber Glorias Gesicht verzog sich erst zu einem Lächeln, als sie Maramas Geschenk auf dem Bett liegen sah. So oft hatte sie dort hastig ihre Reithosen hingeworfen, um sich zum Abendessen wieder »in ein Mädchen zu verwandeln«, wie Jack es nannte. Und nun lagen da nagelneue

Breeches, im alten, einfachen Schnitt von Marama geschneidert.

Gwyneira versuchte, das Lächeln zu erwidern. »Vielleicht suchst du dir ja morgen doch ein Pferd aus?«, fragte sie scheu.

Das Strahlen in Glorias Augen erlosch.

»Vielleicht«, sagte sie.

Gwyneira war fast froh, die Tür hinter ihr schließen zu können.

Gloria ging einmal durch das Zimmer, betrachtete all die Bilder an den Wänden, den abgetretenen bunten Teppich, die Jadestückchen und bunten Steine, die sie gemeinsam mit Jack gesammelt hatte ...

Schließlich warf sie sich aufs Bett, Nimue in den Armen, und weinte. Als ihre Tränen endlich versiegten, stand die Sonne schon hoch am Himmel.

Sie war angekommen. Sie war auf Kiward Station.

Gloria wusste, dass sie sich eigentlich freuen sollte. Die Zeit der Trauer war vorüber. Aber sie verspürte keine Freude.

Was sie empfand, war nichts als Zorn.

3

Die Idee einer heimlichen Hochzeit war ein wunderbarer Traum, und Lilian und Ben schmückten ihn immer mehr aus. Zu Lilian drang nichts mehr durch, was ihre Eltern beschäftigte, weder die Geschehnisse um den Krieg noch Glorias Rückkehr. Sie ging ganz in ihrer Liebe zu Ben und der Planung ihrer Flucht auf und zögerte auch nicht bei dem Gedanken an deren Realisierung. Ben dagegen teilte ihre Fantasien, ohne wirklich daran zu glauben. Bis sich an einem eiskalten Abend im Frühling die Ereignisse überstürzten.

George Greenwood war wieder einmal in der Stadt und hatte gemeinsam mit Tim und Matt Gawain beschlossen, die Pläne zum Bau der Kokerei endlich öffentlich zu enthüllen. Schon jetzt wurde über das Bauvorhaben gemunkelt. Der Grundstein war gelegt, und es war kaum möglich, dass den Lamberts noch irgendjemand in Greymouth zuvorkam. Allerdings, darüber war sich Tim im Klaren, konnte es die anderen Bergwerkseigner verstimmen, wenn das Geheimnis zu lange gewahrt blieb. Die Männer waren also übereingekommen, die Billers, den Verwalter der Blackball-Mine und andere wichtige Leute zu einem feierlichen Essen in eins der besseren Hotels am Strand einzuladen. Dort wollte man dann großartig verkünden, dass allen Minen von Greymouth demnächst die Möglichkeit offen stünde, ihre Kohle direkt vor Ort zu Koks verarbeiten zu lassen. Die Meinungen dazu wären wahrscheinlich geteilt. Die Besitzer der kleineren Minen durften erfreut sein, Florence Biller würde sich eher ärgern, nicht selbst den Mut und das Geld zur Expansion aufgebracht zu haben. Für die Lambert-Mine würde die Investition zweifellos zu einer Goldgrube.

Für Lilian Lambert und Ben Biller war der Abend aus anderen Gründen ein Meilenstein. Zum ersten Mal seit einem Jahr wagten es ihre Eltern, sie auf gesellschaftlichem Parkett zusammenzubringen. Ben begleitete seine Mutter, da Caleb sich wieder einmal drückte, und Lilian spielte nach wie vor Chauffeuse. George Greenwood hatte ausdrücklich darum gebeten, seine reizende Reisebegleiterin möge ihm diesmal als Tischdame beigesellt werden.

»Na, wie sieht es denn nun aus mit deinem Herzen?«, neckte er sie gut gelaunt, als sie förmlich neben ihm Platz nahm. Sie trug ein neues, apfelgrünes Kleid, ihr erstes richtiges Abendkleid, und sah bezaubernd aus. Ben verschlang sie mit Blicken. »Hast du es vergeben, oder willst du doch lieber die Mine deines Vaters übernehmen?«

Lilian wurde glühend rot. »Ich ... äh ... da gibt es schon jemanden!«, erklärte sie gewichtig. Onkel George hatte sie immer ernst genommen. Sicher würde er sich nicht so kindisch benehmen wie ihre und Bens Eltern, wenn er von ihrer Liebe wüsste. »Aber es ist noch ein Geheimnis!«

George lächelte. »Dann wollen wir mal nicht daran rühren«, bemerkte er und beschloss im Stillen, später mit Elaine darüber zu reden. Sie hatte ihm irgendwann von Lilians und Bens Schwärmerei füreinander erzählt, war aber der Meinung, sie sei inzwischen abgeflaut. Für George hörte sich das nicht danach an. Und im Gegensatz zu den meisten anderen fiel ihm auch auf, dass Lilian und Ben irgendwann verschwanden. Lilian fand einen Grund dafür – Elaine hatte sie gebeten, ihre Stola zu holen, die sie im Auto vergessen hatte. Ben allerdings schlich sich weg, als er Florence Biller beschäftigt wähnte. Sie stritt heftig mit dem Geschäftsführer der Blackball-Mine wegen irgendeiner Eisenbahnverbindung.

George beschloss, dass dies der ideale Zeitpunkt war, seine Enthüllung zu machen. Er klopfte an sein Glas.

Ben erreichte Lilian, als sie eben ihr Auto aufschloss. Er strahlte sie an.

»Ich musste dich allein sehen, Lily!«

Lilian ließ sich umarmen, wirkte allerdings besorgt. Sie hatte das Auto auf offener Straße geparkt – zumindest der Portier des Hotels konnte es einsehen. Wahrscheinlich hatte er zwar kein Interesse daran, sie zu verraten, aber geheuer war es ihr nicht. Außerdem war ihr kalt. Es war zwar Oktober und damit Frühling, aber das Wetter hielt sich nicht an die Vorgaben. Der Wind wehte eisig von den Alpen herüber.

Schließlich fasste sie einen Entschluss.

»Komm gerade mit ins Auto!«, lud sie Ben ein und schlüpfte auf den Rücksitz. Ben rutschte neben sie und begann gleich, sie zu liebkosen. Die Limousine war riesig, sie hatten es nie so behaglich gehabt. Lilian erwiderte seine Küsse lachend.

»Heb dir noch was auf für die Hochzeitsnacht!«, neckte sie ihn. »Es ist jetzt bald so weit. Wollen wir hier warten, bis du auch Geburtstag hattest, oder gehen wir bald nach Auckland?«

Ben erschrak, erkannte aber das vorläufige Schlupfloch.

»Lass uns besser warten. Weil ... also, bevor wir verheiratet sind, wo sollten wir denn da wohnen?«

Lilian zuckte die Achseln. »Wir suchen uns einen Vermieter, der nicht nach dem Trauschein fragt«, erklärte sie praktisch. »Da kommt's doch wohl nicht drauf an.«

Ben errötete. »Du meinst ... wir ... äh ... machen es, bevor ...?«

Lilian nickte ernst. »Ich denke doch. Schon aus Vorsicht irgendwie. Nicht, dass was schiefgeht, dass was nicht passt oder so.«

»Wieso nicht passt?«, fragte Ben verblüfft.

Lilian errötete jetzt ihrerseits. »Na ja ... also, wie ich es verstanden habe ... da hat es ja schon irgendwas mit zusammenstecken zu tun.«

Ben runzelte die Stirn. »Aber ich glaube, es passt immer«, meinte er dann.

Lilian sah ihn forschend an. »Woher weißt du das? Hast du es schon mal versucht?«

Ihre Miene schwankte zwischen der Hoffnung, etwas Erfahrung anzapfen zu können, und dem bitteren Gedanken an Untreue.

Ben schüttelte empört den Kopf. »Natürlich nicht! Ich würde das nie mit einer anderen tun als mit dir. Aber ...« Wieder schoss ihm das Blut ins Gesicht. »Aber die anderen Jungs auf dem College ...«

Lilian verstand. Bens Kommilitonen waren durchweg älter gewesen. Natürlich hatten sie mehr gewusst als er.

»Na schön«, meinte sie. »Aber es kann bestimmt nicht schaden, wenn man es ausprobiert. Du hast doch Lust, oder?«

»Jetzt?«, fragte Ben. »Hier?«

Die Versuchung war da. Im Auto war es angenehm warm und viel gemütlicher als sonst im Stall. Aber Lilian wollte vernünftig sein.

»Nein, jetzt ist es zu früh. Aber in Auckland.«

Ben küsste sie inzwischen heftiger. Der Gedanke, es hier und jetzt zu versuchen, war unwiderstehlich.

»Aber dann ist es zu spät. Wir können nicht mehr weg, wenn es dann doch nicht passt ...«

Lilian überlegte kurz. Dann erlaubte sie ihm, ihr Kleid hochzuschieben und ihre Schenkel zu streicheln. Das hatten sie bisher noch nie gemacht, aber es übertraf alle Glücksgefühle beim Küssen und beim Streicheln ihrer Brüste. Sie stöhnte wohlig.

»Es wird schon passen …«, murmelte sie.

Florence Biller raste vor Wut. Wieder dieser Greenwood! Wieder diese Firma, der wohl unbeschränkte Geldmengen zur Verfügung standen und die in die Lambert-Mine investierte. Und klar, dass die Idee mit dem Bau von Tim stammte! Sie selbst hatte natürlich auch schon mal mit dem Gedanken gespielt, aber für genauere Planungen hätte sie ein Ingenieursbüro gebraucht. In aller Stille wie Lambert hätte sie es nie geschafft. Und ohne Investoren wäre es auch nicht gegangen … Wenn Caleb nur ein bisschen geschickter und interessierter wäre! Es war so mühsam, alles allein machen zu müssen, und wenn sie Geldgeber von außen ansprach, griff ihr altes Handicap. Florence wünschte sich verzweifelt, ein Mann zu sein! Natürlich hatte sie auch auf ihre Söhne gebaut. Sam schien gut einzuschlagen, aber er war noch zu klein. Ben dagegen … Ihr Ältester erinnerte sie mehr und mehr an seinen Vater. Genau so ein Weichei, genau so ein Versager. Universitätskarriere! Wie konnte man so was Karriere nennen? Caleb mit seinen Artikeln und Forschungen verdiente kaum genug zum Leben, erst recht nicht für ein Leben, wie es Florence vorschwebte. Die Mine dagegen florierte. Hier gab es Erweiterungsmöglichkeiten, hier konnte man Einsatz und Risikobereitschaft zeigen, wenn man sie denn hatte … Wo steckte Ben überhaupt? Florence sah sich suchend um, während die anderen Gäste sich um Greenwood, Lambert und Gawain drängten und Glückwünsche und Fragen abfeuerten.

Und wo war die kleine Lambert?

Florence suchte nach ihrem Umhang. Ob auf der Suche nach Ben oder einfach zum Luftschnappen: Sie musste raus. Auch, bevor man ihr womöglich ansah, wie ärgerlich sie war. Sie wusste, dass Erregung ihrem Teint nicht guttat. Ihr Gesicht würde fleckig werden, ihr Mund verzog sich. Doch die Strategie befahl jetzt Lächeln und Glückwünsche.

Florence verließ den Saal. Unauffällig, wie sie glaubte. George Greenwood sah sie jedoch aus dem Augenwinkel gehen und tippte Elaine an.

»Lainie? Ich glaube, unsere wutschnaubende Mrs. Biller vermisst ihren Sohn.«

Elaine hatte mit einem Glas Sekt in der Hand neben ihrem Mann gestanden, gelächelt und sich gelangweilt. Jetzt warf sie George einen irritierten Blick zu. »Na und? So weit kann er eigentlich nicht sein.«

»Und du vermisst niemanden?«

Elaine fasste sich an die Stirn. »O nein. Hat sie irgendwas gesagt, Onkel George? Egal, ich geh sie mal suchen. Bevor womöglich Florence fündig wird. Was denkt sich das Mädchen nur?«

Mehr belustigt als beunruhigt machte Elaine sich auf den Weg nach draußen – und sah gerade noch, wie Florence Biller den Fond des Cadillacs aufriss und ihren Sohn aus dem Wagen zerrte.

»Raus da, du ... du ... Da drinnen geht unser Geschäft den Bach herunter, und du verlustierst dich hier mit deiner kleinen Hure!«

»Es ist nicht, wie du meinst ...«, stammelte Ben. Er vergewisserte sich möglichst unauffällig, dass seine Hose noch geschlossen war. Lilian hatte eben neugierig daran herumgespielt. »Und Sie, Mrs. Lambert ...« Ben sah Elaine hinter seiner Mutter auftauchen und versuchte eine Art Diener, um sie milde zu stimmen. »Ich kann das erklären, Mutter ... und Mrs. Lambert. Wir wollen heiraten!«

Elaine starrte ihre Tochter sprachlos an. Lilian ordnete ihre Sachen und machte ebenfalls Anstalten, aus dem Auto zu steigen.

»Haben Sie dazu nichts zu sagen?«, zeterte Florence. »Die kleine Hure ...«

»Nicht in diesem Ton, Florence!«, fuhr Elaine sie an. »Meine Tochter ist keine Hure, auch wenn unsere Kinder die Grenzen der guten Sitten vielleicht ... nun ja, ein bisschen überschritten haben. Komm jetzt raus, Lily. Und richte dich halbwegs passabel her. Ihren Sohn schicken Sie vielleicht nach Hause, Florence. Ansonsten ist es wohl in unser aller Interesse, hier keinen Eklat zu veranstalten. Lilian, du wäschst dir das Gesicht und gehst wieder in den Saal! Florence, wir werden mit den beiden später reden müssen. Und vielleicht auch miteinander ...« Elaine bemühte sich um Ruhe.

»Reden? Was gibt's da zu reden? Aber das passt zu Ihnen! Die Tochter eines Barmädchens!« Florence schnaubte vor Wut.

»Na, und Sie hatten keine Hemmungen, sich mit dem Meistbietenden ins Bett zu legen!«, gab Elaine zurück. »Irre ich mich, oder hat mein Mann Sie nicht auch kurz interessiert? Ein Krüppel mit Mine war doch aussichtsreich, oder? Schade nur, dass Tims Kopf immer gut funktionierte. Aber letztlich war ein warmer Bruder mit Mine ja das große Los.«

»Lainie, ich glaube, das reicht jetzt!« Matthew Gawain schob sich mit bleichem Gesicht zwischen die beiden Frauen. »Und Sie beruhigen sich auch, Mrs. Biller, sonst sind Sie morgen Stadtgespräch. Dem Portier da drüben werden wir sein Schweigen sowieso schon vergolden müssen. Lilian ... dein Vater wartet auf dich. Und Mr. Greenwood möchte mit dir tanzen!«

Elaine biss sich auf die Lippen. Sie ließ sich selten zu solchen Ausbrüchen hinreißen. Eigentlich war sie eher zu leicht einzuschüchtern. Aber Lilian »Hure« zu nennen, das ging zu weit!

»Na, so Unrecht hatte sie da doch wohl nicht, oder?«, donnerte Tim Lambert. Es war spät, und es wäre zweifellos besser gewesen, die Sache mit Lilian und Ben erst am nächsten Morgen zu diskutieren. Aber Tim hatte natürlich etwas mitbekommen. Georges Flüstern mit Elaine, danach mit Matthew, wobei er alarmiert gewirkt hatte. Dann Elaines aufgelöste Miene bei der Rückkehr, die Tränenspuren in Lilians Gesicht, Florence' und Bens Verschwinden ... Elaines Mann war nicht dumm. Immerhin hatte die ganze Familie Lambert sich eisern beherrscht, bis der Abend im Hotel überstanden war. Erst zu Hause fiel Tim über Lily her.

»Wenn ich es richtig verstanden habe, hat der kleine Mistkerl dir das Kleid hochgezogen und ...«

»Es ist gar nichts passiert!«, verteidigte sich Lilian. »Wir haben nur ein bisschen gekuschelt ...«

»Mit seinen Fingern unter deinem Kleid?«

»Wir wollen doch heiraten!«

Tim verdrehte die Augen. »Das darf einfach nicht wahr sein! Heiraten! Wie alt seid ihr? Das ist hanebüchener Unsinn! Deine Mutter mag es ja als Schwärmerei abtun, aber es geht entschieden zu weit, dass du in meinem Auto die Beine für ihn breit machst ...«

Tim Lambert hätte seine Tochter am liebsten verprügelt. Ein solcher Eklat, gerade am Abend seines großen Tages! Florence Biller würde von jetzt an noch intensiver versuchen, ihm Steine in den Weg zu legen. Vor allem ging ihnen die Biller-Mine als wichtiger Kunde für die Kokerei verloren. Garantiert saß Florence eben über den Plänen für eine eigene Anlage, und wenn sie sich dabei ruinierte!

»Ich ...«

»Sieh es doch mal nüchtern, Tim«, kam Elaine ihr zu Hilfe. »Wenn das heute nicht plötzlich wieder aufgeflammt ist – und Lilian hat mir versichert, dass dies nicht der Fall war –, geht das mit den Kindern jetzt über fast zwei Jahre. Vielleicht passen sie ja wirklich ganz gut zusammen. Florence muss doch einsehen ...«

»Florence muss gar nichts. Und wir auch nicht. Abgesehen davon, dass es mir geboten erscheint, Lilian schleunigst wegzuschicken. Wie wäre es mit deinen Eltern, Lainie? Sie könnte im Warenhaus helfen, für so etwas hat sie Geschick. Und dein Vater wird auf sie aufpassen. Der hat schließlich bei dir gesehen, wohin es führt, blind verliebten Mädchen den Willen zu lassen ...«

»Was hat das jetzt mit mir zu tun?«, fuhr Elaine auf.

Lilian schluchzte. In groben Zügen kannte sie die Geschichte von Elaines erster Ehe, aber ihre Mutter ließ sich sichtlich ungern daran erinnern. Nun konnte man sich in Liebesdingen zweifellos irren, wenn man sehr jung war. Lilian sah das ein. Aber sie selbst irrte sich nicht!

»Ich liebe Ben!«, rief sie heroisch. »Und ich lasse mich nicht wegschicken. Wir heiraten und ...«

»Du hältst den Mund!«, befahl Tim.

»Eigentlich kannst du ins Bett gehen«, meinte Elaine, deutlich gelassener. »Wir werden das morgen weiter besprechen.«

»Da gibt's nichts zu besprechen!«, kommentierte Tim.

Lilian floh in ihr Zimmer und weinte sich in den Schlaf, während ihre Eltern sich erbittert stritten. Das kam äußerst selten vor, aber in dieser Nacht kreuzten sie die Klingen, versöhnten sich erst in den frühen Morgenstunden – und verschliefen, einer in die Arme des anderen geschmiegt, den Regen von Steinchen, mit dem der verzweifelte Ben Biller ziemlich ungeschickt auf Lilians Schlafzimmerfenster zielte.

Lilian reagierte sensibler. Als der erste Stein endlich traf, erwachte sie, riss das Fenster auf und duckte sich unter dem nächsten Hagel.

»Vorsicht, leise!«, flüsterte sie, verwundert, aber auch entzückt von der Situation. »Weck meine Eltern nicht auf!«

»Ich muss mit dir reden!« Ben klang erstickt, ganz und gar nicht so, als hätte er romantische Anwandlungen. »Kannst du runterkommen?«

Lilian warf einen Morgenmantel über, in dem sie sich draußen sicher zu Tode fror, aber es war der hübscheste, den sie besaß. Das leuchtende Grasgrün betonte ihre Augenfarbe. Schade nur, dass man das im Dunkeln nicht erkennen würde ... Lilian verlor sich Sekundenbruchteile in ihrem Abbild im Spiegel, aber dann riss sie sich los. Sie traf Ben im Garten unter ihrem Fenster. Der Junge verbarg sich im Gebüsch.

»Hast du Ärger gekriegt?«, fragte sie mit einem Blick auf sein verstörtes Gesicht. »Mein Vater ist fast geplatzt! Stell dir vor, er ...«

»Sie wollen mich wegschicken!«, unterbrach Ben. »Meine Mutter jedenfalls, mein Vater ist gar nicht zu Wort gekommen ...«

Lilian kicherte. »Mein Vater auch nicht! Nach Queenstown. Aber ich gehe natürlich nicht ...«

»Ich soll auf die Nordinsel«, flüsterte Ben. »Verwandte von uns haben da ein Bergwerk. Und ich soll da arbeiten, meine Mutter hat schon mit meinem Onkel telefoniert. Mitten in der Nacht, sie war so schrecklich wütend. Da muss noch was gewesen sein außer uns ...«

Lilian verdrehte die Augen. Ben schaffte es wieder mal nicht, eins und eins zusammenzuzählen. Sie hatte ihm von der Kokerei erzählt und von den geplanten Enthüllungen an diesem Abend. Zweifellos war Florence Biller auch deshalb so außer sich gewesen.

»Sie kann dich doch nicht zwingen«, meinte sie jetzt tröstend. »Sag ihr einfach, du gehst nicht. Du hast keine Lust, in einem Büro zu arbeiten.«

»Lily, du verstehst nicht!« Ben umfasste ihre Oberarme, als wollte er sie schütteln, aber dann vergrub er lieber sein Gesicht in ihrem dichten, offenen Haar. »Ich soll nicht im Büro arbeiten, sie schicken mich in ein Bergwerk! Mein Onkel sagt, bei ihm müsste jeder von der Pike auf anfangen. Mindestens ein paar Monate als Hauer unter Tage. Seinen Söhnen hätte das auch die Flausen ausgetrieben.«

»*Du* sollst Kohle hauen?«, fragte Lilian. Ben war handwerklich eher ungeschickt, das war ihr seit langem klar. Inzwischen führte sie auch seine Erfolge beim Rudern eher auf sein Rhythmusgefühl und seine strategischen Fähigkeiten zurück als auf körperliche Kraft.

»Ich kann das nicht, Lily!«, klagte Ben. »Und ich hab's wirklich versucht, ich wollte ihr sagen, dass ich nicht mitmache. Und dass sie mich schließlich nicht an den Haaren auf die Fähre schleppen könnte und all das, was du immer sagst. Aber ich hab's nicht geschafft, Lily! Wenn ich vor ihr stehe, bin ich wie erstarrt. Ich krieg kein Wort mehr raus und ... na ja, meinem Vater geht's ja genauso.«

Lilian legte tröstend den Arm um ihn. »Ben, wir wollten doch sowieso weglaufen.«

Ben nickte heftig. »Deshalb bin ich da. Lass uns verschwinden, Lily. Jetzt gleich, mit dem Frühzug!«

Lilian runzelte die Stirn. »Aber der Frühzug geht nach Westport, Ben. Der nach Christchurch fährt erst um elf.«

»Nicht der!«, trumpfte Ben auf. »Von unserer Mine aus geht ein Kohletransport nach Christchurch. Um sechs Uhr morgens. Die Waggons stehen bereit, die Bahnarbeiter hängen sie nur an, wenn die Lokomotive kommt. Wenn wir auf einen davon klettern, merkt das keiner.«

»Aber wir werden aussehen wie die Mohren, wenn wir in Christchurch ankommen«, gab Lilian zu bedenken.

»Dann steigen wir einfach früher aus und waschen uns

irgendwo …« Bens Plan entsprang dem Mut der Verzweiflung.

Lilian entwickelte blitzschnell Verbesserungsideen.

»Wir brauchen Decken. Oder besser noch, eine Plane, um den Kohlestaub abzuhalten. Ganz wird es nicht klappen, aber wenigstens so weit wie möglich. Habt ihr so was in der Mine? Bestimmt. Und wir sollten unsere ältesten und hässlichsten Kleider anziehen. Die werfen wir dann weg, wenn wir in Christchurch ankommen – wir landen ja sowieso auf dem Güterbahnhof, nicht? Da wird sich schon ein Schuppen oder so was finden, in dem wir uns umziehen können. Ich muss dann bloß schnell packen. Wo sind denn deine Sachen, Ben?«

Ben sah sie verständnislos an.

»Ben! Dein Gepäck! Wolltest du weg, so wie du bist? Ohne Kleidung zum Wechseln? Und hast du deinen Pass?«

So weit hatte Ben gar nicht gedacht. Offensichtlich war er in Panik losgelaufen, und nun mussten sie noch mal in die Stadt und wieder zurück. Lilian seufzte. Sie würde nicht darum herumkommen, sich das Auto auszuleihen. Zu Fuß waren die Wege bis um sechs nicht zu schaffen, und zu Pferde … Es war aussichtslos, Ben auf Vickys Kruppe mitnehmen zu wollen.

Lilian selbst hatte der Frage ihres Gepäcks beim großen Aufbruch schon mehr als einen Tagtraum gewidmet. Sie brauchte nur wenige Minuten, um ins Haus zu laufen, sich in ein altes Hauskleid und einen nicht minder abgetragenen Mantel zu werfen und ein paar Ersatzkleidungsstücke in eine Tasche zu packen. Auch ihr Pass lag bereit. Lilian war in weniger als einer halben Stunde abfahrbereit. Ohne zurückzublicken, zog sie die Tür hinter sich zu. Beschwingt über das Abenteuer führte sie Ben zu den Ställen. Die Garage für das Auto war angebaut worden. Daneben befand sich eine kleine

Wohnung, die Roly gehörte, jetzt aber seit Monaten verwaist war. Ein Glück für Lily.

Das Mädchen ließ das Auto an und erschrak über das Motorengeräusch, das die Nacht zu zerreißen schien. Natürlich würde es vom Haus aus nur schwach zu hören sein, aber wenn jemand wach war …

Nun schlief Mary, das Hausmädchen, nicht bei den Lamberts, sondern bei ihrer Familie in der Bergarbeitersiedlung. Und Tim und Elaine hatten immerhin auch den Steinchenbewurf verschlafen. Langsam und so leise wie möglich steuerte Lilian den schweren Wagen aus der Garage.

»Mach das Tor zu, Ben! Dann sehen sie morgens nicht gleich, dass der Wagen weg ist … Nein, den linken Riegel! Meine Güte, kannst du denn nicht mal ein Tor zumachen, ohne dir die Finger zu klemmen?«

Ben lutschte an seinem gequetschten Daumen, als Lilian hinaus auf die Straße fuhr. Er zitterte jetzt vor seiner eigenen Courage.

»Ich soll noch mal ins Haus? Und wenn meine Eltern aufwachen?«

»Sie hatten einen langen Tag. Du darfst bloß im Treppenhaus nichts umwerfen. Geh einfach rein, such dein Zeug zusammen, und dann sind wir weg. Vergiss nicht den Pass!«

Lilian verbrachte eine enervierende halbe Stunde am Steuer des Autos, ein paar Seitenstraßen entfernt vom Stadthaus der Billers. Vor ihrem inneren Auge standen tausend Komplikationen. Aber dann fiel Ben doch wieder auf den Sitz neben sie.

»Mein Vater …«, murmelte er. »Er hat mich erwischt …«

»Was?«, fragte Lily. »Und warum bist du dann hier? Hast du … Ben, du hast ihn doch nicht niedergeschlagen oder erschossen oder so?« In Büchern und Filmen pflegte es in der Regel so zu enden. Auch wenn Lilian Ben eigentlich keine Gewalttätigkeiten zutraute.

Ben schüttelte den Kopf. »Nein, er hat mir das hier gegeben ...« Der Junge nestelte eine Hundertdollarnote aus der Tasche. »Er ... es war irgendwie gespenstisch, ich ... ich hatte meine Sachen geholt, aber ich brauchte doch den Pass, und der ist in seinem Arbeitszimmer, und da ging ich dann rein, und da ... da war er. Im Dunkeln. Mit einer Flasche Whiskey. Und er hat mich nur angeguckt und gesagt ...«

»Ja?«, fragte Lilian, bereit zur Sammlung heroischer Abschiedsworte.

»Er sagte: ›Du gehst?‹ Und ich sagte: ›Ja.‹ Und dann hat er das Geld aus der Tasche gekramt und sagte ...«

»Was?« Lilian wurde langsam ungeduldig. Immerhin checkte sie mit einem Blick, dass Ben eine Tasche mit Kleidungsstücken bei sich hatte, und startete schon mal den Wagen.

»Er sagte: ›Mehr hab ich gerade nicht.‹« Ben schluckte.

»Und?«, fragte Lily.

»Und nichts«, bemerkte Ben. »Ich bin dann eben gegangen. Ach ja, ›danke‹ hab ich noch gesagt.«

Lilian atmete auf. Gut, das taugte nicht für ein Drama, aber immerhin war Ben herausgekommen, und das sogar mit dem Segen seines Vaters. Sie selbst hätte die Gunst der Stunde natürlich genutzt, um Caleb auch noch die Heiratserlaubnis unterschreiben zu lassen. Immerhin hatte Ben an den Pass gedacht.

»Wir fahren das Auto in den Wald, gleich bei eurer Mine, da finden sie es morgen«, meinte Lilian. »Hast du den Schlüssel für das Tor, oder müssen wir drüberklettern?«

Ben hatte den Schlüssel, und auch die Waggons standen so da, wie er es beschrieben hatte. Eine gute Stunde, bevor die Lokomotive erwartet wurde, war noch niemand da, und Ben und

Lilian schaufelten einen möglichst komfortablen Verschlag für die Reise in einen Berg Steinkohle. Die Vorstellung, sich dabei nicht schmutzig zu machen, war allerdings illusorisch. Als die beiden Stunden später – der Zug war längst unterwegs und die Sonne aufgegangen – die Plane lüfteten und sich ans Licht wühlten, sahen sie aus wie Bergarbeiter. Ben lachte über Lilians Mohrengesicht und küsste ihr ein bisschen Staub von der Nase.

»Wo sind wir wohl?«, fragte sie mit einem Blick auf das atemberaubende Panorama der Südalpen. Der Zug überfuhr gerade eine grazile Brücke, die seinem Gewicht kaum gewachsen schien. Lilian hielt den Atem an. Unter ihnen tat sich eine Schlucht auf, durch die sich ein weißblauer Gebirgsbach schlängelte. Hinter ihnen lagen zum Teil noch schneebedeckte Gipfel.

»Jedenfalls weit weg von der Westküste«, meinte Ben erleichtert. »Ob sie uns schon vermissen?«

»Sicher«, erklärte Lilian. »Die Frage ist eher, ob sie wissen, dass wir mit diesem Zug weg sind. Wenn sie darauf kommen, fangen sie uns in Christchurch ab.«

»Können wir nicht vorher aussteigen?«, erkundigte sich Ben.

Lilian zuckte die Schultern. »Normalerweise schon, in Rolleston zum Beispiel. Das ist der letzte Halt vor Christchurch. Aber ob der Güterzug da hält?« Sie überlegte. »Er wird auf jeden Fall bei Arthur's Pass halten. Zumindest muss er da ganz langsam fahren, da können wir abspringen. Und dann nehmen wir den ganz normalen Personenzug nach Christchurch.«

»Und du meinst, den kontrollieren sie nicht?« Ben hatte seine Zweifel.

Lilian verdrehte die Augen. »Aus dem können wir in Rolleston aussteigen …«

Arthur's Pass, eine steile Gebirgsstraße, verband die Täler des Otira River und des Bealey River. Es musste unendlich mühsam und sehr gefährlich gewesen sein, hier Schienen zu verlegen, zum Teil gab es Tunnel. Der Zug schleppte sich über den Pass, und Ben und Lily hätten leicht abspringen können. Allerdings ging es neben den Gleisen oft meterweit in die Tiefe. Schließlich warteten sie, bis der Bahnhof in Sicht kam. Der Güterzug durchfuhr ihn zwar und stieß nur einen Signalton aus, aber Lily warf beherzt ihre Tasche vom Waggon und sprang, bevor er danach wieder Fahrt aufnahm. Ben folgte ihr und rollte geschickt ab. Für die Bahnlinie war das Land hier gerodet worden, in der Nähe des Bahnhofs gab es nur noch Buschland. Weiter Richtung Christchurch begannen Buchenwälder, wieder eine neue Kulisse im Panorama der Reise zwischen Christchurch und der Westküste.

Lilian und Ben war die Schönheit der Landschaft um sie herum jedoch vorerst egal. Wichtiger war, einen Fluss zu finden, an dem sie sich notdürftig waschen konnten. Da die Gegend reich an Wasserläufen war, fand sich schnell ein Bach, und die beiden schlugen lachend ein Lager auf. Allerdings erwies das Wasser sich als eiskalt. Der Tag war zwar sonnig, aber sie fröstelten allein bei dem Gedanken, sich nass zu machen oder auch nur umzuziehen. Arthur's Pass war deutlich höher gelegen als Greymouth; jetzt, am Morgen, lag noch Raureif.

»Traust du dich reinzuspringen?«, neckte Lily und schlüpfte aus ihren vom Kohlestaub völlig geschwärzten Strümpfen.

»Wenn du dich auch traust!« Ben zog sein Hemd über den Kopf. Er hatte natürlich nicht daran gedacht, seine ältesten Sachen anzuziehen, sondern ein schönes Anzughemd verdorben.

»Dazu müsste ich mich ausziehen …«, bemerkte Lilian und hielt ihre Zehen ins eiskalte Wasser.

»Das musst du sowieso.« Ben wies auf ihre Tasche mit den Kleidern zum Wechseln.

»Nicht ganz.« Lilian hob gespielt verschämt die Lider. »Aber ich mach's, wenn du es auch machst.« Dabei knöpfte sie ihr verschmutztes Kleid auf.

Ben spürte die Kälte kaum noch, als er zusah, wie sie auch ihr Korsett löste und sich ihm nur noch im Unterzeug präsentierte.

»Jetzt du!«, sagte Lilian mit blitzenden Augen.

Fasziniert beobachtete sie, wie Ben seine Hosen auszog.

»So sieht das also aus«, bemerkte sie, als er schließlich nackt vor ihr stand. »Hatte ich mir größer vorgestellt.«

Ben errötete zutiefst. »Es ... hängt vom Wetter ab ...«, murmelte er. »Jetzt du ...«

Lilian runzelte die Stirn. Aber dann zog auch sie sich aus, nur um sofort fröstelnd ihren staubigen Mantel um sich zu ziehen.

»Du bist gleich ganz schwarz ...«, sagte Ben. »Aber du bist sehr schön!«

Lily lachte, nun doch verlegen. »Und du bist dreckig!«, rief sie. »Los, ich wasche dich!«

Sie tauchte ihr Unterkleid in den Bach und stürzte sich auf Ben. Gleich darauf spielten sie übermütig wie die Kinder mit dem eisigen Wasser, spritzten sich nass und versuchten, sich den Kohlestaub vom Körper zu reiben. Lilian hatte Seife mitgebracht, aber es war trotzdem nicht einfach. Der Staub war fettig und haftete fest an ihnen; man hätte warmes Wasser gebraucht, um ihn gänzlich loszuwerden. Immerhin hatte Lilian daran gedacht, ihr Haar vollständig unter einem Tuch zu verstecken. Ben musste seins waschen und fror sich dabei fast zu Tode. Das Ergebnis war nicht zufriedenstellend.

»Jedenfalls siehst du jetzt älter aus«, bemerkte Lilian. »Früh ergraut.«

Ben musste lachen. Er hatte selten so viel Spaß gehabt wie bei dieser übermütigen Balgerei im Bach an Arthur's Pass. Lilian wirkte überglücklich.

»Aber ich bin immer noch Jungfrau«, fuhr sie vorwurfsvoll fort. »Und das, obwohl ich ganz ausgezogen war. Aber es war wirklich zu kalt. Wie machen das bloß die Eskimos?«

Schließlich trugen beide saubere Sachen, auch wenn sie immer noch fröstelten. Ben hatte nicht an einen warmen Mantel gedacht, und Lilian hatte auf die Mitnahme eines Umhangs zum Wechseln verzichtet, weil ihre Tasche zu schwer wurde. Jetzt bereute sie es. Ben versuchte, sie in seinen Armen warm zu halten, als sie zurück zum Bahnhof schlenderten, um auf den Personenzug nach Christchurch zu warten.

»Er hält hier ganz sicher?«, fragte Ben.

Lilian nickte mit klappernden Zähnen. »Und ich hoffe, er ist geheizt. Hier, jetzt sind wir nah genug dran. Hier können wir warten.« Sie wies auf eine Buschgruppe in Sichtweite des Bahnsteigs und machte Anstalten, sich auf ihre Tasche zu setzen, verborgen vom Buschwerk.

»Hier? Müssen wir nicht ... ich meine, wir könnten doch zum Bahnsteig gehen. Da könnten wir gleich eine Karte kaufen, und vielleicht haben sie Warteräume ...«

»Ben.« Lilian rieb sich die Nasenwurzel. »Wenn wir jetzt da reinspazieren und ein Billett kaufen, dann fragt der Bahnwärter uns als Erstes, wo wir herkommen. Und was sagen wir ihm dann? Dass wir zu Fuß über die Alpen gekommen sind? Oder hat uns ein Flugzeug abgeworfen? Du bist viel zu ehrlich, Ben. Ich hoffe, du musst nie Räuber werden oder so, um uns zu ernähren, wie Henry Martyn in dem Lied. Wir würden verhungern ...«

»Und wie stellt sich Miss Piratenkapitän die Sache vor?«, fragte Ben beleidigt. »Irgendwie müssen wir schließlich in den Zug kommen.«

Lilian kicherte. »Miss Piratenkapitän ist gut! Und das mit dem Zug ist einfach. Die Leute steigen hier oft aus, um über den Pass zu gucken. Und sich die Beine zu vertreten. Dann stellen wir uns einfach dazu und steigen mit ein. Ich glaube nicht, dass hier die Fahrkarten noch kontrolliert werden. Wer soll denn auch schummeln in der Wildnis?«

Tatsächlich war es lächerlich leicht, sich bei Arthur's Pass in den Zug zu schmuggeln. Die größte Gefahr bestand darin, von irgendwelchen Bekannten gesehen zu werden – die Lamberts und die Billers kannten schließlich halb Greymouth. Deshalb umgingen Lilian und Ben sorgfältig die Passagiere, von denen sie meinten, sie schon einmal gesehen zu haben, und landeten schließlich in einem Abteil mit Reisenden aus Christchurch. Besonders ein älteres Ehepaar war nett und teilte sogar seinen Reiseproviant mit dem ausgehungerten jungen Paar.

»Mein Mann ist Bergmann, wissen Sie«, erklärte Lilian unbekümmert, schon um den Graustich in Bens blondem Haar zu erklären. »Aber das hat keine Zukunft ... das heißt, es hat natürlich schon Zukunft, die Minen sind alle voll ausgelastet, schon wegen des Krieges. Wir ... äh ... die Lamberts bauen jetzt sogar eine Kokerei, aber ... also, wir sehen da für uns keine Zukunft. Wir wollen in den Canterbury Plains neu anfangen, mit ... na, vielleicht mit einer Nähmaschinenvertretung!«

Elaine Lambert besaß eine alte Singer-Nähmaschine, die William Martyn ihr während seiner Vertreterzeit aufgeschwatzt hatte. Lilian war mit dem Gedanken aufgewachsen, dass der Verkauf der Dinger lukrativer war als die Idee, damit zu nähen.

Ben räusperte sich und versuchte, Lilian unauffällig anzustoßen.

Die älteren Herrschaften zeigten sich dagegen ausreichend

beeindruckt, und die Frau erzählte wortreich, wie sie einst als Kind nach Christchurch gekommen und von einer Bäckerfamilie adoptiert worden war. Später hatte sie einen Gesellen geheiratet, heute führte ihr Sohn das Geschäft. Lilian hörte aufmerksam zu, stellte die richtigen Fragen und kaute dabei ausgezeichnete Krapfen – an diesem Morgen frisch in Greymouth gebacken. Die Tochter des Paares war dort verheiratet, ebenfalls mit einem Bäcker.

»Man kann es immer noch schaffen, wenn man geschickte Hände hat, junger Mann!«, ermutigte die alte Dame. »Mein Schwiegersohn hat auch aus dem Nichts was aufgebaut, da unten an der Westküste!«

Ben räusperte sich wieder, und Mrs. Rosemary Lauders schob ihm einen weiteren Krapfen zu.

Während Lilian fröhlich plauderte, verlor Ben sich in der traumhaften Landschaft, die am Fenster vorbeizog. Buchenwälder, verträumte Flussufer, aber auch wilde Berghänge wichen langsam dem weniger rauen Voralpenland und schließlich dem endlosen Grasland der Canterbury Plains.

Während die Lauders nach Christchurch weiterfuhren, verließen Lilian und Ben den Zug tatsächlich in Rolleston.

»Musstest du die ganze Zeit reden?«, fragte Ben unwillig, als sie etwas ziellos am Bahnsteig herumstanden. »Die Leute erinnern sich doch an uns!«

»Ja, an ein junges Ehepaar aus der Bergbausiedlung!«, meinte Lily unbekümmert. »Komm, Ben, wer soll sie denn befragen? Es kann natürlich sein, dass unsere Eltern uns suchen, oder George Greenwood. Der versteht sich auf so was, der findet jeden. Aber in Christchurch warten doch keine Detektive und vernehmen die Zugreisenden! Zumindest jetzt noch nicht. Und später treiben sie die Leute gar nicht mehr auf.«

»Wirklich sicher sind wir erst in Auckland«, meinte Ben besorgt.

Lilian nickte. »Jede Großstadt ist gut. Komm, mit ein bisschen Glück sind wir bald im Zug nach Blenheim.«

Der Rest der Reise nach Christchurch gestaltete sich abenteuerlicher. Obwohl ein paar Farmer sie Teile des Weges auf dem Wagen mitnahmen, erreichten sie die Stadt erst am Abend, als es bereits dunkel war. Ben plädierte dafür, irgendwo ein Zimmer zu nehmen, aber diesmal zögerte Lilian.

»Ich war hier schon mal, Ben. Mich könnte jemand erkennen. Wenn nicht gleich als Lilian, dann doch als Verwandte von Grandma Gwyn. Wir sehen uns alle ziemlich ähnlich – außer Gloria. Und das hier ist George Greenwoods Stadt. Wenn er später Erkundigungen einzieht, hat er unsere Spur.«

»Und was schlägt die Piratenkönigin vor?«, fragte Ben schlecht gelaunt. Nach dem weiten Fußweg fror er zwar nicht mehr, aber nachts würde es wieder kalt werden. Ben sehnte sich nach heißem Wasser zum Waschen und einem Bett, ob mit oder ohne Lilian darin; er war sogar zu müde, an »es« zu denken.

Schließlich landeten die beiden auf dem Güterbahnhof und schliefen recht gut auf einer Ladung Schaffelle. Im Verschlag neben ihnen wartete eine Herde Rinder auf ihren Weitertransport und sorgte für zusätzliche Wärme, allerdings auch für Lärm und durchdringende Gerüche nach Dung und Urin.

»Gestern sahen wir aus wie die Neger, morgen stinken wir!«, beschwerte sich Ben. »Was kommt als Nächstes?«

Lilian verdrehte die Augen und kuschelte sich in seinen Arm. »Ben, das ist romantisch! Das ist unsere Liebesgeschichte! Denk an Romeo und Julia!«

»Die haben sich erstochen«, bemerkte Ben unleidlich.

Lilian kicherte. »Siehst du, da sind wir besser dran!«, beschied sie ihm, gähnte und schloss die Augen.

Auch in dieser Nacht blieb sie Jungfrau und schlief unschuldig wie ein Kind.

4

Die Leute rückten wirklich ein bisschen von Ben und Lilian ab, als sie am nächsten Morgen im Zug nach Blenheim saßen. Der Gestank nach Rinderdung hatte sich ihnen zwar nicht angeheftet, aber der Lanolingeruch der Wolle hielt sich lange in ihren Kleidern. Lilian war das egal; umso mehr Platz hatte sie am Fenster. Die Strecke von Christchurch nach Blenheim war zwar nicht so reizvoll wie der Weg durch die Alpen, aber es gab immer noch genug zu sehen. Besonders die Küste faszinierte das Mädchen. Es gab schneeweiße Strände, aber auch raue Küstenabschnitte mit steil zum Meer abfallenden Klippen. Die Ortschaften, die der Zug passierte, waren meist klein, eher vergleichbar mit Haldon als mit Greymouth. Der Hauptwirtschaftszweig hier war die Schafzucht. Erst einige Meilen vor Blenheim erstreckten sich die ersten Weinberge.

Ben und Lilian waren erfreut, dass die Sonne schien. Die Gegend um Blenheim hatte das beste Klima auf der Südinsel; es regnete wesentlich weniger als in Christchurch oder gar an der rauen Westküste. Lilian, die ja schon mit ihrem Vater dort gewesen war, erzählte begeistert von der vielfältigen Tier- und Pflanzenwelt. »Vielleicht sehen wir Wale bei der Überfahrt! Und Pinguine! Beim letzten Mal habe ich eine Bootstour entlang der Küste mitgemacht. Das war großartig!«

Ben konnte dazu Wissenschaftliches beitragen; er hatte den Biologieunterricht in Cambridge einmal um ein Referat über die Flora der Südinsel bereichert. Lilian fragte sich, ob er die anderen Schüler damit auch so gelangweilt hatte wie sie. Aber dann hörte sie einfach über den Inhalt seines Vortrags hinweg und ließ sich stattdessen von seiner geliebten Stimme einlullen. Ben musste sie wecken, als der Zug in Blenheim einfuhr.

Die Reise hatte fast den ganzen Tag gedauert, und Lilian und Ben waren zu müde, um sich irgendwelche Verschleierungsmanöver auszudenken. Sie stiegen also nicht vor Blenheim aus und kamen auch überein, sich in einer Pension einzumieten, statt erneut einen versteckten Schlafplatz zu suchen.

»Morgen sind wir sowieso auf der Fähre, dann ist es egal!«, meinte Lilian und schmiegte sich an Ben, während sie Arm in Arm den Bahnhof verließen. »Du darfst bloß nicht rot werden, wenn du mich als ›Mrs. Biller‹ vorstellst. Sonst denken die Leute noch, wir schwindeln!«

Die beiden entschieden sich schließlich für ein ordentliches kleines Hotel. Das war nicht ganz billig, aber obwohl sie nicht darüber sprachen, war beiden klar, dass sie hier ihre Hochzeitsnacht planten. Ben bezahlte großzügig mit dem Geld seines Vaters, was den Betrag schon ein wenig schrumpfen ließ. Wenn jetzt noch die Fähre dazukommt und vielleicht eine Übernachtung in Wellington, dachte er, ist mein Reichtum aufgebraucht.

Lilian machte sich weniger Gedanken, sie kramte wie selbstverständlich das von ihr zusammengesparte Vermögen hervor: etwas über dreihundert Dollar. Tim Lambert hatte seine Tochter stets für ihre Arbeit im Büro bezahlt – im Gegensatz zu Florence Biller, die Bens Leistung als Beitrag zum Familienvermögen ansah. Und obwohl Lilian monatlich kleine Vermögen für außergewöhnliches Briefpapier, Parfüms, Gedichtbände und romantische Romane ausgegeben hatte, war noch einiges übrig geblieben. Sie hatte es unter ihrer Matratze gehortet.

»Meine Mitgift!«, erklärte sie stolz. Ben küsste sie und

inspizierte dann gemeinsam mit ihr das saubere Zimmer mit dem breiten Ehebett – und vor allem das Bad, beherrscht von einer riesigen Wanne auf vier Löwenfüßen.

»Da passen wir beide rein!«, lachte Lilian.

Ben errötete mal wieder. »Ich weiß nicht, ob ... ist das schicklich?«

Lilian verdrehte die Augen. »Nichts, was wir hier tun, ist schicklich. Und wir haben uns schon mal ausgezogen. Zwischen hier und Arthur's Pass ist kein Unterschied – abgesehen davon, dass das Wasser warm ist!«

Das gemeinsame Planschen im heißen, parfümierten Wasser ließ die letzten Hemmungen der beiden schwinden. Sie wuschen einander die Haare, seiften ihre Körper ein – und diesmal beschwerte sich Lilian auch nicht über die Größe von Bens Geschlechtsteil. Bevor er allerdings Gefahr lief, beim Versuch, sie zu entjungfern, zu ertrinken, stieg sie aus der Wanne und lief zum Bett. Ben trocknete sie beide notdürftig ab, bevor er es noch einmal versuchte.

Nach einem langen Vorspiel mit Streicheln und Küssen wusste keiner von beiden, wie es richtig weiterging, aber Lilian beschwerte sich sofort, als es unangenehm wurde. Schließlich gelang der Liebesakt, und echte Ekstase trug sie über den kleinen Schmerz hinweg. Ben erhob sich fast triumphierend über ihr. Am Ende lachten und weinten sie beide vor Glück, schmiegten sich aneinander und liebkosten sich erneut.

»So war es doch richtig, oder?«, flüsterte Lilian, als sie sich endlich voneinander lösten. »Ein bisschen Blut ist wohl normal. Sagten jedenfalls die Mädchen im Internat. Bloß gut, dass wir morgen schon weg sind, bevor das Zimmermädchen kommt, sonst müssten wir bestimmt das Laken bezahlen. Du, ich hab Hunger! Bestellen wir den Zimmerservice?«

Mit dem spätabendlichen Imbiss und dem opulenten Frühstück am Morgen verprassten sie fast den gesamten Rest von

Bens Vermögen, kamen jedoch überein, dafür bei der richtigen Hochzeit zu sparen. Auf der Fähre am nächsten Tag waren sie so glücklich, dass sie nach Wellington hätten fliegen können. Während sämtliche anderen Passagiere seekrank waren, versuchten Lilian und Ben einen Deckspaziergang und lachten sich halb tot über ihr Torkeln auf dem schwankenden Boden.

Schließlich erreichten sie Wellington und nahmen gleich den Nachtzug Richtung Auckland. Lilian träumte von einem Schlafwagen, aber das hätte ihr Budget nun wirklich gesprengt. Also verschlief sie die erste Nacht der Reise auf ihrem Sitz, eng an Bens Schulter geschmiegt. Ben wagte sich dabei kaum zu rühren. So ganz konnte er noch nicht an das Geschenk glauben, das ihm das Schicksal mit diesem Mädchen gemacht hatte. Während der Zug die halbe Nordinsel durchfuhr, verfasste er im Geiste neue Gedichte.

Nach einem Tag und einer weiteren Nacht auf den Schienen erreichten sie Auckland im ersten Licht der aufgehenden Sonne. Es lohnte sich nicht, für die letzten Nachtstunden noch ein Hotelzimmer zu nehmen. Stattdessen schlug Lilian gleich eine Wohnungssuche vor. Sie erkundigte sich schon am Bahnhof.

»Guckt euch im Westen um«, riet der freundliche Bahnhofsvorsteher. »Wenn ihr nicht reicher seid, als ihr ausseht.«

»Wo ist denn die Universität?«, fragte Ben.

Der Mann gab eine kurze Erklärung, und die beiden strebten zunächst dem Campus zu, fasziniert von der lauen Luft und der Wärme in der subtropischen Stadt.

»Palmen!«, wunderte sich Lilian. »Und riesige Kauri-Bäume! Alles ist größer als zu Hause!«

Die Universität, die nur aus wenigen Gebäuden bestand,

lag in der Princess Street. Nach den Prachtbauten in Cambridge und Oxford fand Ben sie ein bisschen enttäuschend, aber letztlich kam es ja darauf an, was drinnen los war. Müde und hungrig, aber auch aufgekratzt vom ersten Teilerfolg ihres Abenteuers, streiften die beiden durch die Straßen rund um den Campus und warteten, bis eine Teestube öffnete. Lilian fragte dort auch gleich nach einer Wohnung.

»Seid ihr denn Studenten?«, erkundigte sich das Mädchen, das sie mit Eiern und frischem Gebäck versorgte. »Ihr seht noch ziemlich jung aus!«

»Mein Mann ist Student!«, erklärte Lilian wichtig. »Und das mit dem Alter täuscht. Er war Cambridge Stipendiat. Aber wir mussten da weg, wegen des Krieges, es schlagen ja dauernd Bomben ein und so ...«

»In Cambridge?«, fragte das Mädchen verwundert.

»Na ja, nicht direkt«, versuchte Ben zu retten, was zu retten war. »Aber man steht doch sehr unter Druck, sich freiwillig zu melden. Die Universität ist verwaist, Teile der Bauten verwenden sie als Lazarette, und es kommt einem sehr komisch vor, Sprachen zu studieren, während um einen herum praktisch die Welt untergeht.«

Ben hatte die ersten Kriegsmonate in England erlebt und wusste, wovon er sprach. Das Mädchen nickte verständnisvoll.

»Also Anglistik?«, wollte sie wissen. »Romanistik? Bekannt sind wir nicht dafür, bislang floriert vor allem die Chemie-Fakultät.«

Sie schien sich gut auszukennen. Aber natürlich verkehrten in der Teestube auch nur Studenten und Dozenten.

»Maori-Studien«, meinte Ben. »Vergleichende Sprachwissenschaft.«

»Und damit willst du eine Familie ernähren?«, fragte die Kellnerin lachend und ließ ihre Blicke flüchtig über Lilians zarte Figur wandern. »Ihr seid wirklich verheiratet?«

Ben wurde rot, aber Lilian nickte. »Und wir brauchen dringend eine Wohnung. Oder ein Zimmer …«

»Frag in der Universität nach, wenn du dich einschreibst«, riet das Mädchen. »Oder lauft einfach durch die Straßen und schaut, ob irgendwo ein Schild ›Zimmer frei‹ hängt.«

Lilian hätte die Zimmerfrage zwar gern zuerst gelöst, aber sie sah ein, dass der Weg über die Universität aussichtsreicher wirkte. Also tranken sie Tee, bis das Immatrikulationsbüro öffnete, und Lilian wartete geduldig, bis Ben all seine bisherigen Studienunterlagen vorgelegt hatte. Wie es aussah, würde man ihn mit offenen Armen aufnehmen; die Universität baute ihre Fakultäten noch auf. Sie wollte sich aber gerade dem Gebiet der Maori-Studien gezielt widmen, und ein graduierter Student aus Cambridge wurde als Bereicherung empfunden. Die jungen Leute im Büro – offenbar Studenten, die sich etwas dazuverdienten – versorgten Ben gleich mit Namen und Adressen sämtlicher zuständiger Dozenten, drückten ihm ein Vorlesungsverzeichnis in die Hand und rieten ihm, gegen Mittag wiederzukommen.

»So früh fangen die Herren Dozenten nicht an«, sagte einer augenzwinkernd. »Das wird in Good Old England doch auch nicht anders sein, oder?«

Bevor es zu einer mehr oder weniger akademischen Diskussion über Universitätslehrer kommen konnte, mischte Lilian sich ein und fragte nach einer Unterkunft. Sie war todmüde, wenngleich nicht abgeneigt, die Hochzeitsnacht vor dem Schlafengehen noch kurz zu wiederholen. Für all diese Bedürfnisse war ein Bett jedoch unerlässlich.

»Eine Liste von Zimmervermietern hätten wir«, meinte einer der jungen Männer zweifelnd. »Aber das sind meistens Privatzimmer, also Leute, die untervermieten. Die denken an alleinstehende junge Männer. Ein paar Damen nehmen auch Mädchen auf, wenn die Referenzen stimmen. Aber ein Ehepaar?«

Lilian nahm die Liste dennoch dankend an sich, und in den nächsten Stunden klapperten die beiden sie ab. Erfolglos, wie schon befürchtet. Die meisten der Zimmer waren winzige Verschläge. Zu zweit hätte man gar nicht hineingepasst. Davon abgesehen dachte keiner der Vermieter daran, seine Wohnung gleich einer ganzen Familie zu öffnen.

»Nein, nein, Kinder, jetzt seid ihr zwei, aber übers Jahr gibt's doch Nachwuchs, wenn jetzt noch nichts unterwegs ist! Und dann habe ich hier das Babygeschrei auf meine alten Tage.«

Mutlos hörte Lilian den Kommentar der einzigen Vermieterin, deren Angebot überhaupt in Frage gekommen war. Ein großes, helles Zimmer gleich gegenüber vom Campus.

»Gibt's Nachwuchs übers Jahr?«, fragte Lilian neckisch, als sie wieder auf die Straße traten.

Ben blickte sie erschrocken an. »Das wäre ein bisschen früh, oder?« Andererseits hatte er keine Vorstellung, wie es sich möglicherweise vermeiden ließ. »Was machen wir denn jetzt?«

»Wir laufen herum und suchen, wie das Mädchen gesagt hat. Aber erst essen wir was. Die Teestube war doch ganz nett. Vielleicht hat die Kellnerin ja noch eine Idee.«

Hier hatten die beiden jedoch Pech. Anstelle des Mädchens vom Morgen bediente diesmal eine eher unfreundliche ältere Frau in dem Café, und von zu vermietenden Wohnungen wusste sie nichts. Lilians Optimismus war trotzdem nicht zu brechen. Wie der Bahnhofswärter geraten hatte, hielten sie sich westwärts, als sie jetzt eine Straße nach der anderen nach Mietwohnungen absuchten. Sie verließen das Universitätsviertel. Im Westteil der Stadt wohnten eher Handwerker und

Arbeiter als Studenten und Dozenten. Die ersten beiden Wohnungen, die zu vermieten waren, lagen über einer Tischlerei und einer Bäckerei. Lilian lief beim Duft des frischen Brotes das Wasser im Mund zusammen. Allerdings waren die Vermieter nicht sehr erbaut davon, an ein junges Paar zu vermieten, das keine Arbeit, dafür aber hochfliegende Träume hatte.

»Student sind Sie? Und wie wollen Sie die Miete zahlen?«

Letztere war für Lilians Verhältnisse ziemlich hoch. Ernüchtert zogen sie weiter und näherten sich dabei immer mehr dem Hafenviertel, in dem weniger adrette Häuser standen. Schließlich entdeckte Lilian ein Schild an der Tür eines schmierig wirkenden Pubs; darüber lag die Wohnung. Eigentlich handelte es sich eher um ein großes Zimmer mit Kochnische und Toilette auf dem Flur.

»Am Abend ist es manchmal ein bisschen laut«, gab der Vermieter zu. »Und die Möbel ... na ja ... Ich musste die letzten Mieter rausschmeißen. Ziemliches Pack ...«

Die Möbel waren verdreckt, mit klebrigen Flüssigkeiten beschmiert, und im Waschbecken stand noch das schmutzige Geschirr der letzten Bewohner. Es wirkte schon recht lebendig. Ben verzog angeekelt den Mund, als er die Fliegenmaden darauf sah.

»Es ist ein Rattenloch!«, bemerkte er, als der Vermieter sich mit der Bemerkung »Sehen Sie es sich in Ruhe an, aber lassen Sie nichts mitgehen!« zurück in seinen Pub begab. Dabei gab es nichts, was sich zu stehlen lohnte.

»Dafür ist es billig!«, meinte Lilian. Das war es tatsächlich; von ihrem Geld würden sie hier monatelang leben können. »Gut, es ist ein bisschen Halbwelt, aber irgendwie passt es auch. Du bist schließlich ein Poet, ein Künstler ...«

»Du meinst, es regnet auch noch rein?« Ben dachte an das Bild von Spitzweg.

Lilian lachte. »Komm, es hat Atmosphäre! Das muss dich doch inspirieren!«

»Es ist ein Rattenloch«, wiederholte Ben.

»Wenn wir gründlich putzen und ein paar andere Möbel kaufen, ist es gar nicht so schlimm! Los, Ben, was anderes finden wir nicht. Wir sagen gleich zu. Schließlich müssen wir heute noch ein Bett kaufen ...«

Die fleckige Matratze und das baufällige Bettgestell konnte sich selbst Lilian nicht schönreden.

Ein paar Stunden später hatten sie das Zimmer notdürftig gereinigt und Boden und Wände auf Bens dringenden Wunsch mit reichlich Schädlingsvertilgungspulver behandelt. In einem von ihrem neuen Vermieter empfohlenen Laden erstanden sie ein gebrauchtes, aber fein gedrechseltes Bett, das sicher schon bessere Tage gesehen hatte, und schließlich wiederholten sie ihre Hochzeitsnacht im eigenen Heim. In der Wirtschaft unter ihnen ging es dabei hoch her. »Ein bisschen laut« war eine ziemliche Untertreibung. Hier ein Kind aufzuziehen – die Bemerkung der Vermieterin in der Princess Street ging beiden nicht aus dem Kopf – erschien völlig undenkbar.

Lilian und Ben kamen überein, es auf keinen Fall darauf ankommen zu lassen, ließen in der Nacht aber nichts unversucht, der Sache näherzukommen ...

»Die Frage ist nicht, ob wir sie finden können. Die Frage ist, ob wir sie finden wollen«, bemerkte George Greenwood.

Auch ohne hochnotpeinliche Vernehmungen sämtlicher Zugpassagiere war es ihm und den Lamberts nicht schwergefallen, Lilians und Bens Spur aufzunehmen und bis zur Fähre nach Wellington zu verfolgen. Die einzige Schwierigkeit dabei war die erste Etappe ihrer Reise – es dauerte fast zwei Tage, bis Florence Weber sich so weit zur Kooperation bereitfand, dass sich der Transport aus der Biller-Mine ermitteln ließ. In Christchurch erinnerte der Fahrkartenverkäufer sich dann gleich an Ben, von Blenheim aus wurde es noch einfacher.

Tim Lambert war außer sich, als er von der Übernachtung im Hotel in Blenheim hörte. Elaine trug es gelassen.

»Liebster, das war doch zu erwarten. Und jetzt also die Nordinsel ... Die Billers sollten das erfahren. Vielleicht können wir uns an einem neutralen Ort treffen?«

Tim Lamberts Büro war nicht gerade ein neutraler Ort, aber ein Treffen dort war das Äußerste, was Elaine und George ihm abringen konnten.

»Wahrscheinlich weiß Florence ohnehin schon alles. Was wir rauskriegen, kann sie doch auch erfragen!«

Allerdings nicht so leicht wie George Greenwood, dessen Firma in praktisch allen größeren Städten in Neuseeland Dependancen unterhielt. Und wie sich herausstellte, hatten die Billers gar keine Anstalten dazu unternommen. Florence schien entschlossen, ihren ungeratenen Ältesten einfach zu vergessen. Tims Einladung zu einem Treffen folgte nur Caleb.

»Ich bin überzeugt, mein Sohn verfolgt keine unehrenhaften Absichten«, bemerkte er leicht beschämt zu Elaine, nachdem alle sich begrüßt hatten.

Tim gab ein verärgertes Schnauben von sich.

»Ich bin überzeugt, er brauchte meine Tochter nicht mit Gewalt zu verschleppen«, lächelte Elaine. »Bleiben wir doch sachlich, Caleb. Hier hat keiner dem anderen etwas vorzuwerfen. Die Frage ist nur, wie wir weiter vorgehen.«

George Greenwood nickte. »Und wie gesagt, wir können die Sache verfolgen. Die zwei sind auf der Nordinsel, und wir dürfen wohl davon ausgehen, dass sie sich in einer der größeren Städte ansiedeln. Wahrscheinlich einer Universitätsstadt – schließlich ist nicht anzunehmen, dass Ihr Sohn sich als Viehhirte verdingt oder im Bergbau anheuert, nicht wahr, Mr. Biller?«

Caleb schüttelte den Kopf. »Davor ist er ja weggelaufen«, meinte er mit zusammengebissenen Zähnen. »Es ist schon in gewisser Weise unsere Schuld ...«

Elaine hatte fast das Bedürfnis, ihn zu trösten.

»Also Wellington oder Auckland«, sagte sie.

Greenwood nickte. »Wenn ihr sie finden wollt, würde ich zu einem Privatdetektiv raten ...«

»Was heißt denn hier, wenn?«, fragte Tim. »Selbstverständlich holen wir sie zurück, es sind doch Kinder!«

»Wenn wir noch ein paar Wochen länger brauchen, sind sie wahrscheinlich verheiratet«, gab Elaine zu bedenken. »Wenn sie's nicht jetzt schon sind. Ich traue Lilian durchaus zu, dass sie Bens Geburtsdatum vorverlegt.«

»Aber das sind Hirngespinste!«, schimpfte Tim. »Ein Strohfeuer! So etwas hält doch kein Leben lang!«

Elaine runzelte die Stirn. »Ich war kaum älter, als ich nach Greymouth kam. Das hat dich nicht gestört.«

»Ich bitte dich, Lainie, sie sind sechzehn und siebzehn!«

»Die erste Liebe kann manchmal ganz schön heftig verlaufen.« George Greenwood lächelte weise. Er musste es wissen, schließlich hatte seine erste Liebe, das heftige Strohfeuer eines Sechzehnjährigen für seine Lehrerin Helen Davenport, letztlich sein Leben bestimmt. Das Interesse an Helens weiterem Schicksal hatte ihn nach Neuseeland geführt, wo er sich nicht nur in das Land, sondern auch in seine spätere Frau Elizabeth verliebt hatte.

»Man könnte die Ehe annullieren«, beharrte Tim.

»Und dann?«, fragte Elaine. »Schicken wir Lily nach Queenstown, wo sie hoffentlich eine Möglichkeit finden, sie einzumauern, und Ben landet im Bergwerk? Das ist doch völlig unrealistisch. Tim, so gern ich wüsste, wo Lily steckt und was sie macht: Das Beste ist, sie in Ruhe zu lassen. Sollen sie ruhig versuchen, auf eigenen Füßen zu stehen, das kann ihnen gar nichts schaden. Sie sind doch beide verwöhnt, die treiben es nicht bis zum Letzten. Wenn's ihnen schlecht geht, kommen sie zurück!«

»Lilian könnte schwanger werden!«, bemerkte Tim.

Caleb errötete.

»Das kann sie jetzt schon sein«, meinte Lainie. »Umso besser, wenn sie wenigstens heiraten. Sieh es mal so, Tim: Das Baby würde die Biller-Mine erben! Fällt dir irgendetwas ein, womit du Florence auf eine höhere Palme treiben könntest?«

Auf dem Standesamt in Auckland heirateten am gleichen Tag Lilian Helen Lambert und Benjamin Marvin Biller. Die Einverständniserklärungen ihrer Eltern waren ebenso gefälscht wie das Geburtsdatum auf Bens Ausweis. Lilian erinnerte sich an entsprechende Vorgangsbeschreibungen aus den Abenteuern des Sherlock Holmes oder irgendeines der anderen Romane, die sie ihr Leben lang begeistert verschlungen hatte. Mit ein paar vorsichtigen Federstrichen wurde Ben siebzehn. Die Heiratserlaubnis von Tim Lambert gewann besondere Authentizität durch die Verwendung seines Originalbriefpapiers. Der Bogen, den Lily mitgenommen hatte, war zwar ein wenig zerknittert, aber der Standesbeamte stellte keine Fragen.

5

»Miss Gwyn, was ist mit der jungen Miss Gloria?«

Maaka hatte sich zweifellos lange mit der Frage herumgeschlagen, aber nun wagte er endlich, sie Gwyneira zu stellen. Wenn sie ehrlich sein sollte, hatte sie längst darauf gewartet.

»Wir wollen alle nett zu ihr sein, aber sie ist einfach garstig. Vorhin dachte ich, sie würde Frank schlagen. Dabei wollte er ihr nur aufs Pferd helfen.«

Gwyneira hatte sich schon Böses gedacht, als sie Gloria wegreiten sah. Viel zu schnell für das noch nicht aufgewärmte Pferd und wie von Furien gehetzt. Natürlich brauchte man Ceredwen, die schwarze Stute, die sich das Mädchen ausgesucht hatte, nicht sonderlich zu treiben. Ceredwen war lebhaft und schwierig, und Gloria war ihrem Temperament nicht immer gewachsen. Nach so langer Zeit ohne Reitpraxis hätte Gwyn ihrer Urenkelin nie zu diesem Pferd geraten, aber Gloria schlug alle Empfehlungen und Vorschläge in den Wind. Frank Wilkenson hatte am meisten darunter zu leiden, vielleicht, weil er sich besonders um das Mädchen bemühte. Gwyn schien es, als sei er ein bisschen verliebt – und als könnte Gloria so gar nicht damit umgehen. Dabei war Wilkenson in keiner Weise aufdringlich, sondern schien damit zufrieden, das Mädchen von Weitem anzuhimmeln. Ein kleines Lächeln ab und zu oder die Annahme einer seiner zahlreich angebotenen Dienstleistungen hätte ihn glücklich gemacht. Aber Gloria behandelte ihn unhöflich, und nach Maakas Schilderungen hatte sie an diesem Tag sogar die Reitgerte gegen ihn erhoben. Aus nichtigem Grund – wenn das so weiterging, würde der junge Mann bald beleidigt kündigen, und Gwyneira verlor einen wertvollen Mitarbeiter.

Die anderen Viehhüter, größtenteils Maoris, hatten weniger Probleme mit der jungen Herrin. Aber sie hielten auch gleich verstärkt Abstand, nachdem Gloria sie die ersten zwei oder drei Male angefaucht hatte. Frank dagegen schien das eher anzuspornen – wahrscheinlich meinte er, das Mädchen wollte erobert werden.

Gwyn seufzte.

»Ich weiß es auch nicht, Maaka«, sagte sie schließlich. »Im Haus benimmt sie sich nicht viel anders. Dabei möchten Kiri und Moana sie so gern verwöhnen. Aber du solltest Frank klarmachen, dass sie es ernst meint. Sie spielt nicht herum. Wenn sie nicht flirten will, muss er das akzeptieren.«

Maaka nickte. Maori-Männern fiel das leichter als *pakeha*. Bei ihnen hatten die Mädchen traditionell das Recht, zu wählen.

»Wie macht sie sich denn bei den Schafen?« Gwyneira wollte Glorias Probleme eigentlich nicht mit ihrem Vormann diskutieren, aber nun führte sie schon mal dieses vertraute Gespräch mit Maaka, und seine Meinung interessierte sie brennend. Gloria beteiligte sich seit einiger Zeit wieder an der Arbeit auf der Farm. Mit Nimue verfügte sie schließlich über einen ausgezeichneten Sheepdog, und die Arbeit mit den Tieren hatte ihr immer Spaß gemacht.

Maaka zuckte die Schultern. »Na ja, Miss Gwyn, was soll ich dazu sagen? Sie hat natürlich keine große Erfahrung. Nun wäre das nicht schlimm, Nimue liest ihr ja jeden Befehl von den Augen ab, und sie hat Talent für den Umgang mit Tieren. Hat sie immer gehabt, genauso wie Mr. Jack ... Haben Sie jetzt endlich von ihm gehört?«

Maaka versuchte, das Thema zu wechseln.

Gwyneira schüttelte jedoch nur müde den Kopf.

»Nach wie vor kein Wort. Nur diese Notiz von vor ein paar Monaten, dass er im Kampf um Gallipoli verwundet worden sei. Nach drei Anfragen bei der Heeresleitung! Gallipoli ist für die wohl kein Thema mehr. Die ANZAC-Kämpfer haben sie in alle Winde verstreut. Wir werden warten müssen, bis Jack sich von selbst meldet. Oder ...« Sie hielt inne. Ebenso wie die verspätete Nachricht bezüglich der Verwundung konnte sie auch irgendwann ein Beileidsschreiben erreichen. Gwyneira versuchte, möglichst nicht daran zu denken. »Was wolltest du über Gloria sagen?«, wandte sie sich erneut an ihren Vormann.

Maaka sog hörbar die Luft ein. »Sie ist sehr gut mit den Tieren, Miss Gwyn. Nur nicht mit den Menschen. Sie hört auf nichts und sondert sich ab. Dabei müsste sie einsehen, dass man im Team arbeiten muss, besonders bei den Rindern. Sie ist ja nicht dumm. Aber sie scheint es einfach nicht zu können. Marama sagt ...«

»Was sagt Marama?«, erkundigte sich Gwyn.

»Marama sagt, es sei wie mit dem Gesang. Wenn alle den Ton treffen, aber einem ... einem bleibt die Luft weg. Er meint zu ersticken. Und wenn er dann doch wieder zu Atem kommt ... dann kann er nur noch schreien.«

Gwyneira dachte nach. »Müsste ich das jetzt verstehen?«, fragte sie dann.

Maaka zuckte die Schultern. »Sie kennen Marama ...«

Gwyn nickte. Ihre Schwiegertochter war äußerst scharfsinnig, aber sie sprach in Rätseln.

»Also gut, Maaka. Sprich mit Frank, er soll sich zurückhalten. Und beschäftige Gloria bei den Schafen und den Hunden, da kann nichts schiefgehen. Ach ja ... und stell die Reitponystute zum Hengst. Du weißt schon, Glorias Pony. Princess ...«

Gloria ließ Ceredwen galoppieren, bis Reiterin und Pferd außer Atem waren. Nimue rannte mit hängender Zunge hinterher. Gewöhnlich nahm Gloria Rücksicht auf die Hündin, doch an diesem Tag wollte sie nur weg, so schnell wie möglich. Sie wusste, dass sie überreagiert hatte; sie hätte nicht nach Frank Wilkenson schlagen dürfen. Aber als er Ceredwens Zügel gefasst und nach ihrem Steigbügel gegriffen hatte, war etwas in ihr explodiert. Sie hatte nur noch rot gesehen, sich nur noch befreien wollen. Es passierte nicht zum ersten Mal, aber bislang war ihr diese blitzschnelle, instinktive Reaktion immer nützlich gewesen. Wenn die Männer die rasende Wut in ihren Augen und das aufblitzende Messer in ihrer Hand sahen, ließen sie von ihr ab. Aber auf Kiward Station würde es sie in Schwierigkeiten bringen – womöglich redete Maaka bereits mit Grandma Gwyn.

Gloria hatte vage Schuldgefühle, aber dann brach ihr Zorn wieder durch. Grandma Gwyn konnte gar nichts machen. Noch mal ließ Gloria sich nicht wegschicken, man konnte sie schließlich nicht fesseln und knebeln. Außerdem schienen Kura und William auch kein großes Interesse mehr an ihr zu haben. Sie waren nach wie vor in Amerika, jetzt wieder in New York, und ihre Show lief am Broadway. Von Glorias Wiederauftauchen hatten sie kaum Notiz genommen, was Grandma Gwyn erkennbar aufatmen ließ.

Wie es aussah, machte Kura keine Anstalten, die Farm zu verkaufen. Die Martyns waren glücklich in der Neuen Welt und schwammen im Geld. Grandma Gwyn würde sicher keine schlafenden Hunde wecken, indem sie sich über ihre Urenkelin beschwerte. Gloria berauschte sich kurz an ihrer Macht: Sie war die Erbin. Sie konnte tun und lassen, was sie wollte!

Eigentlich hatte sie ein paar Mutterschafe auf eine Winterweide treiben wollen, doch über der Auseinandersetzung mit

Frank hatte sie die Tiere vergessen. Jetzt noch einmal umzukehren war sinnlos. Da kontrollierte sie lieber die Außenstellen – oder ritt zum Ring der Steinkrieger. Sie war seit ihrer Rückkehr erst einmal dort gewesen, um Grandpa James' Grab zu besuchen. Aber dabei hatte Gwyneira sie begleitet, und Gloria hatte sich gehemmt und beobachtet gefühlt. Musste Gwyneira ihren Sitz auf dem Pferd und ihre Zügelführung pausenlos korrigieren? Schaute sie nicht zu forschend hin, missbilligte sie, dass Gloria am Grab ihres Mannes nicht weinte? Gloria kämpfte ständig mit ihrer Unsicherheit, wenn sie mit Gwyneira zusammen war, und es gab auch sonst niemanden auf Kiward Station, in dessen Anwesenheit sie sich sicher fühlte. Maaka wollte ihr erklären, wie sie die Rinder zu treiben hatte, Frank Wilkenson meinte zu wissen, welches Pferd sich am besten für sie eignete ... Alle hackten nur auf ihr herum ... es war wie in Oaks Garden ... nie konnte sie es jemandem recht machen ...

Gefangen zwischen Wut und Grübeleien erreichte Gloria die Steinformation in den Ausläufern des Hochlandes, die ein bisschen wie das unaufgeräumte Spielzimmer eines Riesenkindes wirkte. Gewaltige Felsblöcke bildeten einen Kreis, fast vergleichbar mit den Menhir-Formationen in Stonehenge. Aber hier hatte die Natur selbst gewirkt, nicht die Hand des Menschen. Die Maoris sahen im Ring der Steinkrieger eine Laune der Götter, das Land war ihnen heilig. Außerhalb bestimmter Tage oder Stunden pflegten sie Plätze zu meiden, die als *tapu* galten. Der Ring der Steinkrieger gehörte den Geistern meist allein – wenn nicht irgendwelche *pakeha* kamen und ihre Ruhe störten. Die Geister, so hatte Grandpa James mitunter gelästert, nähmen das allerdings weniger übel als Häuptling Tonga, der sich gern darüber aufregte, wenn sich gelegentlich ein paar Schafe in die Heiligtümer seines Volkes verirrten.

Umso überraschter war Gloria jetzt, als sie im Ring der

Krieger Rauchschwaden aufsteigen sah. Als sie sich näherte, erkannte sie ein kleines Feuer, an dem sich ein junger Maori niedergelassen hatte.

»Was tust du hier?«, fuhr sie ihn an.

Der junge Mann schien aus einer tiefen Meditation zu erwachen. Er wandte ihr das Gesicht zu, und Gloria erschrak beim ersten Anblick. Das Antlitz des Mannes war mit *moko* bedeckt, den traditionellen Tätowierungen seines Volkes. Gewundene Linie zogen sich über seine Augenbrauen, von der Nase ausgehend über seine Wangen und in Kaskadenform entlang seines Kinns. Gloria kannte diesen Schmuck, Tamatea pflegte ihn Kuras Tänzern jeden Abend aufzuschminken, und auch Marama und ihre Leute pinselten sich die *moko* auf, bevor sie *haka* aufführten oder auch nur unter sich feierten. Dann trugen sie jedoch auch die traditionellen Kostüme aus gehärteten Flachsblättern. Dieser Junge dagegen trug Denimhosen und Flanellhemd wie ein Farmarbeiter. Darüber eine abgetragene Lederjacke.

»Du bist Wiremu ...«, sagte Gloria.

Der Mann nickte, ohne einen Anflug von Erstaunen zu zeigen, dass sie ihn erkannte. Dem Sohn des Häuptlings stand sein Name auf der Stirn geschrieben. Niemand anders in seiner Generation war tätowiert. Die Maoris auf der Südinsel hatten nach Ankunft der *pakeha* sehr schnell mit dieser Tradition gebrochen. Sie passten sich in Kleidung und Aussehen bereitwillig den Weißen an, um damit auch an deren höherem Lebensstandard teilzuhaben. Das Leben auf Te waka a Maui war immer hart gewesen, und die pragmatischen Ureinwohner tauschten alte Bräuche, die den *pakeha* Furcht erregend schienen, gern gegen Arbeit auf den Farmen, Saatgut, Essen und Wärme. Auch Bildungsangebote nahmen sie bereitwillig an – Tongas Vater hatte größten Wert darauf gelegt, seinen Sohn in Helen O'Keefes Schule zu schicken. Tonga selbst beharrte allerdings darauf, Maori zu sein und zu bleiben. In seiner Opposition gegen die Wardens hatte er sich noch als Erwachsener die Zeichen seines Stammes in die Haut ritzen lassen. Und seinen jüngsten Sohn hatte er von klein auf damit gezeichnet.

Wiremu warf ein weiteres Holzscheit in die Flammen.

»Du darfst hier kein Feuer anzünden!«, beschied Gloria ihm. »Der Platz ist *tapu!*«

Wiremu schüttelte den Kopf. »Ich darf hier nichts essen«, stellte er richtig. »Würde ich länger bleiben, müsste ich hungern. Aber niemand zwingt mich, bei der Zwiesprache mit den Geistern zu frieren.«

Gloria versuchte, an ihrem Zorn festzuhalten, aber sie konnte nicht anders als zu lächeln. Sie lenkte ihr Pferd in den Kreis und war dankbar dafür, dass Wiremu auf eine Diskussion ihres Tuns verzichtete. Sie war sich keineswegs sicher, ob das *tapu* die Anwesenheit von Reitern gestattete.

»Wolltest du nicht auf die Universität?«, fragte sie. Sie erinnerte sich dunkel an einen Brief von Grandma Gwyn. Wiremu hatte eine Highschool in Christchurch besucht und sollte anschließend das Christ College oder die Universität in Dunedin besuchen. Seine Noten hatten ausgereicht, und zumindest Dunedin sperrte sich auch nicht dagegen, den Häuptlingssohn anzunehmen.

Wiremu nickte. »Ich war in Dunedin.«

»Aber?«, fragte Gloria.

»Ich hab's aufgegeben.« Wiremus Hand fuhr wie beiläufig über seine Tätowierungen.

Gloria fragte nicht weiter. Sie wusste, wie es sich anfühlte, wenn die Leute einen anstarrten. Es machte sicher keinen Unterschied, ob sie es taten, weil man seiner Mutter nicht ähnlich sah oder weil man dem Bild seines Volkes einfach zu sehr glich.

»Und was machst du jetzt?«, erkundigte sie sich.

Wiremu hob die Schultern. »Dies und das. Jagen. Fischen. An meinem *mana* arbeiten …«

Das *mana* eines Maori-Mannes bestimmte seinen Einfluss innerhalb des Stammes. Wenn Wiremu sich nicht nur durch Klugheit, sondern auch in den Tugenden des Kriegers, denen des Tänzers, Geschichtenerzählers, Jägers und Sammlers auszeichnete, konnte er durchaus Häuptling werden. Wobei es egal war, ob er der jüngste oder älteste Sohn war. Selbst ein Mädchen konnte einen Stamm führen, aber das kam selten vor. Die meisten Frauen bildeten bei den Maoris – wie bei den *pakeha* – eher die Macht hinter einem »Thron«.

Gloria dachte flüchtig daran, dass bei den Maoris alles leichter war. Bis zur Ankunft der *pakeha* hatten sie Landbesitz nicht gekannt – und was einem nicht gehört, kann man nicht vererben. Auch Frauen galten nicht als Eigentum; man konnte sie nicht erwerben und nicht verkaufen. Kinder gehörten dem ganzen Stamm, nannten jede junge Frau Mutter, jede ältere *taua* – Großmutter. Jedermann liebte sie.

Aber das hatte Wiremu auch nicht davor geschützt, von seinem Vater gezeichnet zu werden.

»Du bist Gloria«, sagte Wiremu. Offensichtlich hatte er ihr jetzt doch einen längeren Blick gegönnt. »Wir haben als Kinder zusammen gespielt.« Er lachte. »Und mein Vater wollte uns am liebsten verheiraten.«

Gloria blitzte ihn an. »Ich heirate nicht!«

Wiremu lachte wieder. »Das wird Tonga zutiefst enttäuschen. Gut, dass du nicht seine Tochter bist. Sonst fände er bestimmt irgendein *tapu*, das die Häuptlingstochter an die Seite irgendeines Häuptlingssohnes befiehlt. Rund um Häuptlingstöchter gibt es eine Menge *tapu*.«

Gloria seufzte. »Bei den *pakeha* auch …«, murmelte sie. »Auch wenn es sich natürlich nicht so nennt. Und man braucht nicht gleich eine Prinzessin zu sein.«

»›Erbin‹ tut's auch«, ergänzte Wiremu scharfsinnig. »Wie ist Amerika?«

Gloria zuckte die Schultern. »Groß«, sagte sie.

Wiremu gab sich damit zufrieden. Gloria war dankbar, dass er nicht nach Australien fragte.

»Ist es wahr, dass dort alle gleich sind?«

»Machst du Witze?«

Wiremu lächelte. »Willst du nicht vom Pferd runter?«

»Nein«, sagte Gloria.

»Ein *tapu?*«, fragte Wiremu.

Sie lächelte.

Am nächsten Tag wartete Wiremu am Zaun der Winterweide. Gwyneiras Männer hatten die Koppel erst kurz zuvor und eher provisorisch mit Stacheldraht abgeteilt. Die Schafe sollten das Gras fressen, das an dieser von Felsen geschützten Stelle noch hoch stand, aber sie sollten die abgefressenen Weidestücke rundum nicht zertreten.

Gloria hieß Nimue und Gerry, einen weiteren Hütehund, die Mutterschafe in den Corral zu treiben. Dann lenkte sie Ceredwen zu Wiremu hinüber.

»Was machst du hier?«, fragte sie wieder, aber diesmal klang ihre Stimme sanfter.

»Ich kontrolliere ein *tapu*. Im Ernst, es ist mir fast peinlich. Du musst langsam glauben, ich wäre der Stammeszauberer. Aber mein Vater hat mich ausgeschickt, um nachzusehen, ob ihr die Grenzen einhaltet.«

Gloria runzelte die Stirn. »Ist nicht der Bach die Grenze? Ich dachte, dahinter beginnt die alte O'Keefe Station.«

Helen O'Keefes frühere Farm war Tongas Stamm als Ausgleich für Unregelmäßigkeiten beim Kauf von Kiward Station übereignet worden.

»Aber hinter der Ecke da hat mein Vater ein Heiligtum entdeckt. Oder so was Ähnliches. Da haben sich mal vor undenklichen Zeiten ein paar Leute bekriegt. Es ist Blut geflossen, und das heiligt den Boden. Ihr sollt das gefälligst respektieren, meint er.«

»Wenn's nach deinem Vater ginge, wäre ganz Neuseeland *tapu!*«, ärgerte sich Gloria.

Wiremu grinste. »Genau so sieht er es.«

Glorias Gesicht verzog sich ebenfalls zu einem Lächeln. »Aber dann dürftet ihr nirgendwo etwas essen!«

»Touché!« Wiremu lachte. Er gebrauchte das französische Wort ganz selbstverständlich. In seinem College hatte man zweifellos mehr gelernt als in Oaks Garden. »Du solltest ihm diesen Gedankengang vortragen. Komm mit ins Dorf, Gloria, Marama weint sowieso immer, dass du sie zu selten besuchst. Ich habe eben ein paar Fische gefangen. In einem gänzlich *tapu*-freien Bach. Wir können sie braten und ... was weiß ich ... über *tapu* in England reden?« Er lächelte einladend.

Gloria befand sich in einer Zwickmühle. Auch Gwyneira hatte ihr nahegelegt, Marama zu besuchen, wenn sie schon in Richtung O'Keefe Station ritt. Auf Tonga würde sie dort allerdings kaum treffen, der lebte mit einem Teil des Stammes nach wie vor im Maori-Dorf am See auf Kiward Station. Es entsprach seiner Philosophie, Land niemals aufzugeben. Gwyneira hatte nie wirklich angenommen, er würde das alte Dorf räumen und mit all seinen Leuten nach O'Keefe Station ziehen.

»Sein Geist muss vorher den Körper eines *pakeha* bewohnt haben!«, hatte James salbungsvoll bemerkt, wenn die Sprache auf Tongas Landpolitik kam. »Raffgierig wie die alte Queen! Dem fehlen bloß noch die Kolonien.«

»Wenn du nicht willst, brauchst du auch nicht abzusteigen«, bemerkte Wiremu und wies auf Glorias Pferd. »Ich kann dir das Essen raufreichen.«

Gloria musste beinahe lachen; sie lenkte Ceredwen jetzt tatsächlich ein wenig widerstrebend in Richtung Maori-Dorf.

»In früheren Zeiten – auf der Nordinsel womöglich bis heute – ist es Häuptlingen nicht erlaubt, das Essen zu berühren, das sie mit dem Stamm teilen«, plauderte Wiremu, während er in respektvollem Abstand neben Ceredwen herging. »Es gab spezielle ›Fütterhörner‹, in die es gefüllt wurde, und damit spedierte man es dann in den Mund des Chiefs. Ziemlich kompliziert, nicht?«

Gloria antwortete nicht. Unbeschwertes Plaudern lag ihr nicht, sie fürchtete, dabei zu versagen.

»Was wolltest du eigentlich werden?«, fragte sie schließlich. »Ich meine, auf der Universität …«

Wiremu verzog das Gesicht. »Arzt«, sagte er dann. »Chirurg.«

»Oh.« Gloria konnte das Geflüster hinter seinem Rücken fast hören. Wahrscheinlich hatten sie ihn »Medizinmann« genannt.

Wiremu senkte den Blick, als er den ihren über seine Tätowierungen gleiten sah. Er schämte sich erkennbar, sogar hier, auf seinem Land, unter seinem Volk. Dabei entstellten ihn die blauschwarzen Ranken keineswegs, im Gegenteil, sie ließen sein etwas kantiges Gesicht weicher wirken. Aber Wiremu in einem westlichen Operationssaal? Unmöglich.

»Mein Vater hätte es lieber gesehen, wenn ich Jura studiert hätte«, sprach er weiter, um das Schweigen zu brechen.

»Wärst du da besser klargekommen?«

Wiremu schnaubte. »Ich hätte mich eben auf Maori-Angelegenheiten beschränken müssen. Mein Auskommen hätte ich gehabt, es gibt immer mehr Rechtsstreitigkeiten. ›Eine Aufgabe für einen Krieger …‹«

»Sagt dein Vater?«

Wiremu nickte. »Ich streite nur nicht gern mit Worten.«

»Und was ist, wenn du dich mit Heilpflanzen beschäftigst?«, schlug Gloria vor. »Du könntest ein *tohunga* werden.«

»Für die Gewinnung von Teebaumöl? *Manuka?*«, fragte er bitter. »Oder eins werden mit dem Universum? Die Stimmen der Natur hören? *Te Reo?*«

»Du hast es versucht«, riet Gloria. »Deshalb warst du im Ring der Steinkrieger.«

Wiremu schoss das Blut ins Gesicht. »Die Geister waren nicht sehr aufgeschlossen«, bemerkte er.

Gloria senkte den Blick. »Das sind sie nie …«, flüsterte sie.

»Lasst den Atem einfach strömen! Nein, Heremini, versuch nicht, die Nase zu rümpfen, das sieht nur lustig aus, die Töne beeinflusst es gar nicht. So ist es besser. Ani, du wirst nicht eins mit der *koauau*, indem du dich verwandelst, sie nimmt dich an, wie du bist. Die *nguru* will deinen Atem spüren, Heremini …« Marama saß vor dem reich verzierten Versammlungshaus – bei der Ausgestaltung des *marae* auf O'Keefe Station hatten Tongas Leute keine Mühen gescheut – und unterrichtete zwei Mädchen im Flötenspiel. Die *koauau*, eine kleine, bauchige Holzflöte, wurde mit der Nase gespielt, die *nguru* wahlweise mit Nase und Mund. Ani und Heremini versuchten jetzt jedenfalls, ihr Riechorgan zur Erzeugung von Tönen einzusetzen, und die Grimassen, die sie dabei schnitten, brachten Marama und die anderen Frauen um sie herum zum Lachen.

Gloria erschrak fast darüber, aber die Mädchen kicherten ihrerseits. Sie schienen es nicht so tragisch zu finden, dass sie den Flöten bislang nur ziemlich quietschende Laute entlockten.

»Gloria!« Marama stand auf, als sie ihre Enkelin sah. »Wie schön, dich zu sehen! So selten, wie du herkommst, sollten wir einen Begrüßungs-*haka* für dich tanzen ...«

Eigentlich wurden nur geehrte Gäste, also meist Fremde, mit einem Tanz begrüßt, doch Ani und Heremini sprangen auf, hoben ihre Flöten und deuteten Tanzschritte und Sprünge an. Dabei schwangen sie die Instrumente wie *mere pounamu* – Kriegskeulen. Als sie obendrein ausgelassen Verse zu schreien begannen, gebot Marama ihnen Ruhe.

»Nun hört mal auf, Gloria ist doch keine Fremde, sie gehört zum Stamm. Außerdem müsst ihr euch schämen für euer Gekrächze. Versucht es lieber noch mal mit den Flöten. Gloria ... *mokopuna* ... willst du nicht vom Pferd steigen?«

Gloria errötete und ließ sich aus dem Sattel gleiten. Wiremu grinste und machte Anstalten, ihr die Stute abzunehmen.

»Darf ich den Thron der Häuptlingstochter irgendwo grasen lassen, oder verletze ich damit ein *tapu?*«, raunte er ihr zu.

»Pferde essen überall«, bemerkte Gloria und wunderte sich, dass Wiremu das als Scherz auffasste und ausgelassen lachte.

»Pferde leben in der Gnade der Geister!«, fügte er hinzu und nahm Ceredwen den Sattel ab.

»*Taua,* hier sind Fische für das Abendessen. Ich habe Gloria eingeladen«, wandte er sich dann an Marama.

Die nickte. »Wir werden sie später braten. Aber Gloria braucht keine Einladung, sie ist immer willkommen. Setz dich zu uns, Glory ... kannst du die *koauau* noch spielen?«

Gloria errötete. Marama hatte ihr als Kind gezeigt, wie man der Flöte Töne entlockte, und sie hatte sich bei der Atemführung recht geschickt angestellt. Melodien lagen ihr weniger. Dennoch mochte sie vor dem Stamm nicht ablehnen. Nervös griff sie nach der Flöte und blies hinein, wobei sie selbst über das Ergebnis erschrak. Der *koauau* entrang sich eine Art Stöhnen, das dann zu einem Schrei wurde. Unmelodisch, aber Gloria ließ die Flöte dennoch nicht sinken. Dafür nahm Marama die *nguru*, führte sie an den Mund und begann, einen Rhythmus dazu vorzugeben. Eine wilde, aufrührende Melodie … Gloria fuhr zusammen, als jemand begann, dazu den *pahu pounamu*, auch ein typisches Musikinstrument der Maoris, erklingen zu lassen. Die Mädchen Ani und Heremini schienen das Signal zu verstehen, erhoben sich und begannen wieder zu tanzen. Sie waren noch klein, der Kriegs-*haka* gelang ihnen nicht sonderlich martialisch, aber sie zeigten die selbstbewussten Bewegungen der Maori-Kriegerinnen von einst.

»Führt Kura diesen *haka* auf, oder woher kanntest du ihn?«, fragte Marama ihre Enkelin. »Es ist ein sehr altes Stück – aus der Zeit, als Maori-Männer und -Frauen noch gemeinsam kämpften. Eher auf der Nordinsel verbreitet.«

Gloria errötete. Sie hatte den Tanz vorher nicht gekannt, den Ton wohl mehr zufällig getroffen. Aber die *koauau* hatte ihre Wut herausgeschrien – und Marama hatte sie in den Kampf geleitet. Es war seltsam: Gloria hatte das Gefühl, Musik nicht gemacht, sondern gelebt zu haben.

»*Kia ora*, Töchter! Muss ich mich fürchten? Ist ein Krieg ausgebrochen?« Eine dunkle, volle Stimme klang aus der beginnenden Dämmerung, und Rongo Rongo trat ins Licht des Feuers, das Wiremu inzwischen entzündet hatte.

»Ich muss mich wärmen, Kinder, lasst mich ans Feuer … wenn ihr es nicht gerade braucht, um Speerspitzen zu härten.« Sie rieb ihre kurzen, kräftigen Finger über dem Feuer. Hinter ihr erkannte Gloria Tonga, den Häuptling. Sie erschrak. Seit ihrer Heimkehr hatte sie Tonga noch nicht wiedergesehen, und das dunkle, tätowierte Gesicht des für einen Maori hochgewachsenen Mannes machte ihr beinahe Angst.

Aber Tonga lächelte. »Sieh an, Gloria ... die Tochter derer, die mit der *Uruao* und der *Dublin* nach Aotearoa kamen.«

Gloria errötete wieder. Sie kannte das Vorstellungsritual der Maoris – bei wichtigen Anlässen nannte man das Kanu, mit dem seine Vorfahren einst in Neuseeland angekommen waren. Das war natürlich Hunderte von Jahren her. Glorias *pakeha*-Ahnin Gwyneira war dagegen erst gut sechzig Jahre zuvor mit der *Dublin* nach Neuseeland gereist.

»Bist du nun hier, um dein Erbe in Besitz zu nehmen? Das der Ngai Tahu oder das der Wardens?«

Gloria wusste nicht, was sie erwidern sollte.

»Lass sie in Ruhe!«, sagte Marama. »Sie ist hier, um mit uns zu essen und zu reden. Hör nicht auf ihn, Gloria. Hilf lieber Wiremu und den Mädchen, den Fisch zuzubereiten.«

Gloria floh dankbar zu dem Bachlauf, der am Dorf entlangfloss. Sie hatte keine Fische mehr ausgenommen, seit sie ein kleines Mädchen war und bei Jack angeln gelernt hatte. Zuerst stellte sie sich ungeschickt dabei an, aber zu ihrer Verwunderung lachten die anderen Mädchen nicht über sie. Wiremu gesellte sich zu ihr, um ihr zu zeigen, wie es ging. Gloria rückte von ihm ab.

»Willst du lieber Süßkartoffeln ausgraben?«, fragte ein älteres Mädchen namens Pau, dem Glorias Rückzug aufgefallen war. »Dann komm mit mir.«

Pau stieß sie kameradschaftlich an, als sie aufs Feld gingen.

»Wiremu mag dich wohl?«, lachte sie. »Er kocht sonst nicht mit uns, sondern spielt den großen Krieger. Aber heute ... und dein Pferd hat er auch versorgt ...«

»Ich mag ihn aber nicht!«, sagte Gloria schroff.

Pau hob abwehrend die Hände. »Nicht böse sein, ich dachte nur ... Er ist ein guter Kerl und der Sohn des Häuptlings. Die meisten Mädchen würden ihn mögen.«

»Er ist ein Mann!«, brach es aus Gloria heraus, als sei damit jedes Urteil gefällt.

»Ja«, sagte Pau gelassen und gab Gloria eine Schaufel. »Grab in dem Beet da rechts. Und nimm die Kleineren, die schmecken kräftiger. Wir waschen sie dann im Bach ...«

»Hack nicht auf dem Mädchen herum, Tonga. Aber besten lässt du sie ganz in Ruhe. Sie hat viel durchgemacht ...« Rongo Rongo sah Gloria nach, als sie mit den anderen Mädchen wegging, um das Essen zuzubereiten.

»Sagen dir das die Geister?«, erkundigte sich Tonga zwischen Spaß und Ernst. Er respektierte Rongo, aber so gern er sich auch auf Stammestraditionen berief: Die Zwiesprache mit den Geistern seiner Ahnen funktionierte bei ihm nicht häufiger als bei seinem Sohn.

Rongo Rongo verdrehte die Augen. »Das sagt mir die Erinnerung an den Erdball, den Miss Helen in der Schule hatte«, erklärte sie gelassen. Gwyneira hatte den Globus damals unauffällig aus dem Herrenzimmer Gerald Wardens mitgehen lassen und dem Unterricht zur Verfügung gestellt. »Weißt du nicht mehr, wo Amerika liegt, Tonga? Und wie groß Australien ist? Zehnmal größer als Aotearoa. Gloria ist dorthin durchgelaufen oder -gefahren – kein Mensch weiß, wie sie es geschafft hat. Ein *pakeha*-Mädchen, Tonga ...«

»Sie ist zur Hälfte Maori!«, trumpfte Tonga auf.

»Zu einem Viertel«, korrigierte Rongo. »Und auch eine Maori wird nicht mit dem Wissen geboren, wie man in der Wildnis überlebt. Du hast doch von Australien gehört? Der Hitze, den Schlangen ... Ganz allein hat sie das nicht geschafft.«

»Sie hat auch kaum allein den Ozean durchschwommen!«, sagte Tonga lachend.

Rongo nickte. »Eben!«, sagte sie, und ihr Gesicht spiegelte ihre Trauer wider.

Gloria verbrachte einen friedlichen Abend im Maori-Dorf – während Gwyneira sich mal wieder um sie sorgte. Sie hatte gefürchtet, Marama würde sie ausfragen – nach England, nach der Reise und vor allem nach Kura, ihrer Mutter. Aber Marama tat nichts dergleichen. Gloria konnte einfach dasitzen und dem Geplauder und den Geschichten lauschen, die am Feuer erzählt wurden. Tongas Anwesenheit verdankte der Stamm einem kleinen Jagdunfall. Der Häuptling hatte Rongo geholt, um einen Verletzten zu versorgen, und sie anschließend zurückgebracht. Jetzt prahlten die Männer lauthals mit ihren Erlebnissen. Der Felskamm, von dem der Jäger gestürzt war, wurde immer größer, und die Schlucht immer tiefer, aus der die anderen Männer ihn geborgen hatten. Rongo sagte nichts zu all dem, lauschte nur mit nachsichtigem Lächeln.

»Hör nicht auf sie. Sie sind wie Kinder ...«, sagte sie schließlich zu Gloria, die sich bei all den Wichtigtuern unsicher zu fühlen schien.

»Kinder?«, fragte Gloria erstickt.

Rongo seufzte. »Manchmal Kinder mit Fackeln in der Hand, oder Speeren und Kriegskeulen ...«

Als Gloria schließlich ihr Pferd sattelte – Wiremus Hilfe hatte sie abgelehnt –, trat Tonga zu ihr. Sie erschrak und hielt so weit Abstand, als gelte es, ein *tapu* zu wahren.

»Tochter der Ngai Tahu«, sagte er schließlich. »Was immer dir angetan wurde. Es wurde von *pakeha* getan ...«

6

Nach den ersten, aufregenden Wochen zwischen Flucht, Wohnungssuche und Hochzeit stellte Lilian Biller verwundert fest, dass ihre Barschaft wesentlich schneller zusammenschrumpfte, als sie gehofft hatte. Dabei war die Miete wirklich erschwinglich. Aber was Essen und Kleidung anging, Bücher für Bens Studium und zumindest eine Grundausstattung an Möbeln, Geschirr, Bett- und Tischwäsche, hatte die junge Frau sich gründlich verschätzt. Dabei verbrachte sie schon die ganzen ersten Wochen ihrer Ehe auf Schnäppchenjagd und bemühte sich, zumindest die Möbel gebraucht zu kaufen. Verschenkt wurde jedoch nichts in Auckland, die Lebenshaltungskosten waren deutlich höher als in Greymouth.

Lilian dachte also übers Geldverdienen nach und wandte sich damit erst mal an ihren Mann.

»Kannst du nicht in der Universität arbeiten?«

Ben wandte den Blick irritiert von dem Buch ab, das er gerade studierte. »Liebste, ich arbeite jeden Tag in der Universität!«

Lilian seufzte. »Ich dachte an bezahlte Arbeit. Braucht dein Professor keine Hilfe? Kannst du keine Kurse geben oder so was?«

Ben schüttelte bedauernd den Kopf. Die Linguistische Fakultät an der Universität Auckland war erst im Aufbau. Die Anzahl der Studenten rechtfertigte kaum eine volle Professorenstelle, geschweige denn die eines Assistenten. Und was Bens spezielles Wissensgebiet anging, so stieß es zwar auf größtes Interesse seines Lehrers, doch Themen wie »Vergleich polynesischer Dialekte zwecks Eingrenzung des Herkunftsgebietes der ersten Maori-Einwanderer« würden kaum einen Hörsaal füllen.

»Tja, dann wirst du dir etwas anderes suchen müssen«, unterbrach Lilian seine langatmigen, diesbezüglichen Erläuterungen. »Wir brauchen Geld, Liebster, da ist nichts dran zu deuteln.«

»Aber mein Studium! Wenn ich mich jetzt darauf konzentriere, kann ich später ...«

»Später sind wir verhungert, Ben. Aber du musst ja nicht den ganzen Tag arbeiten. Such dir irgendwas, das du neben dem Studium erledigen kannst. Wenn ich auch arbeite, schaffen wir es schon.«

Lilian küsste ihn ermutigend.

»Was willst du denn arbeiten?«, fragte er verwirrt.

Niemand in Auckland wollte Zeichnen lernen, aber dafür brachte es Lilian binnen kürzester Zeit auf eine beträchtliche Anzahl von Klavierschülern. Dabei konzentrierte sie sich auf die Handwerkerviertel, vor Akademikerfamilien scheute sie zurück. Schließlich konnte es sein, dass die Hausfrau da besser Klavier spielte als sie. Nun war das kein Problem. Unter den fleißigen Einwanderern der zweiten Generation, die es mit ihren florierenden Werkstätten zu oft mehr als bescheidenem Wohlstand gebracht hatten, herrschte der Wunsch, es den »Reichen« gleichzutun, und dazu gehörte nach allgemeiner Ansicht auch eine musikalische Grundausbildung der Kinder.

Lilians Aushänge in Lebensmittelgeschäften und Pubs bewirkten insofern ein unerwartet großes Echo. Schließlich war hier keine Schwellenangst vor einer Musikschule oder vor einem diplomierten Lehrer zu überwinden. Lilian wirkte auch nicht einschüchternd, sondern nahm die nervösen Eltern genauso leicht für sich ein wie die Schüler: Natürlich war es beeindruckend, dass sie ihre musikalische Kunst in England studiert hatte und man trotzdem normal mit ihr reden konnte. Hinzu kam, dass Lilian es mit klassischen Grundsätzen nicht allzu genau nahm. Sie reduzierte Fingerübungen und Etüdenspiel auf ein Minimum, sodass ihre Schüler oft schon in der dritten oder vierten Stunde ein einfaches Lied in die Tasten hämmerten. Und da ihre Klientel auch sicher lieber selbst sang als Klavierkonzerte zu besuchen – das Gegröle der Pub-Besucher ließ Ben und Lilian oft nicht schlafen –, legte sie einen weiteren Schwerpunkt auf einfache Begleitungen für Gassenhauer und patriotische Gesänge. Die Rechnung ging auf: Nichts überzeugte die Eltern ihrer Schüler mehr vom Talent ihres Kindes und der Genialität seiner Lehrerin als die Tatsache, dass man sich gleich beim nächsten Familienfest um das Klavier versammeln und *It's a long Way to Tipperary* schmettern konnte.

Ben tat sich mit dem Geldverdienen deutlich schwerer. Er musste zwangsläufig eher auf Muskelkraft setzen, als mehr oder weniger vorhandene Talente zu nutzen. Allerdings fanden sich zu praktisch allen Tages- und Nachtzeiten Hilfsarbeiterjobs im Hafen. Ben be- und entlud Schiffe und Lastwagen, meist morgens, bevor die Vorlesungen begannen.

Ein paar Monate lang kamen die beiden gut über die Runden. Es reichte sogar zu ein paar neuen Kleidungsstücken und einem ordentlichen Esstisch mit zwei Stühlen. Die Wohnsituation über dem Pub war allerdings immer noch unbefriedigend. Nach wie vor war es laut, stank nach Bier und altem Fett, und Lily klagte, dass sie am Abend keine Klavierschüler annehmen konnte, weil sie Angst hatte, allein durch ihr Viertel nach Hause zu gehen. Die Toilette auf dem Flur war eine Katastrophe – niemand der anderen Mieter schien auch nur auf den Gedanken zu kommen, sie gelegentlich zu putzen. Und einmal fürchtete Lilian sich fast zu Tode, als einer der ständig betrunkenen Männer, deren Familien in den beiden anderen Wohnungen hausten, sich nachts verirrte und wütend gegen ihre Tür schlug und trat. Auf die Dauer konnte und wollte Lilian nicht bleiben – erst recht nicht, als sie mit morgendlicher Übelkeit zu kämpfen begann.

»Dann isses ja endlich so weit!«, kicherte ihre reichlich verkommene Nachbarin, als sie mit bleichem Gesicht und noch im Morgenmantel aus der Toilette in ihre Wohnung torkelte. »Hab mich schon gefragt, wann bei euch was im Busch ist.«

Die Frau selbst hatte vier Kinder. Sie sollte also wissen, wovon sie sprach. Lilian leistete sich trotzdem einen Besuch beim Arzt, der ihre gesamten Ersparnisse verschlang. Beschwingt tanzte sie anschließend zum Hafen, um Ben abzuholen.

»Ist das nicht großartig, Ben? Ein Baby!« Lilian begrüßte ihn gleich am Kai mit ihrer wundervollen Nachricht. Er schleppte eben ein paar Säcke von einem der Schiffe zu einem der Lastwagen und schien völlig erschöpft. Lilian nahm das nicht zur Kenntnis. Sie war grenzenlos begeistert und voller Pläne.

Ben selbst konnte sich nicht so unbeschränkt freuen. Er hatte morgens um fünf mit der Arbeit begonnen, dann den Tag in der Universität verbracht und half jetzt auch noch beim Löschen einer Ladung. Damit konnte er einiges in die gemeinsame Kasse werfen und hatte eigentlich gehofft, in den nächsten Tagen ungestört studieren zu können. Seit er mit seiner Doktorarbeit begonnen hatte, geizte er mit jeder freie Minute. Lilians Schwangerschaft würde ihn nun zu weiteren Anstrengungen zwingen. Die Familie wollte schließlich unterhalten werden, und in absehbarer Zeit musste er das obendrein allein tun.

»So schlimm wird das gar nicht, Ben!«, tröstete dagegen Lilian. »Schau, ein paar Monate kann ich noch unterrichten. Und in der Zeit beeilst du dich einfach ein bisschen mit deiner Arbeit. Wenn du erst promoviert hast, geben sie dir bestimmt einen bezahlten Job. Dein Professor ist doch so begeistert von dir!«

Das war zwar der Fall, aber von akademischen Ehren konnte man nicht unbedingt leben. Ben jedenfalls sah schwarz für einen zweiten linguistischen Lehrstuhl an der Universität Auckland. Erst recht für einen so jungen Doktoranden. Eher war es üblich, nach der Promotion an verschiedenen anderen Universitäten zu gastieren, dort Kurse anzubieten und sich selbst weiterzubilden. Manchmal fanden sich auch Forschungsstipendien, aber bei Bens ausgefallenem Wissensgebiet war das unwahrscheinlich. Und von alldem abgesehen, würde es selbst für einen hochbegabten Studenten kaum möglich sein, das Promotionsstudium innerhalb von knapp neun Monaten zu beenden.

Lilian kaute auf ihrer Unterlippe, als Ben all das vor ihr ausbreitete.

»Aber so nebenbei im Hafen verdienst du nicht genug«, bemerkte sie. »Erst recht nicht, wenn wir eine neue Wohnung suchen.«

Ben seufzte. »Ich lass mir irgendwas einfallen«, versprach er vage, um dann doch zu lächeln. »Wir schaffen das schon. Mensch, Lily, ein Baby! Und wir haben das ganz allein gemacht!«

Lilian liebte Ben von Herzen, aber sie hatte längst herausgefunden, dass sich seine sensationellen Geistessprünge eher auf Syntax und Wortmelodie polynesischer Relativsätze denn auf einfache Lösungen alltäglicher Probleme bezogen. Insofern verließ sie sich auch nicht auf seine Einfälle, sondern dachte selbst darüber nach, welche seiner Talente man vielleicht noch gewinnbringend nutzen konnte. Die entscheidende Idee kam ihr, als sie auf dem Weg zu einem Klavierschüler das Büro des *Auckland Herold* passierte. Eine Tageszeitung! Und Ben war ein Dichter! Berichte und Artikel zu schreiben sollte ihm da erst recht leichtfallen. Und es war sicher besser bezahlt als das Löschen von Ozeanriesen.

Kurz entschlossen betrat Lilian das Ladenlokal und gelangte in einen mittelgroßen Büroraum, in dem einige Männer auf Schreibmaschinen einhämmerten, in Telefone brüllten oder Papiere sortierten. Es herrschte ein ziemlicher Lärm.

Lilian wandte sich dem nächstbesten der Leute zu.

»Wer ist denn wohl hier der Chef?«, fragte sie mit ihrem süßesten Lächeln.

»Thomas Wilson«, antwortete der Mann, ohne sie richtig anzusehen. Er schien einen Artikel zu korrigieren und kaute dabei an seinem Bleistift, wenn er nicht gerade hektisch eine Zigarette paffte. Lilian runzelte die Stirn. Wenn Ben sich hier das Rauchen angewöhnte, wäre der zusätzliche Verdienst wieder weg.

»Da ...« Der Mann wies mit dem Bleistift auf eine Tür mit einem Schild: ›KONTOR CHEFREDAKTION‹.

Lilian klopfte beherzt.

»Kommen Sie rein, Carter! Und ich hoffe, diesmal sind Sie fertig!«, donnerte eine Stimme von drinnen.

Lilian schob sich durch die Tür. »Ich will nicht stören ...«, sagte sie sanft.

»Sie stören nicht. Es sei denn, die Kerle da draußen liefern mir endlich die Texte, damit ich sie durchgehen und in den Satz geben kann. Aber das scheint ja zu dauern. Also, was kann ich für Sie tun?« Der schwere, wenn auch nicht direkt beleibte Mann hinter dem Schreibtisch machte keine Anstalten, aufzustehen, bot Lilian aber mit einer Handbewegung einen Platz an. Er hatte ein breites Gesicht, jetzt leicht gerötet und beherrscht von einer Knollennase. Sein Haar war dunkel, begann aber schon zu ergrauen. Wilsons graublaue Augen wirkten zwar ein wenig klein, musterten sein Gegenüber aber hellwach und mit fast jugendlichem Ausdruck.

Lilian setzte sich auf einen ledergepolsterten Stuhl auf der anderen Seite des mit Papieren überhäuften, unordentlichen Schreibtisches. Aschenbecher gab es auch, der Chef rauchte jedoch Zigarre.

»Was muss man können, um für Ihre Zeitung zu arbeiten?« Lilian hielt sich nicht mit Vorreden auf.

Wilson grinste. »Schreiben«, sagte er kurz. »Und Denken wäre wünschenswert. Aber wie der Haufen da draußen täglich beweist, geht es auch ohne.«

Lilian runzelte die Stirn. »Mein Mann ist Sprachwissenschaftler. Und er schreibt Gedichte.«

Wilson beobachtete fasziniert das Aufleuchten ihrer Augen.

»Damit sollten die Grundvoraussetzungen erfüllt sein«, bemerkte er.

Lilian strahlte. »Das ist wunderbar ... das heißt, falls Sie noch Leute einstellen. Wir brauchen nämlich ganz dringend einen Job!«

»Eine feste Stelle ist zurzeit gerade nicht vakant ... wenngleich es sein kann, dass ich heute noch jemanden rauswerfe! Aber freie Mitarbeiter kann ich immer brauchen.« Wilson nahm einen tiefen Zug von seiner Zigarre.

»Wir suchen auch eigentlich einen Job, den man neben der Arbeit an der Universität ausüben kann«, präzisierte Lilian.

Wilson nickte. »Als ›Sprachwissenschaftler‹ verdient man wohl nicht viel?«, bemerkte er.

Lilian sah ihn unglücklich an. »Bis jetzt gar nichts! Dabei ist

Ben brillant, sagt sein Professor. Alle sagen das, er hatte auch ein Stipendium in Cambridge, aber der Krieg ...«

»Irgendwas Gedrucktes hat Ihr Gatte bislang nicht vorzuweisen?«, fragte Wilson.

Lilian schüttete bedauernd den Kopf. »Nein. Aber wie gesagt, er schreibt Gedichte.« Sie lächelte. »Wunderbare Gedichte ...«

Wilson schnaubte. »Gedichte drucken wir bloß nicht. Aber ich wäre durchaus willens, mir eine der Elegien durchzulesen. Vielleicht bringt mir Ihr Gatte was vorbei ...«

»Hier!« Lilian strahlte ihn an und kramte in ihrem Handtäschchen. Triumphierend förderte sie ein zerknittertes und fast schon brüchiges Stück Briefpapier hervor. »Das Schönste habe ich immer bei mir.«

Sie sah Beifall heischend zu, wie Wilson das Blatt entfaltete und den Text überflog. Seine Mundwinkel zuckten dabei fast unmerklich.

»Er macht jedenfalls keine Rechtschreibfehler«, bemerkte er dann.

Lilian schüttelte beleidigt den Kopf. »Natürlich nicht! Außerdem spricht er Französisch und Maori und ein paar polynesische Dialekte, die ...«

Thomas Wilson grinste. »Schon gut, schon gut, junge Frau. Ich habe begriffen, er ist die Krone der Schöpfung. Maori, sagen Sie? Dann sollte er sich doch auch ein bisschen in der Geisterwelt auskennen, oder?«

Lilian zog die Augenbrauen hoch. »Ich verstehe nicht ganz, was Sie meinen ...«

»Es war auch ein Scherz. Aber wenn Ihr Mann Lust hätte: Wir haben da die Einladung zu einer Séance. Eine Mrs. Margery Crandon aus Boston sowie einige der Honoratioren von Auckland beabsichtigen, heute Abend ein paar Geister zu beschwören. Die Dame macht das gewerblich, sie ist ein

Medium. Behauptet sie jedenfalls, und ich denke, sie würde hier gern öfter auftreten. Weshalb sie größtes Interesse an einem Bericht über die Sache hätte – wäre vielleicht was fürs Feuilleton. Aber meine Jungs haben durchweg abgewinkt, kein Mensch möchte mit Mrs. Crandon die Toten aufwecken. Und meine Freiberufler habe ich schon anderweitig verteilt. Falls Ihr Gatte also einspringen möchte, das wäre eine geeignete Probearbeit. Danach sehen wir weiter.«

»Was … äh … bringt denn das finanziell?«, erkundigte sich Lilian.

Wilson lachte. »Die Geisterbeschwörung oder der Artikel? Nun, unsere Mitarbeiter werden nach Zeilen bezahlt. Medien aber, soweit ich weiß, nicht nach Menge der beschworenen Geister …«

Ehe Lilian weiter nachfragen konnte, riss einer der Mitarbeiter Wilsons die Tür auf.

»Hier sind die Texte, Chef!« Er warf einen Stapel frisch korrigierter, ziemlich unordentlich wirkender Blätter auf den Schreibtisch.

»Hat ja lange genug gedauert«, brummte Wilson. »Also hier, junge Frau … wie heißen Sie eigentlich? Hier ist die Einladung. Den Text will ich bis morgen um fünf auf dem Tisch haben, besser früher. Einverstanden?«

Lilian nickte. »Ben Biller«, sagte sie noch. »Also das ist mein Mann.«

Wilson war schon wieder mit anderen Dingen beschäftigt. »Wir sehen uns morgen.«

»Ich war mal bei so einer Séance«, meinte Lily, während sie Bens einzigen und damit besten Anzug herauslegte. »In England. Am Wochenende war ich meistens bei Freundinnen, und die Mutter von einer von denen war Spiritistin. Sie hatte ständig Medien zu Gast. Einmal auch, als ich da war. Es war ziemlich unheimlich.«

»Nun, die Frage ist doch weniger, ob es unheimlich ist, sondern vielmehr, ob es einer wissenschaftlichen Überprüfung standhält«, meinte Ben ein wenig ungehalten. Lilians Vorstoß in Sachen Job hatte ihn überrascht, erst recht der sofortige Arbeitsbeginn. Aber natürlich würde ihm das Schreiben von Texten besser liegen als das Entladen von Frachtkähnen. Obwohl Ben sich nicht sicher war, ob die Arbeit für eine schnöde Tageszeitung seinem Ruf als Wissenschaftler nicht schaden könnte.

»Du kannst ja einen anderen Namen annehmen!«, beschied Lilian ihm ungeduldig. »Jetzt stell dich nicht an und zieh dich um. Den Job machst du mit links!«

Lilian schlief schon, als Ben mitten in der Nacht nach Hause kam, und sie schlief noch, als er morgens schon wieder losmusste, um im Hafen zu arbeiten. Deshalb machte sie sich den ganzen Vormittag Sorgen darüber, ob Ben es wohl schaffte, seinen Artikel fristgerecht fertigzustellen. Tatsächlich kam er erst um halb vier nach Hause, aber zu Lilians Erleichterung hatte er den Text zwischen zwei Seminaren in der Universität verfasst.

»Beeil dich und bring ihn zu Mr. Wilson!«, forderte sie ihn auf. »Dann bist du noch gut in der Zeit, spätestens fünf, hat er gesagt.«

Ben biss sich auf die Lippen. »Du, Lily, ich hab zugesagt, mit dem Professor noch eine Arbeit durchzugehen. Eigentlich muss ich gleich wieder los. Kannst du den Artikel nicht wegbringen?«

Lilian zuckte die Schultern. »Kann ich natürlich. Aber solltest du Mr. Wilson nicht mal persönlich kennen lernen?«

»Beim nächsten Mal, Liebes, ja? Diesmal lassen wir die Arbeit noch für sich sprechen. Das ist bestimmt kein Problem, oder?«

Ben war schon zur Tür heraus, bevor Lilian etwas einwenden konnte. Resigniert warf sie ihren Umhang über. Erfreulicherweise brauchte man in Auckland keinen Wintermantel. Das Klima war immer mild, und an die tropische Vegetation hatte Lilian sich schon fast gewöhnt. Jetzt führte der Weg sie allerdings in die Innenstadt. Der *Auckland Herold* war in einem der hübschen, viktorianischen Häuser untergebracht, die Teile der Queen Street beherrschten.

Thomas Wilson saß über ein paar Texte gebeugt und brachte mit gerunzelter Stirn Korrekturen an.

»Na? Sie schon wieder, junge Frau? Wo steckt der Gatte? Hat Mrs. Crandon ihn verschwinden lassen?«

Lilian lächelte. »Sie lässt wohl eher was auftauchen ... Ektoplasma oder so etwas. Mein Mann ist leider in der Universität unabkömmlich. Aber er bat mich, Ihnen den Artikel zu bringen.«

Wohlgefällig betrachtete Thomas Wilson das zierliche Mädchen mit dem langen roten Haar unter einem kecken grünen Hütchen. Billige Kleidung, aber eine gepflegte Ausdrucksweise und ein tadelloses Englisch. Und absolut beflissen bei der Starthilfe für ihren Mann. Hoffentlich war der Kerl es wert!

Wilson überflog den Artikel. Dann warf er ihn auf den Schreibtisch und blitzte Lilian wütend an. Sein Gesicht war schon wieder gerötet.

»Mädchen, was stellen Sie sich vor? Diesen gequirlten Bockmist soll ich drucken? Ihre Begeisterung für Ihren Gatten in allen Ehren, er hat sicher seine Qualitäten. Aber das ...«

Lilian erschrak und griff nach dem Blatt.

Auckland, 29. März 1917

Einen faszinierenden Einblick in die Variabilität der Dimensionen verschaffte einem kleinen Kreis aucklandischer Intellektueller am 28. März Mrs. Margery Crandon, Boston. Auch Skeptiker bezüglich der Verifizierung spiritualistischer Phänomene mussten der neunundzwanzigjährigen Amerikanerin zubilligen, dass die von ihr auf rein spirituellem Wege herbeigeführten Manifestationen einer amorphen, weißlichen Substanz mit Hilfe der Naturgesetze nicht zu erklären ist. Dieses, im Fachvokabular als ›Ektoplasma‹ bezeichnete, fragile Material projiziert das Bild ihres Schutzgeistes, mit dem sie in einer faszinierenden Sprache kommuniziert. ›Enochianisch‹ besticht durch Syntax und Diktion, entspricht also nicht der im eher religiösen Kontext auftretenden Glossolalie. Was die Verifikation der Identität der von Mrs. Crandon im Folgenden beschworenen Geister angeht, so ist der außenstehende Betrachter natürlich auf subjektive Interpretationen angewiesen. Mrs. Crandon beruft sich hier jedoch auf den bekannten Autor und Militär Sir Arthur Conan Doyle, der ihre Deklarationen für echt erklärte und dessen Integrität selbstredend über jeden Zweifel erhaben ist.

»O Gott!«, entfuhr es Lilian.

Thomas Wilson grinste.

»Ich meinte natürlich … o Gott, wie konnte ich das vergessen! Mr. Wilson, es tut mir schrecklich leid, aber mein Mann hatte mich gebeten, noch ein paar kleine Änderungen an diesem Text vorzunehmen, ehe ich Ihnen die Reinschrift überreiche. Das hier ist natürlich nur der erste Entwurf, aber ich … ich habe einfach nicht daran gedacht, und das Gekritzel hier …«, sie tastete nach einem Zettel in ihrer Tasche, in dem Thomas Wilson unschwer das Briefpapier mit dem Gedicht erkannte, »kann ich Ihnen natürlich nicht zumuten. Bitte geben Sie mir ein bisschen Zeit, die von meinem Mann skizzierten Korrekturen vorzunehmen.« Über Lilians Gesicht zog sich leichte Röte.

Wilson nickte.

»Abgabe siebzehn Uhr«, erklärte er und zog seine goldene Taschenuhr. »Sie haben also noch fünfzehn Minuten. Dann machen Sie mal.« Er warf ihr einen Schreibblock hin und wandte sich wieder seinen Manuskripten zu. Aus dem Augenwinkel sah er, wie die junge Frau sekundenlang zögerte, bevor ihr Bleistift in Windeseile über das Papier flog. Nach knapp fünfzehn Minuten wirkte Lilian völlig außer Atem, schob ihm aber ein vollständig neues Manuskript hinüber.

Medium oder Schwindlerin? Spiritistin verunsichert die Ecklander Society

Vor einer Gruppe honorabler Vertreter der Aucklander Society und einem Reporter des Herold *produzierte sich am 28. März die neunundzwanzigjährige Spiritistin Margery Crandon, deren Pass sie als Amerikanerin ausweist. Mrs. Crandon selbst verweist allerdings auf ihre Herkunft aus einer rumänischen Adelsfamilie. Die Gedankenverknüpfung mit Strauß'* Zigeunerbaron *muss dem Autor dieser Zeilen hier nachgesehen werden. Denn auch sonst erinnerte vieles am Auftritt Mrs. Crandons an eine Operette oder eher eine Varieté-Darbietung. Kulisse und Einführung erzeugten den gewünschten Effekt wohligen Gruselns. Dazu bewies Mrs. Crandon bei der Erzeugung von ›Ektoplasma‹ sowie facettenreichen Plauderns in unbekannten Sprachen wie ›Enochianisch‹ beträchtliches schauspielerisches Talent. Angeblich manifestierte sich dabei ihr »Schutzgeist«, der allerdings mehr Ähnlichkeit mit einem feuchten Stück Tüll aufwies als mit einer Erscheinung aus dem Jenseits.*

Mrs. Crandon handhabte sowohl ihn als auch andere Geister-

scheinungen mit der Souveränität der geübten Puppenspielerin, womit es ihr gelang, tatsächlich einige der Anwesenden von der Echtheit der von ihr beschworenen Phänomene zu überzeugen. Dem unbestechlich kritischen Blick des Auckland Herold *konnten sie jedoch nicht standhalten, und auch ihr Verweis auf Sir Arthur Conan Doyle, der sie angeblich verehrt, überzeugte uns nicht. Sir Arthur Conan Doyle ist ein Mann, der ein Übermaß an Fantasie mit sehr hoher persönlicher Integrität verbindet. Zweifellos fällt es ihm leichter, an die Beschwörung von Geistern zu glauben als daran, dass eine Lady, deren Auftreten über jeden Zweifel erhaben scheint, ihre adlige und honorige Anhängerschaft dreist betrügt.*

Thomas Wilson musste lachen.

»Ihr Mann führt eine scharfe Feder«, erklärte er vergnügt. »Und er scheint sich auch auf geistige Kommunikation zu verstehen, da er Ihnen dies hier doch wohl gerade in die Hand diktiert hat ... Oder hatten Sie es auswendig gelernt? Aber egal. Wie Mr. Biller seine Texte produziert, ist mir völlig gleichgültig. Was diesen hier angeht: Streichen Sie den ›Zigeunerbaron‹. Die meisten unserer Leser sind nicht so gebildet. Auch ein paar von den Wörtern haben entschieden zu viele Silben, und die Sätze dürfen etwas kürzer werden. Ansonsten, sehr gut. Lassen Sie sich vorne zwanzig Dollar auszahlen. Ach ja, und dann schicken Sie Ihren Gatten morgen zum Pier. Da kommt eine Ladung Invalider aus England, die Gallipoli miterlebt haben. Wir hätten gern einen Bericht darüber. Gerade so patriotisch, dass keiner sich auf den Schlips getreten fühlt, aber kritisch genug, dass sich auch der Letzte fragt, warum wir unsere Jugend an einem Strand vor einem türkischen Kuhdorf verrecken lassen. Schönen Tag noch, Mrs. Biller!«

Lilian ging mit Ben zum Hafen und sprach mit einer Krankenschwester und ein paar der Veteranen, deren Anblick sie zutiefst schockierte. Dann ersetzte sie Bens hölzernen Bericht, der schwerpunktmäßig die geografischen Besonderheiten der türkischen Küsten, die Wichtigkeit der Dardanellenstraße für den Verlauf des Krieges und die türkischen Verteidigungsanlagen umriss, durch eine aufwühlende Schilderung der letzten Schlachten und eine hochemotionale Würdigung des letztlich erfolgreichen Abzugs der Truppen: »Bei allem Stolz auf diese epochemachende Leistung erfasst den Autor doch ein beklemmendes Gefühl beim Anblick all dieser jungen Männer, die ihre Gesundheit an einem Strand am Mittelmeer verloren, der dadurch zweifellos seinen Platz in der Weltgeschichte gewann. Gallipoli wird immer Synonym für Heldentum sein, aber auch für die Sinnlosigkeit und Grausamkeit des Krieges.«

»Streichen Sie ›Synonym‹«, bemerkte Thomas Wilson. »Das versteht keiner. Schreiben Sie ›Sinnbild‹. Und sagen Sie mir endlich, wie Sie heißen. Ich kann Sie doch nicht ›Ben‹ rufen!«

7

In den nächsten Monaten schrieb Lilian Biller unter dem Kürzel BB über Schiffstaufen, Jahrestage des Vertrages von Waitangi, Tagungen der Holz verarbeitenden Industrie und Erweiterungsbauten der Universität. Zu Mr. Wilsons Begeisterung vermochte sie auch dem alltäglichsten Thema irgendwelche kurzweiligen Aspekte abzuringen. Sie fand dies auch persönlich so unterhaltsam, dass sie den Klavierunterricht mehr und mehr reduzierte. Grundsätzlich löste die Arbeit für den *Auckland Herold* aber nicht ihr Problem. Auch hier musste sie aus dem Haus, um Veranstaltungen zu besuchen und mit Menschen zu reden. Dabei machte die Schwangerschaft sie immer dicker und schwerfälliger. Mit Baby im Schlepptau würde es gar nicht mehr gehen – und dabei brauchte die junge Familie doch gerade dann mehr Geld.

Ben als Vertreter zu gewinnen war hoffnungslos. Ein leichter, humorvoller Schreibstil lag ihm nicht; Ben brauchte unweigerlich gewichtige Worte, neigte zu schwerfälligen Formulierungen und verzichtete nur bei wissenschaftlichen Texten auf eine gewisse Schwülstigkeit. Lilian war ratlos und klagte schließlich Thomas Wilson ihr Leid, als die Schwangerschaft sich absolut nicht mehr verbergen ließ.

»Mir passt überhaupt kein Kleid mehr! Ich kann unmöglich zum Empfang dieses Herzogs gehen. Und das wird demnächst noch viel schlimmer!«

Der Verleger überlegte kurz. Dann rieb er sich die Falte zwischen den Augen, die sich immer einstellte, wenn er angestrengt nachdachte.

»Wissen Sie was, Lilian? Was wir eigentlich brauchen – viel mehr als Berichte über den Besuch von Herzog Sowieso zwecks Einweihung von Gebäude Dingsbums –, wären ein paar nette kleine Geschichten. Irgendwas, das die Leute aufmuntert. Wir sind im dritten Kriegsjahr, wir füllen das Blatt mit Berichten von Schlachten und Verlusten. In den Straßen sehen wir die ›Helden von Gallipoli‹ an ihren Krücken, und die Jungs vom ANZAC verbluten in Frankreich und Palästina. Abgesehen von Rüstungsbedarf stagniert die Wirtschaft, die Menschen machen sich Sorgen. Nicht zu Unrecht, nebenbei, die Welt ist ein Schlachtfeld, und keiner versteht, warum. Da muss der Mann von der Straße doch befürchten, dass irgendwelche Irren demnächst auch hier angreifen. Jedenfalls ist die Stimmung gedrückt ...«

»Ja?«, fragte Lilian. Bislang war ihr das nicht aufgefallen. Von den wirtschaftlichen Sorgen abgesehen residierte sie mit Ben nach wie vor im siebten Himmel.

»Muss Liebe schön sein ...«, brummte Wilson. Er hatte seine kleine Redakteurin inzwischen etwas näher kennen gelernt und kannte zumindest grob ihre und Bens Geschichte.

Lilian nickte. »Ja!«, flötete sie.

Wilson lachte. »Also, was ich sagen wollte: Ich würde das Feuilleton gern um ein paar aufmunternde Geschichten erweitern. Kurzgeschichten, also keine Recherchearbeit, sondern reine Fantasie. Wobei es natürlich trotzdem authentisch klingen darf. Also keine ›zerfließenden Herzen‹ oder so was.«

Er drohte ihr mit dem Finger.

Lilian errötete.

»Was meinen Sie? Können Sie etwas in der Art schreiben?«

»Ich kann's versuchen!«, erklärte Lilian – und hatte schon auf dem Nachhauseweg die erste Idee.

Zwei Tage später brachte sie Wilson die Geschichte einer Kinderkrankenschwester aus Hamilton, die jeden Sonntag den Überlandzug nahm, um ihre alte Mutter in Auckland zu besuchen. Sie tat das, seit die Zuglinie eröffnet worden war, und Lilian erging sich genüsslich in der Schilderung der Feierlichkeiten, bei der Graham Nelson, ein Schaffner, der jungen Frau zum ersten Mal begegnete. Von nun an sah er sie jede Woche im Zug, und beide verliebten sich ineinander, wagten aber nie, mehr als zwei Worte miteinander zu wechseln oder sich gar ihre Gefühle zu gestehen. Erst nach Jahren, als die Mutter starb und die Krankenschwester plötzlich nicht mehr erschien, raffte Nelson sich auf, sie zu suchen ... und natürlich endete alles mit einer Hochzeit. Lilian reicherte das Ganze durch Landschaftsbeschreibungen an, beschwor den Stolz Neuseelands auf seine Railway Companies und den Opfermut der Krankenschwester, die sich auch aus Liebe kaum von ihren kleinen Schützlingen im Krankenhaus trennen konnte.

Wilson verdrehte die Augen, druckte den Text aber gleich am nächsten Samstag. Seine Leserschaft, vor allem die weibliche, war darüber zu Tränen gerührt. Lilian ließ sofort die Story eines Helden von Gallipoli folgen, dessen Freundin ihn für tot hielt, aber allen Werbungen anderer widerstand, bis der Mann dann doch nach Jahren verwundet heimkehrte.

Von da an hatte sie den Platz im Feuilleton sicher. Die Leserinnen fieberten neuen Geschichten von BB entgegen. Ben Biller schüttelte sich, wenn er die Storys las.

»Das ist Schmutz und Schund!«, erklärte er entsetzt, zumal die Liebesszenen in den Geschichten von Woche zu Woche plastischer ausfielen. »Wenn jemals herauskommt, dass ich etwas damit zu tun habe ...«

»Hast du doch gar nicht, Liebster!« Lilian lachte und suchte nach ihrem Hut. Sie hatte gerade die nächste Geschichte beendet und machte Anstalten, den Text in die Queen Street zu bringen. Bald würde das allerdings Ben übernehmen müssen, ob er wollte oder nicht. Lilian kam sich mittlerweile vor wie ein gestrandeter Wal. Dabei hatte sie noch zwei Monate bis zur Geburt des Kindes vor sich – und unendlich viele Ideen für neue, rührselige Storys.

Nun war das auch bitter nötig. Die Mehreinnahmen hatten Lilian zwar immerhin ermöglicht, zwei Umstandskleider zu kaufen, und auch für die Ausstattung des Babys legte sie bereits Geld zurück. Aber an eine neue Wohnung war nach wie vor nicht zu denken. Ben hatte mit seiner Promotion zu tun und verdiente entsprechend weniger im Hafen.

»Ohne meinen Schmutz und Schund kommen wir nicht über die Runden. Den Leuten gefällt's!«, erklärte Lilian trotzig.

Ben schenkte ihr einen fast qualvollen Blick. Er würde nie verstehen, warum sich die Mehrheit der Menschen viel mehr für Dinge wie die Ehe des britischen Königs interessierte als für die Schönheiten der polynesischen Grammatik. Immerhin waren ihm inzwischen auch seine eigenen Gedichte eher peinlich.

»Sie sollten es mit einem Roman versuchen«, bemerkte Thomas Wilson, nachdem er Lilians neue Manuskripte kurz überflogen hatte. »Die Leute sind ganz verrückt nach Ihren Geschichten. Im Ernst, Lilian, wenn ich den Leserbriefen folgen würde, könnte ich jeden Tag einen Ihrer Schmachtfetzen drucken.«

»Wird das gut bezahlt?«, erkundigte sich Lilian. Trotz der fortgeschrittenen Schwangerschaft sah sie wieder entzückend aus. Ihr weites Kleid in hell- und dunkelgrünen Schottenkaros harmonierte mit ihren lebhaften Augen und ihrem zurzeit etwas blassem Teint. Ihr Haar hatte sie aufgesteckt, zweifellos, um ein bisschen älter zu wirken. Auf ihrer Stirn standen

Schweißperlen. Der lange Fußweg aus dem Hafenviertel in die Innenstadt musste sie erschöpft haben.

Wilson lächelte. »Der schnöde Mammon! Wo ist das Bedürfnis der Künstlerin nach Selbstverwirklichung?«

Lilian runzelte die Stirn. »Wie viel?«, fragte sie dann.

Wilson fand sie hinreißend.

»Also passen Sie auf, Lilian, wir machen es so: Sie schreiben versuchsweise ein oder zwei Kapitel, und dann begleite ich Sie zu einem befreundeten Verleger. Wir werden dazu allerdings nach Wellington fahren müssen. Schaffen Sie das?«

Lilian lachte. »Was? Die Zugfahrt oder die zwei Kapitel? Letztere sind kein Problem. Und wenn ich schnell damit fertig werde, wird das Kind wohl auch nicht im Abteil kommen.«

»Darum bitte ich doch sehr!«, brummte Wilson.

Schon drei Tage später war Lilian wieder da, in ihrer ordentlichen Mappe ein Manuskript mit den ersten zwei Kapiteln und einer kurzen Zusammenfassung. *Die Herrin von Kenway Station* erzählte die Geschichte einer jungen Schottin, die sich von einem Heiratswerber nach Neuseeland locken ließ. Lilian mischte dazu die Geschichten ihrer Urgroßmütter Gwyneira und Helen. Anschaulich schilderte sie die Überfahrt und das erste Treffen mit dem reichlich düsteren Schafbaron Moran Kenway. Schließlich landete das Mädchen, umgeben von Luxus, aber eingekerkert, misshandelt und unglücklich auf einer Farm jenseits aller menschlichen Ansiedlungen. Lilian hatte nur leichte Gewissensbisse, als sie an die erste Ehe ihrer Mutter Elaine anknüpfte. Aber zum Glück hatte der Jugendfreund der Heldin sie nie vergessen. Er folgte ihr nach Neuseeland, machte in Windeseile ein Vermögen auf den Goldfeldern und eilte, das Mädchen zu befreien.

Thomas Wilson überflog den Text und rieb sich die Augen.

»Und?«, fragte Lilian, die etwas übernächtigt wirkte. Ausnahmsweise war diesmal aber weder die Liebe noch der

Krach aus dem Pub daran schuld, sondern die Ekstase des Schreibens. Sie hatte kaum von ihrer Geschichte lassen können. »Wie finden Sie es?«

»Grauenvoll«, bemerkte Wilson. »Aber die Leute werden es Ihnen aus den Händen reißen! Ich schicke es gleich nach Wellington! Mal sehen, was Bob Anderson dazu sagt.«

Ben Biller sträubte sich energisch gegen die Vorstellung, Lilian allein nach Wellington reisen zu lassen, und musste schließlich dadurch besänftigt werden, dass Wilson ihm ebenfalls eine Zugfahrkarte kaufte. So traf Ben sich mit Vertretern der dortigen Universität und sprach über mögliche Gastdozenturen, während Wilson und Lilian mit Bob Anderson verhandelten. Am Ende unterschrieb Lilian nicht nur einen Vertrag für *Die Herrin von Kenway Station*, sondern auch für einen Folgeband. Wilson riet ihr, damit noch zu warten, da der Vorschuss sicher höher ausfallen würde, wenn ihr erstes Buch sich gut verkaufte. Doch Lilian schüttelte den Kopf.

»Wir brauchen das Geld jetzt«, erklärte sie und entwickelte gleich eine Story. *Die Erbin von Wakanui* gestaltete sich als eine Art Neuseeland-Ausgabe von *Pocahontas*, in der sich ein *pakeha* in eine Maori-Prinzessin verliebte.

»Stelle ich mir wahnsinnig romantisch vor!«, begeisterte Lily sich beim anschließenden, gemeinsamen Abendessen in einem höchst noblen Restaurant. »Wenn es Krieg gab, mussten die Maori-Krieger zwischen den Beinen der Häuptlingstochter herkriechen, wissen Sie? Damit überschritten sie sozusagen die Schwelle vom friedlichen Menschen zum Kämpfer ohne Gnade. Und ihre Gefühle dabei, wenn sie weiß, dass ihr Vater diese Männer jetzt auf ihren Liebsten loslässt …«

»Häuptlingstöchter, die eine Priesterinnenfunktion ausübten, waren stark einengenden *tapu* unterworfen«, bemerkte

Ben mit säuerlichem Gesichtsausdruck. »Unwahrscheinlich, dass so ein Mädchen auch nur einen *pakeha* zu Gesicht bekommen hat, geschweige denn, dass er das überlebte ...«

»Nun übertreib's mal nicht mit der Wissenschaft, Liebster!«, lachte Lilian. »Ich schreibe ja keine Studie über die Maori-Kultur, sondern nur eine gute Geschichte.«

»Wobei aber gerade dieses Ritual in seiner Funktion der Entmenschlichung des Kriegers fast eine emotionale Überfrachtung ...« Ben setzte zu einer längeren Erklärung an. Lilian lauschte ihm mit sanftem Lächeln und genoss derweil ihre Austern.

»Beachten Sie ihn gar nicht«, bemerkte Thomas Wilson leise zu Mr. Anderson. »Die Kleine liebt ihn wie eine Art exotisches Haustier. Ausdrucksverhalten und Kommunikationsformen sind ihr völlig fremd, aber sie zahlt bereitwillig Futter und Tierarzt.«

Dann wandte er sich wieder Lilian zu. »Was machen wir denn mit Ihrem Namen, Lilian? Ich schlage ein Pseudonym vor. Aber vielleicht behalten wir doch die Initialen bei? Was halten Sie von ›Brenda Boleyn‹?«

Lilian verbrachte die letzten Wochen ihrer Schwangerschaft am Schreibtisch in ihrer neuen, behaglichen Wohnung zwischen Queen Street und Universität. Der Vorschuss für ihre Bücher reichte nicht nur für die Miete, sondern auch für ein paar bessere Möbel und eine Entbindung in einem Hospital, auf die sowohl Ben als auch Thomas Wilson größten Wert legten. Beide fürchteten sich um Lilian zu Tode, während sie selbst der Sache gelassen gegenüberstand. Die Wehen setzten ein, nachdem sie eben den letzten Satz der *Herrin von Kenway Station* beendet hatte.

»Eigentlich wollte ich es noch redigieren ...«, meinte Lilian bedauernd, ließ sich dann aber doch von Ben in eine Droschke drängen. Inzwischen gab es fast nur noch Automobile, und Lilian stritt mit dem Fahrer, der ihrer Ansicht nach viel zu zögerlich fuhr.

Die Geburt war dann ein grässliches Erlebnis, nicht nur, weil Ben nicht dabei sein durfte – der Held ihres Romans hatte die Heldin höchstselbst und unter hochdramatischen Umständen von der Tochter seines Feindes entbunden, die er nun selbstlos als eigenes Kind großziehen wollte –, sondern auch, weil der Kreißsaal kalt war und nach Lysol stank und weil man Lilians Füße an einer Art Galgen festband und eine vierschrötige Krankenschwester sie jedes Mal anblaffte, wenn sie auch nur den leisesten Ton der Klage von sich gab. Die Frau hatte nicht das Geringste gemeinsam mit dem engelhaften Wesen aus Lilians erster Kurzgeschichte, und auch sonst kam Lily zu dem Ergebnis, dass Kinderkriegen in Wirklichkeit erheblich weniger reizvoll war, als in Liedern und Romanen dargestellt.

Erst der Anblick ihres Sohnes versöhnte sie wieder mit der Realität.

»Wir nennen ihn Galahad!«, bestimmte sie, als man den totenblassen und völlig übernächtigten Ben endlich zu ihr ließ.

»Galahad?«, fragte er verwirrt. »Was ist denn das für ein Name? In meiner Familie …«

»Das ist ein Name für einen Helden!«, erklärte Lilian, verriet Ben aber sicherheitshalber noch nicht, dass sein Sohn nicht nur nach einem Gralsritter, sondern auch nach dem Retter der *Herrin von Kenway Station* getauft werden sollte. »Und wenn ich mir deine Familie so angucke …«

Ben lachte. »Du meinst, er wird es eines Tages wagen, seiner Großmutter zu widersprechen?«

Lilian kicherte. »Womöglich schmeißt er sie aus seiner Mine!«

Während Lilian *Die Erbin von Wakanui* in die Schreibmaschine tippte, die Thomas Wilson ihr zur Geburt ihres Sohnes verehrt hatte, lag der kleine Galahad in der Wiege neben ihr, gelegentlich geschaukelt oder mit romantischen Liedern in den Schlaf gesungen. Nachts lag er zwischen seinen Eltern und verhinderte vorerst die Entstehung eines weiteren Babys. Was das anging, ließ Lilian jetzt aber auch Vorsicht walten. Ben hatte sich endlich durchgerungen, seine Kommilitonen nach sicheren Verhütungsmöglichkeiten zu fragen, und die verordneten Kondome tatsächlich gekauft. Es war zwar etwas mühsam, die dicken Gummidinger vor der Liebe überzustreifen, aber vorerst gelüstete es Lilian einfach nicht nach weiteren Begegnungen mit der feldwebelhaften Hebamme im Auckland Hospital. Ben war das recht; er war vor allem froh, der Arbeit im Hafen endlich entkommen zu sein. Die *Herrin von Kenway Station* ernährte bereits nach einem halben Jahr die ganze Familie. Lilian unterschrieb für zwei weitere Romane, Ben promovierte Anfang 1918 als einer der jüngsten Doktoranden des Britischen Empires und erhielt eine Gastdozentur in Wellington.

Lilian und Ben waren glücklich.

8

»Was tut Gloria denn nur immer bei den Maoris?«

Wieder einmal wurde Gwyneira dem Vorsatz untreu, Familienprobleme nicht mit ihrem Verwalter Maaka zu besprechen. Aber nach wie vor gab es niemand anderen, an den sie sich mit ihren Sorgen wenden konnte. Gloria redete wenig, Marama ebenso, und von Jack hatte sie nach wie vor nichts gehört. Zumindest hatte er nicht direkt geschrieben. Nur Roly O'Brien, Tim Lamberts Bursche, meldete sich gelegentlich bei Tim und Elaine, erst aus Griechenland, dann aus England. Er hatte wohl den Verwundetentransport begleitet, der Jack aus Gallipoli herausgebracht hatte, und erwähnte seinen Freund immer wieder in Nebensätzen. Am Anfang hatten die bedrohlich geklungen – »Mr. Jack schwebt immer noch zwischen Leben und Tod« –, inzwischen hieß es eher: »Mr. Jack geht es etwas besser« oder »Mr. Jack darf endlich aufstehen«. Die Hintergründe der Geschichte blieben jedoch verworren – Roly war weder ein regelmäßiger noch besonders begabter Briefeschreiber. Er war schon sehr jung als Lehrling ins Bergwerk geschickt worden und hatte vorher nur kurz die Schule besucht.

Gwyneira tröstete sich damit, dass Jack immerhin am Leben war, auch wenn er vielleicht einen Arm oder ein Bein verloren hatte. Warum er nicht selbst schrieb oder jemandem Briefe diktierte, war ihr zwar ein Rätsel, aber sie kannte ihren Sohn. Jack teilte sich ungern mit. Wenn ihn ein Schicksalsschlag traf, verschloss er sich eher in sich selbst, als viel zu reden. Auch damals, nach Charlottes Tod, hatte er wochenlang geschwiegen.

Gwyneira verletzte das, aber sie versuchte, es zu verdrängen. Gloria war im Moment das drängendere Problem – wenngleich sich die Wogen auf Kiward Station vorerst geglättet hatten. Das Mädchen rieb sich nicht mehr an den Viehhütern und stieß das Personal nicht mehr vor den Kopf. Stattdessen verschwand sie fast jeden Tag mit Pferd und Hund nach O'Keefe Station, oder sie ging zu Fuß zum Maori-Dorf am See hinunter. Wonach sich das richtete, wusste Gwyneira nicht; Gloria wechselte nur selten ein Wort mit ihr. Zu den Mahlzeiten erschien sie kaum. Sie aß bei den Maoris und schien deren gerade im Winter eher karger Kost nicht überdrüssig zu werden. Wenn die Jäger nicht erfolgreich waren, gab es kaum mehr als Süßkartoffeln und Fladen aus Getreidemehl, aber wie es aussah, zog Gloria dies jeder besseren Mahlzeit im Beisein ihrer Großmutter vor.

Nach und nach verschwanden die Zeichnungen und Spielzeuge aus ihrem Zimmer und wichen Schmuckgegenständen der Maori-Kunst – mitunter ähnlich ungelenk hergestellt wie die Artefakte aus ihrer Kindheit, woraus Gwyneira schloss, dass Gloria sich selbst im Schnitzen von Ornamenten und der Verzierung von Jadesteinen versuchte.

Maaka bestätigte das.

»Miss Gloria macht, was die Frauen so tun jetzt im Frühling – zusammensitzen, nähen, schnitzen, die Felder bestellen ... Gloria ist oft bei Rongo.«

Dies war zumindest keine schlechte Nachricht. Gwyneira schätzte die Maori-Hebamme durchaus.

»Sie reden mit den Geistern ...«

Das wiederum machte Gwyneira nervös. Gloria benahm sich zweifellos seltsam, seit sie zurück war. Wenn sie nun auch noch Geister beschwor ... ob sie auf dem Weg war, verrückt zu werden?

»Fass den Baum ruhig an ... spür seine Kraft und seine Seele.« Rongo wies Gloria an, mit einem Baum zu reden, während sie selbst die Zeremonie vorbereitete, mit der sie die Ernte der roten *rongoa*-Blüten vorbereitete. Nur eine *tohunga* durfte diese rgeheiligte Pflanze anrühren. Beim Pflücken und Trocknen der *koromiko*-Blätter hingegen hatte Gloria helfen dürfen. Die Blätter wirkten gegen Durchfall und Schmerzen, dazu gegen Nierenprobleme. Gloria merkte sich brav, was Rongo ihr erzählte, aber die Zwiesprache mit dem Baum war denn doch etwas viel für sie.

»Was bewegt dich zu der Ansicht, der Baum hätte weniger Seele als du?«, fragte Rongo. »Dass er nicht redet? Das sagt Miss Gwyn auch von dir ...«

Gloria lachte verlegen.

»Oder dass er sich nicht wehrt, wenn man mit Äxten auf ihn einschlägt? Vielleicht hat er seine Gründe?«

»Was denn für Gründe?«, fragte Gloria störrisch. »Was gibt's denn für Gründe, sich umlegen zu lassen?«

Rongo zuckte die Schultern. »Frag nicht mich. Frag den Baum.«

Gloria lehnte sich an die harte Rinde der Südbuche und versuchte, die Kraft des Holzes zu spüren. Rongo ließ sie das bei allen möglichen Pflanzen tun, und auch bei Steinen oder Wasserläufen. Gloria tat es, weil ihr die Ruhe gefiel, die all diese ... ja, was? Wesen? Dinge? ... verströmten. Sie war gern mit Rongo zusammen. Und all ihren Geistern.

Rongo hatte ihre Zeremonie beendet und dozierte jetzt über die Destillation von Extrakten aus den *rongoa*-Blüten.

»Es wirkt gegen Halsschmerzen«, erklärte sie. »Und man kann Honig daraus kochen ...«

»Warum schreibst du das eigentlich nicht auf?« Gloria verließ ihren Baum und ging neben Rongo weiter durch das lichte Wäldchen. »Dann könnten es alle lesen.«

»Nur wenn sie lesen gelernt haben«, präzisierte Rongo. »Sonst müssen sie mich einfach fragen.« Sie lächelte. »Aber als ich so alt war wie du, habe ich genauso gedacht. Ich habe meiner Großmutter, Matahorua, sogar angeboten, es aufzuschreiben.«

»Und sie wollte nicht?«, fragte Gloria.

»Sie sah keinen Sinn darin. Wer das Wissen nicht braucht, muss sich auch nicht damit belasten. Wer lernen will, muss sich Zeit zum Fragen nehmen. So wird er ein *tohunga*.«

»Aber wenn man es aufschreibt, bewahrt man das Wissen für die Nachwelt.«

Rongo lachte. »So denken *pakeha*. Ihr wollt immer alles aufbewahren, niederschreiben – und vergesst es dann umso schneller. Wir bewahren das Wissen in uns. In jedem Einzelnen. Und halten es lebendig. *I nga wa o mua* ... du weißt, was das heißt?«

Gloria nickte. Sie kannte die Redewendung. Wörtlich besagte sie: »Von der Zeit, die kommen wird.« Tatsächlich wurde damit jedoch Vergangenes bezeichnet – zur endlosen Verwirrung aller *pakeha*, die je den Versuch machten, Maori zu lernen. Gloria selbst hatte sich bislang nie Gedanken darüber gemacht. Aber jetzt empfand sie Zorn.

»In der Vergangenheit leben?«, fragte sie. »Immer wieder alles aufrühren, was man am liebsten vergessen möchte?«

Rongo zog sie neben sich auf einen Felsen und strich zärtlich über ihr Haar. Sie wusste, dass es nicht mehr um das Wissen darüber ging, wie man Honig aus *rongoa*-Blüten gewann.

»Wenn du deine Erinnerung verlierst, verlierst du dich«, sagte sie sanft. »Deine Geschichte macht dich zu dem, was du bist.«

»Und wenn ich das nicht sein will?«, fragte Gloria.

Rongo nahm ihre Hand. »Deine Reise ist ja noch längst

nicht vorbei. Du sammelst weiter Erinnerungen. Und veränderst dich … Auch deshalb schreiben wir nichts auf, Gloria. Denn Aufschreiben ist Festschreiben. Und nun zeig mir den Baum, mit dem du vorhin gesprochen hast.«

Gloria runzelte die Stirn. »Wie soll ich den denn wiederfinden? Hier stehen Dutzende Südbuchen. Und alle sehen gleich aus.«

Rongo lachte. »Schließ die Augen, Tochter, er wird dich rufen …«

Gloria war immer noch verärgert, aber sie folgte den Anweisungen der weisen Frau. Kurze Zeit später lief sie zielsicher auf ihren Baum zu.

Rongo Rongo lächelte.

Gloria tat sich schwer mit ihren Erinnerungen, aber das Leben fiel ihr leichter, wenn sie sich bei ihrer Maori-Familie aufhielt. Dabei stellte auch Gwyneira keine Fragen und versuchte erkennbar, sich mit Kritik an ihrer Urenkelin zurückzuhalten. Aber Gloria meinte, Missbilligung in ihren Augen zu sehen und Vorwürfe in ihrer Stimme zu hören.

Marama schüttelte den Kopf, als sie ihr das anvertraute. »Deine Augen und Miss Gwyns Augen sind sich gleich. Und eure Stimmen sind verwechselbar …«

Gloria wollte einwenden, dass dies Unsinn sei. Sie selbst hatte porzellanblaue Augen, Gwyneiras zeigten immer noch das faszinierende Azurblau, das sie ihrer Enkelin Kura vererbt hatte. Auch die Stimmen der Frauen hatten wenig gemeinsam – Gwyneiras war deutlich höher als Glorias. Aber sie hatte längst gelernt, dass man Maramas Äußerungen nicht wörtlich nehmen durfte.

»Du wirst es schon noch verstehen«, meinte Rongo gelassen, als Gloria bei ihr darüber klagte. »Lass dir Zeit …«

»Lass ihr Zeit«, sagte Marama mit ihrer singenden Stimme. Sie saß Gwyneira im *wharenui*, dem Versammlungshaus ihres Dorfes, gegenüber. Gewöhnlich hätte sie ihre Schwiegermutter formlos draußen empfangen, aber es regnete in Strömen. Immerhin kannte Gwyneira die Etikette. Sie hatte das *karanga*, das Begrüßungsritual vor dem Betreten eines Versammlungshauses, ohne Schwierigkeiten gemeistert, ohne besondere Aufforderung die Schuhe ausgezogen und nicht über ihre arthritischen Knochen geklagt, als sie sich auf dem Boden niederließ.

»Warum willst du sie denn nicht gehen lassen? Bei uns passiert ihr nichts.«

Anlass für Gwyneiras Besuch war die letzte »verrückte Idee« ihrer Urenkelin Gloria. Der Maori-Stamm plante eine Wanderung, und Gloria bestand darauf, sich ihm anzuschließen.

»Das weiß ich ja. Aber sie soll sich doch auf Kiward Station wieder einleben! Und das kann sie nicht, wenn sie jetzt monatelang mit euch herumzieht. Marama, wenn es wirtschaftliche Gründe sind …«

»Wir brauchen keine Almosen!« Es war selten, dass Marama die Stimme erhob, aber Gwyneiras letzte Worte verletzten ihren Stolz. Tatsächlich hatte es meistens praktische Gründe, wenn die Stämme der Südinsel wanderten. Sie taten das deutlich öfter als die Maoris der Nordinsel, deren Heimat bessere Bedingungen für ihre einfache Landwirtschaft bot. Auf der Südinsel waren die Erträge oft gering, und wenn die Vorräte im Frühjahr zur Neige gingen, machte man sich auf den Weg, um ein paar Monate von Jagd und Fischfang zu leben.

Marama und ihre Leute hätten allerdings nicht von »Not« gesprochen. Das Land bot ja genügend Nahrung. Nur nicht da, wo man sich gerade aufhielt. Also reiste man der Nahrung nach, ein Abenteuer und zumindest für die Jüngeren des Stammes auch ein Vergnügen. Zudem hatten die Wanderungen spirituelle Aspekte. Man näherte sich dem Land an, wurde eins mit den Bergen und Flüssen, die einem Nahrung und Obdach boten. Die Kinder lernten weiter entfernte, spirituell wichtige Plätze kennen, man erneuerte die Bindung zu Te waka a Maui.

Gwyneira biss sich auf die Lippen. »Ich weiß ja, aber … Was ist mit Wiremu, Marama? Maaka sagt, sie spricht mit ihm …«

Marama nickte. »Ja. Das ist mir auch aufgefallen. Er ist der einzige Mann, mit dem sie gelegentlich spricht. Letzteres finde ich bedenklich, Ersteres nicht.«

Gwyneira atmete tief durch. Es fiel ihr erkennbar schwer, ruhig zu bleiben. »Marama! Du kennst Tonga. Dies ist keine Einladung zu einem Spaziergang mit dem Stamm, das ist eine Brautwerbung. Er will Gloria mit Wiremu verkuppeln!«

Marama zuckte die Achseln. In ihrer gelassenen Haltung erinnerte sie auch heute noch an das Mädchen von damals, das seine eigene Liebe und Paul Wardens anfängliche Ablehnung so selbstverständlich hinnahm wie einen Sommerregen.

»Wenn Gloria Wiremu liebt, wirst du die beiden nicht trennen. Wenn sie Wiremu nicht liebt, wird Tonga sie nicht verheiraten. Er kann sie nicht zwingen, einander im Gemeinschaftshaus beizuliegen. Also, überlass es Gloria!«

»Das kann ich nicht! Sie … sie ist die Erbin! Wenn sie Wiremu heiratet …«

»Dann gehörte das Land immer noch nicht Tonga und dem Stamm, sondern Glorias und Wiremus Kindern. Vielleicht erweisen die sich als die ersten Viehbarone mit Maori-Blut. Vielleicht geben sie das Land an den Stamm zurück. Du wirst das nicht mehr erleben, Miss Gwyn, und Tonga auch nicht. Aber die Berge werden noch stehen, und der Wind wird mit den Wipfeln der Bäume spielen ...« Marama machte eine Geste der Unterwerfung unter die Macht der Götter.

Gwyneira seufzte und spielte mit ihrem Haar. Sie trug es streng aufgesteckt, wie es ihrem Alter zukam, aber wie immer, wenn sie sich aufregte, lösten sich viele kleine Strähnen. Gwyneira war niemals gleichmütig gewesen. Und jetzt spürte sie den innigen Wunsch, irgendetwas zu zerschlagen. Am liebsten Tongas gehütetes Häuptlingsbeil, das Insigne seiner Macht.

»Marama, ich kann das nicht zulassen. Ich muss ...«

Marama gebot ihr mit einer anmutigen Geste Schweigen. Erneut wirkte sie strenger als sonst.

»Gwyneira McKenzie«, sagte sie fest. »Ich habe dir beide Kinder überlassen. Erst Kura, dann Gloria. Du hast sie nach Art der *pakeha* erzogen. Und sieh, was daraus erwachsen ist!«

Gwyneira funkelte sie an. »Kura ist glücklich!«

»Kura ist eine Wandernde im fremden Land ...«, flüsterte Marama. »Ohne Halt. Ohne Stamm.«

Gwyneira war davon überzeugt, dass Kura dies gänzlich anders sah, doch aus der Sicht der Vollblut-Maori Marama, die mit und durch ihr Land lebte, war ihre Tochter verloren.

»Und Gloria ...« Gwyneira brach ab.

»Lass Gloria gehen, Gwyn«, sagte Marama sanft. »Mach nicht noch mehr Fehler.«

Gwyneira nickte resigniert. Sie fühlte sich plötzlich alt. Sehr alt.

Marama drückte zum Abschied ihre Stirn und ihre Nase gegen Gwyneiras Gesicht. Sie gestaltete die Geste sehr viel inniger und tröstlicher als sonst bei der routinemäßigen Begrüßung.

»Ihr *pakeha* ...«, murmelte sie. »Alle eure Straßen sollen eben und gerade sein. Ihr ringt sie dem Land ab, ohne sein Stöhnen zu hören. Dabei sind die verschlungenen, steinigen Wege oft die kürzeren, so man sie in Frieden geht ...«

Gloria folgte Marama durch das kniehohe, tropfnasse Gras. Es regnete seit Stunden unausgesetzt, und selbst Nimue verlor langsam den Spaß an dem langen Spaziergang. Die Männer und Frauen des Stammes wanderten stoisch voran, in sich selbst versunken. Das Lachen und Plaudern, mit dem sie sich sonst die Zeit der Wanderung vertrieben, war längst verebbt. Gloria fragte sich, ob sie die Einzige war, die sich nach einem trockenen Quartier sehnte, oder ob die anderen irgendein Wissen oder Gemeinschaftsgefühl stärkte, das sie selbst nicht empfinden konnte. Nach drei Tagen Marsch bei weitgehend feuchter Witterung hatte sie fast schon genug von ihrem Abenteuer. Dabei hatte sie sich auf die Wanderung gefreut, den Aufbruch herbeigesehnt, seit Gwyneira endlich ihre Zustimmung gegeben hatte. Gloria hätte dies als Triumph werten wollen, doch ihre Urgroßmutter hatte dabei so traurig, alt und verletzt gewirkt, dass sie beinahe geblieben wäre.

»Ich lasse dich gehen, weil ich dich nicht verlieren will«, hatte Gwyneira gesagt – ein Satz, wie man ihn sonst eher von Marama hörte. »Ich hoffe, du findest, was du suchst.«

Das Zusammenleben war von da an noch schwieriger geworden. Gloria versuchte, ihren Zorn und ihre Ablehnung zu nähren, aber sie hatte eher ein schlechtes Gewissen. Es ärgerte sie, dass sie wieder wie ein Kind empfand.

Schließlich ließ sie sich zum Abschied zwar nicht umarmen, tauschte aber einen innigen *hongi* mit Gwyneira aus, eigentlich die intimere Geste. Sie spürte Gwyneiras faltige, trockene, aber doch warme Haut und ihren Duft nach Honig und Rosen. Diese Seife hatte sie schon verwendet, als Gloria noch klein gewesen war; sie erinnerte sich an tröstliche Umarmungen. Jack dagegen hatte nach Leder und Huffett gerochen. Warum nur dachte sie jetzt an Jack?

Letztendlich hatte Gloria aufgeatmet, als es endlich losging, und die ersten Stunden der Wanderung waren auch schön gewesen. Sie lachte mit den anderen, fühlte sich frei und offen für neue Eindrücke – aber auch geborgen im Schutz ihres Stammes. Wie die Tradition es wollte, gingen die Frauen und Kinder in der Mitte der Gruppe, die Männer flankierten sie. Sie trugen ihre Speere und Jagdausrüstung bei sich; die Frauen schleppten die sehr viel schwereren Zeltplanen und Kochpfannen. Nach ein paar Stunden begann Gloria sich zu fragen, ob das gerecht war.

»Aber sie müssen sich bewegen können!«, erklärte ihr Pau. »Wenn jemand uns angreift ...«

Gloria verdrehte die Augen. Sie befanden sich immer noch auf dem Gelände von Kiward Station. Und auch später, in den McKenzie Highlands, gab es keine feindlichen Stämme. Niemand bedrohte die Ngai Tahu. Aber sie sollte vielleicht aufhören, wie eine *pakeha* zu denken.

Über die Strapazen der Reise hatte Gloria sich vor dem Aufbruch keine Gedanken gemacht. Sie hielt sich für zäher als alle anderen; schließlich hatte sie die Wüste Australiens durchquert, und das oft genug auf eigenen Füßen. Aber damals hatten ihr Wille und ihre Verzweiflung sie angetrieben; sie war gefühllos gewesen, nur von ihrem Ziel beseelt.

Die Canterbury Plains jedoch, die jetzt langsam in die Vorläufer der Südalpen übergingen, waren anders. Hier war es nicht trocken und heiß, sondern feucht und kalt – zumindest kam es den durchnässten Wanderern so vor. Schon nach wenigen Stunden Wanderung hatte der Regen eingesetzt, und

Glorias Jacke, ihr Hemd und ihre Breeches waren binnen kürzester Zeit völlig durchweicht. Den Maoris ging es nicht anders, aber nur, weil es regnete, brachen sie den Marsch nicht ab. Erst am Abend wurden die provisorischen Zelte errichtet, und die Frauen machten den Versuch, Feuer zu entfachen. Das Ergebnis war nicht befriedigend.

Schließlich kuschelten die Menschen sich Wärme suchend aneinander – nur Gloria zog sich beinahe erschrocken zurück und wickelte sich abseits in ihre klamme Decke. An die Übernachtungen im Gemeinschaftszelt hatte sie vorher nicht gedacht – dabei wusste sie natürlich, dass der Stamm auch zu Hause ein Schlafhaus teilte. Nun lag sie stundenlang wach und hörte auf die Schlafgeräusche der Menschen, ihr Stöhnen, Schnarchen – manchmal auch ein verstohlenes Kichern und die unterdrückten Lustschreie eines sich liebenden Paares. Gloria wäre am liebsten geflohen, aber draußen regnete es nach wie vor.

Das schlechte Wetter hielt auch während der nächsten Tage an. Gloria fragte sich flüchtig, wie Gwyneira und ihre Leute das Heu einbringen wollten, wenn das so weiterging. Ansonsten hatte sie aber genug mit ihren eigenen Problemen zu tun. Ihre Schuhe – Jodhpur-Stiefel, die sie eigentlich immer für sehr geeignet zum Reiten und für die Farmarbeit empfunden hatte – lösten sich in der ständigen Feuchtigkeit langsam auf. Die Maoris lachten darüber. Sie liefen barfuß und empfahlen das auch Gloria. Schließlich schälte sie sich wirklich aus den nassen Stiefeln, doch an längere Wanderungen auf nackten Füßen war sie erst recht nicht gewöhnt. Sie fror und fühlte sich schrecklich.

Am fünften Tag verstand sie endgültig nicht mehr, wie sie ihr ruhiges, trockenes Zimmer auf Kiward Station dafür hatte aufgeben können. Dankbar nahm sie die Plane entgegen, die Wiremu ihr schließlich brachte und die wenigstens ein bisschen Schutz vor dem Wetter bot. Der junge Maori wirkte genauso unzufrieden und verfroren wie sie, auch wenn er das natürlich nicht zugab. Aber auch Wiremu hatte *pakeha*-Erziehung genossen. Die Jahre im Internat in Christchurch waren nicht spurlos an ihm vorübergegangen. Gloria meinte fast zu spüren, dass auch er seine Entscheidungen bereute. Er hatte Arzt werden wollen, aber jetzt lief er mit seinem Stamm durch die Wildnis. Sie warf einen Blick auf Tonga, der seinen Leuten unbeirrt vorausschritt.

»Können wir nicht früher rasten?«, fragte Gloria verzweifelt. »Ich verstehe nicht, was euch antreibt ...« Sie verstummte, als sie ihren Fauxpas erkannte. Es hätte nicht »euch« heißen sollen. Sie musste lernen, von sich und den Ngai Tahu als »wir« zu denken, wenn sie dazugehören wollte. Und sie wünschte sich doch nichts mehr als dazuzugehören ...

»Uns gehen die Vorräte aus, Glory«, erklärte Wiremu. »Wir können nicht jagen, bei diesem Wetter wagt sich kein Kaninchen aus dem Bau. Und der Fluss ist zu reißend, da schwimmen die Fische nicht in die Fallen. Also ziehen wir zum Lake Tekapo.«

Der Stamm zog bereits seit Stunden am Tekapo River entlang, der durch die Regenfälle tatsächlich zu einem reißenden Strom angewachsen war.

Am See, erklärte Wiremu, würden sie tage-, vielleicht wochenlang lagern. Es gab dort reichlich Fisch und wildreiche Wälder.

»Wir lagern dort seit undenklichen Zeiten«, lächelte Wiremu. »Sogar der See ist danach benannt – *po* heißt Nacht, *taka* Schlafmatte.«

Genau eine solche, möglichst trocken und in einem festen Haus positioniert, hätte Gloria sich jetzt gewünscht, aber sie sagte nichts, sondern versuchte, sich dem Schritt der anderen anzupassen.

Gegen Abend ließ der Regen endlich nach.

»Am See regnet es kaum«, erklärte Rongo. »Wie könnte Rangi auch weinen beim Anblick dieser Schönheit ...«

Tatsächlich war der Lake Tekapo im letzten Tageslicht ein atemberaubender Anblick. Das Grasland der Plains grenzte ans Nordufer, auf der anderen Seeseite erhoben sich majestätisch die Südalpen. Das Wasser schimmerte in dunklem Türkis – bei Sonnenschein würde es leuchten. Die Frauen des Stammes begrüßten den See mit Gesang und Gelächter. Rongo schöpfte feierlich das erste Wasser, und diesmal gelang es auch, ein Feuer am Ufer zu entzünden. Die Männer schwärmten aus, um zu jagen, und auch wenn es mit der Jagdbeute noch dürftig aussah, gab es doch am Feuer gerösteten Fisch und Brotfladen aus den letzten Mehlvorräten. Marama und einige der anderen Frauen holten die Instrumente aus ihrer halbwegs regendichten Verpackung und feierten die Ankunft am See. Natürlich waren die Zelte und Schlafmatten noch klamm, als der Stamm sich schließlich zur Ruhe begab, aber das kleine Fest hatte den Menschen Auftrieb gegeben. Viele Männer und Frauen gaben sich der Liebe hin. Gloria verspürte Übelkeit. Sie musste hinaus.

Eingehüllt in ihre Decke schlich Gloria sich aus dem Zelt. Der Himmel über dem See war tiefschwarz, aber auf den Gipfeln der Berge lag noch Schnee. Das Mädchen schaute hinauf und versuchte, mit allem eins zu werden, wie Rongo es ihr geraten hatte. Mit Himmel, See und Bergen war das nicht schwierig. Mit dem Stamm würde es ihr wohl nie gelingen ...

Sie erschrak, als sie Schritte hinter sich hörte. Wiremu.

»Du kannst nicht schlafen?«

Gloria antwortete nicht.

»Am Anfang fiel es mir auch schwer. Als ich zurück aus der Stadt kam. Aber als Kind habe ich es geliebt.« Sie hörte an seiner Stimme, dass er lächelte. »Wir sind von einer Frau zur anderen gerobbt, ein Arm war immer frei.«

»Meine Mutter wollte mich nicht«, sagte Gloria.

Wiremu nickte. »Ich habe davon gehört. Kura war anders, ich erinnere mich kaum an sie …«

»Sie ist schön«, sagte Gloria.

»Du bist schön.« Wiremu trat näher an sie heran und hob die Hand. Er wollte ihr Gesicht berühren, aber sie schrak zurück.

»*Tapu?*«, fragte er sanft.

Gloria konnte darüber nicht scherzen. Wachsam ging sie zurück in Richtung Zelt.

»Du kannst dich ruhig umdrehen. Ich werde dich nicht von hinten anfallen. Was hast du bloß, Gloria?« Wiremu lief ihr nach und fasste nach ihrer Schulter, aber Glorias Reflexe konnten keine freundschaftliche von einer feindlichen Berührung unterscheiden. Nicht bei Nacht. Das Mädchen griff blitzschnell nach seinem Messer. Wiremu duckte sich, als er es aufblitzen sah, warf sich zu Boden und rollte sich ab.

Gloria sah erschrocken, wie er geschmeidig wieder auf die Beine kam und entsetzt zu ihr hinüberblickte.

»Glory …«

»Fass mich nicht an! Fass mich nie mehr an!«

Wiremu hörte die Panik in ihrer Stimme.

»Gloria, wir waren doch Freunde. Ich wollte dir nichts tun. He, sieh mich an! Ich bin Wiremu, weißt du nicht mehr? Der Möchtegern-Medizinmann.«

Ganz langsam erlangte Gloria ihre Fassung zurück.

»Tut mir leid«, sagte sie leise. »Aber ich … ich mag's nicht, wenn man mich anfasst.«

»Das brauchtest du doch nur zu sagen. Gloria – ich akzeptiere *tapu*, das weißt du.« Wiremu lächelte wieder und hob dabei die flachen Hände. Eine Friedensgeste.

Sie nickte schüchtern. Nebeneinander, doch ohne sich zu berühren, gingen sie zurück zum Zelt.

Tonga, der in einem Einzelzelt abseits des Stammes schlief, sah sie kommen. Zufrieden lehnte er sich zurück.

Das Wetter am See war tatsächlich besser als unten in den Plains, aber es regnete dennoch viel. Die Ngai Tahu mussten nicht hungern; es gab Fisch und Fleisch im Überfluss, und die Menschen ließen es sich gut gehen. Gloria begleitete Rongo auf der Suche nach Heilpflanzen. Sie lernte, wie man Flachs verarbeitete, und hörte auf Maramas Geschichten von Harakeke, dem Flachsgott, einem Enkel von Papa und Rangi. Die Frauen erzählten auch von den Göttern des Sees und der Berge, schilderten die Reisen Kupes, des ersten Entdeckers Aotearoas, und seine Kämpfe mit Riesenfischen und Landungeheuern.

Manchmal trafen sie mit anderen Stämmen zusammen, veranstalteten ein langwieriges *pohiri* – eine Begrüßungszeremonie, die in allen Einzelheiten festgelegt war – und feierten anschließend ein Fest. Dann tanzte Gloria mit den anderen und blies die *koauau* zu den Kriegs-*haka* der Mädchen. Sie vergaß ihre ständige Furcht, etwas falsch zu machen. Marama und die anderen Frauen tadelten ihre Schülerinnen nicht, sondern erklärten geduldig. Kleine Streitigkeiten unter den Mädchen wurden niemals so erbittert ausgefochten wie im Internat, schon deshalb nicht, weil die Erwachsenen nie Partei ergriffen. Gloria lernte, den gutmütigen Spott der Maori-Mädchen von dem gnadenlosen Hohn ihrer früheren Klassenkameradinnen zu unterscheiden und konnte schließlich mitlachen, wenn Pau sie neckte, ihr selbst gemachter *poi poi*-Ball wirke wie das Ei eines seltsamen Vogels. Da sie das Ding nicht richtig rund bekam, wirbelte er beim Tanzen in sonderbaren

Ellipsen, und als er Ani am Kopf traf, erklärte sie, dies sei wohl eine neue Wunderwaffe.

»Nur ein bisschen weich, Glory, du musst versuchen, die Dinger aus *pounamu* herzustellen.«

Sie suchten danach in einem Flusslauf, und am Abend zeigte ihnen Rongo, wie man aus dem jadeähnlichen Stein Anhänger in Form kleiner Götterfiguren schnitzte. Gloria und Ani schenkten einander gegenseitig ihre *hei-tiki*, die sie dann stolz um den Hals trugen. Wiremu überraschte Gloria später mit einem noch sehr viel schöneren – schließlich übte er bereits länger.

»Hier, der soll dir Glück bringen!«

Die anderen Mädchen klatschten darüber, was Gloria unangenehm war. Aber sie vertraute Wiremu. Er war nichts als ihr Freund.

Gloria begann, die Tage im Kreis ihrer neuen Familie zu genießen – die Nächte im Gemeinschaftszelt empfand sie allerdings immer noch als quälend. Sofern das Wetter es eben erlaubte, schlich sie sich hinaus und schlief draußen, auch wenn sie bei jedem Geräusch aufschreckte. Sie konnte sich noch so oft sagen, dass ihr hier weder Krokodile noch Schlangen auflauern würden wie damals in Australien – die Angst saß tief. Und Geräusche gab es viele in diesen warmen Nächten. Die Mädchen und Jungen verließen kichernd das Zelt oder sonderten sich schon ab, wenn der Stamm noch am Feuer saß. Dann liebten sie sich im Pinienwald oder hinter den Felsen im Gras.

Gloria fürchtete auch die Männer, die nachts das Zelt verließen, um ihr Wasser abzuschlagen. Sie wusste, dass sie ihr nichts Böses wollten, aber allein die Silhouette eines Mannes vor dem Spiegel des Sees reichte, um ihr Herz wie rasend schlagen zu lassen.

Wenn die Nächte nicht so warm waren, Gloria es aber trotzdem im Zelt nicht aushielt und sich allein und bibbernd in ihre klamme Decke kuschelte, erschien mitunter Wiremu. Er setzte sich in weitem Abstand zu ihr nieder, und sie redeten. Wiremu erzählte von seiner Zeit in Christchurch. Wie allein er sich am Anfang gefühlt hatte und wie verzweifelt er war, wenn die anderen ihn neckten.

»Aber es hat dir doch gefallen!«, wunderte sich Gloria. »Du wolltest sogar bleiben und studieren.«

»Die Schule hat mir gefallen. Und ich bin ein Häuptlingssohn. Ich war groß und stark, und ich habe die *pakeha*-Jungs das Fürchten gelehrt. Manchmal gab das ein paar Probleme mit den Lehrern, wenn sie petzten. Aber meistens hielten sie anschließend den Mund. *Mana* ... du weißt schon.« Er lächelte.

Gloria verstand. Er hatte Einfluss im Stamm gewonnen, sich durchgesetzt gegen die Quälgeister.

»Aber du warst einsam«, meinte sie.

»*Mana* macht immer einsam. Der Häuptling hat Macht, aber Freunde hat er nicht.«

Das stimmte, Tonga blieb meistens für sich. Allerdings wollte er es wohl auch so. Er musste seinen schon stark verwestlichten Stamm oft daran erinnern, welche *tapu* mit seiner Würde verbunden waren.

Später, so erzählte Wiremu dann, hatte er sich durch gute schulische Leistungen Respekt an der *pakeha*-Highschool verschafft. Erst an der Universität war es dann wieder eskaliert. Hier traf er schließlich auf neue Kommilitonen, die nie mit seinen Fäusten Bekanntschaft gemacht hatten. Um auch sie zu schlagen, war er, wie er lächelnd erzählte, »inzwischen zu zivilisiert«.

Gloria selbst sprach wenig von ihrer Kindheit in England. Ein bisschen von Miss Bleachum, und darüber, dass sie sich immer für Pflanzen und Tiere interessiert hatte.

»Miss Bleachum meinte, ich sollte Naturkunde studieren. Dann hätte ich in Dunedin bleiben können. Aber ich weiß so wenig ... wir haben immer nur musiziert und gemalt ... und seltsame Bilder angesehen.«

Gloria erwähnte Europa und Zeus, der sich in sie verliebte und sich in einen Stier verwandelte, um seiner argwöhnischen Gattin zu entkommen. Wiremu hatte Latein und ein wenig Griechisch im College gelernt und schmückte die Geschichte aus, wortreich und farbig, ganz auf Maori-Art. Er amüsierte sich köstlich. Gloria errötete und empfand Mitleid und Zorn für die entführte Prinzessin, die sicher andere Pläne mit ihrem Leben gehabt hatte, als dem Göttervater als Gespielin zu dienen.

In den nächsten Tagen brachte Wiremu ihr oft interessante Exemplare von Pflanzen oder Insekten, und eines Nachts weckte er sie durch vorsichtiges Anrufen, um ihr einen Kiwi zu zeigen. Sie folgten den schrillen Pfiffen des nachtaktiven Laufvogels mit dem braunen Gefieder und dem langen, gebogenen Schnabel, und tatsächlich entdeckten sie das scheue Tier unter einem Strauch. Es gab viele Nachtvögel in Aotearoa, gerade im Alpenvorland, aber einen Kiwi zu sehen war etwas Besonderes. Gloria folgte ihrem Freund vertrauensvoll, um das Tier zu beobachten. Wiremu lud sie immer öfter zu diesen kleinen Nachtspaziergängen ein, aber er berührte sie nie.

Allerdings blieb es natürlich nicht aus, dass die anderen Mädchen über ihre nächtlichen Ausflüge mit dem Häuptlingssohn redeten. Auch den erwachsenen Frauen blieb es nicht verborgen. Tonga wirkte überaus zufrieden.

Nach einiger Zeit verließen die Ngai Tahu den See und wanderten weiter hinauf in die Berge. Der Aoraki, der höchste Berg der Insel, galt als heilig, und sie wollten ihm näher kommen.

»Einige *pakeha* sind vor ein paar Jahren hinaufgestiegen«, berichtete Rongo. »Aber den Geistern hat das nicht gefallen.«

»Warum haben sie es dann erlaubt?«, fragte Gloria. Sie kannte den Berg als »Mount Cook«, und sie hatte von der erfolgreichen Expedition gehört.

Rongo gab ihre Standardantwort: »Frag nicht mich, frag den Berg.«

Schließlich jagten sie in den McKenzie Highlands, und Gloria wagte es tatsächlich, abends am Lagerfeuer die Geschichte ihres Grandpa James zu erzählen und sie genauso farbig auszuschmücken, wie die Maoris das taten. In den langen, verschachtelten Sätzen ihrer Sprache berichtete sie von McKenzies Begegnung mit seiner Tochter Fleur und davon, wie John Sideblossom den Viehdieb schließlich zur Strecke brachte und seine Verbannung nach Australien bewirkte.

»Aber mein Grandpa kehrte zurück aus dem großen Land jenseits der See, in dem die Erde rot ist wie das Blut und die Berge zu glühen scheinen. Und er lebte lange.«

Glorias Zuhörer applaudierten begeistert, und Marama lächelte ihr zu.

»Du wirst noch eine *tohunga*, wenn du so weitermachst. Aber das ist kein Wunder. Auch dein Vater ist ein Meister der schönen Rede. Wenngleich er einen etwas seltsamen Gebrauch davon macht ...«

Von Maramas Lob beflügelt übte Gloria sich in der Redekunst. Sie arbeitete intensiv an ihrer *pepeha*, der persönlichen Vorstellungsansprache, die jeder Maori vortragen kann, wenn eine Zeremonie es erfordert. Man nannte dabei seine *tupuna* – seine Ahnen – und schilderte das Kanu und die Einzelheiten der Reise, die sie einst nach Aotearoa geführt hatten. Marama half Gloria, den Stamm zu benennen, den die Reisenden dann begründeten, und zeigte ihr die Orte, die sie bewohnt hatten. Besonders faszinierend war ein Tal, das wie eine natürliche Festung wirkte. Es war heute *tapu*; irgendwann hatten sich wohl ein paar Leute darin bekriegt, oder es war sonst etwas Seltsames geschehen. Die Männer des Stammes fürchteten sich, den Ort zu betreten, aber Rongo und Marama führten Gloria dorthin und meditierten mit ihr am Feuer. Gloria nahm eine genaue Beschreibung der Felsenfestung in ihre *pepeha* auf.

Den *pakeha*-Familienzweig genau zu schildern war natürlich schwieriger, aber Gloria nannte den Namen des Schiffes, auf dem Gwyneira gereist war, gab Kiward Station als Bestimmungsort an und nannte die Wardens ihren *iwi* – ihren Stamm. Schließlich beschrieb sie farbig den Ort, an dem sie geboren war, und spürte dabei fast so etwas wie Heimweh. Die Ngai Tahu waren jetzt seit drei Monaten unterwegs. Und obwohl Gloria offensichtlich zum Stamm gehörte und sich zum ersten Mal seit Jahren wirklich akzeptiert fühlte, hatte sie doch oft das Gefühl, das Leben einer anderen zu führen. Sie spielte die Rolle eines Maori-Mädchens, und offensichtlich tat sie das gut. Aber war es wirklich das, was sie sein wollte? Was sie war? Bislang hatte Gloria nie gegen das protestiert, was von ihr erwartet wurde. Sie übte sich im Umgang mit Heilpflanzen. Sie lernte zu weben und die Bedeutung der Webmuster zu verstehen. Sie bereitete das Fleisch zu, das die Männer brachten. Aber je mehr Zeit sie mit den Frauen des Stammes verbrachte, desto deutlicher wurde ihr, dass sie eigentlich nichts anderes tat als Moana und Kiri zu Hause in der Küche. Gut, man machte Handarbeit und kochte unter freiem Himmel, aber das war auch der einzige Unterschied. Gloria dagegen hatte es stets mehr Spaß gemacht, auf der Farm zu helfen und mit den Schafen und Rindern zu arbeiten. Die Tiere fehlten ihr.

Nun hinderten die Maoris sie nicht, sich den Männern bei der Jagd und beim Fischfang anzuschließen. Beides war auch Frauen erlaubt; jedes Maori-Mädchen lernte, sich im Notfall allein durchzuschlagen. Üblich war die gemeinsame Jagd aber nicht, und wenn ein Mädchen mitkam, neigten die Männer dazu, dies als Versuch einer Annäherung zu missdeuten. Gloria mochte dieses Risiko nicht eingehen. Sie versuchte anfänglich, ihre Freundinnen zur Jagd oder zum Fischfang zu überreden. Wenn Pau oder Ani sich aber wirklich einmal dazu aufrafften, arteten die gemeinsamen Unternehmungen mit den Jungen schnell in einen ziemlich hemmungslosen Flirt aus. Gloria wurde unweigerlich in das vergnügte Geplänkel hineingezogen, und sie hasste es!

So blieb sie meist am Feuer und begleitete nur gelegentlich Wiremu zum Fischfang. Während sie lernte, wie man aus Schilf und Zweigen Reusen flocht, in denen man dann Köder für die Fische auslegte, redeten die Frauen im Lager über ihr Verhältnis zu Wiremu. Abends neckte man sie damit – und Gloria blieb am nächsten Tag lieber wieder bei den Zelten.

Doch selbst wenn es einfacher gewesen wäre, die Aufgaben der Männer zu teilen, statt mit den Frauen am Feuer zu sitzen: Gloria kämpfte auch mit der Erkenntnis, dass Jagd und Fischfang ihr wenig lagen. Natürlich war sie nicht zimperlich. Auch auf Kiward Station wurde gelegentlich geschlachtet, und sie angelte, seit sie ein kleines Mädchen war. Aber sie mochte einfach nicht jeden Tag für ihren Lebensunterhalt töten. Sie hatte keine Geduld, Fallen zu bauen und zu kontrollieren, und sie hasste es, die Vögel oder kleinen Nagetiere herauszunehmen, die sich darin stranguliert hatten. Dafür vermisste sie die Arbeit des Züchters, der seine Tiere lange Jahre behält, sich Gedanken um die beste Anpaarung von Schaf und Bock, Stute und Hengst macht, und dann die Geburt feiert, nicht den Tod. Gloria sorgte gern für Tiere. An der Jagd berauschte sie sich nicht.

Insofern war sie auch nicht sehr traurig, als der Stamm sich schließlich auf den Heimweg machte. Tonga wäre gern noch weitergezogen, und auch Rongo war ein wenig enttäuscht, da sie Gloria gern mehr von der Heimat der Ngai Tahu gezeigt hätte. Sie wies das Mädchen in der letzten Zeit immer intensiver in *tapu* und *tikanga*, das gesamte Brauchtum ihres Stammes, ein. Marama machte gelegentlich Andeutungen, dass die Heilerin wohl an eine Nachfolgerin dachte. Rongo hatte drei Söhne, aber keine Tochter.

Allerdings ging der Sommer zu Ende, und wie fast immer bei den Stämmen auf der Südinsel waren es die gewöhnlichen Männer und Frauen des Stammes, die ihren Willen durchsetzten – auch gegen ihren Häuptling und ihre weise Frau. Im Herbst fand auf Kiward Station der Abtrieb der Schafe statt. Dabei wurden die Männer gebraucht, und es gab gutes Geld zu verdienen. Außerdem würde das Saatgut gereift sein, das die Frauen vor Beginn der Wanderung in den Boden gelegt hatten. Von der Ernte und dem bei den *pakeha* verdienten Geld konnten die Familien den Winter überleben – ohne anstrengende Wanderungen und Jagdausflüge bei Regen und Kälte. Tonga konnte noch so oft einwenden, dass dies nicht den Gebräuchen der Stämme entsprach und dass man sich damit von den Weißen abhängig machte. Ein warmes Feuer und ein bisschen Luxus in Form von *pakeha*-Werkzeugen, Kochtöpfen und Gewürzen war den Menschen wichtiger als jede Tradition.

Nun hieß das natürlich nicht, dass man auf dem Absatz kehrtmachte und auf direktem Weg zurück in die Canterbury Plains wanderte. Auch der Rückweg zog sich über Wochen hin, beinhaltete Besuche an heiligen Stätten und in den *marae* anderer Stämme. Gloria beherrschte die entsprechenden Zeremonien inzwischen blind. Sie sang und tanzte ohne jede Hemmung mit den anderen Mädchen und trug ihre *pepeha* vor, wenn die Gastgeber sich über ihr fremdartiges Aussehen wunderten. Dabei erntete sie stets große Hochachtung; besonders ihre Beschreibungen der Reise der *pakeha* aus dem fernen London über den *awa* Themse und die Wanderung über die Berge der neuen Heimat, die Helen Davenport damals die »Berge der Hölle« genannt hatte, beflügelten die Fantasie ihrer Zuhörer. Glorias *mana* in der Gemeinschaft wuchs. Sie schritt aufrecht und stolz zwischen ihren Freundinnen, als der Stamm schließlich wieder das Land betrat, das die *pakeha* immer noch O'Keefe Station nannten. Wiremu, der mit den Männern unterwegs war, lächelte ihr mitunter zu, und sie scheute sich nicht, den Gruß zu erwidern. Gloria fühlte sich sicher.

»Willst du denn nicht heute noch heimgehen?«, fragte Marama und blickte verdutzt auf Glorias Maori-Festkleidung. Die Ngai Tahu hatten ihr *marae* auf Helen O'Keefes ehemaliger Farm wieder in Besitz genommen, und Gloria reinigte gemeinsam mit den anderen Mädchen das *wharenui* für die anstehenden Feierlichkeiten. Pau schlug Schlafmatten aus, Gloria kehrte. Andere Mädchen wuschen den Staub von den mannsgroßen Götterstatuen. Alle trugen bereits ihre *piupiu* und schulterfreie, gewebte Oberteile in den Farben schwarz, rot und weiß. Das Wetter ließ diese leichte Kleidung ausnahmsweise einmal zu; es war sonnig und regnete nicht. Die Mädchen würden später einen Begrüßungs-*haka* vor dem Versammlungshaus tanzen. Marama hatte allerdings nicht angenommen, dass ihre Enkelin daran teilnehmen wollte.

»Miss Gwyn wird hören, dass wir angekommen sind. Sie wird auf dich warten.«

Gloria zuckte die Schultern. In Wahrheit war sie hin und her gerissen. Einerseits wollte sie mit dem Stamm die Heimkehr feiern, andererseits sehnte sie sich nach ihrem gemütlichen Bett, ihrem abgeschlossenen Zimmer – und sogar ein bisschen nach Grandma Gwyns Umarmung, ihrem Duft nach Rosen und Lavendel und dem von Moana und Kiri servierten Essen. Ein richtiger Tisch. Richtige Stühle.

»Was redest du von Heimkehr, Moana?«, fragte Tonga. Er trat eben ein, gefolgt von seinen Söhnen. Wiremu ging als Letzter. Wie alle anderen trug er bereits traditionelle Kleidung für die Feier. Die Männer würden einen *haka* tanzen, um ihre Frauen wieder im *wharenui* zu begrüßen. »Gloria ist hier zu Hause. Willst du sie zurück zu den *pakeha* schicken?«

Der Häuptling leitete die Zeremonie der Heimkehr in das angestammte *marae* – obwohl er und seine Familie eigentlich im Dorf auf Kiward Station wohnten. Er würde allerdings erst am folgenden Tag dorthin zurückkehren. Für Gloria ein geeigneter Vorwand, ebenfalls noch einen Tag bei ihrer Maori-Familie zu bleiben. Zu Fuß war der Weg nach Kiward Station weit; es würde schöner sein, ihn in der Gruppe als allein zurückzulegen. Gloria lächelte, als sie an ihr Pferd dachte. Sie würde wieder reiten können. Nach der langen Wanderung wusste sie das zu schätzen.

»Ich schicke niemanden irgendwohin, Tonga«, sagte Marama ruhig. »Gloria muss selbst wissen, was sie tut und wo und mit wem sie leben will. Aber es gehört sich, Miss Gwyn wenigstens zu besuchen und ihr zu zeigen, dass sie wohlauf ist.«

»Ich …« Gloria wollte etwas sagen, aber die Älteren geboten ihr Schweigen.

»Ich denke, Gloria hat bereits gezeigt und bewiesen, wohin sie gehört«, meinte Tonga würdevoll. »Und ich denke, sie sollte diese Bindung an ihren Stamm heute Nacht vollenden.

Seit Monaten beobachten wir, dass Gloria und Wiremu, mein jüngster Sohn, Zeit miteinander verbringen. Bei Tag und bei Nacht. Es wäre Zeit, nun auch im Beisein des Stammes, hier im Versammlungshaus, das Lager zu teilen.«

Gloria fuhr auf. »Ich ...« Sie wollte etwas sagen, doch ihre Stimme versagte. All die Ausbildung des *whaikorero* hatte sie auf diese Situation nicht vorbereitet. »Wiremu ...«, flüsterte sie hilflos.

Wiremu musste jetzt etwas sagen. So sehr es sie drängte, ihr Nein laut herauszuschreien, war sie doch beinahe froh um die Panik, die sie an dieser spontanen Reaktion gehindert hatte. Wiremu würde vor seinem Stamm das Gesicht verlieren, wenn sie ihn ablehnte. Das Nein musste von ihm kommen.

Wiremu blickte unstet von einem zum anderen.

»Das ... das kommt überraschend ...«, sagte er stockend. »Aber ich ... also, Gloria ...« Er schob sich näher zu ihr heran.

Gloria sah ihn bittend an. Anscheinend fiel es ihm schwer, einzugestehen, dass niemals etwas zwischen ihnen gewesen war. Gloria verfluchte den männlichen Stolz. Und sie spürte Zorn in sich auflodern. Tonga hatte seinen Sohn in eine unmögliche Situation gebracht. Und sie selbst natürlich auch. Es mehrte nicht gerade das *mana*, vom Sohn des Häuptlings vor dem gesamten Stamm einen Korb zu bekommen. Nun war Gloria der Verlust ihres *mana* ziemlich gleichgültig – zumindest in Bezug darauf, wieder mit einem Mann das Bett zu teilen. Aber rücksichtslos war und blieb es. Tonga hatte kein Recht, für seinen Sohn um sie zu werben.

»Ich ... äh ...« Wiremu suchte immer noch nach Worten.

Gloria fand das langsam alarmierend. Natürlich gab es keine förmliche Ansprache zu diesem Problem, aber ein schlichtes »Nein, ich will nicht« oder, wenn es denn sein müsste, ein hinhaltendes »Gib uns Zeit« sollte Wiremu in ihren Augen sich doch abringen können.

»Gloria, ich weiß, wir haben nie darüber gesprochen. Aber von mir aus ... ich würde es begrüßen ... also, ich würde dich gern ...«

Gloria blickte ihn ungläubig an. Sie war wie erstarrt; all ihre Gefühle schienen plötzlich abgetötet. Und sie sah nichts mehr um sich herum, nur diesen Mann, dem sie vertraut hatte. Und der eben dabei war, sie zu verraten.

»Wir könnten es ja nur pro forma tun ...«, flüsterte er ihr auf Englisch zu. »Wir müssen also die Hochzeitsnacht vor dem ganzen Stamm ...« Wiremu hatte genug *pakeha*-Erziehung genossen, dass Letzteres auch ihm peinlich war.

»Dann ist es also beschlossen!«, freute sich Tonga. »Wir werden es heute Nacht feiern. Gloria, man wird dich in diesem *wharenui* begrüßen wie eine Prinzessin ...« Der Häuptling strahlte.

Wiremu trat unsicher von einem Bein aufs andere. Der *pakeha* in ihm erwartete das förmliche Jawort der Braut.

Und wieder zerbrach etwas in Gloria. Rasend vor Zorn riss sie sich das Flachsband mit Wiremus *hei-tiki* vom Hals und warf es ihm vor die Füße.

»Wiremu, du warst mein Freund! Du hast mir geschworen, mich niemals anzurühren! Du hast mir gesagt, ein Maori-Mädchen dürfe wählen. Und jetzt willst du mir vor dem ganzen Stamm beiliegen, ohne auch nur nach meiner Meinung zu fragen?« Gloria zog ihr Messer, obwohl niemand sie bedrohte. Sie musste den kalten Stahl einfach fühlen, brauchte etwas, um sich sicher zu fühlen. Dabei war das im Grunde lächerlich. Sie stand inmitten von Männern, die mit Speeren und Kriegsbeilen bewaffnet waren. Ritualwaffen natürlich, aber nichtsdestotrotz scharf.

Gloria hätte sich in diesem Augenblick auch einer Armee

entgegengestellt. Sie empfand keine Angst mehr, nur Wut, rasende Wut. Doch zum ersten Mal machte ihr Zorn sie nicht mehr sprachlos. Weder schwieg sie, noch schlug sie mit Worten um sich. Plötzlich wusste sie, was sie zu sagen hatte. Sie wusste, wer sie war.

»Und du, Tonga, du meinst also, ich müsste meine Bindung an den Stamm festigen? Ich könnte nur Teil von diesem Land sein, wenn ich zu euch gehörte? Dann hört sie euch also an, meine *pepeha!* Glorias *pepeha* – nicht die der Tochter von Kuramaro-tini, nicht die der Enkelin von Gerald Warden. Nicht die der Maoris, nicht die der *pakeha.*« Gloria stand aufrecht und wartete, bis alle Anwesenden sich um sie versammelt hatten. Inzwischen waren weitere Männer und Frauen eingetroffen und bevölkerten das *wharenui.* Es hatte eine Zeit gegeben, da allein die Menge der Zuhörer Gloria die Stimme geraubt hätte. Aber darüber war sie längst hinaus. Die verschüchterte Schülerin von Oaks Garden gab es nicht mehr.

»Ich bin Gloria, und der Bach, eine Meile südlich von hier, begrenzt das Land, das mich im Hier und Jetzt verankert. Die *pakeha* nennen es Kiward Station, und mich nennen sie Erbin. Aber dieses Mädchen Gloria hat keine *tupuna,* keine Ahnen. Die Frau, die sich meine Mutter nennt, verkauft die Lieder ihres Volkes für Ruhm und Geld. Mein Vater gönnte mir niemals mein Land – vielleicht weil sein Vater ihn einst von dem seinen vertrieb. Meine Großväter kenne ich nicht, die Geschichte meiner Ahnen ist blutgetränkt. Aber ich, Gloria, bin mit der *Niobe* nach Aotearoa gekommen. Ich überquerte einen Ozean von Schmerz und reiste über einen Strom von Tränen. Ich landete an fremden Ufern, ich durchreiste ein Land, das meine Seele verbrannte. Aber ich bin hier. *I nga wa o mua* – die Zeit, die kommen wird und die vergangen ist – findet mich in dem Land zwischen dem See und dem Ring der Steinkrieger. In meinem Land, Tonga. Und wage es nie wieder, es mir streitig zu machen! Nicht mit Worten, nicht mit Taten, und ganz sicher nicht mit falschem Spiel!«

Gloria blitzte den Häuptling an. Wenn die Ngai Tahu später von diesem Auftritt erzählten, berichteten sie von einer Armee wütender Geister, deren Seelen ihr Kraft gaben.

Gloria selbst brauchte keine Geister. Und sie wartete keine Erwiderung ab. Hoch erhobenen Hauptes verließ sie das *wharenui* und ihren Stamm.

Sie rannte erst, als die Tür sich hinter ihr schloss.

Frieden

Dunedin, Kiward Station, Christchurch
1917–1918

1

Jack McKenzie starrte hinaus auf den Horizont, an dem langsam weißer Dunst sichtbar wurde. Neuseeland – Land der weißen Wolke. Wie es aussah, würde sich ihm die Südinsel an diesem Tag so präsentieren wie damals dem ersten Einwanderer aus Hawaiki. Die Männer um ihn herum begrüßten den ersten Blick auf ihr Heimatland. Der Kapitän hatte ausrufen lassen, dass man sich dem Zielort näherte, und wer immer gehen oder sich in Rollstühlen schieben lassen konnte, war an Deck gekommen. Um Jack herum wurde gelacht, aber auch geweint. Für viele Gallipoli-Veteranen war es eine bittere Heimkehr – und keiner war mehr der gleiche Mann, der damals gegangen war.

Jack schaute hinaus aufs Wasser, die Wellen machten ihn schwindelig. Vielleicht, dachte er, sollte ich wieder unter Deck gehen; der Anblick der Männer um ihn her deprimierte ihn. All diese Jungen, denen man Arme und Beine abgeschossen hatte, die blind und lahm, krank und stumm aus dem Krieg kamen, in den sie singend, lachend und winkend gezogen waren. Alles für nichts. Ein paar Wochen nach der letzten Offensive, bei der auch Jack verwundet worden war, hatte man die Truppen aus Gallipoli abgezogen. Die Türken hatten gesiegt – aber auch sie hatten ihr Land mit Blut erkauft. Jack fühlte eine bleierne Schwere. Nach wie vor musste er sich zu jeder Bewegung zwingen, auch heute hatte er sich nur an Deck geschleppt, weil Roly darauf bestanden hatte. Der erste Blick auf die Heimat – Aotearoa. Jack dachte an Charlotte. Er fror.

»Ist Ihnen kalt, Mr. Jack?« Roly O'Brien legte Jack fürsorglich eine Decke um die Schultern. Es war kühl an Bord. Und dort, am Strand von Gallipoli, würde bald wieder die Sonne brennen. »Die Schwestern bringen gleich heißen Tee. Die Männer werden ja an Deck bleiben wollen, bis das Land richtig sichtbar wird. Es ist aufregend, Mr. Jack! Wird es wohl noch lange dauern, bis wir anlegen?«

»Nur ›Jack‹, Roly …«, sagte Jack müde. »Wie oft soll ich es dir noch sagen? Und es wird Stunden dauern, bis wir anlegen. Das Land ist noch viele Meilen weit weg. Man sieht es ja noch gar nicht. Nur den Nebel, der darüberliegt.«

»Aber bald wird es auftauchen, Mr. Jack!«, rief Roly optimistisch. »Wir kommen nach Hause! Wir sind am Leben, Mr. Jack! Weiß Gott, es gab Tage, da habe ich nicht mehr dran geglaubt! Nun freuen Sie sich doch ein bisschen, Mr. Jack!«

Jack versuchte, Freude zu spüren, empfand jedoch nur Müdigkeit. Vielleicht wäre es gar nicht so schlecht gewesen, ewig zu schlafen … aber dann schalt er sich wegen seiner eigenen Undankbarkeit. Er hatte nicht sterben wollen. Nur Gott versuchen. Und nun war er an einem Punkt angelangt, an dem ihm selbst das gleichgültig war …

Jack McKenzie verdankte sein Überleben einer Kette glücklicher Umstände, aber vor allem Roly O'Brien und einem kleinen Hund. Roly und sein Bergungskommando hatten die Zeit zwischen zwei Angriffswellen genutzt, um die Toten und Verletzten vom Schlachtfeld zu holen – oder besser gesagt aus dem Niemandsland zwischen den gegnerischen Schützengräben, auf dem die Türken das ANZAC abschossen wie die Hasen. Der Angriff war von vornherein zum Scheitern verurteilt gewesen; Jack und alle anderen Veteranen der türkischen Offensive hätten dem Oberkommando das sagen können. Im

Frühjahr hatten sie ein Zielschießen auf den anrennenden Feind veranstaltet – im August war die Lage umgekehrt. Sie hätten mehr als zehntausend Mann gebraucht, um die türkischen Gräben zu überrennen; aber vielleicht wäre es auch mit hunderttausend nicht geglückt. Schon nach den ersten Angriffswellen war die Ebene schließlich mit den Körpern der Toten und Verwundeten übersät, und es war reine Freundlichkeit der Türken, die Bergungstrupps unbehelligt zu lassen. Ansonsten hätten die Briten sich eine Barrikade aus Leibern gebaut, die rennend nicht zu überwinden war. Auch eine zehnte und zwanzigste Angriffswelle wäre dann im Feuer der Feinde gestorben – solange die Türken Munition hatten. Und die Nachschubwege nach Konstantinopel funktionierten tadellos. Die Türken jedenfalls fühlten sich sicher und erlaubten den feindlichen Sanitätern großzügig den Einsatz auf dem Feld.

Dennoch hätte Jack nicht überlebt, wenn ihn nicht gerade Roly gefunden hätte. Bei Schlachten wie dieser waren die Ressourcen begrenzt. Schon die Bergungstrupps entschieden, welcher der Verwundeten zu retten war und welchen man schweren Herzens liegen ließ. Lungenschüsse gehörten in die letzte Kategorie. Selbst wenn die Stabsärzte in Ruhe operieren konnten, überlebte nur ein kleiner Teil der Betroffenen. In der Hektik der Erstversorgung im Hintergrund einer Schlacht bestand praktisch keine Chance.

Roly mochte das jedoch nicht glauben. Obwohl seine Männer den Kopf schüttelten, bestand er darauf, Jack McKenzie auf eine Trage zu legen und außerhalb der Schusslinie zu bringen.

»Beeilt euch gefälligst!«, trieb er die Männer an. »Und nicht einfach im Schützengraben abladen, das hält nur auf. Er muss sofort auf den Tisch. Ich bringe ihn zum Strand …«

Roly wusste, dass er seine Kompetenzen überschritt, aber

es war ihm egal. Jack sollte leben – der junge Mann wusste sehr genau, wem er die Rettung vor dem Kriegsgericht verdankte. Also winkte er die Sanitäter mit Jacks Trage an der Notambulanz in einem der Versorgungsgräben vorbei, die erneut eine Auswahl traf. Nur wer reelle Überlebenschancen hatte, wurde direkt zum Strand gebracht. Um die anderen kümmerte man sich später, falls es dann noch nötig war. Roly und seine Leute reihten sich in den Strom der Sanitäter ein, die Tragen mit schreienden, stöhnenden oder bewusstlosen Männern durch die Gräben trugen. Vorbei an totenblassen jungen Soldaten, die in den Reservegräben auf ihren Einsatz warteten. Sie mussten inzwischen wissen, was ihnen bevorstand. Nur noch wenige lachten und scherzten.

»Hier könnt ihr ihn abstellen«, sagte Roly schwer atmend. Er hatte seine Männer zum Dauerlauf angetrieben, sobald sie das freie Land am Strand erreichten. Nun betraten sie endlich das Feldlazarett. Wieder eine Selektion: Hier bestimmten die Ärzte, wer als Erster auf den Operationstisch kam und bei wem es wenig Zweck hatte. Letzteres kam allerdings seltener vor. Wer es bis hier geschafft hatte, wurde im Allgemeinen auch verarztet.

Nur kaum mit einer Wunde wie Jack.

»Und dann haut ab, zurück zur Front. Ich komme nach. Aber ich muss Commander Beeston finden. Los ... worauf wartet ihr noch?«

Die Männer, halbe Jungs, sahen ihn müde an. Sie wären deutlich lieber geblieben, obwohl auch im Zelt ein Inferno herrschte. Es roch nach Pulver und Blut, Äther, Lysol und Exkrementen. Männer schrien und weinten, der Sand am Boden war blutdurchtränkt. Aber immerhin schoss hier niemand. Immerhin wurden hier keine neuen Körper zerfetzt.

»Geht jetzt!«, forderte Roly die Männer auf. »Und ... vielen Dank!« Die Träger erwachten langsam aus ihrer Starre und setzten sich erneut in Trab. Diesmal in die andere Richtung. Die Trage nahmen sie nicht mit. Umso besser. Es würde nur Zeit kosten, Jack auf eines der Feldbetten umzulagern.

Roly fühlte seinen Puls und wischte ihm das schaumige Blut vom Mund. Er lebte – aber nicht mehr lange, wenn nicht ein Wunder geschah.

»Ich bin gleich wieder da. Halten Sie durch, Mr. Jack!«

Roly ließ seinen Patienten nur ungern allein. Wenn ihn jetzt ein Arzt aussonderte und zum Sterben in irgendein Hospitalzelt legen ließ, würde er ihn in diesem Chaos nie wiederfinden. Aber es musste sein.

»Commander Beeston!« Roly lief suchend durch die Zelte.

Aber bevor er den Stabsarzt fand, entdeckte Paddy Jack.

Commander Beeston liebte seinen Hund, aber an Tagen wie diesem verlor er das Tier aus den Augen. Es gab keine Zeit, sich um das Wohlergehen des kleinen Mischlings Sorgen zu machen; oft fiel dem Arzt erst am Abend wieder ein, dass Paddy irgendwo stecken musste. Meist fand er ihn dann verängstigt in einer Ecke. Der Kampflärm erschreckte das Tier immer noch, und das Blut und die Hektik im Hospital taten das ihrige. Paddy lief ziellos durchs Lager, bekam ab und an einen Tritt ab, wenn er jemandem im Weg war, jaulte auf und verkroch sich anderswo. Bis er die Angst nicht mehr aushielt und sich doch wieder auf die Suche nach einer tröstenden Hand machte.

An diesem Tag war es besonders schlimm, denn das Hospital war praktisch nur von Fremden bevölkert. Da die Stammbelegschaft die Bergungstrupps bildete, arbeiteten nun Neuankömmlinge als Pfleger und Helfer der Ärzte – und keiner von ihnen hatte ein freundliches Wort für den kurzbeinigen kleinen Hund. Dr. Beeston operierte zudem seit Stunden, und ins Operationszelt ließ man Paddy nicht. Das Tierchen jaulte hilflos vor der Tür, schlich sich hinein, wurde erneut hinausgeworfen – und nahm dann endlich einen Geruch auf, den es kannte. Fiepend schmiegte Paddy sich an die Hand Jack McKenzies, die schlaff von der Trage hing. Paddys alter Freund machte zwar keine Anstalten, ihn zu streicheln, aber er war immerhin da. Allerdings war etwas nicht in Ordnung. Paddy roch Blut und Tod. Er setzte sich neben Jack und heulte herzzerreißend.

»Was hat denn die Töle? Das ist ja nicht auszuhalten!« Einer der jungen Pfleger warf einen Blick auf Jack und wollte seine Uniformjacke öffnen, aber Paddy knurrte ihn an.

»Noch schöner, jetzt will das Mistvieh auch noch beißen! Was denkt sich bloß der Commander, den hier rumlaufen zu lassen? Dr. Beeston!« Der junge Mann rief den Arzt an, der eben aus dem Operationsraum kam und sich müde umblickte. Eine unendliche Flut weiterer Fälle ... Dr. Beeston gab den Gedanken auf, zwischendurch einen Schluck Tee nehmen zu können.

»Commander Beeston? Ihr Köter ... äh ...« Der junge Pfleger besann sich im letzten Moment darauf, dass der Stabsarzt ihn direkt an die Front schicken konnte, wenn er sich jetzt falsch ausdrückte. Er mochte keine Hunde, aber er war nicht lebensmüde. »Könnten Sie ... äh ... Ihren Hund entfernen? Er behindert unsere Arbeit.«

Dr. Beeston kam irritiert näher. Bislang hatte er nie Klagen über Paddy gehört. Gut, er mochte mal im Weg gestanden haben, aber ...

»Das Tier lässt mich nicht an den Verwundeten heran, Sir!«, meldete der Pfleger. »Ich konnte ...« Er griff erneut nach Jacks Jackenaufschlag, doch Paddy schnappte nach ihm.

Dr. Beeston trat an die Trage. »Was soll das, Paddy? Aber warten Sie, das ist doch ...«

Der Arzt erkannte Jack McKenzie und riss sein Hemd jetzt selbst auf.

»Lungenverletzung, Sir!«, diagnostizierte der junge Corporal. »Mir ein Rätsel, wieso man ihn hergebracht hat. Das ist doch hoffnungslos …«

Dr. Beeston blitzte ihn an. »Vielen Dank für die fachmännische Stellungnahme, junger Mann!«, bemerkte er. »Sie müssen es ja wissen. Und nun in den OP mit dem Jungen! Aber schnell! Und behalten Sie Ihre Meinung für sich!«

Roly geriet in Panik, als er Jack nicht mehr fand, nachdem er die Suche nach Dr. Beeston frustriert aufgegeben hatte. Nur Paddy hielt die Stellung und winselte, als er Roly sah.

»Wo kann er denn nur sein, Paddy? Kannst du ihn nicht suchen? Mr. Jack? Unseren Mr. Jack? Du bist aber auch zu gar nichts nutze!«

»Wen suchen Sie, Private?«, fragte der junge Corporal im Vorbeigehen. »Den Lungenschuss von drüben? Der ist im OP. Persönliche Anordnung von Beeston. Neuerdings entscheiden hier die Haustiere, wer dem Chef unter die Hände kommt …«

Roly kehrte nicht zurück an die Front. Er hatte ein schlechtes Gewissen, betäubte es aber damit, dass er sich immerhin im Hospital nützlich machte, bis Beeston seine Operation beendete. Schließlich entdeckte Dr. Pinter, ein anderer Stabsarzt, den erfahrenen Pfleger und kommandierte ihn an seinen Operationstisch ab. Dr. Pinter war Orthopäde. Bei ihm landeten die Männer mit von Handgranaten und Minen zerfetzten Gliedmaßen. Bei der fünfzehnten Amputation hörte Roly auf zu zählen. Als er mit dem dritten blutigen Sack voller zerrissener Gewebefetzen aus dem Hospital kam, fragte er auch nicht mehr nach Jack. Es kamen immer noch Verwundete nach. Niemand hier würde sich an einen bestimmten Mann erinnern. Jacks Schicksal lag nicht mehr in Rolys Hand. Er würde warten müssen, bis Ruhe einkehrte, und ihn dann suchen.

Die Schüsse erstarben erst spät in der Nacht, und als Dr. Pinter endlich den letzten Verwundeten ins Hospitalzelt schickte, graute bereits wieder der Morgen.

»Sie werden doch nicht weiter angreifen, oder?«, fragte der Arzt einen Captain. Der noch blutjunge Offizier trug den Arm in der Schlinge. Er blickte Dr. Pinter aus leeren Augen an.

»Ich weiß nicht, Sir. Keiner weiß was. Major Hollander ist gestern gefallen, die Heeresleitung berät noch. Aber wenn Sie mich fragen, Sir ... die Schlacht ist verloren. Dieser ganze verdammte Strand ist verloren. Wenn die Generäle auch nur einen Funken Verstand haben, brechen sie das hier ab ...«

Roly erwartete, dass der Arzt den jungen Offizier rügen würde, aber Dr. Pinter schüttelte nur den Kopf. »Reden Sie sich nicht um Kopf und Kragen, Captain!«, mahnte er sanft. »Beten Sie lieber ...«

Die Gebete der Ärzte und Frontsoldaten wurden nicht erhört.

Stattdessen dröhnten kurz nach Tagesanbruch die ersten Maschinengewehrsalven. Neue Angriffswellen, neue Tote.

Die »Schlacht um Lone Pine«, wie man die August-Offensive später nach dem am heißesten umkämpften Schützengraben nannte, endete erst fünf Tage später. Erfolgreich, laut Heeresbericht.

Das ANZAC war hundert Yards weiter ins Land der Türken vorgedrungen. Sie erkauften den Vorstoß mit neuntausend Toten.

Roly fand Jack am Morgen des zweiten Tages – bevor die ersten neuen Verwundeten eintrafen und die todmüden Ärzte erneut zum Skalpell griffen. Unter den Hunderten von frisch operierten Männern, die in dichten Reihen und nur notdürftig versorgt auf den Feldbetten lagen, hätte er ihn stundenlang suchen müssen, wären da nicht Paddy und Dr. Beeston an seinem Bett gewesen. Jack war nicht bei Bewusstsein, aber er atmete und spuckte kein Blut mehr. Der Arzt inspizierte eben seine Wunde.

»O'Brien?«, fragte er, als Roly näher trat. Dr. Beestons Gesicht wirkte fast so blass und eingefallen wie das seines Patienten. »Verdankt er Ihnen, dass er hier ist?«

Roly nickte schuldbewusst. »Ich konnte ihn nicht liegen lassen, Sir«, gab er zu und wurde rot. »Ich bin mir natürlich bewusst, dass … Ich bin bereit, die Konsequenzen zu tragen.«

»Ach, lassen Sie das«, seufzte Beeston. »Ob dieser stirbt und jener lebt, wen interessiert das? Außer uns vielleicht. Wenn es Sie beruhigt, ich habe meine Kompetenzen ebenfalls überschritten – oder ausgedehnt, gelinde gesagt. Wir haben unsere Richtlinien. Wir sollten nicht Gott spielen.«

»Hätten wir das nicht auch getan, indem wir ihn liegen gelassen hätten, Sir?«, fragte Roly.

Beeston zuckte die Schultern. »Nicht in dem Sinne, O'Brien, damit hätten wir uns an die Richtlinien gehalten. Gott – und verstehen Sie das ruhig als Lästerung – kennt keine Richtlinien.«

Der Arzt deckte Jack vorsichtig zu. »Kümmern Sie sich um ihn, O'Brien. In diesem Chaos hier wird er sonst vergessen. Ich werde veranlassen, dass er heute noch auf die *Gascon* gebracht wird …«

Die *Gascon* war das bestausgerüstete Hospitalschiff.

»Nach Alexandria, Sir?«, fragte Roly hoffnungsvoll. Die

Verlegung ins Militärkrankenhaus in Alexandria bedeutete für einen Verwundeten meist ein Ende des Krieges.

Beeston nickte. »Und Sie begleiten ihn«, sagte er ruhig. »Das heißt, Sie begleiten den Transport. Für Sie hat nämlich auch jemand Gott gespielt, O'Brien. Jemand mit guten Verbindungen. Ihr Marschbefehl zurück nach Neuseeland kam gestern mit der Verstärkung. Angeblich kann ein sehr kriegswichtiger Invalide in Greymouth ohne Ihre Pflege nicht existieren. Ohne Sie, O'Brien, käme die gesamte neuseeländische Kohleförderung zum Erliegen. So wurde es jedenfalls dargestellt.«

Trotz des Ernstes der Situation konnte Roly ein Grinsen nicht unterdrücken.

»Das ist zu viel der Ehre, Sir!«, bemerkte er.

Beeston verdrehte die Augen.

»Ich wage das nicht zu beurteilen. Also packen Sie Ihre Sachen, Soldat! Kümmern Sie sich um Ihren Freund, und bleiben Sie um Himmels willen aus der Schusslinie, damit Ihnen jetzt bloß nichts mehr passiert. Die *Gascon* läuft um fünfzehn Uhr aus.«

Jack war dem Tod deutlich näher als dem Leben, als das Hospitalschiff in Ägypten eintraf, aber er war zäh. Dazu trug Rolys intensive Pflege maßgeblich zu seinem Überleben bei. Es gab viel zu wenig Sanitäter für die Vielzahl Schwerstverwundeter. Ein Teil der Männer starb noch auf dem Schiff, andere kurz nach der Ankunft in Alexandria. Jack hielt jedoch durch und kam irgendwann auch wieder zu Bewusstsein. Er schaute um sich, registrierte das Leid um sich herum und sein Überleben – aber er war ein anderer geworden. Jack redete nicht mehr. Er war nicht verstockt oder mürrisch wie viele andere Überlebende, die über ihren Zorn und ihre Angst vor der Zukunft verstummten. Jack antwortete höflich auf die Fragen der Ärzte und Schwestern. Darüber hinaus schien er aber einfach nichts zu sagen zu haben.

Rolys Scherze und aufmunternde Worte quittierte Jack mit Schweigen – und er machte keine Anstalten, seine Schwäche zu überwinden. Er schlief, oder er starrte schweigend zunächst auf die Decke über seinem Bett und dann, viel später, wenn er am Fenster sitzen durfte, hinaus in den meist blauen Himmel über Alexandria. Jack hörte auf den immer gleichen Ruf des Muezzins aus dem Turm der Moschee über der Stadt und dachte über Dr. Beestons Ausspruch nach, den Roly ihm hinterbracht hatte: Gott hält sich nicht an Regeln. Er fragte sich, ob es dann überhaupt Sinn hatte, zu ihm zu beten, aber damit hatte er ohnehin schon lange aufgehört.

Jacks Genesung zog sich über Monate hin. Zwar heilte die Wunde, aber er magerte ab und litt unter ständiger Müdigkeit. Roly blieb an seiner Seite. Er beachtete seinen Marschbefehl nicht weiter, und die Stabsärzte in Alexandria fragten nicht nach. Das Hospital war hoffnungslos überbelegt; jeder Pfleger wurde gebraucht. Zudem hatte sich die Dringlichkeit seines Einsatzes in der Heimat deutlich verringert, nachdem Tim Lambert seinen Roly außerhalb der Schusslinie wusste. Er schrieb gelegentlich nach Hause und erhielt Briefe von Mary und den Lamberts. Auch Briefe für Jack McKenzie trafen ein. Roly wusste nicht, ob er sie las. Jack selbst schrieb niemandem.

Im Dezember 1915 evakuierte die Britische Führung den Strand von Gallipoli, den man inzwischen nur noch »ANZAC-Beach« nannte. Der Abzug der Truppen ging geordnet und ohne weitere Verluste vonstatten. Die Briten schafften ihre Leute praktisch ohne Wissen der Türken aus dem Land. Zuletzt wurden die Gräben gesprengt.

Roly berichtete Jack atemlos von der erfolgreichen Aktion.

»Und zum Schluss haben sie den Kerlen noch eins versetzt!«, erzählte er begeistert. »Bei der Sprengung sind jede Menge Türken draufgegangen!«

Jack senkte den Kopf.

»Und wofür, Roly?«, fragte er leise. »Vierundvierzigtausend Tote auf unserer Seite – bei den Türken noch mehr, heißt es. Und alles für nichts.«

In der Nacht träumte er wieder von der Schlacht im Schützengraben. Wieder und wieder stieß er Bajonette und Spaten in die Körper seiner Gegner. In vierzigtausend Körper ... Als er schweißgebadet erwachte, schrieb er an Gloria und berichtete vom Abzug der ANZAC-Truppen. Er wusste, dass sie den Brief nie lesen würde, aber es erleichterte ihn, die Geschichte zu erzählen.

Im Winter plagte Jack hartnäckiger Husten. Ein Militärarzt sah seine Magerkeit und Blässe, diagnostizierte Tuberkulose und ordnete Jacks Verlegung in ein Sanatorium bei Suffolk an.

»Nach England, Sir?«, erkundigte sich Roly. »Können wir nicht nach Hause? Da gibt es bestimmt auch Lungenheilstätten ...«

»Keine militärischen Einrichtungen«, meinte der Arzt kurz. »Sie, Mr. O'Brien, können selbstverständlich nach Hause. Wir würden das sogar begrüßen. Sie haben sich hier zwar sehr nützlich gemacht, aber Sie sehen ja, dass sich das Hospital langsam leert. Es fällt auf, wenn wir dann noch einen Zivilisten beschäftigen.«

»Aber ich bin nicht offiziell entlassen ...«, wandte Roly ein.

»Sie haben nur einen sechs Monate alten Marschbefehl«,

lächelte der Arzt. »Machen Sie, was Sie wollen, O'Brien, aber verschwinden Sie hier. Von mir aus schmuggeln wir Sie auch auf das Schiff nach England. Aber Ihre Einheit sollten Sie endlich verlassen, bevor Sie noch jemand nach Frankreich schickt!«

Die aus Gallipoli abgezogenen ANZAC-Truppen wurden inzwischen teils in Frankreich, teils in Palästina eingesetzt.

Roly suchte sich Arbeit auf einem Bauernhof, während Jack in der fahlen Sonne eines englischen Frühlings lag und diesmal in einen mattblauen Himmel starrte. Sooft es ging, besuchte er seinen »Mr. Jack«, und als die Dienste des Sanatoriums auf die Versorgung von Kriegsinvaliden ausgeweitet wurden, fand er sogar einen Job als Pfleger. Tim Lambert stellte ihn weiterhin frei, bat aber um regelmäßige Nachricht von Jack. Seine Mutter, so schrieb er, sei höchst beunruhigt. Roly konnte das nachvollziehen. Die gestrenge Mrs. O'Brien hätte ihm sonst was erzählt, hätte er sie ein Jahr lang über sein Wohlergehen im Ungewissen gelassen. Jack schwieg jedoch zu seinen Vorwürfen und dem Angebot, ihm wenigstens einen Brief zu diktieren.

»Was soll ich schreiben, Roly?«

Jack sah das Korn auf den Feldern reifen; er hörte den Gesang der Schnitter und beobachtete, wie der Herbst die Blätter gelb färbte. Im Winter starrte er in den Schnee und sah doch nur den blutigen Sand von Gallipoli. Und es verging ein weiteres Jahr, in dem er keine gesundheitlichen Fortschritte machte. Manchmal dachte er an Charlotte, aber Hawaiki war weit, weiter noch als Amerika, oder wo immer Gloria sein mochte.

»Dreieinhalb Jahre, und immer noch Krieg ...«, murmelte Roly und blätterte in der Zeitung, die neben Jacks Liege auf dem Tisch lag. Es war ein ungewöhnlich warmer Tag für die Jahreszeit, und die Schwestern hatten die Kranken in den Garten gebracht. Frische Luft galt als heilsam. Frische Luft und Ruhe. »Wie soll das noch enden, Mr. Jack? Wird jemand gewinnen, oder kämpfen wir einfach immer weiter?«

Jack zuckte die Achseln. »Es haben schon alle verloren«, sagte er leise. »Aber am Ende wird es natürlich ein großer Sieg sein, wer immer ihn feiern möchte. Ich hätte übrigens auch Grund zum Feiern. Die Ärzte schicken mich nach Hause.«

»Im Ernst, Mr. Jack? Wir fahren nach Hause?« Roly strahlte über sein immer noch rundes Gesicht, in dem der Krieg allerdings seine Spuren hinterlassen hatte.

Jack lächelte schwach. »Sie stellen einen Transport mit Kriegsinvaliden zusammen. All die Amputierten und Blinden, die sie nicht gleich nach Hause schicken konnten oder wollten ...«

Die meisten Gallipoli-Opfer hatte man von Alexandria aus zurück nach Polynesien geschickt. Inzwischen aber verloren die Männer Aotearoas ihre Gesundheit auch in Frankreich und an anderen Kriegsschauplätzen. Man pflegte sie meist einige Zeit in England, bevor man ihnen die Reise zumutete.

»Dann kann ich doch gleich mitfahren«, freute sich Roly. »Brauchen die keine Pfleger?«

»Sie suchen Freiwillige unter den Krankenschwestern«, sagte Jack.

Roly strahlte übers ganze Gesicht. »Ist schon komisch«, meinte er dann. »Als das losging, wollte ich in den Krieg, damit sie mich nicht mehr ›Krankenbruder‹ riefen. Und jetzt wär ich glatt bereit, einen Rock anzuziehen, um als ›Schwester‹ heimzukommen!«

Und nun also Neuseeland. Der erste Blick auf die Südinsel – für diejenigen, die noch sehen konnten. Jack wusste, dass er dankbar sein sollte. Aber er fühlte wieder nichts als Kälte. Dabei war die Aussicht auf das Land im Nebel, aus dem sich die Gipfel der fernen Alpen wie schwebend erhoben, von atemberaubender Schönheit. Das Schiff würde in Dunedin anlegen. Jack fragte sich, ob Roly Tim Lambert und die Lamberts Gwyneira von ihrer Ankunft verständigt hatten. Wenn ja, würde die Familie ihn sicher am Kai erwarten. Jack graute davor. Aber er hatte realistische Chancen, dass es nicht der Fall war. Die Post war kriegsbedingt langsam; selbst zu normalen Zeiten hätte Roly jedoch viel Glück haben müssen, damit sein Brief vor ihm in Greymouth eintraf.

In Dunedin würde Jack wieder in einem Krankenhaus untergebracht werden. Allerdings nur kurz; er galt als geheilt.

»Sie husten nicht mehr, Sie haben keine Lungengeräusche ... das Einzige, was mir nicht gefällt, ist diese Schwäche«, erklärte ihm der Arzt in England. »Aber da müssen Sie sich vielleicht auch etwas zusammennehmen. Stehen Sie auf, laufen Sie herum! Nehmen Sie ein bisschen mehr am Leben teil, Sergeant Major McKenzie!«

In den letzten Tagen in Alexandria hatte Jack zu seiner Verwunderung erfahren, dass man ihn in Anbetracht seiner Tapferkeit in der Schlacht von Pine Creek noch einmal befördert und ihm einen Orden verliehen hatte. Er hatte sich das Metallstück nicht einmal angesehen.

»Willst du ihn haben?«, fragte er, als Roly ihn dafür rügte. »Hier, nimm ihn, du hast ihn mehr verdient als ich. Zeig ihn deiner Mary, leg ihn an, wenn du sie heiratest. Kein Mensch wird dich nach der Urkunde fragen.«

»Das meinen Sie nicht ernst, Mr. Jack!«, meinte Roly mit begehrlichem Blick auf die Samtschatulle. »Ich kann doch nicht ...«

»Natürlich kannst du!« Jack nickte. »Er wurde dir hiermit verliehen.« Mühsam öffnete er das Kästchen. »Knie nieder, oder was man in solchen Fällen tut, und ich übergebe ihn dir.«

Roly steckte sich stolz den Orden ans Revers, als das Schiff im Hafen von Dunedin einfuhr. Auch viele andere Männer schmückten sich mit ihren Trophäen. Sie mochten keine Arme und Beine mehr haben, aber sie waren Helden.

Die Menschenmenge, die sie am Hafen begrüßte, war allerdings erheblich kleiner als bei der Abfahrt. Hauptsächlich bestand sie aus Angehörigen der Kranken, die bei ihrem Anblick nicht jubelten, sondern weinten, sowie Ärzten und Schwestern. Das Sanatorium in Dunedin – wie man hörte, eine umfunktionierte Mädchenschule – hatte drei Wagen und einige Betreuer geschickt.

»Ist es Ihnen denn recht, Mr. Jack, wenn ich Sie jetzt verlasse?«, fragte Roly – nicht zum ersten Mal; er hatte seine Pläne schon mehrmals vor Jack ausgebreitet. Spätestens am Tag nach der Ankunft in Dunedin wollte er nach Greymouth aufbrechen, und nun, da das Schiff bereits am frühen Nachmittag angelegt hatte, hoffte er, noch einen Nachtzug nach Christchurch zu erwischen. »Und wollen Sie wirklich nicht mit? Christchurch ist doch ...«

Jack wehrte ab. »Ich bin noch gar nicht offiziell aus der Armee entlassen, Roly«, wich er aus.

Roly machte eine wegwerfende Handbewegung.

»Ach, wer fragt denn danach, Mr. Jack? Wir melden Sie ab, und die schicken Ihnen die Entlassungsunterlagen einfach nach. Mach ich doch genauso.«

»Ich bin müde, Roly ...«, sagte Jack.

»Sie können im Zug schlafen. Bitte, Mr. Jack! Mir wäre viel wohler, wenn ich Sie bei Ihrer Familie abliefern könnte.«

»Nur ›Jack‹, Roly. Und ich bin kein Paket.«

Roly ließ Jack schließlich allein, um ihre Sachen an Deck zu holen. Jack blieb einfach sitzen und beobachtete, wie die Schwestern den Männern an ihren Krücken und in ihren Rollstühlen an Land halfen. Auch ihm näherte sich schließlich eine junge Frau in dunklem Kleid und Schwesternschürze. Sie war jedoch nicht blau gekleidet wie die Berufsschwestern, also wahrscheinlich eine freiwillige Helferin.

»Kann ich Ihnen helfen?«, fragte sie freundlich.

Jack sah in ein schmales, von streng zurückgekämmtem, dunklem Haar umrahmtes Gesicht, in dem sich kluge, blassgrüne Augen hinter dicken Brillengläsern versteckten. Die Frau errötete, als sie seinen forschenden Blick sah.

Aber dann schien auch in ihren Augen ein vages Erkennen aufzublitzen.

Jack kam ihr zuvor. »Miss Bleachum?«, fragte er tastend.

Sie lächelte ihn an, konnte ihr Erschrecken bei seinem Anblick aber nicht völlig verbergen. Der kräftige, immer vergnügte Vormann von Kiward Station, Gwyneira und James McKenzies lebhafter Sohn, Gloria Martyns unbeschwerter Freund und unerschütterlicher Fürsprecher lehnte blass und schmal, obwohl es nicht kalt war, in Decken gehüllt in einem Liegestuhl, zu erschöpft, um ohne Hilfe in seiner Heimat an Land zu gehen. Jack las Sarahs Gedanken und schämte sich seiner Schwäche. Schließlich richtete er sich auf und zwang sich zu lächeln. »Ich freue mich, Sie wiederzusehen.«

2

Während Jack und Sarah Bleachum sich unterhielten, kam Roly zurück, seinen eigenen und Jacks Seesack geschultert.

»Mr. Jack, man sollte es doch nicht für möglich halten!«, lachte er. »Noch nicht ganz im Hafen, und schon ein Mädchen an seiner Seite. Madam ...« Roly versuchte mit einer Handbewegung sein krauses Haar zu glätten und verbeugte sich förmlich.

Sarah Bleachum lächelte schüchtern. Jack stellte sie vor.

Roly wirkte erleichtert, als er hörte, dass sie zum Princess-Alice-Sanatorium gehörte.

»Dann kann ich Ihnen Mr. Jack ja getrost überlassen«, erklärte Roly vergnügt. »Wissen Sie zufällig, ob heute noch ein Zug nach Christchurch geht?«

Sarah nickte. »Ich kann Ihnen auch einen Platz besorgen, Mr. McKenzie«, bot sie an. »Sogar im Liegewagen. Wenn ich Ihre Mutter anrufe, schickt sie jemanden von Kiward Station zum Bahnhof. Natürlich sollten Sie eigentlich erst untersucht werden, aber soweit ich weiß, ist das Princess-Alice-Sanatorium für diesen Transport nur als Übergangsstation geplant. Die Männer können alle nach Hause. Allerdings leben sie über die ganze Südinsel verteilt. Bei manchen wird es sicher ein paar Tage dauern, bis die Weiterreise organisiert ist.«

Roly nickte eifrig, und auch Jack wusste natürlich, dass jeder hier »gesund« geschrieben war. Ein Teil der Invaliden wurde bereits am Kai von ihren Familien in Empfang genommen.

»Tut mir leid, Miss Bleachum, aber ich möchte trotzdem ... ich bin einfach müde, verstehen Sie ...« Jack errötete ob der Lüge. Er fühlte sich nicht schwächer als in den Tagen zuvor, aber der Gedanke, nach Kiward Station zurückzukehren, jagte ihm Angst ein. Das leere Bett in dem Zimmer, in dem er mit Charlotte gewohnt hatte. Glorias leere Zimmer. Der leere Platz seines Vaters – und die traurigen Augen seiner Mutter, in denen er womöglich auch noch Mitleid lesen würde. Auf die Dauer musste er das alles ertragen. Aber nicht an diesem Tag noch. Nicht gleich.

Sarah wechselte einen Blick mit Roly, der die Schultern zuckte.

»Also, ich gehe dann. Man sieht sich, Mr. Jack!« Roly winkte und drehte sich um.

»Roly?« Jack hatte das Gefühl, dem wuschelhaarigen jungen Mann zumindest eine Umarmung zu schulden, aber er konnte sich nicht überwinden. »Roly ... vielleicht könntest du einfach nur ›Jack‹ sagen?«

Roly lachte. Dann warf er die Seesäcke ab, ging noch mal auf Jack zu und zog ihn in eine bärentatzige Umarmung. »Machen Sie's gut, Jack!«

Jack lächelte, als er winkend abzog.

»Ein guter Freund?«, fragte Miss Bleachum und nahm Jacks Seesack.

Jack nickte. »Ein sehr guter Freund. Aber Sie brauchen meine Sachen nicht zu tragen. Ich schaffe das schon ...«

Sarah schüttelte den Kopf. »Nein, lassen Sie mal. Ich muss mich doch nützlich machen. Sie ... Sie können sich auch gern auf mich stützen.« Sehr einladend klang das eigentlich nicht. Jack erinnerte sich auch nur zu gut an Miss Bleachums Neigung zur Prüderie.

»Seit wann sind Sie Krankenschwester?«, erkundigte er sich höflich.

Sarah lachte nervös. »Bin ich eigentlich gar nicht. Ich helfe nur ein bisschen. Ich soll … ich soll die Kranken ein wenig unterhalten …«

Jack runzelte die Stirn. Er konnte sich Miss Bleachum gut als Unterhalterin für eine ältere Dame vorstellen, aber sie war nicht gerade die Frau, den man einstellte, um Männern die Zeit zu vertreiben. Das war jedoch nicht sein Problem. Er folgte der jungen Frau langsam die Gangway hinunter. Sarah gesellte sich zu ein paar anderen Schwestern, die Rollstühle schoben oder Blinde führten. Die meisten von ihnen trugen die hellblaue Tracht mit weißem Kragen und Häubchen. Sarah beäugten sie argwöhnisch. Wahrscheinlich war es nicht das erste Mal, dass sie sich einen der gesünderen Patienten zur Betreuung auswählte.

Ein dunkelhaariger Arzt ging von einem zum anderen und begrüßte die Neuankömmlinge, bevor man ihnen in die Fahrzeuge half. Jack kam der Mann bekannt vor. Vor allem aber irritierte ihn das Aufleuchten in Sarahs Gesicht, als der Mann sich näherte.

»Das ist Dr. Pinter!«, stellte sie den Mann strahlend vor. Auch der Arzt lächelte, wurde aber ernst, als er Jack ins Gesicht sah.

»Dr. Pinter, das ist …«

»Wir kennen uns, nicht wahr?«, fragte Pinter. »Warten Sie … ich erinnere mich … Staff Sergeant McKenzie, nicht wahr? Gallipoli … Der Lungendurchschuss, den Beestons Hund gerettet hat …« Er lächelte bitter. »Ein paar Tage waren Sie das Gesprächsthema im Lazarett. Ich freue mich, dass Sie es überlebt haben!«

Jack nickte. »Und Sie waren … Captain?«

Pinter zuckte die Achseln. »Major. Aber wen interessiert das schon? Im Lazarettzelt wateten alle im gleichen Blut. Gott, das ist selten, dass wir jetzt noch Verwundete aus Gallipoli reinkriegen. Die meisten kommen aus Frankreich. Sie waren doch nicht noch mal an der Front, oder?«

»Nein. Mr. McKenzie wurde in England behandelt!«, mischte Sarah sich ein und hatte auch schon Jacks Akte aus einem Stapel herausgesucht, um sie Pinter hinzuhalten.

»Und Sie?«, fragte Jack angestrengt. Das Schicksal des Arztes interessierte ihn nicht wirklich, aber er hatte das Gefühl, die Konversation aufrechterhalten zu müssen. Die Lehrerin und der Arzt bestiegen jetzt gemeinsam mit ihm den Bus. Er konnte nicht schweigend neben ihnen sitzen und seine Blicke über die Kulisse der Alpen schweifen lassen. »Ich meine, Sie ... waren doch Stabsarzt, und es ist immer noch Krieg ...«

Dr. Pinter biss sich auf die Lippen. Sein Gesicht wurde ernst, und Jack erkannte die Spuren, die Gallipoli darin hinterlassen hatte. Auch er war mager und blass, sein noch junges Gesicht von Falten durchzogen. Der Arzt hob die Hände und hielt sie vor seinen Körper. Jack sah, dass sie unkontrolliert zitterten.

»Ich konnte nicht mehr operieren«, sagte Pinter leise. »Man weiß nicht, was es ist ... vielleicht eine Nervenlähmung. Es begann in Gallipoli ... am letzten Tag ... sie hatten schon fast alle Truppen evakuiert, alle wollten nur noch weg ... nur noch die Letzten patrouillierten in den Gräben. Es sollte aussehen, als seien die noch voll bemannt. Tja, und ein paar der Jungs haben es wohl übertrieben. Wollten den Türken ein Scheingefecht liefern, aber die hatten schwere Artillerie hinter sich. Die Männer ... wurden zerfetzt. Was von ihnen übrig blieb, bekam ich auf den Tisch. Ich habe einen Siebzehnjährigen gerettet, wenn man das so sagen will. Beide Arme ... beide Beine ... Lassen Sie uns nicht mehr darüber reden. Danach begann dieses Zittern ...«

»Sie brauchen vielleicht einfach Ruhe«, meinte Sarah leise.

Pinter senkte den Blick. »Ich brauche ein paar andere Erinnerungen«, flüsterte er. »Ich möchte kein Blut mehr sehen, wenn ich die Augen schließe. Ich möchte keine Schüsse mehr hören, wenn um mich herum Stille herrscht.«

Jack nickte. »Ich stelle mir das Wasser vor«, sagte er leise. »Den Strand ... der erste Blick auf den Strand, bevor wir landeten. Es war ein schöner Strand ...«

Dann schwiegen beide Männer. Sarah wollte etwas anmerken, aber seichte Unterhaltungen lagen ihr nicht. Beinahe neidisch blickte sie zu den anderen Schwestern hinüber, die mit ihren Patienten plauderten und scherzten.

Jack erhielt ein Zweibettzimmer, zusammen mit einem mürrischen älteren Mann, der sich an eine Whiskeyflasche klammerte. Wo er sie herhatte, blieb Jack unklar, aber er war eindeutig nicht bereit, auch nur einen Schluck davon abzugeben.

»Medizin gegen Kopfschmerzen«, brummte er nur und zeigte auf eine hässliche Narbe in der linken Gesichtshälfte. Noch einer, der eine Verletzung überlebt hatte, mit der man normalerweise gar nicht erst im Lazarett landete. Ein Kopfschuss war fast immer tödlich.

»Kugel ist noch drin«, sagte der Mann. Dann trank er schweigend. Jack war das recht. Er starrte hinaus in den Garten vor ihrem Fenster. Es regnete. Nach Sarahs Auskunft hatte es viel geregnet in den vergangenen Wochen. Jack dachte vage an die Heuernte auf Kiward Station. Das alles war weit weg. Gallipoli war nahe.

Am nächsten Morgen besuchte ihn Sarah Bleachum. Jacks Mitbewohner war schon früh verschwunden – wahrscheinlich auf der Jagd nach Nachschub an »Medizin«. Jack selbst verspürte die übliche bleierne Müdigkeit und Kälte. Aber er ahnte, dass Sarah ihn nicht in Ruhe lassen würde. Also war er immerhin angekleidet, saß am Fenster und blickte hinaus in den Regen, als die junge Frau erschien.

»Der nächste Zug nach Christchurch geht um elf«, erklärte sie. »Soll ich Sie zum Bahnhof bringen lassen?«

Jack biss sich auf die Lippen. »Miss Bleachum, ich würde lieber ... ich würde mich gern noch etwas erholen ...«

Sarah Bleachum zog sich den zweiten Stuhl ans Fenster.

»Was ist los, Mr. Jack? Warum wollen Sie nicht nach Hause? Hatten Sie Streit mit Ihrer Mutter? Böse Erinnerungen?«

Jack schüttelte den Kopf. »Zu gute Erinnerungen«, sagte er müde. »Das ist das Schlimmste, wissen Sie? Gallipoli ... das Blut ... es tut weh, aber irgendwann verblasst das. Das Glück jedoch, Miss Bleachum ... das vergessen Sie nie. Das hinterlässt eine Leere, und nichts füllt sie auf ...«

Sarah seufzte. »Ich habe nicht viele glückliche Erinnerungen«, murmelte sie. »Gut, ich war selten richtig unglücklich. Ich unterrichte sehr gern, ich mag meine Schülerinnen. Aber so etwas Großes ...«

»Dann sind Sie zu beneiden, Miss Bleachum«, sagte Jack kurz und versank wieder in Schweigen.

»Wollen Sie nicht davon erzählen?«, fragte Sarah verzweifelt. »Ich meine ... dafür bin ich da. Ich bin sonst zu nichts nütze, ich tauge nicht zur Krankenschwester. Ich mag die Männer nicht anfassen. Die anderen Schwestern ... sie sagen, ich hätte kein Mitgefühl ...«

»Vielleicht empfinden Sie zu viel«, meinte Jack. »Warum suchen Sie sich keinen anderen Job?«

Sarah kaute auf ihren Lippen und rieb sich die Augenbrauen. Dabei verfolgte ihr Blick die hochgewachsene Gestalt

Dr. Pinters, der gerade, eine Plane gegen den Regen über die Schultern geworfen, über den Schulhof rannte.

»Warum nimmt er sich keinen Schirm«, sagte sie leise. »So wird er doch nass. Er wird sich den Tod holen …«

Jack lächelte schwach. »Womit die Frage beantwortet wäre … erwidert er Ihre Gefühle? Mein Gott, habe ich Sie so etwas nicht schon einmal gefragt? Oder meine Mutter? Es ging um diesen Reverend …«

Sarah Bleachum errötete, und ihr Mund wurde schmal.

»Reverend Bleachum vermochte meine Gefühle nicht zu erwidern«, bemerkte sie. »Was Dr. Pinter angeht … solange er Gallipoli nicht verlassen kann …«

Jack hätte jetzt ihre Hand nehmen und tröstende Worte sagen müssen. Es war vertrackt. Er wusste, was das Richtige wäre, brachte es aber nicht über sich, es auch zu tun.

»Es war eigentlich ein schöner Strand …«, sagte er noch einmal.

»Und Sie meinen, er wird es vergessen?«, fragte Sarah hoffnungsvoll. »Irgendwann wird er aufwachen und mich vielleicht wahrnehmen?«

Jack nickte, obwohl er sich keineswegs sicher war. »Lassen Sie den Krieg erst vorbei sein. Bringen Sie ihn irgendwo hin, wo er keine verstümmelten Männer mehr sieht. An irgendeinen schönen Ort.«

»Wenn er denn will«, sagte Sarah. »Kiward Station ist ein schöner Ort.« Sie sah Jack forschend an. »Und trotzdem scheuen Sie davor wie ein Pferd. Genau wie …«

»Es ist ein leerer Ort«, fiel Jack ihr ins Wort. »Ich spüre Charlotte dort. Und meinen Vater. Und Gloria. Aber es ist wie ein Haus nach einem großen Fest. In den Zimmern steht noch der Rauch der Zigarren und der Duft der Kerzen. Es riecht nach abgestandenem Wein, und man meint, den Nachhall von Gelächter zu hören, aber da ist nichts mehr. Nur Leere und

Schmerz. Ich dachte, ich verkrafte das mit Charlotte. Und mein Vater ... er war alt. Sein Tod entsprach den Regeln ...«

Sarah runzelte die Stirn. »Den Regeln?«, fragte sie.

Jack antwortete nicht.

»Aber Gloria ... seit Gloria verschwunden ist ... ich bringe es nicht fertig, Miss Bleachum. Ich bringe es nicht fertig, meiner Mutter in die Augen zu sehen und darin nichts als Fragen zu lesen. Und die einzige Antwort ist, dass Gott sich nicht an Regeln hält ...«

Sarah griff nach seiner Hand.

»Aber Gloria ist wieder da, Jack! Ich dachte, Sie wüssten das! Hat Miss Gwyn Ihnen denn nicht geschrieben? Na ja, wahrscheinlich waren Sie schon auf See. Aber Gloria ist zurück. Sie war hier, hier bei mir!«

Jack sah sie fassungslos an. »Und jetzt ...?«

Sarah zuckte die Schultern. »Miss Gwyn hat sie abgeholt. Soviel ich weiß, ist sie auf Kiward Station.«

Jacks Hand krampfte sich um die ihre. »Das ... das ist ... Kann ich den Zug wohl noch erreichen? Und rufen Sie meine Mutter für mich an?«

Gwyneira McKenzie war glücklich – aber sie hatte auch ein beunruhigendes Gefühl von Déjà-vu, als sie Jack auf dem Bahnsteig in Empfang nahm. Der schmale, blasse junge Mann, der viel zu langsam und schwerfällig aus dem Zug stieg, war ihr fremd geworden. Sein Gesicht hatte Falten, die dreieinhalb Jahre zuvor noch nicht da gewesen waren, und durch sein rotbraunes Haar zogen sich fast weiße Strähnen. Zu früh, viel zu früh für sein Alter. Vor allem erschreckte sie seine hölzerne Umarmung. Es war genau wie bei Gloria – auch wenn Jack immerhin höflich war und zumindest so tat, als würde er Gwyneiras liebevolle Begrüßung erwidern.

Und Jack schien ebenfalls nicht reden zu wollen. Er antwortete auf Fragen, versuchte auch ein Lächeln, erzählte aber nichts. Er schien die letzten Jahre fest in sich verschließen zu wollen. Genau wie Gloria. Gwyneira graute es bei dem Gedanken, demnächst zwei schweigende, in sich zurückgezogene Gestalten am Abendbrottisch zu sehen – obwohl sie sich andererseits nichts mehr wünschte, als Gloria wenigstens wieder im Haus zu haben. Das Mädchen war mit den Maoris unterwegs, und trotz aller Spannungen vermisste Gwyneira es und machte sich Sorgen. Eigentlich sollte Gloria beim Stamm nicht in Gefahr sein, aber die ständige Sorge begleitete Gwyn jetzt schon so lange, dass es kaum möglich war, sie niederzukämpfen.

Und nun also Jack. Gwyneira hatte das Auto genommen, um ihn abzuholen. Es regnete anhaltend, und langsam wurde sie zu alt für die Fahrt in der zugigen Chaise, deren Verdeck einen zwar trocken hielt, aber nicht warm.

»Du fährst selbst?«, fragte Jack verwundert, als sie ihm die Tür öffnete.

»Warum nicht?«, fragte Gwyn. »Mein Gott, es gehört wirklich nicht viel dazu, diese Dinger zu lenken. Früher war's ein bisschen schwierig, sie anzuwerfen. Aber jetzt ... das kann wirklich jeder.«

Sie legte krachend den Gang ein und gab viel zu viel Gas. Dann betätigte sie die Hupe, um sich freie Bahn zu verschaffen. Jack fühlte sich erst halbwegs sicher, als sie Christchurch hinter sich ließen und über die weitgehend freien Straßen durch die Canterbury Plains tuckerten. Es wurde schon dämmerig, und Jack starrte in das diffuse Licht. Vor den Alpen lag ein Regenschleier.

Gwyneira beklagte sich über die schlechte Heuernte und darüber, dass man die Schafe früher aus dem Hochland eintreiben müsste als sonst.

»Und nicht mal hier unten wächst das Gras so üppig wie normal. Es war einfach zu kalt in diesem Sommer. Den Rinderbestand habe ich schon verringert – lieber weniger, aber die richtig rund und nicht so abgemagert. Ich bin froh, dass du wieder da bist, Jack! Es wird mühsam, alles allein zu tun.« Gwyneira legte ihrem Sohn die Hand auf die Schulter. Jack reagierte nicht.

»Bist du müde, Jack?« Gwyneira versuchte verzweifelt, ihm irgendeine normale Reaktion zu entlocken. »Es war ein langer Tag, nicht wahr? Eine lange Reise.«

»Ja«, sagte Jack. »Tut mir leid, Mutter, aber ich bin sehr müde.«

»Du wirst dich hier bald erholen, Jack!«, meinte Gwyneira optimistisch. »Wir müssen sehen, dass du wieder Fleisch auf die Rippen kriegst. Und in die Sonne kommst. Du bist ja bleich wie der Tod. Diese Krankenhäuser ... was du brauchst, ist ein bisschen frische Luft, ein gutes Pferd ... und wir haben Welpen, Jack. Du solltest dir einen aussuchen. Was ist heute für ein Tag, Jack? Dienstag? Dann solltest du ihn Tuesday nennen. Dein Vater hat seine Hunde immer nach den Wochentagen genannt ...«

Jack nickte erschöpft. »Nimue ... gibt es die noch?«, fragte er vorsichtig.

Gwyneira nickte. »Sicher. Aber sie ist bei Gloria – und entdeckt ihre Wurzeln.« Sie schnaubte. »Wobei Nimue dazu ja eher nach Wales reisen müsste. Aber Gloria erforscht zurzeit ihr Maori-Erbe. Sie ist auf Wanderschaft mit Maramas Stamm. Wenn du mich fragst, schmiedet Tonga Heiratspläne. Bevor sie loszogen, klatschten die Leute über Gloria und Wiremu.«

Jack schloss die Augen. Also doch ein leeres Haus. Nicht mehr als der Nachhall von Stimmen und Gefühlen in verlassenen Räumen.

Oder? Zu seiner Verwunderung bemerkte Jack, dass er etwas empfand. Einen Hauch von Zorn – oder Eifersucht! Wieder versuchte jemand, ihm Gloria wegzunehmen. Erst die Martyns, jetzt Tonga. Und immer kam er zu spät, um sie zu schützen.

»Ich weiß nicht, was ich noch tun soll. Er verschanzt sich in seinem Zimmer. Es ist fast noch schlimmer als mit Gloria. Die ritt wenigstens aus ...«

Gwyneira füllte Tee in die Tasse ihrer Enkelin Elaine. Wie fast jedes Jahr zum Sommerende war Elaine mit ihren beiden jüngeren Söhnen nach Kiward Station gekommen, um ein bisschen Landluft zu schnuppern. Ihr Ältester besuchte inzwischen ein Internat in Dunedin und verbrachte die Ferien in Greymouth. Er interessierte sich brennend für die Arbeit seines Vaters und half gern in der Mine, wobei er auch die Arbeit unter Tage nicht scheute. Elaine dagegen genoss den Umgang mit den Schafen und Pferden. Schon als Kind hatte sie Kura um ihr Erbe beneidet, und mitunter wurde Gwyneira jetzt noch wehmütig zumute. Wie viel einfacher wäre alles gewesen, hätten ihre Tochter Fleurette und anschließend Elaine und ihre Brüder die Farm geerbt!

»Du meinst, er macht gar nichts auf der Farm?«, fragte Elaine. Sie war eben angekommen, hatte Jack aber noch nicht gesehen. Sein Freund Maaka hatte ihn genötigt, sich ein paar Zuchttiere anzusehen. Der Maori-Vormann versuchte verzweifelt, Jack wieder für Kiward Station zu interessieren. Aber Gwyneira wusste genau, wie es ablaufen würde. Jack würde mitreiten, einen Blick auf die Tiere werfen und ein paar unverbindliche Worte sagen. Dann würde er sich mit Müdigkeit entschuldigen und erneut in seinem Zimmer verbarrikadieren.

»Er war doch mal Vormann hier!« Elaine nahm sich noch eine Tasse Tee.

Gwyneira nickte wehmütig. »Er hatte alles im Griff. Und es liegt ihm ja auch im Blut. Jack ist ein geborener Farmer und Züchter – und Hundetrainer. Seine Collies waren immer die besten in ganz Canterbury. Und jetzt? Der Welpe, den ich ihm geschenkt habe, ist bei ihm. Nach ein paar Anlaufschwierigkeiten. Aus irgendwelchen Gründen wollte Jack keinen Hund. Aber du kennst Collies. Tuesday hat so lange vor seiner Zimmertür gefiept, bis er sie reingelassen hat. Eine Geduldsprobe, ich konnte es schon nicht mehr mit anhören. Jetzt duldet er sie. Wenn auch nicht mehr als das. Er bildet sie nicht aus, geht nicht mehr als nötig mit ihr nach draußen ... Sie darf ihm lediglich beim ›Aus dem Fenster gucken‹ Gesellschaft leisten. Wenn ihr das langweilig wird, lässt er sie raus; dann läuft sie mir hinterher oder geht in die Ställe. Ich bin mit meinem Latein am Ende!«

»Vielleicht kriegen die Jungs und ich ihn ja aus der Reserve«, überlegte Elaine. »Er mag doch Kinder.«

»Versuch es«, meinte Gwyneira mutlos. »Aber im Grunde hat Maaka schon alles durch. Er bemüht sich so sehr, es ist rührend. Dabei hatte ich anfangs Angst, es könnte zu Kompetenzgerangel kommen. Maaka hat die Farm jetzt dreieinhalb Jahre faktisch geleitet. Aber er hätte das Ruder sofort an Jack abgegeben, wenn der bloß gewollt hätte! Am ersten Abend kamen Maaka und ein paar andere alte Kumpel mit einer Flasche Whiskey rüber. Jack abholen. Kennst ja die Kerle, sie betrinken sich lieber in den Ställen. Jack hat die Horde in den Salon gebeten, Gläser rausgesucht ... Die Jungs wussten nicht, wo sie hingucken sollten! Ich habe mich dann zurückgezogen, in meiner Gegenwart sind sie ja noch befangener. Anschließend sollen sie wohl ein paar Worte gewechselt haben – und schließlich haben sie sich weitgehend schweigend betrunken. Meint jedenfalls Kiri, sie hat ihnen zwischendurch ein paar Sandwiches gemacht. Auch zur größten Verwunderung der Viehhüter. Das war wohl das zivilisierteste Besäufnis ihres Lebens. Seitdem versucht Maaka immer wieder, Jack irgendwo einzubeziehen. Aber er läuft gegen eine Wand.«

»Maaka ist nicht mit dem Stamm auf Wanderschaft?«, fragte Elaine. Gwyneira hatte ihr vorher ausführlich von Gloria erzählt.

Ihre Großmutter schüttelte den Kopf. »Gott sei Dank nicht. Ich wüsste nicht, was ich ohne ihn machen sollte. Gerade in diesem scheußlichen Sommer. Die Heuernte war katastrophal, die Hälfte ist verregnet. Und wenn es so weitergeht, müssen wir die Tiere zudem früher eintreiben. Hoffentlich sind die Maoris bis dahin zurück.«

»Sonst mache ich es mit meinen zwei Cowboys!« Elaine lachte und schaute aus dem Fenster. Ihre beiden Jungs vergnügten sich auf den Weiden vor dem Haus mit zwei Cobstuten. Frank Wilkenson versuchte sich als Reitlehrer. »Und weißt du was? Ich möchte auch einen neuen Collie. Callie ist jetzt so lange tot, aber ich schaue mich immer noch nach ihr um. Ich brauche einen neuen Schatten! Und ich schnappe mir Jack wegen der Ausbildung. Er muss mir zeigen, wie es geht. Dann wird er auftauen.«

Jack erschien eine Stunde später, verschwitzt und müde nach dem Ritt. Früher hätte ihn der kurze Ausflug nicht angestrengt, aber nach der langen Zeit des Krankseins war es deutlich zu viel für ihn. Dennoch trank er einen Tee und wechselte ein paar höfliche Worte mit Elaine. Wobei ihn vor allem Rolys Wohlergehen interessierte.

»Roly geht's gut, er wird nun endlich heiraten!«, erzählte

Elaine gewollt fröhlich. Jacks Magerkeit und Blässe hatten auch ihr einen Schock versetzt. »Ich soll dich ausdrücklich einladen. Ansonsten ist er sehr beschäftigt. Erst mal kümmert er sich wieder um Tim – was dem sehr guttut. Er kommt allein zurecht, aber es ist mühsam. Und er schafft es natürlich nicht, um Hilfe zu bitten, sondern lässt seine schlechte Laune an der Familie aus! Seit Roly wieder da ist, geht's uns allen besser. Außerdem hat er einen neuen Patienten, Greg McNamara – der Junge, der damals mit ihm in den Krieg zog. Es ist tragisch. Der arme Kerl hat beide Beine verloren, und die Familie ist völlig hilflos. Bis Roly zurückkam, lag Greg den ganzen Tag im Bett. Die Mutter und die Schwestern können ihn einfach nicht heben, und die kleine Rente reicht gerade für den Lebensunterhalt. Wir haben ihnen jetzt erst mal Tims alten Rollstuhl geschenkt, und der Reverend will sich darum kümmern, dass sie Zuschüsse für die Pflege bekommen. Greg würde auch gern arbeiten, aber damit sieht's natürlich schlecht aus. Mrs. O'Brien könnte ihn in der Näherei anstellen, aber Roly traut sich nicht, es ihm anzubieten. Sieht zu sehr nach ›Heimzahlen‹ aus.«

Jack verzog traurig den Mund. »Der ›Krankenbruder‹ …«, erinnerte er sich an Gregs Hänseleien.

»Wie gesagt, es ist tragisch«, meinte Elaine. »Du hast Glück gehabt, Jack …«

Jack biss sich auf die Lippen. »Ja, das habe ich«, sagte er leise. »Wenn ihr mich jetzt entschuldigen würdet? Ich sollte mich waschen …«

Bis zu einem gewissen Grad ging Elaines Rechnung in der Folge auf. Jack antwortete höflich auf ihre Bitte um Hilfe bei der Hundeausbildung, und er fand sich jeden Morgen pünktlich auf dem Hof ein, um mit Elaine und ihrer Shadow zu arbeiten. Tuesday kam das ebenfalls zugute. Sie lernte schnell und betete ihren Herrn an. Allerdings kam sie nicht, wie Shadow, in den Genuss eines anschließenden Spaziergangs oder Ausritts. Jack zog sich direkt nach dem Training zurück. Er schien auch keine Freude an der Arbeit mit den Tieren zu finden wie früher. Wenn er die Hunde lobte, tat er es freundlich und sachlich, doch seine Augen leuchteten nicht auf, und in seiner Stimme lag kein Lachen.

»Er benimmt sich untadelig«, berichtete Elaine Gwyneira. »Aber es ist, als wäre etwas in ihm tot.«

3

»Und was hört ihr von euren verlorenen Kindern?«

Gwyneira hatte so viel mit ihren eigenen Sorgen zu tun gehabt, dass sie sich erst spät nach Lilian und Ben erkundigte. Sie fuhr ihre Enkelin in der Chaise von Kiward Station nach Christchurch. Elaine wollte Elizabeth Greenwood besuchen und am nächsten Tag nach Greymouth zurückreisen.

Elaine zuckte die Schultern. »Widersprüchliches«, sagte sie dann.

Gwyneira runzelte die Stirn. »Was habe ich darunter zu verstehen?«

Sie erwartete keine besonderen Neuigkeiten, die hätte Elaine schon von sich aus berichtet. Schließlich informierte sie Gwyn auch in ihren Briefen regelmäßig über das junge Paar, und sie wusste von ihrem ersten Ururenkel, den Lilian aus unerfindlichen Gründen Galahad genannt hatte.

»Laut Calebs Quellen, also den Professoren an der Universität, geht es ihnen gut«, präzisierte Elaine. »Laut George Greenwoods Privatdetektiv geht es ihnen sehr gut.«

Gwyneira schüttelte verständnislos den Kopf und schnalzte den Cobs vor der Chaise zu. Es regnete ausnahmsweise einmal nicht, und Elaine bevorzugte eindeutig die Kutsche. Jeremy und Bobby ritten stolz auf zwei Pferden nebenher. Ansonsten hätte Elaine auch nicht so offen geredet. Sie hielt ihre Informationen über Lilian und Ben vor ihrem Mann und ihren Söhnen geheim – genau wie Caleb Biller vor seiner Familie. Dabei hatten beide ihre Informationsquellen. Caleb, immerhin selbst ein geachteter Völkerkundler, stand in Verbindung mit

Bens Alma Mater, und Elaine erhielt zweimal im Jahr den Bericht einer Detektei, die George Greenwood für sie beauftragt hatte.

»Wo ist der Unterschied?«, fragte Gwyn.

»Na ja, die zwei sind ja gerade nach Wellington gezogen«, meinte Elaine. »Ben hat dort eine Dozentenstelle. Caleb platzt vor Stolz! Einen so jungen Mann stellen sie sonst allenfalls als Hilfskraft an. Ben war schon immer ein Überflieger – auch wenn ich ihm das nie angemerkt habe, aber das heißt ja nichts.«

Gwyneira lächelte.

»Und?«, fragte sie.

»Nun, eine Dozentenstelle bedeutet ein kleines Gehalt. Ben brauchte also nicht mehr im Hafen zu arbeiten oder was er sonst so getrieben hat, um die Familie zu ernähren. Er könnte sich eine kleine Wohnung leisten und sollte gerade so über die Runden kommen, sofern Lilian sparsam wirtschaftet. Oder noch ein paar Klavierstunden gibt.«

»Aber?« Gwyneira wurde ungeduldig.

»Aber tatsächlich sind sie in ein hübsches Haus mit Garten am Stadtrand gezogen. Ben gibt kleine Gesellschaften für seine Studenten, und am Vormittag fährt eine Nanny den kleinen Galahad spazieren. In einem sehr teuren Kinderwagen, meint der Detektiv. Lilian trägt hübsche Kleider, und wenn eine Theateraufführung oder ein Konzert ansteht, sind die Billers dabei.«

»Und wie finanzieren sie das?«, fragte Gwyn verblüfft.

»Das ist eben die Frage.« Elaine hielt ihren Hut fest, den der Fahrtwind wegzuwehen drohte. Die Cobstuten hatten es eilig. Die beiden Jungs hatten überholt und galoppierten vor ihnen her.

»Ich hoffe, dass Elizabeth Greenwood mir vielleicht mehr sagen kann. George hat den Detektiv wohl noch mal drauf angesetzt.«

»Vermutest du irgendwas Ungesetzliches?«, fragte Gwyneira besorgt. Sie selbst hielt so etwas stets für möglich, seit James sich damals als Viehdieb verdingt hatte.

Elaine lachte. »Kaum. Der Gedanke, dass Ben Biller Banken ausrauben könnte, ist mir ehrlich gesagt noch nie gekommen. Das würde ihn ja interessant machen. Aber nach allem, was ich über ihn gehört habe, ist er einfach nur ein netter Langweiler. Ganz der Vater. In der Schule ein Streber, als Poet hoffnungslos, als Geschäftsmann ungeeignet. Letztere Information stammt von Tim, der sich im Umfeld der Biller-Mine umgehört hat. Florence konnte ihn im Büro wohl keine drei Minuten allein lassen ...«

»Und was findet Lily dann an ihm so interessant?«, erkundigte sich Gwyneira. »Sie ist doch ein so lebhaftes Mädchen.«

»Den Reiz des Verbotenen!«, seufzte Elaine. »Wenn Florence und Tim sich nicht so unmöglich aufgeführt hätten, wäre wahrscheinlich alles ganz anders gekommen. Aber die beiden haben nicht mal was daraus gelernt, dass ihnen die Kinder weggelaufen sind! Was da zurzeit zwischen Lambert und Biller tobt, ist ein Krieg. Jeder versucht, dem anderen Geschäftsanteile abzuluchsen, sie vergrößern um die Wette. Florence hat sich für ihre eigene Kokerei total verschuldet und versucht jetzt, uns mit Dumpingpreisen Kunden abzuwerben. Und Tim würde den Wahnsinn mitmachen! Würde Greenwood ihn nicht energisch bremsen, gerieten die Preise in eine Abwärtsspirale. Aber Onkel George rät zum Abwarten. Die Kokerei von Biller ist zwar besser ausgelastet als unsere, arbeitet aber nicht rentabel. Auf die Dauer läuft sich das tot. Hoffen wir, dass Florence sich dabei nicht ruiniert. Und Tim und George denken an eine Brikettfabrik, um auch den letzten Kohlestaub gewinnbringend zu vermarkten. Wenn Florence dabei mitzuziehen versucht, ist Biller bald pleite.«

Gwyneira dachte nach. »Warum macht sie denn das?«, überlegte sie. »Ich frage es dich ja nicht gern, aber war da mal etwas zwischen Florence Biller und deinem Mann?«

Elaine lachte. »Nicht direkt. Aber ein bisschen hellseherische Kräfte hast du offenbar schon! Die beiden nehmen einander irgendetwas übel. Das stammt noch von damals, aus der Zeit kurz nach Tims Unfall. Es ging ihm ziemlich schlecht – und hinzu kam, dass ihn sein Vater und die anderen Bosse im Bergbaugeschäft ausgesprochen mies behandelt haben. Sie redeten über ihre Minen, und Tim saß in seinem Rollstuhl wie ein Möbelstück. Er brachte kein Wort dazwischen. Florence redete damals mit ihm. Sie war ganz nett – aber Kura hat gleich geargwöhnt, dass sie was im Schilde führt. Wahrscheinlich war Tim das zweite Eisen im Feuer. Florence wollte eine Mine, und ihr einziger Weg dahin war Heirat. Alles andere war ihr egal, ob ein Krüppel oder ein warmer Bruder …«

»Elaine!«, entrüstete sich Gwyneira.

»Tut mir leid, aber Caleb Biller … es gab da wohl klare Vereinbarungen. Jedenfalls brauchte die liebe Florence nicht auf Plan B zurückzugreifen. Sie heiratete Caleb und begann sofort, Tim zu übersehen. Das hat ihn wohl ziemlich verletzt.« Elaine warf einen absichernden Blick auf die beiden Reiter, aber Jeremy und Bobby hielten sich vor oder hinter der Kutsche und hörten nicht mit.

»Mrs. Biller kommt nicht allzu gut damit zurecht, dass das ›Möbelstück‹ ihr jetzt Konkurrenz macht …«, bemerkte Gwyn mit wissendem Lächeln.

»Und seine Kinder obendrein selbst zeugt. Was Caleb ja nur bei Ben gelungen ist. Die anderen Jungs … aber lassen wir das. Die ganze Sache ist ziemlich albern, aber sie wächst sich zu einem Drama aus. Verdammt, ich würde meinen Enkel gern einmal sehen! Und ich vermisse Lily! Tim natürlich auch, aber das würde er nie zugeben. Wir müssen uns da unbedingt etwas einfallen lassen!«

»Kennst du das?« Elizabeth Greenwood schob Elaine ein Buch über den Tisch.

Die Frauen saßen beim Tee, und Gwyneira hatte sich eben verabschiedet. Die Jungs waren mit ihr hinausgegangen, um ihren Pferden Adieu zu sagen. Elizabeth schien nur darauf gewartet zu haben.

Elaine nahm das Buch mit gerunzelter Stirn entgegen. Eigentlich hatte sie jetzt nach Lilian und Ben fragen wollen, aber sie mahnte sich zur Geduld. Elizabeth hatte in den letzten Jahren viel mitgemacht. Charlottes Tod ging ihr immer noch nahe, und sie machte sich Sorgen um Jack. Dazu trauerte sie ein bisschen um ihren ältesten Sohn, Robert. Der war zwar wohlauf, hatte sich aber zwei Jahre zuvor nach England begeben, um sich um den Nachlass seines Onkels und seines Großvaters zu kümmern. William Greenwood, Georges jüngerer Bruder, war kurz vorher gestorben – über die Ursachen munkelte man nur, aber George ging davon aus, dass Alkohol und Kokain dabei eine nicht unwesentliche Rolle gespielt hatten. Die Erbfrage war ungeklärt. Zwei Frauen erhoben für ihre Kinder Anspruch auf die Rechte am Rest des Greenwood'schen Vermögens, doch eine gültige Heiratsurkunde konnte wohl keine vorweisen.

Jedenfalls war Robert nach London gereist und dort offensichtlich vom Ehrgeiz gepackt worden, die alte Import-Export-Firma seines Großvaters wieder zum Leben zu erwecken. George war das nicht unrecht. Er hatte als junger Mann auf seine Rechte an dem Unternehmen verzichtet, um nicht mit William zusammenarbeiten zu müssen. Als Ausgleich hatte sein Vater ihm die Firmenanteile in Australien und Neuseeland überschrieben. Den Niedergang der Firma unter William hatte er dann aus der Ferne beobachtet, dem Geschäft aber immer nachgetrauert. Wenn Robert es nun retten wollte, hatte er Georges Unterstützung. Sein Schwiegersohn Stephen O'Keefe, ein äußerst fähiger Anwalt, leitete so lange die Unternehmungen in Neuseeland und Australien. Eine blendende Lösung für alle, außer für Elizabeth. Sie hatte Robert seit zwei Jahren nicht gesehen und haderte endgültig mit dem Schicksal, seit er in London geheiratet hatte. Irgendwann würde er mit seiner Frau zu Besuch kommen. Aber ein festes Datum gab es noch nicht.

An diesem Tag wirkte Elizabeth allerdings nicht allzu niedergedrückt, sondern eher angeregt und eifrig.

»Nun sag schon, kennst du's?«, fragte sie erneut.

Elaine blätterte kurz in dem Buch. »*Die Herrin von Kenway Station*. Ja, ich hab's mal gelesen. Ganz spannend, ich mag ja solche Geschichten.«

»Und?«, fragte Elizabeth. »Ist dir nichts aufgefallen?«

Elaine zuckte die Schultern.

»An der Geschichte, meine ich. Diese Farm am Ende der Welt ... der Kerl, der seine Frau mehr oder weniger gefangen hält ...«

Elaine errötete. »Du meinst, ich ... es hätte mich an Lionel Station erinnern müssen?« Sie hätte auch »Thomas Sideblossom« sagen können, sprach den Namen ihres ersten Mannes aber nach wie vor nicht aus.

Elizabeth nickte. »Mir drängte sich das auf.«

Elaine schüttelte den Kopf. »Sooo groß war die Ähnlichkeit nun auch wieder nicht. Jedenfalls kann ich mich nicht erinnern, dass die Heldin ... also, dass sie ...«

Elaine selbst hatte ihren Mann damals niedergeschossen und war geflohen.

»Nein, die Heldin wird von einem Jugendfreund gerettet«,

stimmte Elizabeth zu. »So gesehen hätte es mich auch nicht beunruhigt. Aber dann kam das.« Sie holte ein zweites Buch hervor. *Die Erbin von Wakanui.*

Wieder las Elaine den Klappentext: »Seit dem Tode seiner geliebten Frau ist Jerome Hastings ein verschlossener, schwieriger Mensch. Seine Farm Tibbet Station leitet er voller Härte, und seine Feindschaft zu dem Maori-Häuptling Mani droht, die gesamte Region in einen Krieg zu stürzen. Wäre da nicht Pau, die Häuptlingstochter, die ihn heimlich liebt ...«

»Was soll mir daran jetzt auffallen?«, fragte Elaine.

Elizabeth verdrehte die Augen.

»Am Ende bekommen die beiden ein Kind«, half sie weiter aus.

Elaine überlegte. »Paul und Marama Warden. Kura-marotini. Aber ist das nicht ein bisschen weit hergeholt?« Sie blickte auf den Umschlag. »Brenda Boleyn. Ich kenne keine Brenda Boleyn.«

»Und das hier ist auch noch Zufall?« Mit großer Geste förderte Elizabeth ein drittes Buch zutage, *Die Schöne von Westport*, und las den Klappentext vor:

»Ohne eigene Schuld verliert Joana Walton ihre Stellung als Gouvernante in Christchurch. Auf der Flucht vor dem bösartigen Brendan Louis verschlägt es sie an die Westküste – ein gefährlicher Ort für ein unschuldiges Mädchen. Aber Joana bleibt sich treu. Als Klavierspielerin in einer Bar findet sie ein karges Auskommen – und eine neue Liebe. Lloyd Carpinter besitzt Anteile an einer Eisenbahnlinie. Aber wird er auch zu ihr stehen, wenn er von ihrer Vergangenheit erfährt?«

Elaine wurde blass. »Wer immer das schreibt, ich bringe ihn um!«

»Nun übertreib's nicht gleich«, lachte Elizabeth. »Aber an einen Zufall glaubst du doch wohl auch nicht mehr, oder? Ich habe jedenfalls Nachforschungen angestellt ...«

»Ich ahne etwas«, seufzte Elaine.

»Die Bücher erscheinen bei einem Verlag in Wellington, und irgendwie hängt da auch die Zeitung mit drin, für die Ben Biller in den letzten Jahren gelegentlich gearbeitet hat.«

Elaine nickte. »Kürzel BB, nicht? Stand im Dossier des Detektivs. Aber viel kann er da nicht verdient haben. Jedenfalls nach menschlichem Ermessen. Der Knabe ist gänzlich unbegabt. Das Letzte, was ich von ihm gelesen habe, waren holprige Verse, die von zerfließenden Herzen handelten.«

Elizabeth zuckte die Achseln. »Ich hab mir jetzt mal die Zeitung schicken lassen. BB schreibt sehr ansprechende kleine Geschichten. Rührend, und im gleichen Stil wie Brenda Boleyn.«

Elaine schüttelte den Kopf. »Ich kann's mir nicht vorstellen. Der Junge war völlig unfähig, und dieses Buch ...«, sie wies auf die *Herrin von Kenway Station,* »... ist vielleicht keine große Literatur, aber doch sehr geschliffen geschrieben.«

Elizabeth grinste. »Und es handelt auch nicht von Familie Biller. Mal ganz abgesehen davon, dass sich hinter ›Brenda‹ doch wohl eher eine Frau verbirgt.«

Elaine starrte sie an. »Du meinst, er schreibt das gar nicht? Du meinst ... Lily?« Sie stand auf und wanderte im Zimmer herum. Elizabeth konnte eine kostbare chinesische Vase gerade noch davor retten, umgerannt zu werden. »Verdammt, ich leg sie übers Knie! Oder ich halte sie fest, damit Tim sie übers Knie legen kann! Das wünscht er sich ja seit langem! Wie konnte sie bloß?«

Elizabeth lächelte. »Nun reg dich mal nicht auf, man muss eure Familiengeschichte schon recht gut kennen, um die Ähnlichkeiten zu erahnen. Ehrlich gesagt, wäre ich nach den ersten zwei Büchern auch noch nicht drauf gekommen, wenn der Held in der *Herrin* nicht Galahad geheißen hätte.«

»Sie hat ihren Sohn nach ihm genannt?« Elaine musste nun auch lächeln.

»Galahad ist wohl ihr Traummann«, bemerkte Elizabeth trocken. »Ich kenne Ben Biller ja nicht, aber er müsste schon eine seltene Lichtgestalt sein, um dem Helden in der *Herrin* nahezukommen. Was machen wir jetzt? Irgendeine Idee?«

Elaine warf den Kopf so heftig zurück, dass ihre Locken sich aus der strengen Frisur befreiten und ihr Hütchen endgültig auf Halbmast ging.

»Ich schreibe jetzt erst mal einen bewundernden Leserbrief an ›Brenda Boleyn‹. Und frage vorsichtig nach den Details meiner Familiengeschichte. Vielleicht ist sie ja eine lange verschollene Cousine, welche die Erbfolge von Kiward Station noch mal so richtig nett durcheinanderbringt. Mal sehen, was Lily antwortet.«

Elizabeth grinste. »Eine sehr diplomatische Lösung – elegant an Tim vorbei. Brenda ist dann wahrscheinlich eine alte Schulfreundin, ja? Aber auf Dauer müsst ihr das lösen, Elaine. Es ist doch eine Farce, dass sich da zwei Familien bekriegen wegen nichts und wieder nichts.«

»Aber originell«, bemerkte Elaine. »Die Montagues und Capulets schlagen sich gegenseitig die Köpfe ein, während Romeo Polynesisch lernt und Julia ihre Familiengeschichte zu Geld macht. Das ist nicht mal Shakespeare eingefallen!«

Verehrte Miss Boleyn,

nachdem ich nun das dritte Ihrer literarischen Werke lesen durfte, erlaube ich mir hiermit, Ihnen meine allergrößte Bewunderung und Hochachtung für Ihr schriftstellerisches Talent auszusprechen. Es ist selten einer Autorin gelungen, mich mit ihrer Fantasie derart zu fesseln.

Doch bitte erlauben Sie mir eine Frage: Zu meiner Verwunderung finde ich in bisher allen Ihren Werken bemerkenswerte Parallelen zu der Geschichte meiner Familie. Zunächst glaubte

ich an Zufall, dann an eine mögliche spirituelle Verwandtschaft. Ein zweifellos sensitiver Mensch wie Sie dürfte mediale Fähigkeiten besitzen. Aber warum ist es gerade meine Familie, die Ihnen Ihr möglicher Schutzgeist beschreibt? Über all diese Gedankengänge bin ich zu der Überlegung gelangt, dass Sie vielleicht eine uns bisher unbekannte oder verschollene Familienangehörige sein mögen, die auf ganz diesseitige Weise Kunde von meiner Geschichte hat. Sollte das der Fall sein, so würde ich mich über eine Kontaktaufnahme sehr freuen.
Ich verbleibe mit anerkennenden Grüßen

Ihre Elaine Lambert

Lily stutzte zunächst, als sie die Schrift der Schreiberin sah, doch sie erhielt so viel Leserpost, dass sie sich längst nicht mehr auf das Schriftbild konzentrierte. Bei der Lektüre der ersten Zeilen jedoch wurde sie rot, um dann loszukichern.

Sie griff nach ihrer Schreibmaschine, überlegte es sich dann aber anders. Auf einen ihrer geliebten, parfümierten Briefbogen schrieb sie die Worte:

Geliebte Mummy …

4

Gwyneira McKenzie war nie ein besonders geduldiger Mensch gewesen, und daran hatte auch ihr fortgeschrittenes Alter nichts geändert. Dieser Sommer hatte ihr nun das Äußerste an Langmut abgefordert: erst Glorias Rückkehr und ihre Ablehnung, dann ihr erneutes Verschwinden, diesmal mit den Maoris, und jetzt Jack. Elaines Besuch hatte ihr immerhin ein wenig Auftrieb gegeben. Es war schön, ihre lebhafte Enkelin und deren aufgeweckte Jungs um sich zu haben. Die herumtobenden Kinder ließen das Haus zu neuem Leben erwachen. Aber Jack war nicht aufgetaut; er schlich weiter wie ein betrübter Geist durchs Haus. Und auch Gloria ließ nichts von sich hören, obwohl Gwyn überzeugt war, dass Verbindungen zwischen dem wandernden Stamm und den auf Kiward Station verbleibenden Maoris bestanden. Gwyneiras Maori war nicht perfekt, aber sie meinte, Kiri und Moana in der Küche oft über Besucher plaudern zu hören. Es wäre leicht gewesen, auch ihr einen Gruß zu übermitteln. Aber Gloria hüllte sich in Schweigen – und Gwyneira war der Explosion ihrer aufgestauten Gefühle gefährlich nahe.

Schließlich erwischte es Jack, an dem Tag, als die Maoris ihre Wanderung endlich beendeten. Kiri und Moana baten um früheren Ausgang. Sie bereiteten nur ein rasches, kaltes Abendessen für ihre Herrschaft.

»Stamm zurück, wir feiern!«, erklärte Moana vergnügt.

Gwyneira erwartete daraufhin Glorias Ankunft, aber das Mädchen ließ sich nicht blicken. Als auch der Nachmittag zu vergehen schien, ohne dass sie heimkehrte, klopfte Gwyneira an Jacks Zimmertür. Als niemand antwortete, riss sie die Tür auf.

Ihr Sohn lag auf dem Bett und starrte an die Decke. Er schien ihr Klopfen nicht gehört zu haben. Tuesday, die an seinem Fußende gelegen hatte, sprang auf und bellte zur Begrüßung. Gwyn wehrte sie ab.

»Ich weiß nicht, was du hier Wichtiges zu tun hast«, fuhr sie ihren Sohn an. »Aber du wirst es jetzt bitte ein paar Stunden unterbrechen und nach O'Keefe Station reiten. Der Stamm ist zurück. Und ich möchte ... nein, ich bestehe darauf, dass Gloria sich heute noch hier sehen lässt. Das ist verdammt noch mal nicht zu viel verlangt. Sie hat den ganzen Sommer für sich gehabt. Aber jetzt will ich wissen, dass sie wohlauf ist, und ich möchte zumindest einen kleinen Bericht darüber hören, was sie in den letzten Monaten getan hat. Auch wenn er sich wieder auf Bemerkungen beschränkt wie ›Es war sehr schön, Grandma Gwyn‹.«

Jack stand langsam auf. »Ich weiß nicht ... sollten wir nicht warten, bis sie ...«

Er wusste nicht genau, was er fühlte. Einerseits brannte er darauf, Gloria zu sehen, seit Maaka am Morgen verkündet hatte, der Stamm kehre zurück. Andererseits hatte er Angst vor der Begegnung. Er fürchtete Glorias Reaktion auf seinen Anblick. Würde sie erschrecken wie die meisten? Würde sie Mitleid haben? Verachtung empfinden? Jack selbst verachtete sich jetzt manchmal für seine Schwäche, und er sah auch Missbilligung in den Augen anderer Männer. Dieser junge Viehhüter zum Beispiel, Frank Wilkenson. Der Mann glaubte noch an die Glorie von Gallipoli. Er hatte Jack als Helden begrüßen wollen – und sich fast dafür entschuldigt, dass er selbst darauf verzichtet hatte, am Mythos um diesen verdammten Strand teilzuhaben. Jack hatte ihn ziemlich rüde abblitzen lassen. Und nun, da der Junge sah, was der Krieg aus ihm gemacht hatte, hielt er McKenzie für eine würdelose Memme.

»O nein, Jack, ich warte nicht mehr!«, erklärte Gwyneira und wanderte im Zimmer herum. »Und falls da drüben eine Hochzeit stattfindet, wirst du die Braut gefälligst herausreißen und hierher befördern, bevor sie diesem Wiremu im Schlafhaus beiliegt!«

Jack musste beinahe lachen. Seine Mutter war sicher nicht prüde, aber so klare Worte hatte er noch nie von ihr gehört.

»Ich will es gern versuchen, Mutter, aber ich fürchte, dann spießt Tonga mich auf. Und ich glaube es ohnehin nicht. Er hätte dich eingeladen. Das ließe er sich garantiert nicht entgehen!«

Gwyneira schnaubte. »Er hätte mich morgen dazu gebeten!«, meinte sie melodramatisch. »Um das Blut auf dem Laken zu sehen!«

Jack verzichtete darauf, sie auf Maori-Bräuche hinzuweisen. Vielleicht hatte es einmal rituell verheiratete Häuptlingstöchter gegeben, die unberührt in die Ehe gingen, um irgendwelchen Göttern zu gefallen. Aber das normale Maori-Mädchen war längst keine Jungfrau mehr, wenn es einen Ehemann wählte. In der Regel probierten die Mädchen mehrere Männer aus, bevor sie sich für einen entschieden. Gwyneira wusste das natürlich. Wenn Gloria entschlossen war, Wiremu zu ehelichen, war er sicher nicht ihr erster Mann.

Jack empfand bei dem Gedanken Wut und einen Anflug von Traurigkeit. Eifersucht? Er schüttelte den Kopf. Das war Unsinn, Gloria war ein Kind. Und er gönnte ihr das Glück – wenn sie es denn wirklich in Wiremus Armen finden sollte.

Jacks Pferd Anwyl wartete in seinem Stall. Jack verspürte Schuldgefühle, wenn er an den Wallach dachte. Er kam viel zu selten heraus, ebenso wie Tuesday. Die kleine Hündin tanzte begeistert um ihn herum.

»Soll ich ihn für Sie satteln, Mr. Jack?«, fragte Frank Wilkenson mit kaum verhohlener Verachtung. Jack hatte das Angebot in den letzten Monaten manchmal angenommen. Jetzt schämte er sich dafür.

»Nein, lassen Sie, ich mache das selbst.« Er kämpfte die Schwäche nieder, die ihn beim Aufheben des schweren Sattels befiel.

Anwyl stand geduldig still, bis die Dunkelheit vor Jacks Augen sich wieder lichtete. Jack wusste, dass dies nichts mit seiner Verletzung zu tun hatte. Er bewegte sich einfach zu wenig. Er musste ...

Jack zog den Sattelgurt an und zäumte Anwyl auf. Dann führte er ihn nach draußen.

»Ich reite nach O'Keefe Station«, sagte er knapp. »In zwei Stunden sollte ich zurück sein.« Gleich darauf schalt er sich dafür, sich abzumelden wie ein Mädchen, das allein auf einen Ausritt ging. Früher hatte er das nie getan. Aber früher war er auch unverwundbar gewesen. Er hätte nie daran gedacht, dass ihm und seinem Pferd irgendetwas zustoßen könnte, das es notwendig machte, ihn zu suchen und rasch zu finden.

»Schon klar, Mr. Jack ... die verlorene Tochter einsammeln ...« Frank Wilkenson grinste anzüglich.

Jack dachte kurz daran, ihn zu feuern, brachte die Energie zu einer Rüge aber nicht auf.

Es war ein schöner Tag, einer der wenigen warmen und sonnigen Tage dieses Sommers, der kein richtiger gewesen war. Nach den ersten Meilen begann Jack, den Ausritt zu genießen, und schließlich spornte er Anwyl sogar zu einem kleinen Galopp an. Dabei erinnerte er sich an die Rennen, die Gloria so gern geritten war. Und an das Pferd, das er ihr versprochen hatte. Er hatte Gwyneira nicht danach gefragt, was aus dem Fohlen geworden war. Aber die kleine Princess war wieder tragend. Ob Gwyneira die Stute Vicky verkauft hatte? Und nun wollte sie ihr schlechtes Gewissen beruhigen?

Jack überquerte den Bach, der die Grenze zwischen Kiward und O'Keefe Station bildete. Die Maoris hatten die alten Farmgebäude abgerissen und etwas weiter westlich ihr *marae* errichtet. Dort hatte auch vorher schon ein Dorf gestanden, aber jetzt, da dem Stamm das Land offiziell gehörte, hatten sie prachtvollere Schlaf- und Versammlungshäuser gebaut, als es sonst auf der Südinsel üblich war. Jack ritt über einen ausgetretenen Pfad zwischen eingezäunten Weiden. Der Maori-Stamm hielt hier ein paar Dutzend Schafe; zurzeit aber waren die Tiere mit den Herden von Kiward Station noch im Hochland.

Er konnte die Häuser des Dorfes jetzt schon sehen. Vor dem *wharenui* waren festlich gekleidete Leute versammelt. Jack stieg ab, um den rituellen Gruß hinüberzurufen und um die Einladung zum Betreten des *marae* zu erbitten. Gewöhnlich hätten die Maoris ihn längst bemerkt, obwohl er sich dem Dorf von hinten genähert hatte. Selbst wenn Tonga gerade keine Wachen aufstellte – was er immer mal wieder versuchte, bis seine Leute sich langweilten und ihm den Gehorsam aufkündigten –, waren hier doch immer Kinder und Frauen unterwegs, um Wasser zu holen, die Tiere zu versorgen oder die Gärten zu bestellen.

Aber heute konzentrierte sich die gesamte Aufmerksamkeit auf irgendein Geschehen im Versammlungshaus. Und dann löste sich ein Mädchen aus der Gruppe. Es trat ruhig und gelassen aus dem Haus. Jack vermutete zunächst eine Priesterin, die irgendeine Zeremonie vornahm. Das Mädchen trug traditionelle Maori-Kleidung, den Hanfrock und das gewebte Oberteil in den Farben des Stammes. Dann, als es um die Ecke gebogen war und vom *wharenui* aus nicht mehr gesehen werden konnte, begann es zu laufen. Das Mädchen rannte auf das Wäldchen zu, durch das Jack eben gekommen war, offensichtlich auf dem Weg zum Bach in Richtung Kiward Station – und beinahe in Jack und Anwyl hinein.

Als die junge Frau den Mann und das Pferd sah, erschrak sie und blieb stehen. Ihre Augen funkelten, als sie zu ihm aufsah.

Jack blickte in ein großflächiges Gesicht, das dennoch schmaler war als das der meisten Maori-Frauen. Als Erstes fielen ihm die kunstvoll aufgemalten *moko* auf. Sie ließen die Augen des Mädchens größer wirken. Blaue Augen ... Jack starrte die Frau an. Sie war jung, aber kein Kind mehr; sie musste um die zwanzig sein. Und ihr Haar ... dicke, unbezähmbare hellbraune Locken, die, passend zur traditionellen Kleidung, von einem breiten Stirnband zurückgehalten wurden.

»Lassen Sie mich vorbei!« Im Gesicht des Mädchens stand keine Furcht und erst recht kein Erkennen, nur nackte Wut. Irgendetwas hatte sie bis aufs Blut gereizt.

Erschrocken sah Jack ein Messer in ihrer Hand aufblitzen.

Er hob abwehrend die flachen Hände, wollte ihr versichern, dass er ihr nichts täte. Aber dann kam ihm doch nur ein Wort über die Lippen.

»Gloria?«

Gloria zitterte. Sie schien sich jetzt ein wenig zu beruhigen, nahm sich Zeit, ihr Gegenüber näher zu betrachten.

Jack wartete auf das Erkennen in ihren Augen. Auf Mitleid, auf Erschrecken, auf Ablehnung. Doch Glorias Gesicht zeigte nur Erschöpfung und Müdigkeit.

»Jack«, sagte sie dann.

Jack musterte sie genauer. Sie war erwachsen – und er hatte das natürlich gewusst. Es waren zehn Jahre vergangen, seit das kleine Mädchen ihm tränenüberströmt ein unmögliches Versprechen abgenommen hatte: »Wenn es ganz schlimm wird ... kommst du mich holen?«

»Ich soll dich nach Hause holen«, sagte er leise.

»Du kommst spät.« Sie erinnerte sich.

»Du hast es ohne mich geschafft. Und du ... du bist ...«

Sie stand vor ihm und sah ihn immer noch an.

Er wusste nicht, wie er seinen Eindruck von ihr in Worte fassen sollte. Gloria hatte nach wie vor nichts Ätherisches, aber ihr Gesicht hatte Kontur gewonnen. Man sah die hohen Wangenknochen, die Kura-maro-tini ihre außergewöhnliche Schönheit verliehen, aber auch die flächige Gesichtsform und die breite Nase ihrer Maori-Ahnen. Glorias Haut war gebräunt nach dem langen Sommer im Lager, ein reizvoller Kontrast zu ihren hellen Augen. Ihr kantiges Kinn gab ihren Zügen etwas Entschlossenes, das in den meisten Gesichtern der Eingeborenen fehlte. Ihr krauses Haar befreite sich aus dem Stirnband. Auch dies eindeutig *pakeha*-Erbe; Jack hatte solches Haar niemals bei einer Maori-Frau gesehen. In Glorias Erscheinung verbanden sich die beiden Rassen nicht zu einem traumschönen Ganzen wie bei Kura, eher schienen sie um die Vorherrschaft zu ringen. Und in Glorias Augen stand ein seltsamer Ausdruck. So alt wie die Welt – und trotzdem aufrührerisch, kämpferisch jung.

»Willst du denn nun mitkommen?«, fragte er schließlich.

Gloria nickte. »Ich war auf dem Weg.«

»In diesem Aufzug?« Jack wies auf die Maori-Tracht. »Ich meine ... verstehe mich nicht falsch, du siehst wunderschön aus, aber ...«

»Ich werde mich zu Hause umziehen.«

Gloria machte sich entschlossen auf den Weg.

»Willst du nicht mit mir reiten?«, fragte Jack – und war sich gleich des Ungeschicks seiner Worte bewusst. Gloria war kein Kind mehr, das er hinter sich auf der Kruppe des Pferdes sitzen ließ. Erst recht nicht mit nackten Beinen und in diesem kurzen Röckchen.

Dennoch hatte ihn nichts auf diesen wilden, fast panischen Blick vorbereitet, mit dem Gloria sein Ansinnen quittierte. Sie schien etwas sagen zu wollen, biss sich dann aber auf die Lippen.

Schließlich besann sie sich.

»Das ... wäre nicht schicklich.«

Jack unterdrückte ein bitteres Lachen. Die alte Gloria hatte nie danach gefragt, was sich für ein Mädchen gehörte. Und diese neue, andere Gloria ... Das Wort »schicklich« klang, als habe sie mühsam die richtige Vokabel in einer fremden Sprache gesucht.

»Dann reite allein«, meinte er. »Im Damensitz. Du kannst das doch noch, oder?«

Gloria warf ihm einen spöttischen Blick zu. »Wer nicht mehr reiten kann, ist tot«, sagte sie dann.

Jack lächelte und gab ihr Anwyls Zügel.

»Aber ich weiß nicht, ob ich es noch kann.« Jack trat an Anwyls Seite. Es war Jahre her, seit er einer Dame der Etikette gemäß in den Sattel geholfen hatte.

Gloria schien sich auch zunächst wehren zu wollen; dann aber brach entweder ihre Erziehung durch, oder sie erkannte, dass ihr Röckchen die Beine bis zum Schritt entblößen würde, wenn sie jetzt erst den linken Fuß in den Steigbügel stellte und dann die komplizierten Bewegungen ausführte, die das Aufsteigen in den Seitsitz ohne Hilfe eines Kavaliers erforderte.

So legte sie nur die Hände auf den Sattelknauf, hob vorsichtig, fast geziert das rechte Knie und erlaubte Jack, sie mit einem Schwung in den Sattel zu heben.

Das letzte Mal hatte er Charlotte so aufs Pferd geholfen. Sie war leicht wie eine Feder gewesen. Aber er hatte sie wirklich heben müssen; sie selbst hatte nichts dazu getan, auf das Pferd zu steigen. Gloria dagegen stieß sich mit dem rechten Bein ab und erleichterte ihm die Arbeit. Sie glitt fast anmutig in den Sattel und bemühte sich dann, einen halbwegs festen Sitz zu finden. In einem Damensattel hielten ein oder zwei »Hörner« das rechte und oft auch das linke Bein in Position. Hier musste Gloria das Gleichgewicht finden, doch es gelang ihr mühelos. Aufrecht und selbstbewusst saß sie auf dem Pferd.

»Wie eine Maori-Prinzessin«, lächelte Jack.

Gloria blitzte ihn an. »Maori-Prinzessinnen gingen zu Fuß.«

Jack ließ die Erwiderung unkommentiert. Er wartete, bis Gloria die Zügel aufgenommen hatte, und ging dann neben ihr her. Der Weg war weit, aber Jack fühlte sich nicht müde. Im Gegenteil, er fühlte sich so lebendig wie seit langem nicht.

»Du hast ein Pferd auf Kiward Station«, sagte er schließlich. »Wirst du es jetzt wieder reiten?«

»Sicher«, meinte Gloria.

Das klang nicht danach, als habe sie vor, sich weiterhin den Ngai Tahu anzuschließen. Jack überlegte, ob er nach Wiremu fragen sollte, ließ es dann aber. Hinter ihnen raschelte es im Buschwerk. Jack erschrak, wirbelte verteidigungsbereit herum – und bemerkte, dass Gloria genauso reagierte. Beide lachten beklommen, als lediglich Nimue aus dem Schatten brach. Sie hatte den Aufbruch ihrer Besitzerin wohl erst etwas verspätet registriert, war ihr jetzt aber gefolgt. Enthusiastisch begrüßte sie Jack, etwas weniger begeistert Tuesday.

Jack und Gloria versteckten ihre Befangenheit hinter Lobesworten für die Hündin. Früher wären sie nicht zusammengeschreckt, nur weil sich im Busch etwas regte. Neuseeland barg praktisch keine Gefahren. Es gab keine großen, gefährlichen Tiere, und mit den Maoris lebte man friedlich zusammen. Trotzdem beruhigten beide sich erst wirklich, als sie das Grasland rund um Kiward Station erreichten. Die Ebene war gut einzusehen.

»Wir kommen zu spät zum Abendessen«, meinte Gloria schließlich. »Grandma Gwyn wird schimpfen.« Sie klang wie ein kleines Mädchen.

Jack lächelte. »Sie wird froh sein, dich wiederzuhaben. Und Kiri und Moana gehen zum *waiata-a-ringa*, die Küche bleibt also kalt.« Er rang kurz um Worte.

»Ich bin froh, dass du da bist, Gloria!«

»Es ist mein Land«, sagte Gloria ruhig.

Ihre Sicherheit schwand jedoch, als die beiden kurz danach die Ställe von Kiward Station erreichten. Frank Wilkenson nahm ihnen das Pferd ab. Er hatte mit ein paar anderen Viehhütern nebenan Whiskey getrunken; nun starrten alle, ohne Ausnahme, auf Glorias knappes Röckchen. Das Mädchen errötete. Jack zog seine Jacke aus und gab sie ihr.

»Hätten wir früher machen sollen«, meinte er bedauernd. Er hätte auch ein Taschentuch gehabt, um ihre *moko* abzuwischen. Aber sie hatten nicht daran gedacht. Jetzt konnten sie sich nur noch durch die Küche hineinschleichen und hoffen, an Gwyneira vorbeizukommen.

Die wartete jedoch im Durchgang zu den Wirtschaftsräumen. Sie trug noch ihr Hauskleid vom Nachmittag und wirkte mitgenommen. In Jacks Augen hatte sie nie zuvor so alt ausgesehen. Er meinte, Tränenspuren auf ihren Wangen zu sehen.

»Was bringst du mir da, Jack?«, fragte sie hart. »Eine Maori-Braut? Ich habe es nicht ernst gemeint. Du hättest sie nicht rauben müssen. Sie läuft ja doch bei nächster Gelegenheit zu ihrem Stamm zurück.« Gwyneira ließ von ihrem Sohn ab und wandte sich jetzt an ihre Urenkelin. »Konntet ihr mich nicht wenigstens einladen, Gloria? Konnten wir es nicht hier feiern? Hasst du mich so sehr, dass ich von meiner Köchin erfahren muss, dass meine Enkelin heiratet?«

Jack runzelte die Stirn. »Wer spricht denn von heiraten, Mutter?«, fragte er sanft. »Gloria wollte an einem Tanz teilnehmen. Aber dann hat sie es sich anders überlegt. Sie war auf dem Weg nach Hause, als ich sie traf.«

»Du hast immer schon für sie geschwindelt, Jack«, bemerkte Gwyneira. Jack hatte sich zwischen sie und das Mädchen gestellt, doch sie schob ihn zur Seite. »Also gut, Gloria, wie stellst du es dir jetzt vor? Willst du mit Wiremu hier leben? Oder im Lager? Werdet ihr das Haus schleifen wie Helens Hütte, wenn der Stamm es übernimmt? Natürlich müsste dem zunächst Kura zustimmen. Noch gehört das Land schließlich ihr.«

Gloria baute sich vor ihrer Großmutter auf, und in ihren Augen lagen wieder die Wut und der irre Glanz, die sie erfüllt hatten, als sie aus dem Maori-Lager geflohen war.

»Es gehört mir! Nur mir! Kura Martyn soll ja nicht wagen, es mir wegzunehmen! Und es wird nie jemand anderem gehören, Grandma! Ich bin niemandes Braut. Und ich werde niemandes Frau sein! Ich bin ...« Sie schien noch viel mehr sagen zu wollen, überlegte es sich dann aber anders, drehte sich um und rannte davon wie an diesem Tag schon einmal.

Jack fühlte sich auf einmal müde.

»Ich ... würde mich dann gern zurückziehen«, sagte er steif.

Gwyneira fixierte ihn mit einem wilden Blick. »Ja, zieht euch nur alle zurück!«, fuhr sie ihn an. »Manchmal habe ich es satt, Jack! Manchmal habe ich es einfach nur satt!«

Weder Jack noch Gloria kamen am nächsten Tag zum gemeinsamen Frühstück. Gwyneira, die sich nach ihrem Ausbruch schämte, erfuhr erst von Kiri, wo die beiden sich aufhielten – und dass die Rückzugsstrategien diesmal vertauscht waren: Gloria blieb in ihrem Zimmer und schien sich damit zu beschäftigen, all ihre Maori-Handarbeiten in kleine Stücke zu zerschlagen oder zu zerreißen. Jack dagegen ritt aus und verbrachte den Tag am Ring der Steinkrieger. Gwyneira blieb reichlich Zeit, herauszufinden, was im *marae* auf O'Keefe Station wirklich geschehen war. Kiri und Moana berichteten bereitwillig.

»Tonga wollte verheiraten mit Wiremu. Hat angekündigt, hat gesagt ganzem Stamm. Nur nicht Glory und Wiremu. Aber sie wollten nicht.«

»Wiremu wollte schon!«, verbesserte Moana.

»Wiremu wollte *mana*. Aber er feige ... Glory sehr böse, weil ...«

»Er wohl nicht geteilt Lager mit ihr«, erklärte Kiri und schaffte es, dabei zu erröten. Fünfzig Jahre in einem *pakeha*-Haushalt hatte auch ihre traditionellen Moralvorstellungen aufgeweicht. »Aber so getan ...«

Gwyneira verfluchte ihr Misstrauen. Sie hätte sich wenigstens Glorias Version der Geschichte anhören müssen. Aber jetzt zeigte sie zumindest genügend Größe, sich bei ihrer Enkelin zu entschuldigen. Als das Mädchen am Abend zum Essen erschien – in dem altjüngferlichen Aufzug, in dem sie Gwyneira damals in Dunedin begrüßt hatte –, sprach sie förmlich ihr Bedauern aus.

»Ich war verängstigt, Glory. Ich dachte, du fällst auf Tongas Tricks herein. Kura war damals nahe dran.«

Gloria verzog den Mund. »Ich bin nicht Kura!«, sagte sie böse.

Gwyneira nickte. »Ich weiß ... bitte ... Es tut mir leid.«

»Es ist in Ordnung«, meinte Jack begütigend. Die Atmosphäre zwischen den beiden Frauen machte ihm beinahe Angst. Gloria schien Gwyn für ihr ganzes Leid verantwortlich zu machen. Er fragte sich, was dem Mädchen geschehen war. Wie lange war sie eigentlich allein unterwegs gewesen? Was hatte sie angestellt, um nach Neuseeland zurückzukommen? Eins entnahm er jedenfalls ihrer Reaktion auf das Rascheln im Buschwerk: Gloria hatte ihren eigenen Krieg erlebt.

»Nein, es ist nicht gut!«, rief sie jetzt. »Sprich nicht für mich, Jack! Es ist erst gut, wenn ich das sage, es ...« Sie verhaspelte sich. »Es ist gut«, sagte sie dann steif.

Gwyneira atmete auf.

Nach dem Essen hielt sie das Mädchen auf, das schon wieder zurück auf sein Zimmer wollte.

»Hier ist noch etwas für dich, Gloria. Ein Päckchen, von deinen Eltern. Es ist vor ein paar Wochen gekommen.«

Gloria schnaubte. »Ich will nichts von meinen Eltern!«, sagte sie böse. »Du kannst es gleich zurückschicken.«

»Aber es sind Briefe, Kind«, meinte Gwyn. »Kura schrieb, sie sendet dir deine Post. Die Agentur hat sie wohl gesammelt und ihr nach New York geschickt.«

»Wer sollte mir geschrieben haben?«, fragte Gloria mürrisch.

Gwyn zuckte die Achseln. »Ich weiß es nicht, Glory, ich habe den Umschlag nicht aufgemacht. Vielleicht schaust du einfach nach. Dann kannst du sie immer noch verbrennen.«

Am Nachmittag hatte Gloria vor den Ställen ein Feuer entzündet und ihr Maori-Festkleid hineingeworfen.

Gloria nickte.

In ihrem Zimmer öffnete sie den Umschlag. Der erste Brief, der herausfiel, war geöffnet worden. Kura musste ihn gelesen haben. Gloria sah auf den Absender:

Private Jack McKenzie, ANZAC, Kairo.

Liebe Gloria,

eigentlich hoffte ich, Dir jetzt schon nach Kiward Station schreiben zu können. Schließlich hast Du die Schule beendet, und Mutter war so voller Hoffnung, dass Du endlich heimkommst. Aber nun berichtete sie mir von einer Amerikatournee mit Deinen Eltern. Sicher eine sehr interessante Erfahrung, die Du unserer alten Schaffarm vorziehst. Deine Grandma Gwyn ist darüber zwar sehr traurig, aber es geht ja wohl nur um ein halbes Jahr.

Wie Du sicher gehört hast, habe auch ich mich entschlossen, Kiward Station eine Zeitlang zu verlassen und meinem Land als Soldat zu dienen. Nach dem Tod meines Vaters und meiner geliebten Gattin Charlotte wollte ich einfach mal etwas anderes tun und sehen. Was Letzteres angeht, komme ich durchaus auf meine Kosten. Ägypten ist ein faszinierendes Land, ich schreibe Dir sozusagen aus dem Schatten der Pyramiden. Grabmale, die wie Burgen aufragen und die Toten festhalten sollen. Aber was ist das für eine Unsterblichkeit, wenn man die Seelen einmauert und die Körper in Grabkammern unter der Erde versenkt, sorglich verborgen, immer in der Angst vor Leichenfledderern? Unsere Maoris würden das nicht verstehen, und auch ich sehe Charlotte lieber in der Sonne von Hawaiki als im ewigen Dunkel …

Gloria ließ den Brief sinken und dachte an Charlotte. Wie hatte sie noch ausgesehen? Sie erinnerte sich kaum an die jüngste Tochter der Greenwoods. Und Jack … wie kam er auf die Idee, ihr plötzlich so einen langen Brief zu schreiben? Oder hatte er das vielleicht immer getan? Hatte die Schule seine Briefe abgefangen? Warum und auf wessen Geheiß?

Gloria sah rasch den weiteren Packen Briefe durch. Abgesehen von ein paar Schreiben von Grandma Gwyn und zwei Karten von Lilian waren sie alle von Jack!

Gespannt öffnete sie den nächsten Umschlag.

… Das moderne Kairo gilt als Großstadt, aber repräsentative Häuser, Plätze und Paläste lässt es vermissen. Die Menschen leben in eingeschossigen, kastenförmigen Steinhäusern, und die Straßen sind enge Gassen. Das Leben und Treiben in der Stadt ist hektisch und laut, die Araber sind äußerst geschäftstüchtig. Bei Manövern folgt uns stets ein ganzer Schwarm weiß gekleideter Männer, die Erfrischungen anbieten. Die britischen Offiziere macht das verrückt, anscheinend befürchten sie, wir würden uns dann auch im Krieg darauf verlassen, dass stets ein Melonenverkäufer in der Nähe steht. In der Stadt versuchen uns die Einheimischen Altertümer zu verkaufen, die angeblich aus den Grabkammern der Pharaonen stammen. In Anbetracht der Menge ist das unwahrscheinlich, so viele Herrscher kann das Land gar nicht gehabt haben. Wir nehmen an, die Leute schnitzen die Götterstatuen und Sphinxe einfach selbst. Doch auch wenn sie echt wären – mir jagt es Schauer über den Rücken, die Toten zu berauben, so eigenartig die Sitte der Grabbeigaben auch ist. Manchmal denke ich an den kleinen Jadeanhänger, den Charlotte um den Hals trug. Ein hei-tiki*, geschnitzt von einer Maori-Frau. Sie sagte, er bringe ihr Glück. Als ich sie am Strand von Cape Reinga fand, hatte sie ihn nicht mehr. Vielleicht trägt er ihre Seele nach Hawaiki. Ich weiß nicht, warum ich Dir das alles erzähle, Gloria – anscheinend tut Ägypten mir nicht gut. Zu viel Tod um mich herum, zu viel Vergangenheit, auch wenn es diesmal nicht meine eigene ist. Aber wir*

werden demnächst verlegt. Es wird ernst. Sie wollen die Türken angreifen, am Eingang der Dardanellenstraße …

Gloria griff unwillkürlich nach ihrem eigenen *hei-tiki,* aber dann erinnerte sie sich daran, es Wiremu vor die Füße geworfen zu haben. Besser so, sollte er ihre Maori-Seele sonst wohin tragen.

… Ich werde niemals den Strand vergessen, wie er dalag, im allerersten Morgenlicht. Eine kleine Bucht, umrahmt von Felsen, ideal für ein Picknick oder ein romantisches Beisammensein mit einer Frau, die man liebt. Und ich werde nie den Klang dieses ersten Schusses vergessen. Dabei habe ich seitdem Hunderttausende von Schüssen gehört. Aber dieser erste … er brach den Frieden, zerstörte die Unschuld eines Ortes, auf den Gott bislang nur mit einem Lächeln geblickt haben konnte. Wir haben ihn dann in einen Ort verwandelt, an dem nur noch der Teufel lacht …

Gloria lächelte müde. Der Teufel hatte zweifellos viel Spaß auf dieser Welt.

Plötzlich hatte sie keine Lust mehr, weiterzulesen. Aber sie verbarg die Briefe sorgfältig unter ihrer Wäsche. Sie gehörten ihr, kein anderer sollte sie finden – vor allem Jack nicht. Womöglich wäre es ihm nicht recht, wenn sie die Briefe jetzt noch las. Schließlich erzählte er nie etwas von seinen Erlebnissen am Strand von Gallipoli. Und zudem … Jack hatte an eine andere Gloria geschrieben. Er musste eher ein Kind vor Augen gehabt haben, als er anschaulich schilderte, wie er auf Kamelen geritten war und große, schwere Männer gescholten hatte, weil sie sich von winzigen Eseln durch die Wüste tragen ließen. Andererseits schienen manche Sätze sich nur zu genau an die Frau zu richten, die Gloria heute war. Marama hätte wahrscheinlich gesagt, die Geister hätten Jacks Hand geführt …

Gloria legte sich hin, konnte aber nicht schlafen. Es war noch nicht dunkel, und sie starrte an die nun wieder kahlen Wände ihres Zimmers, von denen sie ihre Maori-Habseligkeiten gerissen hatte. Gloria stand auf und holte ihren alten Zeichenblock aus der hintersten Schrankecke. Als sie ihn aufschlug, starrte ihr eine kolorierte Weta entgegen. Gloria riss das Blatt heraus. Dann zeichnete sie den Teufel.

5

»Du reitest nicht hinaus zum Viehtrieb?«, fragte Jack.

Er hatte nicht damit gerechnet, Gloria am Frühstückstisch zu treffen. Die Viehtreiber waren schließlich schon vor Tau und Tag aufgebrochen, um die Schafe im Hochland zu sammeln und einzutreiben. Fast vier Wochen früher als gewöhnlich; dem nassen, unfreundlichen Sommer war ein ebenso regenreicher, kalter Herbst gefolgt. Gwyneira hatte Angst, zu viele Tiere zu verlieren, und fürchtete zudem einen frühen Wintereinbruch. Wenn es in den Bergen ernsthaft stürmte und schneite, war auch der Ritt ins Voralpenland gefährlich. Ganz abgesehen davon, dass die Tiere im Schneetreiben schwer zu finden waren.

»Ganz allein mit einer Horde wilder Kerle?«, fragte Gloria mürrisch zurück.

Jack biss sich auf die Lippen. Natürlich konnte man Gloria nicht mit den Viehtreibern ins Hochland schicken. Vielleicht, wenn er selbst ebenfalls mitgeritten wäre. Er blickte zu seiner Mutter hinüber und sah den stummen Vorwurf in ihren Augen. Für Gwyneira war seine Weigerung Drückebergerei – genau wie für die *pakeha*-Viehhüter. Was die Maoris dachten, wusste keiner. Aber seine Mutter und ihre Männer nahmen ihm seine anhaltende Schwäche nicht ab. Er war gesund. Wenn er wollte, konnte er reiten. Und Jack wusste das ja auch selbst. Aber er konnte den Gedanken an die Zelte nicht ertragen, die Lagerfeuer, die großsprecherischen Reden der Männer. Das alles würde nur Erinnerungen an all die lachenden, angeberischen Jungs wachrufen, die dann in Gallipoli gestorben waren. Und ein bisschen auch an Charlotte, die ein- oder zweimal mit zum Viehtrieb geritten war und den Küchenwagen betreut hatte. Sie hatten sich ein Zelt geteilt, sich früh zurückgezogen und Arm in Arm gelegen, während der Regen aufs Zelt pladderte oder der Mond so hell schien, dass er das Innere der Behelfsunterkunft erhellte. Jetzt würde er stattdessen träumen, endlose Albträume von Blut und Tod.

Immerhin schien ihm wenigstens Gloria keine Vorwürfe zu machen. Sie hatte seine Ausreden gleichmütig hingenommen. Anscheinend war es ihr völlig egal, ob er sich auf der Farm nützlich machte oder nicht.

Tatsächlich hatte Gloria keinen Gedanken an Jacks Teilnahme am Viehtrieb verschwendet. Sie hatte viel zu viel mit ihrem eigenen Dilemma zu tun. Seit sie von der Wanderung mit den Maoris zurück war, zeigte sie sich wieder in den Ställen und stellte sich zur Arbeit mit den Rindern und den auf der Farm verbliebenen Schafen zur Verfügung. Die Männer erwiesen sich jedoch als stur. Niemand gab ihr Aufgaben, niemand wies sie in irgendwelche Arbeiten ein, und zur Zusammenarbeit war erst recht keiner bereit. Gloria begriff ihre Wanderung mit den Maoris inzwischen als schweren Fehler. Und noch mehr ihre Rückkehr in der Kleidung der Eingeborenen. Den *pakeha* unter den Arbeitern galt dieser Aufzug als schamlos. Sie kicherten heute noch hinter Glorias Rücken und nannten sie »Häuptlingsbraut« oder »Pocahontas«. Respekt von ihnen konnte sie nicht mehr erwarten. Ihre Anweisungen wurden nicht befolgt, Fragen höchstens knapp oder ironisch beantwortet. Bestenfalls speisten die Männer sie mit einem kurzen »Ja, Miss Gloria« oder »Nein, Miss Gloria« ab und wandten sich dann an Maaka oder Gwyneira. Schlimmstenfalls sahen sie einfach über das Mädchen hinweg oder verspotteten es offen.

Die Maori-Viehhüter waren nicht viel besser. Sie hatten zwar Respekt vor Gloria gewonnen – Reden wie die im *wharenui* beeindruckten den Stamm –, doch hielten die Männer sie gezielt auf Abstand. Passiver Widerstand gegen ihren oft übereifrigen Häuptling Tonga war eine Sache, aber ihn anzuschreien und seinem Sohn Götterstatuen vor die Füße zu werfen ging eindeutig zu weit. Für die Maoris aus Tongas Stamm war Gloria *tapu*, wobei sie nicht wusste, ob sie dazu erklärt worden war oder ob es sich einfach so ergeben hatte. Man ging ihr aus dem Weg.

Doch Gloria war die Ächtung durch andere Menschen gewöhnt. Sie ließ sich nicht davon beirren und blickte unbeirrt geradeaus, wenn man sie wieder einmal übersah oder eine Anweisung ignorierte. Allerdings nagte es an ihr, und es fiel ihr auch nicht immer leicht, sich selbst Beschäftigungen auszudenken. Manchmal ritt sie stundenlang spazieren oder versuchte, die Welpen auf dem Hof zu trainieren. Aber darin war sie nicht mehr geübt. Sie machte Fehler und hörte die Männer lachen, wenn ein kleiner Collie nicht parierte. Mit jungen Pferden ging es ihr ähnlich. Sie verfluchte die Jahre, die sie in England mit dem Studium brotloser Künste verplempert hatte, statt die Farmarbeit von der Pike auf zu lernen.

Immer öfter verbrachte sie somit auch nicht den ganzen Tag draußen, sondern zog sich spätestens am Nachmittag zurück in ihr Zimmer. Meist öffnete sie dann einen von Jacks alten Briefen und versank in seinen Schilderungen des Krieges.

Wir graben uns ein. Du solltest das Schützengrabensystem sehen, das hier entsteht! Es ist fast wie eine unterirdische Stadt. Die Türken gegenüber tun das Gleiche, man könnte verrückt werden, wenn man darüber nachdenkt. Da sitzen wir nun, belauern einander und hoffen darauf, dass ein Dummkopf auf der anderen

Seite zu neugierig wird und hinüberspäht. Dem blasen wir dann den Schädel weg – als ob das irgendetwas am Kriegsverlauf änderte. Ein paar klügere Köpfe in unseren Reihen haben ein Periskop entwickelt. Mittels eines Stabes und zweier Spiegel kann man nun ungefährdet hinausschauen. Sie basteln auch noch an einer Schießvorrichtung.

Aber im Grunde haben die Türken die besseren Karten. Sie halten einfach die erhöhten Stellungen in den Bergen – wenn ihre Waffen weiter reichten, könnten sie in unsere Gräben hineinschießen. Zum Glück ist das nicht der Fall. Aber wie wir dieses Land erobern sollen, entzieht sich meiner Vorstellungskraft.

Ich denke in diesen Tagen viel über Mut nach, Gloria. Vor einer Woche haben die Türken einen Ausfall gewagt, mit einer schier unglaublichen Tapferkeit. Wir haben Tausende von ihnen niedergemäht, aber sie sprangen dennoch immer weiter aus ihren Gräben und versuchten, die unseren zu stürmen. Am Ende waren zweitausend Türken tot. Kannst Du Dir das vorstellen, Gloria? Zweitausend tote Männer? Irgendwann hielten wir inne mit dem Schießen – ich weiß nicht, ob es jemand befohlen hat oder ob sich einfach Menschlichkeit regte. Die Bergungstrupps der Türken holten die Toten und Verletzten aus dem Niemandsland. Und dann kam die nächste Angriffswelle. Ist das nun Mut oder Dummheit, Gloria? Oder Verzweiflung? Schließlich ist es ihr Land, ihre Heimat, die sie hier verteidigen. Was würden wir tun, wenn es um unsere Heimat ginge? Und was tun wir hier?

Glorias Herz pochte wild, als sie diese Zeilen las. Würde Jack vielleicht auch verstehen, was sie getan hatte, um zurück nach Kiward Station zu kommen?

Um sich abzulenken, griff sie wieder zum Zeichenstift.

Kiward Station war nach dem Abtrieb der Schafe von Leben erfüllt. Überall standen Tiere in den Paddocks, ständig musste gefüttert und gemistet werden. Gwyneira erarbeitete einen aufwändigen Plan zur Ausnutzung noch vorhandener Grünflächen – sie sah das spärliche Heu schwinden, das sie im Frühjahr vor dem Regen hatten retten können. Doch weder Jack noch Gloria machten sich besonders nützlich beim Umtreiben der Tiere und Beaufsichtigen der Männer. Jack verschanzte sich nach wie vor in seinem Zimmer, und auch Gloria neigte in letzter Zeit zum Rückzug.

In ihrer Verzweiflung sprach Gwyneira erneut mit Maaka darüber, doch der Maori erklärte nur kurz, er brauche das Mädchen nicht.

»Sie vergrault mir nur die Männer«, bemerkte er knapp, und Gwyneira fragte nicht weiter nach. Sie fühlte sich an den katastrophalen Führungsstil ihres Sohnes Paul erinnert und unterstellte Gloria die gleichen Fehler. Ein- oder zweimal versuchte sie, ihre Urenkelin darauf anzusprechen, aber wieder einmal bewies sie wenig Diplomatie.

Statt Gloria selbst nach den Vorkommnissen zu fragen, auf die Maaka anspielte, machte sie ihr Vorwürfe. Gloria wies sie empört zurück und rannte schließlich in ihr Zimmer.

Gwyneira ahnte nicht, dass sie dort vor Wut und dem Gefühl der Hilflosigkeit weinte. Sie hätte Unterstützung gebraucht; tatsächlich aber stellte Grandma Gwyn sich auf die Seite ihrer Gegner.

Von Jack war ebenfalls keine Hilfe zu erwarten. Das Leben auf der Farm schien einfach an ihm vorbeizurauschen; er nahm nicht daran teil.

Gwyneira meinte manchmal, über alldem verrückt zu werden. Sie hielt nach wie vor am gemeinsamen Abendessen der ganzen Familie fest, Jack und Gloria hüllten sich jedoch nur in Schweigen, wenn sie zum Beispiel von der Heuknappheit und ihren Sorgen um die Versorgung der Tiere auf der Farm sprach. Jack schien gar nichts zu hören; Gloria biss sich offensichtlich auf die Lippen. Sie hatte in den ersten Wochen des Winters gelegentlich Vorschläge eingebracht, aber Gwyneira hatte nie etwas davon hören wollen. Schließlich bedeuteten Glorias Einwände meist nur neue Schwierigkeiten.

»Das Land um den Ring der Steinkrieger ist nicht *tapu*«, bemerkte das Mädchen zum Beispiel. »Wenn Futterknappheit herrscht, kannst du es abweiden lassen, es sind fast zwei Hektar. Natürlich ist es schöner, wenn das Heiligtum auf unberührtem Land steht, aber das Gras wächst schließlich wieder nach. Den Göttern ist es egal, und Tonga soll sich nicht so anstellen.«

Gwyneira hatte sich über die Idee empört – schließlich gestanden sie den Maoris ihr Heiligtum schon seit Jahrzehnten zu, und daran wollte sie jetzt nicht rütteln. Gut, Tonga hatte das Land, auf das er Anspruch erhob, immer mal wieder ausgedehnt, aber Gwyneira wollte keinen Streit. Auch jetzt nicht.

Gloria fühlte sich erneut verraten und schwieg.

Kurz nach Weihnachten überraschte Jack seine Mutter und Gloria mit der Ankündigung einer Reise nach Greymouth.

»Ich habe eigentlich keine Lust dazu«, bemerkte er, »aber irgendwann habe ich Roly versprochen, zu seiner Hochzeit zu kommen. Und darauf besteht er nun, unterstützt von Elaine und Timothy Lambert ...«

Tatsächlich graute Jack vor der Fahrt in den Ort, in den ihn immerhin seine Hochzeitsreise mit Charlotte geführt hatte. Aber er musste ja nicht erneut zu all den Sehenswürdigkeiten der Westküste reisen. Er würde einfach zwei Tage bei Elaine wohnen – oder noch besser in einem Hotel. Die Feier würde er schon irgendwie überstehen, ebenso das Wiedersehen mit Greg, den er noch als aufmüpfigen jungen Burschen in Erinnerung hatte und der jetzt im Rollstuhl saß. Er schuldete es Roly.

Gwyneira stellte ihm gleichmütig das Auto zur Verfügung, und Jack verbrachte ein paar Tage damit, den Wagen beherrschen zu lernen. Dann rumpelte er damit nach Christchurch und nahm den Zug nach Greymouth.

Elaine und ihre Söhne begrüßten ihn strahlend am Bahnhof.

»Du siehst gut aus, Jack!«, behauptete sie. »Zumindest hast du ein bisschen zugenommen. Ich werde dich jetzt auch mästen, pass auf ...«

Jack brauchte seine gesamte Energie, um ihr klarzumachen, dass er lieber im Hotel wohnen wollte, als ihre Gastfreundschaft in Anspruch zu nehmen. Elaine schien darüber tief enttäuscht, fing sich dann aber wieder und neckte ihn.

»Aber nicht das Lucky Horse, Jack, das kann ich nicht verantworten! Roly besteht zwar darauf, ausgerechnet da seine Hochzeit zu feiern, und mein Tim und der restliche Stammtisch sind hellauf begeistert, aber eine Übernachtung wäre ein Anschlag auf deine Tugend!«

Jack bezog schließlich ein Zimmer in einem sehr schönen Hotel am Pier und verbrachte Stunden damit, in die Wellen zu starren, ehe Roly und Tim ihn abholten.

»Polterabend!« Roly lachte. »Junggesellenabschied! Wir machen noch mal richtig eins drauf, Mr. ...« Er grinste. »Verzeihung, Jack! Entschuldigung, Mr. Tim!«

Tim Lambert lachte. »Roly, wie du meinen ... wie sind wir überhaupt verwandt, Jack? Jedenfalls, wie du Jack nennst, ist mir egal. Und wenn diese Nacht so feuchtfröhlich verläuft wie geplant, sind wir am Ende wahrscheinlich alle per Du.«

Jack fand Elaines Mann sympathisch und versuchte seinerseits zu scherzen. »Ich glaube, Elaine ist meine Nichte. Aber keine Sorge, Tim, du brauchst mich nicht ›Onkel‹ zu nennen.«

Greg McNamara trug sein Schicksal gefasster, als Jack gefürchtet hatte. Zumindest an diesem Abend, an dem der Whiskey in Strömen floss. Unter den Männern genoss der Kriegsinvalide auch Heldenstatus. Während es Roly und Jack sichtlich peinlich war, als das erste Glas auf die »Helden von Gallipoli« erhoben wurde, strahlte Greg und wurde später nicht müde, von seinen Abenteuern in Cape Helles zu erzählen, die ihn seine Gesundheit gekostet hatten. Viel später am Abend fand sich dann auch ein Mädchen, das sich die Sache scheinbar interessiert anhörte und dazu auf Gregs Oberschenkelstümpfen Platz nahm.

»Dies ist tatsächlich ein Puff«, bemerkte Jack verwirrt Tim gegenüber, der mit der Besitzerin des Etablissements, Madame Clarisse, scherzte und Anekdoten aus seiner eigenen Verlobungszeit mit Lainie austauschte.

»Er hat es erfasst!«, lachte die alte Hotelbetreiberin. »Wo habt ihr den aufgetrieben, Tim? Im letzten Schafpferch der Canterbury Plains? Ich dachte, Sie waren im Krieg, Mr. McKenzie. Haben Sie da niemals ... nun, sagen wir mal, Zerstreuung bei einer Heldin der Nacht gesucht?«

Jack errötete. Er hätte es nicht zugegeben, aber seit Charlotte hatte er tatsächlich keine einzige Frau umarmt. Erst recht keins der käuflichen Mädchen im Hafen von Alexandria oder in den elenden Bars rund um ihr Lager in Kairo.

»Hera, kümmere dich doch mal um den Mann!«

Hera entpuppte sich als Maori-Mädchen oder sah zumindest so aus. Tatsächlich konnte sie kaum zu einem Stamm gehören, sie wäre sonst nicht in Madame Clarisse' Etablissement. Jack war höflich genug, nicht zu fragen. Er atmete auf, als es sich um ein pralles Mädchen mit brauner Haut und langem schwarzem Haar handelte, das in keiner Weise an Charlotte erinnerte. Jack schaffte es, ein paar freundliche Worte mit Hera zu wechseln, bevor er sich früh zurückzog.

»Schon müde?«, fragte das Mädchen verwundert. »Na ja, eigentlich ganz vernünftig, sich am Tag vor der Hochzeit nicht besinnungslos zu besaufen. Sollte man dem Bräutigam auch mal ans Herz legen. Aber wir hätten hier auch Betten …« Sie lächelte einladend.

Jack schüttelte den Kopf.

»Vielleicht morgen«, sagte er ausweichend und schämte sich gleich darauf für die dumme Floskel. Natürlich gedachte er auch nicht am nächsten Tag, mit der kleine Hure das Bett zu teilen.

Hera lachte auch nur.

»Ich komme drauf zurück!«, drohte sie.

Jack war froh, als er flüchten konnte. Er schlief unruhig in seinem Luxuszimmer mit Meerblick und träumte von Charlotte und Hera, deren Gesichter sich in seinem Traum zu einem einzigen verbanden. Das Mädchen, das er schließlich küsste war – Gloria.

Die O'Briens waren ebenso katholisch wie die Flahertys, die Eltern der Braut. Deshalb musste der langmütige Reverend der Methodistenkirche wieder mal all seine Toleranz zusammennehmen, um eine Trauung in der feierlichen Atmosphäre der kleinen Kirche zu ermöglichen. Tatsächlich öffnete er das Gotteshaus einem katholischen Amtsbruder aus Westport, und Elaine spielte – nicht unbedingt passend, aber wenigstens allgemein bekannt – *Amazing Grace* auf der Orgel.

Madame Clarisse erschien mit all ihren Mädchen, und Hera lächelte Jack zu, während die hochanständigen Mütter der

Braut und des Bräutigams die versammelte Belegschaft des Lucky Horse mit Verachtung straften. Die Männer wirkten durchweg verkatert, die Frauen darüber etwas verstimmt, aber schließlich weinten zumindest sämtliche weibliche Anwesende, als Rolys und Marys Jawort deutlich vernehmbar erklang.

Jack dachte an seine Hochzeit mit Charlotte und konnte die Tränen kaum zurückhalten. Greg neben ihm weinte wie ein Schlosshund. Für ihn kam eine Hochzeit wohl kaum in Frage. Das Mädchen, mit dem er vor Gallipoli ausgegangen war, hatte ihn nach seiner Rückkehr verlassen. Und wie hätte er auch eine Frau ernähren sollen?

Nach der Trauung gab es ein Essen im Lucky Horse, das nun die Langmut Madame Clarisse' bis ins Letzte forderte, denn Mrs. O'Brien und Mrs. Flaherty besetzten die Küche.

»Mit den beiden in Gallipoli hätten wir gewonnen«, bemerkte Elaine, die kurz in die Schusslinie geraten war. »Madame Clarisse hat schon Angst, dass sie heute noch alle ihre Schäfchen zum Katholizismus bekehren. Jedenfalls werden Charlene und ich eindeutig nicht gebraucht. Wo ist der Champagner?«

Sie sah sich vergnügt im Schankraum um, den sie zuvor gemeinsam mit ein paar anderen Frauen und Mädchen festlich mit Blumen und Girlanden geschmückt hatte. Putzen mussten sie nicht, das erledigte Madame Clarisse' Küchenpersonal. Das Lucky Horse war immer untadelig sauber. An diesem Tag hatte man einen Teil der Tische zur Seite gestellt und in der Mitte des Lokals eine Tanzfläche geschaffen. Roly und seine Mary standen dort aufgeregt und nahmen die Glückwünsche und Geschenke der Gäste entgegen. Mary nippte am ersten Champagner ihres Lebens, sie sah in ihrem cremefarbenen Hochzeitskleid wunderhübsch aus. Natürlich stammte es aus der Werkstatt von Rolys Mutter, die sich damit wieder mal selbst übertroffen hatte. Niemand beherrschte die Technik der neumodischen Nähmaschinen so perfekt wie sie.

Mrs. Flaherty brillierte dagegen am Kochherd. Selbst die Stammgäste des Lucky Horse mussten einräumen, noch nie so gut gegessen zu haben.

Tim Lambert hatte den Champagner gestiftet, aber die Mehrheit der Gäste hielt sich wieder an Whiskey. Jack wunderte sich, dass Hera, die den Fusel offensichtlich literweise trank, nicht davon betrunken wurde.

Elaine und Charlene, die dralle, schwarzhaarige Gattin Matthew Gawains, wollten sich darüber ausschütten vor Lachen. Die Frauen hatten sich zu Jack gesellt, der allein an einem der Tische saß. Die anderen Männer standen noch an der Bar.

»Madame Clarisse' Mädchen trinken gar nicht«, erklärte Charlene. »Oder jedenfalls nur sehr maßvoll. Samstag nach der Schicht gab's immer ein Glas, nicht, Elaine?«

Elaine nickte. »Und ich hab's genossen. Dabei habe ich nur Klavier gespielt. Aber im Ernst, Jack, in Heras Glas ist bloß schwarzer Tee. Heute ist es zwar anders, weil Roly alles bezahlt, aber gewöhnlich kriegen die Mädchen ein paar Cent für jedes Glas, zu dem die Männer sie einladen. Das ist ein ansehnliches Zubrot – selbst ich bin an manchen Abenden fast im Tee ertrunken.« Sie lächelte in beinahe wehmütiger Erinnerung. Jacks Blicke folgten immer noch Hera, die mit einem Mann nach dem anderen tanzte. Wie eigentlich überall an der Westküste gab es auch in dieser Gesellschaft weit mehr Männer als Frauen, und Madame Clarisse' Mädchen mussten einspringen. Hera wirkte schon ziemlich erhitzt.

»Sie nimmt aber sicher gern einen Champagner, wenn du sie einlädst«, bemerkte Elaine und stupste Jack ein bisschen in Heras Richtung. »Selbstbedienung bei den edleren Getränken hat Madame bestimmt verboten.«

Charlene nickte. »Holen Sie das arme kleine Ding ruhig an unseren Tisch, Mr. McKenzie«, ermutigte auch sie. »Sie kann eine Pause gebrauchen.«

»Das arme kleine Ding?«, fragte Jack. »Gestern machte sie durchaus den Eindruck, als hätte sie hier Spaß.«

Charlene schnaubte. »Das gehört zum Job, Mr. McKenzie. Oder würden Sie für eine Hure zahlen, die dauernd heult?«

Jack zuckte die Schultern. »Ich hab noch nie für eine Hure gezahlt«, gab er zu. »Aber wenn die Mädchen keinen Spaß dran haben ... warum tun sie's dann?«

Elaine und Charlene, beide nicht mehr ganz nüchtern, brachen in theatralisches Stöhnen aus.

»Süßer«, sagte Charlene mit der rauchigen Stimme, die Elaine seit der Hochzeit mit Matt nicht mehr von ihr gehört hatte. »Dafür gibt's 'ne Menge Gründe. Aber von ›Spaß‹ hab ich noch nie gehört.«

Jack sah sie unsicher an. »Sie ... haben auch hier gearbeitet?«, fragte er befangen.

»Korrekt, Süßer!«, lachte Charlene. »Und um die Frage gleich vorwegzunehmen: Nein, ich kann nicht Klavier spielen. Ich hab das gemacht, was alle anderen Mädchen gemacht haben.«

Jack wusste nicht, wo er hinsehen sollte.

Charlene verdrehte die Augen. »Wenn Sie einen Abscheu vor ehemaligen Huren haben, sollten Sie die Westküste meiden«, bemerkte sie böse. »Madames Mädchen werden fast immer schneller weggeheiratet, als sie Nachschub besorgen kann. Nur Hera, das arme kleine Ding, will keiner. Wenn die Kerle auf Maori-Frauen stehen, heiraten sie eine aus den Stämmen. Die freut sich auch und ist unverbraucht.«

»Ich empfinde doch keinen Abscheu.« Jack wehrte ab. »Ich denke nur, ein Mädchen hat doch immer die Wahl ...« Er spielte mit seinem Champagnerglas.

Charlene goss ihm einen Whiskey ein. »Nun trinken Sie schon was Richtiges, das Blubberwasser schmeckt Ihnen doch gar nicht. Und was die Wahl angeht …«

»Du kannst natürlich ehrenvoll verhungern«, bemerkte Elaine. »Ich hätt's wahrscheinlich getan. Ich wäre damals lieber gestorben, als irgendeinen Mann auch nur anzufassen.« Elaine war nach der Ehe mit ihrem gewalttätigen ersten Gatten im Greymouth gelandet.

»Wenn man dich gefragt hätte, Schätzchen«, lachte Charlene bitter. »Unsere Madame Clarisse zwingt ja keine, aber in den meisten Etablissements haben Männer das Sagen. Und wenn denen ein kleines Ding zuläuft wie du, das offensichtlich was zu verbergen hat und das wahrscheinlich keiner sucht, dann reiten die das erst mal ein. Danach bist du gebrochen, dann tust du alles.«

Jack nahm einen großen Schluck von seinem Whiskey.

»Und die kleine Hera«, fuhr Charlene fort, »die haben sie schon verkauft, da war sie noch keine zehn Jahre alt. Die Mutter war Maori, hat sich von irgend so einem Kerl von ihrem Stamm weglocken lassen. Einem Goldgräber. Er schleppte sie von der Nord- auf die Südinsel. Keine Chance, nach Hause zu finden. Als das Gold nicht floss, verkaufte er das Mädchen – und später ihre Tochter. Die hat keiner gefragt, Jack.«

»Und auch wenn sie dich fragen«, fügte Elaine hinzu. »Also, ich hatte eine Freundin in Queenstown, die hat's freiwillig gemacht, um die Überfahrt von Schweden zu bezahlen. Da war's dann einfach die Wahl zwischen zwei schlechten Alternativen …«

Jack sah eine Chance zur Widerrede. »Aber Gloria ist als Schiffsjunge rübergekommen. Die musste nicht …«

Charlene nahm einen weiteren Schluck Champagner. »Als Schiffsjunge? Den ganzen weiten Weg von England bis Neuseeland?«

»Von Amerika!«, trumpfte Jack auf.

Charlene runzelte die Stirn. »Und in der ganzen Zeit hat der Schiffsjunge nie sein Hemd ausgezogen? Von der Unterhose mal ganz abgesehen? Also, ich war ja noch ein Kind, als wir ausgewandert sind. Aber ich erinnere mich gut daran, wie heiß es auf dem Pazifik war. Die Matrosen arbeiteten mit nackten Oberkörpern, und die Männer sprangen zur Abkühlung über Bord und ließen sich an Seilen ein Stück vom Schiff mitziehen. Das war eine Mutprobe, ab und zu ging einer dabei drauf.«

Jack wollte von den Mutproben der jungen Matrosen nichts hören.

»Was ... was wollen Sie damit sagen?«, fragte er mit aggressivem Unterton. Elaine legte ihm die Hand auf den Arm.

»Sie will sagen, dass ... wenn es so war ... ich weiß ja auch nur das, was Grandma Gwyn erzählte ... Dann müssen mindestens ein oder zwei der anderen Mannschaftsmitglieder eingeweiht gewesen sein ...«

»Ein oder zwei?«, höhnte Charlene. »Seit wann bewohnen die Schiffsjungen Zweibettzimmer? Mensch, Lainie, die schlafen in Verschlägen zu sechst oder zu zehnt. Ein Mädchen fällt da auf.«

»Na ja, gut, dann gab es eben Mitwisser ...« Jack goss sich einen weiteren Whiskey ein. Seine Hände zitterten.

»Und die haben ganz ohne Gegenleistung für sich behalten, dass Gloria kein Kerl ist?«, sagte Charlene. »Nehmen Sie der Kleinen mal schnell den Heiligenschein ab, bevor sie Druckstellen kriegt!«

»Du solltest tanzen, Jack ...« Elaine sah, dass Jack die Faust so fest um sein Glas ballte, dass die Knöchel weiß hervortraten. »Hera ...«

»Hera kann gern mit mir trinken. Nach Tanzen ist mir nicht.« Jack atmete tief ein und aus. Er neigte nicht zu Wutanfällen. Erst recht nicht, wenn jemand nur die Wahrheit sagte.

»Und du vielleicht auch, Charlene.« Elaine machte ihrer Freundin ein Zeichen zu verschwinden. »Hol dir deinen Matt und gib ihm Bewegung. Und schick bei der Gelegenheit gleich Tim zu mir. Der steht schon viel zu lange an der Bar, nachher tut ihm alles weh, und er will um elf nach Hause ...«

Jack trank schweigend eine halbe Flasche Whiskey. Zuerst allein, dann neben Hera, die einfach nur wartete. Schließlich nahm sie ihn mit hoch, und er schlief in ihren Armen.

Am nächsten Tag drängte er ihr das Geld für eine ganze Nacht auf.

»Aber es ist gar nichts passiert!«, protestierte das Mädchen. »Das musst du doch noch wissen ...«

Jack schüttelte den Kopf. »Es ist mehr passiert, als du dir vorstellen kannst.«

Zum ersten Mal in seinem Leben zahlte Jack McKenzie für eine Hure.

6

Nach einem enervierenden Tag mit Elaines Familie, an dem ihm Lainie und ihre Söhne unbedingt sämtliche Pferde und Hunde der Familie vorführen mussten, nahm Jack den Nachtzug nach Christchurch. Am Bahnhof sprach ihn ein großer, schlanker Mann mit hellem Haar und länglichem Gesicht an. Jack konnte sich nicht an seinen Namen zu erinnern, aber der Mann stellte sich höflich vor.

»Mr. McKenzie? Caleb Biller. Wir kennen uns flüchtig. Ich hatte ein paar sehr interessante Gespräche mit Ihrer Gattin, als Sie damals hier waren.«

Jack erinnerte sich und reichte ihm die Hand. »Nett, Sie wiederzusehen, Mr. Biller. Sie wissen, dass Charlotte ...« Es tat immer noch weh, darüber zu sprechen.

Caleb Biller nickte. »Ihre Frau ist vor einigen Jahren verstorben. Es tut mir sehr leid, sie war eine brillante Forscherin. Ich habe später ein paar Artikel von ihr gelesen.«

»Ja«, sagte Jack leise. Er fragte sich, was Biller von ihm wollte. Er war doch sicher nicht zum Bahnhof gekommen, um ihm Jahre nach Charlottes Tod sein Beileid auszusprechen.

»Ich will Ihnen nicht zu nahe treten, Mr. McKenzie, aber ... es würde mich interessieren, ob und wie Sie Mrs. McKenzies Nachlass geregelt haben. Ihren Artikeln war zu entnehmen, dass sie Maori-Mythen gesammelt, aufgezeichnet und übersetzt hat ...«

Jack nickte und hoffte, dass sein Zug bald einfuhr. Aber so schnell entkam er Caleb Biller nicht.

»Sie hat Hunderte aufgeschrieben«, gab er schließlich zu.

Calebs Augen blitzten auf. »Das dachte ich mir. Sie war sehr engagiert. Aber was mich interessiert ... wo sind diese Aufzeichnungen? Haben Sie den Nachlass Ihrer Gattin irgendeinem Institut zur Verfügung gestellt?«

Jack runzelte die Stirn. »Institut? Wer sollte sich denn dafür interessieren?«

»Jede bessere Universität, Mr. McKenzie. Sie haben die Schriften doch nicht etwa weggeworfen?« Biller schien allein der Gedanke mit Entsetzen zu erfüllen.

Jack nicht minder.

»Wegwerfen? Wo denken Sie hin, Mann? Nachdem Charlotte so viel Herzblut hineingesteckt hat? Ich habe sie natürlich noch. Ich habe noch all ihre Sachen ... vielleicht sollte ich ...« Jack dachte mit schlechtem Gewissen an die Schränke voller Kleider und Schuhe, die Regale voller Bücher und die vielen Ordner, gefüllt mit Texten in Charlottes klarer Schrift. Er hätte das längst durchsehen, sich für ein paar persönliche Andenken entscheiden und den Rest verschenken müssen.

Caleb Biller atmete auf. »Das hatte ich gehofft. Hören Sie, Mr. McKenzie, so sehr ich Ihre Gefühle respektiere, aber Charlotte hat keine Forschungen angestellt, damit die Ergebnisse in Ihren Schubladen liegen. Es wäre sicher in ihrem Sinne, wenn sie anderen Wissenschaftlern und damit der Nachwelt zur Verfügung gestellt würden. Könnten Sie sich nicht dazu durchringen?«

Jack zuckte die Schultern. »Wenn Sie meinen, dass jemand die Unterlagen haben will ... Soll ich sie Ihnen schicken?« Er schulterte seinen Seesack. Der Zug rollte endlich ein.

Caleb Biller zögerte. »Ich bin nicht ganz der richtige Ansprechpartner«, bemerkte er. »Das ist eher etwas für eine ... na ja, mehr linguistisch-literarisch orientierte Fakultät. Ich selbst beschäftige mich mit Kunst und Musik der Eingeborenen, verstehen Sie?«

Jack verstand zwar, fand es aber wenig hilfreich. »Also, Mr. Biller, ich muss gleich einsteigen. Sagen Sie mir, was Sie auf dem Herzen haben. An wen soll ich die Sachen schicken?«

»Im Grunde an eine beliebige Universität ...«

»Mr. Biller! An welche?« Caleb Billers unbestimmtes Verhalten machte Jack rasend. Der Mann wollte die Schriften offensichtlich irgendeiner bestimmten Fakultät zuspielen, konnte sich aber nicht überwinden, offen zu reden.

»Vielleicht ... Wellington? Die haben gerade eine Dozentur geschaffen, die ...« Caleb Biller trat von einem Fuß auf den anderen.

Jack nickte. »In Ordnung, Mr. Biller. Wellington. Sobald ich die Zeit finde, das Material zu sichten, geht es ab. Gibt's einen bestimmten Adressaten?«

Biller lief tatsächlich rot an. »Ich wollte Sie eigentlich bitten ... also, es ist doch sicher sehr viel Papier. Und ... vielleicht würde die Universität lieber jemanden schicken, der es selber sichtet ...«

Der Mann wollte irgendeinen bestimmten Dozenten der Universität Wellington nach Christchurch locken. Jack fragte sich, was er sich davon versprach. Aber dann fiel ihm ein anderer Zusammenhang ein, in dem er den Namen Biller schon mal gehört hatte.

»Sagen Sie, ist Ihr Sohn nicht mit meiner Großnichte Lilian durchgegangen?«

Billers Gesicht nahm die Farbe einer überreifen Tomate an.

»Dieser Junge, der polynesische Dialekte vergleicht oder so was?«

Biller nickte. »Mein Sohn könnte die Aufzeichnungen Ihrer Gattin mehr würdigen als jeder andere«, rechtfertigte er sich. Wahrscheinlich widersprach es irgendwelchen akademischen

Glaubensgrundsätzen, Verwandten interessante Forschungsprojekte zuzuschanzen.

Jack grinste. »Zweifellos. Und vielleicht ließe sich mit einer Sichtung des Materials durch Ihren Sohn auch ganz nebenbei eine kleine Familienzusammenführung verbinden.«

Biller biss sich auf die Lippen. »Ich hab's Elaine noch nicht gesagt«, meinte er. »Geschweige denn meiner Frau und Tim Lambert. Die wissen ohnehin nichts von den Kindern. Ehrlich gesagt, kam mir der Gedanke überhaupt erst gestern, als ich hörte, dass Sie da sind. Aber es ist wirklich nicht nur eigensüchtig gedacht, Mr. McKenzie. Die Forschungen Ihrer Frau ...«

Jack setzte nun endgültig den Fuß auf die Plattform.

»Ich schreibe nach Wellington. Versprochen«, sagte er freundlich. »Sobald ich mich aufraffe ... Sie werden verstehen, dass ich das Material zunächst selbst durchsehen muss.«

Caleb hob die Hand zum Gruß. »Ich danke Ihnen, Mr. McKenzie. Und ich hoffe, dass Sie bald Zeit finden ...«

Jack zwang sich zu einem Lächeln. Zeit war nicht das Problem. Das Problem bestand darin, Charlottes Zimmer zu betreten, ihren Duft einzuatmen und die Dinge zu berühren, die sie berührt hatte. Aber Caleb hatte Recht. Es musste sein. Charlotte hätte es so gewollt. Sie wünschte sich kein Mausoleum ... Jack spürte einen Schmerz in seiner Brust und sah plötzlich die Pharaonengräber in Ägypten vor sich. Seelen, eingemauert mitsamt einer Vielzahl weltlicher Güter, angekettet im Diesseits, weit fort von Hawaiki. Charlotte hätte das gehasst. Jack beschloss, sich ihre Zimmer gleich am kommenden Tag vorzunehmen.

Mit dem Auto nach Kiward Station zurückzufahren nahm noch einmal fast den ganzen Tag in Anspruch. Es wäre schneller gegangen, aber Jack vertraute der Technik nicht ganz und scheute sich, das Gaspedal durchzutreten. Angespannt und todmüde erreichte er schließlich am Nachmittag die Farm, fuhr den Wagen in die Remise und beschloss, den Hintereingang zu nehmen. Wenn er es schaffte, seiner Mutter aus dem Weg zu gehen, konnte er bis zum Abendessen noch zwei Stunden schlafen. Dann würde er eher bereit sein, von der Hochzeit zu erzählen – und Gloria gegenüberzutreten.

Letztere sah er jedoch gleich im Corral bei den Ställen. Der abgeschlossene Zirkel wurde zur Pferde- und auch schon mal zur Hundeausbildung benutzt. Gloria belegte ihn mit einem vielleicht sechs Monate alten Collie, einem Hund aus dem gleichen Wurf wie Tuesday und Shadow.

»Sitz!«, befahl sie mit schon leicht ungeduldiger Stimme, und Nimue, die außerhalb des Zirkels wartete, nahm artig Platz. Der kleine Hund stand jedoch nach wie vor schwanzwedelnd vor Gloria, sah sie eifrig an, machte aber keine Anstalten, sich hinzusetzen, obwohl sie am Halsband zog.

»Sitz!«

Gloria fiel das wirre Haar ins Gesicht, als sie sich zu dem Welpen hinunterbeugte. Seit sie die Maoris verlassen hatte, trug sie keine Stirnbänder mehr, sondern versuchte, ihre Locken durch Haarspangen zu bändigen. Das war allerdings hoffnungslos. Jack sah, wie sie um Fassung rang. Sie wusste, dass sie im Umgang mit Tieren nie die Geduld verlieren durfte, aber in ihrem Gesicht stand pure Frustration. Für Jack sah sie sehr jung aus – und sehr hübsch. Ihr Eifer gefiel ihm, aber so, wie sie es anstellte, war es hoffnungslos.

Jack trat näher. »Du gibst widersprüchliche Signale«, sagte er schließlich. »Er versteht nicht, was er soll.«

»Aber mehr als zeigen kann ich es ihm doch nicht!«, meinte Gloria unglücklich. Sie drückte das Hinterteil des Welpen jetzt mit der Hand auf den Boden, aber er stand wieder auf, sobald sie ihn losließ. »Und Nimue habe ich es damals auch beigebracht. Vielleicht ist er einfach dumm …«

Jack lachte. »Das lass mal deine Großmutter nicht hören! Ein dummer Kiward Collie, das wäre ja so, als käme hier ein kariertes Schaf zur Welt. Nein, es liegt an dir, du hast die Technik verlernt. Hier, schau mal.«

Jack schlüpfte zwischen den Balken durch, die den Corral begrenzten, und begrüßte den kleinen Hund mit einem freundlichen Klopfen. Dann nahm er die Leine und zupfte daran, wobei er einen kurzen Befehl gab. Das Hinterteil des Welpen plumpste auf den Boden.

»Das gibt's nicht!«, seufzte Gloria. »Warum tut er's nicht für mich?«

»Du machst einen kleinen Fehler«, erklärte Jack. »In dem Moment, in dem du den Befehl und den Impuls mit der Leine gibst, beugst du dich zu dem Hund hinunter. Er kommt dir dabei schwanzwedelnd entgegen. Was gut ist. Viel schlimmer wäre es, wenn er Angst vor dir hätte und rückwärts wegwollte. Aber auf den Gedanken, sich hinzusetzen, statt mit dir zu schäkern, kommt er auf keinen Fall. Nun sieh mal, wie ich es mache …«

Gloria beobachtete fasziniert, wie Jack seinen Oberkörper aufrichtete, während er dem Hund den Befehl zum Hinsetzen gab. Der Welpe schaute dabei zu ihm auf, hob den Kopf – und plumpste auf sein Hinterteil.

»Lass mich mal!« Gloria ahmte Jacks Haltung nach, zupfte geschickt an der Leine – und der Collie saß. Beide, Gloria und Jack, lobten ihn überschwänglich.

»Siehst du?« Jack lächelte. »Kein dummer Hund, nur …«

»Nur eine dumme Gloria. Ich mach nie was richtig. Ich glaube, ich geb's auf.« Gloria wandte sich ab. Gewöhnlich hätte sie sich nie zu diesen Worten hinreißen lassen, aber dieser Tag hatte sie wieder mal an ihre Grenzen getrieben.

Am Morgen war Tonga mit wichtiger Miene bei Gwyneira erschienen und hatte sich über ein paar Schafe auf dem heiligen Grund der Maoris beschwert. Tatsächlich hatten die Tiere nur die Grenze nach O'Keefe Station überschritten und fraßen jetzt auf einem Gelände, auf dem Howard O'Keefes Schafe jahrzehntelang geweidet hatten, meist gehütet von Maori-Hirten. Inzwischen gehörte das Land zweifellos dem Stamm, aber von »heilig« waren die Wiesen rund um den Bach weit entfernt.

Tonga und seine Leute hätten die verirrten Tiere einfach zurücktreiben können, statt Ärger zu machen, und Gloria hatte ihm das auch gesagt. Grandma Gwyn hatte sie daraufhin rüde angefahren und dem Häuptling Recht gegeben – ein Vorgehen, das Gloria nicht verstand. Gwyneira und Tonga hatten einander in den Haaren gelegen, seit das Mädchen denken konnte, und früher hatte Grandma Gwyn ihre Position durchaus verteidigt. Zurzeit litt Kiward Station allerdings an starkem Personalmangel. Vor allem *pakeha* arbeiteten kaum noch auf den Schaffarmen. Die Glücksritter, die sich hier gewöhnlich verdingten, hatten sich in den Kriegsjahren eher dem ANZAC angeschlossen und waren dann in den großen Städten geblieben – sofern sie das Abenteuer überlebt hatten. Gwyneira war deshalb auf Maori-Viehhüter angewiesen. Wenn Tonga sich zu einem Boykott entschloss, stand sie allein mit zehntausend Schafen. Bevor sie das riskierte, machte sie Zugeständnisse.

Gloria sah das anders und scheute sich nicht, es ihr später vorzuhalten.

»Es wäre besser, mit Entlassung der Ngai-Tahu-Arbeiter zu drohen!«, führte sie an, wütend über die unverdiente Zurechtweisung im Beisein des Häuptlings, der sein Feixen hinter einem weisen Lächeln versteckte. »Dann gehen die nämlich schnell auf die Barrikaden. Die Ernte war schlecht, die Familien sind auf die Jobs angewiesen. So viel *mana*, dass der Stamm sich mitten im Winter auf Wanderschaft jagen lässt, weil es hier nichts mehr zu essen gibt, hat Tonga auf keinen Fall. Du bist viel zu weich, Grandma!«

Der Vorwurf hatte nun wieder Gwyneira hart getroffen, die sich nicht zu Unrecht viel darauf einbildete, die Farm seit Jahrzehnten praktisch allein zu leiten. Schon zurzeit Gerald Wardens waren alle Fäden bei ihr zusammengelaufen.

»Solltest du die Farm mal erben, Gloria, kannst du es machen, wie du willst!«, erklärte sie böse. »Aber solange ich sie leite, wirst du dich nach mir richten müssen. Reite jetzt hinaus und sammle diese vermaledeiten Schafe ein!«

Gloria war blind vor Tränen hinausgestürzt und hatte ihr Pferd und ihren Hund genommen – allerdings keine weiteren Helfer, was sich später als fatal herausstellte. Die versprengten Schafe waren übermütige junge Widder, die aus einem Pferch entwichen waren. Gloria brauchte auch mit der erfahrenen Nimue den ganzen Vormittag, um sie einzutreiben und den Zaun dann notdürftig zu reparieren. Später berichtete Maaka Gwyneira, dass die Tiere schon wieder unterwegs waren. Ein weiterer Tadel für Gloria. Das Mädchen war zu stolz, um Gwyneira zu berichten, dass sie Frank Wilkenson gleich nach ihrer Rückkehr gebeten hatte, Männer mit Werkzeug loszuschicken und den Zaun richtig zu befestigen. Wilkenson hatte sie allerdings wieder mal ignoriert, und erst Maaka hatte sich Stunden später der Sache angenommen. Die Schafböcke in dem abgefressenen Paddock hatten die Lücke in dieser Zeit längst gefunden.

Gloria hatte sich dann auf ihr Zimmer zurückgezogen und wieder in Jacks Briefen geschmökert, doch seine Schilderung des Lageralltags zwischen den Angriffen und seine überbordende Traurigkeit hatten sie nur weiter deprimiert. Und Zeichnen funktionierte tagsüber nicht; Gloria brauchte die

Dunkelheit, um die Bilder in ihrem Kopf zu Papier zu bringen.

Schließlich war sie hinausgegangen, um die Hunde zu trainieren – und hatte eine erneute Niederlage erlitten. Gloria reichte es für diesen Tag, sie sprach es ausnahmsweise einmal aus.

Jack schüttelte den Kopf.

»Du bist genauso wenig dumm wie der Hund«, meinte er. »Du hast bloß den Trick nicht gekannt. Wo ist das Problem?«

»Weißt du noch mehr solche Tricks?«, fragte Gloria widerwillig.

Jack nickte. »Hunderte«, behauptete er. »Aber heute bin ich zu müde. Wie wär's, wenn ich sie dir morgen zeige?«

Ein Lächeln erschien auf Glorias Gesicht. Jack verschlug es beinahe den Atem. Er hatte sie noch nie offen lächeln sehen, seit er zurück nach Kiward Station gekommen war. Allenfalls schaffte sie ein mattes Grinsen. Aber jetzt leuchteten ihre Augen auf. Er sah einen Widerschein des Vertrauens darin, das Gloria ihm als Kind entgegengebracht hatte – und Bewunderung.

»Einverstanden!«, sagte sie leise. »Aber irgendwo, wo keiner zuguckt ...«

Die Arbeit mit Gloria und den Collies war eine willkommener Grund, die Beschäftigung mit Charlottes Nachlass aufzuschieben. Jack verstand zwar nicht recht, warum das Ganze heimlich ablaufen sollte, doch er fügte sich in Glorias Wunsch und traf sie auf abgeweideten Schafkoppeln und ein paar Mal sogar im Ring der Steinkrieger, um ihr zunächst mit Tuesday und Nimue die Grundlagen der Hundedressur zu vermitteln und dann mit den Welpen zu üben.

»Stimmt es, was du damals gesagt hast?«, fragte er sie, als sie über das winterlich braune, aber üppige Grasland nach Hause ritten. »Dass über dem Land hier gar kein *tapu* liegt?«

»Sicher«, erklärte Gloria. »Du kannst die Geschichte selbst nachlesen. Rongo Rongo sagt, sie hätte sie deiner … deiner Gattin erzählt.«

»Sie hieß Charlotte«, sagte Jack leise. »Und sie hat Tausende Geschichten gesammelt.«

»Diese hier ist jedenfalls ein paar hundert Jahre alt, und jeder erzählt sie anders. Aber in dem Steinkreis hat es wohl mal eine Art Zweikampf gegeben. Zwei Männer mit starkem *mana* stritten um irgendetwas …«

»Um eine Frau?«, fragte Jack.

Gloria zuckte die Achseln. »Rongo Rongo sprach von einem Fisch. Einem sprechenden Fisch oder so was, ich hab's nicht behalten. Vielleicht auch ein Geist in einem Fisch … Aber es ging wohl darum, wem der Ruhm gebührte, ihn gefangen zu haben. Er hätte das *mana* des Fischers noch stärker gemacht. Das Ganze endete blutig, beide Männer starben. Seitdem ist der Kampfplatz *tapu*. Das ist nichts Besonderes, viele heilige Stätten sind einstige Kriegsschauplätze …«

Jack nickte und dachte an Gallipoli. Es wäre eine gute Idee, den Strand von jetzt an unberührt zu lassen bis in alle Ewigkeit.

»Innerhalb des Steinkreises sollen wir … sollen die Maoris nicht essen und trinken. Es ist ein Ort der Einkehr und des Gedenkens an die Geister der Ahnen. Streng genommen hätte man dort auch niemanden begraben dürfen. Aber so ist Tonga nun mal – er deutet jedes *tapu* so, wie es ihm gerade passt. Außerhalb des Steinkreises ist allerdings nichts passiert. Ob da ein paar Schafe weiden oder nicht, ist für den Glauben der Maoris unerheblich.«

»Ich nehme an, die Wardens haben dort auch nur deshalb

keine Schafe hingetrieben, damit sie nicht aus Versehen in den Steinkreis laufen«, meinte Jack.

»So hat's wahrscheinlich angefangen«, sagte Gloria. »Aber egal, was Tonga sagt: Es wäre auch kein Sakrileg, den Steinkreis einfach einzuzäunen, um die Schafe draußen zu halten. Sicher, das ist nicht sonderlich reizvoll, inmitten eines Stacheldrahtverhaus zu beten, aber ...«

»Bei diesem Wetter kommt doch sowieso keiner her!«, gab Jack zu bedenken.

Es war ein grauer, nebliger Tag. Die Alpen waren hinter dem Dunstschleier kaum zu erahnen, und es regnete und stürmte. Jack fragte sich zum wiederholten Mal, warum man das Hundetraining bei diesem Wetter nicht in eine Scheune verlegen konnte. Allerdings bekam er langsam einen Eindruck davon, wie die Arbeiter Gloria behandelten. Die Sticheleien der *pakeha* waren kaum zu überhören, wenn man sich öfter im Stall aufhielt. Und die Maoris schienen bei Glorias Erscheinen zu verschwinden. Kein Wunder, dass sie von harten Maßnahmen träumte, um sich Respekt zu verschaffen.

»Und es wäre ja auch nicht für immer«, fügte Gloria hinzu. »Nur für ein paar Wochen, um Heu zu sparen. Das geht nämlich zur Neige. Maaka hat schon auf anderen Farmen herumgefragt. Leider hat niemand etwas zu verkaufen. Ich habe keine Ahnung, wie Grandma Gwyn dieses Problem lösen will.« Sie fröstelte trotz ihres Wachsmantels. Ihre dicken Locken, die Regen und Wind ihr ins Gesicht wehten, klebten an ihren Wangen. Ungeduldig schob sie das Haar nach hinten. Jack erinnerte sich an die Geste. Gloria hatte sie schon als Kind gezeigt, wenn ihr sprödes Haar nicht im Pferdeschwanz bleiben wollte. Irgendwann hatte sie es dann abgeschnitten. Jack lächelte, als er an Miss Bleachums entsetzte Reaktion dachte. Heute wäre Glorias Frisur der letzte Schrei. In England probierten die mutigsten Mädchen gerade die ersten Kurzhaarfrisuren. Gloria würden sie stehen.

»Grandma Gwyn ist alt, über achtzig Jahre«, entschuldigte Jack seine Mutter. »Sie hat keine Lust mehr auf Auseinandersetzungen.«

Gloria zuckte die Schultern. »Dann muss sie die Leitung der Farm abgeben«, sagte sie kühl.

Jack biss sich auf die Lippen und versuchte seine Schuldgefühle zu verdrängen. Gwyneira und James McKenzie hatten die Leitung von Kiward Station schon vor Jahren an ihn abgetreten. Als er mit Charlotte auf der Farm gelebt hatte, war er Vormann gewesen. Seine Entscheidungen hatte er zwar manchmal mit seinen Eltern diskutiert, die beiden hatten sie aber nie ernstlich in Frage gestellt. Gwyneira hätte sich längst zur Ruhe setzen können – wäre er nicht in diesen sinnlosen Krieg gezogen. Jack dachte an Maakas Versuche, ihm nach seiner Heimkehr die Leitung der Farm wieder zu übertragen. Er sollte sich zusammenreißen und sich wenigstens mal die Bücher ansehen, die Heuvorräte inspizieren und dann ein ernstes Wort mit Gwyneira über Tongas Gebietsansprüche reden. Aber er brachte ja nicht mal die Energie auf, endlich Charlottes Sachen zu ordnen. Lediglich die Arbeitsstunden mit Gloria schienen ihn nicht anzustrengen. Im Gegenteil, er freute sich immer mehr darauf.

»Nun würde uns das Land um den Steinkreis herum auch nicht retten«, meinte er schließlich. »Wir würden vielleicht eine oder zwei Wochen gewinnen …«

Gloria zog die Augenbrauen hoch. »Jack, der Steinkreis ist nur die Spitze des Eisbergs. Ich kann dir hier noch vier oder fünf Landstücke zeigen, die wir aus Rücksicht auf die Maoris nicht beweiden. Gewöhnlich kein Problem, wie gesagt, aber in diesem Winter … Und in den meisten Fällen ist der Anspruch unberechtigt.«

»Nach Recht und Gesetz ist er das sowieso«, bemerkte Jack. »Das Land wurde von den Wardens rechtmäßig erworben, sogar Tonga hat das letztlich anerkannt.«

»Der Anspruch ist in jeder Beziehung unberechtigt!«, bekräftigte Gloria. »Es ist ja nicht so, dass jedes Eckchen Land gleich *tapu* wird, auf dem sich mal zwei Maori-Jungen die Nasen blutig gehauen haben. Das Ganze ist eine Erfindung von Tonga. Er spielt ziemlich gemeine Spiele mit Grandma Gwyn.«

»Die Schererkolonnen kommen morgen«, erklärte Gwyneira McKenzie ihrem Sohn und ihrer Urenkelin beim Abendessen. Es war inzwischen Mitte September, und das Wetter hatte sich gebessert. Manchmal meinten Jack und Gloria schon den Frühling zu spüren, wenn sie mit den Hunden ausritten. Das Training führte sie inzwischen fast jeden Tag in irgendeinen Schafpferch. Die Grundlagen der Ausbildung saßen bei allen vier jungen Hunden, und Nimue, die alles noch einmal mit durchgezogen hatte, lief geradezu zur Höchstform auf. Jetzt hieß es, das Gelernte bei der Arbeit mit den Schafen umzusetzen – aber das lernten die Welpen in geradezu atemberaubender Geschwindigkeit. Wie alle guten Border Collies waren sie geborene Sheepdogs. Gloria platzte fast vor Stolz auf ihre kleinen Schützlinge und mochte kaum daran denken, dass sie im Sommer wahrscheinlich verkauft würden. Kiward Station besaß genug erwachsene, voll ausgebildete Tiere.

»Jetzt schon?«, fragte Jack. »Ist das nicht zu früh, Mutter? Wir haben doch sonst nie vor Oktober geschoren, und da auch nicht in den ersten Tagen.«

Gwyneira zuckte die Achseln. »Wir haben kein Heu mehr, wir müssen früher austreiben. Wenn das Wetter so bleibt, können die Mutterschafe Mitte Oktober in die Berge.«

»Aber das ist Wahnsinn, das ...« Gloria ließ ihre Gabel fallen und blickte ihre Urgroßmutter mit funkelnden Augen an. »Das ist viel zu früh! Wir werden die Hälfte der Lämmer verlieren!«

Gwyneira war drauf und dran, eine heftige Antwort zu geben, aber Jack machte eine beschwichtigende Handbewegung. »Das Wetter kann jederzeit umschlagen«, sagte er ruhig.

»Kann, aber wird nicht!«, behauptete Gwyneira. »Es muss jetzt besser werden. Nach diesem grauenhaften Sommer und dem regnerischen Winter ... Irgendwann muss es aufhören zu regnen.«

»An der Westküste regnet es dreihundert Tage im Jahr!«, bemerkte Gloria ungehalten.

»Es wird zweifellos aufhören«, meinte Jack. Er stocherte in seinem Essen herum. Auch ihm war der Appetit vergangen. Gloria hatte Recht – seine Mutter war drauf und dran, eine krasse Fehlentscheidung zu treffen. »Aber nicht, bevor der Frühling richtig anfängt. Und nicht unbedingt gleich auch in den Alpen, Mutter. Du weißt doch, was da jetzt noch für ein Wetter herrscht!«

»Uns bleibt gar nichts anderes übrig. Das Wetter muss mitspielen. Was ist nun mit den Scherschuppen? Möchte einer von euch die Aufsicht über einen davon übernehmen? Nummer drei ist noch nicht besetzt, es sei denn, ich mache es selbst.«

Gwyneira sah prüfend von einem zur anderen. Sie hätte es nie zugegeben, aber sie hoffte dringend auf Hilfe. In der letzten Zeit, sicher begünstigt durch das feuchtkalte Wetter, schmerzten ihre Gelenke. So fing es an; sie dachte immer öfter an James und die Qualen seiner Arthritis.

»Das kommt doch wohl nicht in Frage!«, meinte Jack.

Seiner Mutter war das Alter jetzt nur zu deutlich anzumerken. In den letzten Monaten schien Gwyneira geschrumpft zu sein. Sie war immer klein und zierlich gewesen, aber jetzt wirkte sie winzig und zerbrechlich. Ihr Haar war gänzlich weiß und schien an Spannkraft zu verlieren. Gwyneira steckte es morgens nachlässig auf. Ihre von Falten gezeichnete Haut verlieh ihr das Aussehen einer der uralten Waldfeen ihrer keltischen Heimat. Zu diesem Bild hätten auch ihre Augen gepasst, die immer noch wach und leuchtend azurblau strahlten. Britische Waldfeen waren kaum unterzukriegen.

»Wenn's von euch keiner macht …«, bemerkte Gwyneira kühl und straffte sich.

»Ich tu 's«, sagte Gloria und funkelte sie warnend an. Sie wusste genau, dass ihre Großmutter eher auf Jacks Meldung gehofft hatte. Aber sie sollte ja nicht wagen, das laut auszusprechen!

Gloria war hin und her gerissen, was die Aufsicht im Scherschuppen anging. Einerseits brannte sie darauf, die Aufgabe zu übernehmen. Sie wusste, worum es ging; schließlich hatte sie als Kind schon dabei geholfen, die Ergebnisse der einzelnen Scherer und der Schererkolonne in ihrem Schuppen auf einer Wandtafel festzuhalten. Der Schuppen mit den besten Ergebnissen erhielt am Ende einen Preis, und natürlich hatte Gloria mit »ihren« Scherern gezittert. Sie freute sich darauf, die Verantwortung diesmal allein zu übernehmen – sie würde die Aufgabe meistern.

Andererseits würden die Männer es ihr nicht leicht machen. Für eine Frau war es immer schwer, sich durchzusetzen, und das Gerede, das über Gloria im Umlauf war, machte die Sache auch nicht besser. Inzwischen hieß es, sie sei mit ihrer Mutter als Tanzmädchen durch Amerika getingelt, und eine Tänzerin war für diese rauen Männer, die Musik nur aus dem Pub kannten, eine bessere Hure. Gloria hatte folglich immer häufiger mit Avancen zu kämpfen, die nicht so zurückhaltend waren wie Frank Wilkensons Annäherungen in der ersten Zeit.

Überhaupt Wilkenson ... Er schien ihr die Ablehnung ernstlich übel genommen zu haben. Anscheinend hatte es seinen Stolz verletzt, dass sie sich anschließend den Maoris anschloss. Dahinter, so nahmen die Männer selbstverständlich an, steckte ein Stammeskrieger, und es machte sie rasend, wenn eine der ohnehin raren weißen Frauen sich für einen der Eingeborenen entschied. Wilkenson und seine Freunde ließen Gloria ihre Verachtung spüren, wann immer möglich. Wobei das Mädchen mit diesem Teil ihrer Geschichte durchaus leben konnte.

Doch die Angst, es könnte auf die Dauer noch mehr von ihrer Vergangenheit ans Licht kommen, ließ Gloria nicht schlafen. Gwyneira und Jack mochten glauben, dass sie als Schiffsjunge und Gelegenheitsarbeiter den Ozean überquert und Australien durchreist hatte. Die Männer um Wilkenson nahmen ihr das jedoch nie im Leben ab. Zu genau kannten sie die Lebensumstände der Vagabunden und Glücksritter. Ein Mädchen in Männerkleidung kam da niemals unerkannt durch.

Grandma Gwyn wirkte nicht glücklich über Glorias Entscheidung. Tatsächlich warf sie Jack vielsagende Blicke zu, aber der tat, als nähme er sie nicht wahr. Dabei kämpfte er schon wieder mit Schuldgefühlen. Er hätte Gloria zumindest seine Hilfe anbieten müssen. Doch noch immer ließ ihn allein der Gedanke an den Lärm, die Männerstimmen, das Gelächter und die selbstverständliche, polterige Kameradschaft, die auch das Lagerleben in Alexandria bestimmt hatten, frösteln. Vielleicht im nächsten Jahr ...

»Ich muss mich endlich um die Sachen in Charlottes Zimmer kümmern«, meinte er ausweichend. »Ich habe diese Universität angeschrieben. Sie werden sich bald melden, und dann ...«

Gwyneira hatte gelernt, vorsichtig mit ihrem Sohn umzugehen. So verdrehte sie nicht die Augen, sondern seufzte nur unhörbar.

»Also gut, Glory«, sagte sie schließlich. »Aber bitte achte darauf, richtig zu zählen und dich durch nichts beeinflussen zu lassen. Der Wettbewerb zwischen den Scherschuppen hat nichts mit persönlicher Eitelkeit zu tun, er dient lediglich dazu, die Scherer zu schnellerem Arbeiten zu bewegen. Lass dich also nicht dazu hinreißen ...«

»Die Zahlen zu fälschen?«, schleuderte Gloria ihr entgegen. »Das kann nicht dein Ernst sein!«

»Ich weise dich ja nur darauf hin. Paul ...« Gwyneira biss sich auf die Lippen. Vor vielen Jahren hatte Gerald Warden ihrem Sohn Paul die Aufsicht über einen Scherschuppen übertragen, und der Junge hatte ein heilloses Durcheinander angerichtet.

Jack kannte die Geschichte, Gloria zweifellos ebenfalls. Die alten Viehhüter hatten sie als Kind mit den mangelhaften Rechenkünsten ihres Großvaters geneckt.

»Mutter, Paul Warden war damals noch ein Kind!«, bemerkte Jack.

»Und William ...«, beharrte Gwyneira.

Gloria biss sich auf die Lippen. Auch ihr Vater hatte sich als Vormann der Farm nicht sonderlich bewährt. Aber es war unfair, Gloria mit Williams Fehlern zu kommen. Plötzlich fühlte sie sich nur noch müde. Sie musste sich in Wut hineinsteigern, um nicht zu weinen.

»Ich höre mir das nicht länger an!«, rief sie schließlich. »Wenn du meinst, ich wäre zu dumm oder zu eitel, um eine Liste zu führen, Grandma, dann musst du's eben selbst machen. Ansonsten bin ich morgen um acht in Schuppen drei.«

Gloria sorgte für einen kleinen Eklat, indem sie in Reithosen zur Arbeit kam. Dabei kannte zumindest die Belegschaft von Kiward Station die weiten Breeches, in denen das Mädchen zu reiten pflegte. Inzwischen nähte sie sich die Hosen selbst und sah darin auch kein Problem. Von den modischen Hosenröcken unterschieden sie sich schließlich nur darin, dass sie die Reitstiefel darüber trug und nicht darunter. Letzteres hatte sie versucht, es erwies sich jedoch als unpraktisch. Und da an diesem Morgen noch nicht so sehr das Scheren, sondern erst mal das Eintreiben der Schafe auf dem Programm stand, erschien Gloria mit ihrem Pferd und in der üblichen Kluft. Die Männer aus den Schererkolonnen, die gegen Mittag eintrafen, starrten sie verwundert an – und wurden von den Viehhütern gleich in der nächsten Pause über sämtliche Skandale rund um Gloria Martyn informiert.

Zu allem Überfluss war auch noch Frank Wilkenson dem Scherschuppen drei zugeteilt. Gloria nahm an, dass Gwyneira das absichtlich gemacht hatte. Der Mann stand dem Posten des Vorarbeiters am nächsten; wahrscheinlich sollte er sie beaufsichtigen. Das führte natürlich dazu, dass die beiden sich noch misstrauischer beäugten, als sie es sowieso zu tun pflegten.

Wilkenson hatte aber eigentlich nur die Aufgabe, Schafe zu scheren wie alle anderen Männer von Kiward Station, die abkömmlich waren und die Technik beherrschten. Es war durchaus üblich, dass die Farmarbeiter die Schererkolonnen unterstützten, und gute Scherer von den Farmen – wie früher James und viel später auch Jack McKenzie – konkurrierten dabei mit den Profis. Das sorgte für zusätzliche Spannung bei den Wettbewerben. Mitunter musste die Aufsicht in den Schuppen darauf achten, dass sämtliche Männer arbeiteten, statt die Konkurrenten anzufeuern und ihnen zuzujubeln. Auch in Schuppen drei zogen Wilkenson und der schnellste

Arbeiter der Schererkolonne rasch gleich, und Gloria kam kaum damit nach, ihre Ergebnisse zu notieren. Das spornte auch die anderen an, und so hatte Gloria das Gefühl, die Arbeit gut im Griff zu haben – bis Frank Wilkenson und seine Männer die Aufzeichnungen anzweifelten.

»Komm, Pocahontas, das kann nicht sein! Dies war Schaf zweihundert, nicht einhundertneunzig. Da hast du dich verzählt.«

Gloria bemühte sich, nicht heftig zu reagieren. »Miss Gloria, bitte, Mr. Wilkenson. Und die Zählung war korrekt. Mr. Schaffer liegt bei zweihundert, Sie sind zehn Tiere im Rückstand. Also sollten Sie sich beeilen und scheren, statt Ärger zu machen.«

»Ich hab's aber auch gesehen«, meldete sich Bob Tailor, Wilkensons Freund und beliebtester Saufkumpan. »Ich hab mitgezählt.«

»Du kannst doch gar nicht zählen, Bob!«, hänselte ihn einer der anderen Männer.

»Zumindest können Sie kaum zählen und gleichzeitig scheren«, bemerkte Gloria. »Aber vielleicht liegen Sie ja aufgrund dieses aussichtslosen Versuchs erst bei fünfundachtzig Tieren …«

»Nun werd mal nicht frech, Häuptlingstochter!«

Bob Tailor baute sich vor Gloria auf. Sie tastete nach ihrem Messer … aber das war nicht das richtige Vorgehen. Gloria versuchte, ruhig zu atmen.

»Mr. Tailor«, erklärte sie ruhig. »So geht es nicht. Verschwinden Sie hier, Sie sind entlassen. Und die anderen arbeiten bitte weiter.«

Sie funkelte den Arbeiter an, der daraufhin tatsächlich den Blick senkte. Gloria atmete auf, als Tailor zur Tür ging.

»Das lasse ich nicht auf mir sitzen!«, bemerkte dieser aber noch, ehe er im Begriff war, den Scherschuppen zu verlassen.

Gloria meinte, gesiegt zu haben – bis Frank Wilkenson von seiner Arbeit aufsah und seinem Freund zugrinste. »Ich muss jetzt erst mal diesen Wettbewerb gewinnen, Bobby. Aber nachher klär ich das mit Miss Gwyn, keine Sorge!«

Gloria ermahnte ihn erneut, immer noch scheinbar ruhig. Sie hatte seit ihrer ersten Zeit auf der Farm dazugelernt. Wutausbrüche brachten nichts. Aber den Rest des Tages nagte die Angst an ihr.

Sie erwies sich als nicht unbegründet. Frank Wilkenson bewährte sich als schnellster Scherer in Schuppen drei und lag am Abend mit zweihundertachtundsechzig geschorenen Schafen obendrein an der Spitze der Gesamtwertung.

Gloria sah ihn in Gwyneiras Kontor, als sie, schmutzig und müde, nach der Arbeit nach Hause kam.

»... neigt einfach ein bisschen zu Überreaktionen, und Bob ... na, er kann's nicht lassen, Mädchen zu necken ...«

Gloria wusste, dass sie hineingehen, die Sache richtigstellen und ihre Entscheidungen hätte verteidigen müssen. Aber sie dachte an die letzte Auseinandersetzung mit Gwyneira über Tonga und ließ es bleiben. Gekränkt schlich sie ins Bad.

Beim Abendessen eröffnete ihr Gwyneira, dass sie Bob Tailor wieder eingestellt hatte. Gloria stand wortlos auf und ging in ihr Zimmer. Nachdem sie sich ausgeweint hatte, nahm sie Zuflucht zu ihrem Stapel Briefe. Inzwischen hatte sie die meisten gelesen. Der, den sie jetzt in der Hand hielt, stammte vom 6. August 1915. Jack musste kurz danach verwundet worden sein. Gloria entfaltete das Blatt.

Heute sind bei einem Scheinangriff zweitausend Männer gestorben. Nur um die Türken abzulenken. Morgen soll es dann ernst werden. Wir werden aus den Gräben springen und schreiend in das Feuer der Feinde rennen. Und die neuen Truppen scheinen sich auch noch darauf zu freuen. Heute Abend werde ich mit ihnen am Feuer sitzen, und sie werden davon träumen, Helden zu sein. Was mich angeht, hasse ich allmählich diese Lagerfeuerseligkeit. Die Männer, mit denen ich heute trinke, sind morgen vielleicht tot. Und wir werden trinken, sie haben Whiskey ausgeschenkt. Dieser Kampf ist nicht zu gewinnen.

Gloria wusste genau, wie Jack sich gefühlt hatte. Sie zeichnete die halbe Nacht.

7

Jack McKenzie hatte sich noch nie so heftig mit seiner Mutter gestritten wie an diesem Abend.

»Wie kannst du ihr erst die Aufsicht über den Schuppen übertragen und dann ihre Autorität untergraben? Gloria hatte wahrscheinlich völlig Recht. Bob Tailor ist ein Mistkerl!«

»Wir alle wissen, dass er kein Chorknabe ist«, erwiderte Gwyneira und faltete ihre Serviette zusammen. »Aber Glory muss lernen, über ein paar Hänseleien hinwegzuhören. Meine Güte, als ich jung war, haben sie mir auch Avancen gemacht. Es sind nun mal Männer. Und sie haben keine Benimmkurse besucht.«

»Und was ist, wenn die Geschichte sich ganz anders zugetragen hat? Warum setzt Frank Wilkenson sich so für den Kerl ein? Hatte der womöglich damit zu tun? Du hättest wenigstens Glorias Version hören müssen. Und selbst wenn ihre Entscheidung falsch war: Sie hatte die Aufsicht im Schuppen, und damit war ihr Wort Gesetz. So haben wir es immer gehalten. Entweder du vertraust ihr, oder du vertraust ihr nicht.« Jack schob seinen Teller von sich und dachte an Gloria, die schon wieder, ohne zu essen, aufgestanden war. Dabei musste sie nach dem mit anstrengender Arbeit ausgefüllten Tag eigentlich hungrig sein. Sie wurde ohnehin immer dünner. Jack dachte an ihr Gesicht, das an diesem Abend nicht einmal mehr nur Wut, sondern pure Verzweiflung widergespiegelt hatte.

»Das ist es ja eben, Jack. Ich weiß nicht, ob ich ihr vertrauen kann«, meinte Gwyneira. »Sie ist so widerborstig, so wütend auf alle Welt. Auf der Farm kommt sie nicht zurecht, und mit den Maoris offensichtlich auch nicht. Irgendwas stimmt nicht mit dem Mädchen ...«

»Mutter ...« Jack wusste nicht, wie er es sagen sollte. Eigentlich konnte er es gar nicht sagen. Er würde Gloria damit verraten; es wäre fast wie ein Vertrauensbruch. Gut, sie hatte ihm ihre Geschichte nicht erzählt. Was er zu wissen glaubte, stammte aus dritter Hand. Aber wer war er, dass er etwas aussprach, das Gloria selbst nicht über die Lippen brachte?

Am nächsten Morgen überwand er sich und ritt zu den Scherschuppen. Er wollte nicht wirklich eintreten – und er wusste auch nicht, was er tun konnte, um Gloria zu helfen. Wenn er das Ruder übernahm, wäre das schließlich nicht minder demütigend. Aber irgendetwas musste geschehen.

Jack stieß die Tür zum Scherschuppen auf und wurde fast erschlagen vom Lärm der protestierenden Schafe und der Männer, die Gloria ihre Ergebnisse zuschrien. Der Staub im Schuppen legte sich brennend auf die Schleimhäute, und Jack kämpfte gegen den Hustenreiz. Er suchte Gloria, die an der Tafel in der Mitte des Raums stand. Sie wirkte klein und verletzlich. In vorderster Reihe der Scherer arbeiteten Frank Wilkenson und Bob Tailor.

»Jack ...« Gloria schien nicht zu wissen, ob sie sich freuen oder ärgern sollte. Hatte Gwyn ihr Jack hinterhergeschickt, um sie abzulösen?

Jack lächelte schwach. »Ich ... ich wollte mal versuchen, ob ich es noch kann«, sagte er so laut, dass Wilkenson und die anderen erstklassigen Scherer es hörten. »Eröffnest du ein Konto für mich?«

Ein paar der älteren Schafscherer applaudierten. Jack McKenzie hatte früher zu den Spitzenscherern gehört.

Auch Gloria wusste das. Sie schenkte ihm ein herzzerreißendes Lächeln. »Bist du sicher?«

Jack nickte. »Ich glaube nicht, dass ich gewinnen kann. Aber ich bin dabei!« Er nahm sich ein Schergerät und suchte sich einen Arbeitsplatz. »Mal schauen, wie viel ich verlernt habe ...«

Jack griff sich das erste Schaf und legte es mit einer routinierten Bewegung auf den Rücken. Natürlich hatte er nichts verlernt. Diese Handgriffe hatte er zehntausende Male geübt. Seine Hände flogen über den Körper des Tieres.

Gegen Mittag war Jack zu Tode erschöpft, aber er lag zehn Schafe vor Wilkenson. In der Gesamtwertung hatte sich allerdings der Profi Rob Scheffer an die Spitze gesetzt.

Jack ließ Gloria nicht gern allein, aber er wusste, dass er zurückfallen würde, wenn er weitermachte. Seine Lungen brannten, und er war todmüde. So entschuldigte er sich erneut mit der Arbeit an Charlottes Nachlass.

»Und macht der Chefin keine Schande!«, sagte er mit scharfem Blick auf Wilkenson. »Miss Gloria macht das hier zum ersten Mal, aber sie wird die Farm in absehbarer Zeit übernehmen. Ich denke, zum Einstand lässt sie ein Extrafass springen, wenn ihr gewinnt!«

Gloria warf ihm einen dankbaren Blick zu, als er hinausging.

Am Abend zog Gloria sich zum Essen um, obwohl sie keine wirkliche Lust hatte, Gwyneira entgegenzutreten. Womöglich würde sie wieder über irgendetwas Rechenschaft ablegen müssen. Tatsächlich hatte Wilkenson am Nachmittag noch einmal versucht, Glorias Aufzeichnungen anzuzweifeln, aber diesmal hatte sich die gesamte Schererkolonne gegen ihn gestellt.

»Bisher hab ich hier keine Unregelmäßigkeiten gesehen«, erklärte Rob Scheffer. »Vielleicht siehst du einfach zu, dass du schneller scherst!«

Gloria verstand nicht ganz, warum, aber Jacks Auftritt hatte ihr Respekt verschafft.

Müde verließ sie ihr Zimmer und war überrascht, dass Jack davor auf sie wartete. Er sah aus, als täte ihm alles weh; seine Muskeln schmerzten nach der ungewohnten Arbeit, seine Augen tränten vom Staub in den Schuppen, und als er Gloria jetzt ansprach, kämpfte er mit einem Hustenreiz.

»Nichts Gutes mehr gewöhnt«, scherzte er, als Gloria ihn besorgt musterte. »Ich hoffe, du hast Hunger auf Grillfleisch. Ach ja, und hol dir eine Jacke. Wir essen heute mit den Scherern. Mutter hat einen Hammel gestiftet, und wir nehmen ein Fass Bier mit. Es wird Zeit, dass wir uns an den Feuern sehen lassen.«

»Aber du ...« Gloria sprach nicht weiter. Wahrscheinlich bildete sie sich nur ein, dass Jack die Männergesellschaft seit Gallipoli mied.

Jack nahm ihre Hand – und Gloria erschrak über die Berührung, doch sie kämpfte ihr Entsetzen nieder. Jack schloss seine Finger sanft um die ihren. »Ich schaffe das schon«, meinte er. »Und du schaffst es auch.«

Gloria saß verkrampft an den Feuern der Männer und erwiderte deren Scherzworte nur einsilbig, aber das hinderte die Schafscherer nicht, sie für die Spende des Bierfässchens hochleben zu lassen. Die ältesten unter ihnen erinnerten sich sogar noch an Glorias Kindheit auf der Farm und neckten sie mit ihrer feinen englischen Internatserziehung.

»Seid nett zu der jungen Lady!«, rieten sie den durchweg jüngeren Männern aus Schuppen drei. »Sonst läuft sie uns wieder davon. Wir haben schon nicht mehr dran geglaubt, dass Sie wiederkommen, Miss Glory. Wir dachten, Sie heiraten da drüben einen Lord und wohnen in einem Schloss!«

Gloria schaffte tatsächlich ein Lächeln. »Was soll ich mit einem Schloss ohne Schafe, Mr. Gordon?«, fragte sie. »Ich bin genau da, wo ich hinwollte.«

Sie befand sich in seltener Hochstimmung, als Jack sie schließlich bis vor ihre Zimmertür begleitete. Sie hatten die Lagerfeuer verlassen, als es wieder zu regnen begann. Gloria kämpfte erneut mit ihrem Haar, das durch die Feuchtigkeit noch krauser geworden war. Die junge Frau versuchte vergeblich, es zurückzustreichen, während sie Jack noch einmal dankte.

»Du solltest es einfach abrasieren«, bemerkte Jack lächelnd und verstand nicht, warum Gloria plötzlich erblasste.

»Du fändest es schön, wenn ich ...?«

Jack dachte an die Bilder moderner junger Frauen mit Kurzhaarschnitt, er hatte sich nichts gedacht bei seiner harmlosen Bemerkung. Aber Gloria sah die Gesichter all der Männer, die sich von ihrem kahlen Kopf zu Handlungen angeregt fühlten, die ihr jetzt noch das Blut in den Adern gefrieren ließen.

»Ich finde dich immer schön ...«, merkte Jack an, aber Gloria hörte es nicht mehr. Sie floh zutiefst entsetzt in ihr Zimmer und warf die Tür hinter sich zu.

Gloria brauchte zwei Tage, bis sie Jack wieder ansehen konnte. Jack, der überhaupt nicht verstand, was los war, entschuldigte sich mehrmals, doch es dauerte seine Zeit, bis das Mädchen sich erneut entspannte. Erst da wurde ihr klar, dass Jack das Wort »Rasieren« vielleicht im Scherz gebraucht hatte, und erinnerte sich an ihren Kahlschlag als Kind. Sie schalt sich erneut für ihre Dummheit, wusste aber nicht, wie sie Jack die Sache erklären sollte. Schließlich gingen beide einfach darüber hinweg.

Die Schafschur verlief inzwischen ohne weitere Zwischenfälle, und tatsächlich gewann Schuppen drei den Wettbewerb. Die Männer freuten sich riesig, aber Gloria wehrte sich heftig, als sie versuchten, die »Chefin« auf ihre Schultern zu hieven und zur Feier des Tages einmal rund um den Scherschuppen zu tragen. Jack griff schließlich ein und hielt ihr diplomatisch den Steigbügel seines Pferdes. Rob Scheffer, der Gesamtsieger, durfte Anwyl rund um die Schuppen führen, während die anderen eher laut als richtig *She's a Jolly Good Fellow* anstimmten. Jack, der genau solche Komplikationen geahnt und sich nur deshalb widerwillig unter die Menge gemischt hatte, winkte ihr zu, und Gloria konnte gelöst mitlachen und feiern. Grandma Gwyn schien endlich zufrieden.

Nach dem Fest, als die Schererkolonnen weiterzogen, legte sich jedoch die Euphorie. Es regnete mal wieder, und Jack und Gloria standen ratlos vor den nackten Schafen in den Pferchen. Gwyneira hatte Anweisungen erteilt, die Tiere ins Hochland zu treiben, sobald sich diese – ihrer Ansicht nach letzte – Schlechtwetterfront verzogen hatte.

»Sie sind so dünn«, sorgte sich Gloria. »Das ist doch sonst nicht so, oder?«

Jack stimmte zu. »Nach dem Winter mit dem knappen Futter sind sie mager. Gerade die Mutterschafe stecken ja alles in die Lämmer. Aber der Zustand ist noch nicht bedenklich. Ein paar Wochen auf der Weide, und sie sind wieder rund.«

»Die Weide müssen wir erst mal haben«, murmelte Gloria. »Bislang frieren sie nur. Sie frieren doch, oder?«

Jack nickte. »So dünn wie sie sind, und jetzt ohne ihre Wolle ... Es war zu früh für die Schur. Und erst recht ist es zu früh fürs Hochland. Was sagt denn Maaka zu all dem?«

Gloria schnaubte. »Der denkt doch nur an seine Hochzeit! Und so gesehen ist es ihm durchaus recht, wenn die Schafe schon wegkommen. Dann braucht er kein schlechtes Gewissen zu haben, wenn er Grandma mit den Schafen und diesem unsäglichen Wilkenson allein lässt. Der ist eindeutig auf seinen Posten aus. Aber so dumm ist Grandma Gwyn nun auch wieder nicht ...«

»Gloria!«, mahnte Jack. »Deine Großmutter ist nicht dumm!«

Gloria hob zweifelnd die Brauen.

»Jedenfalls reitet Maaka bei nächster Gelegenheit nach Christchurch«, meinte sie dann.

Retis schöne Tochter Weimarama hatte Maakas Werbung nun endlich angenommen – aber sie war Christin und bestand darauf, nach *pakeha*-Ritus zu heiraten. Maaka war so verrückt nach ihr, dass er sich vorher sogar taufen lassen wollte. Auf jeden Fall waren umfangreiche Feierlichkeiten in und bei Christchurch geplant, und anschließend würde die Braut feierlich im *marae* des Bräutigams willkommen geheißen – also weitere Zeremonien bei den Ngai Tahu. Maaka hatte Gwyneira und Jack natürlich eingeladen und weitete die Einladung nach einigem Zögern auf Gloria aus.

»Wenn Sie Lust haben, Miss Glory«, meinte er. »Ich kann Tonga und Wiremu natürlich nicht ausladen, aber ...«

Gloria hatte halbherzig genickt. Erst mal musste das Problem mit den Schafen gelöst werden. Und da hatte sie ganz bestimmte Vorstellungen.

»Was ist denn, wenn wir sie einfach austreiben?«, fragte sie

Jack. »Auf die restlichen Weideflächen von Kiward Station. Ohne Rücksicht auf Tongas *tapu*. Wäre das besser?«

Jack verzog das Gesicht. »Natürlich wäre das besser. Selbst bei günstigsten Bedingungen würden wir eine Anzahl Tiere verlieren, wenn die Schafe im Hochland ablammen. Im Alpenvorland ist es deutlich kälter als hier – dazu bleiben höchstens zwei Schäfer mit den Tieren oben. Hilfe beim Ablammen gibt's also kaum. Aber wenn wir die Mutterschafe beim Ring der Steinkrieger fressen lassen …«

»Auf einem anderen Stück Land, das Tonga beansprucht, gibt es Wald und natürliche Höhlen«, fügte Gloria hinzu. »Da hätten sie auch noch Unterstände. Jack, warum stellen wir Tonga und Grandma nicht vor vollendete Tatsachen? Mit den vier kleinen Hunden und Nimue haben wir alle in einer Nacht draußen. Morgens ist das Land dann schon angefressen, dann können wir sagen, es wäre sowieso entweiht.«

Jack überlegte. »Das gäbe sehr viel Ärger«, erklärte er.

»Jack, denk an all die Lämmer!«, flehte Gloria. »Die erfrieren doch da oben. Wenn wir Kiward Station erst mal leerfressen lassen, gewinnen wir vier Wochen. Bis dahin ist das Wetter besser.«

Jack hatte keine Lust, sich Gwyneira entgegenzustellen. Bis vor einigen Wochen wäre es ihm fast egal gewesen, was aus den Tieren wurde. Aber fast zweihundert dieser mageren, blökenden Jammergestalten hatte er beim Scheren zwischen seinen Schenkeln gehalten. Und bald würden wieder winzige Lämmer die Weiden bevölkern. Er hatte ihre Bewegungen im Leib der Mutterschafe gespürt, als er die Tiere geschoren hatte. Jack dachte an die ungeheure Befriedigung, die es verschaffte, wenn man Zwillingen ans Licht der Welt half, die sich bei der Geburt ein wenig in der Mutter verkeilt hatten. Selbst bei robusten Rassen waren Komplikationen bei Lämmergeburten nicht selten. Gwyneira ließ die Tiere deshalb grundsätzlich auf der Farm ablammen und trieb erst später aus. Bis zu diesem Jahr ... Jack nickte.

»Gut, Glory. In aller Heimlichkeit. Wir treiben diese Gruppe erst mal zu den leeren Rinderställen beim Maori-Dorf. Da können sie sich aufwärmen. Und wenn es heute Nacht nicht regnet, bringen wir sie raus. Die anderen Pferche sind alle von den Ställen nicht einsehbar, unser Freund Wilkenson kann uns also nicht verpfeifen. Und Maaka kriegt auch nichts mit, obwohl der wahrscheinlich auf unserer Seite wäre. Hochzeit hin oder her – er liebt seine Schafe. Los, ruf die Hunde!«

Es war ein Abenteuer, nachts aus dem Haus zu schleichen und die Pferde aus dem Stall zu holen. Letzteres ging wahrscheinlich nicht, ohne von irgendwelchen Farmarbeitern bemerkt zu werden. Gloria schoss bei dem Gedanken die Röte ins Gesicht. Über einen nächtlichen Ausritt mit Jack würden die Leute wieder reden.

Aber dann genoss sie es fast, unter dem Sternenhimmel neben ihm zu reiten. Es hatte gegen Abend tatsächlich aufgeklart, und so hatten sie ein wenig Mondlicht.

»Da ist das Kreuz des Südens, siehst du?«, fragte Gloria und wies auf eine auffällige Konstellation von Sternen am Himmel. »Miss Bleachum hat's mir mal gezeigt. Es hilft Seeleuten beim Navigieren ...«

»Und hat es dir geholfen, in Australien?«, fragte Jack leise. »In Gallipoli waren Leute aus dem Outback. Sie sagten, es sei unendlich schön, aber weit und gefährlich ...«

Gloria zuckte die Achseln. »Ich fand's nicht schön«, sagte sie knapp. »Das hier ist schön.«

Vor ihnen erhob sich der Ring der Steinkrieger. Die Hunde hatten die schläfrigen Schafe sehr schnell munter gemacht und trieben sie nun flott vor sich her. Der Ritt hatte kaum eine

Stunde gedauert, und nun verteilten die Mutterschafe sich schmausend um den Steinkreis. Jack sicherte den heiligen Ort mit einer mitgebrachten Rolle Stacheldraht.

»Glaubst du, Grandpa James' Geist ist wirklich hier?«, fragte Gloria und half ihm, den Draht zwischen den Dolmen zu spannen. Sie war nicht ängstlich, aber die Schatten der Steinkrieger im Mondlicht wirkten doch ein bisschen unheimlich.

Jack nickte ernst. »Aber ja! Hörst du ihn nicht lachen? Vater hätte an dieser Geschichte seine diebische Freude gehabt! Gerade erinnert er sich daran, wie er den großen Farmern die Schafe nachts von den Hochlandweiden wegtrieb, während die Schäfer in den Blockhütten Karten spielten. Egal, was Mutter morgen sagt, James McKenzie wäre stolz auf uns.«

Gloria lächelte. »Hallo, Grandpa James!«, rief sie in den Wind. Jack konnte sich nur mühsam bezähmen, den Arm um sie zu legen.

Das Gras schien zur Antwort zu rascheln.

Bis zum Morgen hatten die zwei mit ihren Hunden um die fünftausend Schafe auf verschiedenen Weidestücken verteilt. Besonders Jack fiel todmüde ins Bett – und schlief endlich einmal tief und traumlos, ohne einen Gedanken an Charlotte oder Gallipoli.

Gloria schlummerte unruhig. Sie erwartete, jeden Moment von einem Donnerwetter aus dem Bett gejagt zu werden, doch es geschah nichts. Dabei musste das Fehlen der Schafe den Viehhütern am Morgen aufgefallen sein. Schließlich mussten die Tiere gefüttert werden.

Tatsächlich meldeten die Arbeiter es jedoch nicht gleich Gwyneira, sondern wandten sich an Maaka. Der klopfte am späten Vormittag an Jacks Zimmertür. Nach der klaren Nacht waren am Morgen Nebel aufgezogen, und es regnete erneut.

»Ich habe die Schafe gefunden«, erklärte der Maori kurz. »Und ich wollte dir nur sagen, dass ich es Tonga nicht erzähle. Ich hab den Vorschlag, die Tiere da rauszutreiben, schon vor drei Monaten gemacht. Nicht nur Miss Gwyn gegenüber, ich hab auch mit Tonga gesprochen. Und mit Rongo Rongo.«

»Vielleicht noch mit den Geistern?«, erkundigte sich Jack. »Junge, du willst dich nächste Woche taufen lassen ...«

Maaka zuckte die Schultern. »Das schafft die Geister nicht aus der Welt.«

Jack lachte.

»Rongo hat jedenfalls keinerlei Bedenken. Tonga hingegen führt sich auf, als würde Te waka a Maui sich gleich wieder in ein Kanu verwandeln und wegschwimmen, wenn ein Schaf ein Hälmchen geheiligten Grases frisst. Nehmt ihn einfach nicht ernst. Wenn ihr Glück habt, merkt er es erst, wenn ich weg bin, und dann kann er gar nichts machen. Allein kann er die Viecher nicht zurücktreiben, und die *pakeha*-Kerle sind ohne Anleitung ziemlich hilflos. Wilkenson natürlich ...«

»Der wartet nur darauf, deinen Posten zu übernehmen«, drohte Jack.

Maaka grinste. »Wieder mal das Letzte, was Tonga will. Ein Maori-Vormann passt dem viel besser in den Kram. Wann kommst du endlich zurück, Jack? Die Farm braucht dich!«

Jack runzelte die Stirn. »Ich bin doch hier.«

Maaka schüttelte den Kopf. »Dein Körper ist hier«, erklärte er. »Deine Seele befindet sich an zwei Stränden, dem einen auf der Nordinsel und dem anderen in diesem Land ... ich kann nicht mal den Namen aussprechen. Jedenfalls ist es ein schlechter Ort für deine Seele. Komm endlich heim, Jack!«

Um sich abzulenken, begann Jack nun wirklich mit der Durchsicht von Charlottes Sachen. Es war eine Qual, ihre Schubladen zu öffnen, ihre Wäsche herauszunehmen und in Kartons für die Armenhilfe einzuordnen. Jack stieß auf getrocknete Rosen- und Lavendelblätter und sah Charlotte vor sich, wie sie die Blüten sorgsam auf Löschpapier ausgebreitet und in der Sonne ausgelegt hatte. Er meinte noch das Lied zu hören, das sie dabei summte, und sah den Sonnenschein in ihrem Haar.

Jack fand ihr Briefpapier – und ein angefangenes Schreiben an die Universität von Dunedin. Als er es las, traten ihm die Tränen in die Augen. Charlotte bot der linguistischen Fakultät ihre Forschungsunterlagen an. Caleb Biller hatte Recht. Sie hätte ihre Aufzeichnungen weitergeben wollen. Und sie hatte geahnt, dass sie von jener Reise auf die Nordinsel nicht mehr zurückkehren würde. Was sie nicht wissen konnte, war, dass Jack erst Jahre später ihren Nachlass ordnen würde. Er fühlte sich schuldig. Was mochte er womöglich noch entdecken?

In der hintersten Ecke ihres Sekretärs lag ein Päckchen.

Jack.

Jack las seinen Namen in Charlottes großer Handschrift. Er zitterte, als er das Päckchen öffnete. Heraus fiel ihr kleiner Jadeanhänger. Also hatte sie ihn nicht im Meer verloren. Sie hatte ihn abgelegt. Für ihn. Zum ersten Mal sah Jack ihn näher an – und stellte fest, dass der Jadestein zwei Gestalten darstellte, die ineinander verschlungen waren. Papatuanuku und Ranginui, der Himmel und die Erde, bevor man sie auseinanderriss. Jack entfaltete den Zettel, in den das Amulett eingewickelt war.

Denk daran, dass die Sonne erst scheinen konnte, nachdem man Papa und Rangi trennte. Genieß die Sonne, Jack.
In Liebe, Charlotte.

Jack beweinte Charlotte an diesem Nachmittag zum letzten Mal. Dann öffnete er das Fenster und ließ die Sonne ein.

8

Auch über dem Maori-Dorf ging an diesem Nachmittag endlich einmal wieder die Sonne auf, und eine Gruppe von Männern sammelte sich zur Jagd. Wahrscheinlich hätte keiner von ihnen genau gewusst, wo Tonga nun *tapu* ausgemacht hatte und wo nicht, aber der älteste Sohn des Häuptlings führte die Gruppe an.

Am Abend informierte er seinen Vater über die Schafherde beim Ring der Steinkrieger.

»Nein, das ist kein Zufall. Es sind Hunderte von Tieren. Miss Gwyn verstößt gegen die Abmachungen.«

Am nächsten Morgen begab sich Tonga mit einer Abordnung von Männern nach Kiward Station.

Gwyneira McKenzie war über ihren Papieren im Büro eingedöst. Das passierte ihr in letzter Zeit häufig. Sie war müde und mochte all den Rechnungen, Quittungen und Belegen nicht mehr die notwendige Beachtung schenken. Die Buchführung hatte sie ohnehin Zeit ihres Lebens gelangweilt. Schon lange hatte sie die Möglichkeit in Betracht gezogen, Jack oder Gloria zu zwingen, sich der Sache anzunehmen. Aber auch dazu fehlte ihr die Energie. Sie hoffte eher auf Maakas junge Frau. Die hatte schließlich für Greenwood gearbeitet. Sie sollte sich mit Papierkram auskennen.

»Miss Gwyn?«

Gwyneira fuhr aus ihrem Schlummer – und fand sich zu ihrem Erschrecken einem leibhaftigen, voll bewaffneten

Maori-Krieger gegenüber. Natürlich erkannte sie Tonga gleich auf den zweiten Blick, doch bevor sie ihn anfahren konnte, musste sie ihr wild pochendes Herz beruhigen.

»Tonga? Was zum Teufel machst du hier?«

»Es ist weniger euer Teufel als die Geister unserer Toten, die mich herführen«, sagte Tonga mit dunkler Stimme.

Gwyneira fühlte alten Zorn in sich auflodern. Was bildete dieser impertinente Kerl sich ein, mit seinem Clan in ihr Haus einzubrechen und sie zu Tode zu erschrecken?

»Wer immer dich herführt – er konnte in Ruhe abwarten, bis Kiri oder Moana dich angemeldet haben! Es ist eine Frechheit, sich hier einfach aufzubauen und ...«

»Miss Gwyn, unser Anliegen ist dringend!«

Gwyneiras Augen blitzten.

Tonga und seine Leute füllten ihr gesamtes kleines Büro, das in einem ehemaligen Empfangszimmer eingerichtet war. Die Krieger wirkten lächerlich deplatziert zwischen den zierlichen hellen Lackmöbeln, aber sie waren weit davon entfernt, Gwyneira einzuschüchtern.

»So? Wie kommt's? Besteht die Möglichkeit, die Geister wieder zum Leben zu erwecken, indem ihr alte Frauen erschreckt?« Gwyneira war ernstlich wütend.

Tonga verzog unwillig den Mund. »Lästern Sie nicht! Aber es tut mir natürlich leid, dass ich Sie geweckt habe.« Tongas britische Erziehung brach wieder durch. Sechs Jahre Schule bei Helen O'Keefe hatten ihn Manieren gelehrt, die sich nicht ohne Weiteres abstreifen ließen.

Gwyneira richtete sich würdevoll in ihrem Schreibtischstuhl auf, griff nach einem Federhalter und mimte die mit wichtigen Dingen beschäftigte Geschäftsführerin der Farm.

»Wie auch immer, Tonga ...«

»Chief«, erinnerte Tonga sie an die förmliche Anrede.

Gwyneira verdrehte die Augen. »Wie kommt es bloß, dass

ich immer den barfüßigen Hosenmatz vor mir sehe, der mich damals um Süßigkeiten anbettelte, als ich nach Kiward Station kam?«

Die Männer hinter Tonga lachten.

Tonga warf ihnen warnende Blicke zu.

»Also schön, Chief. Was sagen die Geister?«, fragte Gwyneira mit allen Anzeichen von Ungeduld.

»Sie verstoßen gegen die Abmachungen, Miss Gwyn. Die Schafe von Kiward Station entweihen die heiligen Stätten der Ngai Tahu.«

Gwyneira seufzte. »Schon wieder? Tut mir leid, Tonga, aber wir haben zu wenig Gras. Die Tiere sind hungrig, und das macht sie erfinderisch. Wir können die Zäune gar nicht so schnell flicken, wie die Biester wieder heraus sind. Wo stecken sie diesmal? Wir schicken einen Mann hin und treiben sie zurück.«

»Miss Gwyn, es geht nicht um ein paar Dutzend Ausbrecher. Es geht um Tausende von Tieren, die gezielt auf unser Land getrieben wurden.«

»Euer Land, Tonga? Nach dem Beschluss des Gouverneurs ...« Gwyneiras Geduld war erschöpft.

»Heiliger Boden, Miss Gwyn! Und ein Versprechen, das Sie gebrochen haben! Sie erinnern sich, dass Sie mir damals zugesichert haben ...«

Gwyneira nickte. Tonga hatte sich seinerseits ein paar Gefälligkeiten ausgebeten, als er James' Bestattung im Steinkreis erlaubt hatte. Kiward Station hatte Weideland in Hülle und Fülle, und Gwyn hatte gern versprochen, noch ein paar weitere, angebliche Maori-Heiligtümer unbehelligt zu lassen. In den letzten Jahren waren es allerdings immer mehr geworden.

»Ich bin sicher, es war ein Versehen, Tonga«, seufzte sie. »Vielleicht irgendein neu angestellter Viehhüter ...«

»Vielleicht Gloria Martyn!«, donnerte Tonga.

Gwyneira runzelte die Stirn. »Hast du dafür irgendwelche Beweise?« Sie war zornig auf Tonga, aber wenn Gloria sich wirklich erlaubt hatte, ihre ausdrücklichen Anweisungen zu missachten ...

Tonga sah sie kalt an. »Ich wette, Beweise lassen sich leicht erbringen. Fragen Sie nur mal in Ihren Ställen herum, bestimmt hat jemand etwas gehört und gesehen.«

Gwyneira funkelte ihn an. »Ich werde meine Enkelin selbst fragen. Gloria wird mich nicht belügen.«

Tonga schnaubte. »Gloria ist nicht gerade für ihre Gradlinigkeit bekannt. Ihre Taten widersprechen ihren Worten. Und sie kennt keinen Respekt vor *mana*.«

Gwyneira lächelte böse. »Hat sie dir widersprochen? Das tut mir nun wirklich leid für dich. Und es war vor dem gesamten Stamm, wie ich gehört habe ... Stimmt es, dass sie deinen Sohn nicht heiraten wollte? Die Erbin von Kiward Station?«

Tonga richtete sich zu voller Größe auf und machte Anstalten, sich umzuwenden. »Über das Erbe von Kiward Station ist das letzte Wort noch nicht gesprochen! Bislang hat Ihre Gloria schließlich auch noch keinen *pakeha* erwählt. Wer weiß, was die Zukunft bringt?«

Gwyneira seufzte. »Das ist nun endlich mal ein Satz, dem ich unbeschränkt zustimmen kann. Also warten wir ab, Tonga, und hören wir auf, Pläne zu schmieden. Soweit ich weiß, raten dazu auch all eure Geister. Ich kümmere mich um die Schafe.«

Tonga war entlassen. Aber er ging nicht, ohne das letzte Wort zu haben.

»Das hoffe ich, Miss Gwyn. Denn bevor die Sache nicht bereinigt ist, wird sich kein Mann der Ngai Tahu auf Kiward Station sehen lassen. Wir werden unser eigenes Vieh füttern und unsere eigenen Felder bestellen.«

Er führte seine Delegation stolz durch den Hauptausgang des Herrenhauses.

Gwyneira rief nach Gloria.

»Es ist ganz egal, welche Absichten ihr hattet und was genau nun *tapu* ist!«, sagte Gwyneira zornig, während Gloria und Jack wie gescholtene Kinder vor ihr standen. Beide schämten sich ihrer unterwürfigen Haltung, aber wenn Gwyneira es darauf anlegte, konnte sie immer noch Funken sprühen. »Ihr durftet meine Anweisungen nicht einfach ignorieren! Tonga ist hier aufgetaucht, und ich wusste von nichts! Was hätte ich ihm sagen sollen?«

»Dass du in einer Notlage kurzfristig von einem unter ganz anderen Bedingungen gegebenen Versprechen abrücken musstest«, erklärte Jack. »Es tut dir leid, aber es ist dein Recht.«

»Ich bin nicht davon abgerückt!«, sagte Gwyneira würdevoll.

»Aber deine Enkelin und Erbin. Nach Absprache mit der örtlichen Geisterbevollmächtigten, wenn ich das mal so sagen darf. Rongo Rongo hat ihren Segen gegeben ...«

»Es geht hier nicht um Rongo Rongos Segen, sondern um meinen!«, beschied Gwyneira ihm. »Gloria hat keinerlei Weisungsbefugnis. Und du hast auf deine Stellung als Vormann verzichtet, Jack! Also versuch nicht, mir etwas vorzuschreiben! Morgen treibt ihr mir die Schafe ins Hochland! Oder nein, ihr zwei bleibt zu Hause. Wer weiß, was euch noch alles einfällt ...«

»Stubenarrest, Grandma Gwyn?«, fragte Gloria frech.

Gwyneira sah sie böse an. »Wenn du es so nennen willst. Du benimmst dich wie ein kleines Mädchen. Also beschwer dich nicht, wenn man dich auch so behandelt.«

»Wir hätten es anders angehen sollen«, meinte Jack, als die beiden hilflos zusahen, wie Maaka und die verbliebenen *pakeha*-Viehhirten die Schafe zuerst sammelten und dann nach Westen trieben. »Sie hat nicht ganz Unrecht. Wir hätten es offen handhaben sollen.«

Gloria zuckte die Schultern. »Sie hat Unrecht. Und es geht ihr gar nicht mehr um die Schafe und die *tapu* und all das. Es lief doch genau so, wie wir es geplant hatten. Der angebliche Frevel war längst geschehen, das Land war nicht mehr unberührt. Und wenn Tonga uns nun keine Arbeiter mehr schicken wollte ... tja, dann hätten wir eben auch nicht die Leute gehabt, die Schafe aus dem *tapu* zu treiben. Grandma Gwyn hätte ihn an seinem eigenen Strick hängen können. Aber das wollte sie gar nicht. Sie wollte nicht Tonga hängen, sondern mich!«

Gwyneira fragte sich, wie alles so aus dem Ruder hatte laufen können. Sie liebte Gloria mit jeder Faser ihres Herzens, und trotzdem konnte sie nur mit ihr streiten. Aber sie ertrug den Hass in den Augen des Mädchens einfach nicht – und den verkniffenen Gesichtsausdruck, der sie an ihren Sohn Paul erinnerte. Immer mehr und häufiger, je älter sie wurde. Früher war das anders gewesen. Da hatte sie oft auch Maramas sanften Ausdruck in Glorias Zügen gesehen.

Gwyneira hatte es an diesem Tag nicht im Haus ausgehalten. Dort verschanzten sich schließlich Gloria und Jack in ihren jeweiligen Räumen, und zu allem Überfluss trug Jack einen Karton nach dem anderen herunter, gefüllt mit Kleidern und persönlichen Besitztümern von Charlotte McKenzie Greenwood. Gwyneira erinnerte das schmerzlich an die Zeit, als Jack und Charlotte hier glücklich gewesen waren, als Lachen das Haus erfüllt hatte und die Hoffnung auf Enkelkinder. Aber jetzt gab es nur noch Trauer und Ärger. Gwyneira wanderte durch die verwaisten Ställe und Schafpferche. Die Männer waren sämtlich im Hochland; nur die Hand voll *pakeha* waren ihr geblieben, die sich feixend um Frank Wilkenson scharten. Zum Glück war Maaka noch da. Der Verwalter trotzte dem Willen seines Häuptlings und war wie jeden Tag zur Arbeit erschienen. Er hatte auch noch einmal versucht, Gwyneira umzustimmen.

»Miss Gwyn, im Moment sieht das Wetter gut aus. Aber das kann sich ändern, es ist gerade mal Anfang Oktober. Und die Tiere sind frisch geschoren, die halten einem Wintereinbruch im Hochland keine zwei Wochen stand. Lassen Sie Tonga protestieren, der beruhigt sich auch wieder!«

»Es geht nicht um Tonga«, wiederholte Gwyneira, »es geht um meine Autorität. Ich halte meine Versprechungen, und ich verlange, dass meinen Anweisungen Folge geleistet wird. Also reitest du jetzt, Maaka, oder soll ich Wilkenson bitten, den Viehtrieb zu führen?«

Maaka war schulterzuckend gegangen. Und Gwyneira fühlte sich so allein wie nie zuvor in ihrem Leben. Sie ging zu den Pferden und warf ihnen etwas Heu hin. Die Fütterung musste Gloria übernehmen, hoffentlich tat sie es. Seit ihrer letzten Auseinandersetzung saß das Mädchen nur noch schmollend in ihrem Zimmer. Aber die Pferde lagen ihr doch wohl am Herzen.

Gwyneira kraulte Princess, die Reitponystute, gedankenverloren unter dem Stirnhaar. Mit ihr hatte alles angefangen. Gwyneira verfluchte sich jetzt noch dafür, dass sie Gloria damals erlaubt hatte, sich als wilde Hummel auf dem Pony ablichten zu lassen. Sie war nach wie vor überzeugt davon, dass dies die Martyns erst auf die fehlende Erziehung des Mädchens zur Dame aufmerksam gemacht hatte. Und dann der zweite Fehler ... Gwyneira erinnerte sich nur zu gut an Glorias Gesichtsausdruck, als sie nach Princess' Fohlen fragte. Jack hatte ihr das Pferd versprochen. Wie hatte sie es nur Lilian schenken können? Und nun kam bald ein neues Fohlen zur Welt, an dem Gloria bislang nicht den Funken eines Interesses zeigte.

Gwyneira streichelte das Pferd. »Wahrscheinlich ist alles meine Schuld«, seufzte sie. »An dir liegt es jedenfalls nicht.«

Sie konnte nicht wissen, dass gerade Princess nur wenige Tage später Anlass für den nächsten Eklat bot.

Die Männer waren zurück, und es regnete wieder. Ein warmer Frühjahrsregen zwar, aber nichtsdestotrotz lästig. Die Farmarbeiter blieben in den Scheunen und spielten Karten. Jack sichtete nach wie vor Charlottes Nachlass, doch Gloria nahm an, dass es ihm dabei ebenso ging wie ihr mit seinen Briefen aus Gallipoli. In einem Stück war es einfach nicht zu ertragen. Wahrscheinlich verbrachte Jack die Zeit in Charlottes Räumen dumpf brütend und tatenlos.

Gloria selbst versuchte, an einer gewissen Routine festzuhalten. Wenn sie nur drinnen blieb und einen Zeichenblock nach dem anderen mit ihren düsteren Bildern füllte, würde sie verrückt werden. So trainierte sie pflichtschuldig die Hunde und ritt Ceredwen spazieren. Bald würde Princess ihr Fohlen bekommen ...

Gloria, die gerade auf den Hof ritt, warf einen Blick zu den Pferchen hinüber. Die Reitponystute stand zwischen den Cobs in einem Auslauf, dessen ursprünglicher Grasboden sich längst in grundlosen Morast verwandelt hatte. Den Cobstuten machte das nicht viel aus. Sie standen stoisch herum und hielten ihre dick bepelzten Hinterteile in Regen und Wind. Princess dagegen wirkte unglücklich. Gloria erkannte, dass sie den Rücken durchdrückte und zitterte. Hier musste etwas passieren.

Gloria nahm sich gleich den ersten Farmarbeiter vor, der ihr in den Ställen in die Arme lief. Frank Wilkenson, anscheinend auf dem Weg zurück vom Abtritt zur Runde der Karten spielenden Männer in der Scheune.

»Mr. Wilkenson, würden Sie bitte so nett sein, Princess hereinzuholen und ihr etwas Hafer zu geben? Ich decke sie dann gleich ein, das Pferd friert.«

Wilkenson grinste geringschätzig. »Pferde frieren nicht, Miss Gloria.« Er betonte das »Miss«, als stünde die höfliche Anrede dem Mädchen nicht zu. »Und wir haben kein Futter übrig, es ist rationiert.«

Gloria rang um Geduld. »Ihre Farmpferde und die Welsh Cobs frieren nicht. Aber Princess hat einen hohen Vollblutanteil. Dünne Haut, seidiges Fell, kaum Fesselbehang. Diese Pferde feuchten durch, wenn es lange genug gießt. Also holen Sie das Pferd bitte herein.«

Wilkenson lachte. Gloria erkannte erschrocken, dass er offensichtlich getrunken hatte. Auch die anderen Männer, die inzwischen aufmerksam geworden waren und von der Scheune aus zu ihnen hinübersahen, waren nicht mehr nüchtern.

»Und wenn ich's mache, Miss Pocahontas? Was springt dann für mich raus? Zeigen Sie sich mal wieder im Baströckchen?«

Er griff lachend nach Glorias feuchtem Haar und zwirbelte eine Strähne zwischen den Fingern.

Gloria tastete nach ihrem Messer, aber sie hatte es nicht bei sich. Gerade an diesem Tag … sie hatte versäumt, es aus der Tasche ihrer alten Lederjacke zu nehmen und stattdessen in die des Regenmantels zu stecken. Obendrein hatte sie den nassen, schweren Wachsmantel abgestreift, als sie ihr Pferd in den Stall führte. Gloria verfluchte sich für ihren Mangel an Vorsicht. Sie hatte angefangen, sich sicher zu fühlen. Ein Fehler.

»Lassen Sie die Hände von mir, Mr. Wilkenson!« Sie sprach so streng und beherrscht, wie sie konnte, doch ihre Stimme zitterte.

»Ach, und wenn nicht? Wirfst du dann einen Fluch über mich, kleine Maori-Prinzessin? Damit kann ich leben.« Blitzschnell umfasste er ihre Oberarme. »Komm, Pocahontas! Ein Kuss! Dafür hol ich dir dein Pferdchen.«

Gloria warf den Kopf hin und her und biss nach dem Mann, der sie jetzt lachend auf ein paar Strohballen drückte. Nimue und die jungen Hunde kläfften, Ceredwen trat unruhig von einem Huf auf den anderen. Die Männer in der Scheune johlten.

Plötzlich wurde die Tür nach draußen aufgerissen. Jack McKenzie stand im Eingang, die tänzelnde Princess am Führstrick. Bruchteile von Sekunden starrte er auf das Durcheinander im Stall, dann war er mit zwei Schritten bei Gloria, während das Pony kopflos nach draußen stürmte. Jack riss Wilkenson herum und überlegte nicht lange. Sein rechter Haken saß perfekt.

»Sie werden gar nichts holen«, sagte er dann. »Sie sind fristlos entlassen!«

Wilkenson schien kurz darüber nachzudenken, zurückzuschlagen. Er war nicht größer als Jack, aber um etliche Kilo schwerer und zweifellos stärker. Aber dann erschien es ihm doch zu gewagt, sich mit Gwyneiras Sohn einzulassen. Er hielt sich zurück und grinste.

»Wer sagt denn, dass die kleine Maus nicht freiwillig mitgemacht hat?«, fragte er.

Jack überlegte nicht lange und schlug erneut zu. So schnell und präzise, dass er Wilkenson ein zweites Mal überraschte. Gloria griff instinktiv nach dem Messer, das zum Öffnen der Heubunde neben der Tür zur Scheune hing. In ihren Augen stand ein irrer Glanz. Sie näherte sich Wilkenson, der sich nur mühsam aufrappelte. Er war unglücklich gefallen. Sein rechter Arm schien verletzt zu sein. Mit dem linken versuchte er, sich aufzurichten.

»He, Kleine, wir können doch darüber reden ...«

Gloria schien Meilen weit weg zu sein. Sie schritt mit gezücktem Messer langsam auf den Mann zu, als habe sie eine heilige Mission.

Jack sah den Ausdruck in ihren Augen. Er kannte ihn. Mit diesem fanatischen und doch leeren Blick waren die Männer aus den Schützengräben gesprungen – keinen anderen Gedanken mehr im Kopf, als zu töten.

»Gloria ... Gloria, dieser Abschaum ist es nicht wert! Gloria, leg das Messer hin!«

Gloria schien Jack nicht zu hören. Und Jack musste eine Entscheidung treffen. Gloria verstand, das Messer zu werfen. Jack hatte beobachtet, wie sie diese Fertigkeit übte. Spielerisch als Kind und auch in den letzten Monaten, allerdings weniger spielerisch. Jack hatte ihr heimlich zugesehen, und sie hatte todernst gewirkt.

Er musste sie aufhalten. Aber er wollte ihr nicht in den Arm fallen. Auf keinen Fall der nächste Mann sein, der sie angriff oder auch nur ohne Erlaubnis berührte. Jack schob seinen Körper zwischen Gloria und Frank Wilkenson.

»Gloria, tu's nicht. Es sind nicht alle gleich. Ich bin Jack. Du willst mir nichts tun.«

Einen Herzschlag lang dachte er, dass sie ihn nicht erkannte. Aber dann kam Leben in ihre Augen.

»Jack, ich ...« Gloria sank schluchzend auf einen Heuballen.

»Es ist alles gut.« Jack sprach sanft, aber er wagte immer noch nicht, sie zu berühren.

Stattdessen wandte er sich Wilkenson zu.

»Wird's bald? Schwingen Sie Ihren Hintern hoch, und verschwinden Sie von dieser Farm!«

Wilkenson schien die Gefahr nicht hundertprozentig wahrgenommen zu haben. Er starrte Jack nach wie vor zornig an. »Aber eins muss Ihnen klar sein, McKenzie. Wenn ich gehe, nehm ich mindestens drei Männer mit ...«

Er wandte den Blick zu Tailor und seinen anderen Saufkumpanen.

Jack zuckte die Schultern. »Meinen Sie diese Mistkerle in der Scheune? Da brauchen Sie Ihren Einfluss gar nicht geltend zu machen. Die sind nämlich ebenfalls entlassen. Geben Sie sich keine Mühe, ich habe die Anfeuerungsrufe gehört. Mitgefangen, mitgehangen. Und jetzt raus hier! Helft eurem feinen Vormann hoch und aufs Pferd und dann ab!«

Jack wartete noch, bis die Männer sich murrend erhoben. Tailor half Wilkenson beim Aufstehen.

»Komm mit, wir müssen Princess einfangen«, sagte Jack zu Gloria. »Sie ist wieder rausgerannt.«

Gloria zitterte.

»Ich ... muss erst Ceredwen absatteln«, flüsterte sie.

Erst das Pferd, dann der Reiter. Grandma Gwyn hatte es ihren Kindern und Enkeln praktisch vom ersten Atemzug an eingebläut. Niemand hatte den Verstand zu verlieren, solange noch ein Pferd abzureiben war.

Jack nickte. »Ich hole dann Princess. Kannst du allein bleiben?«

Gloria umfasste das Messer und schaute ihn mit einem Blick an, den er nicht zu deuten wusste. Dann sagte sie leise: »Ich war immer allein ...«

Jack kämpfte wieder mit dem Verlangen, sie in den Arm zu nehmen. Das verlorene Kind – und die geschändete Frau. Aber Gloria würde es nicht wollen. Jack wusste nicht, was sie in ihm sah, er wusste jedoch, dass sie noch weit davon entfernt war, ihm zu vertrauen.

9

»Du warst mutig«, sagte sie später, als die beiden zum Haus zurückgingen. Sie waren durchnässt und müde. Jack fühlte sich obendrein völlig erschöpft, nachdem er sämtliche Pferde in den Stall geholt, gefüttert und dann die verbleibenden Schafe und Rinder versorgt hatte. Und nun musste er seiner Mutter schonend beibringen, dass er eben auch noch den Großteil ihrer restlichen Leute entlassen hatte. Nur wenige *pakeha* hatten nicht zu Wilkensons Clique gehört. Die würden am kommenden Tag hoffentlich wieder zur Arbeit erscheinen. Maaka war in Christchurch. Tongas Leute boykottierten Kiward Station. Obendrein regnete es in Strömen. An die Stürme im Alpenvorland mochte Jack gar nicht denken. Trotz allem fühlte er sich zufrieden, fast glücklich. Gloria ging neben ihm. Sie war ruhig und entspannter als vor dem Kampf.

»Ich war in Gallipoli«, erinnerte er sie mit schiefem Lächeln. »Wir sind Helden.«

Gloria schüttelte den Kopf. »Ich habe deine Briefe gelesen.«

Jack errötete. »Aber ich dachte ...«

»Meine Eltern haben sie mir nachgeschickt.«

»Oh.« Jack erinnerte sich nicht mehr an jedes Wort, das er geschrieben hatte, aber er wusste, dass er sich für einige Passagen schämen würde. Er hatte Gloria als Kind vor sich gesehen, als er die Briefe schrieb. Ein paar seiner Gedanken hätte sie damals nicht verstanden, sie hätte darüber hinweggelesen wie fast jedes Mädchen. Nur nicht Charlotte. Und nicht die Frau, die Gloria geworden war.

»Die letzten Briefe habe ich gar nicht mehr abgeschickt«, meinte Jack. Er war darüber fast erleichtert. Diese letzten Briefe – aus dem Hospital in Alexandria und dann aus England – waren die schlimmsten. Er war damals am Ende gewesen, und er hatte an ein Mädchen geschrieben, das er eher tot als lebendig wähnte. Gloria war monatelang vermisst gewesen, zum Schluss fast ein Jahr lang.

»Nein?«, fragte Gloria erstaunt. Sie hatte nur noch zwei ungeöffnete Briefe, deren Lektüre sie aufgeschoben hatte, nachdem sie den letzten Bericht aus Gallipoli gelesen hatte. Aber sie waren ihr gleich am ersten Tag aufgefallen, da die Schrift auf dem Umschlag eine andere war. Weniger flüssig, eher ungelenk. Und die Adresse war unvollständig, die Postleitzahl fehlte. Nun hatten die Zusteller New York auch ohne diese Angabe mühelos ausfindig gemacht. Und der Name der Konzertagentur war richtig geschrieben.

Gloria glaubte zu ahnen, was passiert war. Jack musste die Briefe irgendwo hingelegt haben, und dann hatte sie eine Krankenschwester – oder vielleicht dieser Roly, der Jack so oft geholfen hatte – beschriftet und frankiert. Ja, es musste Roly gewesen sein. Sicher hatte er vorher schon Post für Jack auf den Weg gebracht und sich den Namen der Agentur gemerkt.

Gloria hatte es plötzlich eilig, in ihr Zimmer zu kommen. Sie musste diese Briefe lesen.

Liebste Gloria,

es ist eigentlich sinnlos, Dir zu schreiben, denn ich weiß, dass Du diesen Brief nie bekommen wirst. Aber ich klammere mich an die Hoffnung, Du könntest doch noch am Leben sein und vielleicht an mich denken. Immerhin weiß ich jetzt, dass Du an uns alle gedacht hast, wenn auch vielleicht im Zorn. Ich bin mir inzwischen sicher, dass Du meine Briefe nach England nie erhalten hast. Du hättest sonst um Hilfe gerufen. Und ich ... wäre ich gekommen? Ich liege hier, Gloria, und frage mich, was ich hätte anders machen können. Hätte irgendetwas Charlotte gerettet? Hätte es Dich gerettet, wenn ich über die eine Liebe nicht die andere vergessen hätte? Ich wollte glauben, dass Du ebenso glücklich bist wie ich, und habe Dich damit verraten. Und dann, nach Charlottes Tod, bin ich fortgelaufen. Vor mir und vor Dir in einen fremden Krieg. Ich habe gekämpft und getötet – Männer, die nichts anderes getan haben, als ihre Heimat zu schützen –, und ich habe meine Heimat verraten.

Während ich schreibe, höre ich den Ruf des Muezzins zum Gebet. Fünfmal am Tag. Die anderen Patienten sagen, es mache sie verrückt. Aber für die Menschen hier macht es das Leben einfacher. ›Islam‹ heißt ›Ergebung‹. Etwas annehmen, wie es kommt, akzeptieren, dass Gott sich nicht an Regeln hält ...

England – nun bin ich also auch hier gelandet, und ich denke an Dich, Gloria. Du hast den Himmel hier gesehen, das Grün der Wiesen, die riesigen, uns so unvertrauten Bäume. Es heißt, ich hätte die Schwindsucht, was nicht zutreffen muss, denn ein paar Ärzte haben Zweifel. Aber ganz falsch ist es sicher nicht, denn ich empfinde tatsächlich so: eine Sucht, ein Verlangen zu schwinden, das Gefühl, es wäre viel leichter zu sterben, als weiterzuleben. Ich fürchte inzwischen nichts mehr, als nach Kiward Station zurückzukehren, in die Leere nach Charlottes Tod und Deinem Verschwinden.

Du bist nun schon so lange fort, Gloria, und obwohl meine Mutter nicht aufgibt und immer noch auf Deine Ankunft auf Kiward Station hofft, heißt es doch, dass Du ›nach menschlichem Ermessen‹ nicht mehr am Leben bist. Die Polizei in San Francisco hat die Suche jedenfalls eingestellt, und auch all die Detektive, die meine Mutter und George Greenwood eingeschaltet haben, haben nie die geringste Spur gefunden. Vielleicht ist es also sinnlos, ja dumm, diesen Brief zu schreiben, beinahe so, als wollte ich Deinen Geist erreichen. Nur der Gedanke daran, dass Gott das ›menschliche Ermessen‹ auch diesmal ad absurdum führt, gibt mir noch Kraft.

Gloria hielt die Briefe im Schoß und weinte. So sehr, wie sie seit jener Nacht in Sarah Bleachums Armen nicht mehr geweint hatte. Jack hatte ihr nach England geschrieben. Er hatte immer an sie gedacht. Und auch er schämte sich. Vielleicht … vielleicht hatte er viel schlimmere Dinge getan als sie.

Gloria wusste kaum, was sie tat. Wie in Trance riss sie ihre Zeichnungen aus dem Block und legte sie in den letzten Band von Charlotte McKenzies Aufzeichnungen zur Mythologie der Ngai Tahu. Vor der Wanderung mit den Maoris hatte sie Charlottes sämtliche Texte gelesen, und die letzte Kladde lag noch auf ihrem Bücherbord. Jack würde sie suchen.

Gwyneira ging unruhig im Salon auf und ab und hörte auf den Wind und den Regen vor ihren Fenstern. Das Wetter klarte immer nur kurz auf. Nach wie vor war es kühl und regnerisch, und sie durfte gar nicht daran denken, wie es im Hochland aussah. Natürlich sollten die Schafe sich dort auskennen; auch im Sommer gab es Unwetter. Aber so früh im Jahr und so frisch nach der Schur – Gwyneira bereute ihren Entschluss längst, die Tiere ausgetrieben zu haben. Aber ändern ließ sich jetzt nichts mehr. Kurzfristig fand sie unter keinen Umständen geeignete Männer, um die Schafe zurückzuholen. Frank Wilkenson war der Einzige, der erfahren genug gewesen war, einen Viehtrieb zu leiten. Noch dazu unter diesen Umständen.

Dennoch verfluchte Gwyneira sich dafür, den Mann nicht längst entlassen zu haben. Jack hatte zweifellos Recht damit gehabt, ihn fristlos zu feuern, aber sie selbst hätte früher bemerken müssen, dass er Gloria quälte. Wenn sie nur an den Vorfall im Scherschuppen dachte ... sie würde Gloria nie wieder in die Augen sehen können! Gwyneira schenkte sich einen Whiskey ein und stellte sich den Tatsachen: Sie hatte den Überblick verloren. Sie wusste nicht mehr, was auf ihrer Farm vor sich ging. Dabei hätte sie früher über jede kleinste Rivalität unter den Arbeitern Auskunft geben können; sie hatte gewusst, wer zur Angeberei oder zum Trinken neigte und wer besondere Aufsicht brauchte. Natürlich hätte sie auch ein wachsames Auge auf Tonga gehalten! Noch vor ein paar Jahren hätte sie sofort überprüft, welches Stück Land den Maoris wirklich heilig war. Sie hätte Tonga nicht mehrere Hektar kampflos überlassen. Aber jetzt hatte sie alles auf Maaka abgeschoben, der damit entschieden überfordert war. Maaka war ein guter Viehhirte, der geborene Vormann aber war er nicht. Und Jack ...

Das durchdringende Klingeln des Telefons unterbrach Gwyneiras trübe Gedanken. Die Vermittlung meldete ein Gespräch aus Christchurch. Kurz darauf hörte Gwyneira die Stimme George Greenwoods.

»Miss Gwyn? Ich wollte eigentlich Jack sprechen, aber Sie können es ihm ja bestellen. Er möchte Charlottes Aufzeichnungen jetzt wirklich bereithalten, der Experte aus Wellington kommt übernächste Woche.«

Georges Stimme klang lebhaft und fröhlich. »Und raten Sie, wen er mitbringt, Miss Gwyn! Ich habe ja von der ganzen Heimlichtuerei nicht viel gehalten, aber meine Frau und Elaine spielen einfach mit Genuss Mata Hari! Jedenfalls schickt Wellington tatsächlich Ben Biller, und Lilian wird ihn begleiten. Wobei der Junge von den familiären Verwicklungen keine Ahnung hat. Lily führt ihn genauso hinters Licht wie Elaine ihren Tim.«

Gwyneiras Laune hellte sich etwas auf. »Sie meinen, Lily kommt her? Mit dem kleinen ... wie heißt er noch gleich?«

»Galahad«, meinte George. »Sehr seltsamer Name. Keltisch, nicht? Nun, wie auch immer ... ja, sie kommt. Und höchstwahrscheinlich auch Elaine und ihr Tim. Kiward Station ist doch ein viel besserer Ort für so ein Wiedersehen als mein kleines Haus. Machen Sie sich bereit, Miss Gwyn, Sie werden alle Zimmer belegt haben!«

Gwyneiras Herz schlug vor Freude schneller. Alle Zimmer belegt! Ein herumkrakeelendes Baby, die Neckereien zwischen Lilian und Elaine ... Und Lily hatte es immer geschafft, selbst Gloria zum Lachen zu bringen! Es würde wundervoll werden. Vielleicht sollte sie auch Ruben und Fleurette einladen ...

»Ach ja, und von Maaka soll ich Ihnen noch etwas bestellen«, sprach George weiter, jetzt in eher geschäftsmäßigem als fröhlichem Tonfall. »Sie möchten möglichst unverzüglich diesen Wilkenson losschicken und die Schafe eintreiben lassen. Die Meteorologen und die Maori-Stämme aus dem Hochland sagen schwere Stürme voraus. Ein erneuter Wintereinbruch, über den Alpen braut sich was zusammen. Wieso haben Sie die Schafe überhaupt schon draußen, Miss Gwyn? So früh im Jahr ...«

Gwyneiras Hochstimmung war wie ausgelöscht. Ein erneuter Wintereinbruch ... Maori-Stämme, die hinunter in die Plains wanderten, weil ihre *tohunga* Schneestürme befürchteten ...

Gwyneira verabschiedete George kurz und trank einen weiteren Whiskey. Dann tat sie, was sie tun musste.

Jack klopfte an Glorias Zimmertür. Er hatte Charlottes letztes Notizbuch nicht gefunden, und eigentlich konnte es nur noch bei Gloria sein. Schließlich hatte sie ihn neulich erst auf eine der Aufzeichnungen hingewiesen. Sie musste die Texte also gelesen haben.

Und vielleicht ließ Gloria sich auch noch auf ein kurzes Gespräch ein. Jack fühlte sich einsam nach der unerfreulichen Unterredung mit seiner Mutter. Immerhin hatte Gwyneira sich einsichtig, ja sogar schuldbewusst gezeigt. Sie gab ihm in der Sache mit Wilkenson Recht und hatte halbwegs versprochen, darüber auch noch mit Gloria zu reden. Aber das Gespräch insgesamt war deprimierend gewesen. Gwyneira hatte so krank und alt ausgesehen – und völlig überfordert mit der neuen Situation. Jack hatte versucht, sie seiner Hilfe zu versichern. Aber er wusste nicht recht, wie die aussehen sollte. Früher war man in so einem Fall nach Haldon geritten, hätte im Pub ein Bier bestellt und lauthals kundgetan, dass Kiward Station Viehhüter suchte. Meistens lief einem dann gleich der eine oder andere Abenteurer zu. Aber machte man das heute auch noch? Und konnte Jack sich dazu überwinden?

Gloria öffnete die Tür nur einen Spalt.

»Ich nehme an, du suchst das hier …« Sie reichte ihm die Kladde durch die enge Öffnung und ließ sich dabei kaum sehen. Jack erhaschte nur einen Blick auf ihr gerötetes Gesicht. Hatte sie geweint? Ihre dicken Locken standen wirr um ihren Kopf, als habe sie sich das Haar gerauft, statt es zu bürsten.

»Ist etwas, Gloria?«, fragte Jack.

Sie schüttelte den Kopf. »Nichts. Ich … hier ist dein Buch.«

Gloria schloss die Tür, bevor er weiterfragen konnte. Jack zog sich kopfschüttelnd zurück. Die Kladde in seiner Hand schien dicker als die anderen, sie schloss nicht richtig, als hätte jemand etwas zwischen die Seiten gesteckt. Jack nahm das Buch mit in sein Zimmer und öffnete es dann im Licht der neuen elektrischen Lampen.

Was er sah, ließ ihn frösteln.

Eine dunkle Stadt, aufragend vor einem sternlosen Himmel. In den Schluchten zwischen den Häusern lachte der Teufel – und ein Schiff verließ den Hafen. Jack sah die Totenkopffahne, die es gehisst hatte, aber der Tod war ein nacktes Mädchen. Auf Deck stand ein Junge und fixierte den Teufel. Kämpferisch, siegessicher, während dem Mädchen auf der Fahne Tränen aus den toten Augen rannen.

Dann ein Mädchen in den Armen eines Mannes – oder war es eher der Teufel aus dem Bild von eben? Die Zeichnerin schien sich nicht entscheiden zu können. Der Mann hielt das Mädchen besitzergreifend fest, aber es sah ihn nicht an. Das Paar lag an Deck eines Schiffes, und der Blick des Mädchens war aufs Meer gerichtet – oder auf eine Insel in der Ferne. Sie wehrte sich nicht, aber sie war auch weit davon entfernt, die Nähe des Mannes zu genießen. Jack errötete, als er sein viel zu großes Geschlechtsteil sah, das wie ein Messer zwischen die Beine des unbeteiligten Mädchens stieß.

Und wieder eine Stadt. Aber anders als die erste, diesmal kleine Häuser statt großer, ein Häusermeer. Darin ein Teehaus oder etwas Vergleichbares. Es glich eher den Etablissements in Arabien als europäischen Cafés oder Pubs. Der Mann trank mit dem Teufel. Und zwischen ihnen, angerichtet wie ein Fisch auf einer Platte, lag das Mädchen. Daneben lagen Messer bereit. Der Teufel – er war klar zu erkennen – schob Geld zu dem Mann hinüber. Das Mädchen war diesmal nicht nackt, aber das knappe, nuttige Kleidchen ließ es noch schutzloser erscheinen. Sein Ausdruck war verständnislos, ängstlich.

Von jetzt an spiegelten die Bilder das nackte Grauen. Jack sah das Mädchen, angekettet in der Hölle, umgeben von tanzenden Teufeln, die es auf immer neue Weise bedrängten. Teilweise schoss Jack dabei das Blut ins Gesicht; die Bilder zeigten mitunter erschreckende Details. Oft waren Einzelheiten ausgeführt, dann aber war alles in rasender Wut mit einem Kohlestift schwarz übermalt worden – das ursprüngliche Bild war nur noch schemenhaft erkennbar. Zum Teil hatte die Feder das Papier durchstochen, so hart hatte Gloria sie geführt. Jack konnte ihr Entsetzen geradezu spüren.

Schließlich, nach einer schier endlosen Reihe Grauen erregender Darstellungen, lag das Mädchen an einem Strand. Es schlief, der Ozean lag zwischen ihm und den Teufeln. Aber jenseits des Strandes warteten neue Ungeheuer. Die nächsten Bilder zeigten eine erneute Odyssee durch die Hölle. Jack erschrak, als er den geschorenen Kopf des Mädchens sah, der von einem Bild zum anderen immer mehr einem Totenschädel glich. Auf den letzten Bildern war von den Gesichtszügen des Mädchens nichts mehr zu erkennen, nur noch Knochen und leere Augenhöhlen. Das Mädchen, dargestellt als Skelett, trug ein dunkles Kostüm und eine hochgeschlossene, helle Bluse. Es bestieg schließlich ein Schiff und schaute wieder in Richtung der Insel, die schon auf dem ersten Bild zu erahnen gewesen war.

Gloria hatte Jack mit auf ihre Reise genommen.

»Du bist verrückt!« Glorias Stimme hallte schrill durch den Salon, als Jack am nächsten Morgen herunterkam.

Das Mädchen stand Gwyneira gegenüber – eine der unerquicklichen und viel zu emotionalen Auseinandersetzungen zwischen Großmutter und Urenkelin, die Jack gerade heute so gar nicht brauchen konnte. Allerdings zahlte Gwyneira nicht mit gleicher Münze zurück wie sonst. Sie ließ Glorias Ausbruch gelassen – oder eher gefasst – an sich abprallen. Jack bemerkte verwundert, dass sie Reitkleidung trug und Satteltaschen geschultert hatte.

»Sie will ins Hochland reiten!«, rief Gloria, als sie Jack die Treppen herunterkommen sah. Sie war dermaßen aufgebracht, dass sie nicht einmal mehr an die Bilder dachte. Auch seine von der Schlaflosigkeit geröteten Augen nahm sie nicht wahr. »Deine Mutter will ins Hochland reiten und die Schafe zurückholen.«

Gwyneira blickte die beiden hoheitsvoll an. »Stell mich nicht als Verrückte hin, Gloria«, sagte sie ruhig. »Ich bin öfter ins Hochland geritten, als ihr zwei zählen könnt. Ich weiß genau, was ich tue.«

»Du willst allein reiten?«, fragte Jack verblüfft. »Du willst allein ins Alpenvorland und zehntausend Schafe zusammentreiben?«

»Die drei verbliebenen *pakeha*-Viehhüter kommen mit. Und ich war heute Nacht bei Marama ...«

»Was sagst du da? Du bist heute Nacht nach O'Keefe Station geritten und hast mit Marama gesprochen?« Jack konnte es kaum fassen.

Gwyneira funkelte ihn an. »Du hattest eine Menge Ausfälle, seit du aus dem Krieg zurück bist, Jack, bislang schien mir dein Gehör jedoch immer noch in Ordnung. Aber gut, noch einmal: Ich habe mit Marama gesprochen, und sie schickt uns ihre drei Söhne. Was Tonga dazu sagt, ist ihr egal. Womöglich schließen sich noch weitere an, ich habe den doppelten Lohn geboten. Und jetzt reite ich. Ich nehme Ceredwen, Gloria, wenn es dir recht ist. Sie ist am besten trainiert.«

Jack war immer noch wie in Trance. »Sie hat Recht, du bist

verrückt ...« Er hatte noch nie so mit seiner Mutter gesprochen, doch Gwyneiras Vorhaben erschien ihm ungeheuerlich. »Du bist über achtzig Jahre alt. Du kannst keinen Viehtrieb mehr führen!«

»Ich kann, was ich muss. Ich habe einen Fehler gemacht, jetzt werde ich ihn ausbügeln. Die Tiere müssen herunter, es sind Schneestürme gemeldet. Und da sonst niemand willens und fähig ist ...«

»Mutter, hör auf, *ich* reite.« Jack richtete sich auf. Er hatte sich einen Augenblick zuvor noch müde und entmutigt gefühlt, aber Gwyneira hatte Recht: Man tat, was man tun musste. Und er konnte das Lebenswerk seiner Eltern – und Glorias Erbe – nicht im Schneesturm untergehen lassen.

»Ich reite mit«, sagte Gloria, ohne zu zögern. »Mit den Hunden schaffen wir jeder die Arbeit von drei Männern. Und die Schafe werden sich drängen, nach Hause zu kommen.«

Jack wusste, dass es nicht so war. Bei schlechtem Wetter waren die Tiere eher desorientiert und ließen sich deutlich schlechter handhaben als gewöhnlich. Aber das würde Gloria bald genug selbst merken.

»Hast du Packpferde satteln lassen?«, fragte er seine Mutter. »Und streite jetzt bitte nicht mit mir, die Sache ist klar. Wir reiten, und du bereitest hier alles vor. Such in Haldon jemanden, der dir hilft – das muss sich telefonisch organisieren lassen. Und sieh zu, dass du Hafer und Weizen bestellst, die Schafe müssen wieder zu Kräften kommen nach dem Weg durch den Sturm. Wir werden sie in die Scherschuppen treiben und in die alten Kuhställe. Sie müssen raus aus dem Regen. Und danach ... Aber das können wir später besprechen. Sieh den Inhalt der Satteltaschen durch, Gloria. Mutter, sag ihr, was sie braucht. Viel Whiskey auf jeden Fall, es wird kalt werden. Da brauchen die Leute Wärme von innen. Ich gehe in den Stall und sehe nach den Männern.«

Jack hatte seit seiner Verwundung noch nicht so viele Worte an einem Stück gesagt, vor allem nicht in diesem Ton. Corporal McKenzie war vor Gallipoli gestorben. Plötzlich schien Jack McKenzie wieder da zu sein, der Vormann von Kiward Station.

10

Vor den Ställen warteten Maramas Söhne, Kura-maro-tinis Halbgeschwister. Der jüngste war gerade erst fünfzehn und erwartete ganz aufgeregt das Abenteuer. Es hatten sich noch zwei weitere Maori-Viehhüter angeschlossen, beides erfahrene Männer mit viel *mana*, die es wagten, Tonga zu trotzen. Ein dritter ließ Jack verwundert die Stirn runzeln: Wiremu.

»Hast du jemals mit Schafen gearbeitet?«, fragte Jack unwillig. Ihm wollte kein Grund einfallen, Tongas Sohn abzulehnen, aber er wusste nicht, wie Gloria auf ihn reagieren würde.

Wiremu schüttelte den Kopf. »Nur als kleiner Junge. Dann wurde ich in die Stadt geschickt. Aber ich kann reiten. Und ich denke, ihr braucht jeden Mann.« Er senkte den Kopf. »Ich denke, dass ich Gloria etwas schulde.«

Jack zuckte mit den Schultern. »Dann lassen wir das Gloria entscheiden. Ihr wisst, Männer, das wird ein harter Ritt, und es ist nicht ungefährlich. Wir sollten so bald wie möglich aufbrechen, das Wetter wird eher schlechter als besser, wenn man den Warnungen glauben darf. Also lasst euch Pferde anweisen.«

Im Stall traf Jack auf die drei verbleibenden *pakeha*, alles junge, ungeschulte Leute, die gerade mal drei Pfiffe für die Hunde kannten. Er seufzte. Mit einer so bunt zusammengewürfelten Truppe war er noch nie zum Viehtrieb geritten – und gleichzeitig war es nie ein so gefährlicher Ritt gewesen. Es widerstrebte ihm, den kleinen Tane mitzunehmen. Aber wie Wiremu sagte: Sie brauchten jeden Mann.

Gloria trug ein breites Maori-Stirnband unter der Kapuze, um ihr Haar zu bändigen. Sie hatte es in der letzten Ecke ihres Schrankes gefunden und keine Zeit für modische Überlegungen gehabt. Sie hoffte, dass die Webarbeit obendrein ihre Ohren warm halten würde, wenn es wirklich zum Schneesturm kam.

Es regnete in Strömen, als sie schließlich abritten, elf Reiter, fünf Packpferde. Der Tag war mehr als unerfreulich; es schien nicht richtig hell werden zu wollen. Jack führte das auf die Zusammenballung der Wolken über den Alpen zurück, die das Sonnenlicht dämpften. Die Berge, sonst ein erhebender Anblick im Hintergrund der Plains, wirkten an diesem Morgen wie bedrohliche Schatten, nur schemenhaft erkennbar hinter dem Vorhang aus Regen. Auf den Wirtschaftswegen, weitgehend unbefestigt, versank man schon seit Wochen im Morast, an schnelles Vorwärtskommen war nicht zu denken. Die ersten zartgrünen Grasspitzen, die der Frühling erweckt hatte, wurden von Regen und Wind gnadenlos zu Boden gedrückt. Jack hoffte, dass es wenigstens nicht hagelte.

Erst gegen Mittag kamen sie auf Wege mit festerem Untergrund. Hier wurde selten geritten und nie gefahren, der Boden wurde folglich fester; man konnte die Pferde traben und galoppieren lassen. Jack legte ein flottes Tempo vor, versuchte die Pferde aber auch nicht zu überfordern. Die Pausen fielen ohnehin kurz aus; bei dem Regen mochte niemand ohne Unterstand rasten. Gegen Abend stießen sie auf die Herde junger Widder, die Gloria schon so oft von Tongas heiligem Grund getrieben hatten. Sie waren offensichtlich auf dem Weg nach Hause.

»Aufgeweckte Kerlchen!«, lobte Jack. »Wir nehmen sie jetzt erst mal mit. Wir übernachten heute in der Wachhütte am Gabler's Creek. Da können sie auch weiden. Morgen reitet Tane mit ihnen nach Hause.«

Maramas Jüngster schien hin und her gerissen zwischen dem Unwillen, das Abenteuer jetzt schon zu beenden, und dem Stolz, ganz allein eine Schafherde treiben zu dürfen. Er besaß einen Sheepdog, den er recht geschickt führte. Jack war sich sicher, dass er gut nach Hause kommen würde. Eine Sorge weniger – die Verantwortung, die er für Tane übernehmen musste, hatte ihn belastet.

Als sie weiterritten, lenkte er sein Pferd neben Gloria. Er hatte sie zusammenzucken sehen, als er die Hütte erwähnte. »Wir können ein Zelt für dich aufbauen«, meinte er. »Oder du schläfst im Stall. Aber da lasse ich dich ungern allein ...«

»Im Zelt wäre ich auch allein«, bemerkte Gloria.

»Aber zwischen deinem Zelt und der Hütte stände meins«, sagte Jack. Er suchte ihren Blick, doch sie schaute ihm nicht in die Augen.

Im Grunde graute ihm davor, jetzt noch im Regen Zelte aufzubauen; andererseits scheute er die Gemeinschaftsunterkunft in der Hütte genau wie Gloria.

»Dann kannst du ...« Gloria hielt den Kopf gesenkt und sprach sehr leise. »Dann kannst du eigentlich auch im Stall schlafen.«

In der Hütte wäre es gemütlicher gewesen. In der Zeit der Viehdiebstähle durch James McKenzie hatten die Schafbarone überall in den Bergen solche Blockhütten errichtet und den Sommer über bemannt. Es waren stabile kleine Bauten mit Feuerstelle und Alkoven. Die Männer machten Feuer im Kamin und boten Gloria sofort eines der Betten an.

»Miss Gloria möchte lieber im Stall schlafen«, lehnte Jack ab, »aber zunächst macht ihr bitte Platz am Kamin, damit sie sich aufwärmen kann. Wer kocht?«

Wiremu machte den Vorschlag, die Männer im Stall schlafen zu lassen. Widerwillig stimmten die anderen zu. Doch Gloria schüttelte den Kopf. »Dann haben wir keinen Platz mehr für die Pferde«, erklärte sie. »Und ich will keine Extrabehandlung. Es gibt hier Platz für alle. Wenn ich die Gemeinschaftsunterkunft nicht teilen möchte, ist das meine Sache.«

Schließlich schlüpfte Gloria in ihren Schlafsack und rollte sich neben Ceredwen im Stroh zusammen, das sie ausreichend warm hielt. Nimue und zwei der Welpen kuschelten sich an sie und hätten für weitere Wärme gesorgt, wären sie nicht völlig durchnässt gewesen. Jack sprach ein Machtwort und befahl sie in eine Ecke des Stalls.

»Die behalten wir aber hier, nicht?«, fragte Gloria mit Blick auf die kleinen Hunde. Sie beobachtete befangen und ängstlich, wie Jack seinen Schlafsack ausbreitete. Am anderen Ende des Stalles, direkt an der Verbindungstür zwischen Hütte und Scheune.

Jack lächelte. »Ja, ich glaube, die behalten wir hier.« Er war glücklich über das »wir« und atmete auf, als er gleich darauf Glorias gleichmäßigen Atem hörte. Er wusste noch, wie er darauf gelauscht hatte, als sie ein Kind gewesen war. Damals war sie oft zu ihm ins Bett gekrochen und hatte ihm von ihren Träumen erzählt, vor allem, wenn sie Albträume gehabt hatte. Es war ihm manchmal auf die Nerven gefallen.

In dieser Nacht war Jack froh, dass sie nicht reden wollte – noch nicht.

Am nächsten Morgen klarte es kurz auf, und gegen Mittag trafen sie auf die nächsten Schafe. Das Zusammentreiben war kein Problem. Die Maoris machten Feuer und brieten frisch gefangene Fische. Der Viehtrieb begann beinahe Spaß zu machen. Aber dann setzte wieder Regen ein, und schließlich begann es zu stürmen. Sie stiegen jetzt rasch höher und erreichten gegen Abend das Tal, in dem die Männer von Kiward Station traditionell ihr Lager aufschlugen. Gloria kannte es auch von der

Wanderung mit den Maoris. Es war ein Gras bewachsener Kessel, an zwei Seiten von hohen Felsen begrenzt, was es leichter machte, die Schafe zusammenzuhalten. Von hier aus würden sie am nächsten Tag ausströmen, um die Tiere zu suchen und zu sammeln.

Üblicherweise boten die Felsen etwas Windschutz, aber diesmal schienen die Böen sich nicht aufhalten zu lassen. Obwohl noch später Nachmittag, war es fast schon dunkel, und der Regen verwandelte sich in Schneeflocken, als die Männer sich daranmachten, das Lager aufzubauen. Je zwei Männer kämpften mit einem Zelt. Es war tatsächlich ein Kampf, denn der Wind wurde zum Sturm, der allen die Schneeflocken ins Gesicht peitschte und die Zeltplanen aus der Hand riss, sobald sie versuchten, die Packpferde zu entladen. Jack fiel es schwer zu atmen. Die eiskalte Luft brannte in seinen Lungen. Dazu war er unter der dicken Kleidung nass geschwitzt, nachdem es ihm endlich gelungen war, zumindest die Zeltstangen vom Sattel loszuschnallen. Die Pferde standen stoisch da, die Kruppen in den Wind gedreht. Die Schafe drängten sich frierend aneinander.

»Zwei Mutterschafe werfen ...«, meldete Wiremu zu allem Überfluss. Er teilte ein Zelt mit Maramas Ältestem und kam beim Aufbau recht gut voran. Mit der Lämmergeburt war er jedoch überfordert.

Jack kämpfte sich durch den Sturm zum ersten der Tiere, einer der erfahrenen Maoris kümmerte sich um das andere. Zum Glück verliefen beide Geburten weitgehend komplikationslos. Lediglich einem Lamm mussten sie helfen.

»Lass mich reingreifen!«, bat Gloria. »Ich habe schmalere Hände ...«

Jack hustete. »Aber du hast es jahrelang nicht gemacht!«, brüllte er gegen den Sturm.

»Du auch nicht«, sagte Gloria. Dann fasste sie geschickt mit der rechten Hand in die Scheide des Schafs, tastete nach dem stecken gebliebenen Lamm und schob sein verdrehtes Vorderbein in die richtige Position. Mit einem letzten Schwall Fruchtwasser glitt es ins Leben.

»Ich nehm sie zu uns rein, Mr. Jack!«, meinte der alte Maori und schob die nur schwach protestierenden Tiere in sein Zelt, hinaus aus dem Wind.

Jack taumelte zu dem Wirrwarr aus Planen und Stangen, aus dem sein eigenes Zelt bis jetzt noch bestand. Niemand hatte daran gedacht, es aufzubauen, während er sich um die Schafe gekümmert hatte. Er hätte es befehlen sollen. Aber jetzt lagen all seine Männer bereits in ihren eigenen Unterständen. Alle außer Gloria ... Sie griff wortlos zu, wollte helfen, aber immer wieder riss der Wind ihr Plane und Verspannung aus der Hand. Jack hielt die Stangen keuchend fest, während Gloria sie fixierte. Als das Zelt endlich stand, ließ er sich zitternd auf den Hosenboden fallen. Gloria zerrte die Schlafsäcke herein und ließ sich völlig erschöpft in einer Ecke nieder. In diesem Moment erst fiel Jack ein, dass auch ihr eigenes Zelt noch als Packen aus Planen und Stangen im Schnee lag.

»Ich kann jetzt nicht noch eins aufbauen«, flüsterte Jack. »Wir müssen ein paar von den Männern bitten ...«

Die Arbeiter hatten sich längst in ihren Zelten verkrochen, und aus zwei Unterständen klang das Blöken der Mutterschafe. Die duldsamen Maoris hatten sie wohl unter sich aufgeteilt. Aber ganz bestimmt würde niemand freiwillig noch einmal hinaus in den Sturm gehen, um Glorias Zelt aufzubauen. Das Mädchen blickte panisch auf den engen Raum, der zur Hälfte von Jacks provisorischem Lager eingenommen wurde. Es war nicht fair. Er hatte ihr versprochen ...

Erst dann hörte sie sein rasselndes Atmen.

Jack lag mit geschlossenen Augen auf seiner Decke und

versuchte, ruhiger zu atmen, doch als die Luft endlich etwas wärmer wurde, kämpfte er mit dem Hustenreiz.

»Es tut mir leid, Glory. Vielleicht ... vielleicht später, aber ...«

Gloria kniete neben ihm nieder, als er zu husten begann. »Warte«, sagte sie und wühlte in den Satteltaschen. Grandma Gwyn hatte Medikamente eingesteckt, und sie selbst hatte die Sammlung ergänzt.

»Tee ... Teebaumöl?«, versuchte Jack matt zu scherzen. »Sie haben es den Australiern ... in die Eiserne Ration gepackt ...«

»Gegen Blasen an den Füßen hilft es gut«, bemerkte Gloria.

»Damit hatten wir weniger zu kämpfen.« Jack hustete erneut.

Gloria beförderte ein Gläschen Rongoa-Sirup hervor. »Nimm einen Schluck.« Sie führte ihm die Flasche an die Lippen, als er nicht reagierte.

»Du hast Fieber«, sagte sie besorgt.

»Ist nur der Wind ...«, flüsterte Jack. Gloria sah, dass er zitterte. Sie suchte seinen Schlafsack und knöpfte ihn auf. Jack schaffte es kaum, hineinzukriechen. Gloria half ihm, den Schlafsack zu schließen, doch sie beobachtete besorgt, dass ihm auch dann nicht wärmer wurde.

»Soll ich nachsehen, ob die anderen irgendwie Tee kochen konnten?«, fragte sie. Sie wollte nicht zu den anderen Zelten gehen; obendrein tobte draußen weiterhin der Sturm. Doch sie sorgte sich sehr um Jack.

Jack schüttelte den Kopf. »Bei dem Sturm ... brennt kein Feuer ...« Er schlotterte am ganzen Körper. »Glory, ich ... ich tu dir nichts, das weißt du. Mach einfach dein Bett und versuch zu schlafen.«

Gloria war unschlüssig. »Und du?«

»Ich schlafe auch«, meinte Jack.

»Du musst die nassen Sachen ausziehen.«

Jack hatte beim Hineinfallen ins Zelt nur den durchweichten Regenmantel abgeworfen. Sein feuchtes Hemd und die Breeches sollten von allein trocknen. Aber so würde ihm nie warm werden.

Er blickte Gloria skeptisch an.

»Es macht mir nichts aus«, sagte sie. »Ich weiß, dass du mir nichts tust.«

Abgewandt von seinem Lager kramte sie ein trockenes Flanellhemd und Denimhosen aus seinen Satteltaschen. Jack schälte sich aus seiner feuchten Kleidung. Er zitterte fast zu sehr, um die trocknen Sachen überzustreifen. Die Anstrengung ließ ihn dann erneut husten. Gloria hockte besorgt in ihrer Ecke und sah zu ihm hinüber.

»Du bist krank ...«

Jack schüttelte den Kopf. »Geh schlafen, Gloria.«

Gloria löschte die Laterne, mit der sie das Zelt notdürftig erhellt hatten. Jack lag im Dunkeln, versuchte, sich zu wärmen, und hörte auf ihr Atmen. Gloria lag angespannt da und lauschte auf seines. Stunden schienen zu vergehen, während Jack nach wie vor keuchte und zitterte. Schließlich richtete Gloria sich auf und schob sich zu ihm hinüber.

»Du hast Fieber«, sagte sie. »Und Schüttelfrost.«

Er antwortete nicht, doch sein schlotternder Körper sprach für sich. Gloria rang mit sich. Ohne Wärmequelle würde er keinen Schlaf finden und am kommenden Morgen noch schlimmer dran sein. Sie dachte an seinen Brief aus dem Sanatorium. Seine Lunge war nicht in Ordnung. Er könnte sterben ...

»Du wirst mich nicht anfassen, ja?«, fragte sie leise. »Fass mich bloß nicht an ...« Dann knöpfte sie mit zitternden Fingern seinen Schlafsack auf und schlüpfte hinein. Sie spürte seinen mageren Körper neben sich und schmiegte sich an ihn, um ihm Wärme zu spenden. Jacks Kopf sank an ihre Schulter, und er schlief endlich ein.

Gloria wollte wach bleiben, auf keinen Fall die Kontrolle verlieren, aber dann forderten die Anstrengungen des Tages auch von ihr Tribut. Als sie erwachte, lag sie zusammengerollt da, wie sie immer schlief. Und Jack hatte den Arm um sie gelegt.

Gloria wollte sich in Panik befreien, aber dann merkte sie, dass er immer noch schlief. Und er hatte sie nicht angefasst. Seine Hand war offen, sein Arm schien nur eine Art beschützendes Nest zu bilden. Auf ihrer anderen Seite lag Nimue, neben ihm Tuesday. Gloria musste beinahe lächeln. Schließlich löste sie sich vorsichtig aus Jacks Umarmung – es war ihr weniger peinlich, wenn er dabei nicht erwachte. Aber dann öffnete er doch die Augen.

»Gloria ...«

Gloria erstarrte. Niemand hatte ihren Namen je so sanft, so zärtlich ausgesprochen. Sie schluckte und räusperte sich.

»Guten Morgen. Wie ... wie geht's dir?«

Jack wollte ihr versichern, dass es ihm gut ginge, aber das war nicht die Wahrheit. Sein Kopf schmerzte, und er kämpfte schon wieder mit dem Hustenreiz.

Vorsichtig legte Gloria ihm die Hand auf die Stirn. Sie glühte. »Du musst liegen bleiben.«

Jack schüttelte den Kopf. »Da draußen warten ein paar tausend Schafe«, sagte er, scheinbar fröhlich. »Und es scheint nicht mehr zu schneien.«

Das stimmte tatsächlich, aber der Himmel war grau und verhangen, und der Schnee vom Vortag war teilweise liegen geblieben. Gloria graute schon vor dem Ritt bei diesem Wetter. Jack hatte das Gefühl, als würde der Dunst sich wie ein Film auf seine Lungen legen.

Bei den Zelten der *pakeha*-Viehhüter brannten bereits Feuer.

»Wir sollten sehen, dass wir heißen Tee bekommen. Und dann so schnell wie möglich aufbrechen.« Jack versuchte, sich zu erheben, doch ihn schwindelte schon, als er sich nur aufrecht setzte. Schwer atmend fiel er zurück auf sein Lager.

Gloria legte eine weitere Decke um ihn. »Du wirst hierbleiben«, bestimmte sie. »Ich mache das mit den Schafen.«

»Und den Männern?«, fragte Jack leise.

Gloria nickte bestimmt. »Und den Männern!«

Ohne seinen Widerspruch abzuwarten zog sie einen weiteren Pullover und ihren Regenmantel über und verließ das Zelt.

»Alles in Ordnung, Leute? Ruhige Nacht?«

Glorias Stimme klang aufmunternd und beherrscht. Wenn sie sich fürchtete, verstand sie es zumindest gut zu kaschieren. Doch der Blick aufs Lager machte ihr Mut. Die Männer hockten verfroren vor ihren Zelten – ganz sicher stand hier niemandem der Sinn danach, einem Mädchen zu nahezutreten. Die Schafe und Pferde grasten rund um das Lager, bewacht von den jungen Hunden und den Sheepdogs der Männer.

Paora, der älteste der Maoris, nickte Gloria zu. »Alle Lämmer sind am Leben. Und zwei Schafe haben nachts noch geworfen. Ein Lamm ist gestorben, die anderen sind wohlauf. Wir haben sie auch mit ins Zelt genommen. War recht voll.«

Gloria wartete auf eine Anspielung sie und Jack betreffend, aber die Frank Wilkensons und Bob Tailors hatten ihre Truppe ja Gott sei Dank verlassen. Das gab Gloria Mut für die anstehende Erklärung.

»Wir werden Tee trinken und dann ausreiten und so viele Tiere eintreiben wie möglich. Das Wetter von gestern kann jederzeit wiederkommen. Aber Mr. Jack ist krank. Er muss im Zelt bleiben. Wiremu, du kümmerst dich um ihn ...«

Wiremu warf Gloria einen gequälten Blick zu. »Ich bin kein Arzt, ich ...«

»Du hast ein paar Semester studiert und bist Rongo Rongo zur Hand gegangen. Jeden Sommer – sie hat es mir erzählt. Und du bist entbehrlich beim Viehtrieb.« Gloria blockte jede weitere Diskussion ab, indem sie sich gleich an die anderen Männer wandte. »Paora und Hori, ihr bildet Teams mit Willings und Carter und reitet die Gegenden ab, in denen die Schafe sich sonst meist sammeln. Anaru geht mit Beales ... warst du mal mit auf dem Viehtrieb, Anaru? Nicht? Aber natürlich warst du mit auf der Wanderung, die Gegend solltest du kennen. Lass dir von Paora sagen, wo die besten Chancen bestehen, größere Herden zu finden. Rihari reitet mit mir.«

Rihari, Maramas mittlerer Sohn, war ein guter Reiter und Fährtensucher und besaß einen Mischlingshund, der sich auch bei der Jagd bewährte. »Wir suchen weiter oben in den Bergen nach versprengten Tieren. Kuri und Nimue sollten sie wohl aufspüren. Paora und Hori – ihr habt eure eigenen Hunde. Anaru, Willings, Carter und Beales nehmen je einen der Junghunde. Sie sind sehr leicht zu führen. Und ihr kennt ja die gängigen Signalpfiffe.«

Um sicherzugehen, dass dies wirklich der Fall war, führte Gloria die wichtigsten Pfiffe kurz vor und war stolz, als daraufhin jeder der Welpen perfekt reagierte. Die Hunde der Maoris hörten mitunter auf Befehle in der Sprache ihrer Herren, und Gloria erinnerte sich, dass ihr Grandpa James seine Sheepdogs stets auf Gälisch dirigiert hatte. Gwyneira hatte jedoch von Anfang an darauf bestanden, die Jungtiere nach einem standardisierten System auszubilden. Gloria hatte das stets als einengend und langweilig empfunden, aber jetzt verstand sie den Sinn. Sheepdogs aus Kiward Station arbeiteten mit jedem Führer; sie wurden darauf getrimmt, sich schnell anzupassen und sofort nützlich zu sein.

Jack nickte ihr anerkennend zu, als sie mit einem Becher Tee in sein Zelt kam. »Genau so hätte ich es auch gemacht, Glory«, sagte er sanft. »Aber ich hätte dich nicht allein in die Berge geschickt. Bist du sicher ...?« Er wärmte seine Hände an dem heißen Tongefäß.

Gloria verdrehte die Augen. »Unten bin ich zu nichts nütze. Weder Rihari noch ich kennen die Täler, in denen die Herden sich sonst rumtreiben. Wir könnten höchstens andere Teams verstärken, aber die sollten auch ohne uns auskommen. Wenn wir die Pässe hinaufreiten, können wir Dutzende von Tieren retten.«

»Sei vorsichtig.« Jack streifte ihre Hand mit den Fingern.

Gloria lächelte. »Und du bist brav und hörst auf Wiremu, ja? Er gibt es nicht zu, aber Rongo meint, er wäre ein *tohunga*. Er ist bloß verbittert, weil es auf der *pakeha*-Universität nicht geklappt hat. Er spielt den Jäger und Fallensteller, statt das zu tun, was er will und kann.«

»Hört sich nicht so an, als würdest du ihn hassen«, meinte Jack zwischen Ernst und Neckerei.

Gloria zuckte die Schultern. »Wenn ich alle Feiglinge auf dieser Welt hassen würde ...« Dann ging sie hinaus.

Jack blieb liegen und empfand abwechselnd Stolz auf Gloria und Angst um sie. Die Bergpässe waren nicht ungefährlich, gerade bei einem plötzlichen Wintereinbruch. Aber dann kam Wiremu herüber, und Jack fand kaum noch Zeit, sich Gedanken zu machen. Der junge Maori entzündete ein Feuer vor dem Zelt, erhitzte Steine darin und legte sie um Jack, um ihn zu wärmen. Kurze Zeit später war er in Schweiß gebadet. Wiremu legte Kräuterumschläge auf seine Brust und ließ ihn heiße Dämpfe inhalieren.

»Deine Lunge war verletzt«, sagte er nach kurzer Inspektion der Narben. »Eine Menge Lungengewebe ist zerstört, ein Wunder, dass du das überlebt hast. Der rechte Lungenflügel muss vernarbt sein. Das Organ kann nicht mehr so viel Sauerstoff aufnehmen wie normal, deshalb wirst du schnell müde und hast wenig Kraft.«

Jack hatte das Gefühl, als ob die Kräuter ihm die Lunge verbrannten. »Und das heißt ...?«, keuchte er. »Sollte ich besser im Haus bleiben wie ... wie ein Mädchen?«

Wiremu grinste. »Die Mädchen der Wardens neigen nicht dazu, im Haus zu bleiben«, bemerkte er. »Und für dich ist es auch nicht gut. Die normale Farmarbeit ist kein Problem. Aber schwere körperliche Anstrengungen bei einem Wetter wie gestern solltest du meiden. Und du musst mehr essen. Du bist zu dünn.«

Wiremu flößte ihm Tee ein und immer wieder Glorias Rongoa-Sirup.

»Er ist sehr wirksam. Aber das glaubt keiner, der den Hokuspokus drumherum sieht. Bevor Rongo die Blüten erntet, führt sie erst mal drei Tänze auf ...« Wiremus Stimme klang abwertend. Er hatte der Maori-Medizin abgeschworen, nur um dann erkennen zu müssen, dass die *pakeha*-Medizin ihn nicht wollte.

»Sie zeigt der Pflanze damit ihre Wertschätzung«, bemerkte Jack. »Was ist daran schlecht? Viele *pakeha* sprechen ein Gebet, bevor sie Brot brechen. Im Internat musstest du das auch.«

Wiremu grinste wieder. »*pakeha*-Hokuspokus.«

»Wiremu ... was hat Gloria gesagt?«, fragte Jack unvermittelt. »Damals im *marae*. Zu Tonga. Ich habe von Weitem gesehen, dass sie ihm irgendwas ins Gesicht schleuderte, aber ich konnte nicht hören, was es war.«

Wiremu errötete. »Es war ihre *pepeha*, die Vorstellung ihrer Person im Stamm. Weißt du, wie das geht?«

Jack zuckte die Schultern. »Nur ungefähr. So was wie ›Tag,

ich bin Jack, meine Mutter ist mit der *Dublin* nach Aotearoa gekommen …‹«

»Man nennt im Allgemeinen erst das Kanu, mit dem die Vorväter des Vaters kamen«, korrigierte Wiremu. »Aber das ist nicht so wichtig, wichtiger ist die Bedeutung. Mit der *pepeha* erinnern wir an unsere Vergangenheit, weil sie die Zukunft bestimmt. *I nga wa o mua*, verstehst du?«

Jack seufzte. »Den Wortlaut. Um das Prinzip zu verstehen, muss man wohl mit dem ersten Kanu nach Aotearoa gekommen sein. Und was war nun so schrecklich an den Schiffen, mit denen die Wardens und Martyns hier eingereist sind?«

Wiremu wiederholte ihm Glorias Rede.

11

Gloria ritt durch den Dunst und hoffte, dass der Nebel sich entweder heben oder der steile Weg in die Berge irgendwann einfach darüber hinausführen würde. Sie fragte sich, wie Rihari, der vor ihr ritt, dabei so traumhaft sicher den Weg finden konnte – und erst recht, wie selbstverständlich die Hunde Kuri und Nimue immer wieder begeistert kläffend Schafe entdeckten und zusammentrieben. Inzwischen hatten sie schon eine Herde von fast fünfzig Tieren, hauptsächlich alte und junge Widder, die sich oft widerwillig von Nimue im Pulk halten ließen. Sie alle waren Einzelgänger oder in kleinen Gruppen unterwegs gewesen. Außenseiter und Quertreiber, dachte Gloria und musste lachen. Rihari ritt schweigend vor ihr her. Es war beruhigend, dass er den Weg zu kennen schien.

Als sie die Nebelbank dann hinter sich ließen, erhob sich ein überwältigendes Panorama vor Gloria. Es war, als schwebten die verschneiten Bergspitzen über den Wolken. Der Gipfel des Aoraki grüßte herüber, und die Pferde schienen über kaum sichtbare Feenbrücken zwischen den Tälern und Abgründen zu schreiten. Mitunter wirkten die Berge wie Dünen, sanft geschwungen, um dann plötzlich rau abzureißen, als habe man mit einem schartigen Messer daran herumgeschnitten.

»Glaubst du, dass wir hier noch Schafe finden?«, fragte Gloria. Sie konnte sich an der Schönheit der Bergwelt kaum sattsehen, wusste aber auch, dass noch ein langer Abstieg vor ihnen lag – mit möglichst vielen Umwegen, um weitere vierbeinige Ausreißer zu finden.

Rihari schüttelte den Kopf. »Ich bin nur hinaufgeritten, weil ich das Wetter sehen wollte«, erklärte er, und seine Stimme klang seltsam hohl. »Weil ich ... das da sehen wollte.« Gloria hatte nach Süden zum Mount Cook hinübergesehen, aber Rihari zeigte nach Westen.

Auch die Wolkenformation, die sich dort zusammenballte, war ein Naturschauspiel. Aber statt sich in ihrer Schönheit zu verlieren, ließ der Anblick jeden halbwegs kundigen Betrachter erzittern.

»Oh, verdammt, Rihari! Was ist das? Das nächste Unwetter? Oder geht da gleich die Welt unter?« Gloria blickte entsetzt auf die schwarzen und grauen Wolkengebirge, in denen mitunter Blitze gespenstisch aufleuchteten. »Zieht es hier herüber?«

Rihari nickte. »Siehst du das nicht?«

Tatsächlich schob die tiefschwarze Front sich schon näher heran, während sie sprachen.

Gloria nahm die Zügel auf und straffte sich. »Wir müssen runter ins Lager, so schnell es eben geht, und die anderen warnen. Verdammt, Rihari, wenn das so schlimm ist, wie es aussieht, reißt es uns auch die Zelte weg ...«

Gloria wendete Ceredwen und pfiff nach den Hunden. Rihari folgte ihr. Die Pferde hatten es ihrerseits eilig, zurück ins Lager zu kommen, und boten ein hohes Tempo an. Gloria musste ihre Cobstute oft bremsen. Die Gefahr, auszugleiten und in einen Abgrund zu stürzen, war zu groß. Rihari versuchte, die Schafe zu kontrollieren, musste das aber den Hunden allein überlassen. Die Gewitterfront kam näher, und die Tiere gerieten allmählich in Panik. Dafür tauchten die Reiter aber nicht erneut in Nebel. Der aufkommende Wind trieb den Dunst vor sich her. Ein schlechtes Zeichen. Sehr bald begann es auch zu regnen.

»Gloria, wir können nicht hier auf dem Pass bleiben.« Rihari kämpfte sich durch den peitschenden Regen neben das

Mädchen. »Wenn es einen Schneesturm gibt wie gestern, weht es die Pferde glatt herunter. Mal abgesehen davon, dass wir nicht die Hand vor Augen sehen würden.«

»Und wo sollen wir stattdessen hin?« Der Wind riss Gloria die Worte aus dem Mund.

»Es gibt Höhlen in einem Tal hier ganz in der Nähe ...«

»Und?«, fragte Gloria ärgerlich. »Warum sind wir noch nicht da? Wir hätten sie als Lager nutzen können.«

»Sie sind *tapu*«, rief Rihari. »Die Geister ... Aber du kennst doch Pourewa. Warst du nicht mit Rongo einmal da?«

Gloria überlegte kurz. Rongo hatte sie in so viele Täler, auf so viele Berge geführt und ihr Höhlen und Felsformationen gezeigt, weil irgendwelche Ahnen dort zu Urzeiten gelebt hatten. Nun versuchte Gloria, sich an die Bedeutung des Wortes zu erinnern. Und plötzlich stand ihr eine Felsenfestung vor Augen. Ein Tal, umgeben von Bergen. Ein Vulkankrater oder ein Gletscher, der dort vor Jahrtausenden eine Art Fort hatte entstehen lassen.

»Die Geister werden sich auf Besuch einstellen müssen«, erklärte Gloria. »Rihari, wo ist diese Festung? Es war in dieser Gegend, aber ziemlich weit vom Hauptlager. Rongo und ich sind stundenlang aufgestiegen.«

»Rongo ist eine alte Frau ...« Rihari sprach zögernd. Er kannte das Heiligtum, und offensichtlich war es auch in erreichbarer Nähe. Aber er schien es nicht entweihen zu wollen. Andererseits kam das Unwetter immer näher ...

Gloria ignorierte Riharis Unschlüssigkeit. »Du führst uns jetzt hin, dann feuern wir die Gewehre ab«, bestimmte sie. »Vielleicht kommen die anderen auf die Idee, uns dort zu suchen. Haben wir Leuchtmunition?«

Rihari zuckte die Schultern. Gloria war sich allerdings fast sicher. Grandma Gwyn hatte sie noch bei der Inspektion der Satteltaschen darauf hingewiesen.

Die beiden Reiter folgten inzwischen noch engeren Pfaden durch den Regen, den der Sturm kaskadenartig vor sich hertrieb. Rihari führte Gloria teilweise abwärts, dann wieder bergauf. Wahrscheinlich war hier nie zuvor ein Pferd entlanggeschritten – und zumindest in den letzten Jahrhunderten nur wenige Menschen.

Gloria meinte die Gegend dann auch wiederzuerkennen. Entschlossen setzte sie Ceredwen vor das Pferd des offensichtlich zögernden Rihari und trieb sie energisch an. Der Regen wich derweil leichtem Schneefall, und Gloria zog ihren Schal vors Gesicht, um sich zu schützen. Dabei wäre sie fast am Eingang zum Krater vorbeigeritten. Aber Rihari kannte sich aus.

»Warte ...«, schrie er, um den Wind zu übertönen. »Ich glaube, hier ist es.«

Gloria spähte durch das Schneetreiben. Es war fast, als tarnten die Geister den Zugang zu ihrem Tal, der im Sommer imponierend und kaum zu übersehen gewesen war. Rihari jedoch lenkte sein Pferd zielsicher auf zwei Felsen zu. Sie bildeten eine Art Torbogen – die Pforte zur Pourewa der Geister. Rihari hatte erkennbare Skrupel, sein Pferd hindurchzutreiben. Wäre er Christ gewesen, hätte er sich wahrscheinlich bekreuzigt.

Gloria dagegen fackelte nicht lange. Auf ihren Pfiff hin lotsten die Hunde die Schafe durch die steinerne Pforte. Und dann bot sich ihr erneut ein Anblick, der sie schon damals mit Rongo vollständig bezaubert hatte. Die Felsen am Eingang wiesen den Weg in einen kleinen Talkessel, geformt von steil aufragenden Klippen, die unten jedoch wie ausgewaschen wirkten. Ein Dichter hätte die weitläufigen Räume, die hier durch eine Laune der Natur entstanden waren, mit einer Kathedrale oder einem Rittersaal verglichen. Aber Gloria sah vor allem ausreichend große, natürliche Unterstände für ihre

Schafe. Menschen und Tiere wären hier auch vor dem ärgsten Sturm geschützt.

Zwischen den Felsen erstreckte sich karges Grasland rund um einen kleinen See. Im Sommer schimmerte er in fast unwirklich intensivem Blau, aber an diesem Tag verhinderten das die dunklen Wolken, die über den Himmel jagten.

Gloria kämpfte mit sich. Sie hatte den perfekten Unterschlupf – nicht nur für ihre paar Dutzend Tiere, sondern für alle, auch für Jack und seine Männer.

Sollte sie hinunterreiten und die anderen holen? Das wäre das Sicherste, aber sie wusste nicht, ob es vor dem ärgsten Sturm zu schaffen war. Oder sollte sie Leuchtmunition abfeuern und darauf hoffen, dass Jack es sah und richtig deutete? Aber was war, wenn er die Schüsse als Hilferufe interpretierte? Dann schickte er womöglich nur einen Suchtrupp los, die Gruppe fiele auseinander, und letztlich wären alle dem Sturm noch schutzloser ausgesetzt. Die Männer mussten die Gewitterfront jetzt auch gesehen haben. Wenn Jack alle fünf Sinne beisammen hatte, ließ er das Lager abreißen.

»Wissen die anderen von diesem Ort?«, fragte Gloria.

Rihari versuchte, gleichzeitig zu nicken und den Kopf zu schütteln.

»Wiremu vielleicht, die anderen sicher nicht. Ich kenne das Tal nur, weil ich einmal Rongo begleitet habe. Wir hatten einen anderen Stamm getroffen. Er kam aus den McKenzie Highlands, und ihre Zauberin wollte diesen Ort besuchen. Rongo hat sie hergeführt. Und du kennst ja Marama – sie hat immer Angst um Rongo, weil sie schon so alt ist. Also hat sie mich als Beschützer mitgeschickt. Mit den zwei alten Frauen war es ganz schön langweilig. Und ich musste draußen warten. Wenn du die Schafe hier hereintreibst, werden die Geister sehr erzürnt sein, Gloria.«

Gloria verdrehte die Augen. Dann fasste sie einen Entschluss. »Noch wütender, als Tawhirimatea sich jetzt zeigt, kann ein harmloser Erdgeist kaum sein«, bemerkte sie. Tawhirimatea war der Gott des Wetters. »Hör zu, Rihari, du wartest hier. Ob draußen oder drinnen ist mir ganz egal, lass bloß meine Schafe nicht raus. Ich reite hinunter zum Lager. Kuri nehme ich mit; er wird mich auf dem Rückweg führen, falls ich mich verlaufe. Ich hole die anderen, bevor das Gewitter richtig losbricht.«

»Das schaffst du nicht ...«, meinte Rihari. »Du weißt doch gar nicht, wo es ist.«

Gloria schnaubte. »Ich bin immer gern Rennen geritten. Und das Lager finde ich schon. Ich reite einfach bergab, bis ich mich orientieren kann, so schwer wird das nicht sein. Also warte auf mich ... Ach ja, und schieß die Gewehre ab. Immer mal wieder, das hilft mir, zurückzufinden. Vielleicht kommen die anderen mir ja auch schon entgegen. Falls Wiremu etwas weiß, hat er hoffentlich genug Verstand, *tapu tapu* sein zu lassen und die Leute herzuführen.«

Rihari kaute auf der Unterlippe. »Ich weiß nicht, ich ... soll ich nicht lieber reiten? Ich hab Mr. Jack versprochen, auf dich aufzupassen.«

Gloria funkelte ihn an. »Ich kann auf mich selbst aufpassen. Und ich kann zehnmal besser reiten als du.«

Wie um es zu beweisen, trieb Gloria ihre widerstrebende Stute an und ließ sie auf der Hinterhand wenden. Ceredwen hatte sich im Tal der Geister deutlich sicherer gefühlt als ungeschützt im Schneesturm, aber sie gehorchte den Hilfen. Nimue lief selbstverständlich mit. Kuri, Riharis Hund, musste allerdings widerstrebend hinterhergezerrt werden.

Gloria ließ Ceredwen den Berg hinuntergaloppieren. Sie hatte sich nie zuvor beim Reiten gefürchtet, aber jetzt starb sie fast vor Angst. Ceredwen durfte davon natürlich nichts merken. Gloria vertraute auf die Trittsicherheit der Stute, hielt aber sicheren Zügelkontakt, um dem Pferd so viel Halt und Hilfe wie möglich zu geben. Manchmal rutschte das Tier auf dem Geröll aus, und Gloria hatte das Gefühl, ihr Herz bliebe stehen. Doch Ceredwen fing sich immer wieder. Geschickt wie eine Katze sprang sie über Felsvorsprünge und warf sich um enge Kehren. Weiter unten im Alpenvorland regnete es inzwischen in Strömen, doch es schneite noch nicht. Gloria ritt dem Sturm davon. Er hatte noch längst nicht seine volle Stärke erreicht, obwohl er bereits an den kargen Bäumen zerrte, die in dieser Höhe wuchsen. Gloria erschrak, als neben ihr ein Ast abbrach und durch die Luft geschleudert wurde. Ceredwen nahm das zum Anlass, noch weiter zu beschleunigen. Zumindest schien sie keine Zweifel daran zu hegen, wohin der Weg ging, und auch Nimue und Kuri zogen jetzt in die gleiche Richtung. Gloria atmete auf, als sie unter sich den Talkessel liegen sah, in dem sie am Tag zuvor ihre Zelte aufgeschlagen hatten. Jetzt war er voller Schafe. Die Männer hatten im Laufe des Tages Tausende zusammengetrieben.

Gloria versuchte, das Lager auszuspähen, und erkannte einige der Männer. Wie es aussah, waren alle Viehtreiber zurückgekehrt und brachen eben die Zelte ab. Die nassen Planen legten sie flüchtig zusammen; offensichtlich war höchste Eile befohlen.

Gloria suchte nach Jack und erkannte ihn schließlich an einem der Feuer. Er saß an seinen Sattel gelehnt, eine Decke um die Schulter, und gab offensichtlich Anweisungen. Ab und zu blickte er nervös nach Westen. Gloria biss sich auf die Lippen. Er musste noch krank sein, wenn er die Männer arbeiten ließ, statt ihnen zu helfen. Hoffentlich konnte er reiten …

Ceredwen kämpfte ungeduldig mit den Zügeln, doch Gloria ließ sie nicht ins Lager rennen, sondern in ruhigem Tempo zwischen die Schafe treten. Schließlich saß Gloria ab und führte die Stute zwischen den letzten Tieren durch. Jacks blasses Gesicht erhellte sich, als er sie sah. Ein wenig mühsam stand er auf und ging ihr entgegen.

»Gloria, o Gott, Gloria! Ich wäre erst heruntergeritten, wenn ich dich gefunden hätte!« Jack zog das Mädchen in die Arme, und Gloria verspürte plötzlich eine bleierne Müdigkeit. Sie hätte sich am liebsten fallen lassen. Sie sehnte sich nach Jacks Wärme in der Nacht im Zelt.

Aber dann schob sie ihn von sich. »Nicht nach unten …«, sagte sie atemlos. »Rauf, nach Westen. Ich weiß, es klingt verrückt, aber da ist ein Tal …«

»Aber das ist *tapu*«, bemerkte Wiremu.

Jack warf ihm einen strengen Blick zu. »Maori-Hokuspokus?«, fragte er.

Wiremu senkte die Augen.

»Ich wollte zur Schutzhütte runter …«, erklärte Jack unschlüssig. »Ich hab Hori und Carter schon heute Mittag mit einem Teil der Schafe auf den Weg geschickt.«

»Die dürften wohl auch ankommen, ehe es richtig losgeht. Aber wir doch nicht, Jack! Das ist ein Tagesritt. Bei den Höhlen sind wir in einer oder zwei Stunden.«

Sie wollte »Vertrau mir!« sagen, aber sie tat es nicht.

Jack überlegte kurz. Dann nickte er.

»Wir folgen Gloria«, bestimmte er, an die Männer gewandt. »Beeilt euch, wir müssen schneller sein als der Sturm.«

»Aber wir reiten dem Sturm entgegen«, gab einer der *pakeha* zu bedenken.

»Umso schneller sollten wir reiten.«

Wiremu brachte Jack sein Pferd.

Gloria wandte sich an den jungen Maori, während Jack aufstieg. »Schafft er das?«

Wiremu zuckte die Schultern. »Er muss es schaffen. Egal ob nach oben oder nach unten, hierbleiben kann er auf keinen

Fall. Auf offenem Gelände wären wir verloren. Das ist nicht bloß ein Sturm, es ist ein Orkan. Und er zog ganz plötzlich auf ...«

»Die Nebel hatten ihn verdeckt«, rief Gloria gegen den Wind an. »Jetzt kommt, ich reite vor. Die unsicheren Reiter sollen sich gut festhalten! Es wird schnell, und der Weg ist uneben. Aber nicht sehr gefährlich, bis auf ein oder zwei Stellen.«

Es war unwahrscheinlich, dass die neugeborenen Lämmer das flotte Tempo mithalten konnten, aber darauf konnten sie jetzt keine Rücksicht nehmen. Gloria blutete das Herz, wenn sie an die blökenden Winzlinge dachte, aber so würden sie wenigstens die Mutterschafe retten. Sie versuchte, zumindest die ersten Meilen bergauf im Galopp anzugehen, denn das Gelände war hier noch nicht sehr schwierig. Doch trotz aller Eile kamen sie nicht so schnell vorwärts, wie Gloria gehofft hatte. Die Pferde, selbst Ceredwen, scheuten vor jeder Kleinigkeit. Sie wollten nicht ins Dunkel. Ihr Instinkt riet ihnen, vor dem Sturm zu fliehen. Den Schafen ging es genauso, und die Hunde leisteten Schwerstarbeit.

Das Wetter wurde schlechter und schlechter. Der Regen wich zuerst Schneefall, und bald darauf prasselten Hagelkörner nieder, sie trafen ihre Gesichter wie Pfeile. Gloria sah sich besorgt nach Jack und den unsicheren Reitern aus dem Maori-Dorf um. Letztere hielten sich tapfer und klammerten sich wie Äffchen an die Mähnen ihrer geduldigen Pferde. Jack dagegen wirkte völlig erschöpft. Gloria überlegte, ob sie anhalten und sich um ihn kümmern sollte, aber dann nahm sie sich zusammen und trieb Ceredwen weiter vorwärts. Jack musste zurechtkommen. Eine andere Möglichkeit, die Felsenfestung zu erreichen, gab es nicht.

Jack ritt tief über Anwyls Hals gebeugt, zusammengekrümmt und einen Schal vors Gesicht geschlungen, um sich so weit wie möglich vor dem Wetter zu schützen. Seine Lungen brannten, und er dankte dem Himmel für jeden Felsen, den sie passierten und der ihnen ein bisschen Schutz bot. Dazu haderte er mit seiner Entscheidung für Glorias Vorschlag. Wenn das hier schiefging, wenn der schwerste Sturm sie hier auf dem Weg erwischte ... Sie würden alle sterben.

Gloria selbst ging es natürlich nicht anders. Auch sie machte sich immer größere Sorgen, je schlimmer der Sturm wütete und je langsamer sie vorwärtskamen. Der Abstieg war ihr kurz erschienen; der Aufstieg jedoch dehnte sich scheinbar zu Stunden. Die Mäntel der Reiter waren längst von Schnee und Eis bedeckt, doch Gloria fand gar keine Zeit zu frieren. Sie war fieberhaft bemüht, den richtigen Weg zu finden, obwohl ihr der Schnee fast völlig die Sicht nahm. Immerhin schien Kuri zu wissen, wo er war und vor allem, wohin er wollte. Das Mädchen klammerte sich an die Leine, mit der sie Riharis kleinen Mischling daran hinderte, allein davonzustürmen. Sie hoffte bloß, dass der Hund sie nicht über lebensgefährliche Pfade führte. Wenn er auf direktem Weg zu seinem Herrn wollte, käme er sicher auch über Pässe, die für Pferde und Schafe unpassierbar waren.

Plötzlich schrien die Männer hinter Gloria auf. Der Knall eines Schusses übertönte das Tosen des Sturmes. Nun sahen sie auch einen schwachen Lichtblitz hinter dem Schneevorhang. Rihari feuerte Leuchtpatronen ab. Sie kamen dem Versteck näher. Es wurde höchste Zeit. Die Pferde stemmten sich mit aller Kraft gegen den Sturm, die Hunde hielten sich im Windschatten der Schafherde, die Reiter folgten den Tieren nahezu blind. Der Sturm wirbelte Schneeflocken vermischt mit Eisregen vor sich her, und die Gefährten mussten ihre Gesichter davor schützen. Sie konnten nur noch den Pferden vertrauen, deren lange Stirnschöpfe längst eisverkrustet waren. Als Anwyl stolperte und sich nur mühsam wieder aufrichten konnte, war Jack nahe daran, Halt zu befehlen. Er überlegte, dass sie vielleicht durchkommen konnten, wenn sie sich alle aneinanderschmiegten. Er hatte von einem Mann in Island gelesen, der einen Sturm überlebt hatte, indem er sein Pferd tötete, ihm den Leib aufschnitt und sich in die warmen Eingeweide presste. Aber so etwas zu befehlen, das wusste Jack, brächte er nicht über sich. Dann lieber sterben.

Gott verstieß wieder einmal gegen die Regeln. Eins musste man ihm jedoch lassen: Er hatte immer neue Einfälle. Jack klammerte sich an seinen Galgenhumor und hielt Anwyls Zügel eisern fest. Und dann hörte er Kuri vor sich aufjaulen.

»Da ist es«, schrie Gloria gegen den Sturm an. »Da ist das Tor! Seht ihr die Felsen? Daran entlangreiten, gleich kommt eine Öffnung!«

Der Hund zog sie selbst bereits hindurch. Sie ließ die Leine fallen. Kuri rannte bellend zu seinem Herrn. Die Männer und ihre Tiere drängten ins Tal.

Rihari hatte natürlich nicht vor dem Talkessel gewartet. Als Regen und Schnee unerträglich wurden, hatte er die Götter um Verzeihung gebeten und sich zu seinen Schafen und seinem Pferd gesellt. Wenn man tief genug in die Auswaschungen vordrang, konnte man ein Feuer anzünden. Rihari zögerte zuerst, dachte dann aber an Gloria, die durchgefrorenen Männer vom Viehtrieb und den kranken Jack. Wenn die Geister ihnen zürnten, waren sie so oder so verloren. Rihari sammelte Reisig und trockenes Gras, das der Wind unter die Felsen geweht hatte. Schließlich brach er auch noch die letzten *tapu* und schlachtete ein Schaf, einen alten Widder, der den Treck womöglich ohnehin nicht überlebt hätte. Sein Fleisch briet über dem Feuer, als die erschöpften Männer eintrafen. Jack fiel mehr vom Pferd, als dass er abstieg, und nahm dankbar einen Becher Tee entgegen.

»Die anderen müssen noch warten, der Kessel ist winzig«, entschuldigte sich Rihari. Seine und Glorias Satteltaschen hatten nur eine Notausrüstung enthalten.

Gloria hielt eisern in Sturm und Wind aus, bis auch das letzte Schaf die Felsenpforte durchschritten hatte. Erst dann ritt auch sie in den Talkessel und konnte kaum glauben, wie viel geschützter die Tiere hier untergebracht waren. Natürlich stürmte es auch zwischen den Klippen, und der Schnee wehte ihr nach wie vor ins Gesicht. Aber die Felsen minderten die Windgeschwindigkeit, und Gloria kam es beinahe behaglich vor.

Noch wärmer und fast gänzlich windgeschützt war es dann in den Höhlen. Natürlich roch es streng, Gloria sah alten Schafdung – ein paar Tiere mussten diesen Ort also kennen und hatten sich nicht um das *tapu* gekümmert. Jetzt drängten die Schafe in die Unterstände, und die Menschen mussten den Hunden pfeifen, um wenigstens einen kleinen Bereich für sich freizuhalten. Gloria wagte eine kurze Bestandsaufnahme, während sie ihre steifgefrorenen Hände an einem Becher Tee wärmte. Auch für »die Chefin«, wie alle sie nun respektvoll nannten, war der erste Aufguss reserviert.

»Schlimm?«, fragte Jack leise. Wiremu hatte sein Pferd abgesattelt, saß nun am Feuer und lehnte sich gegen den am Boden liegenden Sattel.

Gloria schürzte die Lippen. »Wir haben nicht so viele Lämmer verloren, wie ich dachte. Wahrscheinlich, weil die Pferde nicht vorwärtswollten, sonst wären wir schneller geritten, und sie hätten es nicht geschafft mitzuhalten. Aber es wird natürlich trotzdem ein schwacher Jahrgang. Bis jetzt haben wir wohl auch höchsten zwei Drittel der Zuchttiere. Der Rest ist noch draußen. Wir werden sehen, wie viele den Sturm überleben. Wie geht es dir?«

Jacks Lungen brannten bei jedem Atemzug, und er fror bis ins Mark, doch sein »gut« klang trotzdem ehrlich. In der letzten Stunde hatte er nicht mehr geglaubt, den Sturm zu überleben, und auch vorher waren seine Anweisungen eher Verzweiflung als Zuversicht entsprungen. Den Abstieg zur Hütte hatte er lediglich in der Hoffnung befohlen, dem ärgsten Wüten des Orkans zu entkommen. Der Sturm tobte sich zweifellos hier in den Bergen aus. Die Männer hätten zumindest eine kleine Chance gehabt, rechtzeitig weniger betroffene Gebiete zu erreichen. Aber Jack wäre ohnehin nicht mit ihnen geritten. Nicht ohne Gloria. Jetzt empfand er tiefe Dankbarkeit.

Wiremu brachte ihm und Gloria Fleisch und frischen Tee, den er mit einem kräftigen Schuss Whiskey versetzt hatte. Die Männer am Feuer tranken ihn gleich aus der Flasche und ließen »die Chefin« hochleben. Auch auf Rihari hoben sie das Glas – und immer häufiger auf die Geister, je betrunkener sie wurden.

»Sie sollen die Zelte aufbauen, bevor sie ganz hinüber sind«, meinte Gloria. Sie hatte sich zu Jack geflüchtet, der an einem kleineren Feuer etwas abseits lag. »Wir kriegen die Heringe doch hier in den Boden? Oder ist es Stein?«

Wiremu ließ sich mit seinem Stück Fleisch neben den beiden nieder.

»Du darfst hier nichts essen«, erinnerte Gloria ihn boshaft.

Wiremu lächelte. »Ich esse, wo ich will. Ich werde den Stamm verlassen, Gloria. Ich gehe wieder nach Dunedin.«

»Weiter studieren?«, fragte Gloria. »Trotz …« Sie griff nach ihrem Gesicht, als zeige sie auf unsichtbare *moko*, die auf die Haut gemalten Zeichen.

Wiremu nickte. »Ich gehöre weder hierhin noch dorthin, aber dort gefällt es mir besser. Ich werde meine *pepeha* neu formulieren.« Er blickte sie fest an. »Ich bin Wiremu, und mein *maunga* ist die Universität von Dunedin. Meine Ahnen sind auf der *Uruao* nach Aotearoa gekommen, und ich durchquere das Land jetzt mit dem Autobus. In meine Haut ist die Geschichte meines Volkes geschnitten, aber meine Geschichte schreibe ich selbst.«

Wiremu baute Jacks Zelt auf und half ihm hinein. Er hatte wieder Steine erhitzt, um ihn zu wärmen, und nach einem erneuten Kräuterumschlag ging sein Atem ruhiger. Wiremu begleitete Gloria bei einer letzten Inspektion der Tiere. Sie zog sich hin; drei Schafe lahmten, es gab wieder eine Geburt, das Muttertier überlebte sie nicht.

Jack erwachte, als Gloria neben ihm in den Schlafsack schlüpfte. Diesmal zitterte sie. Nach dem anstrengenden Tag und der letzten Geburtshilfe war sie halb erfroren. Jack hätte sie am liebsten an sich gezogen, achtete aber peinlichst genau darauf, sie nicht zu berühren.

»Hat sich niemand gefunden, der dein Zelt aufbaut?«, fragte er.

Gloria nickte. »Doch. Wiremu teilt es mit zwei verwaisten Lämmern. Er wird sicher mal ein guter Arzt. Aber ich glaube nicht, dass er sich auf Geburtshilfe spezialisiert. Als das Muttertier starb, war er ganz grün im Gesicht.«

»Also wieder ein Schaf verloren?«, fragte Jack.

Gloria seufzte. »Wir werden noch einige verlieren. Aber längst nicht alle. Dies ist eine zähe Rasse.«

Jack lächelte. »Nicht nur die Vierbeiner«, sagte er sanft.

Gloria rollte sich zusammen, wieder mit dem Rücken zu ihm.

»Du hast die Bilder gesehen?«, fragte sie leise.

Jack nickte, erinnerte sich dann aber daran, dass sie ihn nicht sehen konnte. »Ja. Aber ich wusste es schon.«

»Du ... woher? Wie konntest du es wissen?« Gloria wandte sich um. Im Schein der Laterne sah Jack, dass sie erst rot wurde, dann totenblass. »Sieht man es mir an?«

Jack schüttelte den Kopf. Er konnte nicht anders, hob die Hand und strich ihr das Haar aus dem Gesicht.

»Elaine«, sagte er dann. »Elaine hat es gewusst. Besser gesagt, sie hat es erahnt. Die Einzelheiten konnte sie natürlich nicht wissen. Aber sie sagte, dass kein Mädchen auf der Welt es anders hätte schaffen können.«

»Sie selbst hat sich nicht ...«, Gloria rang um Worte, »... verkauft ...«, flüsterte sie schließlich.

Jack zog die Augenbrauen hoch. »Wenn ich es richtig verstanden habe, verdankte sie ihre Tugend lediglich dem Umstand, dass die örtliche Bordellbetreiberin eher eine Barpianistin suchte als ein weiteres Freudenmädchen. Wenn du die Wahl gehabt hättest, hättest du auch lieber Klavier gespielt.«

»Das hätte keiner hören wollen«, flüsterte Gloria mit einem Anflug von Galgenhumor.

Jack lachte, und dann wagte er es, die Hand auf ihre Schulter zu legen. Gloria protestierte nicht.

»Grandma Gwyn?«, fragte sie atemlos.

Jack streichelte sie beruhigend. Er konnte ihre knochige Schulter unter dem dicken Pullover fühlen. Noch jemand, der mehr essen musste. »Meine Mutter muss nicht alles wissen. Sie glaubt die Geschichten vom Schiffsjungen. Das ist besser für sie.«

»Sie würde mich sonst hassen«, flüsterte Gloria.

Jack schüttelte den Kopf. »Nein, würde sie nicht. Sie hat sich mehr als alles andere gewünscht, dass du zurückkommst. Wie du das gemacht hast ... vielleicht würde der Kummer sie umbringen, aber hassen würde sie eher die Kerle, die dir das angetan haben. Und Kura-maro-tini!«

»Ich schäme mich so«, bekannte Gloria.

»Ich schäme mich auch«, sagte Jack. »Aber ich habe viel mehr Grund dazu. Ich habe einen fremden Strand besetzt, habe ihn durch hässliche Schützengräben verschandelt, habe mich darin festgesetzt und die wirklichen Besitzer mit dem Spaten erschlagen. Das ist weitaus schlimmer.«

»Du hattest Befehle.«

»Du auch«, sagte Jack. »Deine Eltern wollten, dass du in Amerika bleibst. Gegen deinen Willen. Es war richtig, Nein zu sagen. Du kannst noch in den Spiegel schauen, Gloria. Ich nicht.«

»Aber die Türken haben doch auf dich geschossen«, meinte Gloria. »Du hattest keine Wahl.«

Jack zuckte die Achseln. »Ich hätte auf Kiward Station bleiben und Schafe zählen können.«

»Ich hätte in San Francisco bleiben und die Kleider meiner Mutter bügeln können.«

Jack lächelte. »Du musst jetzt schlafen, Gloria. Darf ich … darf ich dich in den Arm nehmen?«

In dieser Nacht lehnte Glorias Kopf an Jacks Schulter. Als sie aufwachte, küsste er sie.

12

Timothy Lambert hasste Zugreisen. Selbst in der Ersten Klasse waren die Abteile so eng, dass er nicht einmal dann bequem saß, wenn er die Beinschienen abnahm. Außerdem führten die Gleise zwischen Greymouth und Christchurch zwar durch wunderschöne Landschaften, aber die damit verbundene Berg- und Talfahrt schüttelte die Passagiere mitunter ziemlich durch. Die meisten fanden das unterhaltsam, aber in Tims schlecht verheilter Hüfte verursachte es qualvolle Schmerzen. Dazu zwang ihn der Fahrplan stundenlang auf seinen Platz. Häufigere Pausen, die Auto- oder Kutschfahrten für ihn erträglich machten, gab es also nicht. Tim pflegte die Bahn zu meiden, wo immer es ging.

In diesem Fall hatte George Greenwood aber nicht lockergelassen. Aus irgendwelchen Gründen musste das Treffen mit den Leuten von der Universität Wellington, die angeblich bahnbrechende Neuheiten in der Bergbautechnik vorzustellen hatten, unbedingt in Christchurch stattfinden. Und da war die Zuglinie einfach die praktischste und zeitsparendste Verbindung. Vergleichbare direkte Straßen durch die Berge gab es nicht. Vor dem Bau der Schienen hatte der Weg zwischen Christchurch und der Westküste mehrere Tage in Anspruch genommen.

Tim verlagerte zum zehnten Mal in den letzten Minuten sein Gewicht und blickte zu seiner Frau hinüber. Elaine hatte es sich nicht nehmen lassen, ihn zu begleiten. Wenn sie schon in Christchurch seien, so hatte sie argumentiert, könnten sie auch ihre Familie auf Kiward Station besuchen. Noch eine

Auto- oder Kutschfahrt. Tim mochte gar nicht daran denken.

Trotz allem hätte Elaines Anblick ihn beinahe von seinen Schmerzen abgelenkt. Sie sah an diesem Tag besonders hübsch aus. Bislang war ihm nie aufgefallen, dass ein schlichter Besuch bei ihrer Großmutter sie derart aufleben ließ. Doch seit Antritt dieser Reise blitzten ihre Augen, und ihr Gesicht war, scheinbar vor Vorfreude, leicht gerötet. Zudem hatte sie sich schön gemacht: Ihre roten Locken waren zu einer neuen Frisur zusammengefasst. Ihr grünes Kleid umschmeichelte ihre immer noch schlanke Figur. Und ihr Rock war kürzer als sonst. Tim betrachtete wohlgefällig Elaines schlanke Waden.

Sie bemerkte seinen Blick und lächelte. Wie um ihn zu reizen, zog sie das Kleid noch ein bisschen höher. Nicht ohne sich zu vergewissern, dass Roly in der anderen Ecke des Abteils fest schlief.

Der kurze Flirt wirkte deutlich belebend auf Tim, und Elaine atmete auf. Sie hatte besorgt beobachtet, wie ihr Mann auf der verzweifelten Suche nach einer halbwegs bequemen Sitzposition auf der Bank hin und her rutschte. Dabei machte sie sich weniger Gedanken um seine Hüfte. Die Schmerzen würden nach wenigen Stunden Ruhe nachlassen, und Tim hätte ihnen vorbeugen können, indem er ausnahmsweise zu Opium griff. Doch was das anging, war er eisern: Solange er es aushalten konnte, nahm er keine Morphine. Das Bild seiner Mutter, die schon bei kleinsten Störungen ihrer Befindlichkeit nach dem Opiumfläschchen suchte, stand ihm zu deutlich vor Augen. Tim wollte sich nicht in ein abhängiges, weinerliches Wesen verwandeln. Allerdings ließ er seine gereizte Stimmung gern an seiner Umgebung aus. Und das konnte Elaine gar nicht gebrauchen.

Sie war froh, als der Zug Arthur's Pass erreichte, wo die

Passagiere aussteigen und sich die Beine vertreten konnten. Tim schaffte das nur mit Rolys Hilfe, ein Zeichen dafür, dass es ihm wirklich schlecht ging. Die Möglichkeit, sich zu strecken und aufzurichten, schien ihm dann aber Linderung zu verschaffen. Elaine lächelte, als er den Arm um sie legte und das Bergpanorama bewunderte. Zurzeit war das Wetter klar, aber hinter den steil in den Himmel ragenden Gebirgsmassiven brauten sich dunkle Wolken zusammen. Ein Hintergrund, der die schneebedeckten Gipfel fast unnatürlich leuchten ließ. Die Wolken filterten das Sonnenlicht und ließen die Täler bläulich bis violett wirken. Die Luft schien elektrisch aufgeladen. Die Ruhe vor dem Sturm.

Doch auch privat sah Elaine eher schlechtes Wetter voraus, denn nicht nur die Lamberts und Roly vertraten sich die Beine vor der Ersten Klasse. Eben war Caleb Biller aus einem der Wagen gestiegen und kam nun auf sie zu, um sie höflich zu begrüßen. Für Elaine war seine lange, schlaksige Gestalt auf dem Bahnsteig keine Überraschung. Aber hätte er nicht in seinem Abteil bleiben können? Andererseits war diese Überlegung kindisch. Selbst Tim war nicht mit Caleb verfeindet. Die Männer tauschten dann auch ein paar freundliche Worte über das Wetter – und natürlich stiegen sie anschließend zusammen wieder ein. Tim war das erkennbar nicht recht, aber Caleb sah die Sturmzeichen in seiner Haltung nicht, und es wäre äußerst unhöflich gewesen, ihn einfach wegzuschicken. Caleb gab vage an, dass er sich in Christchurch mit anderen Wissenschaftlern treffen wollte. Umso ausführlicher schilderte er seine letzten Forschungen, bei denen es um vergleichende Studien zwischen der Götterdarstellung bei den Maoris und den berühmten Statuen auf den Osterinseln ging.

»Es ist bezeichnend, dass unsere Maoris die Figuren eher im Inneren der *wharenui* aufstellen, womit sie sich auch von anderen polynesischen Stämmen unterscheiden, die ...«

»Wahrscheinlich regnet es bei denen weniger«, vermutete Elaine. Caleb sah sie fassungslos an. Auf den Gedanken schien die Wissenschaft noch nicht gekommen zu sein.

Tim ergab sich schließlich in sein Schicksal und bot Caleb einen Platz in ihrem Abteil an. Elaine beobachtete belustigt, wie er zunächst versuchte, das Beste aus der Begegnung zu machen und Caleb ein bisschen über die Biller-Mine auszuhorchen. Das gab er allerdings bald auf. Caleb wusste einfach nichts. Die Mine war ihm völlig gleichgültig; seine geologischen Interessen beschränkten sich auf die Beschaffenheit der *pounami*-Jade sowie der *paui*-Muschel, die gelegentlich gebraucht wurde, um die Augen von Götterstatuen zu gestalten.

»Das macht diese Statuen mitunter bedrohlich, ist Ihnen das schon mal aufgefallen? Sie scheinen einen anzusehen, wenn man die Häuser betritt, aber das sind die Lichtspiegelungen im Stein, die ...«

Tim seufzte und verlagerte wieder sein Gewicht. Ohne Caleb im Abteil hätte er seinen Stolz wahrscheinlich irgendwann aufgegeben und sich quer auf eine Bank gelegt, um wenigstens die Beine ausstrecken zu können. Aber so kam das natürlich nicht in Frage.

Elaine versuchte es mit anderen Gesprächsthemen, wobei die Angelegenheit »Familie« natürlich Zündstoff bot. Caleb berichtete ohne große Begeisterung, dass Sam, sein zweitältester Sohn, jetzt in der Mine arbeitete.

»Aufs College wollte er nicht«, meinte Caleb bedauernd. »Nicht mal Wirtschaftswissenschaften studieren, obwohl Florence das auch sinnvoll fand. Aber er meint, er könnte genauso gut ein paar Bücher lesen und alles gleich umsetzen. Er ist sehr ... praktisch veranlagt.« Letzteres klang, als handele es sich um eine Art chronische Erkrankung.

Elaine erzählte, dass der älteste ihrer Söhne sich für Juristerei interessiere, während der mittlere eher technisch begabt schien. Bobby ging noch zur Schule. »Aber er scheint gern zu rechnen. Vielleicht wird er ja Kaufmann. Wir werden sehen.«

»Ihre Kinder haben Glück, Tim.« Caleb lächelte wehmütig. »Sie können tun, was sie wollen, es gibt keine Mine mehr zu vererben ...«

Tim wollte verärgert auffahren, doch Elaine legte ihm beschwichtigend die Hand auf den Arm. Caleb meinte seine Bemerkung alles andere als böse. Er konnte sich wahrscheinlich gar nicht vorstellen, wie nahe es Tim damals gegangen war, als sein Vater sein Erbe verkauft hatte. Später hatte sich dann zwar alles zum Guten gewendet, und er war als Geschäftsführer äußerst erfolgreich, aber der Verlust des Familiengeschäfts hatte doch lange wie ein Stachel in seinem Fleisch gesteckt. Nun klärte Elaine Caleb in freundlichen Worten über einen Umstand auf, der Florence natürlich bekannt war: Die Lamberts hatten die riesigen Gewinne der ersten Kriegsjahre dazu genutzt, einen Teil der Minenanteile zurückzukaufen. Mittlerweile gab es durchaus wieder einiges zu vererben, und die Lamberts würden über Tims Nachfolger ein gewichtiges Wörtchen mitzureden haben.

Tim lächelte stolz, doch Caleb schien den neuen Reichtum eher als Belastung für spätere Generationen anzusehen. In der Folge überließen die Lamberts wieder ihm die Unterhaltung und langweilten sich zu Tode, während er über Knochen, aus denen Maori-Musikinstrumente geschnitzt wurden, dozierte – zum Beispiel, wie es den Ton eines *pahu pounamu* beeinflusste, wenn man ihn traditionell mit einem Walknochen anschlug, statt einen Rinderknochen zu benutzen.

»Kura hat sich da bei einer Konzertreise geholfen, aber sie war eher unzufrieden ...«

»Was hört man denn sonst von Kura?«, fragte Elaine, um ihn abzulenken, bevor er das Thema »Knochen« vertiefte.

Caleb arrangierte immer noch die Musik für Kura-maro-tinis Konzertprogramme.

»Oh, es geht ihr gut! Sie planen, nach London zurückzugehen. William liebt zwar New York, aber Kura zieht es wohl doch wieder nach Europa. Mehr Glamour wahrscheinlich …« Caleb lächelte nachsichtig. »Und mit dem neuen Programm versuchen wir, über die alte Verbindung von Klassik, beziehungsweise Folk und Maori-Folklore hinauszugehen und neue Musikrichtungen aufzugreifen. Auch solche aus der Neuen Welt. Kura war sehr vom Negro Spiritual beeindruckt. Und die Synkopen des Jazz …«

Elaine beneidete Roly, der die Zugfahrt weitgehend verschlafen hatte. Aber dann vergaß sie Caleb, als der Zug im Bahnhof von Christchurch einrollte. George Greenwood erwartete sie, und auch Elizabeth flanierte auf dem Bahnsteig. Sie wiegte begeistert ein Baby im Arm.

Tim runzelte die Stirn, als Elaine nach dem Halt des Zuges so rasch aufsprang, dass sie seine Krücken zu Boden stieß. Roly hob sie auf und half ihm hoch. Caleb stierte genauso interessiert auf den Bahnsteig wie Elaine. So munter wirkte er sonst eigentlich nur, wenn ein Klavier in der Nähe war oder ein leibhaftiger Maori für ihn tanzte.

»Welcher von den Greenwood-Sprösslingen hat denn noch so kleine Kinder?«, fragte Tim unwillig, als er sich, von Roly gestützt, aus dem engen Abteil wand. Roly zuckte die Achseln. Über den Kindersegen der Bekanntschaft seines Herrn führte er nicht Buch, allerdings hatte er natürlich etwas läuten hören. Tatsächlich hatte er sogar mit seiner Frau diskutiert, ob er Tim nicht etwas stecken sollte. Aber Mary hatte sich energisch dagegen ausgesprochen. »Es soll doch schön werden! So richtig romantisch! Oh, ich wünschte, ich könnte dabei sein!« Dabei schob sie *Die Herrin von Kenway Station* auf dem Tisch hin und her. Roly hatte vorher nie gesehen, dass Mary ein

Buch las, doch über das Schicksal der Heldin in diesem Roman konnte sie heiße Tränen vergießen.

Elaine kletterte behände aus dem Zug. Die neue Mode, kürzere Kleider, kam ihr sehr entgegen. Nun begrüßte sie George mit wenigen Worten und wandte sich dann Elizabeth und dem Baby zu. Ein rothaariger kleiner Junge.

Tim wusste nicht recht, was er denken sollte. Elaine war eine gute Mutter, aber fremden Babys hatte sie bisher eher wenig Interesse entgegengebracht. Welpen und Fohlen lagen ihr deutlich mehr.

»Tag, George!« Tim gab Greenwood die Hand. »Was habt ihr denn da noch für einen Nachkömmling? Elaine ist ja ganz verrückt nach ihm ...« Tim sah genauer hin. »Sieht ihr fast ein bisschen ähnlich. Von Stephen und Jenny?«

Georges Schwiegersohn Stephen war Elaines Bruder.

George grinste. »Also ich finde, er sieht eher dir ähnlich ...«

Tim runzelte die Stirn. Aber tatsächlich. Der kleine Junge hatte seine kantige Gesichtsform und entschieden ein Grübchenlächeln. Sein Gesicht war allerdings ein bisschen lang ...

»Er hat jedenfalls nichts von Florence.« Das war Caleb Biller, und es klang sehr zufrieden. Tims eben aufkeimende Ahnung wurde zur Gewissheit.

»George«, sagte er streng. »Gib es zu. Es gibt keine Wissenschaftler aus Wellington. Dies ist ein Komplott. Und dies ist ...«

»Galahad«, gurrte Elizabeth. »Sag deinen Grandpas Hallo, Gal!«

Das Baby sah unschlüssig von einem zum anderen. Dann lächelte es den grimassenschneidenden Roly an.

Tim fand es plötzlich schwierig, das Gleichgewicht zu halten.

»Doch, es gibt einen Wissenschaftler aus Wellington«, bemerkte George. »Du weißt, ich würde dich nie anlügen. Er versteht auch ein bisschen was von Bergbau ... wenn man den *pounamu*-Abbau bei Te Tai-poutini dazurechnet, über dessen Geschichte und ihren Widerhall in Maori-Mythen er mir heute Morgen beim Frühstück einen langen, erhebenden Vortrag gehalten hat.«

Elaine unterdrückte ein Kichern, was bei Galahad gut ankam. Er gluckste. Elaine nahm ihn Elizabeth ab.

»O ja, es gibt da auch ein *haka* ...« Caleb schien nicht übel Lust zu haben, dem Vortrag seines Sohnes noch einiges hinzuzufügen. Aber dann besann er sich doch auf seine Pflichten als Großvater. Caleb war immer ein untadeliger Gentleman. Mit ernster Miene förderte er eine winzige *putatara* aus der Tasche und hielt sie Galahad hin. »Sie wird aus Muscheln gefertigt«, erklärte er dem interessiert blickenden Baby. »Vor allem aus einer besonders an den Stränden der Ostküste verbreiteten Art. Je größer die Muschel, desto tiefer der Ton. Am ehesten wäre sie der europäischen Trompete vergleichbar, die ...«

»Caleb!«, seufzte Elaine. »Blas einfach hinein!«

Sämtliche Erwachsenen hielten sich die Ohren zu, aber das Baby quietschte hingerissen, als Caleb dem Instrument einen durchdringenden Ton entlockte.

Tim kam sich plötzlich dumm vor. Er musste dem Kind auch ein Geschenk besorgen. Etwas für einen Jungen! Und wieso hatte Caleb eigentlich Bescheid gewusst?

Roly stieß ihn an und drückte ihm eine Spielzeuglokomotive in die Hand.

»Du ...?« Tim raunte Roly den Beginn einer Standpauke zu, doch Roly verwies nur mit einem Fingerzeig auf Elaine, die selbstvergessen mit dem Baby schäkerte. Tim versuchte, ihr böse zu sein, konnte dann aber nicht anders, als breit zu grinsen. Galahad hatte die Lokomotive entdeckt, griff danach und gab einen Laut des Entzückens von sich.

»Er hat ›Puff‹ gesagt!«, begeisterte sich Elizabeth.

Elaine warf Tim einen entschuldigenden Blick zu, aber Tim mochte jetzt weder Elaines Heimlichkeiten noch die Lautäußerungen des Kindes diskutieren.

»Also schön«, brummte er. »Wo ist Lilian? Und wie kommt das Kind an einen Namen wie ›Galahad‹?«

Lilian und Elaine konnten ebenso wenig voneinander lassen wie Caleb und Ben. Während Mutter und Tochter sich endlos über das Leben auf der Nordinsel austauschten, diskutierten Vater und Sohn ernsthaft die bildliche Darstellung von Mythen in der Maori-Kunst. Dabei gerieten sie sich fast darüber in die Haare, ob die Darstellung der Trennung von Papa und Rangi in der Jade- und Holzschnitzerei der Eingeborenen als »statisch« zu bezeichnen war oder nicht. Tim unterhielt sich ein wenig gezwungen mit George und Elizabeth, kippte Whiskey gegen die Schmerzen und begab sich schließlich mit Lilians letztem Roman – *Die Schöne von Westport* – zu Bett. Eine halbe Stunde später brachte Roly ihm den Rest der Flasche.

»Miss Lainie kommt ein bisschen später. Sie bringt Lily noch weg und hilft ihr, Gila ... Galo ... also, das Baby ins Bett zu bringen.« Die Greenwoods hatten den Lamberts ihre Gästezimmer zur Verfügung gestellt; die Billers schliefen in einem Hotel in der Nähe. »Aber sie meint, Sie könnten das brauchen. Und Sie sollten es von der komischen Seite nehmen.«

Tim warf ihm einen gequälten Blick zu. »Geh schlafen, Roly, wir haben morgen einen anstrengenden Tag. Du wirst mir helfen, meine Tochter übers Knie zu legen!«

»Ich würde euch ja gern noch hierbehalten«, meinte George Greenwood beim Frühstück, zu dem sich alle in seinem Haus versammelt hatten. »Aber es ist besser, ihr fahrt heute noch nach Kiward Station. Ich mache mir Sorgen um Miss Gwyn, sie war vorhin am Telefon ziemlich außer sich. Wenn ich sie richtig verstanden habe, ist sie ganz allein auf der Farm, außer einem Maori-Jungen, der ihr mit den Tieren hilft. Jack und Gloria sind im Hochland und versuchen, die Schafe einzutreiben. Bei dem Sturm! Miss Gwyn machte sich furchtbare Sorgen. Und nicht zu Unrecht – ich habe in der Wetterstation angerufen, sie fürchten schwerste Unwetter.«

Tim und Elaine nickten. Sie hatten das schon befürchtet, als sie die dunklen Wolken und das seltsame Licht von Arthur's Pass aus gesehen hatten. Aber was machten die Schafe von Kiward Station so früh im Sommer in den Bergen?

Lilian sagte nichts. Sie versteckte sich hinter den Locken, die sich aus ihrer sehr erwachsen wirkenden Hochfrisur gestohlen hatten. Tim hatte ihr Buch mit heruntergebracht und mit vielsagendem Ausdruck neben seinen Teller gelegt. Lilian wurde daraufhin rot wie eine Tomate. Sie hätte sich nicht gerade eine Katastrophe gewünscht, um von ihrem Werk abzulenken, aber ganz unrecht kam sie ihr auch nicht.

»Wir können darüber im Auto sprechen«, bemerkte Tim streng. »Du überlegst dir besser schon mal, was du dir dabei gedacht hast! George, kannst du uns ein Auto leihen, oder können wir eins mieten? Ein großes, wenn es geht. Ich brauche ein bisschen Beinfreiheit.«

Nach der Zugfahrt taten ihm immer noch alle Knochen weh, und er hätte nichts dagegengehabt, sich mit einem weiteren von Lilians Machwerken ins Bett zu legen. Es war natürlich Schundliteratur und obendrein ein Eklat, was die Familiengeschichte der Lamberts betraf. Aber bislang hatte ihn nie etwas so gründlich von seinen Schmerzen abgelenkt.

George nickte. »Kommen Sie gleich mit, Roly, wir haben verschiedene Firmenfahrzeuge …«

Lilian sah ihre Chance. »Nein, ich fahre! Oh, bitte, Onkel George! Ich habe meinen Daddy immer chauffiert.«

Elaine verdrehte die Augen. »Benimm dich ab und zu mal wie eine Dame, Lily, und nimm Roly nicht die Arbeit ab!«

Lilian schüttelte den Kopf und befreite dabei gleich noch mehr Locken. »Aber ich bin viel schneller!«, erklärte sie. »Roly wird sich schon nicht überflüssig fühlen, oder?« Sie warf Roly einen bittenden Blick zu, der ihn erwartungsgemäß um den Finger wickelte. Das hatte bei ihm stets ebenso zuverlässig funktioniert wie bei ihrem Vater.

Roly trat nervös von einem Bein aufs andere. »Natürlich nicht, Miss Lily. Und sonst ... ich kann ja auf das Baby aufpassen. Wie heißt es noch?«

Wenn Lilian chauffierte, kamen im Auto keine langen Gespräche auf. Lediglich Ben hielt einen ausführlichen Vortrag, der das schriftstellerische Wirken seiner Gattin nur begrenzt entschuldigte. Er verglich ihre Bücher zunächst mit harmlos romantischen Geschichten wie *Jane Eyre*, kam dann aber zu dem Schluss, dass sie – aufgrund der mangelnden Wirklichkeitsnähe – doch mehr dem fantastischen Genre zuzuordnen seien. Dabei führte er *Frankenstein* oder *Dracula* als Beispiele an. Tim, schon wieder unleidlich, stoppte ihn schließlich mit der Bemerkung, Lilian hätte sich mit der Vermarktung ihrer Familiengeschichte zweifellos vergriffen. Aber immerhin verwandele sie ihre Helden weder in Vampire, noch müssten sie auf Friedhöfen graben. Lilian lächelte ihrem Vater dankbar zu, was den Wagen ein wenig ins Schleudern brachte.

Ben dozierte daraufhin über das Motiv des Vampirismus in der mündlichen Überlieferung Polynesiens. Elaine bemühte sich um Galahad, der den Fahrstil seiner Mutter gewöhnt war und vergnügt glucksend seine Spielzeuglok schwenkte. Roly kauerte in einer Ecke des Fahrzeugs und machte sich mit der Überlegung Mut, dass er schließlich auch Gallipoli überlebt hatte.

Sie erreichten Kiward Station in absoluter Bestzeit. Lilian war ein wenig beleidigt, dass dies niemand zu schätzen wusste. Sie ging allerdings davon aus, dass zumindest ihre Urgroßmutter Gwyneira stolz auf sie wäre.

Gwyneira hatte allerdings keinen Sinn für Lilys Rekorde. Tatsächlich nahm sie nicht einmal ihren Ururenkel Galahad richtig wahr. Zum ersten Mal in all den Jahren auf Kiward Station war Gwyneira McKenzie völlig ratlos und mit den Kräften am Ende.

»Sie werden da oben umkommen«, wiederholte sie immer wieder. »Und es ist meine Schuld.«

Elaine sorgte erst einmal dafür, dass Moana und Kiri für alle Tee kochten. Die beiden Maori-Frauen schienen ähnlich durcheinander wie ihre Herrin und erzählten obendrein etwas von einem Streit zwischen Marama, Rongo Rongo und Tonga, der ihre Welt wohl genauso erschütterte wie der Sturm die Welt Gwyneiras.

»Marama sagen, wenn sterben Glory und Jack, dann Tongas Schuld, und Rongo sagen, wären zornig die Geister ...«

Letzteres schien Kiri ziemlich zu beunruhigen, was Ben wortreich damit erklärte, dass ein beeinträchtigtes *mana* des Häuptlings das Gleichgewicht einer Maori-Gesellschaft bis in feinstoffliche Sphären beeinflusse. Zumindest nach Ansicht der Betroffenen.

Lily lächelte und schenkte sich Tee nach.

»Bis jetzt ist noch keiner tot«, bemerkte Tim. »Und wenn ich das beim Vorbeifahren richtig gesehen habe, sind doch auch die ersten Schafe wieder da, oder?«

Gwyneira nickte. Tatsächlich war der kleine Tane sicher mit den jungen Widdern nach Hause gekommen. Allerdings waren die Tiere schon wieder ausgebrochen. Der Paddock, auf den Tane sie getrieben hatte, war nicht sehr sicher.

»Wenn mir einer sagt, wo Werkzeug ist, kann ich das reparieren.« Roly wollte sich gern nützlich machen.

»Es liegt ja vor allem am fehlenden Futter«, meinte Gwyneira. »Auf den Paddocks wächst nichts mehr, und wenn wir sie auf die letzten Grasflächen treiben ...«

Tim und Elaine lauschten stirnrunzelnd ihrer Erzählung und versuchten, das gesamte Durcheinander rund um Versprechen, *tapu* und Geister nachzuvollziehen.

»Moment mal, verstehe ich das richtig?«, fragte Tim schließlich. »Dieser Ring der Steinkrieger gehört doch zu deinem Land, Grandma, oder? Aber für die Erlaubnis, Grandpa James darauf zu begraben, fordert der Häuptling das alleinige Nutzungsrecht an weiteren Ländereien, die ihm auch nicht gehören?«

»Sie nutzen es ja nicht ...«, flüsterte Gwyneira.

»Und was ist das jetzt mit diesem *mana?*«

»*Mana* bezeichnet, vereinfacht gesagt, den Einfluss eines Mannes innerhalb der Stammesgesellschaft. Aber es hat auch spirituelle Aspekte. Man mehrt es, indem man ...« Ben setzte zu einem weiteren Vortrag an.

»... unter anderem alte Frauen unter Druck setzt«, bemerkte Tim. Seine Laune war ziemlich schlecht; die Autofahrt über die oft unebene Straße hatte seine Schmerzen weiter verstärkt. Er hätte sich jetzt lieber hingelegt, als Familienprobleme zu lösen. »Im Ernst, darum geht es doch. Der Mann möchte seine Leute beeindrucken, indem er die örtlichen *pakeha* kontrolliert und Einfluss auf Landnutzung und Arbeitsmarkt nimmt. Das musst du unterbinden, Grandma! Du treibst jetzt diese Schafe dahin, wo Gras wächst, und wenn er sich darüber aufregt, erschüttern wir einfach mal ein bisschen sein *mana*. Es wäre interessant zu sehen, wie es sich auf die Geisterwelt auswirkt, wenn du damit drohst, seine Leute ganz von deinem Land zu vertreiben. Sag ihm, du würdest das Dorf am See abreißen.«

Gwyneira sah ihn entsetzt an. »Die Menschen leben seit Jahrhunderten dort!«

Tim zuckte die Schultern. »Und in Greymouth liegt seit Jahrtausenden Kohle unter der Erde. Ich hole sie jetzt heraus. Bislang hat sich kein Geist darüber aufgeregt.«

»Nun übertreib es nicht gleich!«, mahnte Elaine. »Außerdem sind die Schafe frisch geschoren, und draußen stürmt und regnet es. Wenn wir sie austreiben, hätte man sie auch gleich im Hochland lassen können. Habt ihr denn gar kein Heu mehr, Grandma Gwyn?«

»Nur die Reste für die Pferde. Jack meinte, ich soll Kraftfutter bestellen. Aber der Händler sitzt in Christchurch und will keinen Transport losschicken ...«

»Was? Wo ist das Telefon?« Endlich hatte Tim ein geeignetes Opfer für seine schlechte Laune.

Nach ein paar Minuten kam er wutschnaubend zurück. »Der Kerl erklärt allen Ernstes, er könnte vor nächster Woche nicht liefern. Das Wetter! Als ob es hier sonst nie regnet. Ich habe ihm gesagt, wir schicken einen Wagen und holen das Futter selbst. Können wir einen Mann dafür abstellen?«

Gwyneira schüttelte den Kopf. »Wir haben zurzeit niemanden außer Tane. Und den können wir unmöglich allein nach Christchurch schicken.«

»Dann fahre ich!«, meldete sich Lilian. »Habt ihr so was wie einen Planwagen, Grandma Gwyn? Wir müssen das Futter ja abdecken. Und wen soll ich anspannen? Ein Automobil wäre natürlich besser ...«

Elaine verdrehte die Augen. »Ich seh dich lieber am Zügel«, bemerkte sie. »Da vertraue ich dem Verstand der Pferde.«

»Und nimm deinen Ben mit«, befahl Tim. »Auch wenn das Aufladen von Säcken nicht so ganz in seinen Tätigkeitsbereich gehören dürfte.«

»Da irren Sie sich aber, Sir!« Ben grinste ihn an, schob seine Hemdsärmel hoch und zeigte seinen beträchtlichen Bizeps. »Bevor Lilian anfing, diese ... äh ... Bücher zu schreiben, habe ich nachts im Hafen gearbeitet.«

Tim empfand zum ersten Mal Respekt vor seinem Schwiegersohn. Bislang hätte er ihm nicht zugetraut, den Unterhalt seiner Familie mit seiner Hände Arbeit zu verdienen. Andererseits hatte Lilian früher auch mal von seiner sportlichen Karriere geschwärmt. Wenn er sich richtig erinnerte, hatte der Junge nicht nur irgendwie gerudert, sondern seine Rennen auch noch gewonnen. Tim fühlte sich allmählich besser. Trotz aller äußerlichen Ähnlichkeit und den gleichen, enervierenden Interessengebieten: Ben war nicht Caleb. Sein Schwiegersohn war ein Mann.

»Wenn er möchte und Grandma nichts dagegen hat, können Sie hinterher Ihren Vater holen«, brummte Tim versöhnlich. »Den haben wir bei dem überstürzten Aufbruch ganz vergessen. Wenn er allein in Christchurch sitzt, hat er nichts von seinem Enkel ...«

Gwyneira fand endlich ihre Lebensgeister wieder, indem sie Lilian und Ben in die Ställe begleitete und ihnen ein Cobgespann und einen Kastenwagen anwies. Elaine ging mit und übernahm sofort die Organisation im Pferdestall.

»Hier muss mal gemistet werden. Das kann Tane machen. Oder brauchst du den bei der Zaunreparatur, Roly? Ach, weißt du was? Vergiss den Zaun. Wir treiben die Schafe in einen Scherschuppen. Und die anderen sollten auch vorbereitet werden, Jack und Gloria bringen schließlich noch mehr Schafe mit.«

Jack und Gloria. Über das Futter für die Tiere hatten sie die Menschen in den Bergen fast vergessen. Dabei war das Wetter beängstigend genug. Elaine lieh sich ein altmodisches Reitkleid und einen Wachsmantel von Gwyneira, doch als sie mit Tanes Hilfe die Widder im ersten Scherschuppen eingesperrt hatte, war sie bis auf die Haut durchnässt. In den Bergen kam dieser Regen als Schnee herunter. Und das waren erst die Vorboten des Orkans, wollte man den Meteorologen in Christchurch glauben.

»Bringt es etwas, hinterherzureiten? Was meinst du?«, fragte sie Tim, während sie sich zitternd vor den Kamin kauerte, um sich aufzuwärmen. Tim hatte schließlich aufgegeben und lag zugedeckt auf dem Sofa. Vorher hatte er allerdings mehrmals mit George Greenwood telefoniert. Greenwood Enterprises würde mit einem weiteren Lieferwagen aushelfen, der noch in der Nacht mit Futter eintreffen sollte. Die Besatzung würde vorerst auf der Farm bleiben und bei der Versorgung der Tiere und sonstigen Arbeiten aushelfen.

»Die haben zwar noch nie ein Schaf gesehen, aber eine Mistgabel werden sie schon schwingen können. Und wie man einen Zaun repariert, zeige ich ihnen im Notfall selbst. Das hier«, Tim wies ungeduldig auf seine Beine, »sollte ja wohl morgen wieder besser sein.«

Elaine bezweifelte das – bei Sturm und Regen fühlte Tim sich meist schlechter –, ging aber nicht weiter darauf ein. Sie machte sich eher Sorgen um die Leute im Hochland.

»Die Schafe kriegen wir vor dem Sturm nicht runter. Aber vielleicht könnte jemand die Menschen warnen?«

Gwyneira zuckte die Achseln. »Zeitlich ist das kaum zu schaffen«, murmelte sie. »Es ist gewöhnlich ein Zweitagesritt. Na ja, ein sehr schnelles Pferd mit einem guten Reiter würde vielleicht nur einen Tag brauchen …«

»Unmöglich, da oben schneit es doch schon«, bemerkte

Tim. »Und wo sollte der Bote suchen? Die Leute können sonst wo sein ...«

»Ich weiß, wo sie sind. Ich ...« Gwyneira machte Anstalten, sich zu erheben.

»Du bleibst, wo du bist, Grandma Gwyn!«, befahl Elaine. »Komm bloß nicht auf dumme Gedanken! Wie es aussieht, müssen wir einfach abwarten ... und auf Jacks Erfahrung mit den Bergen und dem Wetter vertrauen.«

Gwyneira seufzte. »Auf Jack kann man sich in der letzten Zeit nicht mehr besonders gut verlassen.«

Roly O'Brien, der sich ebenfalls am Feuer wärmte, nachdem er den ganzen Tag gemistet und Ställe ausgebessert hatte, funkelte sie böse an. »Auf Mr. Jack kann man sich immer verlassen! Er war krank, doch wenn es sein muss, holt er Ihnen Ihre Schafe auch aus der Hölle!«

Gwyn wirkte zuerst irritiert. Dann aber musterte sie den jungen Mann eingehend und schien mit sich zu ringen.

»Sie also sind dieser Roly«, sagte sie schließlich. »Sie waren mit Jack zusammen. Würden Sie mir vom Krieg erzählen, Mr. O'Brien?«

Roly hatte noch nie so ausführlich von Gallipoli berichtet, und es war sicher nicht nur der hervorragende Whiskey, mit dem Gwyneira ihm die Zunge löste, sondern auch ihre lebhafte Anteilnahme. Die alte Dame mit den müden Augen lauschte schweigend, doch je länger Roly sprach, desto mehr Leben kam in ihren Blick und desto mehr spiegelten sich Trauer und Entsetzen in ihren faszinierend blauen Augen.

Die beiden saßen immer noch am Feuer, als Tim und Elaine sich längst zurückgezogen hatten. Tim brauchte ein Bett, und auch Elaine war nach der Arbeit mit den Schafen fast schon im Sessel eingeschlafen. In der Nacht schreckte sie von einem

Geräusch, das sie nicht gleich einordnen konnte, auf. Gwyneiras Hirngespinst, die Vermissten selbst suchen zu wollen, hatte sie alarmiert. Sie stand auf, um nachzusehen, was sie geweckt hatte.

Tatsächlich war allerdings nur der Futtertransport aus Christchurch eingetroffen. Gwyn und Roly begrüßten die Fahrer im Salon; sie hatten wohl noch am Feuer gesessen und geredet. Nun schenkten sie Whiskey an die durchnässten und müden Männer aus. Draußen tobte ein Schneesturm, wenn er auch nicht so stark war, wie er in den Bergen sein musste.

»Also gut, Roly, gehen wir füttern«, seufzte Elaine nach einem Blick aus dem Fenster. »Wir verlieren noch mehr Schafe, wenn sie bei der Kälte nicht genug zu fressen haben, und das muss ja nun wirklich nicht sein. Ist der Wagen noch angeschirrt? Dann können wir gleich zum Scherschuppen weiterfahren und dort ausladen.«

Roly schwankte mehr als nur ein bisschen, aber natürlich begleitete er Elaine zu den Schafen und beobachtete zufrieden, wie die Tiere schmausten.

»Ich wollte immer eine Farm«, seufzte Elaine. »Was habe ich Kura-maro-tini um Kiward Station beneidet. Aber Nächte wie diese ...«

»Jack hat nie was vom Krieg erzählt«, murmelte Roly zusammenhanglos. »Seine Mutter wusste gar nichts, er hat immer nur in seinem Zimmer gelegen und an die Wand gestarrt. Feine Leute sind irgendwie sehr geduldig. Meine Mom hätte mich längst verhauen.«

Am nächsten Tag inspizierte Elaine mit den neuen Helfern die Scherschuppen und bereitete Futter und Einstreu für die Mutterschafe vor. Tim sah sich im inneren Bereich der Farm um und war wenig begeistert. »Der kaputte Zaun ist nur die Spitze des Eisbergs. Hier muss alles renoviert werden, Grandma. Dein Maaka neigt wohl ein bisschen zum Improvisieren: Hier ist was geflickt, da schnell was zusammengenagelt. Wenn Jack zurück ist, sollte er das mal in größerem Stil angehen ...«

»Das gilt auch für die Scherschuppen«, fügte Elaine hinzu. »Die fallen bald auseinander. Hast du hier mal an Neubau gedacht? Ihr habt doch jetzt viel mehr Schafe. Ihr braucht größere Anlagen.«

»Und das Personalproblem ...« Tim war morgens verblüfft gewesen, als drei Maori-Männer zur Arbeit erschienen, als wäre nichts passiert. »Es geht doch nicht an, dass die Leute nur kommen, wenn es ihnen gerade passt.«

»Es ist das Wetter, da können sie nicht jagen«, erklärte Gwyn. »Und die Getreidevorräte sind aufgebraucht. Sie hoffen, dass wir ihnen Lebensmittel geben, wenn sie Tonga sitzen lassen.«

»Ist ja weit her mit seinem *mana*«, brummte Tim. »Aber im Ernst, Grandma, ihr bezahlt sie in Naturalien? Das ist vorsintflutlich! Und haben sie keinen Arbeitsvertrag? Darum muss Jack sich kümmern, wir leben im 20. Jahrhundert! Man regelt die Personalfrage heute nicht mehr nach Gutsherrenart! Überhaupt würde ich mal über ein paar Fachkräfte nachdenken, Grandma. Vielleicht könnte man Leute in Wales oder Schottland anwerben. Es kann doch nicht sein, dass hier lediglich der Vormann bei Schafen vorn und hinten erkennt!«

Am Nachmittag erschienen Lilian, Ben und Caleb mit einer weiteren Futterlieferung – und einer neuen Arbeitskraft. Lilys bewährte Methode, mit wirklich jedem ein Gespräch anzufangen, hatte ihnen einen erfahrenen Viehhüter beschert. Der Mann kam nach irgendwelchen familiären Verwicklungen von der Nordinsel – »Eine unglückliche Liebe!«, präzisierte

Lilian mit melodramatischem Augenaufschlag – und hatte vorerst im Futtermittelhandel gearbeitet. Lieber, so verriet er nach wenigen Sätzen, hätte er aber wieder mit Schafen zu tun. Lilian engagierte ihn vom Fleck weg.

Am Abend war die Stimmung auf Kiward Station mehr als gedrückt. Tagsüber hatten sich alle mit Arbeit ablenken können, inzwischen aber tobte der Sturm auch über den Canterbury Plains. Jeder konnte sich vorstellen, wie es in den Bergen aussah.

»Wir haben sonst wenigstens Planwagen dabei gehabt«, sagte Gwyneira leise und starrte aus dem Fenster. »Wenn sie …«

»Eine Plane fliegt genauso weg wie ein Zelt bei dem Wetter«, bemerkte Elaine. Und wenn dort oben wirklich ein Orkan wütete, würde er auch einen Wagen wegreißen. Letzteres sagte sie jedoch nicht.

Für ein wenig Hoffnung sorgte dann lediglich Marama. Sie hatte ihren Mann nach Kiward Station begleitet, der sich endlich wieder zur Arbeit meldete. In den Tagen zuvor hatte er den direkten Aufstand gegen Tonga nicht gewagt. Er war ursprünglich kein Stammesangehöriger und besaß wenig *mana*. Nun aber brachte Marama den erfahrenen Viehhirten und Schafscherer mit auf die Farm. Sie war sich absolut sicher, dass es dort bald viel für ihn zu tun gäbe.

»Vielleicht kommen sie morgen schon mit den ersten Herden«, erklärte sie. »Und die Hälfte wird in der ersten Nacht zu Hause ablammen.«

Gwyneiras und Elaines Angst um Gloria und die Männer tat sie mit einer Handbewegung ab.

»Ich wüsste, wenn meinen Söhnen etwas passiert wäre!«

Sie war davon ebenso felsenfest überzeugt, wie sie viele

Jahre zuvor von Kuras Wohlergehen überzeugt gewesen war, obwohl niemand gewusst hatte, wo das Mädchen steckte.

Tim runzelte wieder einmal die Stirn, als Elaine ihm von Maramas Ahnungen berichtete.

»Hast du damals gewusst, dass ich lebe, als ich in der Mine verschüttet war?«, fragte er.

Elaine schüttelte ehrlich den Kopf. »Nein, aber ich wusste immer, dass es Lilian gut geht!«

Tim verdrehte die Augen. »Liebste, Ahnungen, die auf den Berichten von Privatdetektiven beruhen, zählen nicht!«

Lilian versuchte, Gwyneira abzulenken, indem sie mit Galahad spielte und schäkerte, aber der Kleine war müde und quengelig. Schließlich brachte sie das Kind ins Bett und gesellte sich schweigend zu ihren Eltern.

Die Einzigen, die sich an diesem Abend gedämpft, aber angeregt unterhielten, waren Ben und Caleb Biller. Für Caleb musste es der Himmel sein, sich nicht wie sonst nur schriftlich mit Gleichgesinnten auszutauschen, sondern direkt mit seinem Sohn diskutieren zu können. Ben dozierte ausführlich über den Begriff des *mana* und dessen Korrespondenz mit ähnlichen Prinzipien in anderen Gebieten Polynesiens. Caleb bezog es auf die Größe der Darstellung von Götterfiguren, woraus sich eine lebhafte Diskussion ergab, über wie viel *mana* die diversen Götter und Halbgötter eigentlich verfügt hatten.

»Es wäre sehr hilfreich, Miss Charlottes Aufzeichnungen hier schon hinzuziehen zu können«, bemerkte Caleb und würdigte Charlottes Verdienste noch mal in leuchtenden Farben.

Gwyneira, von Unruhe erfüllt und froh, etwas tun zu können, erhob sich.

»Mein Sohn hat die Sachen bereitgelegt. Wenn Sie möchten, hol ich sie Ihnen.«

Caleb wollte keine Umstände machen, aber Ben schaute wie ein Kind, dem man den Nachtisch verwehrt.

»Es macht keine Umstände.«

Gwyneira stieg die Treppe hinauf und bemühte sich, dabei ihre Arthritis zu ignorieren. Sie betrat das Zimmer ihres Sohnes sonst nicht ungefragt, aber sie hatte Charlottes Kladden auf seinem Tisch gesehen. Und wenn sich ihrer aller Befürchtungen bewahrheiteten, würde sie dieses Zimmer ohnehin bald sichten und ausräumen müssen. Sie atmete tief ein, als sie den Raum betrat – die gleiche Luft, die er geatmet hatte. Ihr war plötzlich schwindelig.

Die alte Frau setzte sich auf Jacks Bett und drückte ihr Gesicht in sein Kopfkissen. Ihr Sohn. Sie hatte ihn nicht verstanden. Sie hatte nichts begriffen. Im Stillen hatte sie ihn für einen Feigling gehalten. Und jetzt kam er vielleicht nie mehr zurück.

Schließlich nahm sie sich zusammen und griff nach den Kladden. Eine lag neben dem Stapel der anderen. Gwyneira hob sie auf – und versuchte vergeblich, den Packen Zeichnungen festzuhalten, der dabei herausglitt. Die Bilder flatterten auf den Fußboden.

Gwyneira seufzte, machte Licht und suchte die Zeichnungen zusammen. Sie erschrak, als ein Totenkopf sie angrinste.

Gwyneira hatte die letzte Nacht in Gallipoli verbracht.

In dieser Nacht reiste sie mit der *Mary Lou* und der *Niobe*.

Am nächsten Tag hatte der Sturm sich gelegt, doch es war immer noch eiskalt. Elaine und Lilian fröstelten, als sie die Schafe und Pferde versorgten. Roly und Ben sowie die neuen Helfer schleppten Wasser. Und dann ergoss sich ein wahrer

Strom nasser, frierender Schafe über die Farm. Hori und Carter waren eingetroffen. Sie hatten die ersten Herden ohne größere Verluste heruntergebracht und auch die Schutzhütte vor dem Sturm erreicht.

»Aber wir dachten, der Wind reißt sie ab!«, berichtete Carter. »Es muss jemand raufgeschickt werden, um die Hütte zu reparieren. Das Dach ist zum Teil runtergekommen. Wir sind dann heute Morgen ganz früh los. Haben Sie eine Nachricht von Mr. Jack und Miss Gloria? Wir haben Leuchtraketen gesehen.«

»Und dann sind Sie nicht wieder hochgeritten, um sie zu suchen, als der Sturm sich legte?«, fragte Elaine streng.

Hori schüttelte den Kopf. »Miss Lainie, wenn da oben noch einer lebt, kommt er ohne uns zurecht. Und wenn da keiner mehr lebt ... wenigstens haben wir dann die Schafe hier gerettet.«

Wie fast alle Maoris dachte er praktisch.

»Leuchtraketen«, berichtete Elaine ihrem Mann. Tim überwachte im Schuppen ein paar Ausbesserungsarbeiten. »Sie haben um Hilfe gerufen, aber wir haben es nicht mal gesehen.«

»Was hätte es genützt, wenn wir es gesehen hätten? Eigentlich seltsam, dass sie das überhaupt versucht haben. Jack musste doch wissen, dass sie zwei Tagesritte von jeder Zivilisation entfernt waren. Wenn sie nach dem Sturm geschossen hätten, wäre es logisch gewesen. Dann könnte man von einigen Überlebenden ausgehen, die Hilfe brauchen. Aber Leuchtmunition mitten im Schneesturm in die Gegend schießen? Keine sehr überlegte Maßnahme.« Timothy Lambert hatte gelernt, auch in schwierigsten Situationen ruhig zu bleiben. Sein Fachgebiet als Bergbauingenieur war Grubensicherheit. Dennoch nahm Elaine es ihm fast übel, dass er Jacks Zurechnungsfähigkeit anzweifelte.

»Mein Gott, es denkt eben nicht jeder ständig logisch! Wir müssen einen Suchtrupp zusammenstellen ...«

»Jetzt kümmere dich erst einmal um die Schafe«, bestimmte Tim. »Und schimpf die Männer nicht aus. Sie haben ganz richtig gehandelt.« Tim wandte sich wieder seinen Arbeitern zu. »Wie geht es denn Grandma?«

Gwyneira war in der letzten Nacht – mehr als eine Stunde, nachdem sie hinaufgegangen war – zurück in den Salon gekommen. Sie hatte den Billers schweigend die Kladden ausgehändigt und war bleich gewesen wie der Tod. Danach hatte sie sich sofort zurückgezogen und war bislang nicht aufgetaucht.

»Kiri hat ihr Frühstück gebracht. Sie will niemanden sehen, und sie hat nichts gegessen, aber den Tee hat sie getrunken. Ich denke, ich kümmere mich später mal um sie.« Elaine verließ den Schuppen und machte sich an die Verteilung der neuen Schafe auf Scherschuppen und Rinderställe. Ein paar waren Mutterschafe. Einige standen kurz vor dem Ablammen, andere hatten winzige Lämmer bei sich. Lilians Neuerwerbung nahm sich der Tiere an. Der Mann erwies sich als geschickter Geburtshelfer, regte an, Kohlebecken in die Schuppen zu stellen, um eine zusätzliche Wärmequelle für die am ärgsten gebeutelten Zuchttiere zu schaffen, und schien sich auch mit den Schäferhunden auf Anhieb zu verstehen.

Elaine schickte Hori und Carter daraufhin schlafen. Die Männer waren völlig erschöpft.

Sehr viel später erstattete sie ihrer Großmutter Bericht. Gwyneira war endlich heruntergekommen und saß am Kamin. Geistesabwesend spielte sie mit Galahad. Sie wirkte um Jahre gealtert.

»Die Männer haben zweitausend Schafe heruntergebracht, davon achthundert Muttertiere. Die Lämmer, die gestern Nacht geboren wurden, haben sie größtenteils verloren. In dem Schneesturm konnten sie nicht überleben. Aber viele werfen heute, und Jamie vollbringt wahre Wunder ...«

»Wer ist Jamie?«, fragte Gwyneira abwesend.

»Der neue Viehhüter, den Lilian aufgetrieben hat. Ach ja, und vier oder fünf weitere Maoris sind gekommen. Tim hat ihnen wegen der Sache mit Tonga die Leviten gelesen. Noch mal so eine Geschichte, und sie werden nicht wieder eingestellt ...« Elaine berichtete weiter.

Gwyneira hatte den Eindruck, dass die Leitung der Farm ihr zusehends entglitt. Es war kein schlechtes Gefühl.

13

Gloria erwiderte Jacks Kuss nicht, hielt aber still. Bevor sie die Augen senkte, streifte ihn ein Blick der Überraschung und Verwirrung.

Vor dem Zelt lag eine dünne Schneeschicht. So weit unter dem Felsdach sie auch gebaut hatten, der Wind hatte doch Schnee hineingeweht, und es war so kalt, dass er nicht taute. Auch im Tal vor den Felsen lag Schnee, aber der Teich war nicht gefroren. Er zeigte ein fahles Blau, spiegelte den blaugrauen Himmel. Ein paar Schafe tranken daraus; sie standen schmutzig grau im kotbesudelten Schnee. Allerdings schienen die meisten Tiere überlebt zu haben, und aus dem Zelt nebenan blökten die Lämmer. Unglücklich, aber zweifellos sehr lebendig. Von draußen waren Flüche zu hören. Wiremu und Paora hatten eins der Mutterschafe gefangen und versuchten jetzt, das sich heftig wehrende, halb wilde Tier für die Waisenkinder abzumelken. Andere Männer waren dabei, das Feuer neu zu entfachen, Rihari schleppte Wasser vom Teich hinauf.

»Es gibt gleich heißen Tee, Chefin! Wie geht's Mr. Jack?«

Jack hatte gehofft, an diesem Tag wieder reiten zu können, aber nach dem Gewaltritt am Tag zuvor war es hoffnungslos. Er hatte Fieber und kämpfte schon mit dem Schwindel, als Wiremu ihm nur bis zum Feuer helfen wollte. Da hockte er dann erschöpft und versuchte, sinnvolle Pläne für den Tag zu machen.

»Also, was meint ihr? Reiten wir hinunter und bringen die Tiere und uns in Sicherheit, oder versuchen wir, die restlichen Schafe auch noch zu finden?«

»Sie können nicht reiten, Mr. Jack«, sagte Willings besonnen. »Sie hingen doch gestern schon auf dem Pferd wie 'n Schluck Wasser in der Kurve. Und da hing Ihr Leben davon ab. Sie sollten auf jeden Fall hierbleiben, bis es Ihnen besser geht.«

»Um mich geht's nicht ...«, wehrte Jack schroff ab.

»Wir sammeln natürlich die restlichen Schafe ein«, bestimmte Gloria. »Falls noch viele überlebt haben. Aber die Viecher sind ja auch nicht dumm, und sie leben hier jeden Sommer. Wahrscheinlich kennen sie noch etliche Unterstände wie diese. Ein paar haben es sicher geschafft.«

»Aber wir sollten jemanden nach Kiward Station schicken«, meinte Paora. »Miss Gwyn wird außer sich sein vor Sorge.«

Gloria zuckte die Achseln. »Das kann ich ihr nicht ersparen«, sagte sie ungeduldig. »Wir können keinen Mann entbehren. Die Tiere müssen jetzt schnell gefunden und heruntergetrieben werden. Für die Herden hier reicht das Gras im Kessel und drumherum bis morgen früh. Sie können den Schnee wegscharren, und es wird ja auch gleich tauen. Die Pause geben wir ihnen – sie brauchen Erholung nach dem Sturm. Dann kann morgen ein Team mit ihnen absteigen, während wir die restlichen Tiere einsammeln und übermorgen nachkommen. Sofern das Wetter mitspielt. Wie siehst du das, Rihari?«

Der Maori-Fährtensucher und Wetterbeobachter schaute prüfend in den verhangenen Himmel. »Ich glaube, Tawhirimateas Wut ist verraucht. Es sieht nach Regen aus, vielleicht wird's auch noch etwas schneien, aber der Sturm scheint vorbei zu sein.«

Tatsächlich wehte kaum noch Wind, und vor allem schien die Luft nicht mehr so spannungsgeladen. Der Tag wirkte wie ein typischer, regnerischer Morgen im Hochland. Ungemütlich, aber nicht gefährlich.

Gloria und ihre Männer trieben die letzten versprengten Schafe dann auch nicht in die »Festung«, sondern zur alten Sammelstelle.

»Wir verlegen das Lager auch wieder«, bestimmte Gloria. »Gleich morgen früh. Bis dahin sollten die Schafe rund um den See noch nicht alles abgefressen und die Grasnarbe zerstört haben. Wenn die *tohunga* dann im Sommer kommen, um mit den Geistern zu reden, wird alles sein wie immer.«

Gloria ließ offen, ob sie das *tapu* wirklich achtete oder ob sie nur Rongo nicht verärgern wollte. Sie wunderte sich ein bisschen, dass niemand ihr widersprach, aber die Magie des versteckten Zufluchtsortes in den Bergen hatte wohl auch die Seele des letzten *pakeha* gerührt.

Am Abend schlüpfte sie ganz selbstverständlich in Jacks Zelt und kroch in seinen Schlafsack. Sie legte sich neben ihn, ohne ihn dabei anzusehen. Er fühlte, dass ihr Körper dabei erstarrte, aber er sprach es nicht an, so wie auch sie kein Wort über den Kuss am Morgen verlor. Sie wechselten ein paar nichtssagende, gezwungene Bemerkungen über den Ritt und die Suche nach Schafen – Gloria und die Männer hatten noch fast tausend Tiere eingetrieben. Jack küsste Gloria sanft auf die Stirn.

»Ich bin so stolz auf dich«, sagte er liebevoll. »Schlaf gut, meine Gloria.« Er wünschte sich mehr als alles andere, sie in den Arm zu nehmen und ihre Starre zu brechen, aber das wäre ein Fehler gewesen. Jack wollte keine Fehler mehr begehen. Nicht bei der Frau, die er liebte.

Letztendlich zwang er sich, Gloria den Rücken zuzuwenden. Er schlief ein, während er vergeblich wartete, dass sie sich endlich entspannte. Doch als er erwachte, spürte er ihre Wärme. Sie hatte sich an ihn geschmiegt, ihre Brust an seinen

Rücken, ihren Kopf an seine Schulter gelehnt. Ihr Arm lag über ihm, als wollte sie sich an ihm festhalten. Jack wartete, bis sie ebenfalls erwachte. Dann küsste er sie wieder.

An diesem Morgen schickte Gloria die Hälfte der Männer mit dem allergrößten Teil der Schafherde ins Tal. Jack war noch nicht kräftig genug, um sehr nützlich zu sein; immerhin hielt er mit Tuesday die verbleibenden Schafe zusammen, während Gloria, Wiremu und die zwei erfahrenen Maori-Viehhüter das Hochland noch einmal auf versprengte Tiere absuchten. Ausgerechnet Wiremu erzielte dabei am Nachmittag einen Überraschungserfolg. In einem versteckten Tal entdeckte er die letzten sechshundert Mutterschafe. Viele von ihnen hatten ihre Lämmer verloren, aber die wertvollen Zuchttiere hatten fast alle überlebt.

Gloria war überglücklich, und als sie am Abend am Feuer saßen, schmiegte sie sich leicht an Jack. Im Zelt ließ sie zu, dass er sie erneut küsste, lag dann aber wieder starr auf dem Rücken und wartete. Jack wandte sich diesmal nicht ab, rührte sie aber auch nicht an. Er wusste nicht recht, was er tun sollte. Von dem steifen, angespannten Körper des Mädchens ging keine Angst aus, nur Ergebung in das scheinbar Unvermeidliche. Jack fand das beinahe unerträglich. Er hätte mit Furcht umgehen können, aber für Gloria war Hingabe eine Form der Verzweiflung.

»Ich will nichts, was du nicht willst, Gloria ...«, sagte er.

»Ich will ja«, flüsterte sie. Zu seinem Erschrecken klang es fast gleichmütig.

Jack schüttelte den Kopf. Dann küsste er ihre Schläfe.

»Gute Nacht, meine Gloria.«

Diesmal dauerte es nicht ganz so lange, bis sie sich entspannte. Er fühlte ihre Wärme im Rücken, als er einschlief.

Am kommenden Morgen würden sie nach Kiward Station reiten. Wahrscheinlich würde es dann nicht weitergehen. Aber Jack konnte warten.

Auf Kiward Station erschien am folgenden Tag erst einmal Maaka. Der junge Vorarbeiter hatte beschlossen, dass die weiteren Vermählungsfeierlichkeiten warten konnten. Statt seine wunderschöne junge Frau förmlich im *marae* seines Stammes willkommen zu heißen, quartierte er sie erst mal in einem der vielen Zimmer auf Kiward Station ein. Zum ersten Mal seit vielen Jahren wurden die Räumlichkeiten knapp.

Tim Lambert war mehr als erleichtert über Maakas Ankunft, befürchtete er inzwischen doch ernsthaft, seine abenteuerlustige Gattin und seine noch draufgängerischere Tochter könnten im Alleingang eine Rettungsaktion für die Vermissten im Hochland planen.

Sobald sich die Möglichkeit bot, nahm er Maaka beiseite.

»Nun mal ganz ohne Sentimentalitäten«, sagte er. »Kann da oben noch jemand am Leben sein?«

Maaka zuckte die Achseln. »Durchaus, Sir. Es gibt viele Höhlen, Talkessel, vereinzelt sogar Waldstücke, die Unterschlupf bieten. Man sollte nur nicht vom Sturm überrascht werden, und man sollte sich auskennen ...«

»Und?«, fragte Tim. »Kennt Jack McKenzie sich aus?«

»Nicht so gut wie die Maori-Jungs, Sir«, meinte Maaka. »Der Stamm verbringt da oben ja oft ganze Sommer. Maramas Söhne kennen vermutlich jeden Stein.«

»Und Jack ...« Tim biss sich auf die Lippen. Dies war einem Angestellten gegenüber eine delikate Frage. »Kann er Ratschläge annehmen?«

Maaka machte erneut eine Geste der Unsicherheit. »Jack war ein feiner Kerl. Aber seit dem Krieg ... man kann ihn schlecht einschätzen. Er lässt sich treiben, wissen Sie? Womöglich überlässt er alles Gloria …«

Maaka sprach es nicht aus, doch Tim entnahm seiner Miene, dass Gloria als eher dickköpfig galt. Tim überraschte das nicht. Er kannte Kura-maro-tini. Eine Frau, die immer bekam, was sie wollte.

»Was halten Sie denn von der Idee eines Suchtrupps?«, erkundigte er sich. »Es wurde Leuchtmunition gesehen. Meine Frau meint, die Leute warten vielleicht auf Hilfe.«

»Das sehen Sie hier doch gar nicht, wenn da einer in den Bergen schießt«, meinte Maaka verwundert. »Vermutlich war es Wetterleuchten.«

Tim berichtete ihm von Horis und Carters Beobachtungen, doch Maaka winkte ab. »Wir nehmen die Leuchtmunition mit, falls jemand verlorengeht oder sich verletzt. Dann alarmiert er damit das Hauptlager. Bis Kiward Station dringt das nicht, und man könnte es ja auch gar nicht lokalisieren.«

»Also kein Suchtrupp?« Tim ging die Gelassenheit des jungen Maori langsam auf die Nerven. So unsentimental hatte er es sich nun auch nicht gedacht.

»Wozu?«

»Na, um die Leute zu retten, Mann! Es muss doch was passiert sein, sie wären sonst längst wieder hier! Oder was meinen Sie, machen die da oben?« Tim explodierte.

»Schafe zusammentreiben«, antwortete Maaka knapp.

Tim war verblüfft. »Sie meinen, irgendjemand überlebt mit knapper Not einen Jahrhundertsturm, und dann kommt er nicht auf dem direkten Weg nach Hause, sondern sammelt weiter Schafe ein, als wäre nichts passiert?«

Maaka schürzte die Lippen. »Irgendjemand vielleicht nicht, Sir. Aber ein McKenzie.« Er hielt kurz inne. »Und eine Warden. Ich kümmere mich dann mal um die Vorbereitung der alten Rinderställe, Sir. Damit die Schafe ins Trockene können.«

Die Ställe waren gesäubert und eingestreut, die Zäune kontrolliert und repariert, als die erste Gruppe Männer mit den Mutterschafen eintraf. Marama schloss lächelnd ihren zweiten Sohn in die Arme. Elaine atmete auf, als die Leute ihr versicherten, der Rest der Truppe käme am kommenden Tag.

»Habt ihr nicht jemanden vorausschicken können?«, fragte Gwyneira zwischen Lachen und Weinen. Sie hatte die durchnässten und müden Männer ins Haus geholt, schenkte großzügig Whiskey aus und ließ sich von sämtlichen Abenteuern erzählen.

»Haben wir vorgeschlagen, aber die Chefin meinte, wir brauchten jeden Mann.«

Als Elaine und Lilian schließlich, etwas zu früh, zum gemeinsamen Essen herunterkamen, saß Gwyneira am Feuer und drehte ein Glas Whiskey zwischen den Fingern.

»Mich haben sie niemals ›Chefin‹ genannt«, sagte sie gedankenverloren.

Lilian kicherte. »Tja, die Zeiten ändern sich. Du konntest zehnmal so viel von Schafen verstehen wie die Männer, aber du bist immer die süße ›Miss Gwyn‹ geblieben. Gloria hatte das Pech – oder das Glück –, niemals niedlich zu sein. Früher war sie allerdings schüchtern.« Sie lächelte. »Scheint sich gegeben zu haben.«

Jack, Gloria und ihre Männer verbrachten die letzte Nacht des Viehtriebs noch einmal in der Schutzhütte. Wiremu bestand diesmal darauf, dass die beiden im Innenraum schliefen. Jack war noch angegriffen und sollte nach dem Ritt im Warmen liegen. Doch dann sorgte Gloria für eine Überraschung. »Wir schlafen alle hier drinnen«, bestimmte sie. »In den Stall kommen die Lämmer, bei dem Geblöke macht doch keiner ein Auge zu.« Sie warf dabei einen kurzen Blick von einem der

Männer zum anderen. Außer Wiremu und Jack schien allerdings keiner zu begreifen, wie schwer ihr dieser Vorschlag fallen musste. Die letzten Männer waren alle Maoris; sie waren gewohnt, im gemeinsamen Schlafhaus zu nächtigen und wären nie auf die Idee gekommen, dabei junge Mädchen zu belästigen. Erst recht nicht, wenn sie zu einem anderen gehörten.

Jack hoffte, dass Gloria wieder zu ihm kommen würde, doch sie blieb in ihrem Alkoven und verschanzte sich hinter dem dicksten Schlafsack. Jack belegte ohne Widerrede das zweite Bett in der Hütte; der Ritt durch die Kälte und Nässe hatte ihm erneut zugesetzt. Geduldig trank er den Teeaufguss, den Wiremu ihm brachte.

»Ich verstehe es nicht ganz«, sagte der junge Maori. »Sie teilt das Zelt mit dir, aber hier ...«

Jack zuckte die Achseln. »Im Gemeinschaftshaus, Wiremu? Ginge das nicht zu weit?«

»Werdet ihr denn nicht heiraten?«, fragte Wiremu. »Ich dachte ...«

Jack lächelte. »An mir soll's nicht liegen. Aber bevor ich mir jetzt die gleiche Abfuhr hole wie du ...«

Wiremu grinste schmerzlich. »Pass auf dein *mana* auf!«, bemerkte er.

Sie erreichten Kiward Station am nächsten Abend, und glücklicherweise hatte es den ganzen Tag nicht geregnet. Die Männer hatten den Schafen die Ställe geöffnet, Elaine hatte sogar die Pferde aus den Boxen gelassen und sich an ihrem Herumtoben im Auslauf gefreut. Alles war an diesem Tag voller Erwartung. Schließlich ritten Lilian und Elaine dem Viehtrieb entgegen.

Gloria schaute mehr als verdutzt, als sie ihre Cousine wiedersah.

»Warst du nicht in Auckland verschwunden?«, erkundigte sie sich und musterte Lilian. Der rothaarige Kobold hatte sich in den Jahren kaum verändert. Lilian war natürlich erwachsener geworden, aber sie hatte immer noch ihr verschmitztes, unbeschwertes Lachen.

»*Du* warst verschwunden!«, bemerkte Lily. »Ich hab nur geheiratet!« Auch sie musterte Gloria, aber sie sah ein gänzlich anderes Mädchen als das dickliche, verängstigte und mürrische Ding aus Oaks Garden. Gloria saß selbstbewusst im Sattel. Ihr Gesicht war rot und von den Strapazen des Abenteuers gezeichnet, doch es hatte Konturen bekommen. Lilian hatte selten ein so interessantes Gesicht gesehen. Sie musste sich das für ihr nächstes Buch merken ... Ein Mädchen, das auf der Suche nach ihrem Liebsten die halbe Welt umreiste. Eine Neuauflage von *Jackaroe*. Allerdings hatte sie das unbestimmte Gefühl, Gloria würde ihr niemals ihre ganze Geschichte erzählen.

Lily berichtete vergnügt von ihrem Leben in Auckland und ihrem Baby, Elaine erzählte von Kiward Station. Jack und Gloria schauten schweigend einander an und warfen ab und zu stolze Blicke auf die Tiere, die sie vor sich her trieben. Als sie schließlich den Hof erreichten, warteten die Männer bereits, um die Schafe auf die Pferche zu verteilen. Maaka war da, um alles zu koordinieren, aber die Männer, die mit auf dem Viehtrieb gewesen waren, blickten nur auf Gloria. Und Gloria blickte auf Jack.

»Also gut, Jungs«, sagte Jack. »Es ist schön, wieder da zu sein. Wir können uns alle gratulieren – Paora, Anaru, Willings, Beales. Das war sehr gute Arbeit. Ich denke, wir reden mit der Chefin über einen kleinen Bonus.«

Jack sah Gloria an. Gloria lächelte.

»Ich nehme an, ihr habt die Scherschuppen für die Mutterschafe freigehalten. Die Widder treiben wir direkt weiter, auf das Grünland hinter Bold's Creek. Und ich möchte das Wort *tapu* dabei nicht mehr hören! Wenn's trocken bleibt, können die Schafe, die abgelammt haben, morgen zum Ring der Steinkrieger ...«

Jack erteilte gelassen Anweisungen, während Gloria und einige der Männer bereits den Hütehunden pfiffen, um die Herden zu trennen.

»Maaka, übernimmst du dann die Aufsicht? Ich möchte meine Mutter begrüßen. Und wie es aussieht, ist ja das ganze Haus voller Familie.«

»Ein Bad wäre auch eine gute Idee«, bemerkte Gloria, während sie abstieg. »Ich bringe die Pferde in den Stall, Jack. Geh du ruhig schon rein und wärm dich auf.«

Sie führte Ceredwen und Anwyl auf die Stallgebäude zu, als Gwyneira die Tür zum Boxenstall von innen aufriss. Eigentlich hatte Jack seine Mutter im Haus erwartet – wenn Besuch da war, fand sie selten Zeit, in den Ställen nach dem Rechten zu sehen. Gwyneira trug ein altes Reitkleid, ihr weißes, krauses Haar machte sich selbstständig wie früher, und ihr Gesicht strahlte so jugendlich, wie Jack es seit Jahren nicht mehr gesehen hatte.

»Jack, Gloria!« Gwyneira lief auf die beiden zu und umarmte sie gleichzeitig. Sie nahm keine Rücksicht darauf, dass Gloria sich versteifte und Jack sie nur höflich an sich zog. All das würde sich auf die Dauer ändern; es hatte Zeit. Und seine Wichtigkeit verblasste vor dem Ereignis im Stall, das für Gwyneira McKenzie auch nach all den Jahren immer noch ein Wunder war.

»Kommt rein, hier will euch jemand begrüßen!«, sagte sie geheimnisvoll und zog ihren Sohn und ihre Urenkelin zu Princess' Box. »Er ist gerade geboren!« Gwyneira wies in den Stall, und Jack und Gloria drängten sich davor aneinander.

Neben der Reitponystute stand ein schokoladenfarbener

kleiner Hengst. Eine winzige weiße Schnippe saß zwischen seinen Nüstern, und ein Stern stand auf seiner Stirn.

Gloria sah zu Jack auf. »Das Fohlen, das du mir versprochen hast.«

Jack nickte. »Es sollte auf dich warten, wenn du zurückkommst.«

»Jack!« Tim Lambert war nicht aus dem Haus gegangen, um die Ankömmlinge zu begrüßen. Gegen Abend wurde es noch kälter und ungemütlicher, und auf Kiward Station trieb er sich ohnehin schon öfter im Regen herum, als es seinen Knochen guttat. Das riesige Herrenhaus wurde zudem kaum warm. Im Grunde war es nur mit viel mehr Personal behaglich zu halten, als Gwyneira unterhielt. Tim sehnte sich nach seinem kleinen, gemütlichen Haus in Greymouth, und eigentlich auch nach seinem Büro. Er freute sich auf Kohlenhalden und Fördertürme. Schafe hatte er für die nächsten Jahre genug gesehen.

Was Jack und Gloria auch noch zwei Stunden nach ihrer Ankunft auf der Farm in den Ställen hielt, war ihm ein Rätsel. Selbst Maaka, der die Schafe nach ihrem Eintreffen übernommen hatte, war inzwischen hereingekommen, er saß etwas befangen neben Tim am Kamin. Aber jetzt traten auch Jack und Gloria endlich ein, beide schmutzig und mit wirrem Haar, aber mit unverkennbar glücklichem Gesichtsausdruck. Maaka schenkte seinem Freund einen Whiskey ein. Wie alle Maoris war er bereit, sich Zeit für die Begrüßung zu lassen. Tim kam jedoch gleich zur Sache.

»Wir müssen uns unbedingt unterhalten, Jack. Diese Scherschuppen ... und dein Personal hier. Ich habe deinen Vormann dazugebeten, wir ...«

Jack wehrte lächelnd ab. »Später, Tim ... und Maaka. Bitte.

Und ich möchte jetzt auch eigentlich keinen Whiskey. Ich brauche ein Bad, etwas zu essen ... Wir essen doch alle zusammen? Danach können wir reden.«

Maaka nickte ihm zu. »Jederzeit«, sagte er. »Jetzt, da du zurück bist.«

Kiward Station hatte selten eine so große Tischrunde gesehen wie an diesem Abend. Tim und Elaine, Lilian und Ben, Caleb, dazu Maaka und seine etwas befangen wirkende junge Gattin. Waimarama fühlte sich unter all den *pakeha* sichtlich unwohl, zeigte aber untadelige Tischmanieren. Jack begrüßte Roly mit ungewohnter Herzlichkeit und setzte sich dann neben Gloria. Gwyneira saß strahlend der Familie vor und hielt ihren ersten Ururenkel auf den Knien. Galahad sabberte auf ihr schönstes Kleid und ruinierte ihre Frisur, aber so etwas hatte Gwyneira noch nie gestört. Wohlgefällig betrachtete sie Gloria. Das Mädchen trug den Hosenanzug, den sie ihm in Dunedin gekauft hatte. Lilian konnte sich vor Begeisterung kaum halten.

»Das steht dir. Aber auch die neue Kleidermode. Ich zeig dir mal Zeitschriften ...«

Gloria und Jack schwiegen wie fast immer, aber es war kein Schweigen, das Unbehagen auslöste. Beiden schien auch die große Gesellschaft nichts auszumachen. Wenn sie überhaupt redeten, dann über Princess' Fohlen, was Lilian natürlich auf ihre Vicky brachte.

»Ich musste sie ja leider in Greymouth lassen. Obwohl es so viel romantischer gewesen wäre, zu Pferd zu fliehen! ... Jedenfalls hätte ich sie gern zu Hause. Ob man Pferde wohl mit auf die Fähre nehmen kann, Daddy? Oder werden sie da seekrank?«

Zu Gwyneiras größter Überraschung meldete Jack sich zu

Wort. Mit leiser Stimme – als wäre er es gar nicht mehr gewohnt, zu reden – erzählte er von den Kavalleriepferden auf der Seereise nach Alexandria. »Einmal am Tag kehrten die Schiffe um und fuhren gegen den Wind, damit die Hitze gelindert wurde. Ich dachte schon damals, dass man das nicht tun sollte. Dass Pferde auf See nichts verloren haben – und im Krieg erst recht nicht ...«

»Vielleicht ziehen wir ja auch wieder auf die Südinsel«, überlegte Lilian. »Bei mir ist es egal, wo ich schreibe, und Ben kann es sich aussuchen! Die Universität in Dunedin wäre ganz verrückt nach ihm ...« Lilian warf ihrem Gatten einen stolzen Blick zu.

Tim verdrehte die Augen, aber Elaine sah ihn an und schüttelte tadelnd den Kopf.

Gwyneira lächelte wohlwollend.

Später versammelten sich alle im Salon. Tim und Maaka setzten Jack und Gloria ihre Renovierungsvorschläge auseinander, wobei sie gar nicht merkten, dass die beiden vor Erschöpfung beinahe einschliefen. Nach dem Ritt in der Kälte wirkte das Kaminfeuer wie ein Schlaftrunk.

Lilian verwickelte Maakas Frau in ein Gespräch und stellte fest, dass Waimarama noch hübscher wurde, wenn sie auftaute. Gloria vermerkte mit einer Mischung aus Zufriedenheit und Verwunderung, dass Jack dem Maori-Mädchen trotzdem keinen zweiten Blick gönnte. Ben Biller reagierte allerdings ebenso wenig. Er diskutierte wieder einmal mit seinem Vater, wobei es diesmal um die Frage ging, welche Bedeutung Mauis Niederlage gegenüber der Totengöttin wirklich hatte. Ging es nur um Verrat durch falsche Freunde oder die Unabwendbarkeit der Sterblichkeit? Ben argumentierte mit Charlottes Aufzeichnungen, Caleb mit Schnitzereien von der Nordinsel.

Dabei fuchtelten beide erregt mit den jeweiligen Beweisen ihrer Theorie in der Luft herum – und Jack erkannte alarmiert Charlottes letzte Kladde in Bens Hand. Sein Herz krampfte sich zusammen. Es durfte nicht sein, dass Glorias Bilder in die Hand dieses Fremden geraten waren. Niemand hatte sie sehen dürfen ... warum hatte er sie nur nicht versteckt, sondern einfach in die Kladde zurückgeschoben?

Ben Biller bemerkte seinen erschrockenen Blick und deutete ihn als Missbilligung.

»Entschuldigen Sie vielmals, Mr. McKenzie, wir wollten die Schriften natürlich nicht ohne Erlaubnis an uns nehmen. Aber Ihre Mutter hatte die Freundlichkeit ...«

Gloria erwachte aus dem Halbschlaf, in den Tims Erklärungen sie versetzt hatten. Bisher hatte sie Bens und Calebs Diskussion an sich vorbeirauschen lassen. Aber jetzt merkte sie auf.

Jacks Blick wanderte zu Gwyneira. Sie schaute auf. Und sah das Entsetzen in Glorias Gesicht.

»Ihr zwei solltet einfach mal herkommen«, sagte Gwyneira leise. »Ihr müsst gar nichts sagen. Ich möchte euch bloß gern in den Arm nehmen. Jetzt, da ihr wieder da seid.«

14

Jack und Gloria hörten nur am Rande mit, wie die anderen Pläne schmiedeten. Tim Lambert wollte so schnell wie möglich nach Hause, und Elaine überredete Lilian und Ben, sich für ein paar Tage anzuschließen. Bei dem jungen Paar war der Abstecher nach Greymouth nicht unumstritten: Lilian wollte ihre Brüder und ihr Pferd wiedersehen, doch Ben fürchtete das Zusammentreffen mit seiner Mutter. Wie zu erwarten, setzte Lily sich durch. Elaine raunte Tim zu, Ben sei doch »wirklich ein lieber Junge«.

»Ich möchte bloß wissen, was Lily an ihm findet«, fügte sie dann hinzu, während Ben und Caleb sich wieder der Frage der grundsätzlichen Berechenbarkeit der Handlungen von Göttern und Sagengestalten in der Maori-Mythologie zuwandten. Tim brummte irgendetwas, das Elaine als Zustimmung deutete.

Maaka und seine schöne Frau zogen sich bald zurück; wahrscheinlich fanden sie Bens und Calebs Diskussionen noch enervierender als der Rest der Versammlung. Jack nutzte die Gelegenheit, sich ebenfalls zu verabschieden, und auch Gloria wünschte allen eine gute Nacht. Sie küsste ihre Großmutter auf die Wange, was sie nicht mehr getan hatte, seit sie ein kleines Mädchen gewesen war. Gwyneira war darüber zu Tränen gerührt.

Gloria drückte leise die Tür zu Jacks Zimmer auf. Sie klopfte nicht. Früher hatte sie auch nie geklopft. Und genauso selbstverständlich wie viele Jahre zuvor schlüpfte sie unter seine Decke. Aber das Kind von damals hatte ein Nachthemd getragen und sich sofort, ohne einen Laut von sich zu geben, an seinen großen Beschützer geschmiegt, um dann ohne Albträume weiterzuschlafen. Die Frau von heute warf ihren Morgenmantel ab, bevor sie zu ihm kam. Darunter war sie nackt. Sie zitterte, und Jack meinte, ihren rasenden Herzschlag zu hören.

»Was muss ich tun?«, fragte sie leise.

»Gar nichts«, sagte Jack, doch sie schüttelte den Kopf. Gloria strich ihr frisch gewaschenes Haar zurück; gleichzeitig hob Jack die Hand. Ihre Finger trafen sich und fuhren wie elektrisiert auseinander.

»›Gar nichts‹ hab ich schon versucht«, flüsterte Gloria.

Jack streichelte ihr Haar und küsste sie. Zuerst auf die Stirn, die Wange, dann auf den Mund. Sie öffnete ihn nicht, sondern hielt nur still.

»Gloria, du musst das nicht tun«, sagte Jack sanft. »Ich liebe dich. Ob du mit mir das Bett teilst oder nicht. Wenn du nicht willst …«

»Aber du willst doch«, murmelte Gloria.

»Darum geht es nicht. Wenn es Liebe ist, müssen beide wollen. Wenn nur einer daran Freude findet, ist es …« Er fand kein Wort dafür. »Jedenfalls ist es dann falsch.«

»Deiner Charlotte hat es gefallen beim ersten Mal?« Gloria entspannte sich ein wenig.

Jack lächelte. »O ja. Obwohl sie auch Jungfrau war, als wir geheiratet haben.«

»Auch?«, fragte Gloria.

»Für mich bist du Jungfrau, Gloria. Du hast noch nie einen Mann geliebt. Sonst würdest du nicht fragen, wie es geht.« Jack küsste sie wieder, ließ seine Lippen über ihren Hals und ihre Schultern wandern. Vorsichtig streichelte er ihre Brüste.

»Dann zeig es mir«, sagte sie leise. Sie zitterte immer noch, wurde aber ruhiger, als er ihre Arme küsste, ihre Handgelenke, ihre rauen Hände und ihre kräftigen, kurzen Finger. Er führte ihre Hände über sein Gesicht, ermutigte sie, auch ihn zu streicheln. Er berührte sie liebevoll und vorsichtig wie ein scheues Pferd.

Jack hatte nach Charlotte keine Frau mehr gehabt, und er hatte sich davor gefürchtet. Aber Gloria war ganz anders als Charlotte. Sicher, auch seine Frau war unberührt und am Anfang etwas scheu gewesen. Aber Charlotte war doch weltgewandt, eine kleine Suffragette. Sie war mit ihren Kommilitoninnen für Frauenrechte auf die Straße gegangen – die Studentinnen hatten sich für die medizinische Versorgung von Straßenmädchen eingesetzt. Ganz unkundig war die junge Frau nicht gewesen; wenn die Mädchen unter sich gewesen waren, hatten sie getuschelt und Erfahrungen ausgetauscht. Charlotte hatte sich folglich auf die Hochzeitsnacht gefreut. Sie war neugierig gewesen und begierig auf die Kunst der Liebe.

Gloria dagegen war ängstlich. Doch ihre Furcht äußerte sich nicht in Zurückschrecken, sondern in Duldsamkeit. Sie erstarrte nicht einmal – irgendwann auf der *Niobe* musste sie entdeckt haben, dass sie die Schmerzen eher aushielt, wenn sie die Muskeln entspannte. Jack musste aufpassen, dass sie nicht in diese Duldsamkeit abrutschte und in seinen Armen zur willenlosen Puppe wurde. Er redete mit ihr, murmelte Zärtlichkeiten zwischen den Liebkosungen und versuchte, sie auf eine Art zu berühren, wie die Männer vorher es nie getan hatten. Er war glücklich, als sie ihr Gesicht an seine Schulter drückte und ihn küsste, während er schließlich in sie eindrang. Er liebte sie langsam und streichelte und küsste sie auch noch, als er in ihr war. Bevor er kam, drehte er sich um und zog sie auf sich. Er wollte nicht über ihr zusammenbrechen wie einer ihrer lüsternen Freier. Sie rutschte neben ihn und schmiegte sich an seine Schulter, während er wieder zu Atem kam. Schließlich wagte sie eine Frage. Ihre Stimme klang ängstlich.

»Jack ... dass du so langsam bist ... liegt es daran, dass du krank warst? Oder krank bist?«

Jack war völlig verdutzt. Dann lachte er leise.

»Natürlich nicht, Glory. Und ich bin auch nicht langsam. Ich nehme mir nur Zeit, weil ... weil es dann schöner ist. Vor allem für dich. War es denn nicht schön, Glory?«

Sie biss sich auf die Lippen. »Ich ... weiß nicht. Aber wenn du es noch mal machst, könnte ich versuchen, darauf zu achten.«

Jack zog sie an sich. »Es ist kein wissenschaftliches Experiment, Glory. Versuch auf gar nichts zu achten. Nur auf dich und mich. Schau ...« Er suchte nach einem Bild, um ihr die Liebe zu erklären, und plötzlich hatte er Charlottes letzte, zärtliche Nachricht wieder vor sich.

»Denk an Papa und Rangi«, sagte er sanft. »Es soll so sein, als ob Himmel und Erde eins werden – und sich nie mehr trennen wollen.«

Gloria schluckte. »Könnte ich ... könnte ich vielleicht gleich der Himmel sein?«

Zum ersten Mal lag sie nicht einfach unter einem Mann, sondern schob sich über Jack, küsste und streichelte ihn, wie er es bei ihr gemacht hatte. Und dann achtete sie auf gar nichts mehr. Himmel und Erde explodierten in reinster Ekstase.

Gloria und Jack erwachten eng umschlungen. Jack schlug als Erster die Augen auf und blickte in zwei vergnügte Colliegesichter. Nimue und Tuesday hatten sich am Fußende des Bettes zusammengerollt und freuten sich offensichtlich, dass ihre Menschen endlich Anstalten machten, den Tag zu beginnen.

»Das machen wir jetzt aber nicht zur Gewohnheit!«, bemerkte Jack mit gerunzelter Stirn und wies die Hunde mit einer Kopfbewegung aus dem Bett.

»Warum nicht?«, murmelte Gloria schlaftrunken. »Das zweite Mal hat es mir wirklich gut gefallen.«

Jack küsste sie wach und liebte sie gleich noch einmal.

»Wird es jetzt jedes Mal besser?«, fragte sie anschließend.

Jack lächelte. »Ich geb mir Mühe. Aber was die Gewohnheit angeht ... Gloria, könntest du dir vorstellen, mich zu heiraten?«

Gloria schmiegte sich noch enger an ihn. Während Jack angespannt wartete, hörte sie auf all die Geräusche des erwachenden Hauses.

Lilian sang laut und falsch im Bad, Tim schleppte sich an seinen Krücken die Treppe hinunter – er versuchte stets, als Erster unten zu sein, um von niemandem bei seinem ungelenken Abstieg beobachtet zu werden –, Elaine rief ihren Hund, und irgendwo diskutierten Ben und Caleb – wahrscheinlich schon wieder über Maori-Bräuche.

»Müssen wir das noch?«, fragte Gloria. »Habe ich dir nicht eben im Versammlungshaus beigelegen?«

Jack und Gloria wünschten sich eine kleine Hochzeit, aber Gwyneira wirkte enttäuscht, als sie das hörte, und auch Elaine protestierte heftig. Sie fühlte sich offensichtlich um die große Feier für Lilian betrogen und wollte nun wenigstens bei Jacks und Glorias Hochzeitsplanung beteiligt sein.

»Ein Gartenfest!«, bestimmte Gwyn. »Die schönsten Hochzeitsfeiern sind immer Gartenfeste, und jetzt steht doch der Sommer vor der Tür. Ihr könnt den ganzen Landkreis einladen. Das müsst ihr auch! Schließlich heiratet die Erbin von Kiward Station, da erwarten die Leute einen großen Auftrieb.«

Gwyneira konnte sich zwar an so manches Gartenfest auf Kiward Station erinnern, das alles andere als glücklich geendet war; andererseits hatten die Lampions im Park, die Tanzfläche unter den Sternen und die märchenhafte Atmosphäre sie immer fasziniert.

»Aber keine Klaviermusik!«, bestimmte Gloria.

»Und keine Walzer ...« Jack dachte an seinen ersten Tanz mit Charlotte.

Gwyneira dachte an ihren ersten Tanz mit James. »Nein! Überhaupt kein Orchester. Nur ein paar Leute, die fiedeln können und flöten – einfach ein bisschen Musik machen. Da haben sich unter den Arbeitern immer welche gefunden. Vielleicht tanzt noch einmal jemand eine Gigue mit mir ...«

Seit sie von Glorias und Jacks Verlobung wusste, wirkte Gwyneira um Jahre verjüngt, bei der Hochzeitsplanung war sie aufgeregt wie ein junges Mädchen.

»Und wir werden nicht endlos warten«, meinte Jack. »Keine halbjährige Verlobungszeit oder so was. Wir machen es ...«

»Erst müssen wir die Schafe im Hochland haben«, erklärte Gloria. »Also nicht vor Dezember. Und denk an die neuen Scherschuppen. Ich habe keine Lust, Kleider anzuprobieren, während ihr euch um die Überwachung der Renovierung kümmern dürft.«

Gwyneira lachte und erzählte von den endlosen Anproben für ihr Brautkleid in England. Heute erschien es ihr undenkbar, dass man damals eine perfekte Braut ausgestattet hatte – für einen Ehemann am anderen Ende der Welt.

Gloria redete nicht gern über das Brautkleid. Tatsächlich machte der Gedanke daran sie mehr als nervös. Sie hatte in einem Kleid nie wirklich vorteilhaft ausgesehen. Und die Gäste würden sie durchweg mit Kura-maro-tini vergleichen, an deren Traumhochzeit sich die meisten sicher noch erinnerten. Als Kind war ihr oft Kuras schlichtes Seidenkleid geschildert worden, die frischen Blumen in ihrem wundervollen Haar ... Gloria wäre am liebsten in Reithosen vor den Altar getreten.

Schließlich löste Lilian das Problem. Eine Dozentur für Ben in Dunedin zeichnete sich nun wirklich ab – Lilian vermutete, dass Caleb seine Beziehungen hatte spielen lassen, aber das hätte sie Ben natürlich niemals gesagt –, und sie reiste vier Wochen vor der Hochzeit mit Kind, Nanny und Schreibmaschine auf die Südinsel, um sich dort schon mal nach einem Haus umzusehen. Das war jedenfalls der offizielle Grund. Tatsächlich richtete sie sich erst mal auf Kiward Station ein und kümmerte sich um alle Dinge rund um die Hochzeit, die ihre Mutter Elaine noch nicht an sich gerissen hatte. Die Feststellung, dass es noch kein Brautkleid gab, stürzte sie in größte Aufregung.

»Wir müssen ein Kleid kaufen!«, erklärte sie der widerstrebenden Gloria energisch. »Keine Widerrede, wir fahren morgen nach Christchurch. Und ich weiß auch schon genau, was du brauchst!« Eifrig beförderte sie eine Frauenzeitschrift aus England aus der Tasche und schlug sie vor Gloria auf. Die warf einen staunenden Blick auf weite, wallende Kleider aus leichten Stoffen, teilweise mit Pailletten und Fransen verziert, die ein bisschen an die *piupiu, die* Tanzröcke der Maoris erinnerten. Die neuen Kleider waren auch kürzer; sie reichten nur bis zum Knie und verlangten keine Wespentaille, sondern verlegten die Taille im Gegenteil nach unten.

»Das ist das Allerneueste! Man tanzt darin einen neuen Tanz, den Charleston. Ach ja, und deine Haare müssen noch ein Stück ab. Guck mal, so wie bei dem Mädchen ...«

Die Frau auf der Zeichnung trug das Haar tatsächlich kurz und stufig geschnitten.

»Das machen wir als Allererstes, komm!«

Lilian hatte Ben immer die Haare geschnitten. Für einen Barbier war schließlich wirklich kein Geld übrig gewesen. Nun fuhr ihre Schere so schnell und geschickt durch Glorias spröden Schopf, dass es Gloria an die Manier der Männer aus den Schererkolonnen erinnerte. Sie wagte nicht, sich zu wehren, und natürlich konnte sie Lilian nicht von ihrer letzten »Schur« erzählen. So hielt sie innerlich zitternd still – und vermochte ihren Anblick im Spiegel dann kaum zu fassen. Ihr dickes Haar stand nicht mehr vom Kopf ab, sondern umrahmte schmeichelhaft ihr Gesicht. Die neue Frisur betonte ihre hohen Wangenknochen und die jetzt ausgeprägteren Züge. Sie ließ Glorias Maori-Erbe als exotisch hervortreten und ihr etwas breites, flächiges Gesicht schmaler wirken.

»Apart!«, stellte Lilian zufrieden fest. »Und dann solltest du dich natürlich schminken. Hab ich dir in der Schule schon mal gezeigt, aber du machst es ja doch nicht. Bei der Hochzeit übernehme ich das. Und morgen kaufen wir erst mal ein Kleid.«

Dieses Vorhaben scheiterte allerdings daran, dass in ganz Christchurch noch kein Charleston-Kleid zu finden war. Die Verkäufer zeigten sich sogar schockiert von den Abbildungen.

»Schamlos!«, erklärte eine Matrone pikiert. »So was wird sich hier nie durchsetzen.«

Gloria probierte ein paar andere Kleider – und wollte die Hochzeit am Ende am liebsten absagen.

»Ich sehe schrecklich aus!«

»Die Kleider sind schrecklich«, erklärte Lilian. »Meine Güte, als hätte es einen Wettbewerb gegeben, welcher Schneider die meisten Rüschen an ein Hochzeitskleid nähen kann. Du siehst aus wie eine Buttercremetorte! Nein, da muss was passieren. Hat auf Kiward Station jemand eine Nähmaschine?«

»Du willst doch nicht selbst nähen?«, fragte Gloria entsetzt.

Handarbeit gehörte zu den Unterrichtsfächern in Oaks Garden, und sie konnte sich noch gut an Lilians Machwerke erinnern.

Lilian kicherte. »Ich doch nicht ...«

Die einzige Nähmaschine zwischen Christchurch und Haldon befand sich im Besitz von Marama – eines der letzten Geschenke ihres Schwiegersohns William und in den letzten Jahren ständig zum Nähen einfachster Breeches und Hemden für Maramas Söhne im Einsatz.

»Wunderbar!«, freute sich Lilian. »Das Modell wird alte Erinnerungen in ihr wachrufen. Mit so was hat sie auch das Hochzeitskleid meiner Mutter gezaubert! Kann ich gerade mal in Greymouth anrufen?«

Glorias Hochzeit verhalf Mrs. O'Brien, Rolys nähkundiger Mutter, zur ersten Bahnreise ihres Lebens. Aufgeregt und tatendurstig traf sie zwei Tage nach Lilians telefonischem Hilferuf in Christchurch ein und zeigte sich fast so schockiert über die Abbildung in Lilians Heft wie die Verkäufer im Warenhaus. Dann schien sie die Sache jedoch als Herausforderung zu begreifen und machte sich gleich an die Auswahl des richtigen Stoffes.

»Kann ruhig Seide sein, Kindchen, jedenfalls ein fließender Stoff, auf keinen Fall Tüll. Und diese Fransen ... kommt das aus Amerika, Miss Lily? Von den Indianern? Na ja, mir muss es ja nicht gefallen.«

Als Gloria das Kleid schließlich anprobierte, gefiel es Mrs. O'Brien dann doch. Und Lilian verlangte stürmisch nach einem vergleichbaren Modell; schließlich würde sie Brautjungfer werden.

Das Kleid verwandelte Gloria in eine ganz andere Frau. Sie wirkte größer, erwachsener, aber auch weicher und verspielter. Sie war eigentlich nie dick gewesen, aber bislang hatte sie in Kleidern stets gedrungen gewirkt. Jetzt sah sie sich zum ersten Mal im Spiegel und fand sich schlank. Sie wirbelte herum, soweit sie es auf den hochhackigen Schuhen konnte, auf denen Lilian bestand.

»Und statt Schleier brauchst du so ein Hütchen mit Federn«, bestimmte Lily und verwies wieder auf ihre Zeitschrift. Bislang hatte sie sich nicht getraut, auch noch diesen Vorschlag zu äußern, aber jetzt zeigte Gloria sich begeistert genug. »Kriegen Sie das hin, Mrs. O'Brien?«

Jack wurde immer stiller, je näher die Hochzeit rückte. Zu sehr erinnerten Elaines und Lilians eifrige Vorbereitungen an den Wirbel, den Elizabeth und Gwyneira damals um seine Vermählung mit Charlotte gemacht hatten. Immerhin floh auch Gloria vor all dem Trubel in die Ställe, während Charlotte das gesamte Drumherum genossen hatte.

»Wir hätten ausreißen sollen«, bemerkte er am Abend vor der Hochzeit. »Lilian und Ben haben es richtig gemacht: Auf und davon, und eine Unterschrift auf dem Standesamt von Auckland.«

Gloria schüttelte den Kopf. »Nein, es muss schon hier stattfinden«, sagte sie mit ungewohnt weicher Stimme.

Am Tag zuvor war ein Brief von Kura und William Martyn eingetroffen, die Antwort auf Glorias und Jacks Verlobungsanzeige und Einladung zur Hochzeit. Letzterer konnten sie natürlich nicht beiwohnen – und zeigten sich pikiert darüber, dass man bei der Planung keinerlei Rücksicht auf die Tournee genommen hatte. Ihre Truppe weilte zurzeit mal wieder in London. Theoretisch hätten sie also kommen können; in ungefähr acht Monaten wären Termine frei gewesen. Gloria hatte sich zunächst über den Brief geärgert, aber dann nahm Jack ihr das Schreiben aus der Hand, überflog es kurz und legte es aus der Hand.

Er zog Gloria an sich, die schon wieder erstarrt war, als sie Kuras Brief nur berührt hatte.

»Ich hätte niemals gewagt, dich auf diese Art zu lieben …«, sagte er versonnen in ihr Haar.

Gloria machte sich los und blickte verwirrt zu ihm auf. »Wie meinst du das?«

»Wenn sie dich nicht nach England geschickt hätten«, führte Jack aus, »wärst du hiergeblieben und für mich nie erwachsen geworden. Ich hätte dich geliebt, aber wie eine kleine Schwester oder eine nahe Verwandte. Du …«

Gloria verstand. »Ich wäre für dich *tapu* gewesen«, bemerkte sie. »Das mag sein. Aber soll ich meinen Eltern jetzt dafür auf Knien danken?«

Jack lachte. »Du solltest ihnen jedenfalls nicht mehr so böse sein. Und du solltest das Postscriptum lesen …« Er hob den Brief auf, glättete ihn und drückte ihn ihr in die Hand.

Gloria schaute verständnislos auf die paar Worte im Anhang des Briefes: Kura Martyn bat Gwyneira, eine Urkunde vorbereiten zu lassen. Sie beabsichtigte, ihrer Tochter Kiward Station zur Hochzeit zu überschreiben. Gloria schien etwas sagen zu wollen, brachte aber kein Wort heraus.

»Hast du keine Angst, dass ich dich jetzt nur wegen all deiner Schafe heirate?«, fragte Jack lächelnd.

Gloria zuckte die Schultern und holte tief Luft.

»Das kann auch gutgehen«, bemerkte sie dann. »Denk an Grandma Gwyn. Die führte mit den Schafen ihres Gatten ein langes, glückliches Leben.« Gloria lächelte und griff nach Jacks Hand. »Und jetzt komm, wir erzählen es ihr. Sie wird zum ersten Mal seit Jahrzehnten richtig gut schlafen.«

Der Hochzeitstag selbst war dann ein strahlender Sommertag. Jack atmete auf, als der Morgen wolkenlos aufzog. Bei seiner Hochzeit mit Charlotte hatte es geregnet. Mit blutendem Herzen verzichtete Elaine auf den Hochzeitsmarsch bei der Trauung – Gloria wollte einfach kein Klavier mehr sehen. Marama tat der Tradition der *pakeha* schließlich trotzdem Genüge und blies Lohengrin auf der *picorino*-Flöte. Auch sonst sorgte sie für die Musik bei der Trauung und sang mit ihrer ätherischen Stimme Liebeslieder der Maoris.

»Das war wunderschön«, sagte Miss Bleachum, die Gloria als Trauzeugin zur Seite stand, mit sanfter Stimme. Sie klang glücklich und wirkte hübsch und jugendlich in ihrem hellblauen, modischen Kleid. Der offensichtliche Grund dafür saß neben ihr: Dr. Pinter begleitete sie zur Trauung. Und auch der ehemalige Stabsarzt war kaum wiederzuerkennen. Er hatte zugenommen; der gehetzte Ausdruck der Kriegszeit war einem gelassenen, ruhigen Blick gewichen. Er berichtete Jack, dass er wieder operiere.

»Ein kleiner Junge mit missgebildeter Hüfte. Er gehörte zu einem der Kriegsinvaliden – die Leute hatten natürlich kein Geld, das Kind wäre ein Krüppel geblieben. Und da meinte Sarah, ich sollte es einfach versuchen.« Er bedachte Miss Bleachum mit einem so anbetenden Blick, als verdanke er allein ihr seine Genesung.

»Und jetzt eröffnen wir ein Kinderhospital!«, erzählte Miss Bleachum. »Robert hat ein bisschen Geld geerbt, und ich habe gespart. Wir haben ein wunderschönes Haus gekauft. Und es passt so wunderbar! Die Kinder müssen nach diesen Operationen ja lange liegen und können nicht zur Schule gehen. Da kann ich sie unterrichten. Es wäre mir schwergefallen, meinen Beruf aufzugeben ...«

Sie errötete, während sie die letzten Worte sprach.

»Das heißt, Sie heiraten, Miss Bleachum?«, fragte Jack. Er

wusste es natürlich, aber er fand es nach wie vor faszinierend, Glorias frühere Erzieherin rot werden zu sehen. »Und dabei hatten wir doch gehofft, Sie würden bald wieder zu uns kommen ...«

Miss Bleachum warf einen Blick auf Glorias noch sehr schlanke Gestalt und verfärbte sich gleich wieder. Gloria half ihr über die Verlegenheit hinweg, indem sie Dr. Pinter Wiremu vorstellte. Im Gegensatz zu Tonga und den anderen Würdenträgern des Stammes, die in traditioneller Maori-Tracht erschienen waren, trug Wiremu einen Anzug, der ihm nicht ganz passte. Anscheinend hatte er ihn noch aus seiner Zeit in Dunedin – in den Monaten als Krieger und Jäger hatte er an Muskelmasse zugelegt. Seine Schultern und Oberarme schienen das Jackett zu sprengen.

»Wiremu studiert Medizin. Vielleicht brauchen Sie ja schon mal einen Helfer in Ihrem Hospital?«

Dr. Pinters Blick fuhr missbilligend über Wiremus Tätowierungen. »Ich weiß nicht«, wehrte er ab. »Der macht den Kindern ja Angst ...«

»Ach was!«, bemerkte Sarah strahlend. »Im Gegenteil! Er macht ihnen Mut. Ein großer, starker Maori-Krieger an ihrer Seite. Das brauchen diese Kinder! Wenn Sie Lust haben, sind Sie herzlich willkommen!«

Sarah hielt Wiremu die Hand hin. Dr. Pinter tat es ihr nach.

Tonga betrachtete seinen Sohn mit allen Anzeichen von Missbilligung. Schließlich gesellte er sich zu Gwyneira.

»Ich kann Ihnen nur erneut gratulieren«, bemerkte er. »Zuerst Kura, jetzt Gloria.«

Gwyneira zuckte die Schultern. »Ich habe keiner von ihnen den Gatten ausgesucht«, meinte sie dann. »Und ich habe dieses Spiel nie spielen wollen. Kura war immer anders. Du hättest sie niemals gehalten, auch wenn sie einen Maori geheiratet hätte. Genauso wenig wie ich sie halten konnte. Aber Gloria ... sie ist zurückgekommen. Zu mir und zu euch. Sie gehört zu diesem Land. Kiward Station ist ... wie sagt ihr es? Ihr *maunga*, nicht wahr? Du brauchst sie nicht an den Stamm zu binden. Sie ist hier verwurzelt. Und Jack auch.« Sie folgte Tongas Blick auf seinen Sohn. »Und Wiremu. Vielleicht kommt er irgendwann zurück. Aber du kannst ihn nicht zwingen.«

Tonga lächelte. »Sie werden auf Ihre alten Tage noch weise, Miss Gwyn. Also sagen Sie den beiden, sie sollen beim nächsten vollen Mond ins *marae* kommen. Wir werden ein *powhiri* durchführen – das neue Stammesmitglied begrüßen.«

»Das neue ...« Gwyneira verstand nicht.

»Nicht das ganz neue«, sagte Rongo. »Das hat noch Zeit. Aber Jack als Glorias Mann.«

»Und, wie ging es mit Florence?«

Tim Lambert war erst am Morgen der Hochzeit auf Kiward Station angekommen, und bei all den Vorbereitungen und schließlich der Trauungszeremonie hatte Elaine kein ruhiges Wort mit ihm reden können. Jetzt saßen sie zusammen mit Gwyneira und Elaines Eltern an einem ruhigen Tisch, weit weg von der Tanzfläche, auf der Roly eben seine Mary herumschwenkte.

Tim bedachte seine Frau mit einem fast leidenden Blick. »Na ja, wir sind immer noch keine Freunde. Aber ich denke, sie hat begriffen, worum es geht – und sie ist in erster Linie Geschäftsfrau. Sie wird sich auf unsere Vorschläge einlassen.«

Bens und Lilians Besuch in Greymouth war nicht ohne

Spannungen verlaufen. Lilian hatte natürlich gehofft, Florence Biller-Weber würde dem Charme ihres Babys ebenso verfallen wie ihre eigenen Eltern, aber Bens Mutter war aus anderem Holz geschnitzt. Sie betrachtete den kleinen Galahad eher argwöhnisch als anbetend. Fast als wäge sie jetzt schon ab, ob er ein in ihren Augen ebenso großer Versager sein würde wie sein Vater und Großvater. Andererseits musste auch sie sich den Tatsachen stellen. Gal gehörte zu den Erben ihrer Mine – und ebenso zu denen Tims, auch wenn er vielleicht niemals Führungsaufgaben übernehmen würde. Was das anging, milderte das hervorragende Einschlagen ihres Zweitältesten Florence' Zorn auf Ben. Samuel Biller schien für die Geschäftsleitung wie geschaffen. In seinem klaren Kalkül und seiner Entschlusskraft erkannte Florence sich selbst wieder. Und auch bei den Lamberts schien es Söhne zu geben, die sich für das Bergwerksgeschäft interessierten. Mit etwas Glück konnte man Ben und Lilian irgendwann auszahlen. Ben schien diese Idee hervorragend zu finden, doch bei Caleb stieß sie erstaunlicherweise auf taube Ohren.

»Du wirst meinen Sohn nicht mit einem Taschengeld abspeisen«, sagte er ruhig, aber so bestimmt, dass Florence den Eindruck gewann, es sei besser, sich nicht mit ihm zu streiten. Nun, es war egal. Wenn die Mine wieder schwarze Zahlen schrieb, konnte die Familie sich einen weiteren Schöngeist leisten.

Was Letzteres anging, konnten die Billers nicht über Tims Vorschläge hinweggehen. Florence musste mit der ruinösen Rivalität Lambert gegenüber aufhören. Vielleicht würde sie die Kokerei wirklich schließen. Tim machte ihr dafür den Vorschlag, die geplante Brikettfabrik auf ihrem Gelände zu errichten.

»Die Schienenanbindung ist viel besser, und das Land ist schon erschlossen. Wir brauchen keine neuen Rodungen vorzunehmen, das macht alles billiger. Und Greenwood Enterprises kann genauso bei dir wie bei mir investieren. Natürlich brauchen wir gewisse Sicherheiten, aber ganz bestimmt keine Familienfehde ...«

Am Ende hatte man die Abmachungen mit einem Glas Whiskey besiegelt, den Florence vielleicht etwas zu hastig herunterstürzte. Aber sie trug es, wie Tim bemerkte, wie ein Mann.

»Das klingt doch alles sehr gut«, meinte Elaine und schaute zu Lilian und Ben hinüber. Ben unterhielt sich mit einem tätowierten jungen Maori, Lilian plauderte mit Glorias früherer Gouvernante. »Und über Ben können wir uns nicht beklagen, er scheint Lilian wirklich zu lieben. Wenn ich bloß den geringsten Schimmer davon hätte, was sie an ihm findet!«

Tim zuckte die Achseln. »Klär mich auf, falls du es herausfindest«, bemerkte er. »Aber ich fürchte, eher löst du das Rätsel der Pyramiden ...«

»Nun kriegt Miss Bleachum also doch noch einen Mann!«, sagte Lilian lachend. Während Ben weiter mit Wiremu plauderte und Jack gezwungenermaßen mit ein paar Nachbarn Whiskey trank, hatten Lilian und Gloria sich an den Familientisch begeben. Lilian trank Sekt und war bester Stimmung. Sie hatte wieder mal Oberwasser – spätestens seit die Gäste sich bei Glorias Anblick im Hochzeitskleid an Komplimenten nur so überboten. Der Bräutigam hatte dagegen nur andächtig geschwiegen. Seine Bewunderung stand allein in seinen Augen, aber Gloria hatte sie gelesen und war an seinem Arm durch die Menge der Gäste geschwebt. Kein Vergleich zu der mürrischen, dicklichen Außenseiterin im Internat, und kein Vergleich mit der jungen Frau, die am liebsten vor der Hochzeit geflohen wäre. Lilian machten solche Dinge glücklich. Fast noch mehr als das Happy End einer ihrer Geschichten. Dass sich nun auch noch Miss Bleachums Leben in die richtige Richtung entwickelte, brachte sie ins Schwärmen.

»Ob sie wohl auch noch Kinder kriegt? Die Jüngste ist sie ja nicht mehr. Und Dr. Pinter ... also, mir ist es ja ein Rätsel, was sie an ihm findet.«

»Was findest du denn an deinem Ben?«, fragte Gloria beiläufig. Es ging ihr nur darum, ihre geliebte Miss Bleachum vor jedem Klatsch zu bewahren. Sie merkte gar nicht, dass sämtliche anderen Frauen an ihrem Tisch vor Spannung den Atem anhielten.

Lilian zog die Stirn kraus. Sie schien zu überlegen.

»Ich dachte jedenfalls immer, du heiratest mal so was wie einen Helden«, setzte Gloria nach, immer noch im Plauderton. Wirklich interessiert schien sie nicht. »Nach all den Geschichten und Liedern und so.«

Lilian seufzte theatralisch. »Ach, weißt du«, sagte sie dann. »Die vielen Abenteuer ... wenn man davon liest, ist es wunderbar romantisch, aber in Wirklichkeit macht es gar nicht solchen Spaß, arm wie eine Kirchenmaus zu sein, keine richtige Wohnung zu haben und nicht zu wissen, wo man hin soll.«

»Ach wirklich?«, fragte Elaine belustigt. »Das hätten wir gar nicht gedacht.«

Ihre Mutter Fleurette und Gwyneira kämpften mit dem Lachen, und selbst Gloria verzog das Gesicht. Lilian schien die Ironie aber gar nicht zu bemerken.

»Doch, bestimmt«, ließ sie die anderen weiter an ihren Erkenntnissen teilhaben. »Und wenn dann noch jemand auf einen schießt, oder was Helden sonst dauernd so passiert ... also wenn Ben irgendwie zur See führe oder so ... ich würde mich ständig um ihn sorgen!«

»Und was hat das jetzt damit zu tun, was du an ihm findest?« Gloria runzelte die Stirn. Sie konnte Lilian nicht immer folgen.

»Na ja, um Ben brauche ich mich eben nie zu fürchten«, präzisierte Lily unbekümmert. »Der geht morgens in seine Bibliothek und studiert seine Südseedialekte – und das Aufregendste, was er mal plant, ist ein Ausflug zu den Cook-Inseln.«

»Und die schönen Südseeinsulanerinnen?«, stichelte Elaine. »Er versteht ›Ich liebe dich‹ doch in mindestens zehn Dialekten.«

Lilian kicherte. »Aber da müsste er erst mal das Prinzip der Paarbildung aus emotionalen Beweggründen im jeweiligen Kulturkreis ausdiskutieren. Seine möglichen praktischen oder mythologischen Wurzeln erforschen und sich mit anderen Wissenschaftlern über die bildliche Darstellung geschlechtlicher Beziehungen in dem betreffenden geografischen Bereich austauschen. Er möchte schließlich nichts falsch machen. Bis dahin ist den Mädchen längst langweilig, da mache ich mir gar keine Sorgen.«

Die anderen lachten jetzt offen, aber Lilian schien es nicht übel zu nehmen.

»Und du langweilst dich nie?«, fragte erstaunlicherweise Gwyneira. Sie war bei Weitem die Älteste in der Runde, aber ihre Augen funkelten so lebhaft wie einst, als man ihre Hochzeit auf Kiward Station gefeiert hatte.

Lilian zuckte die Achseln. »Wenn ich mich langweile, habe ich ja Galahad. Und Florian, und Jeffery ... Der neue heißt Juvert ...«

Lächelnd zählte sie die Protagonisten ihrer Bücher auf. »Und wenn ich abends weiterschreiben muss, weil mein Held irgendwo gefangen ist oder sein Mädchen aus irgendeiner schrecklichen Situation retten muss, dann macht's Ben auch nichts aus, mal zu kochen.«

»Echte Helden schießen das Kaninchen fürs Dinner aber auch noch selbst«, neckte Gwyneira. Sie dachte an James und die glücklichen Zeiten, in denen er für sie gefischt und gejagt und das Wild dann am Feuer gebraten hatte.

Ihre Tochter Fleurette nickte. »Und anschließend lassen sie die Innereien überall herumliegen!«, bemerkte sie trocken. »Ich verstehe, was du meinst, Lily. Dein Ben ist der Größte.«

Um Mitternacht zündeten Elaines Söhne ein Feuerwerk. Die meist schon berauschten Gäste quittierten das mit Begeisterungsrufen.

Gwyneira McKenzie begab sich dagegen zu den Ställen. Sie wusste, dass die Pferde eingesperrt waren. Sie würde keinen James dabei antreffen, die Zuchtstuten in aller Eile hereinzuholen, ehe der Lärm die Tiere erschreckte. Im Scheunenbereich spielte auch niemand die Fiedel. Jack und Gloria wollten keine separate Feier für Personal und Herrschaft, wie es früher üblich gewesen war. Damals hatte im festlich erleuchteten Garten ein Streichquartett gespielt, während die Viehhüter an diesem Abend die Zofen der Damen zur Musik aus Quetschkommode, Fiedel und Tin Whistle herumwirbelten. Gwyneira sah die Feuer noch vor sich und meinte James' strahlendes Gesicht zu sehen, als sie sich zu den Männern gesellte und ihm einen Tanz schenkte. Sie hätte ihn damals beinahe geküsst.

Aber auch jetzt stand dort, wo damals die improvisierte Tanzfläche aufgebaut gewesen war, ein Paar und küsste sich. Jack und Gloria waren dem Trubel entflohen und hielten sich eng umschlungen, während tausend künstliche Sternschnuppen den Himmel erleuchteten.

Gwyneira sprach sie nicht an. Sie glitt einfach zurück ins Dunkel und überließ die beiden sich selbst. Sie waren die Zukunft.

»Das ist dann wohl meine letzte Hochzeit auf Kiward Station...«, sagte Gwyneira wehmütig. Sie hatte auf den Sekt verzichtet und nippte an einem Whiskey. Sie trank auf James. »Die nächste Generation werde ich nicht mehr erleben.«

Lilian, champagnerselig und schnell zu Tränen gerührt, nahm die alte Frau in den Arm. »Ach was, Grandma Gwyn! Schau, einen Ururenkel hast du schließlich schon!« Es klang, als wäre damit zu rechnen, dass Galahad am nächsten Tag heiratete. »Und dann ... Wir könnten eigentlich auch noch mal heiraten, Ben. Auf dem Standesamt in Auckland war es ziemlich trist, das hier ist zehnmal besser. Vor allem das Feuerwerk. Oder wir machen es mal anders und heiraten nach Maori-Ritus. So wie in *Die Erbin von Wakanui* – das war so romantisch!« Sie strahlte Ben an.

»Liebes, Maori-Stämme kennen keine romantische Hochzeit.« Ben wirkte leidend; vermutlich hatte er seiner Frau den Vortrag schon mehrmals gehalten. »Förmliche Hochzeitszeremonien haben allenfalls in dynastischen Verbindungen eine Funktion, wobei auch eine klerikale Verknüpfung angenommen wird...« Er wollte weiterdozieren, merkte allerdings, dass sein Publikum nicht mehr allzu aufnahmefähig war. »Den Ritus in *Die Erbin von Wakanui* hast du von Anfang bis Ende erfunden!«

Lilian zuckte die Schultern. »Na und?«, meinte sie dann und lächelte nachsichtig. »Wen stört es? Im Grunde geht es doch immer nur um eine richtig gute Geschichte!«

Nachwort und Danksagung

Auch ein historischer Roman braucht eine gute Geschichte, aber der lockere Umgang meiner unbekümmerten Lily mit Historie und Mythologie sollte einem ernsthaften Autor doch fernliegen. Ich jedenfalls habe mich in diesem Roman bemüht, die Geschichte meiner fiktiven Charaktere in ein gut recherchiertes Netz von Fakten einzubetten. Im Falle der Schlacht um Gallipoli war das relativ einfach. In allen möglichen Versionen zwischen Zeitzeugenbericht und Aufbereitung als Jugendbuch findet sich die Geschichte der ANZAC-Truppen nicht nur in zahllosen Buchveröffentlichungen, sondern auch auf Mausklick im Internet. Allerdings wird das Leiden der Männer in den Schützengräben fast immer heroisch verbrämt.

Die Uminterpretation dieser katastrophalen militärischen Fehleinschätzung und der daraus folgenden Niederlage zum Heldenepos kennt geschichtlich kaum ihresgleichen! Tatsächlich gehörte Gallipoli zu den blutigsten Schlachten des Ersten Weltkriegs, und der Verdienst der Heeresleitung liegt lediglich in einem äußerst erfolgreichen Abzug der erstaunlich wenig demoralisierten Truppe. Natürlich gab es auch damals kritische Journalisten, die bohrende Fragen nach dem Sinn der Kämpfe stellten und das Desaster damit vielleicht sogar ein wenig verkürzten. Im Nachhinein feierte man jedoch nur noch das Heldentum der gnadenlos ausgelieferten Soldaten. Eine Ausnahme ist Eric Bogles Song *And the Band Played Waltzing Matilda*, der mich mehr beeindruckt hat als sämtliche Paraden am jährlich zelebrierten ANZAC-Day.

Die Stimmung und den Verlauf der Kämpfe vor Gallipoli habe ich möglichst authentisch darzustellen versucht. Die Figuren der Soldaten und ihrer Vorgesetzten sind dagegen fiktiv. Eine Ausnahme machen lediglich der Sanitätsoffizier Lievesley Joseph Beeston und sein der militärischen Disziplin wenig zugeneigter Mischlingshund Paddy. Ihre Abenteuer sind im Internet nachzulesen. Beestons Kriegstagebuch lieferte viele Informationen und bot sich als Hintergrund meiner Geschichte an. Leider sind keine Bilder der beiden überliefert. Ich musste also meine Fantasie bemühen, wobei sich mir im Fall Paddy das Bild meines ebenfalls weitgehend befehlsresistenten Dackelmixes aufdrängte. Danke, Buddy, für fortwährende Inspiration!

Schon in meinen früheren Büchern spielte der auf Kiward Station ansässige Maori-Stamm eine Rolle, aber diesmal lasse ich Gloria tiefer in seine Vorstellungen und Lebensweise eintauchen. Natürlich wieder mit der Intention, die Wirklichkeit des Lebens auf der Südinsel zu Beginn des 20. Jahrhunderts darzustellen. Nun sind Recherchen auf dem Gebiet der Maori-Kultur nicht einfach – schon deshalb, weil es »die Maori-Kultur« im Grunde gar nicht gibt.

Tatsächlich hat und hatte jeder Stamm seine eigenen Bräuche und *tapu*. Sie wichen zum Teil stark voneinander ab und hingen in hohem Maße von den Lebensbedingungen der Gemeinschaften ab. So war die Südinsel wesentlich ressourcenärmer und dünner besiedelt als die Nordinsel. Es gab hier weit seltener kriegerische Auseinandersetzungen zwischen den Stämmen – Gesetze, *tapu* und Wertvorstellungen waren folglich weniger »militärisch« geprägt.

Überhaupt zeichnet sich die Nordinsel durch eine komplexere Maori-Kultur aus. Lediglich den Götterhimmel und große Teile der Sagenwelt haben praktisch alle Bewohner der Nord- und Südinsel gemeinsam. Die Wissenschaft – Maori-Studien werden inzwischen an jeder besseren Universität Neuseelands angeboten – hilft sich durch diese Vielfalt, indem sie Teilaspekte aufgreift und erforscht, um sie dann ins große Ganze einzufügen, soweit möglich. Weniger seriöse Veröffentlichungen bedienen sich in der Maori-Tradition wie im Supermarkt: Sie picken sich stets das heraus, was gerade in ihr Weltbild passt oder gewinnbringend vermarktbar scheint. So ist es zum Beispiel bezeichnend, dass ein deutscher Heilpraktiker dem Teebaumöl als angeblichem Universalheilmittel der Maoris ein ganzes Buch widmet, während die offizielle Website der Maori-Organisationen den *manuka*-Baum als Heilpflanze gar nicht erwähnt.

Auch Esoteriker zapfen in letzter Zeit gern die angebliche Weisheit der Maoris an – was immerhin ihre bisherigen bevorzugten Opfer entlastet, die Aborigines Australiens. Die zeigen sich über die ihnen von westlichen Traumtänzern zugeschriebenen Wunderkräfte nämlich gar nicht begeistert. Lieber als krude Publicity hätten sie eine stärkere Akzeptanz, bessere Ausbildungschancen und höher bezahlte Jobs. Grundsätzlich gilt jedenfalls für alle Veröffentlichungen über die Kultur der Maoris (und erst recht über die der Aborigines), dass Zweifel mehr als angebracht sind. Die Seriosität der Quellen ist kaum zu verifizieren. Ich habe mich deshalb bei den Recherchen für dieses Buch weitgehend auf Aussagen und Veröffentlichungen von Maoris bzw. Maori-Organisationen beschränkt. Das garantiert zwar auch keine absolute Authentizität (düstere Aspekte der eigenen Kultur lässt man auf »Wir-über-uns«-Seiten verständlicherweise gern weg), bewahrt aber doch immerhin vor allzu gewagten Spekulationen.

Zum wissenschaftlichen Studium der Maori-Kultur muss hier noch angemerkt werden, dass ich der Zeit in diesem Buch ein wenig vorgegriffen habe. Anfang des 20. Jahrhunderts gab es in Auckland noch keine Fakultät für Maori-Studien. Nun habe ich Bens Professor zwar in der Abteilung für Linguistik angesiedelt, aber selbst die war noch im Aufbau. Privatgelehrte wie Caleb und Charlotte mag es jedoch auch damals schon gegeben haben.

Der Graben zwischen Maoris und *pakeha* war allerdings nie so tief wie zwischen Ureinwohnern und Kolonisten in anderen Teilen der Erde. Das gilt besonders für die Südinsel. Zwischen den Ngai Tahu – zu denen nicht nur mein fiktiver Stamm, sondern praktisch alle *iwi* der Südinsel gehören – und den Zuwanderern aus Europa gab es nie nennenswerte Auseinandersetzungen. Den Aussagen einer Maori-Völkerkundlerin zufolge, die sich freundlicherweise mit mir darüber unterhielt, passten sich die Stämme bereitwillig der westlichen Lebensweise an, weil sie zumindest auf den ersten Blick mehr Lebensqualität bot. Erst später kamen Zweifel daran auf, und so gesehen ist auch mein Tonga seiner Zeit um einiges voraus. Heute gibt es besonders auf der Nordinsel eine starke Bewegung von Maoris, die zur Rückbesinnung auf ihre eigene Kultur drängt und auch junge *pakeha* zur Auseinandersetzung damit ermutigt.

Was Lilians Geschichte angeht, fragt sich der/die Leser/in vielleicht, ob ihre Hochzeitsgeschichte nicht ein bisschen weit hergeholt ist. Tatsächlich konnte und kann man auf Neuseeland aber auch heute noch spontan den Bund fürs Leben schließen – sofern man einen Pass besitzt und ein Mindestalter hat. Die schriftliche Erlaubnis der Eltern für unter Achtzehnjährige war und ist wohl nach wie vor eine Formsache.

Zu Lilians Zeit gab es auf der Nordinsel auch bereits den *Auckland Herold*. Die Zeitung war tatsächlich im Besitz einer Familie Wilson. Mein rühriger Chefredakteur Thomas Wilson ist allerdings Fiktion, im Gegensatz zu dem zu ihrer Zeit weltbekannten Geistmedium Margery Crandon. Ob die Dame ihr Unwesen allerdings auch in Neuseeland trieb, ist unwahrscheinlich, zumindest nicht während der Kriegsjahre. Da machte sie sich nützlich und fuhr einen Ambulanzwagen in Neuengland. Ansonsten wickelte sie aber tatsächlich Arthur Conan Doyle um den Finger, während der große Magier Houdini eher Lilys Einschätzung teilte. Er entlarvte Crandon als Schwindlerin. Ihrem Ruhm als Mystikerin tat das keinen Abbruch. Es geht eben nichts über eine gute Geschichte ...

Wie immer danke ich meinen Freunden und Lektoren für Rat und Hilfe bei der Entstehung dieses Buches, besonders – wie stets – meinem wundertätigen Agenten Bastian Schlück. Klara Decker hat wie üblich probegelesen, und Eva Schlück und Melanie Blank-Schröder beteiligten sich neben der normalen Lektorenarbeit an der Diskussion über die oft ein wenig sperrige Figur der Gloria. Es ist zweifellos ein bisschen ungewöhnlich, dass eine Romanheldin sich derart selbst im Wege steht wie Gwyneiras Urenkelin, und auch mir ging das Mädchen mitunter auf die Nerven. Aber so war sie nun mal: ein Mensch in einer Geschichte, die von Menschen handelt.

Rob Ritchie half mir mit Informationen über Dienstränge und das Leben beim Britischen Militär und machte sich die Mühe, das gesamte Gallipoli-Kapitel auf Authentizität zu überprüfen. Ich schreibe nicht das einfachste Deutsch, und es hat ihn sicher viele Stunden gekostet. Das authentische Gefühl, während eines harmlosen Spaziergangs beschossen zu werden, vermittelte mir die hiesige, sehr undisziplinierte Jägerschaft, der ich dafür aber nicht wirklich dankbar bin.

Und während der Arbeit an den ersten Kapiteln saß auch immer noch meine Border-Collie-Hündin Cleo neben mir, die die ersten Bände der *Im Land der weißen Wolken*-Trilogie immer wieder inspiriert hatte. Dann verabschiedete sie sich, fast zwanzigjährig, mit den Geistern nach Hawaiki.

Bis in den Himmel, Cleo ... und noch ein paar Sterne weiter ...

November 2008

Sarah Lark

Liebe und Hass, Vertrauen und Feindschaft und zwei Familien, deren Schicksal untrennbar miteinander verknüpft ist.

Sarah Lark
DAS LIED DER MAORI
Roman
800 Seiten
ISBN 978-3-404-15867-6

Queenstown 1893: Auf der Suche nach Gold verschlägt es den Iren William Martyn nach Neuseeland. Er hat weder Geld noch Perspektiven, aber Glück bei den Frauen: Die temperamentvolle Elaine verliebt sich in ihn. Doch dann kommt Elaines Cousine Kura zu Besuch, begnadete Sängerin und Halb-Maori. Kuras exotischer Schönheit und Freizügigkeit erliegt William sofort ...

Bastei Lübbe Taschenbuch